S0-AZF-203

MAX KLINGER   WEGE ZUM GESAMTKUNSTWERK

ROEMER- UND PELIZAEUS-MUSEUM · HILDESHEIM

VI. 1902.
LEIPZIG

MAX KLINGER

Wege zum Gesamtkunstwerk

Mit Beiträgen von
Manfred Boetzkes, Dieter Gleisberg, Ekkehart Mai, Hans-Georg Pfeifer,
Ulrike Planner-Steiner, Hellmuth Christian Wolff
und einer umfassenden Klinger-Dokumentation
Vollständig abgedruckt: Max Klinger: Malerei und Zeichnung (1891)
und Giorgio De Chirico: Max Klinger (1920)

11049

VERLAG PHILIPP VON ZABERN · MAINZ AM RHEIN

300 Seiten mit 30 Farb- und 337 Schwarzweißabbildungen

Umschlag vorne: Die neue Salome, 1893, Kat. Nr. 1
Umschlag hinten: Blick von Klingers römischem Atelier
auf S. Maria Maggiore, 1889, Museum der bildenden Künste,
Leipzig
Frontispiz: Max Klinger, 1902, Radierung von Emil Orlik

Die Ausstellung wird veranstaltet vom Roemer- und Pelizaeus-
Museum, Hildesheim
Sie ist täglich von 10.00–17.00 Uhr und mittwochs bis 21.00
Uhr geöffnet und dauert vom 4. August bis 4. November 1984

Wissenschaftliche Bearbeitung und Katalog:
Manfred Boetzkes unter Mitwirkung von Uwe Hager (UH)
Ausstellungsgestaltung: Rolf Schulte unter Mitwirkung von
Gerhard Busch, Heinrich Retzlaff, Werner Schwarzbach, Hans-
Theo Bresching, Paul Pietruska, Kurt Thomas und Klaus Spi-
challa
Fotoarbeiten: Peter Windzsus, Sylvia Papendorf
Weitere Mitarbeit: Alexandra Brakus, Birgit Raulff und Rainer
Hornburg
Graphik: Manfred Herbst

Enthält eine Bildunterschrift keinen Verweis auf eine Katalog-
nummer, so ist das betreffende Werk in der Ausstellung nicht
vertreten.

©1984, ROEMER-UND PELIZAEUS-MUSEUM · HILDESHEIM
Alle Rechte, insbesondere das der Übersetzung in fremde Spra-
chen, vorbehalten. Ohne ausdrückliche Genehmigung des Ver-
lages ist es auch nicht gestattet, dieses Buch oder Teile daraus
auf photomechanischem Wege (Photokopie, Mikrokopie) zu
vervielfältigen.
ISBN 3-8053-0811-6
ISBN 3-8053-0812-4 (Museumsausgabe)
Satz: Hagedornsatz, Berlin-Lankwitz
Lithos: Witzemann & Schmidt, Wiesbaden
Papier: Papierfabrik Scheufelen, Lenningen
Gesamtherstellung: Zaberndruck, Mainz am Rhein
Printed in Germany / Imprimé en Allemagne

Geleitwort der Enkelin Max Klingers

Als Max Klinger 1920 starb, starb mit ihm scheinbar auch seine Kunst, nicht zuletzt dank seiner »befreundeten Feinde«, wie sie so treffend auf einem Gruppenbild mit Klinger genannt wurden. Meine Mutter, Klingers Tochter Désirée, machte es sich dann Anfang der Dreißigerjahre zur Lebensaufgabe, das Interesse an der Kunst ihres Vaters wiederzuerwecken, um ihm den ihm gebührenden Platz in der Geschichte der Kunst zu sichern; denn selbst in führenden kunstgeschichtlichen Werken vergangener Jahre sucht man oftmals vergeblich nach dem Namen Klinger, auch wenn es sich um Werke der »Griffelkunst« handelt, ein von Klinger selbst geprägter Ausdruck für Grafik. Auch Klinger-Vorträge, welche meine Mutter an der Sorbonne, in Lille und in etlichen deutschen Städten gab, erhielten zwar gute Kritiken, erregten aber nur wenig Interesse in Fachkreisen.

Als Wendepunkt darf man darum wohl die Leipziger Ausstellung von 1970 zum 50. Todestag Klingers betrachten. Sie war wohl die erste umfangreiche Ausstellung nach 1920 und man schenkt ihr auch heute noch besondere Beachtung außerhalb Deutschlands. Auf die Ereignisse danach zurückblickend, frage ich mich manchmal, ob das erneute Interesse an Klingers Kunst dann aus Deutschland in alle Welt oder aber aus aller Welt zurück nach Deutschland ging; denn schon Anfang der Siebzigerjahre veranstaltete man in den USA (Wichita, Texas, Harvard usw.) Klinger-Ausstellungen, welche dort erstaunliche Beachtung fanden und mit der Herausgabe des Dover-Kunst-bandes »Graphic works of Max Klinger« von Kirk Varnedoe (1977) war auch englisch-sprechenden Kreisen endlich Zugang zu Klingers Kunst geschaffen worden.

Nach dem Tode meiner Mutter, im November 1973, fiel es mir zu, ihr Lebenswerk mit dem Klinger-Archiv aus ihrem Nachlaß weiterzuführen, d. h. Brücken zu bauen und den Austausch von Informationen über Klinger und das Wissen um Klinger zu fördern, damit man in aller Welt Klinger den Künstler und Menschen so sehen und verstehen kann, wie er wirklich war – »warts and all«.

Eine fünfzehnwöchige Klinger-Ausstellung, welche 1981 in den öffentlichen Galerien von Melbourne, Adelaide und Sydney gezeigt wurde, legte auch in Australien das Fundament für Klingers Kunst und das Interesse daran steigt hier seither ständig an.

Über die Hildesheimer Ausstellung freue ich mich in diesem Zusammenhang ganz besonders. Ich bin glücklich darüber, daß neben dem kompletten grafischen Werk auch die bedeutenden Gemälde und Skulpturen meines Großvaters zu sehen sind. Ich wünsche der Ausstellung den großen Erfolg, den sie verdient und möchte den Veranstaltern meinen herzlichen Dank sagen – nicht nur in meinem Namen sondern auch im Namen meiner Mutter und dem meines Großvaters, Max Klinger.

Sydney, Australien, im Juli 1984   Ursula Baumgartl

1 Klinger bei der Arbeit am Beethoven-Denkmal, 1902

Vorwort

Mit der Sonderausstellung »Max Klinger – Wege zum Gesamtkunstwerk« wollen die Hildesheimer Museen ihren vielen Freunden auch im Jahr 1984 wieder ein besonderes Sommerereignis bieten. Von den bisherigen nun schon zur Tradition gewordenen archäologischen Ausstellungen allerdings wird diesmal bewußt abgegangen, weil es auch auf dem Gebiet der bildenden Kunst noch immer viel zu entdecken gibt und eigene Bestände an Gemälden, Skulpturen und Grafik originär zum vielfältigen Spektrum der Hildesheimer Museumslandschaft gehören.

Die Konzeption einer Max-Klinger-Hommage, zu der sich unsere Bemühungen mittlerweile in der Tat ausgewachsen haben, geht ursächlich auf den Hildesheimer Künstler Prof. Eberhard Schlotter zurück, der – selbst ein Meister besonders auf dem Gebiet der Grafik – speziell sein eigenes Radierwerk betreffend von Klinger wesentliche Anregungen erhalten hat. Wir danken dem Künstler für die Überlassung mehrerer vollständiger Grafikzyklen Klingers für diese Ausstellung, die zum erstenmal in unserem Lande den Versuch unternimmt, die künstlerische Gesamtpersönlichkeit Klingers vorzustellen. Wir glauben damit einem Desiderat unserer Tage zu entsprechen; denn während die Bedeutung von Klingers grafischem Œuvre für die Kunst des 20. Jahrhunderts längst anerkannt und in verschiedenen Ausstellungen dokumentiert worden ist, steht hierzulande eine vorurteilsfreie Würdigung des Gesamtwerks, insbesondere des malerischen und bildhauerischen Schaffens noch aus.

Es ist das Anliegen dieser Ausstellung, die Einheit des Klingerschen Lebenswerks zu betonen. Sie will dazu anregen, die vielfältige, alle »klassischen« bildkünstlerischen Medien erfassende künstlerische Produktion Klingers, sein Streben nach Grenzüberschreitung und Vereinigung der Einzelkünste – unter Einbeziehung der Musik – zu begreifen als Wege zum Gesamtkunstwerk, als Versuche, in einem Zeitalter des Umbruchs die Vision einer ganzheitlichen, allumfassenden Kunst zu verwirklichen.

Die Kunst Klingers hat immer zu deutlichen Stellungnahmen herausgefordert. Von den Zeitgenossen geradezu zur Kultfigur seiner Epoche stilisiert, fiel seine Kunst, insbesondere seine »repräsentativen« Gemälde und Skulpturen, nach dem Ende des Kaiserreichs dem Verdikt des »Wilhelminischen« anheim, wurde schließlich nahezu vergessen, um erst nach dem zweiten Weltkrieg allmählich wieder entdeckt zu werden. Die Annäherung an Klinger führt über die Hemm- und Reizschwelle dieser Rezeption, die im vorliegenden Katalog an Hand ausgewählter Textzitate ausgiebig dokumentiert ist. Zu Wort kommt aber auch der Kunsttheoretiker Klinger selbst. Seine kleine Schrift »Malerei und Zeichnung« (1891), die zu seinen Lebzeiten mehrfach aufgelegt, aber wie seine künstlerischen Werke jahrzehntelang »vergessen« wurde, wird hier – erstmals seit 1919 – vollständig abgedruckt.

Für den so glücklichen Umstand, mit diesem Katalog zugleich ein wissenschaftliches Handbuch vorlegen zu können, danken wir den Kollegen des Leipziger Museums der bildenden Künste, Herrn Direktor Dieter Gleisberg und seinen Mitarbeitern, Frau Dr. Susanne Heiland und Herrn Karl-Heinz Mehnert. Auf ihre langjährige wissenschaftliche Auseinandersetzung mit dem Klinger'schen Œuvre, die das Leipziger Institut zum Zentrum der internationalen Klingerforschung machte, stützt sich auch dieses Buch. Die mit (L) bezeichneten Teile des Werkverzeichnisses und die Biografie Klingers wurden aus Leipzig übernommen.

Daß wir unser Ausstellungsvorhaben überhaupt realisieren konnten, verdanken wir der Großzügigkeit und Kooperationsbereitschaft der öffentlichen und privaten Leihgeber, denen an dieser Stelle herzlich gedankt sei. Dieser Dank gilt in erster Linie dem Leipziger Museum der bildenden Künste und dem Minister für Kultur der DDR, die unseren Ausleihwünschen großzügig entgegengekommen sind. Ohne die bedeutenden Leihgaben des Leipziger Museums, das die wichtigste Klinger-Sammlung der Welt beherbergt, hätten die für ein tieferes Klinger-Verständnis entscheidenden Akzente in der Ausstellung gefehlt. Ein besonderer Dank gilt auch Herrn Flemming Johansen, dem Direktor der Ny Carlsberg Glyptotek in Kopenhagen und Herrn Joachim Burmeister, dem Direktor der Villa Romana in Florenz. Dankbar sei auf die Mithilfe von Herrn Hans Brockstedt (Galerie Brockstedt, Hamburg), Herrn Bernd Dürr (Galerie Bernd Dürr, München), Herrn Prof. Dr. Werner Hofmann, Herrn Dr. Helmut Leppien, Herrn Dr. Eckhard Schaar und Herrn Dr. Georg

Syamken (Hamburger Kunsthalle), Frau Vidal (Galerie Wolfgang Ketterer, München), Herrn Dr. Jürgen Schultze, Herrn Dr. Gerhard Geerkens und Frau Priebe (Kunsthalle Bremen), Herrn Prof. Dr. Heinz Fuchs (Städtische Kunsthalle Mannheim), Frau Dr. Gabriele Hammel (Kunsthistorisches Museum, Wien), Herrn Dr. Hans-Albert Peters, Herrn Dr. Rolf Andree und Herrn Dr. Friedrich W. Heckmanns (Kunstmuseum, Düsseldorf), Herrn Prof. Dr. Paul Vogt (Museum Folkwang, Essen), Herrn Direktor Peter Baum (Neue Galerie der Stadt Linz – Wolfgang Gurlitt Museum, Linz), Herrn Dr. Christian von Holst (Staatsgalerie Stuttgart), Herrn Prof. Dr. Horst Vey (Staatliche Kunsthalle, Karlsruhe), Frau Schmidt (Städtische Wessenberg Gemälde-Galerie, Konstanz), Herrn Werner Kunze (Galerie Werner Kunze, Berlin), Herrn Dr. Günter Aust (Von-der-Heydt-Museum, Wuppertal), Herrn Dr. Götz Czymmek und Herrn Dr. Ekkehart Mai (Wallraf-Richartz-Museum, Köln), der Oberfinanzdirektion München sowie auf die Unterstützung der privaten Leihgeber hingewiesen, die ungenannt bleiben wollen.

Schließlich sei ganz besonders dem Verlag Philipp von Zabern Dank zu sagen, der unter Einsatz buchstäblich aller Kräfte ein rechtzeitiges Erscheinen dieses Bandes in wie stets mustergültiger Ausstattung ermöglicht hat.

Arne Eggebrecht
Roemer- und Pelizaeus-Museum
Ltd. Direktor

Manfred Boetzkes
Roemer-Museum
Direktor

1a Rettungen Ovidischer Opfer, 1879, Bl. 1a, Kat. Nr. 100a

Wege zum Gesamtkunstwerk

MANFRED BOETZKES

Uns, den Zeitgenossen von Joseph Beuys, ist der theoretisierende Künstler eine geläufige Erscheinung. Vielfach erwarten wir geradezu, daß der Schöpfer eines Kunstwerks in wohlgesetzten, Tiefsinn ausstrahlenden Worten Rechenschaft über sein Tun gibt. Wir halten es für selbstverständlich, daß Kunst einen Inhalt hat und respektieren sogar, daß sie moralische, ja gesellschaftskritische Botschaften vermittelt. Selbst der Prophet des Untergangs oder der »Künder« gesellschaftlicher Utopien hat in unserem pluralistisch »erweiterten« Kunstbegriff seinen Platz.

Das war nicht immer so. Unsere Vorstellungen von Kunst und Künstlern sind historische, d. h. veränderliche. Jahrzehntelang galt der theoretisierende Künstler als verdächtig – verdächtig gar kein »richtiger« Künstler zu sein sondern ein in Sachen Kunst dilettierender Philosoph und ein schlechter dazu: ein »Zwischending, ein Ersatz« (Julius Meyer-Graefe, 1920).

Diesem Verdikt ist Max Klinger anheimgefallen. Der »ideale Schwung seiner grüblerischen Phantasie« (Richard Graul, 1897), die »gewaltige Symbolik«, seiner programmatischen Hauptwerke, deren außerordentliche künstlerische Kühnheit in einer »fürs Auge, für den Hunger des Schausinns« gemalten Darstellung »abstraktester Gedanken« (Ludwig Hevesi, 1899) gesehen wurde, machte ihn kaum zwei Jahrzehnte später verächtlich, provozierte das schlimme Bonmot von Klingers »Gedankenpinselei«, der die »reine« Kunst der Formen gegenübergestellt wurde (Wilhelm Hausenstein, 1914).

Ungeachtet solcher Polemik war die Entfernung zwischen den ästhetischen Anschauungen Klingers und denen seiner Kritiker keineswegs abgrundtief. Sie wurzelten beide in einem als Krise der Kunst erfahrenen Prozeß der Desillusionierung, der zur Grunderfahrung der Künstler des späten 19. und frühen 20. Jahrhunderts wurde und das Theoretisieren über Kunst geradezu notwendig machte; denn die gewaltigen gesellschaftlichen Umwälzungen, die die Entfaltung der industriellen Revolution mit sich brachte, hatten die Fragwürdigkeit der traditionellen Ästhetik nur allzu deutlich gemacht. Klinger hat diese Krise der traditionellen Ästhetik sensibler empfunden und redlicher zu überwinden versucht als die meisten Künstler seiner Zeit. Das Bemühen um eine Kunst, die der veränderten Wirklichkeit Rechnung trug, hat sein ganzes Werk geprägt, das seinen historischen Ort in dieser Umbruchzeit hat und in der Auseinandersetzung mit den gesellschaftlichen und ästhetischen Strömungen Signifikanz und historische Größe gewinnt. In der 1891 erstmals erschienenen kleinen Schrift »Malerei und Zeichnung«, die weiter unten abgedruckt ist (S. 207 ff.), versucht Klinger seinen Standpunkt zu bestimmen und zu erläutern. Ein großer und bedeutender Teil seines Lebenswerks liegt zu diesem Zeitpunkt schon hinter ihm. Seine Schrift ist daher auch in gewisser Weise Resümé und Kommentar seines bisherigen Schaffens. Thomas W. Gaehtgens hat im Katalog der Bielefelder Klinger-Ausstellung (1976) – wie zuvor schon Anneliese Hübscher in ihrer Dissertation (1970) – auf die wenig systematische, assoziative Struktur der Abhandlung hingewiesen, die offenbar das Ergebnis einer spontanen Niederschrift ist. Die überall spürbare Spontaneität kommt der Klarheit und Eindringlichkeit von Klingers Überlegungen jedoch durchaus zugute.

2   Max Klinger, um 1900

3 Gewandstudie zur »Kassandra«, 1892, Kat. Nr. 67

der »Gesammtkunst« lediglich als ästhetisches Phänomen betrachtet und nicht als Ausdruck eines grundlegenden gesellschaftlichen Wandels, der mit ersten Formen der Arbeitsteilung in der Renaissance beginnt und in der Industriegesellschaft des späten 19. Jahrhunderts einen ersten Höhepunkt erreicht, kann er gleichsam gegen alle historische Erfahrung am Postulat des Gesamtkunstwerks als dem »großen gesammelten Ausdruck unserer Lebensanschauung festhalten.

In der »Raumkunst« sieht er ganz im Sinne des Wagnerschen »Gesamtkunstwerks« die Möglichkeit, diese Vision zu verwirklichen, das künstlerische Spezialistentum zu überwinden und »alle bildenden Künste« zu einer neuen Synthese, zu einem einheitlichen »Gesamtwirken« (S. 213) zusammenzuführen. Die Versinnlichung eines weltanschaulichen Konzepts verlangt Klinger in dieser Phase noch nicht von der »Raumkunst«: Der Wert dieses in sich abgeschlossenen sein sollenden Kunstwerks beruht auf der vollendeten Durchbildung von Form, Farbe, Gesamtstimmung und Ausdruck. Jeder Gegenstand, der so be-

4 Gewandstudie zur »Kassandra«, 1892, Kat. Nr. 68

Ausgangspunkt aller dieser Überlegungen ist die Einsicht, daß die »große, einheitliche farbige Kunstanschauung«, die »bis ins hohe Mittelalter einheitlich festgeschlossen dastand«, sich seit der Renaissance in »Sonderkünste« aufgelöst habe (S. 208) und jetzt endgültig zerfallen sei. Klinger erkennt, daß mit der Herausbildung des Spezialistentums der gleichsam kollektiv geschaffenen »Einen Kunst« der Boden entzogen wurde. »Größte Entfaltung der Kräfte im Einzelwerk« registriert er als »Tendenz der Kunst« der folgenden Jahrhunderte, die – kulminierend im zeitgenössischen Historismus – die »Zersetzung der Gesammtkunst gründlich« vollendeten: »Wir haben nun Baukunst und Bildhauerkunst, Malerei und reproduzierende Kunst, dazu noch dekorative und Fachkünste. Der große gesammelte Ausdruck unserer Lebensanschauung fehlt uns. Wir haben Künste, keine Kunst« (S. 244ff.). Da Klinger den Zerfall

5 Klingers Atelier, 1920

handelt ist, daß er diesen Forderungen entspricht, ist ein Kunstwerk. Außerhalb jener Forderungen bedarf es keineswegs noch
einer »Idee« (S. 214).

Das Zusammenwirken von Architektur, Malerei und Plastik
hatte Klinger bereits in den Jahren 1883 bis 1885 bei der Gestaltung des Vestibüls der Villa Albers in Steglitz erprobt (Tafel IX –
XII). Daß die vom Künstler angestrebte geschlossene Wirkung
tatsächlich sich einstellte, hat Alfred Lichtwark bezeugt (S.
94 f.). Auch die farbige Skulptur – ein wesentliches Element des
Raumkunst-Konzepts – ist zunächst nur Mittel zur Herstellung
eines einheitlichen Raumeindrucks. Zum Ideenträger wird diese
Form der Synthese von Malerei und Plastik erst in den großen

polylithen Figuren der Neunzigerjahre (Tafel II, XXI), um
schließlich im Beethoven-Denkmal ihren monumentalsten Ausdruck zu finden (Tafel XXII). Der sensationelle Erfolg der Beethoven-Ausstellung in der Wiener Sezession (Abb. 278) zeigt,
welch große Faszination die mit weltanschaulichem Gehalt
angereicherte Klinger'sche Raumkunst inzwischen ausstrahlte;
denn in seinem »Beethoven« wie zuvor schon in den großen
Monumentalgemälden »Das Urteil des Paris« (Tafel VIII), »Kreuzigung« (Tafel VIII) und »Christus im Olymp« (Abb. 39) war es
Klinger gelungen, die ästhetische Synthese mit einer weltanschaulichen zu verbinden; antike Mythen und christliche Überlieferung, Sinnlichkeit und Bildungseifer gingen eine von groß-

bürgerlichem Selbstbewußtsein getragene Mischung ein, die durchaus als »großer gesammelter Ausdruck« der zeitgenössischen Lebensanschauung empfunden wurde. Hier war Klinger seiner Vision vom Gesamtkunstwerk am nächsten.

Die Rechtfertigung dieser sinnlichen »Ideengemälde« liefert Klinger schon in seiner Schrift »Malerei und Zeichung«. Malerei, schreibt er, »ist die Verherrlichung, der Triumph der Welt. Sie muß es sein« (S. 215). Der Maler übt zwar Kritik, aber »keine negierende«. Vielmehr sagt die Malerei »so sollte es sein! oder so ist es!«; denn dem Maler »schwebt doch schließlich ein geistig, ja fast auch körperhaft, erreichbares Urbild der von ihm erkannten Schönheit vor« (S. 237). Klinger steht hier scheinbar in einer ungebrochenen ästhetischen Tradition. Mit dem Anbruch des bürgerlichen Zeitalters in der Renaissance war der Kunst die Aufgabe zugefallen, dem sich emanzipierenden Menschen eine in der Praxis noch nicht erreichte, als Ideal aber erschaute, von Vernunft, Schönheit und Humanität geprägte menschliche Wirklichkeit sinnlich evident zu machen und ihre Darstellungen gleichsam mit dem Vorschein des Ideals zu beseelen, doch verkam, je mehr Ideal und Wirklichkeit auseinanderklafften, die idealisierende Darstellung zum substanzlosen »schönen Schein«, zur Verklärung einer ganz unidealen Realität. Mit der Versinnlichung seiner weltanschaulichen Synthesen sucht Klinger diesem Substanzverlust zu begegnen; denn die Problematik und die engen Grenzen des malerischen Idealismus sind ihm durchaus bewußt. Die »Verherrlichung« der Welt ist für ihn nicht die einzige künstlerische Antwort auf die Probleme seiner Zeit. Die Malerei kann mit ihrer harmonisie-renden Tendenz die ganze Wirklichkeit nicht erfassen: »Neben der Bewunderung der Anbetung dieser prachtvollen, großschreitenden Welt wohnen die Resignation, der arme Trost, der ganze Jammer der lächerlichen Kleinheit des kläglichen Geschöpfes im ewigen Kampf zwischen Wollen und Können« (S. 215).

Im Gegensatz zu anderen zeitgenössischen Künstlern, die vor der schlechten, als existentielle Krise empfundenen Realität der sich entfaltenden Industriegesellschaft in die Welt der »reinen«, »autonomen« Kunst flüchteten, verweigerte sich Klinger der bedrängenden Realität der »dunklen Seite des Lebens« nicht; denn für ihn war der Anspruch die *ganze* Wirklichkeit künstlerisch zu gestalten, unverzichtbar. Was die Malerei nicht bewirken konnte, vermochte in seinen Augen die selbständige Grafik, für die er auch die Begriffe »Griffelkunst« oder »Zeichnung« verwendete: »Aus den ungeheuren Kontrasten zwischen der gesuchten, gesehenen, empfundenen Schönheit und der Furchtbarkeit des Daseins, die schreiend oft ihm (dem Künstler) begegnet, müssen Bilder entstehen, wie sie dem Dichter, dem Musiker aus der lebendigen Empfindung entspringen. Sollen diese Bilder nicht verloren gehen, so muß es eine Malerei und Skulptur ergänzende Kunst geben. . . . Diese Kunst ist die Zeichnung« (S. 215f.). Daß Klinger damit die Spezialisierung der Künste noch weiter treibt, steht nur scheinbar im Widerspruch zu seiner Forderung nach dem Gesamtkunstwerk; denn die »Griffelkunst« ermöglicht es ihm, den ganzheitlichen Gestaltungsanspruch seiner Kunst zu verwirklichen. Klingers Radierfolgen sind in diesem Sinne ebenfalls »Wege zum Gesamtkunstwerk«.

I Selbstbildnis
im Atelier,
1874, Kat. Nr. 14

Max Klinger – Sein Werk und seine Wirkung

DIETER GLEISBERG

Der Leipziger Maler, Graphiker und Bildhauer Max Klinger gilt heute wieder als eine der markantesten Künstlerpersönlichkeiten der Jahrhundertwende. Vom Naturalismus bis zum Jugendstil hat sein weitgespanntes Werk wesentliche Richtungen dieser trotz aller Diskrepanz und Nervosität kulturell überaus fruchtbaren Zeitspanne mitgeprägt, teilweise früh vorweggenommen. Hineingeboren in die krisenträchtige Epoche einsetzender Weltmachtkämpfe, stand ihm neben der gesamten abendländischen bereits die außereuropäische Kunst als enzyklopädische Motiv- und Formenfundgrube zur Verfügung, aus der er auswählen und kompilieren konnte.

Klinger hat das mit Fleiß getan, in einer seltsamen Symbiose von Unbefangenheit und Eklektizismus. Schon ein bloßes Aufzählen der wichtigsten Kunstzentren, die er besuchte oder wo er monate-, bisweilen jahrelang weilte, verdeutlicht das Übermaß an Bildungseindrücken, die er in sich aufnahm: Karlsruhe, Berlin, Brüssel, München, Rom, Florenz, Pompeji, Ravenna, Korinth, Athen, Straßburg, Kolmar, London, Den Haag, Madrid... und immer wieder Paris. Nicht zuletzt schätzte er Wien, wo seiner Kunst stets besonders lebhafte Anteilnahme entgegenschlug.

Klinger bekannte sich zu Dürer wie zu Rembrandt und Goya.

Adolph Menzel war ihm nicht weniger Leitstern wie Arnold Böcklin. Eingewirkt auf seine Formsprache und Bildwelt haben aber auch viele andere Künstler des 19. Jahrhunderts von Philipp Otto Runge bis zu Puvis de Chavannes. Selbst ein Antoine Wiertz zählte zu seinen Inspiratoren. Wie sehr ihn Jan van Eyck, Leonardo oder die Meister der Frührenaissance anzogen, überliefern Pariser Briefe. Vom Impressionismus, dem Klinger innerlich fernstand, übernahm er die Auflichtung der Palette. Der japanische Holzschnitt war ihm ebenso geläufig wie die antike Vasenmalerei. Gleichzeitig beschäftigten ihn Form und Farbigkeit der antiken Skulptur. Die polychrome Plastik bezog er ein in seine Lehre von einer monumentalen Raumkunst, die alle bildenden Künste vereinen sollte, ähnlich dem, »was Wagner in seinen musikalischen Dramen anstrebte und erreichte«. Klinger hoffte damit jene Zerfahrenheit zu überwinden, die er seiner Zeit zum Vorwurf machte: »Der große, gesammelte Ausdruck unserer Weltanschauung fehlt uns. Wir haben Künste, keine Kunst.« Diese geforderte Ganzheitlichkeit war im Grunde nichts anderes als die Sehnsucht, der Kunst gesellschaftliche Würde und Wirksamkeit zurückzugewinnen. Dazu war seine Zeit allerdings nicht mehr oder noch nicht wieder reif. Was wäre dafür symptomatischer als ihre Bereitschaft, den Torso als vollgültiges Kunstwerk anzuerkennen?! Eine wirklich überzeugende Synthese blieb Klinger keineswegs nur versagt, weil seiner Form-

kraft Grenzen gesetzt waren. Vielmehr fehlte hierfür im Wilhelminischen Deutschland, dessen selbstherrlicher Kaiser sich in monströsen Siegesalleen gefiel, jeder tragfähige Nährboden. »Und da ist keine Hoffnung auf baldige Besserung bei uns«, klagte Klinger resigniert dem Architekten Alexander Hummel, der sein Paris-Urteil erworben und später Wien überlassen hatte. »Denn der Offiziers-Cant und die wissenschaftliche und kaufmännische Morgue gefallen bei uns als neu noch zu sehr, um einer Gegenbewegung Hoffnung zu machen.«

Klingers ungewöhnliche Belesenheit und Leidenschaft für die Musik verstärkten noch den Synkretismus seiner Interessen und Ambitionen. Das setzte sein nach und nach auf alle Bildkünste ausgedehntes Schaffen bis in die jüngste Zeit hinein überaus schwankenden Urteilen aus. Schwärmerische Eiferer dachten ihm wohl oftmals selber den ehernen Thron zu, den er für Beethoven errichtete, als entrückenden Sitz des einsam ringenden Künstlertitanen. Verzückt rühmten sie »seine den Universalgenies der Renaissancezeit, einem Leonardo, Michelangelo gleichzustellende Begabung«. Dieser charakteristische Dithyrambus stammt aus der Leipziger Klinger-Gemeinde, die, nach anfänglichem Zögern, dem ersten bildenden Künstler der Messestadt, der es zu europäischem Ansehen brachte, seit den neunziger Jahren immer enthusiastischer huldigte und kein Opfer scheute, sein Werk in Leipzig würdig zu repräsentieren. Aber auch Musiker und Dichter wie Johannes Brahms, Richard Dehmel oder Stefan George erwiesen Klinger ihre Reverenz. Hugo von Hofmannsthal nannte ihn 1894 Deutschlands originalsten Künstler und fügte überschwenglich hinzu: »Nicht anders als verbotene Flugblätter in aufgeregter Zeit gehen die radierten Blätter dieses unseres neuen Dürer, diese tiefsinnigen Evangelien neugeborener Schönheit, durch die Hände.«

Doch schon zu seinen Lebzeiten kühlte sich diese spektakuläre Bewunderung merklich ab. Es mehrten sich kritische Vorbehalte, ja vernichtende Absagen. »Klingers Kunst«, meinte Karl Scheffler abschätzig, »stellt sich dar als eine Mischung von Symbolik, Dekoration und Naturalismus, als ein Zwitter von Gedankenheroismus und Schulmäßigkeit. Ein Übermensch im Wunsche trägt die Brille des Gelehrten, es fehlt ihm das Wichtigste: die Zeugungskraft. Es bleibt erstaunlich, mit welch edler Anstrengung und Konsequenz der bürgerliche Sachse aus Plagwitz sich zwischen Fabrikschornsteinen eine homerische Welt aufbaut.«

Außerhalb Leipzigs war es nach dem Tode des Künstlers rasch still um ihn geworden. Klinger schien abgetan; gemessen an der – von ihm selbst schroff abgelehnten – Moderne mußte seine Kunst überholt und akademisch vorkommen. »Vollends gescheitert ist die für ihre Zeit so bedeutungsvolle, uns heute nicht nur fremde, sondern auch unzeitgemäß erscheinende Kunst von Max Klinger«, heißt es in Richard Hamanns weitverbreiteter »Geschichte der Kunst«. Doch schon zwei Jahrzehnte nach Hamanns Tod wirkt dieser Schlußstrich übereilt und ausgeblichen. Die umfassende Neubewertung des 19. Jahrhunderts, die sich seit geraumer Zeit vollzieht, öffnete auch wieder einen Zugang zur Bildwelt Max Klingers. Beschleunigt wurde diese Wiederentdeckung durch die materialreiche Ausstellung, mit der Leipzig 1970 den Künstler zu seinem 50. Todestag ehrte.

Erneut wurde dabei die außerordentliche Wirkung bewußt, die Klinger auf bedeutende Nachfolger ausgeübt hatte. Bereits in den fünfziger Jahren festigte sich die Erkenntnis seiner wichtigen Rolle als Wegbereiter für den sozialkritischen Realismus. Besonders für Käthe Kollwitz wurde er zum entscheidenden Anreger. »Wir jungen Leute drängten uns zu den Kupferstichkabinetten in München, in Berlin, um Klingers Radierungen zu sehen«, sagte sie an seinem Grabe. »Was uns fortriß, was wir liebten in diesen Blättern, war nicht die technische Meisterschaft. Der ungeheure Lebensdrang, die Energie des Ausdrucks waren es, was uns daran packte. Wir wußten: Max Klinger bleibt nicht an der Oberfläche der Dinge haften, er dringt in die dunkle Lebenstiefe.« Und noch am selben 8. Juli 1920, ihrem 53. Geburtstag, bekräftigte die Kollwitz in ihrem Tagebuch: »Ich dankte Klinger von Herzen, denn ich hab' ihm viel zu danken.«

Viel zu danken hatte ihm auch Alfred Kubin, der in seiner Autobiographie mitteilte, wie er die Paraphrase über den Fund eines Handschuhs kennenlernte »und vor Wonne zitterte«. – »Hier bot sich mir«, erinnerte er sich, »eine ganz neue Kunst, die genügend Spielraum für den andeutenden Ausdruck aller nur möglichen Empfindungswelten gab. Noch vor den Blättern gelobte ich mir, mein Leben dem Schaffen solcher Dinge zu weihen.« Mit noch immer nachwirkender Erregung berichtet Kubin, wie ihn unter diesem Eindruck am gleichen Abend in einem Varieté »ein ganzer Sturz von Visionen schwarz-weißer Bilder« überkam. Sehr im Unterschied zur sächsischen Klinger-Schule, zu einem Otto Greiner, Richard Müller oder Alois Kolb, die in Geist und Stil ganz dem Banne ihres Vorbildes unterlagen, hat Kubin die empfangenen Impulse völlig eigenständig aufgegriffen. Auf ihn wirkte Klinger wie ein Katalysator, der angestaute Intentionen jäh hervorbrechen ließ.

Ähnliches widerfuhr offenbar Edvard Munch, den sicher sein Lehrer Christian Krogh mit den Radierungen seines Berliner Jugendfreundes Max Klinger vertraut machte. Inspirierte Kubin und später die Surrealisten vor allem Klingers imaginäre Traumwelt, so muß die psychologische Eindringlichkeit, mit der Klinger in tragischen Frauenschicksalen Liebe und Tod, Leidenschaft und Verhängnis, Verführung und Ausgestoßensein verstrickte, den jungen Norweger tief angerührt und betroffen gemacht haben.

Mit Giorgio de Chirico trat ein weiterer Klassiker der modernen Kunst rückhaltlos für Klinger ein. Sein gedankenreicher Nach-

ruf, den er dem Leipziger widmete, schließt mit den Worten: »Klinger war der moderne Künstler schlechthin. Modern nicht in dem Sinne, den man heute dem Begriff gibt, sondern im Sinne eines gewissenhaften Mannes, der das Erbe an Kunst und Denken aus Jahrhunderten und Aberjahrhunderten achtet, der wachen Auges in die Vergangenheit, in die Gegenwart und in sich selbst blickt.«

Diese »Modernität« Klingers wurde sofort erfaßt. Schon 1882 reihte der dänische Literaturkritiker Georg Brandes den Fünfundzwanzigjährigen unter die »Modernen Geister« ein. Klingers Zeitbezug bestand keineswegs nur im Aufgreifen brisanter Gegenwartsthemen, sondern entsprang vor allem seinem feinnervigen Gespür, seiner seismographischen Empfindlichkeit für die menschlichen Konflikte, für die Brüchigkeit, für die knisternden Spannungen der bürgerlichen Gesellschaft während und nach den hektischen Gründerjahren. Ungemein frappiert haben muß auch die Sachlichkeit und Schärfe seiner Sicht, die ohne Scheu vor Tabus selbst von Olympiern und Heiligen die mythische Aura abzog, um sie vor allem in ihrer Psyche zu »vergegenwärtigen«. Kentauren begegnen Waschfrauen aus der Vorstadt. Venus und Salome werden zur femme fatale, Christus und Zeus zu Protagonisten in einem auf Riesenleinwände projizierten Welttheater, das im Einzug des Christentums in die Antike den Zusammenstoß zweier Zeitalter versinnbildlicht. Aber die großgedachte Komposition gelangt über die Inszenierung nicht hinaus. Die homerische Welt des bürgerlichen Sachsen aus Plagwitz beschwört zwar ein ästhetisches Gegenbild zur Realität. Doch sie bleibt unerlöst von den Disharmonien, Widersprüchen, ja Banalitäten der tristen Wirklichkeit. Sie ist idealistisch ohne Idealität. Die alte humanistische Idee einer mystischen Vereinigung von antikem und christlichem Geist, die einst einen Botticelli zu spirituellen Gleichnissen beflügelte, mutet in einer Epoche, die sich an Offenbachs Travestien ergötzte, konstruiert und anachronistisch an. Klingers Gottheiten sind durchwegs ver- oder entkleidete Modelle. Die unbefangene Sinnlichkeit ist aus dieser posthumen Götterwelt gewichen – verdrängt von jener zwischen Frivolität und Frustration schwankenden Erotik, die für das Fin de siècle so kennzeichnend wurde. So sind die in ein dämmriges Zwielicht eingetauchten Najaden der »Blauen Stunde« nichts anderes mehr als hingelagerte Akte, die, statt unbewußt nackt, ausgezogen erscheinen. Ihre Kontemplation, das elegische »weite Aufträumen«, entspringt dem gebrochenen Naturverhältnis des modernen Großstädters, der sich in der Freikörperkultur einen Zipfel des verlorenen Paradieses zurücksehnt. Doch im arkadischen Reich der Hesperiden ist längst die Saat aus der Büchse der Pandora aufgegangen. »Hinter der Konfrontation von Christentum und Antike«, erkannte Alexander Dückers, »steht die wehmütige Sehnsucht, den von der Konvention gesetzten prüden Sittenkodex zum Vorzeigen durch die Vermählung mit einem anderen sakrosankten Erbe, der heiter, lustbetont gedachten Antike, sozusagen legitim außer Kraft zu setzen.«

Das alles unterscheidet Klinger bereits merklich von Böcklin,

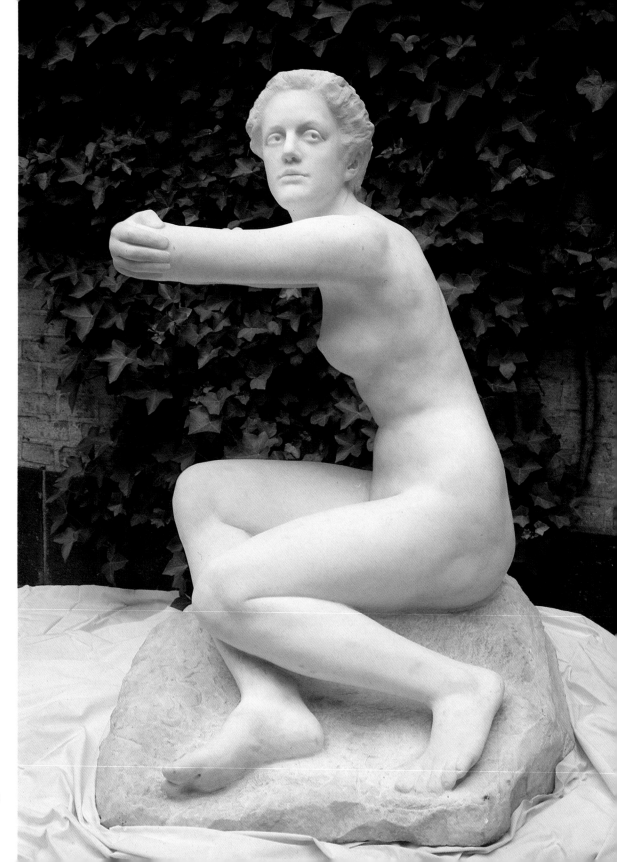

II Die neue
Salome,
1893,
Kat. Nr. 1

III Diana von
Aktaeon
belauscht,
1906,
Kat. Nr. 12

der in seine neoromantische Kunstwelt einen Abglanz jenes klassischen, den Menschen mit der Natur verbindenden Pantheismus hineinrettete, welcher den helvetischen Meister noch befähigte, einen »panischen Schrecken« mit urwüchsigem Humor wiederzugeben. Wenn Klinger dagegen Gefahren und Ängste beschreibt – und er tut es auffällig oft –, dann äußern sich Panik und Entsetzen weitaus beklemmender und unmittelbarer. Dann nimmt vielfach jener düstere Fatalismus bedrückende Gestalt an, von dem Wilhelm Dilthey orakelte: »Die heutige Analyse der menschlichen Existenz erfüllt uns alle mit dem Gefühl der Gebrechlichkeit, der Macht des dunklen Triebes, des Leidens an den Dunkelheiten und Illusionen, der Endlichkeit in allem, was Leben ist.«

Dieses Weltgefühl ist Klinger, der sich selber »Fatalist« nannte, von seiner Generation und Klasse mitgegeben. Es ist das Trauma eines desillusionierten Bürgertums, dessen geistige Repräsentation sich nach der gescheiterten Revolution von 1848 Schopenhauers Pessimismus verschrieben, um schließlich mit dem wachsenden »Unbehagen an der Kultur« Nietzsches verfänglichem Irrationalismus anheimzufallen. Klingers Bemühen um exemplarische Alternativen erhalten zwar den Anspruch an

eine humane und harmonische Welt aufrecht, aber sie enden in klassenindifferenten, schöngeistigen Versöhnungsutopien und einer geradezu kultischen Apotheose des Künstlergenies, dessen reinste Inkarnation er in Beethoven erblickte. Klinger opferte nicht nur Jahre, um Beethoven ein kostbares Denkmal zu formen, sondern übertrug auch die Züge des Tondichters auf Gestalten wie Johannes am Kreuz oder Apollon in den Gefilden des Olymps.

Bei allem Freisinn, allem Nonkonformismus seiner Vorstöße bis in die schaurigen Abgründe sozialer Tragödien: Klinger hat sich niemals mit vergleichbarer Entschlossenheit wie später Käthe Kollwitz von jenen Kreisen abgewandt, denen er entstammte. Er hat mit schonungsloser Offenheit düstere Szenen aus dem Dasein der oberen und unteren Schichten enthüllt. Er hat mit packendem Realismus, als wäre er Augenzeuge gewesen, einen Volksaufstand geschildert. Er hat sich mit dem politisch verfolgten Thomas Theodor Heine solidarisiert. Aber er war kein Revolutionär. Selbst während seiner größten Annäherung an das Proletariat – in den Jahren des Birmarckschen Sozialistengesetzes – prägte nicht Karl Marx sein Denken, sondern Arthur Schopenhauer.

6 Die neue Salome, 1874–77, Museum der bildenden Künste, Leipzig

Sich seiner eigenen Jugend erinnernd, bekundete Thomas Mann, wie betörend Schopenhauers »metaphysischer Zaubertrunk« auf einen jungen Intellektuellen des ausgehenden 19. Jahrhunderts zu wirken vermochte. »Todeserotik als musikalisch-logisches Gedankensystem, geboren aus einer enormen Spannung von Geist und Sinnlichkeit – einer Spannung, deren Ergebnis und überspringender Funke eben Erotik ist: das ist das Erlebnis verwandt entgegenkommender Jugend mit dieser Philosophie.«

Das mag auch Klinger, dessen gesamtes Werk die Dualität von Eros und Thanatos durchtränkt, unwiderstehlich zu Schopenhauer hingezogen haben. Und wenn der Dichter halb verklärend von Schopenhauers »pessimistischer Humanität« spricht, liefert er gleichsam ein Schlüsselwort zum tieferen Verständnis für Klingers Verhältnis zu dem galligen Autor der »Parerga und Paralipomena« – lange Zeit sein »tägliches literarisches Futter«. Und sollte nicht auch sein Hang zur »Vivisektion der Gefühle« – von Biographen schon um 1900 wahrgenommen und bereits von de Chirico mit der Psychoanalyse verglichen – seiner Passion für Schopenhauer Vorschub geleistet haben? Ist doch, um Thomas Mann weiterhin das Wort zu geben, »Schopenhauers finsteres Willensreich mit dem, was Freud das ›Unterbewußtsein‹, das ›Es‹ nennt, durchaus identisch.«

Sigmund Freud war fast gleichaltrig mit Max Klinger. »Ein jeder, nur zehn Jahre früher oder später geboren, dürfte, was seine eigene Bildung und die Wirkung nach außen betrifft, ein ganz anderer geworden sein«, steht im Vorwort zu Goethes »Dichtung und Wahrheit«. Zur Generation Klingers und Freuds zählen bezeichnenderweise Schriftsteller wie Arthur Rimbaud, Oscar Wilde und Maurice Maeterlinck ebenso wie George Bernard Shaw, Gerhart Hauptmann, Arthur Schnitzler oder Anton Tschechow; daneben Musiker wie Giacomo Puccini, Claude Debussy, Gustav Mahler und Richard Strauss; nicht zuletzt aber Maler wie Ferdinand Hodler, Gustav Klimt, Franz von Stuck, Fernand Khnopff, Jan Toorop oder Michail Wrubel, außerdem Vincent van Gogh, James Ensor, George Seurat oder Henri de Toulouse-Lautrec.

Bei vielen gibt es durchaus Verwandtschaften und Parallelen zu Klinger. Den meisten voraus hatte er seine erstaunliche Frühreife. Klinger, dessen schöpferische Kräfte schon bald nach der Jahrhundertwende versiegten, brachte kein nennenswertes Alterswerk hervor. Um so mehr beeindruckt die Bilderflut seiner Jugendzeit. Aus der Überfülle heterogenster Inventionen, mit der Akribie eines Zeichners festgehalten, der kein Detail, keinen Einfall vernachlässigt, strömt ihm mit ganz jungen Jahren ein Ideenvorrat zu, aus dem er jahrzehntelang schöpfen konnte. Ungewöhnlich früh erweckte er auch öffentliche Aufmerksamkeit und Anerkennung. Seine »Vorschläge für eine Konkurrenz zum Thema Christus«, 1878 mit der Handschuhfolge und dem naturalistisch-aktuellen Gemälde »Überfall an der Mauer« erstmals ausgestellt, werden bereits zwei Jahre danach von der Nationalgalerie erworben. Zwar traf auch Klinger häufig auf Unverständnis und Widersacher. Aber er fand jederzeit aufge-

7   Das Urbild der neuen Salome, 1885, Kat. Nr. 57

schlossene Mäzene und Fürsprecher. Noch nicht dreißigjährig, war er schon weit über Deutschland hinaus zum Begriff geworden.

Diesen raschen Erfolg verdankte er nicht zuletzt dem Ratschlag des Berliner Kunsthändlers Hermann Sagert, eine Auswahl seiner Zeichnungen durch Radierungen zu vervielfältigen. Wie die alten Peintres-graveurs radierte Klinger diese Blätter wieder eigenhändig. Er muß instinktiv die Eigenart und Ausdrucksmöglichkeit der Druckgraphik, um 1880 allgemein als reines Reproduktionsmittel abgetan, verspürt haben. Binnen kurzem handhabte er die Radierkunst mit altmeisterlicher Überlegenheit. Eine Vielzahl jeweiliger Zustände bezeugt, wie er um Verdichtung und Vollkommenheit seiner Drucke gerungen hat. Damit einher ging sein intensives Nachdenken über Wesen und Besonderheiten der »Griffelkunst«, wie Klinger die Graphik bezeichnete. Dies alles prädestinierte ihn wie keinen zweiten in Deutschland zum Bahnbrecher für die Wiedergeburt der Originalgraphik. Im Unterschied zu Spätklassizisten wie Bonaventu-

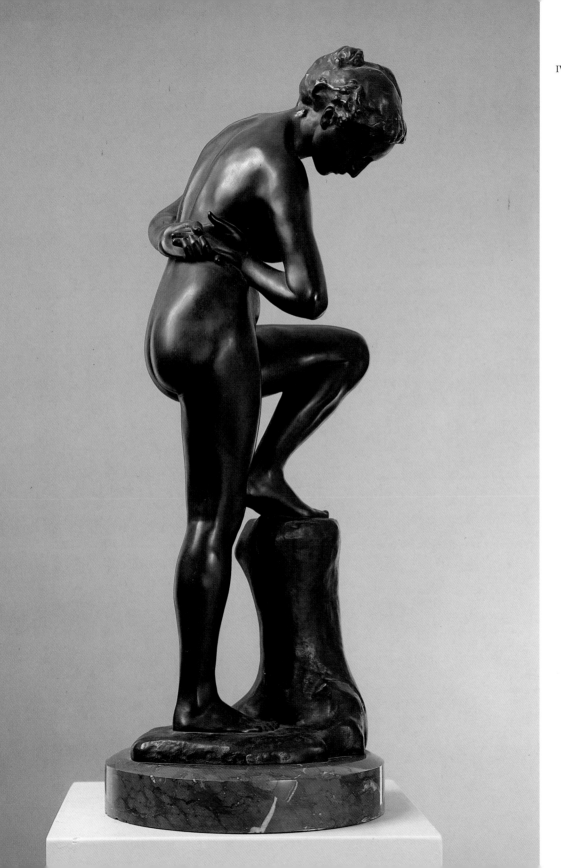

IV Badendes Mädchen,
1896/97, Kat. Nr. 4

V Die Blaue Stunde, ▷
1890, Kat. Nr. 23

21

ra Genelli, dessen Mappenwerke meist an verhinderte Fresken erinnern, dachte Klinger durch und durch graphisch, ohne auf architektonisch-ornamentale Rahmen völlig zu verzichten, wobei die Groteske oft unversehens in das Groteske übergeht.

Klinger ist ein unerschöpflicher Meister des Details, der durch Milieu, Landschaft und Begleitmotive den Inhalt seiner Blätter beziehungsreich vertieft, je mitunter geradezu überfrachtet. Stets bildhaft in sich abgeschlossen, wollen sie keinesfalls nur gesehen, sondern zugleich auch gelesen werden. Allerdings illustrierten sie ebensowenig nur vorgefaßte Gedanken wie eine Oper lediglich ein vertontes Textbuch darstellt. Die Intuition, Klingers gesteigerte Imaginationsgabe, behält in der Regel die Oberhand. »Sie werden es nicht glauben«, vertraut er 1883 einem Freunde an, »daß ich meist mich vor das Papier setze mit der größten Neugier, was ich nun eigentlich machen werde... Worte geben gewöhnlich ein festes Programm, und ein solches habe ich selten.«

Von Anbeginn bevorzugte er den graphischen Zyklus. Bei Klinger ist die zyklische Struktur weniger einer novellistisch fortlaufenden Handlung zu vergleichen, als der symphonischen Dichtung, die in einzelne Sätze gegliedert, durch Vorspiel und Epiloge gerahmt oder durch Intermezzi unterbrochen sein kann, sofern sie nicht nur aus Einzelstücken besteht, die ein Leitthema verbindet. Ganz folgerichtig numerierte er seine Zyklen analog zur Musik als Opera.

Gewöhnlich überlagern oder durchdringen sich die verschiedensten Seinsschichten und Bedeutungsebenen. Janushaft und vieldeutig greifen Phantastik und Realität, scharfsinnige Reflexion, minutiöse Genauigkeit und Symbolismus ineinander. Diese Ambivalenz veranlaßte den Künstler selber zu dem Eingeständnis, er habe »eine stete Furcht vor eigenem Erklären«.

Klingers wuchernder Phantasie entstieg ein ganzes Heer metaphorischer Gestalten und »Ideenassoziationen«. Antike Mythen werden absichtsvoll umgedeutet: mit kaustischem Hintersinn »rettete« er zum Beispiel Ovidische »Opfer«. Oder Prometheus rückt in den Mittelpunkt seiner bizarr heroisierenden »Brahms-Phantasie«. Ihn bedrängten suggestive Alpträume wie in der protosurrealistischen »Paraphrase über den Fund eines Handschuhs«. Düstere, von Schopenhauerschem Pessimismus befallene Zweifel erfüllen seine Prophetien um »Eva und die Zukunft«. »Ein Leben« und »Eine Liebe« enthüllen in den ergreifenden Passionen ins Elend getriebener Frauen die scheinheilige Doppelbödigkeit der bürgerlichen Moral. Und in vielerlei Gestalt konfrontiert er mit dem Tode – am beklemmendsten dort, wo er ihn auf die »Jetztzeit« bezieht, wie im »Tod auf den Schienen« oder in der »Pest«, deren flatternde Todesboten unwillkürlich an Alfred Hitchcocks »Vögel« erinnern. Chimären, Geziefer und Bestien sind für Klinger verschlüsselte Personifikationen des dämonischen, unentrinnbaren Schicksals: es ließe sich mühelos ein ganzes Bestiarium, ein neuzeitlicher Klingerscher »Physiologus« zusammenstellen.

»In dieser Art Griffelkunst«, meinte vor einem Dreivierteljahrhundert Josef Strzygowski, »spielt sich das gesellschaftliche

8   Weibliche Kopfstudie, Studie zur Liegenden der »Blauen Stunde«, 1890, Kat. Nr. 66

Leben der Gegenwart eindringlicher ab als in Bänden von Romanen«. Dies gilt im besonderen Maße für die »Dramen«. Klinger ist seiner Überzeugung, der Graphiker habe das Recht zur Kritik und dürfe sich »unter dem Drucke der Vergleiche, des Schauens über die Formen hinaus... des verneinenden Betrachtens nicht entziehen« niemals wieder so gerecht geworden. Er erreichte mit dieser Folge als kritischer Beobachter der deutschen Zeitverhältnisse eine damals unübertroffene Höhe. Das protzige, elendsschwangere, von drohenden Unruhen gärende Klima in der ehrgeizigen Reichshauptstadt Berlin spiegeln diese, Zolas Lektüre verratende Radierungen ungeschminkt wider. Die Kunst wurde dadurch in einem ungeheuren Grade aktualisiert. Neben den drei Revolutionsszenen erschüttern vor allem die völlig unsentimentalen Berichte über den gescheiterten Freitod einer verzweifelten Proletarierin. Auf diesen unerbittlichen Verismus läßt sich anwenden, was Friedrich Engels 1885 über den sozialistischen Tendenzroman feststellte, der »durch treue Schilderung der wirklichen Verhältnisse die darüber herrschenden konventionellen Illusionen zerreißt, den Optimismus der bürgerlichen Welt erschüttert, den Zweifel an der ewigen Gültigkeit des Bestehenden unvermeidlich macht, auch ohne selbst direkt eine Lösung zu bieten, ja, unter Umständen, ohne selbst Partei ostensibel zu ergreifen«.

Vor Klinger gabelte sich nunmehr ein Scheideweg. Doch erst Käthe Kollwitz führte die Tendenz der »Dramen« zielstrebig weiter, während Klinger selber Schritt für Schritt in die symbolischen Gefilde reiner Geistigkeit zurückwich. In den späteren Zyklen schwächten sich der konkrete Zeitbezug und das offene Engagement immer mehr ab. Nun trat die Malerei in seinem Schaffen stärker in den Vordergrund. Sie galt Klinger als »der vollendetste Ausdruck unserer Freude an der Welt«. Das liest sich wie eine Huldigung an den Impressionismus. Peinture im Sinne der Franzosen ist seine Malkunst indessen keineswegs, wiewohl Klinger eine Reihe erstaunlich frischer Natur- und Bildnisstudien schuf. Auch seine heute verstreuten Malereien für die Villa Albers sprühen förmlich vor Geist und Leuchtkraft.

Was dem Maler jedoch eigentlich vorschwebte, hat er in seinen großen Programmbildern ausgesprochen: dem »Urteil des Paris«, der »Kreuzigung« (Tafel VIII), dem »Christus im Olymp« oder dem im Zweiten Weltkrieg zerstörten Aulawandbild der Leipziger Universität. Es sind philosophische, auf Allgemeingültigkeit und Vor-Bildlichkeit abzielende Parabeln, gehüllt in das Gewand des Mythos, die nicht zuletzt eine Reform der Historienmalerei erzwingen wollten.

Geschult an der Frührenaissance sowie Zeitgenossen wie Puvis de Chavannes versuchte Klinger den dargestllten Charakteren statuarische Vehemenz zu verleihen und sie zu denkmalhaften Kompositionen zusammenzuschmelzen. Der grüblerische Ernst dieser wuchtigen, durchwegs im eigenen Auftrag entstandenen Schautafeln hinterläßt einen unvergeßlichen Eindruck. Dennoch vermögen sie nicht restlos zu überzeugen. Das Überdimensionierte steigert sich kaum zu wirklicher innerer Größe. Vergleicht man den Werdegang der völlig unorthodox aufgefaßten »Kreuzigung« von der Faustskizze über die erste Farbstudie bis zur Endfassung, dann zeigt sich, wie sehr die erstrebte Monumentalität die Preisgabe von Lebendigkeit und Freiheit des Duktus nach sich zog. Die lebensgroßen Figuren verharren eigentümlich zwischen Pose und Feierlichkeit, Erhabenheit und Kostümierung, Aufdringlichkeit und Würde. Trotz Verkettungen durch Blicke und Gebärden bleibt jede Gestalt seltsam isoliert: die Entfremdung des modernen Menschen kommt hier fast übermächtig zum Vorschein. So offenbaren diese Riesenbilder eher das Gegenteil von dem, worauf Klinger hinaus wollte: kein zeitloses Idealreich der Schönheit und edler Selbstüberwindung, sondern weit eher das Erzwungene solcher Allegorien, die Heillosigkeit, Vereinsamung und Unsicherheit des Menschen, die kein noch so heroischer Willensakt besiegen kann.

Doch nicht nur die »Reue«, auch die »Hoffnung« ließ der Künstler als plastische Halbfiguren sich an den Sockel des Olymps klammern. Das schaffte neben der gedanklichen Erweiterung des inhaltsschweren Triptychons zugleich die Überleitung vom Bild- in den Real-Raum des Betrachters. Diesen Kunstkniff hatte Klinger schon im »Parisurteil« angewandt – dem frühesten und ausgeglichensten unter seinen Monumentalbildern. Die Akte dieses Gemäldes drängen in ihrer Plastizität und klaren Umrissenheit energisch zur Bildhauerei. Diese latente Austauschbar-

keit wird durch die gemalte Skulptur des linken Flügels noch unterstrichen: die Frauenbüste auf der marmornen Herme scheint eher aus Fleisch und Blut zu sein, denn aus kaltem Gestein.

Wann Klinger zu modellieren begann, bleibt vorerst ungewiß. Sicher ist nur, daß die Plastik ihn seit Mitte der achtziger Jahre zunehmend beschäftigte, obwohl die plastischen Hauptwerke erst in den beiden folgenden Jahrzehnten vollendet wurden. Daß sich ein Graphiker und Maler überhaupt der Bildhauerkunst zuwandte, war durchaus kein Sonderfall: Künstler wie Karl Stauffer-Bern, Franz von Stuck, später Aristide Maillol, Georg Kolbe oder Käthe Kollwitz haben gleiches getan, ganz zu schweigen von den Meistern der modernen Kunst. Klinger hat vor allem durch seine polylithe Skulptur einen sehr persönlichen Beitrag zur neueren Plastik geleistet. Diese aufwendigen Bemühungen gipfelten in seinem Beethoven-Monument (Tafel XXII), das seit Herbst 1981 im Leipziger Neuen Gewandhaus seinen Standort fand. Klinger hat dieses außergewöhnliche Werk, um dessen Besitz Wien und Leipzig einst wetteiferten, aus edelsten Materialien zusammengefügt – mehrfarbigem Marmor, Alabaster, Bronze, Elfenbein, Bernstein und goldunterlegten Mosaiksteinen aus antiken Glasflüssen, Jaspis, Achat und Perlmutter. Dieser Prunk entsprach ganz und gar dem Zeitgeschmack – besonders dem auf Kostbarkeit bedachten Jugendstil. Völlig anders als Auguste Rodin, dem sich die plastische Form aus einer dynamisch von innen hervortreibenden Bewegung ergab, sind Klingers Bildwerke weitaus dekorativer und additiver aufgebaut. In mancherlei Hinsicht gleicht seine Skulptur einer monumentalisierten Goldschmiedekunst. Welche Eigenständigkeit er dabei erreichte, verdeutlichen Meisterwerke wie »Die neue Salome« (Tafel II). Auch sie ist aus einem halben Dutzend verschiedener Werkstoffe zusammengestückt, ohne deren Farb- und Materialreiz die Statue, wie Bronzeabgüsse beweisen, einen empfindlichen Substanzverlust erleidet. Mit seiner »Salome« hat sich Klinger abermals als einer der feinfühligsten Psychologen seiner Zeit ausgewiesen. Dieser reizbare, sphinxhaft unergründliche, ebenso gefürchtete wie begehrte Frauentyp war ein ungemein zeittypisches Geschöpf, eine echte Schlüsselgestalt der Dekadenz der Jahrhundertwende, die sich regelrecht vernarrte in die zwielichtige Tochter der Herodias. Sie verkörperte in der ihr auferlegten Zügellosigkeit, der aufgepeitschten Vamperotik und raffinierten Zusammenspiegelung von Mythos und Moderne nichts anderes als die eigene, laszive Sinnen- und Sensationsgier. Seit Gustave Flaubert geisterte Salome durch die europäische Kunst in immer neuen Versionen und Perversionen. Sie hat Oscar Wilde und Richard Strauss ebenso gefesselt wie Gustave Moreau, Aubrey Beardsley, Gustav Klimt, Franz von Stuck, Lovis Corinth oder den jungen Pablo Picasso. Die Klingersche »Salome« ist eine ihrer gültigsten Inkarnationen geblieben: physisch greifbar und dennoch so wenig bis in die letzten Tiefen zu ergründen wie das trotz all seinen Widersprüchen so faszinierende Lebenswerk ihres Schöpfers.

VI Italienische Landschaft, um 1890, Kat. Nr. 24

Polychromie und Gesamtkunstwerk. Von der Synästhesie zur Synthese im bildnerischen Schaffen Max Klingers

EKKEHARD MAI

I.

»Er war Maler, Bildhauer, Radierer, Philosoph, Schriftsteller, Musiker und Dichter ... Klinger war der moderne Künstler schlechthin«[1]). Giorgio de Chirico, dem diese Zeilen aus dem Jahre 1920, dem Todesjahr Klingers, verdankt werden, apostrophierte damit den romantisch-modernen Geist seiner selbst und seiner Epoche, die zwischen Traum und Wirklichkeit, visionär erfaßter Vergangenheit und dem melancholisch stimmenden Zwang zum Fortschritt »der Geschäfte, der Maschinen und Konstruktionen« als »modernes Drama« begriffen und beschrieben wird. Ihm habe Klinger durch Gedanken und Bilder und durch die Synthese beider im Lebensreich der Kunst kunstreich zum Leben verholfen. Von Klinger als »mythisch-griechischem« zugleich mit dem »romantisch-modernen Geist« ist die Rede, eine Charakteristik, die sich vor allem auf jene eigentümliche »Philosophie des Metaphorischen« als Vermittlung zwischen den Zeiten und als Geist der Zeit in Gestalten und Gestaltungen höchst sinnenhafter und sinnbildlicher Natur bezog – auf Zeichnungen und graphische Zyklen, auf Malerei und Plastik, auf Raumkunstwerke und auf all deren erfundene und die Wirklichkeit als Innen-Außen umschreibende Inhalte zumal. In Idee und Form, durch die Stimmung und Gestimmtheit seiner Bilder, deren Gehalt und Zusammenhang allemal meta-physisch schien, hat Klinger die Zeitenwende zwischen Vergangenheit und Moderne als Vermittlung und Synthese, als Synästhesie der Gedanken, Empfindungen und künstlerischen Mittel in Person und Schaffen zusammengefaßt. Er wurde damit zum Inbegriff, zum Lebensausdruck seiner Epoche selbst, der neben dem sozialen und politischen, dem technologisch-industriellen auch ein sittlich-moralischer und künstlerisch-kultureller Wandel zu einer schillernden Vielgestaltigkeit verhalf: im Umgang mit Gesellschaft und Geschichte, Kunst und Wirklichkeit, Moral und Lebensform. Klinger steht hier vor und neben Böcklin, Feuerbach und Marées, Klimt und Munch, neben Rops, Khnopff, Moreau, Ensor und Redon im Kreis derer, die als Idealisten und Symbolisten der Jahrhundertwende das Bild der Wirklichkeit durch den Geist der Phantasie ergänzten, es umgewandelt und sich anverwandelt hatten. Nicht eine Sprache, viele Sprachen schienen dafür möglich, deren kunsthistorische Bestandsaufnahme dementsprechend nicht nur zu Lebzeiten des Künstlers, sondern auch noch lang danach zu Schwierigkeiten führte, was denn nun der Inhalt und was der Standort seiner Kunst sei. »Die Spannweite von Klingers Schaffen ist außerordentlich ... Historismus, Neoklassizismus, Realismus, Jugendstil-Vorstufen und präsurrealistische Elemente liegen bei ihm oft dicht nebeneinander«, und J. A. Schmoll gen. Eisenwerth fährt nach Hinweisen auf den Kontext der Generationen zwischen Adolph Menzel und Max Ernst – jenem verpflichtet, diesem vorgegriffen – denn auch fort: »So scheint Klingers Graphik zunächst in einem deutschen Bezugsrahmen angesiedelt, zwischen Böcklin und Kollwitz, um es einmal drastisch auszudrücken«[2]). Die Vielseitigkeit Klingers war denn auch von Anfang an Ruhm und Ruch zugleich. Sie sorgte für seinen schnellen Aufstieg zu Lebzeiten im Ausstellungs-, Kunst- und Geistesleben mit internationalen Kontakten und einem kontrastreichen Für und Wider zwischen der Gemeinde der Verehrer, Gönner und Freunde und den Gegnern im Lager der Realisten, aber auch für seinen Abstieg nicht nur mit dem Siegeszug einer abstrakten Moderne, die der Kaiserzeit als Epoche insgesamt widersetzlich war, sondern auch auf Grund der Diskrepanz der Stile und Inhalte zwischen dem Naturalismus der Form und dem Hermetismus des Gedankens, eine Diskrepanz, welche zudem ganz den Geist und die Ideologie des 19. Jahrhunderts zu verkörpern schien. Nicht mehr die Repräsentanz der Inhalte, die Literarisierung und Symbolisierung von Geschichte und Geschichten zwischen Antike und Christentum, vom Menschheitsdrama, vom Leben, Lieben und vom Tode war gefragt, sondern die Selbstgesetzlichkeit von Farben, Formen, Materialien. Klingers Erzählungen, Capricci, Phantasien und Improvisationen aus dem Geiste der Musik, Literatur und Philosophie, längst durchsetzt mit Ironie und Verfremdung, waren nicht mehr zeitgemäß. Seine unzeitgemäßen Betrachtungen gehörten einer Art »Kultvergangenheit« vor dem Kriege an, deren Ideologie- und Moralzwänge, deren Modi und Moden in Jugendstil und Symbolismus einer »Geistsinnlichkeit« entsprachen, die sich oft nurmehr als melodramatisch bestimmen ließ. Chirico und Max Ernst, dessen Zyklus »La femme 100 têtes« von Klingers »Handschuh«-»Erzählung« offensichtlich mitgetragen ist, bildeten die Ausnahme. Außer in seiner Heimatstadt Leipzig, so Gerhard Winkler noch vor fünf Jahren im Katalog der Rotterdamer Austellung, fand Klinger langhin keine angemessene Würdigung mehr[3]). Bei näherem Hinsehen ist dies zwar nicht ganz so, aber richtig ist auch, daß es an der grundlegenden und zusammenfassenden Monographie über Klinger und seine Zeit bis heute fehlt. Allerdings fanden in den vergangenen Jahren im Zuge einer kunsthistorischen Auseinandersetzung mit der graphischen Meisterkunst des 19. Jahrhunderts auch für Klinger eine Fülle von Ausstellungen statt, die schon wieder die Aktualität der Prä- als Postmoderne modisch nahe gelegen sein lassen. Klinger als Graphiker erlebte mit der ausstellungstechnischen Praktikabilität seiner Zyklen und der Modernität seiner goutierlich-ästhetisch,

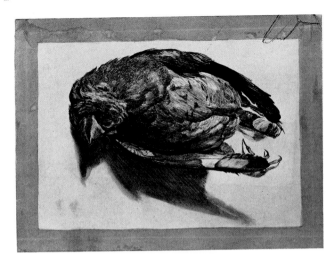

9 Toter Vogel, 1878, Kat. Nr. 35

danke der Raumkunst und eines durchgehenden Form- und Stilwollens zum anderen beherrschend wurden, fand der Begriff des Gesamtkunstwerks seine größte Aktualität und Verbreitung – in der Dichtung, in der Musik, auf der Bühne und in der bildenden Kunst, letzten Endes in einer Symbiose von Kunst und Leben, die einer Sehnsuchtsforderung seit der Zeit um 1800 entsprach und sogar soziale und politische mit kulturellen Reformzielen vereinte. Das Streben nach Grenzüberschreitung und Synthese entsprach nicht nur einem experimentellen Drang

10 Tanzender Toilettentisch und Spiegel, 1878, Kat. Nr. 36

raffiniert verführerischen Inhalte im Kampf der Geschlechter und der gekonnten Kongenialität von Traum, Intellekt und Wirklichkeit im Medium des Bildes eine ungewöhnlich intensive und begeisterte Wiederentdeckung. Seine Denk- und Anschauungsweise im Bunde mit dem facettenreichen, überaus dichten Ambiente des späten 19. Jahrhunderts, dem die Grundlegung unseres Jahrhunderts geschuldet wird, hatte eine Ausführlichkeit der Beschäftigung zur Folge, die neuerlich außer von Mode auch von Klingers Modernität als Zeitgeistproblematik reden lassen könnte. So fällt es nicht leicht, den vielen Beschreibungs- und Denkansätzen einen weiteren hinzuzufügen, zumal auch er oft benannt, oft angesprochen und dem 19. Jahrhundert als Grundsatzproblematik immer wieder zugeschrieben worden ist – der Aspekt des Gesamtkunstwerks. Von ihm ist erst jüngst – dank Wagner, aber *ohne* Klinger – monumental gehandelt worden[4]). Zusammenfassend, nach den verschiedenen Seiten seiner Geltung, ist auch für Klinger der Gedanke noch nicht durchverfolgt, zumindest nicht zusammengetragen worden. Darum geht es hier.

II.

Die Idee des Gesamtkunstwerks als Vereinigung verschiedener Kunstgattungen aus *einem* Geiste und mit *einer* Wirkung und Stimmung hat ihre geschichtliche und reflexiv-theoretische Begründung erst im ausgehenden 18. Jahrhundert und mit Beginn des 19. Jahrhunderts erfahren, um gegen Ende des letzteren nicht nur als theoretisches Postulat, sondern auch in der Praxis der Künste zu kulminieren. Vor allem im Symbolismus und im Jugendstil, als die Literarisierung der Inhalte und die »symphonische« Gestalteinheit des Zeitempfindens zum einen, der Ge-

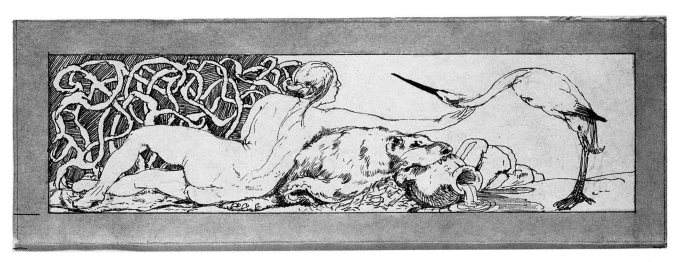

11 Nymphe und Kranich, 1878, Kat. Nr. 37

zur Erweiterung der Ausdrucks- und Gestaltungsmöglichkeiten analog einer fortschreitenden wissenschaftlichen, technischen und ästhetischen Beherrschung von Natur und Kultur, gerade im Zuge der Spezialisierung und Differenzierung und des Auseinandertretens der verschiedenen Bereiche von Kunst und Wissenschaft intensivierte sich das Verlangen nach ursprünglicher Einheit und Herkunft, nach Zusammenhang und Zusammenhalt. Die Äußerungsformen dessen waren vielfältig und schlossen gleichermaßen Geschichtsprojektionen wie Zukunftsentwürfe mit ein. Dem »Verlust der Mitte« seit der Antike mit ihrem scheinbar statischen Seins- und Zeitbegriff, der sozialorganisatorisch mit Dauer und Einheit von Lebens-, Produktions- und Kunstweisen versehen erschien, entsprach die Dynamisierung und Progression der Neuzeit mit ihrer Modernitätsproblematik, die im 19. Jahrhundert angesichts der nie zuvor ähnlich revolutionierenden und durchgreifenden kulturellen Beschleunigungsprozesse ihre schärfste Ausprägung erfahren hat. Der Traum vom irdischen Paradies, die Beschwörung der Antike als goldenes Zeitalter, nationale Geschichtsbilder von Mittelalter und Renaissance, die Wiedergeburt der Kunst aus dem Geiste der Religion und Musik, die Einheit von Kunst und Leben durch die Einheit von Kopf und Hand, von Kunst und Werk in der Begründung der angewandten Kunst des Kunstgewerbes, schließlich die Systematik einer Beziehungsklärung zwischen Glauben, Wissen und Gestalten in der Theorie der Wissenschaften – alles dies ist Ausdruck einer Bewußtseinsproblematik, die mit der Differenz der Dinge vor allem deren Einheit, gleichviel ob verloren, vergangen oder Utopie, intendiert[5]). Sei es durch die Vermittlung der Natur, sei es durch die Geschichte oder die Kunst, die mit Bildern und Symbolen, durch Zusammenhänge des Gestaltens einen Ersatz zu schaffen suchte. Ihrer Geschichtlichkeit und Spätzeitstellung voll bewußt, »ereignet sich diese Kunst dialektisch, sie ist immer unterwegs und niemals am Ziel«, beschrieb vor fast 25 Jahren Werner Hofmann »das irdische Paradies« des 19. Jahrhunderts, und wußte festzustellen: »Die sich selbst zum Inhalt gewordene Kunst versucht, das ganze Jahrhundert über, das vielgestaltige Wunschbild der verlorenen Ursprünglichkeit wiederzugewinnen: die einen vermuten es in der Antike, die anderen in der Gotik, die Realisten in der empirischen Welt, die Impressionisten im spontan gesetzten Pinselstrich«[6]).

Der Zusammenhang als die Zusammenschau der Dinge im Bilde von Abstrakta, von Empfindungen, von Grundbefindlichkeiten im Leben und Erleben, hatte nicht nur offene oder geheime Korrespondenzen der Gegenstände und Bilder, er hatte auch die Analogie und Synthese der Künste zur Folge, denen die Subjek-

12 Widmungsblatt an ein Freudenhaus, 1879, Kat. Nr. 50

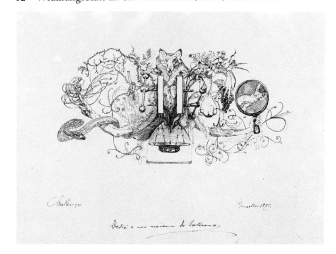

tivität durch die Synästhesie der Sinne ihre Legitimation und durch die Egalität der Mittel entsprechend Ausdruck verlieh. Der allegorische, symbolische, der übertragene Sinn ist denn auch ein Grundzug der Bildwelt des 19. Jahrhunderts, die zwischen Alltag, Geschichte, Kultur und Natur eine Korrespondenz nicht nur durch einheitsstiftende Ideen herstellte, sondern dazu auch die Formen überdenken und neu verfassen ließ. Der Prozeß ist durchgehend im ganzen 19. Jahrhundert, auch wo traditionelle Lösungsmöglichkeiten im Konflikt von alt und neu den Ton angeben – in den Kompositionsmustern des Historienbildes, in der Klassik des menschenplastischen Bildwerkes oder im

13 Eva und die Schlange, 1879, Kat. Nr. 48

Metier von Zeichnung und Graphik. »Ideenmeißelei« und »Gedankenpinselei« hat man um die Jahrhundertwende Max Klinger nachgesagt, als er in den beiden Gattungen Malerei und Plastik nach den in schneller Folge entstandenen graphischen Zyklen neu anzusetzen schien[7]. Er schien damit zu dilettieren und beherrschte dennoch voll die Gattungen, vereinte sie letzthin nicht nur gedanklich nach einem Sinnprinzip, sondern auch gestalterisch. Klinger gehört damit nicht nur zu einem Kreis von Künstlern, die trotz Wechsel der Medien weltanschaulichen Grundansichten und künstlerischen Bildgesichten gleichbleibend verpflichtet blieben, sondern ist auch einem Kontext zuzuordnen, der von der romantischen Universalpoesie um 1800 bis zum Neuidealismus und Psychologismus der Jahrhundertwende in der Idee des Gesamtkunstwerks die adäquate Umschreibung fand. Die Vorgeschichte der Ideen- und Gestaltungswelt Max Klingers ist ohne die Frühzeit des 19. Jahrhunderts ebensowenig zu verstehen wie der französisch-belgische Symbolismus seinem Denken in Bild-Beziehungen von Übertragungen und Korrespondenzen Anleitungen bot – bislang in der Werkbetrachtung Klingers ein unterschlagenes Kapitel! – und wie seine Versuche, experimentell neue Wege in der Plastik und Raumkunst zu gehen, von einer Gesamtheitsempfindung der Materialien und ihrer optischen wie inhaltlichen Bedeutung beherrscht werden. Es ist mithin nicht einmal so sehr die Formenwelt als vielmehr die Syntax, auf die hier abzustellen ist, wenn nach der Tradition und den zeitgenössischen Verbindungen im Schaffen Max Klingers zu fragen ist. Darüber hinaus ist die Fülle von thematischen Werkbeziehungen hervorzuheben, die in Philosophie, Dichtung, Musik und bildender Kunst sein Schaffen als nun doch ausgesprochen zeitgemäße Betrachtungen hervorheben lassen.

Im 17. und 18. Jahrhundert war das Gesamtkunstwerk noch ein »natürliches« Ergebnis im Gesamtverband der Künste, wenn es galt, nach *einer* Stilkonvention Palast und Kirche auszustatten. Es war Raumkunst in einem Bedeutungskonnex und formalen Gestaltungszusammenhang, die auch bei verschiedenen Händen und Fertigkeiten einheitlichen Modi der dargestellten Gegenstände und ihrer Machart verpflichtet blieb. Erst mit der Auftragsentpflichtung, der Entstehung autonomer Kunstentwürfe subjektiven Ausdruckswillens in der Romantik bei gleichzeitiger Entgrenzung der Bildinhalte in der Unbestimmtheit einer Gefühls- und Gedankenwelt eigenen Rechts wurde »die Kunst« und »der Künstler« zum Inbegriff einer Schöpfungsproblematik. Sie beruhte auf der Vereinzelung, die zugleich das große Allgemeine wollte – höchste und hehre Ideen, Inneres durch Äußeres, Naturkosmologisches, Philosophisches, Stimmungs- und Empfindungsweisen, bezogen auf das eigene Ich und dennoch exemplarisch für einen Jeden und das Ganze. Es genügt, auf Philipp Otto Runge, auf Caspar David Friedrich, auf Friedrich Schlegel und den Begriff der Universalpoesie oder auf Wackenroder, Tieck und die Musik, schließlich Schellings oder Hegels Kunstbestimmung hinzuweisen, innerhalb deren die Musik gleichfalls die höchste Form immaterieller Indifferenz von Endlichkeit und Unendlichkeit verkörpert. Die bildende Kunst war daran gemessen immer symbolisch in der Einbildung des Unendlichen ins Endliche. Und nur symbolisch konnte sie mithin dem Gesamten oder einer »Allkunst« dienen, dem es entsprechend formale Lösungsmöglichkeiten zu entdecken galt, die eine Analogie zur Musik und auch zur Poesie einschlossen.

Der Kunstenthusiasmus, der auf Gefühl, Empfindungsweise und Stimmung setzte, sorgte gerade in der Romantik für die Gemeinschaft und das Gemeinsame der verschiedenen Künste in Ursache und Wirkung. Die kunstgeschichtlich und -theoretisch alten Vergleiche des »ut pictura poesis« oder »ut musica pictura«, die vor allem im 17. Jahrhundert verbreitet waren, wurden auf der Grundlage subjektiver Empfindung und Stimmungsabsichten zur Basis einer Expansion und Mischung der verschiedenen Künste, die das eine »Allkunstwerk« zum Ziele hatten: »Die Welt muß romantisiert werden«, schrieb Novalis, »indem ich dem Gemeinen einen hohen Sinn, dem Gewöhnlichen ein geheimnisvolles Ansehn, dem Bekannten die Würde des Unbekannten, dem Endlichen einen unendlichen Schein gebe, so romantisiere ich es . . .«[8]). August Wilhelm Schlegel schrieb über die »Universalpoesie«: »Man muß nur wissen, daß die Fantasie, wodurch uns erst die Welt entsteht, und die, wodurch Kunstwerke gebildet werden, dieselbe Kraft ist, nur in verschiedenen Wirkungsarten . . . Deswegen ist jetzt Universalität das einzige Mittel, wieder etwas Großes zu erschwingen«[9]). Als allumfassendes Prinzip der Kunstproduktion und Daseinsweise war schon von seinem Bruder Friedrich Schlegel die »romantische Poesie (als) eine progressive Universalpoesie« bezeichnet worden: »Sie ist der höchsten und der allseitigsten Bildung fähig; nicht bloß von innen heraus, sondern auch von außen hinein; indem sie jedem, was ein Ganzes in ihren Produkten sein soll, alle Teile ähnlich organisiert, wodurch ihr die Aussicht auf eine grenzenlos wachsende Klassizität eröffnet wird«[10]). Dichtung hieß vor allem im aktiven Sinne »bilden«, formen, Bild entwerfen und zum Bilde »verdichten«. Man beschwor die geheimen Verbindungen des Universums, das Wunderbare und Unsichtbare und die Einbildungen des Unendlichen ins Endliche. Das Kunstgefühl, die Phantasie und die Einheit der menschlichen Empfindung sorgten so bekanntermaßen bei Wackenroder in den »Herzensergießungen eines kunstliebenden Klosterbruders« (1797) für den Zusammenhang des Ganzen, der die Gattungen der Kunst sowie die Gegenstände austauschbar erscheinen ließ. So finden sich Sätze wie »Die Malerei ist eine Poesie mit Bildern der Menschen«, und: »Es kommt mir allemal seltsam vor, wenn Leute, welche die Kunst zu lieben vorgeben, in der Poesie, der Musik, oder in irgendeiner anderen Kunst, sich beständig nur an Werke von einer Gattung, einer Farbe halten, und ihr Auge von allen anderen Arten abwenden«[11]). »Das eigentümliche innere Wesen der Tonkunst« ist es denn auch, das mit seinen Formen der Ergriffenheit Abbild, Spiegel und System der Natur selbst zu sein vermag. Es ist Sinnbild für das ganze Schaffen Philipp Otto Runges geworden, dessen Hie-

roglyphik einer neuen Kunstform Denkbilder vom Ursprung und Zusammenhang der Natur schaffen ließ, die nicht nur metaphorisch und zyklisch in den »Tageszeiten« zunächst der Graphik, dann auch der Malerei ihren Ausdruck fanden, sondern auch die Gestaltlehre und Farbentheorie einbezogen. Seine komplizierte symbolische Grundlegung der Wesensformen der Kunst manifestierte sich in der Theorie der Arabeske, der allegorischen Landschaft und in der »Farbkugel«[12]). Die symbolische Landschaft als symbolische Kunstform, ähnlich Schelling, war für ihn die Kunst der Zukunft, die es jetzt zu schaffen galt. Und auch für ihn bedeutete dabei die Musik das eigentliche Ende und die Vollendung der Kunstform, wobei letztlich die Einheit der Empfindung auch die Einheit der Sprachmöglichkeiten von

14 Alpdrücken, 1879, Kat. Nr. 49

15 Der Alptraum, 1883, Kat. Nr. 51

Von 1803 rühren die Worte: »Wie ich neulich die »Jahreszeiten« von Haydn aufführen hörte, ist es mir doch recht deutlich geworden, wie notwendig zur Erhaltung der reinen Natur und zugleich in sich selbst verständlichen und sich selbst still verstehenden und begreifenden Unschuld des Gemütes die Symbolik oder die eigentliche Poesie, d. i. die innere Musik der drei Künste, durch Worte, Linien und Farben, sei«[14]). Es sei erinnert, daß die »Tageszeiten« im übrigen ihren Ausgang von einer dekorativen Zimmerausstattung genommen hatten, die – gerade auch im Hinblick auf Aspekte des Gesamtkunstwerks – im Klassizismus eingeführte ikonographische Konventionen kannte.

Auch Caspar David Friedrich nahm für seine Theorie der Landschaftsmalerei die Ausdruckslehre von Gefühl, Empfindung, Geist und Seele in Anspruch, die sich symbolisch, allegorisch und »mit geheimer Bedeutung«, wie es bei ihm heißt, in den Mitteln und Gegenständen niederschlägt. Auch ihm ging es um das Unsichtbare und Eine und die »ästhetische Rührung« bei großen Ideen, die eines bestimmten Charakters bedürften. Da es die bildende Kunst verglichen mit Musik, Tanz und Poesie mit »stillstehenden Formen« zu tun hat, bedürfte sie dieses eigenen Charakters. Friedrich hat des öfteren gerade den Vergleich mit der Musik bemüht, um die »wirkende Kraft« der Kunst zu umschreiben. Bekannt sind seine Äußerungen gegenüber dem russischen Dichter und Staatsrat Shukowski, der als Lehrer am Zarenhof für den jungen Großfürsten bei mehreren Aufenthalten in Deutschland auch Caspar David Friedrich besucht hatte, diesen in langen »poetischen« Gesprächen vor der Staffelei zu Bildern inspirierte und solche auch in Auftrag gab. Vier dieser Bildentwürfe beschrieb Friedrich in einem Brief vom 9. Februar 1830, denen er als Verständnisanleitung hinzufügte: »Diese Bilder müssen in Begleitung von Musik gesehen werden. Das erste

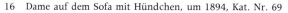

16 Dame auf dem Sofa mit Hündchen, um 1894, Kat. Nr. 69

Kunst garantierte. So schrieb er 1802 an den Bruder Daniel in Hamburg: »Wir suchen durch die Reflexe und die Wirkungen von einem Gegenstande auf den andern, und die Farben desselben, Übergänge zu finden, beobachten alle Farben gleichstimmig mit der Wirkung der Luft und der Tageszeit, die stattfindet, suchen diesen Ton, den letzten Anklang der Empfindung, von Grund aus zu beobachten, und das ist der Ton – und das Ende«[13]). Auch die interdisziplinäre Beschäftigung mit Musik und Dichtung wurde ihm in dieser Zeit nahegebracht. Mit Ludwig Tieck verband ihn eine rege Freundschaft, der »Musikus Berger« weihte ihn in die Geheimnisse der Tonkunst ein. Die Tageszeiten wurden mit dem Freundeskreis intensivstens erörtert.

mit Gesang und Gitarre – das zweite mit Gesang und Harfen-
klängen – das dritte mit der Glasharmonika – das vierte in
Begleitung von fern zu hörender, rauschender Musik«[15]).

Es wäre ein leichtes, das Thema fortzusetzen, bezogen zumal auf
die Technik des Vergleichs und der Analogie zwischen den
Künsten. Die Gleichgestimmtheit der Empfindungsweisen in
unterschiedlichen Medien, die vor allem für den Tausch der
sinnlichen Wahrnehmungsmöglichkeiten untereinander sorgten, wurde erst wieder unmittelbar zu Lebzeiten Max Klingers
virulent, dann auch ausgesprochen dichtungstheoretisch und
programmatisch. Es handelt sich um den in der Nachfolge Edgar
Poes und Charles Baudelaires stehenden Symbolismus in den
romanischsprachigen Ländern, vor allem Frankreichs und Bel-
giens. Als Reaktion auf Positivismus, Realismus und den mate-
riell-technologischen Fortschrittsgeist nach der Mitte des
19. Jahrhunderts schufen sie eine Kultur der Sinne und Exalta-
tionen des Gefühls, die den Unter- und Hintergründen der
Erfahrungswelt durch mystische Sinnbeziehungen, durch den
Kult des Schönen, Imaginären, Phantastischen in einer eigentümlichen Symbolsprache zu Bild, Wort und Ton verhalf. Die
Stilmittel waren Synästhesie, Transposition der Vergleiche und
Bilder, Metaphern, Einfühlungen und Impressionen, die Einfälle und Gedanken zu oft verschlüsselten und suggestiven künst-
lichen Wirklichkeiten verknüpften. Ein System der »Entsprechungen« oft sehr kühner, einfallsreicher Natur hatte den Begriff »Ideorealismus« prägen helfen, der mit Zügen tiefenpsy-
chologischer und protosurrealistischer Techniken ausgestattet
war und die Mittel der Assoziation, der Gestaltmetamorphose
und gewagter Bilder aus scheinbar heterogenen Realitätsberei-
chen zur Entdeckung und Beschreibung des Unbekannten, des
Metaphysischen einsetzen ließ. Gerade die Koppelung des Realen mit dem Irrealen aus den Traumwelten des Innern, den
Ängsten aber auch Perversionen des Fühlens und des Denkens
bestimmte die auf Sensationen angelegte Welt des Symbolismus
bis hin zum Kult des Häßlichen, Obszönen, gelegentlich Porno-
graphischen. Die »decadence« der übertriebenen Reize schärfte
nicht nur den Blick für die Außenwelt, mehr noch den für die
Innenwelt, die durch Kunstformen in die ästhetische Disziplin
genommen wurde. Diese Art persönlicher Erlebnisästhetik mit
subjektiven Ausdruckschiffren, die zwischen inhaltlichen Ex-
zessen und formaler Artistik den Ausgleich herzustellen suchten, fand ihre Hauptvertreter in Paris im Kreis um Stephan
Mallarmé, bei Dichtern wie Paul Verlaine (1844–1896), Arthur
Rimbaud (1851–1891), Joris Karl Huysmans (1848–1907), Emil
Verhaeren (1855–1916) u. a. Bei nicht wenigen verflüssigte sich
der »Symbolismus zur Synästhesie, d. h. die Beziehung der Dinge zu ihrem Wesen wird nicht im Übernatürlichen gesucht,
sondern in natürlichen Parallelen, die indessen nicht alle mit
den gleichen Sinnen wahrnehmbar sind«[16]). Das Visuelle und
Akustische, der Geschmacks- und Tastsinn überlagerten,
durchdrangen und ergänzten sich. Die »audition colorée« ist
nur ein Beispiel unter anderem. Wie Hatzfeld 1923 schrieb:
»Der Symbolismus lehnt sich an eine andere Nachbarkunst an,

17 Studienblatt z. Böcklin-Widmung, um 1887, Kat. Nr. 59

wo statt des visuellen Präzisen das auditive Unbestimmte (Indécis) vorherrscht, wo nichts bleibt zu dauernder Schau in stati-
schem Sein, geschieden und klar, sondern wo alles ineinander
übergeht aus einer momentanen, flimmernden Gestaltenfolge
von Klängen und Tönen in ewig dynamisches Werden: an die
Musik. Daher der von den Symbolisten bevorzugte freie Vers,
die reimlose, rhythmische Prosa . . .«[17]), fügen wir hinzu: das
Malerische als Kunstprinzip. »Chopin, Berlioz und Richard
Wagner sind die großen Namen, die die Musikpoeten vor allem
verehren«. Richard Hamann hat als 28jähriger 1907 in einem
Erstlingswerk und zugleich großartigem Entwurf der Gefühls-
und Denkweise des ausgehenden 19. Jahrhunderts den »Impressionismus in Leben und Kunst«, und zwar gleichermaßen
für Malerei, Dichtung, Musik und Philosophie, kulturge-
schichtlich einfühlsam beschrieben – bei aller Zeitempfindung
und auch Wertung noch immer gültig, fast schon eine Quelle[18]).

Erst vor diesem Hintergrund ist nach der Eigenart und nach den Bedingungen der Kunst Max Klingers zu fragen. Er war schließlich mit Schumann und Wagner, Schopenhauer und Nietzsche, mit Dichtern wie Dehmel oder Rilke groß geworden. Er zählte zur Epoche Maeterlincks, Rimbauds, Oscar Wildes, Hauptmanns, Schnitzlers, Thomas Manns oder Hofmannsthals. Klimt, Ensor, Toorop und Moreau kannte er ebenso wie Hodler, Munch und Khnopff. Er wohnte in Berlin und München, in Brüssel, Paris – dort mehrfach – und Rom, ehe er dauerhaft in Leipzig ansässig wurde, freilich mit Reisen auch dann noch immer wieder unterwegs.

III.

Klingers Verhältnis zur Dichtung ist zu seinen Lebzeiten immer wieder in Form der Analogie für seine graphischen Zyklen, deren imaginativ-poetischen Gehalt, aber auch deren episch-narrative Vortragsweise angesprochen worden. Das bildhafte Denken in Reihen und das Literarische seiner Themen ergänzte sich überdies durch den tatsächlich biographisch gegebenen Austausch und die Begegnungen mit Dichtern. Den anschaulichsten, wenngleich inhaltlich zeitgebundensten und hagiographisch zweifelhaftesten Ausdruck fand dies in Ferdinand Avenarius', des Kunstwart-Herausgebers Sammelschrift über »Max Klinger als Poet« von 1917, die mit der hymnischen und kulturmissionarischen Sprache des Jahrzehnts nach 1900 einen Klinger für die Deutschen forderte. In Anlehnung an die zeitgenössische Auseinandersetzung um die Begriffe »Zivilisation« und »Kultur« zur Unterscheidung zwischen ephemerer Fortschrittsleistung und tieferer Bildung durch Tradition, antwortete Avenarius vor allem auf den zeitgenössischen Vorwurf, Klingers Kunst sei literarisch. Klingers Themenwelt sei vielmehr reich an Phantasie und ingeniös poetisch. Poetisch wurde durchaus im Sinne des Gesamtkünstlerischen und der romantischen Bestimmung begriffen. Der Geist und die Stimmung seiner Werke wurden aufgerufen, um für eine unterschiedslose, um nicht zu sagen diffuse Verknüpfung aller Kunstbereiche zu sorgen. So hält gerade Klinger als Poet durch die Poesie der Werke zu einer Gesamtkunst an, die neuromantisch oft genug auch vom Musikdrama, von Klangmalerei oder gemalter Poesie reden ließ. Avenarius exerziert dies mühelos verbal: »Er ist auch, wo er meißelt oder modelliert, ganz Bildhauer, wo er malt, ganz Maler, wo er raumkünstlerisch ein Gesamtkunstwerk gestalten will, Architekt im größten Sinn, jedenfalls immer: Bildner, der für die Anschauung gestaltet. Aber als solcher, als Bildner ist er sehr oft Dichter fürs Auge, Poet«[19]. Gemeint sind letztlich das Gedankliche und Stimmungshafte seiner Sujets, die ins Bild gefaßten Worte zu erhabenen und großen Ideen wie insbesondere für »Die Kreuzigung Christi«, 1893 (Tafel VIII), »Die Blaue Stunde«, 1890 (Tafel V) oder schließlich seine umfassende kulturphilosophische Darstellung des »Christus im Olymp«, 1897 sowie der in diesen Werken waltenden Ausdrucksharmonie von Figur,

Zeichnung, Farbe, Licht. Schon das »Urteil des Paris«, 1885–1887 (Tafel VIII) hatte im epischen Breitwandformat die Stimmungskunst der Jahrhundertwende durch eine polychrome Verbindung von Malerei und Plastik und eine antikisch idealisierte Szene der Figuren auf einer Bühne vor der Weite einer Wald- und Gebirgslandschaft eingeleitet. Was mit dem Poetischen gemeint ist, veranschaulicht am besten ein Brief an Paul Schumann in Leipzig aus dem Jahre 1890 über die Entstehung der »blauen Stunde«: »Den ersten Anstoß dazu gaben mir reine Licht- und Farbenstudien, die ich in Paris vor langen Jahren begann. Ich habe schon damals dann das Bild komponiert. Daß man unwillkürlich dabei einen Gedanken einpflicht, ist ja nur natürlich, und so habe ich versucht, drei verschiedene Arten stiller Beschaulichkeit möglichst zu charakterisieren: das stumpfe Träumen in die abendliche Dunkelheit hinein, das beschauliche Gruseln, bei dem man ins Feuer schaut, und schließlich das weite Aufträumen«[20]. Die drei nackten Frauengestalten mit verschiedenen Körperposen versinnlichen und versinnbildlichen Abstrakta von Gefühlszuständen. Sie sind im Träumen, Dämmern und Erwachen zugleich eine »Ode an die Schönheit«, vergleichbar dem »Morgen« von Runge, vergleichbar aber auch Formulierungen von Caspar David Friedrich und Arnold Böcklin. Die Lichtwirkung hat er im Medium der Graphik vor allem an Rembrandt gerühmt und studiert, die Farbe schließlich sorgte für die stoffliche Existenz des scheinbar Ungreifbaren. Die Farbe ist das eigentliche Medium der Malerei, in der alle Gattungen der Kunst zusammenfließen. Ihr Gestalt zu geben, heißt letztlich den Grundakkord in der Kunst anschlagen. Doch davon später. Entscheidend ist, daß die Verkörperung und die Körperhaftigkeit von Ideen letztlich durch Figuren alle seine Arbeiten in den verschiedenen Medien und Gattungen beherrschen. Erst dadurch wird Ideelles wirklich und mitteilbar. Der »Christus im Olymp« vereint daher eine Gestaltenfülle reliefhafter Reihung hintereinander im Hauptbild wie in der »Predella« und rhythmisiert das Ganze durch Erzähleinheiten. Das zyklische Gestalten, das sich in der Graphik als Einzelblattabfolge zu erkennen gibt, wird so in *eine* große Einheit überführt und durch *eine* Grundabsicht zusammengefaßt. Diese fast reliefhafte Erzählform, dem Antikenstudium in Paris und Italien abgewonnen und letztlich am vielbewunderten Feuerbach vorbildhaft geworden, hat in seinen großen Programmbildern neben der poetischen Idee epische Breite demonstrieren lassen. »Dichterisch« ist Klinger im eigentlichen Sinne jedoch in der Graphik verfahren – in der Addition von Einzelbildern, die gleichsam Bildromane aus dem Reich des Unbewußten und der Wirklichkeit entstehen ließen. Allein das Medium als solches, wie auch die Titel dieser Zyklen zeigen – nicht literarische Illustration und dennoch illustrativ und »eigenbedeutsam« im Sinne Hamanns (Ästhetik 1919[2])[21], eignet sich zu Bildgeschichten, gleichviel ob der Stoff der Wirklichkeit oder der Phantasie entnommen ist. Es muß nicht einmal illustrativ im Sinne einer Textbegleitung wie im Falle der Radierungen »Rettungen ovidischer Opfer« von 1879 oder des Apuleius-Märchens »Amor und

Psyche« (Opus V, 1880) sein, auch die anekdotischen Anfänge in den »Radierten Skizzen« (1879) oder in den »Intermezzi« (Opus IV, 1880) gehörten bereits hierhin. Auch die weiteren graphischen Folgen, ob »Eva und die Zukunft« (Opus III, 1880) oder »Paraphrase über den Fund eines Handschuhs«, 1881, bringen entweder moderne Varianten als moderne Interpretation eines alten Stoffes oder dienen als Capricci von Phantasiegrotesken, die »freudianisch« Traum und Wirklichkeit zu einem lockeren Handlungsfaden verknüpfen. Allemal sind Handlungen und Erzählungen gegeben, daneben Symbole und Sinnbilder per se, die vom Reiz des Eindrucks und der Überraschung, vom Ungewohnten und vom Gefundenen wie Erfundenen beim Betrachter leben. Sie sind als Graphikfolge und nach ihren Gegenständen oft gedeutet worden[22]).

Für Klinger war die Graphik oder Griffelkunst, wie er sie in seiner kleinen theoretischen Schrift der Selbsterklärung und Theoriebildung »Malerei und Zeichnung« deklarierte[23]), Ausdruck des freien Spiels der Phantasie und damit der Gedanken, die es zu umreißen und in eine Abfolge zu bringen galt. Zeichnung hieß Umriß, Andeutung, Erstbenennung, die gerade darum weniger eindeutig und definiert als Malerei und Plastik den Ideen den »weiten Spielraum« ließ. Sie verhieß Möglichkeit und Freiheit, »alles Dargestellte mehr als Erscheinung, denn als Körper wirken zu lassen[24]). Die Zeichnung war Gedanken- und Ideenkunst, die mit intimer Subjektivität und damit dem Originären des Künstlers durchsetzt erschien. Gerade auf Grund der Beweglichkeit des Mediums waren Phantasiebilder in der Zeichnung mehr als anderswo in Wirklichkeit zu überprüfen. »Der Zeichner allein modelt sie nach seiner Ausdrucksfähigkeit, ohne seinem künstlerischen Gewissen etwas zu vergeben. Der Vergleich mit Klaviermusik und dem Gedichte liegt hier nahe«[25]). Klinger – davon weiter unten – ging danach zur eigentlichen Bestimmung dessen über, was Zeichnung als Kontur und Ästhetik für sich zu bedeuten habe. Er schrieb ihr den Grad einer ersten Definition, einer Allbeweglichkeit des Ausdrucks zu, der mit »geringsten Kontur- und Tonmitteln« arbeitet. »Es beruht dies eben auf jenem erwähnten poetisierenden Charakter der Zeichnung, die die Dinge nicht um der Erscheinung willen und in ihren gegenseitigen sichtbaren, formentsprechenden Verhältnissen und Wirken gibt, als vielmehr um die eng mit ihnen verknüpften Ideen in dem Beschauer wachzurufen«[26]). Zeichnung als eigentliche Vorstufe jedweder Art von Kunst wird damit zum Sprachmittel von Kunst schlechthin. Die verschiedenen Techniken der Ausdrucksgestaltung in der Graphik, Licht, Schatten, Modellierung etc., waren danach nur Sekundärformen einer weitergehenden Interpretation durch Nuancierung, die nach Klingers Ansicht der Graphik mehr Möglichkeiten der Verfeinerung einräumten als Malerei und Plastik. Die Griffelkunst war für ihn demnach ein Primärmittel der Ideen, Phantasien und erzählerischen Vielgestaltigkeit. »Im engsten Raum lassen sich die stärksten Empfindungen zusammenpressen, in der schnellsten Abwechslung die sich widerstrebendsten Empfindungen geben«[27]). Entsprechend sind die Zyklen Klingers

18   Sitzendes Mädchen, Studie zur Böcklin-Widmung, um 1887, Kat. Nr. 60

fast immer Szenenbilder von Geschichten, die aus der Wirklichkeit und Phantasie gegriffen sind. Sie stellen Symboleinheiten dar, die sich um Grundthemen und Urstoffe konzentrieren: Eva und das Ewig-Weibliche, Sünde und Erkenntnis, Schuld und Erlösung, Liebe, Leiden, Tod. Es sind die imaginativen Sensationen der Erlebniswelten des Inneren, die bei Klinger in figürlichen Erzähleinheiten Gedankenketten und Ideenassoziation symbolisch realisieren ließen.

»Klinger sagte mir einst, zu der Zeit, da er frühmorgens im Bett noch läge, stellten sich bei ihm gern die Gedanken und künstlerischen Pläne ein«[28]). Und Singer gibt in der Einleitung zum radierten Werk des Künstlers die wohl treffendsten Erläuterungen zu Person und Werk im Medium der Radierung: »Nach

19 Liegender Akt, 1888, Kat. Nr. 61

allem und allem dürfte es aber wohl unbestritten bleiben, daß
die Hauptkraft Klingers, seine Gabe der Mitteilung und die
stärkste Ruhmessäule seiner Werke, ihr geistiger Inhalt, ist ...
Mit wunderbarem Verständnis nützt er die besondere Eigenheit
seines Mediums – die Macht anzuregen, anzudeuten, die Möglichkeit, durch ein gleichzeitiges Nebeneinander zweier Gedanken eine lange Reihe weiterer auszulösen – aus ... Selbst der
Dichter kann uns eigentlich nur auf den von ihm betretenen
Pfad mitnehmen«[29]).
Sieht man nun auf die Folge der Zyklen, so ist in der Tat das
Erzählerische und symbolische, das Szenische und Figürliche
das Beherrschende in der graphischen Gestaltungsweise Max
Klingers. Gleichviel ob es die Geschichte von »Amor und
Psyche« oder die Traumgeschichte zur Legende vom »Handschuh« angeht, das Abenteuer der Phantasien und Faszinationen schöpft aus dem Realen und Unbewußten gleichermaßen,
der Sinn des Einzelblattes erschließt sich aus der Natur des
Ganzen. Es sind »Dramen« des Alltäglichen, die im Individualismus und Impressionismus der Einzelszenen die Grenze zum
Allgemeinbedeutsamen überschreiten – gespiegelt an den Themen der christlichen oder heidnischen Mythologie, gespiegelt
am Künstler- oder Frauenleben, gespiegelt an den Metamorphosen der Liebe und den Schicksalsszenen des Todes. Klinger
findet nicht nur zu literarisch-poetischen Titeln, zu Aufschrif-
ten dichterischer Natur, auch Widmungen und Textauseinan-

dersetzungen sprechen von »Klinger dem Poeten«. Die »Dramen« z. B. leiten sich mit einer Zeile Hölderlins ein, die »Epithalamia« – Hochzeitsgesänge des »Amor und Psyche«-Märchens –
sind ein einziger Hymnus an »der Liebe Allmacht«, von seiner
späteren Lebensgefährtin und Dichterin Elsa Asenijeff frei be-
textet. Gelegentlich dichtete Klinger selbst in Strophen[30]).
Aber »Klinger als Poet« bezog sich nicht nur auf seine Bildwelt
und sein Reich der Träume, es bezog sich nicht zuletzt auf seine
engen Bindungen an die Dichtung seiner Zeit und den persönlichen Umgang mit Dichtern und Literaten. Klingers frühe Emp-
fänglichkeit für Literatur und sein unermüdlicher Lesehunger
sind bezeugt. Seine Kenntnis der Weltliteratur und der zeitgenössischen Dichtung ist überliefert. Klingers Jugendromantik
und melancholischer Fatalismus, der in den Zyklen zu »Eva und
die Zukunft«, »Eine Liebe« und »Ein Leben« die Frau in den
Mittelpunkt eines Lebensdramas von Gefühlen, Schicksalen,
Lust, Sünde und Verhängnis stellen läßt, hat ihre zeitgenössischen Parallelen in den Schicksalsromanen, die das Leben nicht
nur in den Feuilletons und in der Berichterstattung der Tages-
presse als Fortsetzungsfolgen schreiben ließ. Sie entsprachen
einer literarischen Zeitmode, die von Paul Heyse über Suder-
mann bis Conradi, Konrad Alberti, ja bis zu Hofmannsthal und
dem jungen Thomas Mann reichte. Stimmungsbilder und impressionistische Zustandsschilderungen des modernen Lebens
als Sozialdrama, das vor allem die gesellschaftliche und Ge-

schlechtsrolle der Frau in ihren Gefühlsverstrickungen zum Thema hatte, sind dort immer wieder anzutreffen. Die Milieuschilderungen des Naturalismus verband unmittelbare Lebensnähe mit künstlerischer Überhöhung durch ein Ausschreiten der psychologischen Situationen. Die impressionistisch-feinnervige Technik nahezu pathologischer Zustandsbeschreibungen des Seelenlebens sorgte gerade im Roman, im Drama und in der Lyrik für eine zeitgemäße weltanschauliche Dichte, der es an Sensationen des Gefühls und innerer Dramatik des Geschehens nicht fehlte. Gerade die Untiefen verdrängter Sexualvorstellungen unter dem Zwang der Gesellschaftsmoral prägten ein psychologisches Genre in der Literatur und bildenden Kunst. Hauptmann, Schnitzler, Dehmel oder Hofmannsthal bedienten sich einer Enthüllungstechnik, die in szenischen Varianten ein und dasselbe Thema – in Novellen und Dramen – von verschiedenen Seiten her analysierten und bildhaft werden ließen. Wedekinds »Erdgeist« als »Illustrationszyklus« des Themas »Weib« und nicht minder Schnitzlers »Reigen« sind als Burleske und modernes Lebensdrama zugleich nur *eine* – spätere – Parallele zu den erwähnten Zyklen Klingers. Die Gestaltung von Träumen und Phantasiekomplexen hatte hier eine naturalistische Beschreibung der Welt des Äußeren ebenso zur Folge wie Klinger den Intermezzi seiner Einfälle erfahrene, gelesene Begebenheiten als Anlaß zu Grunde legte – Frau und Verführer, der betrogene Ehemann, der Traum vom Glück und dessen jähes schreckliches Ende durch unerwünschte Mutterschaft und Tod. Eine genaue Analyse dieser vielen Einzelszenen aus den Zyklen, gruppiert und geordnet durch Dückers und noch weitergehend analysiert durch die Bearbeiter der Bielefelder Ausstellung, ergäbe einen wohl kaum erstaunlichen Motivzusammenhang zwischen Klingers Schaffen und der Themenwelt der zeitgenössischen Literatur[31]). Klingers Taggesichte und Nachtgedanken entsprachen der Beziehung zwischen Wunsch und Wirklichkeit, deren Verdrängungsmechanismus zum »disguised symbolism« seiner Bildwelt führte. Klinger war in diese Zeitproblematik durch die Herkunft aus einem höchst kultivierten Elternhaus hineingewachsen. Er dürfte sich ihrer insbesondere bei seinen Studienaufenthalten in Berlin, München, Paris, späterhin Wien, den großen Zentren des Kunst- und Dichterlebens, bewußt gewesen sein, so wie er in Leipzig, Zentrum des Buchdrucks und der graphischen Künste, mit den Neuerscheinungen der Literatur auf vertrautem Fuße stand. So schloß er in Berlin die Bekanntschaft mit Ludwig Pietsch, dem Kunstkritiker, und dem dänischen Literaturprofessor Georg Brandes, der seit 1877 in Berlin lebte und seit seiner Dissertation über »Die französische Ästhetik unserer Zeit« zum Hauptvertreter einer kulturkritischen Literaturmoderne geworden war. Brandes' Auseinandersetzung mit Kierkegaard und sein Eintreten für Ibsen, Jacobsen sowie sein Einfluß auf Strindberg und Hamsun ließen ihn zur führenden Figur des skandinavischen Naturalismus in der Literaturwissenschaft werden. Klinger studierte die Arbeiten von Brandes, der ihn in einer kritischen Besprechung in der Reihe »Moderne Geister« erstmals literarisch einem breiten Publikum vorstellte. 1880 in München, zu dieser Zeit Kunststadt schlechthin, beschäftigte sich Klinger mit dem berühmtesten Werk der indischen dramatischen Literatur, Kalidasas »Sakuntala«, einer der großen Liebesgeschichten der Weltliteratur. Von verwandtem Stoff war auch Kalidasas »Urvasi«, das er las. Paul Heyse, der an der Isar ähnlich Lenbach einen »Palazzo« unterhielt, war in dieser Zeit unbestritten der große Dichter-

20 Liegende, 1910, Kat. Nr. 75

fürst Münchens, dessen leichte, elegante Sprache in vielen Novellen moralischen und psychologischen Charakters Themen der Genie-, Künstler- und Liebestragik variierte. Klinger dürfte dafür empfänglich gewesen sein. Überdies wurden die 80er Jahre in München bald zu einem Jahrzehnt der Aufbruchsbewegung für die »Kritik an den Moralnormen des Bürgertums«. Um Max Halbes »Freie Liebe« und Frank Wedekinds »Lulu« scharten sich all jene Intellektuellen, die mit der Emanzipation für die Freiheit der Frau eintraten. Im Kreis um Michael Georg Conrads neugegründete Zeitschrift »Die Gesellschaft« engagierte man sich für Ibsen, Björnson, Wagner und Zola und gegen Heyse und Freitag[32]).

»Eva und die Zukunft« war 1880 zunächst in München erschienen. Der Zyklus trägt der Zeitdiskussion Rechnung. In Paris 1883 machte sich Klinger gleichfalls mit der vorherrschenden Literatur vertraut; Zola, Flaubert und Maupassant. Zu dieser Zeit hatte ihn bereits das Studium Schopenhauers und Nietzsches ergriffen und seine Weltanschauung mehr und mehr geprägt. Vollends deutlich werden Klingers Beziehungen zur Literatur seiner Zeit schließlich mit der Seßhaftigkeit in Leipzig 1893, wo er Mitglied der »Literarischen Gesellschaft« wurde. Er schrieb von dort an Alfred Lichtwark in Hamburg unter dem 18. September 1893: »Kennen Sie Dehmel, Falke, Lilienkron? Es ist mitunter viel Absicht dabei, aber doch sehr schöne stimmungsvolle Sachen. Man fühlt, daß sie gesehen haben und sich die Sache lebhaft vorstellen. – Wenig genug kenne ich davon, denn viel Zeit zum Lesen habe ich jetzt nicht . . . «[33]). Dennoch: Er las Goethe, Shakespeare, Homer und Lessing, Jean Paul und vieles andere. Briefe und Äußerungen geben ebenso Auskunft wie sein Werk. In der »Literarischen Gesellschaft« Leipzigs lernte er bei einem Vortragsabend Detlev von Liliencrons 1895 seine extravagante Lebensgefährtin und das Modell vieler seiner Arbeiten, die Schriftstellerin Elsa Asenijeff kennen, die als »femme scandaleuse« ihren Ehemann, einen bulgarischen Diplomaten, verlassen hatte und in Leipzig zunächst für Aufregung sorgte. Mit dem Freunde Liliencrons, dem Lyriker Richard Dehmel, der mit Strindberg und Holz verkehrte, in Berlin und Leipzig, später in Hamburg ansässig war, verbanden Klinger seit Mitte der neunziger Jahre enge Beziehungen. Jener widmete ihm sein erstes Werk als freier Schriftsteller, die »Lebensblätter«. Dehmel war nicht nur Vertreter eines vitalen Naturalismus, der leidenschaftlich die bürgerliche Sexualmoral bekämpfte und die Macht des Eros beschwor, seine geistige Wahlverwandtschaft manifestierte sich in seinen impressionistischen Formen des freien Verses, der Klangrhythmik und in weltanschaulichen Grundthemen. Dehmel widmete Klinger eine Reihe von Strophen, Klinger stand im Austausch mit ihm und beide begründeten schließlich eine Freundschaft, die bis zum Tode anhalten sollte. Dehmel starb nur ein Jahr nach Klinger. Wie Klinger gerade bei den Dichtern der Jahrhundertwende geschätzt wurde, mag Hugo von Hofmannsthal in einer Kritik der internationalen Kunstausstellung 1894 in der »Neuen Revue«, Wien 1894, verdeutlichen. Er merkte angesichts der französischen und engli-

schen Symbolisten an: »Es fehlt der Einzelne, der originalste Künstler, den Deutschland zu besitzen die Ehre hat, Max Klinger zu Leipzig«[34]).

Schon diese notgedrungenen sehr knappen Umrisse zeigen, daß Klinger literarisch höchst gebildet war und den Tendenzen der zeitgenössischen Dichtung breiten Raum in seinen eigenen Vorstellungen gegeben hat. Es beweist dies alles, daß »Klinger als Poet« bildnerisch sehr wörtlich zu nehmen war, nicht nur im übertragenen Sinn.

IV.

Daß Klinger auf dem Wege über die Literatur und die Fragen der Zeit auch philosophisch ambitioniert war – dies ist längst nicht minder Gemeingut der Klinger-Literatur seit den ersten Tagen. War er anfangs Poet und Illustrator, so zunehmend Gedankenkünstler und Philosoph. Es handelt sich dabei nicht nur um die von ihm gefundenen bildhaften Formen einer »Physiologie der modernen Liebe« (E. Bourget), die ihn als analytischen Novellisten des zeitgenössischen Seelenlebens zwischen Mann und Frau ausweisen, es ist das geistige, weltanschauliche Deuten der eigenen Zeit im Grundsätzlichen, die Klinger als Maler- und Radiererphilosoph bezeichnen ließen. Es fand vor allem in den Zyklen Opus XI–XIII (Vom Tode I, Brahmsphantasie, Vom Tode II), in den Programmwerken der Malerei und in der Raumkunst seinen Niederschlag. Sinnbilder der Existenz, von Macht, Eros, Schönheit, Geheimnis, Genie, der Lebensalter und vom Tod entwarfen ein zutiefst subjektives und doch allgemeingültiges Lebensbild vom Denken und Fühlen der Epoche Klingers. Es war eine Weltanschauung sehr prinzipiellen Charakters. Klinger wurde vor allem auf Grund der Todes- und Verzweiflungsthematik als Gegenpol seiner sinnlich-heiteren kokett-phantastischen Erfindungen aus Mythos und Alltag in die allgemeine Strömung des Kulturpessimismus der Jahrhundertwende einbezogen. Gerade der Kontrast zwischen »Glück« und »Opfer«, »Schönheit« und »Tod« entsprach dem Wechselbad der Gefühle, Moralvorstellungen und Werte in einer Zeit der Krise und des Umbruchs am Ende des 19. Jahrhunderts. »Wir glauben untereinander Gefährten einer großen Zeit zu sein, einer Zeit, die sich zur geistigen Größe aufgeschwungen hat, alles Bestehende auf seine Richtigkeit hin nochmals durchzuprüfen, zum Teil neu zu bewerten. Welch ein Niederschlag dieser Tätigkeit spiegelt sich in Klingers Lebenswerk wieder!«[35]). Klinger hatte selbst die Radierung als Domäne der Weltanschauung bezeichnet (1883). Diese Weltanschauung war vor allem die eines Studiums von Friedrich Nietzsche und Arthur Schopenhauer, dessen »Welt als Wille und Vorstellung« und »Parerga und Paralipomena« seit den 80er Jahren zur ständigen Lektüre für ihn wurden. Bei beiden manifestiert sich ein Kunst-, Lebens- und Moralbegriff, der in den Arbeiten Klingers auf vielfältige Weise verwirklicht, umgesetzt oder interpretiert wurde. Zeitkritik und lebensreformerischer Ansatz in der Umwertung aller Werte und in der

Bejahung einer Leben-Geist-Tat-Einheit im prometheischen Weltverständnis entsprechen dem heroischen Individualismus Nietzsches und der Vision eines dramatischen Lebenskampfes, den Klinger, früh beeindruckt durch die Lektüre Darwins, in den Paradoxien seiner Themenketten spiegelte und paraphrasierte. Allerdings: dem Zarathustra-Mythos vom höheren Menschen setzt er die christliche Versöhnungstheorie des Todes und der Mitleidsethik gegenüber. Schopenhauer diente zum Ausgleich für den unerbittlichen Heroismus der Tat wie er im Übermenschen Nietzsches vor Augen stand. Unter dem 24. April 1885 zitiert er die Paralipomena Schopenhauers: »Sobald das Denken Worte gefunden hat ist es nicht mehr innig«, und fügt hinzu: »Schreibe statt ›Gedanken‹ und ›Denken‹: ›Kunstwerk‹ und für Malerei und Musik ist viel gesagt«[36]). Und 1905 hält er fest – eine Wahlgenealogie derer, denen er sich geistverwandt empfinden sollte: »Bach Beethoven Mozart Kant Schopenhauer Nietzsche Schumann Wagner Brahms Böcklin Feuerbach – Wie armselig sind doch die ›Großen der Erde‹ daneben, die Fürsten – Alle die großen und schweren Kämpfe haben sie theilnahmslos ausfechten lassen ohne zu helfen. Nicht weil sie dachten: das machen die besser alleine, sondern weil sie wirklich nichts verstanden haben«[37]). Noch im Jahre 1914 bestätigt er für seinen gedankenreichsten und komplexesten Zyklus »Vom Tode II«: »Die zwei Zeilen ›Wir fliehn‹ die Form‹ etc. sind nämlich Eigenwuchs, und wie so ziemlich der ganze II. Theil ›Vom Tode‹, das Resultat der langgepflegten Lektüre der ›Parerga und Paralipomena‹. Die gehörten lange lange Zeit zu meinem täglichen literarischen Futter. Die üben durch Gedanken und Sprache noch heute einen starken Zauber auf mich aus. Wenn ich darin eine Stunde lese, kann ich weder Goethe'sche noch Nietzsche'sche Prosa darauf vertragen . . .«[38]).
Man hat in der neueren Klinger- und Schopenhauer-Literatur in der Tat mehrfach den Nachweis geführt, wo und wie Klinger durch Nietzsche bzw. Schopenhauer beeinflußt worden ist. Zwei, drei Beispiele kurz benannt: In den Folgen »Eine Liebe«, »Ein Leben« oder auch »Vom Tode II« treten vor allem in der Beschreibung der gesellschaftlichen Rolle der Frau, ihrer Verstrickung, ihres Schicksals, aber auch in der Charakterisierung der Triebstruktur zwischen den beiden Geschlechtern Betrachtungsweisen Schopenhauers zutage. Die Macht des Geschlechtstriebs als Schicksal für Mann und Frau sorgt nach Schopenhauer nicht nur für die »vollkommenste Äußerung des Willens zum Leben«, er ist zugleich auch »die Quintessenz der ganzen Prellerei dieser noblen Welt«, da sie »unendlich und überschwänglich viel verspricht und so erbärmlich wenig hält«[39]). Auch Schopenhauers Auffassung vom Christentum als dem Versöhnungsglauben durch das Mitleid und Leiden Christi, der als Symbol der Erlösung für die moderne Existenz zwischen Sein und Nichts, Bejahung und Verneinung des Lebens mit dem Übergang ins Unendliche angesehen wird, findet mehrfach ihre Umsetzung. Gerade Liebe, Leiden, Tod haben in den Blättern Klingers eine unnachahmliche Interpretation erfahren. Das »Ende« im »Leben«-Zyklus führt das Weib »ins Nichts zurück«,

21 Weiblicher Kopf, um 1885, Kat. Nr. 58

nachdem sie das »Anerbieten« für den Einzelnen, aber auch – voll Wagnis und Gewagtheit – »für Alle« macht und benutzt, geschunden »in die Gosse« und in den »Untergang« getrieben worden ist. Schopenhauers Schicksalsphilosophie und Leidensethik, die Glück und Schmerz in der Negation des Lebens eint, hat bei Klinger überdies Unterstützung durch die Diskussion Kierkegaards erfahren, dessen christliche Existenzphilosophie eines Prä-Nihilismus ihm über Georg Brandes bekannt gewesen sein dürfte. Schopenhauers Kulturpessimismus als Modephilosophie des Bürgertums in den 70er und 80er Jahren des vergangenen Jahrhunderts ergänzte sich dann aber durch die Rezeption und Wirkung Nietzsches, dessen Genieethik des großen Einzelnen, des Übermenschen vom Zarathustra-Typ nicht nur im Prometheus-Bild des Künstlers, sondern auch in den prononcierten Typen weltanschaulichen Urverhaltens dargestellt ist, im »Herrscher«, dem Mann der Tat, dem »Philosophen«, dem Inbegriff des Denkens, und im »Genie« (Künstler), der Verkörperung schöpferischen Gestaltens.
Alles dies legt an den Tag, daß auch hier statt Vereinzelung der geistig-kulturelle Zusammenhang des Ganzen, dessen, was »die Welt im innersten zusammenhält«, für Klinger ausschlaggebend, Substanz und Nährboden des eigenen Schaffens war.

V.

Das für Klinger entscheidende Bindeglied zwischen dem »Indécis«, dem Unbestimmten des Inneren, und seinen geheimen »correspondances« in einer äußeren Welt der Entsprechungen, war jedoch von Anfang an die Musik. »Klinger und die Musik« ist vielleicht das am meisten thematisierte Kapitel einer wechselseitigen Erhellung der Künste in der neueren Werkbetrachtung des Künstlers. Er entsprach auch hier einer Zeitbestimmung des »Impressionismus in Leben und Kunst«, der das Musikalische der Klangfarben und Tonkultur zu symphonischen Stimmungsmalereien, zu Gefühlssituationen und Empfindungsmotiven nutzte und statt des konstruktiv-logisch Komponierten interpretative und illustrative Ausdrucksformen setzte. »So ist es gerade das Verdienst des Impressionismus, durch Aufgeben aller Form einen gleichmäßigen Eindruck und eine Harmonie von Wert, Bild, Klang geschaffen zu haben, die Oper zu einer künstlerischen Gesamtwirkung erhoben zu haben. Das macht Wagner's Musik zu der beherrschenden Musik unserer Tage«[40]. Der Musik schuldete Klinger nicht nur die Inspiration, die Phantasieanregung zu einer inneren Gestimmtheit der Bilder, sondern auch die Herkunft und Adresse seiner Motive, deren Bau und Zusammenhang. Wie es in der Musik der Fall ist, so schuf er in der Graphik eine Folge von einzelnen Motiven, Einfällen, Varianten und deren Verbindung in einem System der Wiederkehr von Grundfiguren. Musikern setzte er ausgesprochen Denkmäler der Graphik und der Plastik, Musikern war er in persönlicher Freundschaft tief verbunden, selbst praktizierte er Musik von Kindesbeinen an, der Kultur und dem Kult der Musik seiner Tage, in denen der Musiksalon oder das »Haus eines Musikfreundes« zu den großen Gestaltungsaufgaben der »Kunst im Haus« gehörten, war er in jeder Beziehung eine kongeniale Entsprechung. »Opus« nannte er einem Musikerbrauch folgend seine graphischen Arbeiten. Es waren Partituren heiterer und ernster Schicksalsfolgen, die selbst musikalischen Kompositionsgesetzlichkeiten zu folgen schienen, indem er Leitmotive und Sätze aus einer Überfülle innerer Bilder baute. Bild- und Tonempfindung hatten eine Wurzel und vereinten sich in der Gemeinsamkeit der Stimmung, die es zu erwecken galt. Schon der Vater war musikalisch begabt und hatte die Hausmusik gepflegt. Max Klinger hatte das Klavierspiel früh vollendet zu beherrschen gelernt. In Karlsruhe mußte der erst Siebzehnjährige bei Schulfesten und Gesellschaften der Kunstakademie aufspielen. Schumann und Brahms gehörten zum Lieblingsrepertoire des angehenden Künstlers. Briefe über Karlsruher Festveranstaltungen vom Dezember 1874 und Januar 1875 belegen, daß er neben dem Klavier auch Singspiele und Kostümstücke bestritt. So heißt es da: »Morgen Abend muß ich im Verein etwas vortragen. Die Bach'sche Arie ›Mein glaubiges Herze‹. Ich begleite nur eine Singstimme in Gesellschaft eines Violincellos. Singe dann als 2. Baß ein Quartett mit, ein komisches Lied. Und werde solo auf dem Klavier wahrscheinlich noch unterschiedliches vortragen. Man wird der reine Musikant«[41]. Schumann, Brahms und Wagner wurden für ihn nächst Beethoven in den späteren Jahren zu Quellen von Grunderfahrungen des inneren Lebens. Seine »Rettungen ovidischer Opfer« widmete er Robert Schumann. Er äußerte sich Januar 1880 wie folgt dazu: »Die Widmung an Schumann ist reine Sache der Sympathie – analog der musikalischen Dedicationen –. Ich liebe die schumannsche Musik außerordentlich und behaupte und glaube von seiner Compositionsweise viel beeinflußt zu sein – in einer Art freilich, die zu erklären mir unmöglich ist . . .«. Und in einem Brief an denselben: »Es affiziert mich alles, was in der Welt vorgeht: Politik, Literatur, Menschen; über alles denke ich nach, was sich dann durch Musik Luft macht, einen Ausweg suchen will«[42].

22 Allegorie des Lebens, 1884, Kat. Nr. 55

23 Festschrift des Königlichen Kunstgewerbe-Museums zu Berlin, 1881, Bl. 1, Kat. Nr. 78

24 Festschrift, 1881, Bl. 2, Kat. Nr. 79

poetische und musikalische Moment einen auch hier die verschiedenen Künste in bezug auf ihren Gegenstand. Immer wieder finden sich bei Klinger solche Übertragungen vom einen ins andere Medium. Seit 1880 war er in persönliche Beziehung zu Johannes Brahms getreten, ihm widmete er die 1894 erschienene Folge seiner »Brahmsphantasien«. Diesmal waren es Phantasieumschreibungen zum Werk von Brahms, nachdem er bereits 1880 »Amor und Psyche« dem Komponisten zugeeignet hatte, ohne daß ein inhaltlicher Bezug näher hergestellt worden wäre. Bereits früher schuf er auf Bitten von Brahms Musikverleger Simrock noch Titelbilder zu Liederheften und anderen Brahmswerken. »In Brahms steckte ein gutes Stück von ihm selbst«, schrieb Konrad Huschke im »Gedenken an Brahms' 100. Geburtstag«, und fuhr fort: »Er war ihm – wenn auch weniger Kulturgenie als er – seelenverwandt. Und so konnte es nicht wundernehmen, daß er gerade ihm eines seiner reichsten und eindrucksstärksten Werke widmete . . .«. Wie Brahms in seiner Freude über die Blätter selbst schrieb: »Es sind 41 Zeichnungen und Radierungen, denen Lieder von mir und schließlich das Schicksalslied zugrunde liegen. Die ganz wundervollen Blätter

Vom 8. November 1883 ist eine Eintragung überliefert, die seine Doppelbegabung und synästhetische Empfindungsweise illustriert: »Irisierende Körper, besonders Wasser, und Töne eines verstimmten Klaviers haben für mich eine gewisse Verwandtschaft . . . (Schluß auf malerische Begabung, bei umgekehrtem Verhältnis auf musikalische?) (Siehe Schumann: Musikalische Hausregeln 1.)«[43]. Bezogen auf die Matthäuspassion von Johann Sebastian Bach und dessen »Lieber Jesus GUTE NACHT« setzt er kritisch Philosophie, Dichtung und Musik in Vergleich. Und anläßlich seiner Obsession von der »Darstellung des Weiblichen in allen Künsten« als dem »herrlichsten Beruf«, der zu vielen fatalen Deutungen der Frau als puren »Genußobjekts« geführt habe, betont er, daß Wagner und Böcklin die einzigen seien »die die Frau als intellektuellen und zugleich körperlichen Gegensatz des Mannes zu erfassen wissen«[44]. Das moralisch-

26 Festschrift, 1881, Bl. 4, Kat. Nr. 81

27 Festschrift, 1881, Bl. 5, Kat. Nr. 82

25 Festschrift, 1881, Bl. 3, Kat. Nr. 80

sind nicht ohne weiteres zu verstehen. Obwohl sie nichts Symbolisches oder dergleichen enthalten, sind sie doch keine bloßen Illustrationen ...«. Und im Bekenntnis an Klinger: »Manchmal möchte ich Sie beneiden, daß Sie mit dem Stift deutlicher sein können, manchmal mich freuen, daß ich es nicht zu sein brauche. Schließlich aber muß ich denken, alle Kunst ist dieselbe und spricht die gleiche Sprache«[45]). Brahms antwortete ihm mit seinen Mitteln. Er eignete Klinger 1896 vier Lieder zu. Klinger hat über Brahms hinaus seiner Huldigung an die Musik, der er im Blatt »Evocation« Züge des Selbstporträts verliehen hat, noch mehrfach gestaltend Ausdruck verliehen – in der Plastik und im Rahmen des Gesamtkunstwerks, das als Klang- und Raumschöpfung jene gestaltübergreifende Idee des Ganzen erst voll symbolisierte. Neben Max Reger, Richard Strauß, dem Brahms-Denkmal in der Hamburger Musikhalle, waren es Wagner und Beethoven, denen er theoretisch und praktisch Idee und Vollendung des Gesamtkunstwerks dankte.
Ob nun aus dem Geiste der Romantik oder aus der Kultursynthese seiner Epoche, ist lediglich Nebensache und Nuance.

VI.

Malerei und Plastik als monumentale Schöpfungen im Gesamtzusammenhang des Raumes, sowohl als Dekorationssystem wie als Verschmelzung der verschiedenen Gattungen der Künste, bestimmten Klingers Begriff des Gesamtkunstwerks zum einen, die Sinnbestimmung aus dem Geiste der Musik zum anderen. Mehrfach hat er sich verbal dazu erklärt, mehrfach expressis verbis Programmarbeiten dazu ausgeführt und im Falle des Beethoven-Denkmals wurde dieses dementsprechend sogar eigens durch andere dazu inszeniert. Die symphone Gestalteinheit war erst nach der Gedankenklärung auch in der Praxis möglich. Den Gedanken dazu half dabei nicht nur die Theorie des Symbols entwickeln, das nach einer Erkenntnis von 1885 »alle Höhen, alle Tiefen empfinden (läßt), ohne sie durchlaufen zu müssen«. Es war vor allem das Musikdrama Wagners und das Beispiel der Symphonien Beethovens – dort vor allem der durch Wagner interpretierten IX. Symphonie –, in denen der Gedanke des Gesamtkunstwerks theoretisch manifest geworden war. Wagner hatte seine Ideen, wie erst kürzlich wieder dargestellt, sowohl in seinem 1846 anläßlich einer Aufführung gegebenen Programm zu Beethovens IX. Symphonie entwickelt wie in verschiedenen Schriften zum Musikdrama als »Kunstwerk der Zukunft« vorgelegt[46]). Der Übergang vom Unbestimmten der Musik zur Wortsprache als Wiedergewinnung von Festigkeit und klar bestimmtem Ausdruck im »wirklichen Drama« sollte »die innige Vereinigung aller Kunstzweige zum höchsten, vollendetsten Ausdrucke« bewirken[46]). Wagner hatte dies seinerzeit sogar mit einem historischen Rekurs auf die Antike verbunden, in der die Tragödie noch der gemeinschaftstiftende »Ausdruck des öffentlichen Bewußtseins« war. Erst ihr Verfall sorgte für die Auflösung der Tragödie in einzelne Bestandteile wie Rheto-

28 Festschrift, 1881, Bl. 6, Kat. Nr. 83

rik, Bildhauerei, Malerei, Musik usw. In seiner 1849 als erste von drei geschriebenen Reformschrift »Die Kunst und die Revolution« (»Das Kunstwerk der Zukunft«, »Oper und Drama«) forderte er die »große Menschheitsrevolution«, um die Wiedergeburt oder Neugeburt dieses einst vollendeten Kunstwerks zu veranlassen, in dem »der große, einige Ausdruck einer freien, schönen Öffentlichkeit« zu finden sei. Wagner hat letztlich in seinem Opernwerk diese Wiedervereinigung aller Künste in Wort, Bild und Klang, Tanz und Gesang zu erreichen gestrebt, mehr noch eine Lebensreform durch die Reform der Bühne zu initiieren und zu verwirklichen versucht. Die Bewußtseinseinheit von Leben und Kunst sollte übergreifend auch für eine soziale Erneuerung sorgen – ein Gedanke durchgängig durch das ganze 19. Jahrhundert. Es ist nicht von ungefähr, wenn der Name Wagners ausgerechnet zu einer Arbeit Klingers heranzuziehen ist, die als erstes Gesamtkunstwerk im Sinne der Raumkunst die Totalausstattung eines Zimmers in Angriff nahm – die Arbeit für das Vestibül der Villa Julius Albers, eines jungen Kammergerichtsreferendars, in Berlin-Steglitz (Tafel IX–XIII). Wagners »Musikdichtung« hielt dazu her, die Grenzen

29 Festschrift, 1881, Bl. 7, Kat. Nr. 84

30 Festschrift, 1881, Bl. 8, Kat. Nr. 85

herkömmlicher Poesie aufzuzeigen und zu überschreiten. Klinger verstand seine Arbeit in der Villa Albers nicht als Illustration von Stoffen, sondern als Stimmungseinheit aus der Synthese von Malerei und Zeichnung. So schrieb er an Georg Brandes im Dezember 1884: »In diesem Jahre habe ich die meiste Zeit auf die Ausschmückung eines Wohnraumes in Steglitz verwendet. Alles, Wände, Decke, Thüren, alles ist bemalt worden . . . Wie sehr wünsche ich, Sie könnten einmal diese Sache sehen, denn dieses, die große Dekoration, ist wohl mein eigentliches feld«. Und im selben Brief schließt er mit einer zeitkritischen Einschätzung der Literatur seiner Tage, gemessen am modernen Geist des Dramendichters Wagner: »... aber ich habe es nun mit Bodenstedt und Freitag, Wildenbruch Hopfen Spielhagen und Voß versucht – und da muß ich doch sagen in ihren Sachen, die ja eigentlich von jenen Leuten nicht als 〈Literatur〉 betrachtet werden, ist doch mehr Leben, sieht und fühlt man mehr . . . Richard Wagner, das ist noch allenfalls unser 〈Dichter〉«[47]). Erstmals anläßlich dieser umfassenden Aufgabe, zu der seine Paris-Aufenthalte, die Auseinandersetzung mit Puvis de Chavannes und vor allem dem vielbewunderten Arnold Böcklin den Anstoß gaben, hat Klinger sein graphisch erprobtes zyklisches

31 Festschrift, 1881, Bl. 9, Kat. Nr. 86

Verfahren ins Große übersetzt und damit die Villa dieses ihm als Graphik-Freund vertraut gewordenen Gönners und Auftraggebers geschmückt. Albers hatte Klinger zu diesem Schritt ermutigt. Die exakte Dokumentation dieses Auftrages und dieser Arbeiten steht noch aus. Er hat seinen Hintergrund in dem Versuch, allenthalben der Wandmalerei in diesem Jahrzehnt eine neue öffentliche Bedeutung zu verschaffen. Ihre Wiederbelebung wurde durch die preussische Landeskunstkommission intensiv betrieben. Einer der maßgeblichen Initiatoren, Geheimrat Jordan, Direktor der Berliner Nationalgalerie, hatte höchstselbst Klingers Arbeit in der Entstehungsphase kritisch begleitet. In Reflexion dieser Arbeit in Briefen und Fragmenten legt Klinger dabei erstmalig die Grundzüge seines Begriffs der Raumkunst und des Gesamtkunstwerks schriftlich nieder, ehe 1891 die erste Auflage seines theoretischen Werkchens »Malerei und Zeichnung« erschien. Im Brief an Albers aus Paris vom 24. Februar 1884 definiert er die Zeichnung als »das wahre Organ der Phantasie in der bildenden Kunst«. Frei beweglich, ist sie das beste Feld, »seine Lebens-, seine Weltanschauung nieder zu legen«. Die Malerei hingegen sei das beste Mittel, die äußere anschauliche Welt zu zeigen. Sie ist darauf angewiesen. So schreibt er: »Die Farbe, die Möglichkeit der Modellierung der Form, die Gelegenheit mit anderen zusammen zu wirken, weisen sie darauf hin, das einzelne Bild für sich auszurunden und zu vollenden, diese Gesammtheit von Bildern aber zur einheitlichen Wirkung, d. h. zur sozusagen momentanen einheitlichen Wirkung zusammenzuarbeiten«[48]). Diese frühe Arbeit Klingers als Monumentalmaler und Gesamtkünstler, von welcher der Direktor der Hamburger Kunsthalle, Alfred Lichtwark, eine erste Beschreibung lieferte, ist heute nurmehr in Fragmenten, verteilt auf die beiden Nationalgalerien in Ost und West und die Hamburger Kunsthalle, überkommen. Es handelte sich um vier größere Wandflächen mit Landschaften, um ein Kaminbild (»Sommerglück«), darüber rings um den Raum einen gemalten »Meerfries« und schließlich fünf Türflügelpaare mit verschiedenen Feldern mit mythologischen Themen zu Mars und Venus, Amor, den Ganymed-Raub, Meerjungfrauen, Tritonen und Fabelwesen im Stile Böcklins. Auch Böcklin hatte seinerzeit in Basel in der Gestaltung eines Gartensaales seine erste zusammenfassende Fresko-Arbeit größeren Ausmaßes vorgelegt. Klinger, der persönlich Böcklin erst als altem Mann begegnete, wußte sich diesem Vorbild ein Leben lang verbunden. Hier auch formulierte Klinger erstmals den Wunsch nach einer polychromen Gestaltung der Skulptur, indem er die eigens vom Berliner Bildhauer Arthur Volkmann geschaffenen Büsten aus carrarischem Marmor bemalen ließ. Dies wurde von keinem geringeren als Hermann Prell besorgt, der als Wandmaler rühmlich hervorgetreten war. Erst ein Jahr später setzten Klingers eigene Versuche in dem für ihn neuen Medium farbiger Plastik mit Studien zum »Beethoven« und zur »Neuen Salome« ein. Welche Wende die Arbeiten für die Villa Albers im Streben nach dem Gesamtkunstwerk für Klinger bedeuten, illustrieren darüber hinaus die langsam und in Jahresabständen vorgestell-

32 Festschrift, 1881, Bl. 10, Kat. Nr. 87

ten Hauptwerke der Malerei wie z.B. »Das Urteil des Paris«, 1885–87, »Die Kreuzigung Christi« und »Die blaue Stunde« von 1890, ehe dann die großen Würfe der neunziger Jahre für das Treppenhaus des Museums der bildenden Künste in Leipzig und schließlich die nächst dem Beethoven anspruchsvollste Synthese seines Schaffens, der »Christus im Olymp«, entstanden. Die langen Schaffensprozesse sind Hinweis genug, wie programmatisch und überlegt Klinger ein jedes seiner Werke im Sinne der »Allkunst«, wie es zeitgenössisch gleichfalls hieß, angegangen ist. Nicht zuletzt bezeugt die Schrift über »Malerei und Zeichnung« von 1891 Klingers versuchte entwicklungsgeschichtliche Gattungssynthese, die der Bild-, Dekorations- und Raumkunst wechselnde Ästhetiken zuschreiben ließ, um sie dennoch auf das *Bild* als umfassendste Aufgabe der Kunst zu einen. Nichts Novellistisches mehr sei in Szene zu setzen, gar dort, wo es die dekorative künstlerische Einheit der Raummalerei erfordere, und noch weniger dort, wo schließlich die Raumkunst die Strenge allseitiger Bindung für den einen großen Eindruck von Form und Inhalt, eine systematische Gliederung der architekto-

nischen, plastischen, malerischen und zeichnerischen Formen verlangt. Von der Dreidimensionalität zu Fläche, von der Farbe zur Zeichnung entwickelten sich die Künste, die alle im Dienste der *einen* Stimmung stehen. Die Farbe sei das vermittelnde Band zwischen allem, weshalb denn in der Polychromie der höchste Grundsatz für die vereinheitlichende Wirkung zu suchen wäre. »Hier, bei der Raumkunst, ist es, wo die farbige Skulptur einzusetzen hat, der wir so merkwürdig zaudernd gegenüberstehen«. Der Passus verdient länger zitiert zu werden, da in ihm die entscheidenden Kriterien für das rechte Verständnis von Klingers All- oder Gesamtkunst ausgesprochen werden. So schreibt er: »Wir haben bei jedem Monumentalraum das Bedürfnis, an den rein architektonischen unteren Gliederungen plastische Werke zu suchen, die in Gestalt bekräftigender Charaktere, stimmender Gruppen die Vermittlung bilden zu den Phantasiewerken der höheren Raumteile. Da nun in solchen Räumen der erste Gesamteindruck zweifellos in der farbigen Erscheinung besteht, dürfen jene keinesfalls in einfarbigen Werken bestehen . . . Die Farbe muß hier zu ihrem Recht kommen, muß gliedern, stimmen, sprechen … Dieses Gesamtwirken aller bildenden Künste entspricht dem, was Wagner in seinen musikalischen Dramen anstrebte und erreichte. Wir besitzen jenes noch nicht, und das, was davon aus vergangenen großen Epochen uns überkommen ist, haben anders denkende Zeiten meist verstümmelt oder zerrissen. Malerei beschränkt sich für uns auf den Begriff ›Bild‹«[49]. Klinger – und das erstaunt angesichts seiner eigenen graphischen Produktion – nimmt sogar einen kunstkritisch-reformerischen Standpunkt ein, der gegenüber der anekdotisch-novellistischen Produktion seiner Tage wieder die Rückkehr zur großen, einen Form verlangt. Klinger rückt damit in nächste Nähe zu all jenen Versuchen einer Erneuerung des »Bildes« aus dem Geiste der Monumentalmalerei und des Gesamtkunstwerks, die in Hodler, Klimt und Munch ihre anderen großen Vertreter gefunden haben. Auch sie sahen ihr höchstes Ziel in der Wandmalerei, deren Form- und Ausdrucksgesetze dem Wunsch nach monumentaler Synthese entsprachen, verwirklicht. Vielleicht nur ein Satz, der dies, soweit es Klimt betrifft, belegt. Jener schrieb 1893 in einem Brief an Johan Rohde: »So schlecht es um die Kunst in Deutschland im allgemeinen bestellt ist – möchte ich doch etwas sagen – sie hat hier den Vorteil, daß sie einzelne Künstler hervorgebracht hat, die so hoch über alle andern emporragen und so allein dastehen, z.B. Arnold Böcklin, der, soweit ich sehe, über alle neuzeitlichen Maler emporragt – Max Klinger, Hans Thoma – Wagner unter den Musikern – Nietzsche unter den Philosophen«[50].

Klinger war diese Verwirklichung der drei Einheiten in der bildenden Kunst freilich nur begrenzt möglich, nicht allein wegen der Grenzen der eigenen Schaffensmöglichkeiten, sondern vor allem auf Grund der Ungewöhnlichkeit seiner Themen, die bei Offiziellen auf mangelndes Verständnis stießen, und auf Grund der damit verbundenen Kosten. Bezeichnend ist die Entstehungsgeschichte des Tageszeitenzyklus für das Treppenhaus des Leipziger Museums, der während zwölf Jahren bis 1908 immer wieder neu verhandelt und schließlich abgebrochen wurde. Beispiele einer Verwirklichung sind statt dessen sein Wandbild für die Aula der Universität Leipzig (»Die Blüte Griechenlands«) oder schließlich die Gemälde für den Saal der Abgeordneten im Chemnitzer Rathaus, die erst 1918 abgeschlossen wurden. Klingers sehnlichster Wunsch erfuhr also nur eingeschränkt eine Realisierung. Den Beweis für seine Absichten traten dafür drei seiner größten und bedeutendsten Gemälde an, um die sich gleichfalls eine heftige öffentliche Diskussion rankte. Es waren dies wie erwähnt »Das Urteil des Paris«, »Die Kreuzigung Christi« und schließlich »Christus im Olymp«. Alle drei sind mit dem Namen eines Mannes verknüpft, der als Architekt und Künstlerseele, in Triest ansässig, in Klinger einen kongenialen Schöpfer der unerfüllten Sehnsüchte seiner selbst erblickte. Max Lehrs hat diesem, Alexander Hummel, ein ehrendes Andenken durch seinen großen Aufsatz von 1915 gesetzt[51]. Hummel war Winters im Münchener Vorort Gern ansässig, um als Bohemien von Geist seinen Plänen, Projekten und Neigungen leben zu können. Auch er war ein genußvoller Anhänger der

Wagnerschen Musik und der Philosophie Arthur Schopenhauers. Er hatte Klinger 1890 in Rom kennengelernt und ihm seitdem eine grenzenlose Verehrung entgegengebracht. Die öffentliche Kunstpflege in Deutschland fand in ihm einen scharfen Kritiker. So erwarb er, nachdem sich keine andere Hand gefunden hatte, das 1887 in Berlin und Wien mit Erfolg ausgestellte Bild des »Paris-Urteils« für seine Villa Eirene in Triest im Jahre 1896. Auch dort erregte das Werk Aufsehen, aber die begeisterte Bewunderung dieses Mannes, der Klinger selbst um die Aufstellung in seinem Haus mit weitem Blick über das Meer gebeten hatte, räumte die Schwierigkeiten aus dem Wege. Hummel war danach ständig bemüht, Klinger einen monumentalen Wandauftrag zu verschaffen. So schrieb er in einem Reisebrief desselben Jahres: »Es gibt doch nichts an der Malerei Einheitlicheres, Harmonischeres, als Freskomalerei in Verbindung mit Architektur, von bestimmtem Standpunkt und in bestimmtem Licht zu sehen. Ich meine, es gehört dies zu den höchsten Genüssen, die man in Italien, und eigentlich einzig in Italien haben kann«[52]. Als daher Klinger sein drittes großes Werk – Hummel hatte 1895 auch die »Kreuzigung Christi« erworben – in Arbeit hatte, den »Christus im Olymp«, war sein Bestreben, allen drei Werken endlich ein gemeinsames Dach zu schaffen. Er träumte, wie Max Lehrs berichtet, von einem »Klinger-Tempel«, um den Poeten, Seher und Gesamtkünstler endlich am Ziele zu sehen. Dieser Tempel sollte an der Donau, nicht an der Elbe stehen. Seine Denkschrift an den damaligen Kultusminister von Hartl illustrierte mit den Worten Klingers das Problem der Raumkunst und begründete »weshalb gerade diese drei großen Gemälde, die in ihrer Trias *ein* Thema variieren: das Lied vom ewigen Kampf der Welt und von ewiger Schönheit im Altertum, die Seelenkämpfe und Kämpfe der Geister um des Glaubens willen und den Kampf zweier Weltanschauungen, der bejahenden und verneinenden, – durch eine architektonisch-dekorative Aufstellung zu intimster Wirkung gebracht werden müßten und den Mittelpunkt einer modernen Galerie zu bilden geeignet wären«[53]. Allein, trotz guten Willens kam es nicht dazu. Auch hier erwarb, wie bekannt, Hummel das Bild schließlich selbst im Jahre 1901, um es in Villa Eirene aufzustellen. Er schenkte es dann der Wiener Galerie. »Ein Gegenstück zur Kunst Wagners« wollte Hummel geschaffen wissen, Klinger war ihm das einzige fähige Genie dazu. Die Idee des Gesamtkunstwerks als ein begeisternder Traum der Jahrhundertwende wird noch einmal deutlich, liest man seine enthusiastischen Worte zur Unterstützung der Ziele Klingers: »Alles sollte Deutschland einsetzen, damit der ganze Klinger in Erscheinung treten könne. — Das Bild vom gefesselten Prometheus, der zu befreien ist, – nur zu oft gebraucht – hier träfe es zu«[54]!

VII.

Obwohl in dieser Form nicht verwirklicht, war es dennoch Wien, wo Klingers Inbegriff des Gesamtkunstwerks zeitgenös-

33 Festschrift, 1881, Bl. 11, Kat. Nr. 88

sisch seine größte Demonstration erfuhr, eben in jenem Bilde des »gefesselten Prometheus«, der zum Sinnbild seiner eigenen Existenz und zugleich exemplarischer Ausdruck des Geniepostulats und des Künstlerbildes am Ausgang des 19. Jahrhunderts geworden war. In ihm als Synthese kulminierte ein ganzes Jahrhundert. Es ist die Rede von Max Klingers polylithem »Beethoven« (Tafel XXII) auf der 14. Wiener Ausstellung der Sezession im Jahre 1902. Zu ihm ist vieles, nahezu alles gesagt[55]). Er ist oft und immer wieder beschrieben worden. Nur zwei Aspekte seien abschließend hervorgehoben – das Problem der mehrfarbigen Plastik an der Jahrhundertwende und das Problem der »Raumkunst« als Charakteristikum der Sezessionskunst um 1900, die unter dem Eindruck des Siegeszuges des modernen Kunstgewerbes den Kunstbegriff hergebrachter Art und jenseits der traditionellen Akademie endgültig verabschiedete.

Über die Bedeutung der Farbe war bereits weiter oben gesprochen worden. Klinger schien sie auch in der Plastik unabdingbar. Auch hier ging es ihm nicht um Naturkünstelei und ein Übermaß des Realismus, vielmehr um Vollendung und Einheit,

Stimmung und Ausdruck in Form und Inhalt. Stets gingen Klingers farbigen Skulpturen aus verschiedenfarbigem Original- und Edelmaterial – Stein und Bronze – gemalte Gipse vorauf, die das »Bild« erstellten, nach dem es auszuführen war. Mit höchsten Qualitätsanforderungen erwarb er auf weiten Reisen die besten Marmorsorten aus Deutschland, Griechenland, Afrika, Carrara und den Pyrenäen, ergänzt durch Tiroler Alabaster, Bernstein und – wie beim Beethoven der Fall – durch Glasfluß, Achate, Jaspis und Perlmutt. Hauptwerke vor dem Beethoven waren »Die neue Salome« (Tafel II), 1887–94, oder die »Kassandra«, (Tafel XXI) 1892–95. Ganz im Sinne Wagners, der die antike Tragödie als Ganzheitsentwurf für »Das Kunstwerk der Zukunft« herangezogen hatte, hatte Klinger in diesen Werken die polychrome Skulptur der Antike aufgegriffen, erneuert im Barock, zum Teil wiederbelebt im Empirestil vom Beginn des Jahrhunderts. Er wollte damit jene »Correspondance« von Auge und Gefühl erreichen, die gemeinsam mit der Interpretation des Themas – Salome, Kassandra, Genie! – ein totales Inbild in einem engen Sinnbezug zur Umgebung herstellen ließ. Und er verschlug damit all jenen Versuchen das Recht auf Wirkung, die

34 Festschrift, 1881, Bl. 12, Kat. Nr. 89

wie im Falle Rudolf Maisons, gelegentlich wohl auch noch im Falle Arthur Volkmanns, nur naturalistisch und damit rein äußerlich verfuhren. Immerhin, selbst ein zeitgenössisch so versierter Kenner deutscher Plastik des 19. Jahrhunderts wie Alexander Heilmeyer sprach bereits kurz nach Klingers Tode in einer ersten Gesamtdarstellung der Plastik des 19. Jahrhunderts von Klingers »intellektualistischen Pikanterien«[56]). Die Form- und Raumkunst der Jahrhundertwende war bereits zwei Jahrzehnte später fremd geworden.

Eben diese hatte 1902 im Hause der Vereinigung Bildender Künstler Österreichs, dem Secessions-Gebäude des 1899 von Joseph Maria Olbrich entworfenen »Kunsttempels« am Karlsplatz in Wien, noch triumphieren können. Zum ersten Mal war dort eine neue Idee der Kunstpräsentation, die auf den Charakter der Einheitlichkeit und der höchstmöglichen Verwirklichung der Kunstwerke nach Form und Inhalt zielte, durch eine temporäre Ausstellung vor Augen geführt worden. »Die Aufgabe dieser Ausstellung, die von der bisherigen Art durchaus abweicht, bestand darin, dem Beethoven-Denkmal von Klinger eine würdige Umrahmung zu schaffen«[57]). Joseph August Lux, der Verfasser dieser Zeilen von 1902, hob dabei bewußt auf die Umwertung der Werte durch die neue Raumkunst ab, die der Vereinzelung und dem Individualismus der bisher geübten Kunst eine neue Gestaltungsqualität aus dem Zusammenhang des Ganzen, aus *einem* Formwillen allein, entgegensetzen wollte. Schon die Figur Beethovens als grübelnder Titan in antikisch-heroischer Nacktheit versprach ihm »sichtbare Musik«. Das Ambiente des Genies umfaßte die ganze moderne Schöpfungs- und Leidensgeschichte aus einer Synthese von Antike und Christentum, dargestellt in den Reliefs des Thron-Stuhls. Eine solche Verwirklichung höchstmöglicher Intensität der Idee und kultureller Synthese, vorher einzig im »Christus im Olymp« und in der »Brahmsphantasie« angeschlagen, verlangte nicht nur nach »polyphonem Material«, sondern auch nach einer entsprechenden Umgebung. Diese boten bekanntermaßen nicht nur die

architektonischen Mittel Joseph Hoffmanns, der einen Haupt- und zwei Seitensäle vorsah, in deren rechten J. M. Auchentaller und F. König eine Wanddekoration nach Schillers »Ode an die Freude« und in deren linken Gustav Klimt einen Wandfries in kongenialer Interpretation von Beethovens IX. Symphonie plazierte. Die Raumkonzeption selbst folgte einer höchstmöglichen puristischen Strenge, die außer der Deckenwölbung geometrische und kubische Wandelemente mit Rauhputz vorsah, der gelegentlich mit glatten Flächen wechselte. Der Hauptraum lag tiefer als die Seitenschiffe, von denen aus auf Klingers monumentale Schöpfung nach entsprechender Vorbereitung durch die Seitenräume hinabzusehen und zu schreiten war. Zu der in Klingers Beethoven-Figur »sichtbaren Musik« sollte der Raum gleichsam die »sichtbare Akkustik« bieten[58]).

Lediglich zurückhaltende Schmuckplatten und Ornamente zierten neben einem Programm von Skulpturen und Reliefs die Wände. Im Mittelsaal selbst thronte rückwärtig vor dem ornamentalen Wandbild A. Rollers (»Die sinkende Nacht«) die Statue in einsamer Majestät. Zwei Brunnen durchbrachen die Stille des Saales mit der Melodik ihres Plätscherns. Sie faßten vier Figuren von Richard Luksch jeweils bühnenartig auf einem Halbrund zusammen. Kranzträgerinnen R. Bachers auf hohen Sockeln, eingebunden in die seitlichen Wandflächen, vollendeten die weihevolle Inszenierung des Sanktuariums. Die ganze

35 Festschrift, 1881, Bl. 13, Kat. Nr. 90

36 Festschrift, 1881, Bl. 14, Kat. Nr. 91

dreischiffige Anlage folgte demnach einem einheitlichen ikonologischen Programm in Architektur, Plastik und Malerei, die sich in Form und Inhalt ergänzten. Nie wieder erfuhr Klinger eine derartige Auszeichnung eines seiner Werke, nie wieder fand für ihn die Symbiose von Kunst und Leben als Synthese aller Gattungen der Künste zu einem so einheitlichen Ausdruck der Lebensphilosophie der Jahrhundertwende. »Bald wird diese Raum-Schöpfung aus dem Reich der Wirklichkeit verschwunden sein«, schrieb August Lux. »Sie zielte auf ein großes einheitliches Wirken aller bildenden Künste ab, auf ein Zusammenfassen zu einer großen Harmonie, zu einem Hymnus an die Schönheit«[59]). Klingers Werk war der Höhepunkt, aber auch der Schwanengesang des Traums vom »Gesamtkunstwerk« einer ganzen Epoche. Dieser Traum wurde zwar fortgesetzt, aber kaum je in dieser Geschlossenheit höchster Formprinzipien aus der Totalität des Zeitempfindens.

Anmerkungen

[1]) Giorgio de Chirico, Wir Metaphysiker. Gesammelte Schriften, hrsg. von Wieland Schmied, Berlin 1973, S. 85.

[2]) J. A. Schmoll gen. Eisenwerth, Max Klinger in der Villa Stuck, in: Kat. d. Ausst. »Max Klinger, die graphischen Zyklen«, Villa Stuck, München 1979/80, S. X.

[3]) G. Winkler, Zur Kunst von Max Klinger, in Kat. d. Ausst. »Max Klinger 1857–1920. Bildhauerei, Malerei, Zeichnungen, Graphik«, Rotterdam 1978.

[4]) Vgl. die verschiedenen Beiträge im Kat. d. Ausst. »Der Hang zum Gesamtkunstwerk. Europäische Utopien seit 1800«, Zürich, Düsseldorf, Wien 1983.

[5]) Vgl. als Epochenüberblick und mit letztem Stand der Literatur die mehrbändigen Unternehmen von J. Hermand, R. Hamann, Epochen deutscher Kultur von 1870 bis zur Gegenwart, Bd. 1–4, München 1971 ff., sowie die Reihe »Kunst, Kultur und Politik im Deutschen Kaiserreich«, hrsg. von E. Mai, S. Waetzoldt, u.a., Bd. 1–3, Berlin 1981 ff.

[6]) W. Hofmann, Das Irdische Paradies. Kunst im neunzehnten Jahrhundert, München 1960, S. 381.

[7]) Zit. von K. Huschke, Max Klinger und Johannes Brahms. Ein Gedenken zu Brahms 100. Geburtstag, in: Die Kunst, Bd. 67, 9, 1933, S. 257 ff.

[8]) Die deutsche Literatur in Text und Darstellung. Romantik I, hrsg. von H.-J. Schmitt, Stuttgart 1974, S. 57.

[9]) Ebd., S. 46.

[10]) Ebd., S. 24.

[11]) Der Poesiebegriff der deutschen Romantik, hrsg. von K. K. Polheim, Paderborn 1972, S. 39.

[12]) Vgl. J. Traeger, Philipp Otto Runge und sein Werk, Monographie und kritischer Katalog, München 1975, S. 122 ff.; M. Lingner, Die Musikalisierung der Malerei bei Ph. O. Runge. Zur Vorgeschichte der Vergeistigung von Kunst, in: Zeitschr. f. Ästh. und Allg. Kunstwiss., Bd. 24/1 (1979), S. 75 ff.

[13]) Ph. O. Runge, Die Begier nach der Möglichkeit neuer Bilder, Briefwechsel und Schriften zur bildenden Kunst, hrsg. von H. Gärtner, Leipzig 1982, S. 96.

[14]) Ebd., S. 141.

[15]) Caspar David Friedrich in Briefen und Bekenntnissen, hrsg. von S. Hinz, S. 58.

[16]) H. Hatzfeld, Der französische Symbolismus, München/Leipzig 1923, S. 11.

[17]) Ebd., S. 20.

[18]) R. Hamann, Der Impressionismus in Leben und Kunst, Köln 1907; vgl. R. Zeitler, Richard Hamanns Buch »Der Impressionismus in Leben und Kunst«. Notizen zur Ideengeschichte. In: Ideengeschichte und Kunstwissenschaft. Philosophie und bildende Kunst im Kaiserreich, hrsg. von E. Mai, S. Waetzoldt, G. Wolandt, Berlin 1983, S. 293 ff.

[19]) F. Avenarius, Klinger als Poet, München 1917, S. 132.

[20]) Kat. d. Ausst. »Max Klinger 1857–1920«, Leipzig 1970, S. 76.

[21]) R. Hamann, Ästhetik, Leipzig/Berlin 1919², S. 11.

[22]) Grundlegend H. W. Singer, Max Klingers Radierungen, Stiche und Steindrucke, Berlin 1909; zuletzt u.a. Kat. d. Ausst. »Max Klinger. Original-Druckgraphik aus dem Besitz des Oldenburger Stadtmuseums/Städtische Kunstsammlungen«, Oldenburg 1975; Kat. d. Ausst. »M.K.«, Bielefeld 1976; K. Meyer-Pasinski, Max Klingers Brahmsphantasie, Frankfurt/Main 1981; vgl. auch W. Neuburg, Der graphische Zyklus im Deutschen Expressionismus und seine Typen 1905–1925, Bonn 1976.

[23]) M. Klinger, Malerei und Zeichnung, Leipzig 1891. Die Schrift erschien bis 1913 in sechs Auflagen. Vgl. M. Klinger, Gedanken und Bilder aus der Werkstatt des werdenden Meisters, hrsg. von H. Heyne, Leipzig 1925, S. 103, Anm. 6.

[24]) Malerei und Zeichnung, S. 30.

[25]) Ebd., S. 33.

[26]) Ebd., S. 35.

[27]) Ebd., S. 32.

[28]) H. W. Singer, a.a.O., S. 8.

[29]) Ebd. S. XIII.

[30]) Vgl. u.a. M.K., Gedanken und Bilder, a.a.O., S. 40, Gedicht vom 22. 3. 1885; ebd., S. 34, u.a.

[31]) Vgl. Kat. d. Ausst. »M.K.«, Bielefeld 1976; vor allem A. Dückers, Max Klinger, Berlin (W) 1976.

[32]) G. Huber, Das klassische Schwabing. München als Zentrum der intellektuellen Zeit- und Gesellschaftskritik an der Wende des 19. zum 20. Jahrhundert, München 1973, S. 23 ff.

[33]) Briefe von Max Klinger aus den Jahren 1874 bis 1919, hrsg. von H. W. Singer, Leipzig 1924, S. 111.

[34]) H. von Hofmannsthal, Gesammelte Werke in Einzelausgaben, Prosa I, Frankfurt a. M. 1950, S. 180.

[35]) H. W. Singer, a.a.O., S. XIII.

[36]) M. Klinger, Gedanken und Bilder, a.a.O., S. 43.

[37]) Ebd., S. 75.

[38]) Briefe, a.a.O., S. 205.

[39]) Nach A. Dückers, a.a.O., S. 43.

[40]) R. Hamann, Der Impressionismus in Leben und Kunst, a.a.O., S. 58.

[41]) Briefe, a.a.O., S. 10.

[42]) Max Klinger, Druckgraphik, Oldenburg 1975, S. 16.

[43]) Max Klinger, Gedanken und Bilder, a.a.O., S. 14.

[44]) Ebd., S. 49.

[45]) K. Huschke, a.a.O., S. 257, 258 ff.

[46]) Vgl. M. Lingner, Der Ursprung des Gesamtkunstwerkes aus der Unmöglichkeit ›Absoluter Kunst‹, in: Kat. d. Ausst. »Der Hang zum Gesamtkunstwerk«, a.a.O., S. 52 ff.; vgl. R. Wagner, Schriften eines revolutionären Genies, ausgew. und kommentiert von E. Voss, München/Wien 1976, S. 160 ff.

47) Briefe, a.a.O., S. 64.

48) Ebd., S. 65.

49) Max Klinger, Malerei und Zeichnung, a.a.O., S. 21f.; vgl. auch F. Schumacher, Das ›Dekorative‹ in Klingers Schaffen, in: Zschr. f. bild. Kunst, NF 9. Jg., 1897/8, S. 290ff.

50) O. Benesch, Hodler, Klimt und Munch als Monumentalmaler, in: Wallraf-Richartz-Jahrbuch, Bd. XXIV, 1962, S. 345.

51) M. Lehrs, Alexander Hummel und Max Klinger, in: Zschr. f. bild. Kunst, NF 26. Jg., 1915, S. 29ff.

52) Ebd., S. 40.

53) Ebd., S. 43.

54) Ebd., S. 48.

55) W. Hofmann, Gustav Klimt und die Wiener Jahrhundertwende, Salzburg 1977, S. 27f.; M. Bisanz-Prakken, Gustav Klimt, Der Beethovenfries, München 1980; G. F. Koch, Ausgestellte Kunst wird Ausstellungskunst, in: Der Architekt, 12, 1983, S. 579ff.

56) A. Heilmeyer, Die Plastik seit Beginn des 19. Jahrhunderts, Berlin und Leipzig 1921, S. 55.

57) J. A. Lux, Klinger's Beethoven und die moderne Raumkunst, in: Deutsche Kunst und Dekoration, Bd. X, 1902, S. 475ff.

58) Ebd., S. 476.

59) Ebd., S. 481.

37 Urteil des Paris, Studie zum Gemälde, 1883, Kat. Nr. 52

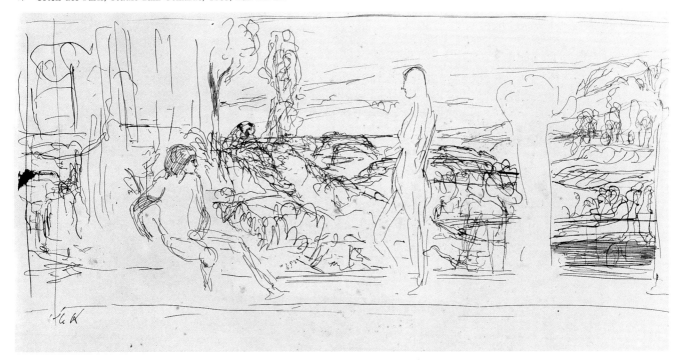

»Auf der Suche nach dem Reich der Kunst«

ULRIKE PLANNER-STEINER

Malerei und Gesamtkunstwerk

»Es herrscht eine eigene Art von Andacht in dem Saale, kritische Andacht zum Teil, eine zögernde, halb widerwillige Gemütserhebung, als betete einer und stieße dazwischen Anzüglichkeiten gegen den lieben Gott aus!« So beschreibt der Wiener Kritiker Ludwig Hevesi die Stimmung anläßlich der Präsentation des »Christus im Olymp« in der Sezession im Jänner 1899.

Die Konfrontation mit dem malerischen Werk Max Klingers ist heute noch immer, oder schon wieder, ein Ereignis, das beim Publikum zumindest gemischte Gefühle zur Folge hat. Daran haben auch Klingerforschung und -rehabilitation der letzten Jahre nichts geändert. Im Gegenteil, es scheint so, als hätte die Wiederentdeckung von Klingers »Griffelkunst« den Zugang zu seiner Malerei zusätzlich verlegt. Die Eleganz der graphischen Arbeiten, ihr technisches Raffinement entspricht in hohem Maße unseren am Schönheitskanon des Jugendstils genormten Erwartungen: hier ist jene Verfeinerung der künstlerischen Mittel zu finden und jene Sensibilität der Linienführung, die der Kunst des fin de siècle als Reaktion auf die ästhetische Verweigerung der Gegenwartskunst zu ihrer Popularität verholfen hat. Zudem stellt sich im Nachhinein der collageartige Surrealismus der graphischen Zyklen durch die Erfahrung der Werke Chiricos, Kubins und Max Ernsts gesehen, als nahezu visionäres Ereignis dar. Und nicht zuletzt hat die Übernahme psychoanalytischer Einsichten als point of view zur Erfassung schöpferischer Vorgänge wesentlich zum Verständnis der Klingerschen Graphik beigetragen. Wenn damit auch nur einige Facetten des überaus komplexen Phänomens der zeichnerischen Bilderfindung Klingers beleuchtet sind, so eröffneten sie doch Perspektiven des Verstehens und Erkennens.

Zugleich wurden damit aber auch Maßstäbe gesetzt, die vor der Dimension seiner Monumentalmalerei versagen. Es ist so, als sähe man sich den Relikten eines versunkenen Kontinents gegenüber, deren Botschaft man trotz ihrer Eindringlichkeit nicht mehr so ohne weiteres entziffern kann.

Dabei sind es gerade seine wenigen großen Ölgemälde, die er selbst als programmatische Schlüsselwerke, als Kristallisationspunkte seines Schaffens, sowohl vom ideellen als auch vom ästhetischen Anliegen her, verstanden hat. Es handelt sich ja nicht nur um reine Gemälde, sondern in einigen Fällen um multimediale Objekte, die Plastik und Architektur miteinbeziehen und in der Malerei lediglich ihren Schwerpunkt haben. Aber hier liegt schon der erste Grund für die Schwierigkeiten im Verständnis: Das einzige noch im Originalzustand befindliche Monumentalwerk, das Wiener »Parisurteil« (Tafel VIII) entzieht sich aus konservatorischen Rücksichten einer Transferierung zu Ausstellungen, die anderen beiden Hauptwerke, die Vestibülausstattung der Villa Albers (Tafel IX–XIII) und der Christus im Olymp, sind heute nur mehr fragmentarisch erhalten. So sind es meist tatsächlich Relikte, denen wir uns gegenübersehen, Fragmente, beraubt jenes großen Zusammenhanges, der ihnen erst Gewicht und ästhetische Aussagekraft verlieh. Im Licht der modernen Ausstellungspraxis sieht man sich mit Objekten konfrontiert, die gerade im Gegensatz zu den Radierungen durch zwei Eigenheiten befremdeten: einmal eine gewisse Derbheit der malerischen Formgebung, weitab von aller sezessionistischen Linien- und Farbästhetik. Zum anderen eine scheinbare Inkonsequenz der Stilmittel, die Klinger in den Geruch des »Eklektizismus« gebracht hat. Um so mehr, als hier nicht die formgebärende »Malerpranke« am Werk war, sondern ein suchender abwägender Intellekt, der sich aller Möglichkeiten bewußt war, auch über sie verfügte und der seine Effekte sehr gezielt zur Realisierung eines Programmes einsetzte.

Und doch nicht in der zurückgenommenen Art eines Puvis oder Marees, sondern in ständiger Konfrontation mit den Grenzen dieser Möglichkeiten. Akademisch studierte Akte sind arangiert vor Landschaften, die als zufälliger Naturausschnitt gegeben sind, impressionistische Lichttechnik hinterlegt und überlagert bühnenhafte Beleuchtung und dicht aufgetragenes Lokalcolorit.

Alle malerischen Mittel stehen jedoch im Dienste einer einzigen übergeordneten Kategorie und sind in ihrer Vielschichtigkeit nur so lesbar: Als Elemente eines Gesamtkunstwerkes, die ihren eigentlichen Wert erst aus dem Wechselspiel der verschiedenen beteiligten Medien beziehen.

So könnten die Meeresszenen der Villa Albers erst im Zusammenhang mit dem intakten Vestibülraum richtig gesehen werden. Der derbe Realismus der Friesszenen, in seiner feuchtfröhlichen Grundstimmung teilweise die Atmosphäre von Atelierfesten beschwörend, dieses bunte Getümmel von Böckliniden wuchs im klassizistisch kühlen Milieu des Vestibülraumes zu anderer Bedeutung. Eingepaßt in den noblen Rahmen der Pilastergliederung der Wände, zwischen den stilisierten Palmblättern der Türfüllungen, wird die handfeste »Genreschilderung« der Meeresszenen verfremdet, ironisiert, ist die »impressionistische« rauhe Malweise nicht nur mehr beste Technik zur illusionistischen Naturwiedergabe, sondern auch bewußt eingesetzter Kontrast zur esoterischen Geschmackskultur der Raumausstattung. Derselbe sich gegenseitig steigernde Antagonismus bestimmt die Farbigkeit: das in den Friesszenen zunächst etwas banal anmutende pleinair-colorit mit den typischen Wasser-Himmel-Lufttönen, schlägt, angewandt auf die Fassung von

VII Siena von San Domenico aus, Studie zum Hintergrund der »Kreuzigung«, 1889, Kat. Nr. 65

VIII Das Urteil des Paris, 1886/87, Kunsthistorisches Museum, Wien ▷
VIII Die Kreuzigung Christi, 1890, Kat. Nr. 21

Architektur und Ausstattung, um in kostbare Extravaganz: Weißgoldene Pilaster, dunkelblaue Türpfosten, eine graublau getönte Sockelzone mit zarten linearen Grisailledarstellungen, in türkisen und rosigen Tönen gehaltene Türfüllungen mit grünem überdimensionalen Palmwedeldekor und kleinen szenischen Darstellungen. Der Gegensatz zwischen exaltierter Ausstattung und dem etwas hausbackenen Naturalismus der Frieszszenen ist jedoch mehr gewesen als geschmäcklerischer Gag oder ironisch-distanziertes Spiel mit den Stilmasken. Wie der Inhalt der Szenen einer zeitlos glücklichen unio mystica von Mensch und Natur – der berühmten Vorstellung vom irdischen Paradies – gilt, so zielt auch ihre Form ab auf »Natürlichkeit«. Die Spontanität der offenen Malweise, die derbe zufällige Form, die erst in der Berührung von Pinsel und Malgrund aus der Bewegungsdynamik des Künstlers entsteht, die sinnliche Plastizität der pastos aufgetragenen Farbe, der Farbspritzer, der auf der Leinwand zum Wasserspritzer gerinnt; all das schien das signum zu tragen des Natürlichen der Form, des Unmittelbaren, war Zeichen für die genialische Verbindung von Mensch und Schöpfergott. So wie die Kentauren – halb Mensch, halb Tierwesen – sich auswei-

sen als Halbgötter in elysischem Einklang mit der Natur, so will die Graphologie des Frieses glauben machen, daß hier einer am Werk war, der aus dem »Bauch« schuf, in inniger Verbindung mit den Urgewalten des Kreativen – oder zumindest auf der Suche danach.

Daß Klinger auch ganz andere Möglichkeiten des formalen Ausdrucks bei verwandter Thematik wahrnehmen konnte, zeigt das Gemälde »Am Strande« (Tafel XV). Der üppige, weich ins seichte Wasser gebettete Frauenkörper erscheint wie fleischgewordene Verkörperung der Ufernatur, schlammgeborene Vision, Sand und Wasser verdichtet zur (Ur)frau. Verdichtet auch in ganz wörtlichem materiellen Sinn: das grautonige Geriesel des Untergrundes gewinnt in der kompakten Modellierung des Aktes greifbare Plastizität. Was bei Courbets »Woge« noch vordergründige Allegorie ist, gerät hier zu symbolhafter Bedeutungsschwere – allein.

Am deutlichsten wird diese mittelbare und vermittelnde Funktion des Stilmodus dort, wo verschiedene Techniken zugleich eingesetzt sind, im Gesamtkunstwerk. Wie in der Villa Albers werden auch in den anderen multimedialen Objekten die ver-

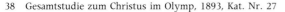

38   Gesamtstudie zum Christus im Olymp, 1893, Kat. Nr. 27

39   Christus im Olymp, 1897, Museum der bildenden Künste, Leipzig

schiedenen Künste verwoben. Die Mehrdeutigkeit der einzelnen Medien, besonders das geistreiche Spiel mit Malerei und Plastik ist im »Parisurteil« (Tafel VIII) auf die Spitze getrieben: Die Figuren der gemalten Szene sind von betont plastischer Qualität, die starke Modellierung der nackten Körper, die glatte geschlossene Malweise, die scharf konturierte Abgrenzung gegen die verschwimmend und dunstig gemalte Hintergrundslandschaft und letztlich die statuarischen Posen, in denen die Göttinnen sich darbieten, all das läßt den Eindruck gemalter Plastiken entstehen. Dagegen sind die farbigen Gipsreliefe an der Basis der architektonischen Rahmung die einzigen wirklich dreidimensionalen Elemente. Sie sind aber zugleich auch diejenigen, die am meisten »malerische« Qualitäten aufweisen. Hier ist nichts zu spüren von der statuarischen Ruhe und geschlossenen Plastizität der gemalten Körper. Die aufgerauhte Oberfläche der Reliefs bewirkt ein unruhiges, flirrendes Spiel von Licht und Schatten, ein weiches Ineinanderfließen der For-

men, lauter malerische Effekte, die durch die seichte Flächigkeit und farbige Fassung der Reliefs unterstützt werden. Mit einem Wort, Klinger verschleift bewußt die Grenzen zwischen den Kunstgattungen, er stellt plastische Malerei malerischer Plastik gegenüber, gibt bemalte Plastik durch Malerei wieder – eine weibliche naturalistisch gefärbte Herme im linken Flügel des Aufbaues – und läßt Plastik in Malerei übergehen – im rechten Flügel.

Der Illusionismus barocker Dekorationskunst scheint hier nocheinmal beschworen.

Die Entstehungszeit des Parisurteiles ist zugleich der Zeitabschnitt, zu dem Klinger mit seinen vollplastischen polychromierten Arbeiten beginnt. Dieser Einstieg in das neue Medium der Marmorskulptur ist in engem Zusammenhang mit Klingers Bemühen um eine Aktivierung aller künstlerischen Möglichkeiten zu sehen. Klinger polychromierte seine Plastiken, er verwendete aber auch gern mehrere Marmorsorten an einer Figur, bezog

IX   Sommerlandschaft, Villa Albers, 1883–85, Kat. Nr. 19

X   Felsschlucht, Villa Albers, 1883–85, Kat. Nr. 17

40   Türen der Villa Albers, Details, Kat. Nr. 16

Ganz anders als im »Parisurteil« ist das Verhältnis von Malerei und Plastik im »Christus im Olymp«. Zehn Jahre später vollendet, ist es nicht nur inhaltlich Gegenstück und Antwort, sondern auch in der Wahl der gestaltenden Mittel. Der große Auftritt des Christengottes vollzieht sich in einer opulenten Szenerie, die kühle Strenge des Parisurteiles ist detailreicher Erzählfreude gewichen – es geht bunt zu am Olymp und in der Unterwelt. Blumenteppich und olympische Nebelschwaden, Puttenköpfchen und Palmwedel, heiteres Tageslicht und Freiluftatmosphäre bilden das natürliche Ambiente, in dem sich der ungeheuerliche Vorgang abspielt. »Alle Theorie ist überwunden, man begreift mit dem Auge«, kommentiert die Kritik, und: »Was den Leuten am raschesten eingeht, ist die Landschaft und der Rahmen«. Die Selbstverständlichkeit der Naturschilderung hat die Glaubwürdigkeit des Ereignisses zum Ziel, die Rahmung jedoch bindet es in die Sphären des Sakralen, Ewiggültigen ein. Darauf verweist seine Tryptichonform ebenso wie die beiden Skulpturen an der Predella: Reue und Hoffnung.
Aus edlem parischem Marmor, kostbar in ihrer Isolation und Fragmenthaftigkeit, setzen sie den esoterischen Kontrapunkt zur Hauptszene und relativieren seine handfeste Inszenierung.
Das reiche Beziehungsnetz in Klingers Monumentalwerken ist eine der letzten und auch ungewöhnlichsten Antworten auf die säculare Frage nach dem Gesamtkunstwerk. Ungewöhnlich einmal, weil es sich um reine objects d'art handelt, abstrakte Gebilde der Kunstausübung ohne irgendeinen anderen Zweck, als den, die Gesamtheit eines idealen ästhetischen Kosmos darzustellen. – Die Stilbewegung hat mit ihrer Raumkultur vielleicht eine schlüssigere, wenn auch pragmatischere Lösung des Problems Gesamtkunstwerk gegeben. – Ungewöhnlich zum anderen, weil Klinger nicht gegeben ist, jene Homogenität der Formensprache zu erreichen, jenen »Schlüssel« zu finden, der alle bildnerischen Mittel demselben Gestaltungsprinzip unterwirft, sie gleichschaltet – das war ja Anliegen und historische Leistung des Jugendstiles. Klinger operiert vielmehr noch ganz im Banne jener Epoche, die mit der Emanzipation des Stiles zum freien Instrument – um an ein Wort Hegels zu erinnern – Ernst gemacht hatte, des Historismus. Die freie Verfügbarkeit der Form als Folge von Historisierung und Intellektualisierung hatte zum Zerbrechen des Selbstverständnisses der Künste, zur stilistischen Divergenz der einzelnen Kunstgattungen geführt. Klassizistische Plastik unter gotischen Baldachinen, als griechische Säulen getarnte Schornsteine waren im Extremfall Begleiterscheinungen, einem Extremfall, der die Regel darstellte. Und trotzdem – oder vielmehr gerade darum strebte man nach jener Totalität, die die Streuung formaler Möglichkeiten in sich zwang: Der Verlust des Gesamtkunstwerkes, wie es etwa im barocken Kirchenraum selbstverständlich existiert hatte, führte zur bewußten Suche danach.
Vor diesem Hintergrund ist Klingers »Eklektizismus« zu sehen, aber auch der »Surrealismus« seiner Graphiken. Das Aufbrechen der naturgegebenen Raum- und Zeitverhältnisse wird ihm erst möglich durch die Relativierung dieser Kategorien in

Metalle mit ein und nahm nach antikem Vorbild Bernstein für die Augäpfel. Der zeitgenössischen Literatur nach soll Klinger sogar versucht haben, mit eingebauten elektrischen Lampen die besondere Tönung einer Marmorart zum Leuchten zu bringen. Dieses sehr sinnliche und zugleich experimentelle Verhältnis zum Material und zu dekorativen Effekten hat Klinger mit der Wiener Sezession gemein und war wohl auch mit ein Grund für seine Erfolge in diesem Kreis.

der historisierenden Weltsicht des vorausgehenden Jahrhunderts, das Nebeneinandersetzen divergierender Stilmodi in einem Blatt erst durch die Entbindung der Form aus ihrer Unmittelbarkeit, das heißt aus der selbstverständlichen Einheit von Form und Inhalt.

So ist es auch nur scheinbar paradox, daß sich die ersten Ansätze zum Gesamtkunstwerk, also einem Objekt, an dessen Gestaltung verschiedene Künste beteiligt sind, bei Klinger dort finden, wo man sie schon allein von der technischen Voraussetzung des Mediums her (Format, Zweidimensionalität, Monochromie) am wenigsten vermuten würde: in der Radierung. Aber gerade hier zuerst werden immer wieder plastische und architektonische Formen verwendet, um einem graphischen Blatt, das seinerseits meist mit einem raffinierten Neben- und Ineinander von »malerischen« und linearen Elementen arbeitet, Gewicht und Geschlossenheit zu geben. Es handelt sich dabei meist um Radierungen, die auf eine Wahrung des natürlichen Zusammenhanges der Erscheinungen hin angelegt sind und ihre Wirkung zum Teil einem malerischen Illusionismus verdanken. Häufig wird dabei die Handlung in ein weites Landschaftspanorama verlegt, wie es auch bei den großen Monumentalmalereien der Fall ist. So zum Beispiel im Titelblatt der »Rettungen«, Opus II. 1879. Es sieht ganz so aus, als hätte Klinger in diesen Blättern experimentiert, im »Kleinen« ausgelotet, spielerisch vorbereitet, was später zum großen Wurf geraten sollte. Ganz anders stellt sich die Situation bei seinem wohl berühmtesten Zyklus dar, dem »Handschuh«, der das andere Extrem der Klingerschen Bandbreite markiert. Hier fehlt die rahmende Fassung durch architektonische Ordnungen oder dekorative Leisten. Die Flut bildgewordener seelischer Sensationen wird unvermittelt – ohne Vermittlung durch begleitende Randbemerkungen präsentiert. Die traumhafte Symbolik dieser Blätter spricht für sich.

Denn Kommentar, Erläuterung, Distanzierung, auch und manchmal Ironisierung ist wesentliche Funktion der Rahmungen. Denn: »In Malerei unmöglich zu gebende Gegenstände sind der Zeichnung sehr wohl möglich« und »Die Zeichnung ist das Material zur Weltanschauung für den Künstler« schreibt Klinger in seinen »Gedanken aus der Werkstatt des werdenden Künstlers« und weiter: »Die Malerei ist im wesentlichen das Feld für die Naturanschauung«. Wo diese Naturanschauung scheinbar bruchlos gegeben ist, und das ist auch in sehr vielen Radierungen der Fall, ist sie immer wieder von Zeichen und Symbolen umgeben, die einer magischen Aura gleich, die Schilderung in die Bezirke des zweideutig Numinosen eintiefen. Klinger knüpft dabei an romantische Anregungen an; so dürften Runges Rahmenleisten der Tageszeitendarstellungen unmittelbar auslösend für die Rahmungen des Amor und Psyche-Zyklus gewirkt haben. Runge kann auch in anderer Hinsicht als Leitfigur namhaft gemacht werden. Im »Kleinen Morgen« sind charakteristische Merkmale der Klingerschen Bildorganisation vorweggenommen: Die Konzentration auf die nackte Gestalt des Menschen vor einem weiten Landschaftsraum, der »Weltlandschaft« ist, die Verdichtung symbolischer Zeichen zum umschließenden Zauberkreis.

41 Wandabwicklung, Villa Albers, 1883, Museum der bildenden Künste, Leipzig

Daß es durchaus legitim ist, Klingers Monumentalwerke in engem Wechselspiel mit seinen graphischen Bilderfindungen zu sehen, belegt ein Wort von ihm, in dem er seine grundsätzliche Aussage über die Malerei – »die Farbe zwingt, an reelle Formen des Lebens anzuschließen« – etwas relativiert: »Nur bei Bemalung von Wandflächen für Cultus bestimmter Räume läßt sich etwa ein Teil der Voraussetzungen wie bei (der) Zeichnung anwenden.«

Für den Kult bestimmt – damit sind Anspruch und Selbstverständnis der Klingerschen Monumentalmalerei präzise umrissen. Ein Kult, dessen Gottheit die Schönheit ist, dessen Kirche die Ausstellung. Denn die Ausstellung, jene Kulturstätte, die sich das 19. Jahrhundert zur Welterfassung und Weltschau geschaffen hatte, ist auch das Milieu, für das Klinger seine monumentalen Bildphantasien von vorne herein konzipierte. Mit ungeheurem Aufwand, begleitet von Begeisterungsstürmen und Bannflüchen des Publikums, wurden sie von Schau zu Schau gereicht. Ihre Botschaft, kühn und konservativ in einem, schien verschlüsselt und war doch so plakativ, daß sich breiteste

XI   Meeresfries, 1912, Kat. Nr. 33

XI   Brandung, Villa Albers, 1883–85, Kat. Nr. 18

XII Türflügelpaare aus der Villa Albers,
1883–85, Kat. Nr. 16

42 Vestibül der
Villa Albers, 1885

43 Vestibül der Villa
    Albers, 1885

Schichten angerührt fühlten. Man spürte, daß hier einer ein letztesmal versuchte, die alten Götter in einem neuen Licht noch einmal aufleuchten zu lassen, in einem Augenblick, da man sie unweigerlich der Dämmerung anheimfallen sah. Daß dieses Licht dabei in ungewohnte Winkel fiel und auch bisweilen die Blößen streifte, nahm man zwar mit leichtem Schauern, aber letzten Endes doch mit Anteilnahme in Kauf. Um so mehr, als die leichte Ironie, die überall zu spüren ist, die sich vor allem in der beobachtenden Skepsis der Randfiguren der großen Auftritte bemerkbar macht, den Meister selbst als einen auswies, der durchaus auch im Lager der Zweifler zu Hause war. Dies tat jedoch der Ernsthaftigkeit der Präsentation keinen Abbruch.

Besonders die Wiener Sezession verstand es, das Ereignis einer Klingerausstellung entsprechend zu feiern: Weiheräume wurden geschaffen, die gesamte Wiener Künstleravantgarde war darum bemüht, im Dunstkreis des prominenten Gastes ihre Vorstellung vom Gesamtkunstwerk vor Augen zu führen. Man verstand hier vielleicht am besten Klingers Aufruf zu einer ästhetischen Neugestaltung der Welt und versuchte ihm mit allen Mitteln gerecht zu werden. Absoluter Höhepunkt war dabei die Präsentation der Beethovenplastik im Jahre 1902, die zugleich auch das Hauptereignis der Ausstellungskultur der Wiener Künstlerschaft selbst war. Neben Josef Hoffmann, der Umbauten am Sezessionsgebäude vornahm und Gustav Klimt, der allein für diesen Anlaß seinen berühmten Beethoven–Fries schuf, setzte ein ganzes Heer junger engagierter Künstler seinen Ehrgeiz darein, einen »Raum der Weihe, der Tempelstimmung für einen Gottgewordenen« entstehen zu lassen. Unter den Klängen der Neunten Symphonie, dirigiert von Gustav Mahler, vollzog sich der Auftakt zu einem Kulturereignis ohnegleichen: Vierzigtausend Besucher stürmten diese »Kirche der Kunst, in die man zur Erbauung eintritt und aus der man glaubend hinweggeht«. Weniger spektakulär, aber bezeichnend für das subtile Verständnis, mit dem man Klingerschen Intentionen zu begegnen wußte, vollzog sich im Jahr 1901 die Ausstellung von 14 Szenen aus der Villa Albers, die damals bereits aus ihrem ursprünglichen Ausstattungskonnex gelöst worden waren. Um eine Ahnung von der ursprünglichen Wirkung dieser Ausstattung zu geben, komponierte Alfred Roller mit Hilfe von Filzstücken in Blau-Grün- und Türkistönen ein Ambiente, das die ursprüngliche Farbstimmung des Vestibülraumes anmutungsweise wiedergeben sollte.

Weniger aufwendig als die Beethovenausstellung, aber mindestens ebenso aufschlußreich verlief die Schaustellung des »Christus im Olymp« 1899 in Wien. In einem in ansonsten in leichtes Dämmer getauchten Raum erstrahlte das Gemälde allein in hellem Licht; der Besucher wurde durch eine Allee von Lorbeerbäumchen darauf zugeführt, dunkle Vorhänge umrahmten den Aufbau: Man befand sich an einem Ort der Andacht, Festspielhaus und Panoptikum in einem, Ausstellung und Panorama. Kurz, alle großen Errungenschaften des Historismus, um die Flucht von Zeit und Raum, die ungeheuerliche Erfahrung von Geschichte und exotischer Weite des Weltkreises ins Über-

schaubare zurückzubringen, stehen hier Pate für ein Kunstereignis, das in seiner eigentlichen Intention erst in Hollywood verwirklicht werden konnte.

Illusionistische Darstellung des Schauplatzes, Naturalismus in der stofflichen und psychologischen Schilderung des Geschehens, in der »Kreuzigung« (Tafel VIII) gesteigert zum Augenzeugenbericht mit dem Anspruch »wissenschaftlicher« Authentizität, werden verquickt mit einem hohen Maß an glättender, akademischer Idealisierung des Körperhaften und hieratischer Bildregie. Man genießt die Illusion, direkt, von einem intimen Standpunkt aus, beim dramatischen Geschehen zugegen zu sein, eine Fiktion, die geeignet war, starke emotionelle Sensationen auszulösen, zugleich aber die Gefahr barg, das heilige Geschehen ins Episodenhafte abgleiten zu lassen. So galt es, die Reportage wieder auf das Niveau des überzeitlich Gültigen, des Kultischen zu heben. Neben einer Beschränkung der historischen Requisiten zugunsten der menschlichen Figur, der nackten Figur vor allem, auch dort wo ihre Funktion nicht mehr ganz eindeutig scheint, ist es das starre artifizielle Verhältnis der handelnden Personen zueinander, das wesentlich den Andachtsbildcharakter bewirken soll. Dort, wo erregte Bewegung zum Ausdruck heftiger Emotion wird, wie bei der Magdalena in der »Kreuzigung«, erstarrt sie zur Pose: Die Erzählung wird gebunden zum überzeitlich Zeichenhaften. Achsialität der Bildordnung, Isokephalie und Isolation der Körper, all das sind wohlbekannte Stilelemente, die von Blacke und Flaxman bis zu Hodler und der Beuroner Schule immer wieder Ausdrucksmittel kultischer Symbolkunst gewesen sind. So gerät Bewegung zur Gebärde, Kostüme werden zu Kostümierungen, Dargestellte zu Darstellern eines lebenden Bildes. Mysterienspiel und Reportage treten in ein seltsames Spannungsverhältnis, die bühnenhafte Inszenierung wendet sich an ein Zuschauerforum, dessen Schaulust durch Massenregie angeregt und befriedigt wird und das zugleich auf die Ebene der Kontemplation gehoben werden soll.

Schillers Idee von einer ästhetischen Erziehung des Menschen scheint hier beim Wort genommen: Der hohe Gedanke wird durch die Sinnlichkeit der Kunst realisiert, die Materie, veredelt durch die Form, wird zum Vehikel des Geistes.

Nicht zufällig ist die Assoziation zu Schiller gegeben: Was bei Max Klinger zu mitunter überraschender Bildhaftigkeit geraten sollte, hatte die Generation um 1800 als Jahrhundertprogramm vorgegeben. Die Abkehr von politischem Engagement zur Identitätsfindung im Ästhetischen war die Frucht der spezifischen Situation des deutschen Bürgertums zu Beginn des Jahrhunderts, das sich zersplittert und abgeschnitten von staatspolitischem Geschehen fand. Mehr noch – die Sympathisanten mit den revolutionären Ereignissen in Frankreich fanden sich plötzlich in den Koalitionskriegen gezwungen, im Soge der weltpolitischen Ereignisse im Gefolge ihrer Feudalherren gegen eben jenes revolutionäre Frankreich zu kämpfen, auf das sie ihre Hoffnungen gerichtet hatten. Aus dieser zwiespältigen Situation suchte die deutsche Intelligenz einen Ausweg, indem sie in

44 Vestibül der Villa
    Albers, 1885

der Erstellung kulturtheoretischer Programme ihre revolutionären Strebungen zu verwirklichen trachtete. »Nicht in die politische Welt verschleudere Du Glauben und Liebe, aber in der göttlichen Welt der Wissenschaft und Kunst opfere dein Innerstes in den heiligen Feuerstrom ewiger Bildung.« So Friedrich Schlegel. Und Schiller umreißt in seinen Briefen über die Ästhetische Erziehung Ziel und Hoffnung dieser Immigration: »Ästhetische Erziehung des Menschen kann ihn in jenen Stand der Vernunft und Moralität setzen, der ein weltgeschichtliches Ereignis wie die Revolution zu einem anderen Ausgang bringt.« Dieser Glaube an die Entstehung einer besseren Welt allein aus der Macht des Geistes und der Kunst hatte bei den Protagonisten ein gewisses charismatisches Sendungsbewußtsein zur Folge –, »wir sind zur Bildung der Welt berufen«, sagt Novalis – das wesentlich das Selbstverständnis des schöpferischen Menschen im 19. Jh. prägen sollte. Der Künstler wird als Mittler verstanden zum Göttlichen, »in dem Alter der Welt, in dem wir leben, findet der unmittelbare Verkehr mit dem Himmel nicht mehr statt... Es redet jetzt der heilige Geist mittelbar durch den Verstand kluger und wohlgesinnter Männer« heißt es im Heinrich von Ofterdingen. »Die französische Revolution hat auf Deutschland im Ganzen nicht günstig gewirkt: Ihre Haupterzeugnisse waren Schwärmerei und Reaktion«, kommentiert Egon Friedell fast ein Jahrhundert später – post festum? Wohl nicht. Denn was sich unter seinen Augen in der Sezession vollzog, verstand sich letztlich als Antwort auf die alte Forderung nach einer ästhetischen Ordnung der Welt. Kulturtheoretische Reflexion und Heilsgewißheit waren seit der Romantik der Hintergrund, auf den künstlerische Produktion in der Folge immer wieder bezogen wurde.

Kunst qua Kunst erhob von da ab philosophischen Anspruch, ihr Wertakzent wurde danach bemessen, wieweit sie zur Verbesserung der Weltsituation beitrug: und das bedeutete in den meisten Fällen, inwieweit sie Vorschläge für eine neue schöne Welt beibrachte, oder zumindest eine heile Welt entwarf. – (Die noch heute weit verbreitete Ansicht, Kunst habe mit der Verbreitung ästhetischer oder moralischer Werte zu tun, ist ja nichts anderes als der trivialisierte Ausläufer dieses Anspruches). Wenige waren sich dieses Anspruches so sehr bewußt, wie Max Klinger, genauer noch – kaum einer hat diesen Anspruch so sehr zum Gegenstand seiner Kunst gemacht wie er.

Am Ende des Jahrhunderts, gemeinsam mit seinen Generationsgenossen auf der Suche nach einer neuen Ästhetik, geriet ihm diese Suche weit über formale Neukonzeptionen hinaus, oder wenn man will, daran vorbei, zur Frage nach der historischen und moralischen Relevanz einer solchen Ästhetik, also zur Suche nach einem weltanschaulichen Programm. Der neue Stil sollte Instrument sein für eine Neuordnung der Welt nach den ewig gültigen Gesetzen der Schönheit, oder, wenn sich das als unmöglich erweisen sollte, so wenigstens sollte das Kunstwerk als in sich stimmiges ästhetisches Ereignis einen Abglanz jener Idealität vermitteln. Klingers Idee vom Gesamtkunstwerk ist also die eines Zusammenspiels aller bildnerischen Kräfte zur Erzeugung eines ästhetischen Idealkosmos, der bis in die letzte Detailform, einer Idee gehorchend gestaltet ist und in dieser homogenen Ausformung so überzeugend als Totalität für sich bestehen kann, daß er als alternatives Universum, als Utopie wirksam werden kann. Daß er dabei den Vorstellungswelten des kulturellen Erbes ebenso verhaftet blieb, wie dem klassischen Schönheitskanon, erklärt sich aus jener Haltung des deutschen Bildungsbürgertums, das in diesen Werten die Garantie sah für ewige Gültigkeit. So kleidet Klinger die große Frage nach dem Wesen der Schönheit und wohl auch nach der »wahren« Schönheit in den Mythos von der Frage nach der schönsten Göttin. Denn man geht sicher nicht zu weit, wenn man in den drei Göttinnen des Parisurteiles die Verkörperung dreier ästhetischer Grundprinzipien sieht – Hera, die Antike, die Geschich-

45   Die Blüte Griechenlands, 1909, Aula der Universität Leipzig (Kriegsverlust)

te, die Götterkönigin, die Mutter; Athene, der Historismus, der bewußte Verstand, die Reflexion; und schließlich Venus, die »Moderne« (der Impressionismus), die Sinnlichkeit, die Natur. Und es ist sicher kein Zufall, daß es diese Frage ist, die am Anfang der monumentalen Bildphantasien Klingers steht. Zehn Jahre später wagt er seine Antwort – im »Christus im Olymp«.

Und wirklich – so seltsam uns heute auch der Versuch erscheinen mag, die beiden großen Religionen leibhaftig, und sozusagen cinemascope einander begegnen zu lassen, den genialischen geistigen Anspruch, der dahinter stand, wußten die Zeitgenossen wohl zu würdigen. An der Wende zu einer neuen Zeit entschloß sich hier einer zu einer großen Allegorie europäischer Geistigkeit. Und was uns heute als schöngeistiger Gewaltakt erscheint, wollte damals den alten Göttern für einen Augenblick jene Dimension des Magischen wiedergeben, die sie schon längst verloren hatten. Man verstand sehr wohl die beschwörende Absicht einer letzten Zusammenschau der Ideen, um aus dieser Synthese einen neuen Mythos zu schaffen, eine Wiedergeburt des Abendlandes. Wie sehr solche Erlösungsideologien einem Bedürfnis nach »Sinngebung« entgegenkamen, zeigen die enthusiastischen Deutungen, die das Gemälde erfuhr. Noch immer im Banne der romantischen Vorstellung von einer Läuterung der Welt durch die Macht der Gedanken und der Kunst, verschloß Klingers Publikum die Augen vor der politischen und sozialen Realität und lauschte dem Nachklang der Worte Vergils – »vom Olympus herab kommt eine bessere Nachwelt« – eine Verheißung, die Novalis für die deutsche Kulturtheorie wiederentdeckt hatte.

Angesichts des »Christus im Olymp« sprach man nun von einem neuen geistigen Reich, das hier in Klingers »hochmoderner Geistestat eigensten Schlages« (Hevesi) visionär vorausgeahnt sei. Man sprach sogar von einem dritten Reich, nach dem ersten Reich der Antike und dem zweiten des Christentums. Und auf der Suche nach einer Kulturfigur, nach einem Symbol, das dieses dritte ideale Reich verkörpern sollte, erging man sich in Schwärmereien, die uns heute in ihrer naiven Heroisierung befremden: Das neue Reich sollte gegründet sein auf die Musik Beethovens, als dem vollkommenen Kunstwerk, das die Gesetze für eine Neuordnung der Welt in sich barg. Klinger selbst hat ja mit seinem »Beethoven« dieser Deutung Ausdruck verliehen.

Beethoven als Olympier, als moderner Zeus – der Genius entblößt zur Göttlichkeit. Letzte Konsequenz einer subtilen Gratwanderung an der Grenze zum Tabu. Wie immer, wenn Kunst an diese Grenze vorstößt, sie überschreitet, wird sie in Frage gestellt. Nur mehr ein kleiner Kreis konnte »verstehen«, die breite Masse strömte aus Neugierde herbei. Eine Karikatur im Berliner Simplizissimus, die Beethoven in der Badewanne zeigt, markiert die Spitze des Eisberges der Publikumsentrüstung. Schon einmal hatte sich diese Entrüstung Luft verschafft, als man anläßlich einer Münchner Ausstellung der Kreuzigung 1893 den Meister zwang, die untere Hälfte der Christusfigur mit einem Tuch zu verhängen. Und Klinger übermalte das Skandalon: »Ich habe es mit Ochsen – und eigener Galle getan« ist Klingers Kommentar in einem Brief an Julius Vogel. Dennoch – die Entrüstung von beiden Seiten gibt zu denken. Das zentrale Problem der Epoche, die Auslotung des Sexuellen, der verbotene Blick unter den doppelten Boden der Moral, die Schaustellung der ins Verborgene gedrängten Körperlichkeit, ist auch Primum movens der Klingerschen Bildvisionen. Die Göttermutter in exhibitionistischer Pose vor Paris, Christus entblößt vor dem Angesicht seiner Mutter, Psyche in schutzbedürftiger Nacktheit vor den erwarteten Geliebten hinsinkend, – der gestaute Trieb des saeculums fand sich hier sublimiert zur Unverfänglichkeit hoher Kunst und war doch in einer Weise bildhaft geworden, die zu wünschen nichts mehr übrig läßt. Sinnlicher Realismus durch akademische Regelhaftigkeit zurückgenommen, erotische Anspielung verfremdet durch bewußte Künstlichkeit – der Skandal hielt sich in Grenzen und schließlich akklamierte man. So hatte Klinger genau jenen punctum puncti getroffen, von dem aus er seine Erlösungsideen dorthin zwingen konnte, wo er sie angesiedelt wissen wollte: Im Bereich des Berührenden, Be-greifbaren, im Bereich der möglichen Realität.

Literaturhinweise:

Egon Friedell: Novalis als Philosoph, München 1904.

Ludwig Hevesi: Acht Jahre Sezession, Wien 1906.

Max Klinger: Gedanken und Bilder aus der Werkstatt des werdenden Meisters, Leipzig 1925.

Ulrike Planner-Steiner: Die Malerei Max Klingers, phil. Diss., Wien 1973.

Ulrike Planner-Steiner: »Max Klinger ist in Wien und Wien ist voll von ihm...«, in: Max Klinger, Ausstellungskatalog, Wien 1981.

46 Bianca,
1890,
Kat. Nr. 22

Lebensgeschichtliche Aspekte im Werk Max Klingers

Wiederaufgegriffene Gedanken zu Max Klingers Graphikzyklen*)

HANS-GEORG PFEIFER

Vor einigen Wochen, bei der Lektüre einer Wochenzeitschrift, fiel mir ein seit einigen Jahren wohlvertrautes Bild ins Auge. Obgleich kleinformatig wiedergegeben und durch das Raster in Kontur und Binnenzeichnung der im wahrsten Wortsinne »gestochenen« Linienführung des Originals der Bildvorlage entbehrend, hatte das Motiv als solches nichts von seiner Eindringlichkeit verloren. In zweifacher Ausführung – mal als Ausschnittvergrößerung, mal als ganzes Blatt – rahmt die Darstellung des *Tigers am Ende eines felsigen Hohlweges* (Singer 44) eine Reihe von Abhandlungen, für die – unter der Thematik *Die Mütter* zusammengefaßt – ein Verlag wirbt. Man mag es dem Griff des Zufalls zuschreiben, daß gerade dieses Motiv ausgewählt wurde; die innerhalb des letzten Jahrzehnts sich häufenden Präsentationen Klingerscher Graphiken in Museen, Galerien und Publikationen allein lassen jedenfalls nicht auf eine so weit verbreitete Kenntnis Klingerscher Werke schließen, so daß sie bei dem die Graphik Wahrnehmenden entsprechende Assoziationen freisetzen. Denoch kann in diesem Falle von einer gelungenen Problemstellung gesprochen werden.

Der geradezu hypnotisierende Blick jenes *Tigers* zieht den Betrachter in seinen Bann. Die sogartige Wirkung dieses Blicks wird verstärkt durch das Motiv des auf den Tiger zuführenden Hohlweges. Eine Möglichkeit des Entweichens scheint nicht gegeben. Bezogen auf die Annonce des Jahres 1984 unter dem Leitthema *Die Mütter* stellt sich die Frage, will der Verlag suggerieren, auch um dieses Thema führe kein Weg herum? Oder besteht tatsächlich ein tiefergehender Zusammenhang zwischen heutigem Einsatz und hundert Jahre zuvor entstandenem Motiv? Auch Klinger stellte sein Blatt in einen Zusammenhang, der sich erklärtermaßen mit einer *Mutterrolle* befaßt.

Eva und die Zukunft betitelt er seine als *Opus III* vor nunmehr über einhundert Jahren im Verlag Theo Ströfer in München erschienene Folge von sechs radierten Blättern. In seiner Kommentierung des graphischen Zyklus, die er in einem Brief vom 20. September 1880 seinem Freund Pietsch zukommen läßt schreibt er: »Eva, an die sich die Versuchung speciell richtete, ist damit die *Mutter der Zukunft*.« Bereits am 20. April 1880 hat er an seine Eltern erste Erläuterungen zu diesem Zyklus geliefert, der sich aus den Blättern

1. *Eva* (Singer 43),
2. *Erste Zukunft: Tiger am Ende eines felsigen Hohlweges* (Singer 44),
3. *Die Schlange* (Singer 45),
4. *Zweite Zukunft* (Singer 46),
5. *Adam* (Singer 47),
6. *Dritte Zukunft* (Singer 48),
zusammensetzt.

»*Eva, Schlange* und *Adam* sind wohl keiner Commentare bedürftig wohingegen *Zukunft I., II. und III.* bedenklicher sind. Auch für diese habe ich nur einige kurze Fingerzeige. Es ist vor allem Dinge jeder dieser Zukünfte an das betreffende Paradiesstadium gedacht zu denken und ist I. die große allgemeine Zukunft für jeden Lebensweg von a–Z, als fest bestimmt und unabänderlich, II., die Zukunft in den einzelnen Lebenslagen resp. Verführungen, III. die einzige bestimmte und sicher eintreffende Zukunft, also eigentlich keine Zukunft mehr.« Die eigene Unzulänglichkeit seiner verbalen Ausführungen gegenüber seinen künstlerischen Möglichkeiten zum Ausdruck bringend beschließt er die Erklärungsversuche: »Sind diese Worte noch dunkel, na dann Euch nicht geholfen werden«. Ein knappes halbes Jahr später in besagtem Brief an Pietsch versucht er sich noch einmal in Worten: »Die Versuchung – also auch Zukunft – drängt sich an Eva erst als Denken daran, dann als Versuchung selbst auf und trägt dann die bekannten Folgen. – Daher I. die sinnende Eva und die Zukunft als ein zu fürchtendes Wesen an einem fest begrenzten Weg (ich bin Fatalist) – 2. Die Versuchung ein aus der andern Welt zuschwimmender Dämon – 3. Ausstoßung und Tod.« Und wieder die Einschränkung, »indessen ich habe eine stete Furcht vor eigenem Erklären«.

Die Einsicht des Künstlers, daß er das, was er habe ausdrücken wollen, besser in dem ihm eigenen Medium, als mit Worten zu erklären, zur Geltung bringe, tritt in Max Klingers Aussagen deutlich hervor. Neben diesem Aspekt sollte aber noch ein zweiter, nicht ganz so offensichtlicher, nichtsdestoweniger Klingers Œuvre bestimmender Gesichtspunkt Beachtung finden. Es stellt sich die Frage nach dem, was der Künstler nicht mit Worten auszudrücken vermag bzw. welche Botschaft sich hinter seinen bildkünstlerischen Äußerungen verbirgt.

---

*) Die Ergebnisse dieser Untersuchung basieren auf der als Bd. V der Gießener Beiträge zur Kunstgeschichte (hg. von Norbert Werner) erschienenen Arbeit des Verfassers MAX KLINGERS (1857–1920) GRAPHIKZYKLEN – Subjektivität und Kompensation im künstlerischen Symbolismus als Parallelentwicklung zu den Anfängen der Psychoanalyse, Gießen 1980. Singer 44 usw. bezieht sich auf das Verzeichnis von Hans W. Singer, Max Klingers Radierungen, Stiche und Steindrucke, Berlin 1909.

47 Die Darwinsche Theorie, 1875

Wir müssen den Künstler als Kind seiner Zeit sehen. Und dem entsprechend können wir davon ausgehen, daß sich in einem künstlerischen Werk auch diese Zeitbedingtheit widerspiegelt. Was liegt also näher als die Frage, inwiefern sich die individuelle Auseinandersetzung des Künstlers mit seiner Zeit in seinem Werk aufzeigen lasse, inwiefern seine Konflikte in das Werk Eingang finden.

Ein Überblick über Klingers graphisches Schaffen zeigt, daß er sich schon relativ früh mit Themenkomplexen der Wissenschaft, der Religion, der Endlichkeit menschlichen Daseins und schließlich der Erotik und Sexualität, des Traumes und des Unbewußten auseinandergesetzt hat. Die Lektüre der evolutionistischen Theorie Darwins führt ihn zu Gedanken über die Gattung Mensch. Daneben beschäftigt ihn aber auch der Mensch als Individuum. Doch setzt Klinger dem »immer weiter um sich greifenden Gefühl der Sinnlosigkeit«, das »in den meisten Fällen . . . mit dem Gefühl einer religiösen Leere zusammen

hänge«, und der damit verbundenen »Frage nach dem Sinn des Lebens«, angesichts derer »keine Wissenschaft die Religion in diesem weiten Sinn ersetzen (könne)« – wie C. G. Jung diagnostiziert – sein Schaffen entgegen. Es scheint, als habe Klinger die Ausgangssituation dieses Konflikts in der Zeichnung der *Darwinschen Theorie* aus dem Jahre 1875 festgehalten.

Der Verlust der Religion, des religiösen Gottesglaubens und seiner Inhalte zieht den Verlust der Glaubenserwartungen, den Verlust des Glaubens an ein Leben nach dem Tode nach sich. Von Gedanken über den Tod in seiner Unberechenbarkeit, als Trostspender oder auch in seiner schicksalhaften Gebundenheit an bestimmte Gesellschaftsklassen zeugen Klingers *Sterbender Greis, Der Tod in der Einöde, Der Tod als Tröster* und die – im Lineament aufs Äußerste reduzierte und dennoch an Eindringlichkeit kaum zu steigernde – Zeichnung *Der Tod*. Bereits auf dieser – wohl zwischen 1873 und 1877 entstandenen – Skizze deutet sich an, was für Klinger in seinen späteren graphischen

48   Der Tod als Tröster, um 1875

Zyklen zum Prinzip wird: Nach der Verfahrensweise einer musikalischen Komposition greift er einzelne Themen, die sich wie Leitmotive durch sein Schaffen ziehen, immer wieder auf, variiert oder moduliert sie im Rahmen eines immer wieder neuen Sinnzusammenhangs. Das in der Zeichnung angesprochene Thema Schwangerschaft und Tod kehrt unter verwandter Akzentsetzung in seinen späteren Zyklen *Ein Leben, Opus VIII* (1884), und *Eine Liebe, Opus X* (1887) wieder.

Sexualität und Tod könnte das Motto heißen, unter dem Klinger den Zyklus *Eine Liebe* geschaffen hat. An das 1. Blatt, eine Widmung *An Arnold Böcklin* (Singer 157), schließen sich an

2. *Erste Begegnung* (Singer 158),
3. *Am Thor* (Singer 159),
4. *Im Park: Kuss* (Singer 160),
5. *Nacht (Glück)* (Singer 161),
6. *Intermezzo: Adam und Eva und Tod und Teufel* (Singer 162),
7. *Neue Träume (vom Glück)* (Singer 163),
8. *Erwachen* (Singer 164),
9. *Schande* (Singer 165),
10. *Tod* (Singer 166).

Während die ersten Blätter mit ihren topographischen Angaben den Ort festlegen, an dem sich *Eine Liebe* manifestiert, läßt bereits das dazwischen geschaltete *Intermezzo* eine Ahnung dessen aufkommen, worauf diese Liebe hinauslaufen wird: den Tod. Wie schon in der zuvor erschienenen Folge *Ein Handschuh, Opus VI* (Singer 113–122) bringt sich Klinger hier selbst ein. Daß er selbst aktiv Beteiligter an dieser unheilvollen Liebesgeschichte ist, zeigt vor allem der ursprüngliche Entwurf des Titelblatts, der den deutlichsten Hinweis auf Klingers persönliche Verstrickung in die Liebesaffaire liefert. Klinger stellt sich auf dem Blatt zusammen mit der Frau an den Pranger; deutlicher kann man die autobiographische Komponente nicht zur Geltung bringen. Auch die dem Blatt *Erste Begegnung* zugrunde liegende Studie *Erinnerung an den Bois de la Cambre/Im »Bois de la*

49 Der Tod, 1874–77, Museum der bildenden Künste, Leipzig

Die Furcht der Welt trieb mich zur Einsamkeit.
Nun so allein schwankt meine beste Kraft
Im ew'gen Anschaun vor dem eignen Bilde,
Und wenn ich endlich mich emporgerafft
Vom Selbstgefühle, das mein Thun zertrat,
So drückt mich Zweifel nieder, was ich wohl erfüllte.

So viele Monde zogen halbgenützt vorüber,
Soviel Gebilde fanden nicht Gestalt.
Das viele macht mich zaudern. Die im Fieber,
Die jung empfangnen Träume werden alt.

Grad der Gedanke, der zu Thränen mich bewegte,
Der mit dem wärmsten Leben Eines war,
Seit er der Schmerzen Abbild mir erregte,
Stellt nur als kühle Form. sich dar.

Was mich durchstürmte, ließ er leise gleiten,
Kann diese Form ich noch mit Leben füllen,
Läßt wohl der Zweifel wieder mich erheben
Zu jenen Kämpfen, deren Abschluß Widerwillen
Zu ihren schönsten Stunden mir gegeben?
Selbst deren Ekel rührt mich nur von weiten.

So nah ich mich dem Dinge, das so lange
Erst schmerzlich scharf,
 dann leise drängend nach Gestaltung rief
Ich griff's schon an, versuch' es, doch erbange
Ob ich noch wecken könne, was seit Jahren schlief.
Nun – sei's beschlossen! – Alter Schatten
Reg' Dich lebendig, laß mich nicht ermatten.«

Nur wenige Tage später schreibt Klinger ein zweites Gedicht nieder.

»22. März 1885.

Frei von der Fessel des Joches,
 Amors des stachelnden Führers,
Streben jetzt sämtliche Kräfte
 einzig zum eigenen Ziel.
Bald geradeaus im Erguß,
 seitliche Pfade bald suchend,
Heut mit Entschlossenheit stärker,
 morgen beruhigt nur laß,
Ganz wie mein Wille es modelt
 meinem Genügen nur dienend.

Herrlich erschien mir solch Leben,
 damals seufzend im Joch.
Wird es noch lange so bleiben?
 Schärft keine Delila die Scheere?
Schwillt nicht die Sehnsucht nach Tollheit
 doch im beruhigten Geist?«

Cambre« (1879) deutet auf Klingers Beteiligung. Das Blatt entstand im Zusammenhang von Klingers Brüssel-Aufenthalt 1879. Neben dem werkimmanenten autobiographischen Beweis gibt es noch andere Hinweise, die ebenfalls den autobiographischen Charakter des Zyklus belegen. Sie alle deuten auf die Schwierigkeiten, die Klinger die Erstellung der Folge bereitete. Vom langsamen Entstehen ist die Rede, er quäle die Radierungen heraus, um sie endlich von sich werfen zu können. »Es muß jetzt (1885) eine Sache vom Halse geschafft werden, mit der ich mich seit 5 Jahren schleppe, und die mir nachgerade Gewissensbisse machte, wenn sie nicht weggeschafft würde«, schreibt er an Prell, und bei Albers entschuldigt er sich: »Vier opera standen bis jetzt jeder Correspondenz im Wege op. 6 op. 7 Homer. Rad. op. X. Rad. op. XI Alles geborne Hauptwerke . . . Ich konnte es doch nicht in's 6te Jahr soh treiben.« Ein Abbild von Klingers inneren Kämpfen gibt auch die Niederschrift eines Gedichts wieder.

»5. März 1885. Bei Beginn des Cyklus ›Eine Liebe‹.
›Laß, o laß mich nicht ermatten.‹ G.

Es bedarf also nicht nur der porträthaften Darstellung des Künstlers selbst in seinen Zyklen. Übrige biographische Hinweise belegen, was seinen Künstlerkollegen – damals – offensichtlich erschien. Paula Modersohn-Becker schreibt am 4. Mai 1900 in Paris in ihr Tagebuch: »Kennt ihr Klingers Radierungen: ›Eine Liebe‹? *Er ist es selber* auf mehreren Blättern mit einer reizvollen Frau zusammen, inmitten eines Übermaßes von blühenden Kastanien. Die Leidenschaft, in den Blättern, die duftgeschwängerte Luft, das ist französischer Frühling . . .«. Und auch sein Biograph Paul Kühn schreibt noch zu Klingers Lebzeiten: »Diese Höhe glutvoller Empfindungen, aus denen der heiße Atem eines *persönlichen,* leidenschaftlichen Erlebnisses strömt, hat Klinger nie wieder erreicht. . . . Hier schöpft er aus dem reichen Schacht *seiner Seele* . . . Der tiefen sinnlichen Gewalt dieser Blätter, dem heißen, stürmischen Atem innerster Erregung dieser *Künstlerbeichte* wird sich kein Mensch, der einer stärkeren Empfindung überhaupt fähig ist entziehen können.« Neben der langandauernden Entstehungszeit des Zyklus *Eine*

Liebe belegen auch Klingers Äußerungen in Briefen, in denen er sich in Schilderungen gegenwärtigen Geschehens immer wieder des Vergangenen erinnert. In dem erwähnten Brief an Prell aus dem Jahr 1885 bezieht er sich auf ein zurück liegendes Ereignis. Vor seiner Abreise aus Berlin nach Paris schreibt er an H. H. Meier jr. noch im Jahre 1887 anläßlich der Übersendung eines Exemplars Probedrucke aus *Eine Liebe:* »Die Zeit kurz vor meiner Abreise von Paris und die Monate bisher hier, waren für mich mit einer Fülle von Arbeit, und mit *steten und sehr schmerzlichen inneren Kämpfen* verbunden, die mich stark herumrissen und es jetzt noch mehr als je thun. So schob ich und schiebe noch alles auf in der Hoffnung auf etwas mehr Ruhe, doch wird sich diese kaum so bald einstellen.« Eine Begründung für diese Hoffnungslosigkeit liegt in der mangelnden Möglichkeit der Verarbeitung des zugrunde liegenden Erlebten. Halten wir uns vor Augen, daß Klinger noch 1885 unter dem Eindruck jenes vor sechs Jahren Geschehenen stand, dann dürfte sich nur zwei Jahre später kaum etwas an seiner psychischen Befindlichkeit

50 Studienblatt mit sterbendem Greis, 1874–77, Museum der bildenden Künste, Leipzig

51 Kopf der Maria,
Studie zur Kreuzigung, 1888,
Kat. Nr. 63

geändert haben. Die Furcht, noch einmal in ein solches ihn belastendes Ereignis verstrickt zu werden, wird in Äußerungen der Jahre 1885 und 1886 deutlich. An Prell schreibt er am 3. August 1885: »Die ganze Zeit hatte ich ein Weibsen was egal Gounod kreischte und Tonleitern dazu, die junge Dame wollte mich zum ›Epoux‹ verführen indessen worauf ich kühl blieb. *Hier noch eine Collage anfangen!* Sie suchte mich ... zu verführen.« Und einer Tagebuchaufzeichnung vom 29. März 1886 entnimmt man: »Ich überlese das seit 3 Jahren geschriebene. Von Liebe ist nur zweimal die Rede und nur in Versen – Max, Max! Fast wie die alten Griechen, wo die Liebe nicht einmal in den (Dramen) Versen Stätte fand. –!«.

Daß das Thema *Liebe* in Klingers Tagebüchern seit 1883 nicht mehr vorkommt, mag in seinem Engagement an der Fertigstellung seines graphischen Zyklus zu diesem Thema liegen. Die Arbeit daran nahm ihn, wie aufgezeigt wurde, so sehr in Anspruch, daß er sich nicht verleitet sah, auf einen Verführungsversuch hin *noch eine Collage* anzufangen; zudem machte ihn die Arbeit an dem Zyklus – eine von ihm auf künstlerischem Wege zu bewältigende persönliche Problematik – zu sehr befangen, um sich auf neue Abenteuer einzulassen. Klinger, der sich verschiedentlich durch seine ausgeprägte Neigung zu humoristischen Attitüden auszeichnete, läßt diese selbst im Zusammenhang eines ihn bedrängenden Anlasses durchbrechen – vielleicht ist dies auch im Zusammenhang der Bewältigung des ihn Bedrängenden zu sehen.

Dem Brief an Albers aus dem Jahr 1885, in dem er schreibt, daß »vier opera ... bis jetzt jeder Correspondenz im Wege (standen)«, fügt er eine Karikatur der vier Opera hinzu.

Links, in breit angelegtem Querformat sehen wir Op. 6 seiner Gemälde das *Urteil des Paris*, rechts daneben Op. 7 *Homer*. Für den hier diskutierten Problemkreis interessant sind die beiden sich rechts anschließenden Werkkarikaturen. Zunächst *RAD. OP. X* und *RAD. OP. VI, Eine Liebe* und *Ein Handschuh*.

Die Charakterisierung von Opus VI, *Ein Handschuh,* der Schilderung einer Liebesgeschichte mit den für den beteiligten Künstler beängstigenden, bedrohenden und schließlich kompensierenden, Visionen, entspricht dem Ablauf des graphischen Zyklus, dessen zugrunde gelegtes Geschehen bereits sieben Jahre zurückliegt. Stockpuppenhaft erscheint umgeben von Rollen der Blätter des Zyklus ein Paar. Sie, eine jugendliche Erscheinung mit dunklem Haar, auf dem keck ein modisches Käppi aufliegt; er, geckenhaft mit gewichstem Schnurrbart, Monokel, den Hut ebenfalls schräg aufsitzend. Wir können an dieser Darstellung gerade des männlichen Teils des Paares sehr gut die Distanz ablesen, die Klinger – im Zyklus selbstporträthaft dargestellt – mittlerweile zu jenem Ereignis hat. Damals hat es ihn immerhin bewogen, sich in mehreren Blättern mit der inzwischen hinreichend belegten autobiographischen Liebesaffäre auseinanderzusetzen.

In starkem Kontrast dazu steht die Karikierung des Zyklus Opus X, *Eine Liebe*. Nichts weist den Uneingeweihten darauf hin, daß

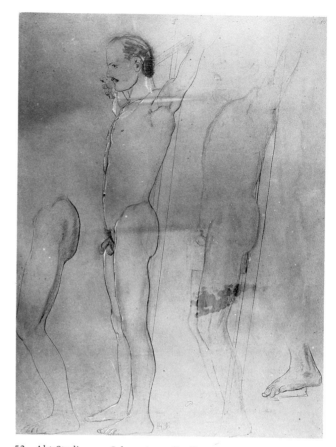

52 Akt-Studie zum Gekreuzigten für die »Kreuzigung«, 1888, Kat. Nr. 62

RAD. OP. X. sich mit dem Thema der Liebe befaßt. Hier erscheint, ebenfalls hinter einem Bündel gerollter Blätter, die Gestalt des Todes.

Mit der Symbolfigur des Todes in der Karikatur gibt Klinger nicht nur einen Hinweis auf das Schlußblatt des Zyklus *Eine Liebe,* das den Titel Tod trägt; bereits das einleitende *Widmungsblatt* (Singer 157) mit den die Lebensfäden haltenden Moirengestalten und auch das zwischengeschaltete *Intermezzo: Adam und Eva und Tod und Teufel* (Singer 162) beinhalten dieses Thema. Offensichtlicher noch ist der Zusammenhang der Figur des Todes mit den frühen Blättern zum Thema Tod, besonders aber zum Schlußblatt des Zyklus *Eva und die Zukunft: Dritte Zukunft: Der Tod als Pflaster* (Singer 48).

Diesen bezeichnet Klinger als die »einzige bestimmte und sicher eintreffende Zukunft, also eigentlich keine Zukunft mehr«. Behandelt Klinger im Zyklus *Eine Liebe* den Tod als Ergebnis einer Liebesaffäre als Individualerlebnis, so kommt

53   Radierte Skizzen, 1879, Bl. 1, Kat. Nr. 92

Zyklen Opus VIII, *Ein Leben,* und Opus XIII, *Vom Tode II,* behandelt er – von Einzelblättern abgesehen – das Thema Tod aus allgemeingültiger Sichtweise. Dennoch darf nicht übersehen werden, daß sich der Künstler auch in diese Zyklen verschiedentlich selbst mehr oder weniger deutlich erkennbar einbringt.

So entdecken wir Klinger wiederum als Selbstporträt im Zyklus *Vom Tode I.* Auf dem ersten Blatt *Nacht* (Singer 171) sitzt der Künstler Klinger links im Bild auf einer Parkbank. Im Mittelgrund des Bildes wird der Park von einer Mauer oder Hecke abgeschlossen. Mit in die Hand gestütztem Kopf schaut der Künstler sinnierend vor sich hin. Vor ihm ragt eine Lilie empor, deren Blütenstand von einem Schmetterling umflattert wird, dessen bevorstehendes Niederlassen auf der Blüte der Künstler aufmerksam verfolgt.

In seiner Schrift *Malerei und Zeichnung* fordert Klinger, daß der Künstler sich in seinem Schaffen auch den dunklen Seiten des Lebens zu widmen habe. Klinger symbolisiert dies in der Bezeichnung des Blattes, *Nacht* (Singer 171), über die der Künstler sinniert. Klinger, in gutbürgerlichen Verhältnissen aufgewachsen, wähnte sich in einem *hortus conclusus,* in den er sich im Bild versetzt. Der ihm vorgegebene Lebensweg verläuft in diesem Garten. An einer Station auf diesem Weg, angedeutet im Verweilen auf der Bank, trifft er auf die ins Bild eingebrachte Lilie. Sie vertritt symbolisch eine »unschuldige« Frau. Die Position, die Klinger der Lilie zukommen läßt, deutet an, daß sie in Beziehung zu einer hinter dieser geordneten Welt liegenden anderen, dem Meer, steht. In Klingers Symbolwelt steht das Meer für Gewalt. Allein der Blick auf den Zyklus *Ein Handschuh* mit seinen Traumvisionen bestätigt dies. Hier, im Blatt *Nacht,* steht das Meer für die kaum oder nicht zu bezwingenden Mächte des Lebens. Um welche Macht es sich hier handelt, ist aus dem Motiv des den Blütenstand der Lilie umschwebenden Schmetterlings ersichtlich. Denn läßt sich der Schmetterling auf der Blüte nieder, wird sie bestäubt, d.h. befruchtet, und verliert ihre »Unschuld«. Danach ist sie dem ihr motivisch wie formal zugeordneten Meer – dem von vom Menschen kaum kontrollierbaren Mächten und Trieben bestimmten Leben – ausgesetzt. In einem Brief an seinen Freund Prell schreibt Klinger einmal: »... und nun ›Keuschheit‹ was heißt denn das. Ein junges Mädchen und ein junger Mann sind keusch bis zum 1. Coitus von da an ist es Abstention (neue Schule Abstentionisten!!!) oder – Impotenz – noch später von keusch zu reden heißt faseln.« Klinger muß diesen Augenblick des Verlustes der Keuschheit vor Augen gehabt haben, als er das Blatt komponierte. Gleichzeitig verbindet er damit aber auch Überlegungen, welche Folgen jener erste Coitus nach sich gezogen hat. Besinnt man sich darauf, was Klinger im Zyklus *Eine Liebe* dargestellt hat – dort folgt auf den Coitus der Tod –, drängt sich der Gedanke auf, daß auch dieses Blatt bzw. der von diesem Blatt eingeleitete Zyklus *Vom Tode I* durchaus im Zusammenhang des *Eine Liebe* initiierenden Erlebnisses des Künstlers zu betrachten ist.

dem Tod in *Eva und die Zukunft* der in den frühen Zeichnungen vorbereitete und sich dann in den eindeutig bezeichneten Zyklen *Vom Tode I* und *Vom Tode II* verdichtende allgemein lebensprogrammatische Charakterzug zu.

Sind es in den frühen Blättern (vor 1879) alltägliche Situationen, in denen der Mensch vom Tode überrascht werden kann – er erscheint dem *Sterbenden Greis,* überraschend dem Wanderer *In der Einöde,* dem im Kerker angekettet Gefangenen *als Tröster* oder der Schwangeren als unausweichliches Schicksal, was in der damaligen Zeit aufgrund der hohen Säuglings- und Kindbettssterblichkeitsrate durchaus nichts außergewöhnliches war –, so rührt Klinger mit dem Zyklus *Eva und die Zukunft* an die Problematik menschlichen Daseins überhaupt. Die situative Konfrontation des Menschen mit dem Tod greift Klinger nochmals im Zyklus *Vom Tode I,* Opus XI, auf. Und auch in den

Verstärkt wird der Eindruck eines Zusammenhangs zwischen *Eine Liebe*, Opus X, und dem anschließenden Opus XI, *Vom Tode I*, bei der Betrachtung des Schlußblattes *Der Tod als Heiland/Pax* (Singer 180). In einer Studie zu diesem Blatt, auf der Tod als Erlöser mit dem Palmzweig in der Hand auftritt, ist ein Satz aus Shakespeares *König Lear* zu finden: *Dulden muß der Mensch sein Scheiden aus der Welt, wie seine Ankunft: reif sein ist alles.* In die endgültige Fassung des Blattes nimmt er einen Satz aus seinem Tagebuch auf; *wir fliehn die Form des Todes, nicht den Tod; denn unserer hoechsten Wuensche Ziel ist: Tod.* Nach einem Hinweis von H. Heyne hat Klinger diesen Satz auf das Blatt der o. a. Gedichte aus dem Jahr 1885 in die Niederschrift seiner *Gedanken und Bilder* unter »Berlin 1887«, das Erscheinungsjahr von *Eine Liebe*, geschrieben. Die Forderung, die er mit dem Shakespearezitat ausspricht, nimmt er in das den Zyklus beschließende Blatt hinein. Er beläßt es bei einer Feststellung, die noch einmal zusammenfassend das wiedergibt, was er in den vorausgegangenen Blättern,

2. *Seeleute* (Singer 172),
3. *Meer* (Singer 173),
4. *Chaussee* (Singer 174),
5. *Kind/Kindermädchen* (Singer 175),
6. *Herodes* (Singer 176),
7. *Landmann* (Singer 177),
8. *Auf den Schienen* (Singer 178),
9. *Arme Familie* (Singer 179),

erörtert – die mannigfachen Formen des Todes, die der Einzelne fürchtet.

Ist der Tod in *Eine Liebe* ein unversöhnlicher, so tritt er in *Vom Tode I* als Erlöser auf. Der Tod, der den Künstler einmal betroffen, der ihn jahrelang beklommen machte, erhält nun selbst ein versöhnendes Moment, wenn Klinger sagt: »... unserer hoechsten Wuensche Ziel ist: Tod«. Es will scheinen als habe sich Klinger mit dieser neuen Auffassung des Todes ein kompensato-

risches Gegenstück zu der in *Eine Liebe* vertretenen Ansicht geschaffen.

Stationen auf dem Wege des Wandels der Einstellung gegenüber dem Tod lassen sich feststellen. Während der Zyklus *Eine Liebe* in ihm ausreift, beschäftigt ihn die damit verbundene Problematik ständig. Dies drücken nicht nur die angeführten autobiographischen Notizen aus; auch in den während der langen Entstehungszeit von *Eine Liebe* scheinbar wie nebenbei geschaffenen übrigen Zyklen drängen die den Künstler mit den Themen Liebe und Tod befassenden Gedanken immer wieder in den Vordergrund. In diesem Zusammenhang dürfen keinesfalls die Blätter aus dem Werk Opus VIII, *Ein Leben*, *Prefacio I* und *II* sowie im aus drei Blättern angefügten *Epilog* anklingende Aspekte übergangen werden. Hier stehen Gedanken über ein Leben unter dem Gesichtspunkt der Sexualität auf gesellschaftlicher Ebene im Mittelpunkt künstlerischer Äußerungen.

In diesem in den Jahren 1880 bis 1884 entstandenen Werk sind zwei Sinnschichten festzustellen, die ihren jeweiligen Ausgangspunkt in einem der beiden Vorspiele besitzen, die Klinger dem Zyklus voranstellt und die eine Weiterführung im Epilog erfahren. Beide Sinnschichten sind aber auch – das läßt sie zum einheitlichen Zyklus bei aller offenbaren Disparatheit der Blätter *Prefacio I* und *II* werden – miteinander verbunden, d. h., sie greifen ineinander über.

In das erste Vorspiel (*Prefacio I*, Singer 129) nimmt Klinger, wiederum wie in *Eva und die Zukunft* an den Sündenfall anknüpfend, den Vers *Ihr werdet mitnichten des Todes sterben, Sondern eure Augen werden aufgethan!* mit dem Hinweis auf das I. Buch Moses 3, 4 auf. Eva steht unter dem Baum der Erkenntnis und hat bereits ihren rechten Arm nach der verbotenen Frucht ausgestreckt, doch läßt ihre Haltung deutlich ihre Zweifel an ihrem Tun erkennen. Wie in *Eva und die Zukunft* steht Eva hier nicht als biblische Eva im Bild, sondern sie repräsentiert die Stellung der Frau in Klingers zeitgenösssischer Sicht. Deutlicher tritt dies zutage, wenn man das folgende Blatt, *Prefacio II* (Sin-

54 Radierte Skizzen, 1879, Bl. 2, Kat. Nr. 93

55 Radierte Skizzen, 1879, Bl. 3, Kat. Nr. 94

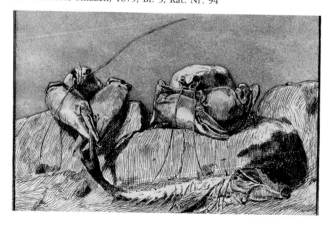

ger 128) hinzuzieht. Neben dem satyrhaft Sinnenlust zum Ausdruck bringenden, lauernden Mann holt die sich auch dem Betrachter in ihrer Sinnlichkeit zugewandte Frau »die Kastanien aus dem Feuer«, wie Klinger am 30. März 1885 in einem Brief an Albers bestätigt. Deutet Klinger im ersten Blatt an, daß Eva sich zwar schuldig gemacht hat, daß ihr Verschulden aus christlicher Sicht auf die Frau im allgemeinen übertragen wird, so kommt auch – vor allem bei Einbezug der an *Prefacio II* anschließenden Blätter – zum Ausdruck, daß diese christliche Betrachtungsweise von der Gesellschaft seiner Zeit, die durch die Ansichten des Mannes geprägt ist, ideologisch dahingehend weidlich ausgenutzt wird, alles sich aus der Beziehung der Geschlechter zueinander Ergebende der Frau anzulasten.

Zur Bedeutung des den Zyklus *Ein Leben* abschließenden Epi-

56 Radierte Skizzen, 1879, Bl. 4, Kat. Nr. 95

logs soll Klinger wieder einmal selbst zu Wort kommen. An Albers schreibt er in dem eben zitierten Brief: »Der Epilog sollte meiner Ansicht nach einer einheitlichen Weltanschauung entspringen. Ich zog Christus gewissermaßen als Einleitung zum E. an, er ist der erste, wenigstens für unsere Gesichtsweise zugänglich der sich menschlich mit der Hure beschäftigte – wenigstens sich nicht ihrem Contact entzog.« Die einheitliche Weltanschauung, die Klinger anführt, ist der christliche Glaube. Auf dieser Basis setzt er sich kritisch mit seinen Zeitgenossen auseinander. Auf dem Blatt *Christus und die Sünderinnen* (Singer 129) nimmt Klinger bezug auf das Zusammentreffen Christi mit der Ehebrecherin. Bei Klinger folgt dem Wurf des Steins der Sturz in den Abgrund. Christus weilt unter den Sünderinnen, den von der Gesellschaft Verachteten. Nach gesellschaftlicher Meinung ist diesen der Zugang zu einem versöhnenden Jenseits verwehrt. Auf dem Blatt mit der gesellschaftlichen Verurteilung *Leide!* (Singer 140) wandert sie mit einer Schicksalsgefährtin durch eine öde Welt. Über ihnen schwebt als Vision ein Kruzifix, das statt der gewohnten Inschrift den Bildtitel *Leide!* trägt. Ihr Christus ist nicht derselbe wie der Erlöser der übrigen Menschen. A. Dückers befand, »Christus ist weder historische Person noch Erlöser im Sinne der Kirche. Er ist Symbol der Erlösung, die für Schopenhauer identisch ist mit der Verneinung des Willens zum Leben.« So den Glauben an die Barmherzigkeit der Christen mitsamt ihrer Jenseitsvorstellung verloren, sinkt sie, als die Sense des Todes ihren Lebensfaden durchschneidet, am *Ende – ins Nichts zurück* (Singer 141), das sie mit ausgebreiteten Schwingen erwartend auffängt. In einer verworfenen Platte des Schlußblatts mit dem Titel *Finis* (Singer 146) schwebt das Nichts bereits mit ihr durch das All, gekennzeichnet durch Allegorisierungen der Sternzeichen Zwilling und Krebs.

»Im Sommer des Lebens fand dieses Erdendasein ein Ende«, schreibt der Klingerinterpret A. Dückers. Mit dieser Aussage relativiert er die Interpretationen jener, die innerhalb des Zyklus ein Altern der Frau wahrgenommen haben wollen. Die auf einigen Blättern ins »Hexenhafte« verfremdeten Gesichtszüge entsprechen Klingers Intention der Darstellung der Dirne aus der Sicht der Philister, wie er seine Zeitgenossen oft zu bezeichnen pflegt. Das Scheiden aus der Welt auf dem Höhepunkt des Lebens, mit dem er in *Ein Leben* den Zyklus ausklingen läßt, mäßigt er im Zyklus *Vom Tode I* durch Hinzufügen des Satzes *Dulden muß der Mensch sein Scheiden aus der Welt, wie seine Ankunft: reif sein ist alles.* Man erinnert sich, ist nicht auch die junge Frau aus dem Zyklus *Eine Liebe* im Sommer ihres Lebens gestorben?

Über Edvard Munch, dessen graphisches Schaffen recht deutliche Impulse durch die Kenntnis der Werke Klingers erfahren hat, schreibt W. Timm, sein »Versuch, die Grunderlebnisse des Menschen darzustellen, die Ereignisse, Empfindungen, Leiden und Freuden, die in ihrer Gesamtheit den Inhalt des Lebens bilden, sein über Jahrzehnte sich erstreckendes Bemühen, die Vielgestaltigkeit menschlicher Existenz in ihrem Wesen zu er-

57 Radierte Skizzen, 1879, Bl. 5, Kat. Nr. 96

fassen, ließ ihn den Sexus als eine elementare, lebens- und schicksalsbestimmende Macht begreifen, gerade auch deshalb, weil er aus der gesellschaftlichen Situation heraus das Verhältnis der Geschlechter zueinander als zutiefst problematisch erkennen mußte ... Im Wirken des Eros liegt etwas Verhängnisvolles, das Glück der Liebe bleibt selten«.

Man ist wieder geneigt zu fragen, blieb nicht auch Klinger die Erfüllung *einer Liebe* versagt, sah nicht auch er im Wirken des Eros etwas Verhängnisvolles, war nicht auch für ihn das Verhältnis der Geschlechter zueinander aus seiner gesellschaftlichen Situation heraus zutiefst problematisch – so problematisch, daß es sich als Leitmotiv durch Jahrzehnte in seinem Werk zeigte?

Im Gegensatz zu Munch, in dessen Werk der pessimistische Grundton beibehalten bleibt – für ihn ließ es sich damit offensichtlich leben –, strebt Klinger nach Mäßigung, nach Versöhnung – nach Kompensation. Der Zyklus *Eine Liebe* dient Klinger zur Bewältigung eines ihn bedrängenden Problems. Doch nicht nur dieser Zyklus allein geht aus dem in die Zeit seines Brüssel-Aufenthaltes fallenden Ereignis hervor. Zwischen Blättern von *Eine Liebe* und denen anderer Zyklen, wie *Eva und die Zukunft*, *Vom Tode I* und *Ein Leben*, lassen sich Querverbindungen aufzeigen. Zehn Jahre beschäftigt jenes Brüsseler Ereignis den Künstler, der dem Tod *Ein Leben* entgegenzusetzen versucht. Doch erweist sich dieses Leben, das sich aus verschiedenen Aspekten aus dem Leben der Frau zusammensetzt, als kaum

58 Radierte Skizzen, 1879, Bl. 6, Kat. Nr. 97

an einer raschen Fertigstellung der Zyklen aus editorischen Gründen gelegen ist, sondern daß es ihm um die Bewältigung der »mächtigen Eindrücke« geht, »mit denen die dunkle Seite des Lebens ihn überflutet, vor denen auch er *nach Hilfe sucht*«. In der über zehn Jahre später herausgegebenen Schrift *Malerei und Zeichnung* läßt Klinger *der Graphik* die Rolle des *Helfers* zukommen. Als Klinger noch im Jahre 1879 aus Brüssel heimkehren muß, kann sein graphisches Schaffen dieser Rolle und Funktion noch nicht nachkommen. Klinger ist krank. Welcher Art seine Erkrankung ist verschweigen seine Biographen. Max Schmidt konstatiert: »Überarbeitet, verfällt er in eine langwierige Krankheit«, und W. Pastor schreibt: »Nach einem Brüsseler Aufenthalte von nur sechs Monaten überfällt ihn eine schwere Krankheit. Man schafft ihn nach Leipzig, wo er sich im Elternhaus langsam erholt.« Nicht von Gesundung oder Genesung ist die Rede, sondern von Erholung. Ohne ihre Spekulationen weiter auszuführen vernimmt man noch bei K. Simons lediglich: »Ursache und Art der Erkrankung werden in der zeitgenössischen Literatur nicht genannt, daß die psychische Belastung, die das im Zyklus *Eine Liebe* geschilderte Liebesabenteuer mit tödlichem Ausgang für die Frau in ihm hervorgerufen hat, zu jener »Überarbeitung« geführt hat. Setzt er nicht auch die übrigen Zyklen, deren erste Blätter schon in der Brüsseler Zeit entstanden sind, den Zyklus *Eine Liebe* kompensierend ein?

Erst mit dem Zyklus *Vom Tode II*, Opus XIII, der durch wiederholtes Überarbeiten der Platten erst 1909 als abgeschlossen angesehen werden kann, ist der Prozeß der Verarbeitung besagten Erlebnisses vollendet. Der Verzicht auf Selbstdarstellung zeigt, daß die Auseinandersetzung mit dem Themenkomplex *Liebe und Tod* unter dem Einfluß persönlicher Betroffenheit inzwischen ein Ende gefunden hat. In *Vom Tode II* setzt sich Klinger übergeordnete Prinzipien des menschlichen Daseins im Bild diskutierend mit seiner Weltsicht auseinander. A. Hübscher erkennt, daß »Klinger (mit *Vom Tode II*) die äußerste Grenze der intellektuellen Konzeption des einzelnen Blattes wie der ganzen Folge (erreicht). Emotionale Momente sind weitestgehend ausgeschaltet«. Und wenn Klinger sagt, »in dem den kleinen Zufällen (die er in *Vom Tode I* dargestellt) die großen Prinzipien, dem äußeren Schrecken die innere Auflösung derselben entgegengesetzt werden, so daß ein harmonischer Abschluß möglich ist«, so ist auch dies auf seine persönliche Situation zu übertragen. Die Phase der persönlichen Betroffenheit und der Identifikation mit der Frau ist vorüber. Er hat diese Phase in seinen graphischen Zyklen bewältigt.

»Max Klinger selbst hat gegen Ende seiner Schaffenszeit – im Rückblick auf sein Werk der 80er und 90er Jahre – sein Werk als allzu literarisch bezeichnet. Ihm allerdings fiel diese Selbstkritik leicht, denn er ging davon aus, ein Ziel erreicht zu haben, von dem aus alles, was nur Suche war, als überholt abqualifiziert werden konnte.

In die Periode des Suchens gehören ganz entschieden seine graphischen Folgen.« M. Pauseback greift damit einen Gedan-

mehr tröstlich als die *Zukünfte* des vom Sündenfall geprägten Lebens im Eva-Zyklus. Klinger gibt in *Ein Leben* Situationen wieder, wie sie sich der jungen Frau des Zyklus *Eine Liebe* als *Schande* (Singer 165) geboten hätten, hätte sie das Kind ausgetragen oder auch nur überlebt.

Klinger versetzt sich dementsprechend nicht nur in die Situation der Frau, wie A. Hübscher feststellt, sondern das Erstellen seiner Zyklen dient in erster Linie dem Zweck, sich die Sachen »vom Halse« zu schaffen, mit denen er sich »seit Jahren schleppt«. Wir können davon ausgehen, daß Klinger nicht nur

59 Radierte Skizzen, 1879, Bl. 7, Kat. Nr. 98

ne gebunden ist und deshalb auch die Widerwärtigkeiten und dunklen Seiten des Lebens darzustellen in der Lage ist. Die Graphik bildet für ihn das der Reflexion dienende Medium. Und darüber hinaus ist der graphische Zyklus »stets die Ausdrucksform der Künstler, deren reichquellende Phantasie ihnen gestattet, einen Gedanken vielfältig zu variieren, der Denker und Dichter unter den Malern, die es lieben, ein Thema in sich auszuspinnen«, wie M. Schmidt befindet.

Schließlich weist auch noch eine andere Tatsache auf den geglückten Befreiungsversuch von den psychischen Belastungen der vergangenen Jahre hin. Im Februar 1898 lernt Klinger Elsa

60 Radierte Skizzen, 1879, Bl. 8, Kat. Nr. 99

ken W. Pastors auf, der über Max Klinger schreibt, Klinger sei ein Suchender, »ein solcher Suchender, einer der mit seinem Dämon gerungen hat und der ihn unter sich zwang«. Frei von den psychischen Belastungen, die das Jahr 1879 mit sich gebracht hat und die er sich in einer Art »Selbstheilung« mittels seiner graphischen Zyklen »vom Halse geschafft« hat, kann er sich wieder *der Kunst* widmen. Die Bildkunst besteht für ihn aus *Malerei und Plastik*; die Graphik ist eine diese ergänzende Kunst. Ergänzend ist sie insofern, als sie nicht an das Naturschö-

Asenijeff kennen, die für ungefähr fünfzehn Jahre zu seiner Lebensgefährtin wird. Dieses Verhältnis, das Klinger als Einundvierzigjähriger eingeht, ist, abgesehen von der kurz vor seinem Tod geschlossenen Ehe mit seinem Modell Gertrud Bock, das offensichtlich erste und einige seit jenem unglücklichen im Jahr 1879 in Brüssel. Zwar schränkt Julius Vogel ein, »daß Frau Asenijeff auf Klingers Kunst, eine Annahme, die sehr naheliegen würde, von bestimmendem Einfluß gewesen ist, läßt sich im Einzelnen schwer nachweisen«, doch ist seiner Beschreibung der im Jahre 1902 gefertigten Porträtbüste dieser Frau zu entnehmen, daß diese Einflußnahme wenigstens über das emotionale Engagement, das Klinger ihr entgegenbringt, festzustellen ist; J. Vogel dazu: »Es ist das beste plastische weibliche Bildnis Klingers, bei dem der Künstler allerdings neben den persönlichen Beziehungen und der genauesten Kenntnis aller weiblichen Instinkte, besonders die äußere Erscheinung, bei der ein slavischer Einschlag nicht zu verkennen ist, das Gewirr üppiger Haarmassen, deren Wiedergabe in dunkelfarbigem Marmor außerordentlich reizvoll war, die blühende und doch dezente Fülle, zugleich aber auch sinnliche Schönheit des nackten Fleisches an Hals, Brust und Armen, wie überhaupt das Nervös-Prickelnde des Lebens zur intimen Wiedergabe gereizt haben mag.«

Auch in bezug auf den Zyklus *Das Zelt* ist man berechtigt, einen Zusammenhang zu Elsa Asenijeff anzunehmen. Denn seine Schaffenszeit (1913–1916) fällt in die Jahre, in denen sich Klinger von ihr trennt. A. Hübschers Beschreibung des Schlußblattes des Zyklus, *Ende*, enthält eine Passage, die Klingers Einstellung am Ende der Beziehung widerzuspiegeln scheint: »Das Märchen ist zu Ende, der Traum vom Glück war weder für den Mann noch für die Frau realisierbar. Ein echter Klinger'scher Abschluß – aber eben weit aus dem Bereich des Nacherlebbaren herausgerückt, bleibt es mehr als die beiden anderen großen Zyklen über das Leben und Schicksal der Frau: ›Ein Leben‹ und ›Eine Liebe‹ eine intellektuelle Spekulation, fern aller zeitlichen Realität.«

Mag *Das Zelt* in seiner Motivwahl dem Bereich *1001 Nacht*, versetzt mit ritterlicher Romantik, entlehnt sein, die in dem Zyklus behandelte Problematik ist dennoch – nicht nur wie vermutet in lebensgeschichtlicher Hinsicht – aktuell. Klingt in der als *Intermezzo* eingeschalteten *Großen Göttin* noch einmal die lebensbeherrschende Macht des Sexus an, gegen die der Mann in ihrem Sog befindlich ankämpft, so greift Klinger mit *Das Frauenglück und die Autoritäten* einen auch in unserer heutigen Zeit nicht unumstrittenen Problemkreis auf.

Der Zufall hatte noch einmal seine Hand im Spiel. Bei Abfassung dieser Zeilen stieß ich wiederum bei der Zeitungslektüre auf ein Zitat, das die Aktualität Klingerscher Bildprogrammatik für unsere Zeit aufs Neue beleuchtet. Im Zusammenhang eines Berichts über die Neubearbeitung der Lutherischen Bibelübersetzung (NT 84) wurde eine Äußerung des Freiburger Professors H. U. Nübel aus dem Jahre 1981 angeführt: »Eine Kirche, die sich bemüht, Frauen beizustehen, die ihre Schwangerschaft austragen, auch wenn sie ›erst‹ Braut (i. G. zu ›vertrautes Weib‹) sind, sollte sich über diesen Satz freuen – um so mehr, als *die verbürgerlichte Kirche nicht unbeteiligt an der gesellschaftlichen Diskriminierung der unverheirateten Schwangeren war.*« Im Zusammenhang der gegenwärtig wieder auflebenden Diskussion des umstrittenen Paragraphen 218 jedenfalls könnte Klingers *Frauenglück und die Autoritäten* heute ebenso plakativ eingesetzt werden wie die eingangs angesprochene *Erste Zukunft*. An Aktualität haben Klingers Graphiken nur wenig verloren.

Max Klingers Verhältnis zur Musik

HELLMUTH CHRISTIAN WOLFF

Die Beurteilung Max Klingers war in den letzten Jahrzehnten den stärksten Wandlungen unterworfen. Die Kunst des Kubismus und des Expressionismus konnte mit ihm überhaupt nichts anfangen. Man erkannte zwar seine formale Kunstfertigkeit an, auch seine ethische Haltung, glaubte aber, daß die naturalistische Darstellung vieler seiner symbolischen Gedanken stilwidrig gewesen sei. So bezeichnete Hans Hildebrandt im Jahre 1924 Klinger als am Naturalismus gescheitert[1]). 1932 liest man in Richard Hamanns ›Geschichte der Kunst‹: »Vollends gescheitert ist die für die Zeit so bedeutungsvolle, uns heute nicht nur fremde, sondern auch unzeitgemäß erscheinende Kunst von Max Klinger«[2]). Bald danach setzte jedoch eine allgemeine Aufwertung des Jugendstils ein; Klinger wurde nun als Vorgänger des Jugendstils und als »einer der wirksamsten Anreger im deutschen Raum« bezeichnet[3]). Seine Darstellungen der »Leiden der Welt«, sozialer Probleme und Nöte wurden wieder beachtet, etwa sein Einfluß auf Käthe Kollwitz. Schließlich wurde seine utopische Wunschwelt und naturferne Phantastik wieder positiv beurteilt und seine Bedeutung für den Symbolismus und Surrealismus anerkannt[4]). Hierbei kommt der engen Beziehung Klingers zur Musik eine nicht geringe Rolle zu, oft waren die Anregungen, die er durch Musik erhielt, sogar entscheidend für sein Schaffen. Hier sollen einige der wichtigsten genannt werden.

Das Leben Max Klingers (1857–1920) war von Anfang an eng mit Musik verbunden, er erhielt frühzeitig Klavierunterricht, und das Klavierspiel begleitete sein ganzes Schaffen. Klingers Vater war ein aus dem sächsischen Vogtland nach Leipzig übersiedelter, sehr wohlhabender Seifenfabrikant, der selbst künstlerische Interessen hatte und gemalt hat. Die Beschäftigung mit der Kunst wurde nicht als Luxus, sondern als Lebensnotwendigkeit angesehen. Vater Klinger ermöglichte seinem Sohn das Studium der bildenden Kunst an den ersten Kunstschulen seiner Zeit, so in Karlsruhe, Berlin, dann in Paris und Brüssel. Bereits in seiner Karlsruher Studienzeit trat Max Klinger in Feiern der Kunstschule als Solist am Klavier auf, er begleitete z.B. eine geistliche Arie von J. S. Bach. In ausführlichen Briefen hat Klinger seinen Eltern hierüber berichtet, über sein Musizieren mit einem Geiger, über vierhändiges Klavierspiel usw. Er hatte privat ein Klavier zur Verfügung und »abonnierte« die Noten in einer Musikalienhandlung, wie dies damals üblich war[5]). Klinger sang in Karlsruhe auch in komischen Quartetten mit und war besonders als Frauendarsteller für die pantomimischen Darstellungen berühmter Gemälde beliebt. Auch später hatte Klinger immer einen Flügel in seinem Atelier, wie zuletzt in Leipzig – ein Foto des heute noch erhaltenen Ateliers gibt davon Kunde (abgebildet in dem Katalog der Max Klinger-Ausstellung des Museums der Bildenden Künste in Leipzig 1970, p. 19). Klinger war mit vielen Musikern bekannt oder befreundet, so mit Max Reger in Leipzig und mit dem bekannten Cellisten Julius Klengel. Richard Strauss besuchte Klinger 1910 und nochmals 1915, wo Klinger eine Bildnisbüste von ihm schuf. Besonders bedeutsam waren Klingers Beziehungen zu Johannes Brahms, die leider erst zu einem späten Zeitpunkt erfolgten und die durch den Tod von Brahms abgebrochen wurden.

61   Rettungen Ovidischer Opfer, 1879, Bl. 1, Kat. Nr. 100

Schon in der ersten Schaffenszeit erhielt Klinger Anregungen durch musikalische Werke, so widmete er den 1879 in Brüssel entstandenen graphischen Zyklus ›Sauvetages des sacrifices d'Ovide‹ dem Gedächtnis Robert Schumanns. In diesen Rettungen Ovidischer Opfer änderte Klinger die tragischen Schlüsse einiger der bekanntesten Metamorphosen des Ovid, damit Liebespaare wie Echo und Narciss nicht getrennt, sondern vereinigt werden und damit die »Verwandlung« unterbleiben konnte (Abb. 67). Klinger war hierzu offenbar durch literarische Vorbilder Gotthold Ephraim Lessing angeregt worden, vielleicht aber auch durch graphische Zyklen der ›Fliegenden Blätter‹, für die damals erste Künstler wie Moritz von Schwind arbeiteten. Jedenfalls zeigt sich bereits hier eine bemerkenswerte Tendenz zur Verfremdung und eine ironische Haltung gegenüber dem klassischen Bildungserbe. Der Verleger Leo Liepmannssohn fragte Klinger nach dem Grund seiner Widmung der Rettungen an Schumann. Klinger antwortete in einem Brief: »Ich liebe die schumannsche Musik außerordentlich und behaupte und glaube von seiner Compositionsweise viel beeinflußt zu sein«, jedoch könne er keine Einzelheiten darüber angeben[6]). Man kann also nur den Einfluß des romantisch-phantastischen Charakters von Schumanns Musik im allgemeinen in Klingers frühen graphischen Werken suchen. Aber es wird nicht nur die Kompositionsweise gewesen sein, die Klinger zu dieser Widmung veranlaßte, sondern auch seine Affinität zum zyklischen Gedanken, der bei Schumann sein Vorbild hat[7]). Wenn Klinger die Klaviermusik Schumanns schätzte, so kannte er sicher dessen zyklische Werke wie ›Carnaval‹ (1837), ›Phantasiestücke‹ (1838) und ›Kinderszenen‹ (1839). Als weiteres Beispiel aus den Rettungen Klingers sei das Blatt aus ›Pyramus und Thisbe‹ erwähnt, in dem das klassische Liebespaar in teilweise moderner Kleidung zu sehen ist (Abb. 62), die Wand zwischen sich, in der oberen Randleiste benutzt Amor seinen Bogen als eine Art von Telefon zwischen dem Mund eines Liebenden und dem Ohr des anderen – im Zeitalter der großen Historienmalerei läßt sich hier ein unakademischer und moderner Charakter erkennen (das Telephon wurde seit 1877 in der Praxis der Postanstalten eingeführt). Klinger trat auch theoretisch für eine Wiederbelebung der alten Künste, der »Griffelkunst«, ein (in der Schrift ›Malerei und Zeichnung‹ [Leipzig]), so daß man nun sogar von einer »Griffelmusik« seiner Zeichnungen sprach[8]).

Klinger schätzte ganz besonders die Kompositionen von Johannes Brahms. Durch dessen Berliner Verleger Simrock wurde Klinger 1886 gebeten, Titelblätter für die zwei herauszugebenden Liederzyklen von Brahms, Opus 96 und Opus 97, zu entwerfen. Skizzen Klingers wurden an Brahms in Wien geschickt, der sich zunächst beifällig äußerte, von den fertigen Titelzeichnungen jedoch nicht begeistert war, weil diese teilweise für andere Werke von ihm gedacht waren[9]). Klinger hat je zwei verschiedene Titelblätter für den äußeren und inneren Umschlag der Lieder geschaffen. Zu Opus 96: »Im Grase« und »Arion«, zu Opus 97: »Satyr und Dryade« und »Entführung einer Frau durch einen Ritter«, offenbar den heiligen Georg darstellend, der in einer Randleiste erscheint (Abb. 213). Brahms schob in einem Brief an Klinger die Schuld an dem Versagen dem Verleger zu, der die Bilder zu schnell veröffentlicht habe[10]). Diese Kritik wurmte Klinger so sehr, daß er beschloß, ohne Auftrag seiner Verehrung für Brahms durch einen umfassenden neuen Graphikzyklus Ausdruck zu geben. In etwa fünfjähriger Arbeit entstand so die »Brahms-Phantasie«, in welcher Klinger sechs vollständige Kompositionen von Brahms in Noten stach, mit Illustrationen versah und diese dann im Selbstverlag in 150 Exemplaren veröffentlichte. Vorher sandte Klinger einzeln die Blätter an Brahms, bis er ihm 1893 den vollendeten Zyklus vorlegen konnte. Brahms bedankte sich und schrieb an Klinger: »Ich sehe die Musik, die schönen Worte dazu – und nun tragen mich ganz unvermerkt Ihre herrlichen Zeichnungen weiter; sie ansehend ist es, als ob die Musik ins Unendliche weitertöne und Alles aussprüche was ich hätte sagen mögen, deutlicher als es die Musik vermag und dennoch ebenso geheimnisreich und ahnungsvoll. Manchmal möchte ich Sie beneiden, daß Sie mit dem Stift deutlicher sein können, manchmal mich freuen, daß ich es nicht zu sein brauche, schließlich aber muß ich denken, alle Kunst ist dasselbe und spricht die gleiche Sprache«[11]). Dies waren Gedanken von der Gemeinsamkeit aller Künste, wie sie seit der Romantik besonders beliebt waren. Sie fanden am Ende des 19. Jahrhunderts eine neue Verbreitung und führten zu einer engen Verbindung der Malerei mit der Musik. In der Malerei hatten Delacroix und Whistler bereits ganz ähnliche Ziele verfolgt, Gauguin sagte um 1900 eine ganze »musikalische Phase der neueren Malerei« voraus, die dann von bildenden Künstlern wie Kandinski und Klee weit vorangetrieben wurde[12]). Hierbei wurden in erster Linie Elemente der Farben verwendet, von denen Klinger allerdings nur sehr wenig Gebrauch machte – sein 1890 vollendetes Gemälde »Die blaue Stunde« muß fast als Ausnahme angesehen werden. Für Klinger war die Musik mehr eine Anregung für inhaltlich literarische Darstellungen, denen er allerdings genügend »Ahnungsvolles« und »Geheimnisreiches« beizugeben wußte, wie Brahms es formuliert hatte – hierdurch blieb er nicht im rein Illustrativen stecken, sondern ging weit darüber hinaus in die Bezirke der Kunst. Dies zeigt auch seine Brahms-Phantasie.

Dieser Zyklus besteht aus 41 Stichen, Radierungen und Lithografien, welche als Randleisten oder auch als ganzseitige Blätter die erwähnten sechs Liedkompositionen von Brahms illustrierten und erläuterten. Das ganze Werk besteht aus zwei Teilen. Im ersten sind fünf bekannte Solo-Lieder mit Klavierbegleitung in Noten mit Randleisten versehen, während der zweite Teil aus »Schicksalslied« für Chor und Orchester auf den Text von Hölderlin besteht. Dem »Schicksalslied« fügte Klinger jedoch einen Zyklus über Prometheus hinzu, der aus sieben ganzseitigen Blättern besteht. Die Randleisten wurden diesem gewaltigen Werk allerdings nicht gerecht. Man versteht dies nur, wenn man die Musik dazu hört. Beiden Teilen ist jeweils ein gesondertes Einleitungsblatt vorangestellt: »Accorde« und »Evocation«.

Auf diesen Blättern sitzt ein Pianist am Meer und lauscht den Klängen einer Harfe, die in »Accorde« (Abb. 218) durch einen Triton und Nereiden aus dem Wasser gehoben wird, im Hintergrund ist eine italienische Seen- und Berglandschaft, auf dem Wasser ein Segelboot, welche die Großartigkeit und Schönheit der Natur andeuten[15]). Auf dem anderen Blatt, »Evocation«, ist es eine Frau, welche Harfe spielt, der Künstler am Flügel wartet wie ein Solist im Konzert auf den Einsatz (Abb. 236).

Der Textillustration dienen meist die Randleisten des ersten Teiles, so in dem Lied »Feldeinsamkeit« (Opus 86, 2), wo die Worte von Almers in Zeichnungen umgesetzt werden: »Ich ruhe still im hohen grünen Grase und sende lange meinen Blick nach oben« (Abb. 233). In »Böhmisches Volkslied« (Opus 49, 3): »Hinter jenen dichten Wäldern weilst Du meine Süßgeliebte«. Hier wird das Bild der Geliebten mit Wald illustrierend dargestellt (Abb. 222), während das Schlußbild freie Ergänzung ist: Der Liebhaber sitzt am Boden zu Füßen der Braut, ein sehr realistischer Wunschtraum, der aus dem Text dieses auch als »Sehnsucht« betitelten Liedes nicht direkt hervorgeht. In »Alte Liebe« (Opus 72, 1) wird der Text des Candidus durch Klinger frei interpretiert: Die Erinnerungen an den »alten Liebesharm« und den »alten Traum« realisierte Klinger, in dem er einen am Boden seines Balkons liegenden Pianisten in alten Liebesbriefen wühlen läßt, die ihm der geflügelte Amor, als etwas ältlicher Knabe, offenbar in einem Kästchen gebracht hat (Abb. 219).

Der zweite Teil der Brahms-Phantasie ist der gewichtigere, Klinger gab hier außer Randleisten zum Text des »Schicksalsliedes«, wie erwähnt, die Prometheus-Sage wieder. Auf dem einleitenden Blatt ist der Text des »Schicksalsliedes« vollständig mitgeteilt, auf der links danebenbefindlichen halbseitigen Abbildung sieht man einen alten Mann, der als Homer bezeichnet ist, vor einem riesengroßen leidenden menschlichen Kopf stehend, im Hintergrund sind die Leichen Ertrunkener im Meer zu sehen (Abb. 243). Klinger brachte durch die Gestalt Homers die Verbindung Hölderlins mit der Antike zum Ausdruck. Oben in den Wolken sind Zeus und Hera als die seligen »Genien« angedeutet[14]). Zu dem Beginn des zweiten Teiles der Komposition, einem dramatischen »Allegro«, gab Klinger die Gestalt der Schönheit, die sich über dem Grauen ertrunkener Menschen erhebt (Abb. 248), er deutet damit bereits auf den Schluß des Werkes hin. Man kann diese Illustrationen also nicht nur als Wiedergabe der jeweiligen Text- oder Musikteile auffassen, es handelt sich auch um ergänzende oder freiere Zugaben. Wörtliche Illustration ist die Zeichnung von den auf Klippen sitzenden Menschen (Abb. 250), so wie eines ins Wasser gezogenen Mannes, den ein Polyp erfaßt hat (Abb. 249). In weiteren Randleisten sieht man einen in der Wüste verdurstenden Mann mit seinem Hund (Abb. 251–252) sowie einen Bergsturz, den ein Mann aufrecht stehend gefaßt entgegennimmt, während eine alte Frau betend daneben sitzt (Abb. 253–254). Es heißt bei Hölderlin:

62 Rettungen Ovidischer Opfer, 1879, Bl. 2, Kat. Nr. 101

63 Rettungen Ovidischer Opfer, 1879, Bl. 3, Kat. Nr. 102

64 Rettungen Ovidischer Opfer, 1879, Bl. 4, Kat. Nr. 103

Entführung des Prometheus zur Strafe, ein Opfer primitiver Menschen an Zeus, die für Prometheus beten, zuletzt die Befreiung des Prometheus durch Herakles (Abb. 258). Prometheus ist nach der jahrelangen Gefangenschaft, die ihn angekettet an einem Felsen hielt, wo ihm der Adler des Zeus immer wieder die Leber aufhackte, so erschüttert, daß er in Tränen ausbricht. Unten sieht man Meeresgötter singen. Mit diesem befreienden und hoffnungsvollen Abschluß knüpfte Klinger unmittelbar an die Komposition von Brahms an, der sein ›Schicksalslied‹ nicht mit der Verzweiflung der Menschen schließen ließ wie Hölderlin, sondern mit einem Ausblick auf eine Besserung, mit der Hoffnung. Brahms gab ihr in Form eines Orchesternachspiels Ausdruck, welches an den Anfang des Werkes, das Orchestervorspiel, anknüpfte, in dem die »seligen Genien« musikalisch nachgezeichnet wurden. Brahms brachte durch das sehr ähnliche Nachspiel zum Ausdruck, daß auch die Menschen zu »seligen Genien« werden können[15]). Der Widerstreit von Tragik und Hoffnung war das Thema vieler Kompositionen von Brahms, zuvor auch von Beethoven, der von Klinger ebenfalls sehr verehrt wurde, vor allem der Beethoven der Neunten Sinfonie. Als Abschluß des ›Schicksalslieds‹ brachte Klinger aber eine weni-

65 Rettungen Ovidischer Opfer, 1879, Bl. 5, Kat. Nr. 104

»Es schwinden, es fallen die leidenden Menschen
blindlings von einer Stunde zur anderen,
wie Wasser von Klippe zu Klippe
geworfen jahrlang ins Ungewisse hinab.«

Aus dem Gegensatz der glücklichen Genien oder Götter zu den leidenden Menschen kam Klinger auf den Prometheus-Zyklus, in dem der Kampf der Giganten oder Titanen gegen die Götter gezeigt wird, Apollo und Artemis schießen mit ihren Bogen gegen die Steine und Felsen schleudernden Giganten, welche auf dem zweiten Blatt zerschmettert nachts am Boden liegen (Abb. 238). Es ist wohl das bedeutendste Blatt des ganzen Zyklus, mit ›Nacht‹ betitelt. Prometheus ist oben am Himmel als junger Mann dargestellt, wo ihm Hera oder die »Sage« von der Not der Menschen berichtet. Darauf raubt er den Göttern das Licht und bringt es in das Dunkel der Nacht, es folgen ein Freudenfest mit tanzenden Männern und Frauen (Abb. 239), die

ger optimistische Zierleiste an, auf welcher aus den Furchen eines pflügenden Bauern Schwerter wachsen, oben reißt eine Faust die Waage der Gerechtigkeit aus ihrem Lot – so dämpfte er den Optimismus durch eine scharfe kritische Zeichnung, die an Krieg und Ungerechtigkeit erinnert (Abb. 257).
Im Jahre 1914 machte man in Wien den Versuch, die ganze ›Brahms-Phantasie‹ Klingers in Lichtbildern zusammen mit den Kompositionen auf- und vorzuführen. Der damalige Wiener Kunstwissenschaftler Josef Strzygowki hat hierüber eingehend berichtet[16]) und auf die glückliche Ergänzung der »weicheren« Kompositionen von Brahms durch die »herben« Zeichnungen Klingers hingewiesen. Das ›Schicksalslied‹ kam dabei besonders günstig zur Wirkung, während die fünf Solo-Lieder durch ein Zuviel der Zeichnungen beeinträchtigt wurden. Als musikalische Ergänzung zu dem Prometheus-Zyklus verwendete man damals die ›Tragische Ouvertüre‹ von Brahms, deren Verlauf sich hierfür besonders eignete. Bei dieser Gelegenheit sei ein

anderes Lieblingsstück Klingers erwähnt, das Adagio affettuoso der zweiten Sonate für Cello und Klavier (op. 99), das sich als musikalische Ergänzung für diese Blätter ebenfalls gut eignen würde, z. B. zur ›Nacht‹ oder ›Befreiung‹[17]. Es sind die Elemente der Klage, des titanischen Ringens wie der tröstenden Hoffnung, die sich auch in diesem Satz von Brahms finden.

Brahms war so begeistert von der ihm gewidmeten Phantasie, daß er Klinger in Leipzig besuchte, was Klinger durch einen Gegenbesuch in Wien 1894 beantwortete. Brahms hatte schlechte Erinnerungen an Leipzig, wo sein erstes Klavierkonzert schlechte Kritiken erhielt, auch mit den Musikverlegern scheint er schlechte Erfahrungen gemacht zu haben. Jedenfalls schrieb Brahms an Klinger, als dieser ihn zu einem erneuten Besuch in Leipzig-Plagwitz aufforderte, er würde ja gern in Klingers Atelier in die Karl Heinestraße 6 kommen, »wenn nur Leipzig nicht gar so ein schlimmes Anhängsel an Plagwitz wäre« (Brief vom 18. Oktober 1894)[18]. Durch Klingers Werke erhielt Brahms offenbar Anregungen für seine vorletzte Komposition ›Vier ernste Gesänge‹ (op. 121), die er Klinger gewidmet hat. Brahms schrieb in einem Begleitbrief an Klinger: »Ich habe Ihrer oft dabei gedacht und wie tief Sie die großen, gedankenschweren Worte ergreifen möchten. Auch wenn Sie ein Bibelleser sind, werden sie Ihnen wohl unerwartet kommen, mit Musik aber jedenfalls« (23. Juni 1896)[19]. Die krasse Realistik in der Darstellung des Todes, wie sie in den ersten beiden dieser Lieder zum Ausdruck kommt, entsprach manchen Darstellungen Klingers in seiner ersten Folge ›Vom Tode‹ (1889). Hier erscheint jedoch auch ›Der Tod als Heiland‹ (Abb. 209)[20], wie er in dem Zyklus von Brahms geschildert wird. Klinger stützte sich auf einen Text von Moses Mendelssohn (aus dessen Schrift ›Phädon‹), den er zitierte: »Wir fliehn die Form des Todes, nicht den Tod.« Der Tod erscheint hier wie ein Engel mit einem Palmzweig und wird von einem knienden Menschen verehrt, während die anderen vor ihm flüchten. Bald danach starb Brahms im Jahre 1897, und nun schuf Klinger eine zweite Folge ›Vom Tode‹, die 1898 erschien – hier sind bekannte Blätter wie ›Krieg‹, ›Pest‹, ›Elend‹ zu finden. In dem verworfenen Blatt ›Genie‹ sitzt ein Künstler vor einem Flügel und hält einer vor ihm liegenden sterbenden Frau, die wohl den »Erfolg« symbolisiert, die Augen zu – rechts seitlich sieht man Prometheus, den der Adler des Zeus zerfleischt; weiter befindet sich hier auch das optimistische Blatt ›Und doch‹[21]. Damit knüpfte Klinger an die Bejahung des Todes bei Brahms an, wie sie z. B. in den letzten beiden der ›Vier ernste Gesänge‹ zum Ausdruck kommt: »O Tod, wie wohl bist du« und »Wenn ich mit Menschen und mit Engelszungen redete und hätte der Liebe nicht«. Man darf fast mit Sicherheit annehmen, daß hier eine mehrfache Wechselwirkung zwischen Komponist und bildendem Künstler stattgefunden hat, wie sie in der Musik und auch in der Kunstgeschichte nicht häufig zu finden ist.

Außer den Graphiken ist eine Reihe von Plastiken Klingers zu nennen, die musikalischen Persönlichkeiten gewidmet sind. Am bekanntesten ist sein ›Beethoven‹, dessen erster Entwurf in

66 Rettungen Ovidischer Opfer, 1879, Bl. 6, Kat. Nr. 105

67 Rettungen Ovidischer Opfer, 1879, Bl. 7, Kat. Nr. 106

68   Rettungen Ovidischer Opfer, 1879, Bl. 8, Kat. Nr. 107

finden, wenn Rodin den Körper desselben auch viel mehr durcharbeitete, die gespannten Muskeln lassen die Anstrengungen dieses Denkens erkennen. Klinger legte mehr Wert auf die Ausführung durch verschiedenfarbigen Marmor sowie auf die Beigabe eines Adlers, des Symbols der Macht des antiken Zeus und einen Thron, auf dem weitere Darstellungen zu finden sind[22]). Klinger gab das Bild des großen schöpferischen Künstlers nach dem Vorbild einer nur durch Beschreibungen bekannten antiken Zeus-Statue des Phidias[23]). Klinger zeigte hier einen Künstler wie einen Gott, den göttlichen Künstler – eine typisch romantische Anschauung. Besonders Beethoven wurde bereits im 19. Jahrhundert nicht nur als Naturkind und als Revolutionär, sondern auch als Zauberer und Priester aufgefaßt, Richard Wagner betonte dagegen das Heldische[24]). Diese Auffassungen wurden von Klinger aufgegriffen, er wollte diesen Beethoven wie ein Kultbild in einem besonderen Raum aufgestellt wissen, was ihm dann auch in Leipzig, im ehemaligen Museum, gelang. Neuartig war der Verzicht auf Musikinstrumente und musizierende Engel, Klinger gab nur die Gestalt des Komponisten, einige kleine Engelsköpfe im Hintergrund.

Durch die Verwendung verschiedenfarbigen Marmors erzielte Klinger die Wirkung der farbigen Bemalung der Plastik, wie sie von Archäologen bei antiken Bildwerken nachgewiesen wurde. Auch der Thron, auf dem Beethoven sitzt, ist aus verschiedenen Metallen zusammengesetzt – dieser Thron wurde bei einer der wenigen Firmen, die damals so etwas technisch in einem einzigen Guß herstellen konnten, in Paris 1901 in einer einzigen Nacht gegossen. Klinger hatte dies jedoch dort im Laufe eines halben Jahres vorbereitet und eine Wachsform geschaffen, welche beim Guß verbrennen mußte – es war das alte Verfahren der verlorenen Form. Elsa Asenijeff hat dies in allen Einzelheiten in ihrem Buch ›Max Klingers Beethoven‹ (Leipzig 1902) beschrieben und vieles abgebildet. Daß durch dieses Verfahren manche Einzelheiten verschiedenartig herauskamen, beweisen die verschiedenen Abbildungen etwa der Rückseite dieses Throns, auf dem oben die Kreuzigung Christi und unten die Geburt der Venus dargestellt sind – dazwischen die Figur des Johannes, der auf die Venus zeigt, die hier wohl als die Schuldige oder Rettende (?) dargestellt wird (Abb. 277). Auf den Seitenteilen des Throns ist der Sündenfall wiedergegeben. Diese Szenen haben eigentlich nichts direkt mit Beethoven zu tun, Klinger gab hier elementare Gegebenheiten, die er in der Musik Beethovens zu finden glaubte. Das Werk wurde nach einer Ausstellung in Wien[25]) von Klinger für 250 000 Mark an die Stadt Leipzig verkauft. Klinger stellte davon 50 000 Mark für den Bau eines neuen Seitenflügels des Museums zur Verfügung, in dem sein ›Beethoven‹ und andere seiner Werke aufgestellt wurden. Dieser Bau wurde im Kriege zerstört; der ›Beethoven‹ ist jedoch erhalten und befindet sich im heutigen Gebäude des Museums der Bildenden Künste am Dimitroff-Platz zu Leipzig. Etwa gleichzeitig mit Klinger schuf der französische Bildhauer Emile-Antoine Bourdelle mehrere Beethoven-Plastiken, die schlichter gehalten sind und den Einfluß Rodins noch deutlicher erkennen

Paris 1885 entstand und Klinger »am Klavier« kam (Taf. XXII). In Paris wirkte gleichzeitig Auguste Rodin, mit dem Klinger später bekannt war, es liegt nahe, dessen Einfluß hier schon anzunehmen, wenn Klinger diesen für seinen ›Beethoven‹ auch abstritt, indem er behauptete, das in Betracht kommende Werk Rodins ›Der Denker‹ habe 1885 noch gar nicht existiert. Tatsächlich hatte Rodin aber bereits 1880 den ersten Entwurf dazu fertig, der in französischen Kunstzeitschriften auch veröffentlicht wurde. Auf beiden Werken ist der in Gedanken versunkene geistige Mensch als nackte Männergestalt dargestellt. Rodin hatte anfangs ein Porträt Dantes gegeben, der an einem Höllentor über die Grausamkeiten des Lebens grübelt. Die gespannte Energie eines vornübergebeugten Mannes ist bei beiden zu

lassen. In Deutschland wurde Klingers ›Beethoven‹ aber kaum übertroffen, auch später nicht von Georg Kolbe 1927[26]).

Zuletzt seien die Denkmäler Klingers für Richard Wagner und für Johannes Brahms erwähnt. Das Wagner-Denkmal war im Jahre 1904 in Auftrag für Leipzig gegeben worden, es wurde jedoch nie vollständig aufgestellt. Die Geschichte dieses Wagner-Denkmals ist kein Ruhmesblatt für Leipzig, denn Klinger hatte seine Entwürfe fertig und diese mehrfach umgeändert (Abb. 216). Der erste Entwurf zeigte Wagner »ohne theatralische Pose«, wie Elsa Asenijeff schrieb[27]), auf einem einfachen Podest mit wenigen großen Stufen, Wagner in einen Mantel gehüllt in ganzer Gestalt. Das Schwergewicht war auf den Kopf gelegt worden. In einem zweiten Entwurf wurde diese Figur Wagners auf ein hohes Postament gestellt, dessen Seiten mit Szenen aus Wagners Opern versehen wurden: Siegfried mit dem getöteten Drachen und mit dem Kopf und Händen Mimes, die aus dem Marmor herausragen – eine sehr originelle Lösung sowie den zusammengesunkenen Parsifal mit Kundry. Auf der Vorderseite sind »Die drei Künste« dargestellt. Es handelt sich

um einen weit über 2 m hohen Marmorblock, dessen Beschaffung aus Italien durch den Ersten Weltkrieg verzögert wurde. 1920 starb Klinger, so daß dieses Postament erst 1924 in Leipzig in dem ihm gewidmeten »Klingerhain« ohne die Figur Wagners aufgestellt werden konnte, wo er sich heute noch befindet (leider ohne jede Bezeichnung)[28]). Klinger war kein Verehrer Wagners, was sich zweifellos ebenfalls hinderlich auswirkte. Klinger schrieb anläßlich der Einhundert-Jahrfeier von Wagners Geburtstag, am 23. Mai 1913, an seinen Leipziger Freund Hirzel über eine ›Meistersinger‹-Aufführung in der Leipziger Oper: »Die letzte Stunde habe ich mich gewunden mit innerlichen und äußerlichen Schmerzen. Du kennst ja das. Man ist völlig an Aufnahmefähigkeit erschöpft und dann rinnt es noch eine Stunde an einem runter wie bei einer Regentonne – da helfen nur einige Glas Bier und das so schöne Schimpfen.« Klinger verglich dann die ›Meistersinger‹ mit einem »modernen Renaissance-Bierpalast«[29]).

Klinger stand mehr auf der Seite der geistigen Ideale Beethovens und von Brahms. Deswegen kam die Ausführung eines bestell-

69 Rettungen Ovidischer Opfer, 1879, Bl. 9, Kat. Nr. 108

70   Rettungen Ovidischer Opfer, 1879, Bl. 10, Kat. Nr. 109

ten Brahms-Denkmals für Hamburg Klinger mehr entgegen, es wurde 1909 dort aufgestellt und ist heute noch erhalten (Taf. XXIII). Brahms wird hier wie Wagner in ganzer Gestalt in einen Mantel gehüllt gezeigt, neben ihm eine Muse, darunter lauschende Menschen, die sich um ihn schlingen. Als Vorbild kommt die Balzac-Statue Rodins aus dem Jahre 1897 in Betracht, deren Neuartigkeit und elementare Einfachheit allerdings von Klinger nicht erreicht wurde. Während Rodins Statue wegen mangelnder Porträtähnlichkeit in Frankreich sogar von dem Verband der Künstler abgelehnt wurde, ist Klingers Brahms absolut porträtähnlich, offenbar nach Fotos gemacht, wie auch auf einem zweiten – nicht ausgeführten – Brahms-Denkmal für Wien, auf dem Brahms in einem kleinen antiken Tempel sitzt[30]).

71   Rettungen Ovidischer Opfer, 1879, Bl. 11, Kat. Nr. 110

Ergänzend seien Klingers Porträt-Plastiken von Liszt (Abb. 272) und Wagner für eine Ausstellung in Saint Louis erwähnt, ferner eine Kreidezeichnung von Max Reger auf dem Totenbett sowie der Porträtkopf von Richard Strauss. Dieser war zweimal im Atelier von Klinger, 1910 und 1915, wobei er ihm »zwei Akte aus seiner neuen Oper« (›Die Frau ohne Schatten‹?) vorspielte. Klinger hat berichtet, daß der Gesichtsausdruck von Strauss sich beim Klavierspiel völlig veränderte, seine sonst etwas nüchtern-sachliche Miene wich einem heiter-verklärten, fast spöttischen Lächeln, Ausdruck des schöpferischen Menschen. Diesen hat Klinger großartig getroffen. So ist dieses Porträt von Richard Strauss eines der wertvollsten Komponisten-Porträts neuerer Zeit, ein Dokument, das nach dem Leben gestaltet wurde (vgl. Anhang II). Die Einflüsse der Musik auf Klinger beschränkten sich auf die Graphik und auf die Plastik, die Anwendung musikalischer Wirkungen durch die Farbe blieb Klinger versagt. Sie spielte in der Entwicklung der neueren Malerei jedoch ebenfalls eine entscheidende Rolle, die zu Klingers Zeit von Whistler, Gauguin, dem litauischen Maler Mikalojus Konstantinas Čiurlionis und dem in Paris lebenden Tschechen František Kupka, auch von Luigi Russolo 1911 (La Musica) und von Kandinsky um 1910 weitergeführt wurde und der abstrakten Malerei wesentliche Wege wies[31]). Die Fülle des historischen Wissens, der klassischen Bildung wurde für Klinger vielleicht manchmal zur Fessel, Klinger blieb auf dem Boden des Naturalismus und Symbolismus des späten 19. Jahrhunderts. Die aktive und enge Beziehung, die er zur Musik hatte, läßt ihn jedoch als einen universell gebildeten, vielseitigen Künstler erscheinen, der als Ausdruck des gebildeten Bürgertums seiner Zeit zu gelten hat[32]). Klinger suchte die Ideale der Romantik mit denen eines geschärften Realismus zu verbinden, was zum Surrealismus führte. Es waren nicht nur Antike und Christentum, sondern auch Symbolismus und Gesellschaftskritik, die er miteinander zu vereinigen wußte. Hierbei kam ihm die Abkehr von der äußerlichen Historienmalerei seiner Zeit wie von einem formalen Klassizismus zu statten. Durch die Musik wurde er zu einer geistigen und verinnerlichten Auffassung der Kunst geführt, die auch für unsere Zeit vielleicht manche wertvolle Anregung vermitteln kann.

Anmerkungen

Der Aufsatz basiert auf einem am 8. September 1970 in Leipzig gehaltenen Vortrag.

[1]) Hans Hildebrandt, Die Kunst des 19. und 20. Jahrhunderts (Potsdam 1924), p. 334.

[2]) Richard Hamann, Geschichte der Kunst von der altchristlichen Zeit bis zur Gegenwart (Berlin 1932), vol. 2, p. 861, ebenso in der Auflage von 1955.

[3]) Hans H. Hofstätter, Geschichte der europäischen Jugendstilmalerei (Köln 1963), p. 168; ferner id., Symbolismus und die Kunst der Jahrhundertwende (Köln 1965), passim.

⁴) J. Kirk T. Varnedoe, Graphic works of Max Klinger (New York 1977), p. xiii–xxv. Varnedoes Bibliographie (p. 99) und eine Anzahl von Ausstellungen in den letzten zehn Jahren spiegeln das wiedererwachte Interesse an Klinger. Direkt auf das Thema unseres Beitrags bezogen ist die Dissertation von Karen Mayer-Pasinski, Max Klingers Brahmsphantasie (Göttingen 1979). Im Allgemeinen sind jene Arbeiten, die die Symbolismus-Bewegung von der literaturhistorischen Seite aus angehen, jenen aus den Schwesterdisziplinen überlegen. Aus der erstgenannten Kategorie ist die beste Studie Anna Balakian, The Symbolist Movement. A Critical Appraisal (New York 1976), mit ausgezeichneter Bibliographie (pp. 199–203). Eine gut illustrierte Übersicht über den Symbolismus in der Bildenden Kunst bietet Philippe Jullian, The Symbolists (London 1973). Was den Surrealismus angeht, sei verwiesen auf Maurice Nadeau, Histoire du Surréalisme (Paris 1945).

⁵) Hans Wolfgang Singer (ed), Briefe von Max Klinger aus den Jahren 1874 bis 1919 (Leipzig 1924), Brief Klingers an seine Eltern vom 22. Mai 1874.

⁶) Ibidem, Brief Klingers an seine Eltern vom 16. Januar 1880.

⁷) Elsa Asenijeff, ›Das Musikalische in Max Klingers Schaffen‹, in: Musikalisches Wochenblatt 36/15 (13. April 1905), p. 313; Asenijeff war die langjährige Lebensgefährtin Klingers und Mutter seiner Tochter Désirée. Ferner wies Felix Zimmermann in ›Beethoven und Klinger‹ (Dresden 1906), pp. 13–51, auf die vielen Beziehungen Klingers zur Musik hin.

⁸) Über die Anwendung dieses Terminus auf Klinger siehe Georg Treu, Max Klinger als Bildhauer (=Sonderabdruck aus der Zeitschrift Pan [Leipzig und Berlin 1900], pp. 7+8).

⁹) Kurt W. Richter, Brahms und Klinger. Drei unveröffentlichte Briefe von Max Klinger an Johannes Brahms aus dem Brahmsarchiv (=Mitteilungen der Brahms-Gesellschaft Hamburg [April 1973], p. 3).

¹⁰) Max Kalbeck, Johannes Brahms (Berlin 1904–1914), vol. 4/2, pp. 329ff.

¹¹) Ibidem, vol. 2/2, p. 361.

¹²) Andrew George Lehmann, The Symbolist Aesthetic in France 1885–1895 (Oxford ²1968), p. 215–237, und Hendrik Roelof Rookmaaker, Synthetist Art Theories; Genesis and Nature of the Ideas on Art of Gauguin and his Circle (Amsterdam 1959), p. 210–220, erörtern die weitverzweigten Beziehungen zwischen der Symbolismusbewegung und Musik. Siehe ferner Ursula Kersten, ›Klinger und die Musik‹, in: Max Klinger, Kunsthalle Bielefeld, 10. Oktober – 11. November 1976 (Bielefeld 1976), p. 227–233 sowie unter etwas allgemeinerem Gesichtspunkt Hellmuth Christian Wolff, ›Das Musikalische in der modernen Malerei in: Jahrbuch für Aesthetik und allgemeine Kunstwissenschaft 7, 1962, pp. 48–66.

¹³) Die Radierung ›Accorde‹ erinnert an Richard Wagners ausführliche Metapher in ›Das Kunstwerk der Zukunft‹. Dort schreibt er unter Nr. II'4 ›Tonkunst‹: »Noch dürfen wir das Bild des Meeres für das Wesen der Tonkunst nicht aufgeben. Sind Rhythmus und Melodie die Ufer, an denen die Tonkunst die beiden Kontinente der ihr urverwandten Künste erfaßt und befruchtend berührt, so ist der Ton selbst ihr flüssiges ureigenes Element, die unermeßliche Ausdehnung dieser Flüssigkeit aber das Meer der Harmonie. Das Auge erkennt nur die Oberfläche dieses Meeres: nur die Tiefe des Herzens erfaßt seine Tiefe. Aus seinem nächtlichen Grunde herauf dehnt es sich zum sonnighellen Meeresspiegel aus: von dem einen Ufer kreisen auf ihm die weiter und weiter gezogenen Ringe des Rhythmus; aus den schattigen Thälern des anderen Ufers erhebt sich der sehn-

72 Rettungen Ovidischer Opfer, 1879, Bl. 12, Kat. Nr. 111

73 Rettungen Ovidischer Opfer, 1879, Bl. 13, Kat. Nr. 112

suchtsvolle Lufthauch, der diese ruhige Fläche zu den anmuthig steigenden und sinkenden Wellen der Melodie aufregt.« Die Vermutung dürfte nicht abwegig sein, daß Klingers Radierung vielleicht auf diese Passage zurückgeht; dies legt zumindest der Titel ›Accorde‹ und Wagners Metapher »Meer« für »Harmonie« nahe. Wir verdanken übriges Giorgio De Chirico eine ungewöhnliche Beschreibung der ›Accorde‹, in der die surrealistischen Aspekte hervorgehoben werden, v. Massimo Carrà (ed.), Metaphysical Art (New York–Washington 1971), pp. 99/100.

¹⁴) Hans Wolfgang Singer, Max Klingers Radierungen, Stiche und Steindrucke. Wissenschaftliches Verzeichnis (Berlin 1905 und 1909), p. 82.

¹⁵) Siegfried Kross, Die Chorwerke von Johannes Brahms (Berlin 1958), pp. 313/314.

¹⁶) Josef Strzygowski, ›Klingers Brahmsphantasie in öffentlicher Vorführung‹, in: Die Kunst für Alle 31 (1916), pp. 214–223.

¹⁷) Kalbeck (Fußnote 10), vol. 4/1, p. 34.

¹⁸) Brahms. Briefe an Max Klinger (Leipzig 1924), S. 9.

¹⁹) Kalbeck (Fußnote 10), vol. 4/2, p. 443.

²⁰) Singer (Fußnote 15), Nr. 180.

²¹) Singer (Fußnote 15), Nr. 245 und 237.

²²) Werner Hofmann, Art in the Nineteenth Century (London 1960), pp. 251/252, geht kurz auf den Effekt von Klingers ursprünglich ver-

wendeten Materialien in dieser Skulptur ein und hebt die Bedeutung des ursprünglichen Ausstellungsraums für das Werk selbst hervor. Gert von der Osten, Plastik des 19. Jahrhunderts in Deutschland, Österreich und der Schweiz (Königstein i. T. 1961), p. 16, weist auf die Analogie der Verwendung verschiedenfarbigen Marmors und Metalls zu der klassizistischen Praxis der Skulpturbemalung hin und erwähnt als Beispiele Klinger und Arthur Volkmann. Für eine ausführliche Diskussion von Klingers Anwendung der beiden Techniken siehe Georg Treu, Max Klinger als Bildhauer (Leipzig – Berlin 1900), p. 8ff.

23) Direkte Frontalansichten von thronenden Gottheiten oder Königen sind auch vor Klinger eine typische (neoklassische) Erscheinung. Nach Agnes Mongan, ›Ingres and the Antique‹, in: Journal of the Warburg and Courtauld Institutes 10 (1947), pp. 1–13, wurde das Bild von John Flaxman nach Anne-Claude-Philippe De Caylus, Recueil d'Antiquités (1752ff.) kopiert. Ingres erfuhr davon durch Flaxman, und benützte den Typus in seinen Werken ›Jupiter und Thetis‹, ›Die Apotheose Homers‹ und ›Napoleon I auf seinem kaiserlichen Thron‹. Dieselbe Idee findet sich auch in Horatio Greenoughs Statue von Georg Washington (1832–1841), v. Robert Rosenblum, Jean-Auguste-Dominique Ingres (New York s. d.), p. 68.

24) Arnold Schmitz, Das romantische Beethovenbild (Berlin – Bonn 1927), pp. 1–14.

25) Im Jahre 1902 veranstaltete die Wiener Sezession eine Ausstellung mit Klingers ›Beethoven‹ im Zentrum der Galerie. Alma Mahler-Werfel beschreibt das Ereignis folgendermaßen (Gustav Mahler, Erinnerungen und Briefe [Amsterdam 1940] p. 49).
»Im Mai 1902 rüstete man in der Sezession zu einer intimen Feier für Max Klinger. Die Maler der Sezession hatten in der selbstlosesten Weise Fresken an die Wand gemalt, von denen nur die von Gustav Klimt gerettet wurden. Man hat sie mit ungeheuren Kosten von der Wand abgelöst. Alle Wände waren also geschmückt mit allegorischen Fresken, die sich auf Beethoven bezogen, und in der Mitte sollte zum ersten Mal das Beethoven-Denkmal von Max Klinger zur Auf- und Ausstellung gelangen. Da kam Moll mit der Bitte zu Mahler, bei dieser Eröffnung zu dirigieren, und er hat diese Idee liebevoll ausgeführt. Er setzte den Chor aus der Neunten: ›Ihr stürzt nieder Millionen?...‹ für Bläser allein, studierte ihn mit den Bläsern der Hofoper ein und dirigierte den Chor, der, auf solche Art uminstrumentiert, granitstark klang. Der scheue Klinger betrat den Saal. Wie angewurzelt blieb er stehen, als von oben her diese Klänge einsetzten. Er konnte sich vor Rührung nicht halten, und Tränen rannen ihm langsam über das Gesicht herab.« Klimts Fresken sind jetzt im neuen UNO-Stadtteil bei Wien zu sehen.

26) Adolf Schmoll gen. Eisenwerth, ›Zur Geschichte des Beethoven-Denkmals‹, in: Festschrift Joseph Müller-Blattau (Kassel 1966), p. 258.

27) Asenijeff (Fußnote 7), p. 314, wo die erste Fassung dieses Wagner-Denkmals abgebildet ist.

28) Cf. Susanne Heiland in: Max Klinger 1857–1920. Ausstellungskatalog. Leipzig, Museum der Bildenden Künste (1970), pp. 59–61.

29) Singer (Fußnote 5), p. 199.

30) Ludwig Hevesi, ›Max Klingers Entwurf zu einem Brahmsdenkmal‹, in: Zeitschrift für bildende Kunst N.F. 38 (1927), pp. 236–238; ferner A. (=Ferdinand Avenarius), ›Klingers Brahmsdenkmal‹, in: Kunstwart 22/2 (1909), pp. 355–357 und p. 374.

31) Eingehende Nachweise hierfür gebe ich in dem noch unveröffentlichten Buch ›Das Musikalische in der Malerei des 19. und 20. Jahrhunderts‹, das im Manuskript abgeschlossen ist.

32) Cf. Maria Hogrebe, Max Klinger im Urteil seiner Zeit (Phil. Diss. Münster 1952). Hier wird eine gute Übersicht der Urteile über Klinger von seinen Zeitgenossen gegeben. Auch wird auf die Abwendung Klingers vom reinen Naturalismus, etwa von Adolph von Menzel sowie auf seine Verbindung zum Bildungsgut der damaligen gebildeten Schichten in Deutschland hingewiesen. Wie neuartig manche Bilder auf die Zeitgenossen wirkten, mag man daraus ersehen, daß seine ›Urteil des Paris‹ und ›Die große Kreuzigung‹ bei ihrer ersten Ausstellung in München Empörung auslösten, die unbekleidete Figur Christi mußte mit einem Vorhang zugedeckt werden. Die von Klinger dargestellten Personen waren Menschen seiner eigenen Gegenwart und nicht historisierend gezeichnet, was damals völlig neuartig wirkte. In den Darstellungen von kontrastierendem Licht und Dunkel ging Klinger teilweise auf Illustrationen von Gustave Doré zu Dantes ›Göttlicher Komödie‹ zurück (etwa dessen ›Fegefeuer‹, XXV. Gesang); v. Konrad Farner, Gustave Doré der industrialisierte Romantiker (Dresden 1963), vol. 2, Tafel 83. Das heroische Pathos des Doré wurde dabei von Klinger durch größeren Realismus ersetzt. Wegen der von Klinger dargestellten Nachtseiten des Lebens wurde er von dem Münchner Kunstkritiker Friedrich Pecht mit »Höllenbruegel« verglichen. Mehrfach wurde von der damaligen Kritik auf die geistige Unabhängigkeit Klingers hingewiesen, der ein eigenes Weltbild gestaltete, in dem trotz der Anerkennung von Schmerz und Leid immer wieder auch die Schönheiten der Welt zur Darstellung kamen. Der bekannte Dichter Christian Morgenstern hat ein Gedicht auf einen Studienkopf Klingers verfaßt, das beginnt:

Du willst, o Welt, nicht, daß man dich verachte,
nachdem man sich an dir zu Tod gehärmt.

Vorabdruck aus: Imago Musicae, Internationales Jahrbuch für Musikikonographie, Offizielles Organ des Internationalen Repertoriums der Musikikonographie, Redakteur Tilman Seebass, Band 1, Bärenreiter-Verlag Basel, Duke University Press Durham, North Carolina (in Vorbereitung)

Dokumentation

Das Talent, das in diesem ersten Aufleuchten sich fast blendend offenbarte

In der Berliner permanenten Kunstausstellung erregten im Frühling 1878 eine Reihe Federzeichnungen Aufmerksamkeit. Sie waren betitelt: »Phantasien über einen gefundenen Handschuh, der Dame, die ihn verlor, gewidmet«. Ihre Originalität war so tief und so barock, sie waren so unähnlich Allem, was man früher in dieser Art gesehen, dass kein Besucher gleichgiltig daran vorbeiging. Der gewöhnliche Berliner war allerdings nicht ganz klar darüber, ob dies Genialität oder Wahnwitz sei; ein und der andere Siebengescheidte murmelte »Fliegende Blätter-Illustrationen« zwischen den Zähnen; aber mehrere von den Künstlern und Kritikern, deren Kunstsinn nicht durch das Althergebrachte bestimmt wird, stutzten, vertieften sich in die Bilder und bewunderten das Talent, das in diesem ersten Aufleuchten sich fast blendend offenbarte. Der Name des Künstlers war Max Klinger, und er war erst 21 Jahre alt.

...Im Winter vor jener Frühlingsausstellung lernte ich in Berlin einen kleinen Kreis junger Künstler kennen. Sie wohnten, oder versammelten sich in einem Atelier, das sich im 5. Stock eines Hauses der aristokratischen Hohenzollernstrasse befand. Es war ein Eckhaus mit schöner freier Aussicht über das Schöneberger Ufer, aber diese Aussicht war auch das prächtigste an der ganzen Wohnung. Ein und derselbe grosse Raum diente als Atelier und Schlafzimmer. Die Möbel waren ein zerrissenes Sopha und ein mächtiger, mit losen Skizzenblättern, Mappen und Kaffeebereitungs-Requisiten bedeckter Tisch, dessen Grösse und Solidität ich eben im Begriffe stand zu beneiden, als ich entdeckte, dass es gar kein Tisch war und dass man nur über ein paar Holzblöcke Bretter gelegt hatte. An allen Wänden Studienköpfe, unter Gussow's Leitung ausgeführt, auch viele originale Versuche...

Einer von den jungen Malern ersuchte mich, ihm zu sitzen; dadurch lernte ich die Gesellschaft kennen. Es waren – selbstverständlich – lauter eifrige Nihilisten, Socialisten, Atheisten, Naturalisten, Materialisten und Egoisten. Sie docirten einstimmig Ansichten, die für die Gesellschaftsordnung und den Frieden des Nächsten höchst gefährlich waren. Sie huldigten der Politik der Pariser Commune: Jeden, der behauptete, dass er selbst, oder überhaupt Jemand, sich von einem anderen Motiv als dem rücksichtslosesten Egoismus leiten lasse, verachteten sie als einen Heuchler, der sie zum Besten haben wollte. Sie waren, nachdem sie mich kennen gelernt, sehr überrascht über meine Zahmheit. Sie hatten sich etwas ganz andres erwartet. Sie fühlten Ekel (Verachtung ist ein zu schwaches Wort dafür) vor der ganzen anerkannten deutschen Kunst, vor der Akademie, ihren Mitschülern, den berühmten Namen (mit Ausnahme von Böcklin, Menzel und Gussow). Sie hatten das Leben durchschaut. Sie liessen Alles gehen, wie es wollte. Es gab nichts zu wirken und

nichts zu hoffen. Es galt, so schmerzlos als möglich die Zeit todtzuschlagen; sie waren zu alt, um Leidenschaften zu hegen – darüber waren sie hinaus – zu blasirt, um Illusionen nachzujagen, zu kunstverständig, um sich selbst Genie zuzutrauen, zu stolz, um sich um Lob oder Ruhm zu kümmern; es galt, den einen Tag hinzubringen wie den andern: ein wenig zu malen, eine Partie Tarok zu spielen, recht lange zu schlafen. Kurzum sie waren jung, jung! im Beginn der Zwanzig, genusssüchtig, ehrgeizig, fanatisch für die Kunst begeistert, weissglühend vor Verachtung der Heuchelei, so leidenschaftslos, dass der eifrigste Anbeter der Indolenz unter ihnen erst vor Kurzem von den Folgen eines Selbstmordversuches, den er aus unglücklicher Liebe machte, geheilt worden war und so eifrig, das Evangelium des Egoismus zu predigen, dass sie in vollständigem Communismus lebten, einander halfen, für einander hungerten und einander liebten.

Sie waren Alle begabt; doch sobald man mit Einem von ihnen allein war, erzählte er sofort mit einem Gemisch von Zärtlichkeit und Ehrfurcht, dass Einer unter ihnen ein Genie sei. Er war ihr Stolz, ihre Bewunderung. Sie setzten ihre egoistische Freude darein, sein Job nach allen Seiten auszuposaunen, überall und mit Jedem von seinen Arbeiten zu sprechen, ohne eine Silbe von ihren eignen zu sagen; fragte man nach diesen, so antworteten sie, das sei nur Broterwerb. Sie trugen ihren Benjamin auf den Händen und schworen, dass er den Ruhm aller jetzt lebenden deutschen Künstler in Schatten stellen werde. Mittlerweile ging er gross und schlank mit seinen dicht wachsenden, gekrausten, rothen Haaren still und verschlossen unter ihnen, stimmte mit einem Nicken, doch ohne sich weiter auszulassen, in ihre Theorien ein, im Voraus überzeugt, dass nur die extremste Anschauung die wahre sein könne und im Uebrigen so verloren in sein inneres Walten, so in Anspruch genommen von seinen fruchtbaren Träumen, so unablässig, fabelhaft productiv, dass er nur wenig Zeit zum Philosophiren fand.

Max Klinger ist in Leipzig am 18. Februar 1857 geboren. Er ist der Sohn einer wohlhabenden Kaufmannsfamilie. Er studierte die Malerei in Carlsruhe und Berlin unter dem durch seinen energischen Realismus bekannten Maler Carl Gussow, aber ohne das lernen zu können, worin dieser Lehrer seine besondere Stärke hat: die genaue Wiedergabe des Modells. Er lernte niemals die äussere Wirklichkeit copiren: dafür war seine innere Welt zu eigenthümlich und zu reich. Sein Gedächtnis war so treu, dass es von Formen und Eindrücken überfüllt war, seine gnostisch sinnliche, ideen- und bildersprudelnde Einbildungskraft war felsenfest von ihrer innern Logik überzeugt. Wie bizarr sie sich auch im Schaffen äusserte und wie tollkühn sie auch mit einer Aufgabe tummelte, machte sie dennoch etwas in künstlerischem Sinne Vernünftiges daraus, und sein Stimmungsleben war so vollständig, so vielstimmig bewegt, dass jede seiner Schöpfungen auf die Nerven wirkte wie Musik, Stimmung in sich hatte und Stimmung mit sich brachte. Der Stamm, aus dem diese fruchtbare Phantasie ihre Blüthen trieb, war ein fester, entschlossener und hartnäckiger Charak-

74　Eva und die Zukunft, 1880, Bl. 1, Kat. Nr. 113

ter, beharrlich in seinem Streben und in seinen Entschlüssen und bereit, Zeit, Kräfte, unbedingt Alles dafür zu opfern; er war ferner ein äusserst nervöses, bis zum Uebermass sensibles Temperament, eines jener Temperamente, welche die Leidenschaften bis auf den Grund erschüttern, doch nicht wie verheerende Stürme, sondern wie tropische Gewitter, nach denen das Erdreich doppelt üppig wuchert.

...Es ist wahrscheinlich, dass ein Künstler, der bis zu seinem 24. Jahre schon so viel hervorbrachte, im Laufe der Zeit einen weitverbreiteten Ruf erlangen wird. Ich glaube nicht, dass es ihm gelingt, sich eine ebenso grosse Herrschaft über die Mittel der Malerkunst zu erwerben, wie über die der Radirkunst. Seine verschiedenartigen Versuche bisher waren versprechend, doch

nicht entscheidend. Als das, was er vorläufig ist, d. h. als Maler-Radirer, ist er ein grosser Componist und ein wahrer Dichter in seiner Kunst. Er scheint mir besonders darum interessant, weil er, zu dessen Glaubensbekenntniss es gehört, kein Nationalgefühl zu haben, er, der von dem Spanier Goya und dem Deutschen Böcklin fast gleich tief beeinflußt ist, der mit Ausnahme von Gussow und Menzel nur französische Malerkunst schätzt und selten ein modernes deutsches Buch zur Hand nimmt, sondern entweder den Simplicissimus oder moderne französische Schriftsteller wie Zola oder noch lieber die Brüder Goncourt liest, – dass er trotz alledem so tief national ist. Es steckt etwas Urdeutsches in ihm, etwas von der metaphysischen Phantastik Jean Paul's und E. Th. A. Hoffmann's (von welch' Ersterem er

93

75   Eva und die Zukunft, 1880, Bl. 2, Kat. Nr. 114

Sohn dem Jupiter in die Stirnhaare greift. Klinger ist sogar unbarmherzig in seiner Treue gegen die Wirklichkeit; er erspart den Nerven des Betrachters nicht die volle Pein des Eindrucks: oft scheint es, dass er sich gleichsam über die hergebrachte Geziertheit und Zurückhaltung in der Darstellung des Natürlichen lustig mache; so stark fühlt er es, dass der Künstler, wenn er sich den Normen der guten Gesellschaft anbequemt, sowohl komischer als erst wirkender Effecte verlustig geht, dass ganze Stösse von seinen Zeichnungen – darunter verschiedene, welche die Nationalgallerie in Berlin gekauft hat – der Oeffentlichkeit nicht vorgelegt werden können. Man muß zu Huysmanns und Guy de Maupassant gehen, um literarische Seitenstücke zu finden. Insofern ist er Naturalist bis in die Fingerspitzen.

Aber im Herzen ist er Pantheist. Seine Phantasie bohrt sich gleichsam in den Mittelpunkt, von dem die schwellende Fülle des Lebens ausgeht, schafft mit, schafft um, bildet neue Organismen, neue Fabelthiere, neue Ausdrücke für Gefühle, neue oder erneute Sinnbilder für Glückseligkeit, Entbehren, Schrecken und Vernichtung. Er wäre der Mann, der durch geistvolle Illustrationen Gustave Flaubert's »Versuchung des heiligen Antonius« zu einem anziehenden Werk machen könnte. Er hat an der Quelle gestanden, welcher die ältesten Phantasien über die Natur entströmten, und er hat von dieser Quelle getrunken.

Georg Brandes, Max Klinger (1882), Moderne Geister, Frankfurt a. M. 1897, S. 57–72.

Eine durch und durch moderne Schöpfung ohne jede Sentimentalität

Man hört seit einem Jahre oft erzählen, daß Max Klinger in selbstvergessener Hingebung an der Decoration des Vestibuls einer Villa in Steglitz arbeite. Vor einigen Monaten hieß es, das Werk sei abgeschlossen. Einige intimere Freunde des Künstlers, die ihn bei der Arbeit besucht hatten, äußerten sich, welcher Richtung sie angehören mochten, in fast hyperbolischem Entzücken über die Leistung.

Sie begegneten selbst bei Bewunderern des genialen Erfinders einer zweifelnden Zurückhaltung. Von einigen Ausstellungen her waren zwei oder drei Oelgemälde seiner Hand bekannt, die ziemlich unbeachtet geblieben wären, wenn sie einen anderen Namen getragen hätten, und man hatte Klinger zu lange ausschließlich als Zeichner und Radirer bewundert, um ihm ein Talent zur Bewältigung des farbigen Lebens zuzutrauen. Die Abwesenheit jeglicher Virtuosität bei den Oelbildern schien die Ansicht zu bestätigen. Und jetzt hatte er allein einen ganzen Raum mit vielen Thüren und reicher Architektur auf den ersten Versuch in vollster, sicherster Meisterschaft bewältigt! – Sollte nicht die Begeisterung, welche Klinger's Persönlichkeit in Allen

ein grosser Bewunderer ist), etwas von der Innigkeit und dem tiefen Schönheitssinn Franz Schubert's, den er spielt und liebt; und dabei hat er doch sein eigenes, weit mehr modernes Element, neue Formen für eine neue Innigkeit, neue Ausdrücke für Sehnsucht, Wollust, Humor, Selbstironie und das grosse melancholische Pathos. Wenn jeder Stoff, den er berührt, sich verjüngt, wenn er Amor, den man doch Grund hatte, lediglich als Zopf zu betrachten, von neuem lebendig und möglich machte, so beruht dies auf der persönlichen, nervösen Art, mit der er den Stoff anpackt; und diese Form von Nervosität kommt erst in der letzten Hälfte des 19. Jahrhunderts vor.

Klinger ist ein ausgezeichneter Beobachter, der treu nach der Wirklichkeit studirt, der Mann vollendeter Beobachtung. Man sehe z. B., wie er in seinen schlafenden Gestalten den Schlaf studirt hat; man sehe die Haltung und Bewegung seiner Vögel; man sehe die Geberde, mit der Amor's und Psyche's kleiner

erweckt, die ihm näher treten, für das Auge seiner Freunde eine rosige Harmonie über das Werk gegossen haben? –

Mit hat zwar die Bewunderung so verschiedenartiger Geister jeden Zweifel benommen, aber als ich heute in den kleinen Oberlichtsaal trat, überrieselte mich ein Schauer des Entzückens, und noch ist der Bann nicht von mir genommen. Oft genug hatte ich die Harmonie und Tiefe der Farbenstimmung des Ganzen, die phantastische Schwermuth und die neckische Heiterkeit der einzelnen landschaftlichen und figürlichen Compositionen rühmen hören. Aber wer kann sich nach der Beschreibung eine Vorstellung machen, wie in einem engen Raum mit weißgoldener Architektur und fünf Flügelthüren in blau und rosa vier Landschaftsbilder wirken?

Das Vestibul ist in der That nicht mehr als ein Durchgangsraum engster Dimensionen, ein Quadrat von so geringer Abmessung, daß an der einen Wand zwischen den beiden Thüren gerade noch Raum für die Aufstellung einer Büste bleibt. Und da die Wand gegenüber von einer Thür und dem Kamin vollständig eingenommen wird, so bleiben nur an den beiden übrigen Wänden neben den Thüren schmale Wandflächen stehen. Hier sind die Landschaften eingelassen. Oben zieht sich um den ganzen Raum ein Meerfries. Für die wesentlich figürlichen Darstellungen blieben der Kaminaufsatz, die Thürfüllungen und die Sockel an den Wänden übrig. Aber was an Ausdehnung mangelt, ersetzt die Zahl: es sind über fünfzig kleinere und größere Flächen, die es zu füllen und zusammenzubringen galt.

Wie köstlich ist die Erscheinung des Ganzen in sich abgewogen! Rahmend und theilend steigen von den grünen Sockeln die weißen Pilaster mit ihren vergoldeten Kapitellen auf, über denen weißgoldene Baluster den Fries gliedern. Man kommt bei der ruhigen Pracht erst durch Reflexion darauf, welches Wagestück in den grünblauen Thüren mit ihren rosafarbenen eingerahmten Füllungen und den ultramarin, fast schwarzblau gestrichenen Pfosten geglückt ist.

Die Bewunderung wächst bei der Betrachtung der Einzelheiten. Wer den Raum öfter betreten hat, behauptet, er sei jedesmal tiefer gepackt werden.

Ursprünglich hatte Klinger nur die vier größeren Landschaften ausführen wollen. Aber während der Arbeit ist ihm die Inspiration gekommen und er hat sich des Ganzen bemächtigt.

... Es ist ein Werk aus einem Guß geworden. Was Anderen unerreichbar als Ideal vorschwebt, hat Klinger hier erreicht. Eine durch und durch moderne lebendige Schöpfung ohne jegliche Sentimentalität, voll frischer gesunder Sinnlichkeit. Zu bedauern bleibt nur, daß der Natur der Sache nach nur Wenigen vergönnt sein wird, mit eigenen Augen eine Arbeit zu sehen, an die Klinger, lediglich von seinem Genius getrieben, seine ganze Kraft gesetzt hat. –

Neben Klinger hat Arthur Volkmann sich an dem Ausschmuck des Gemaches betheiligt. Von ihm stammen zwei vornehme weibliche Idealbüsten, an denen im Einklang mit der übrigen Decoration die volle Polychromie durchgeführt ist. Noch stehen freilich nur erst die Gypsmodelle auf den Sockeln: möchten wir

76   Eva und die Zukunft, 1880, Bl. 3, Kat. Nr. 115

bald von der geplanten Ausführung in Marmor zu berichten haben.

Alfred Lichtwark, Max Klinger als Wandmaler, Die Gegenwart, 27, 1885, S. 93ff.

Kein Wunder, daß ein Laienauge seinen Kompositionen oft ganz verblüfft gegenübersteht

»Als Zeichner ist er Naturalist, aber eine poetische Ader ist ihm doch eigen. Lebhafte Phantasie, kein Wunder, daß ein Laienauge seinen Kompositionen oft ganz verblüfft gegenübersteht und sie nicht zu deuten vermag.«

J. C. Wessely, Die deutsche Radierung, Die Kunst für alle, 7, 1892, S. 186.

Mark und Tiefe und künstlerisches Vermögen

»Es gibt unter den Männern seiner Generation nicht einen in Deutschland, dessen Kunst uns so zum Stolze gereichen kann, wie Klinger. Niemand in seiner Generation kann so wie er dem Ausland zeigen, daß die Nation, die die Dürersche ›Melancholie‹, den Dürerschen Ritter zwischen Tod und Teufel geschaffen hat, noch Mark und Tiefe und künstlerisches Vermögen besitzt...«

Hermann Helferich, Die Kunst für alle, 10. Jg., 1. 1. 1894

Der Einzelne, der originalste Künstler, den Deutschland zu besitzen die Ehre hat, Max Klinger zu Leipzig

Deutsches Reich. Es fehlen ohne Ausnahme die jungen Künstler der Münchener Gruppe, von Albert Keller angefangen bis zu den jüngsten bizarren Stilisten Hengeler und Th. Heine; es fehlen die jungen Berliner, vor allen Skarbina und L. von Hofmann. Es fehlt der Einzelne, der originalste Künstler, den Deutschland zu besitzen die Ehre hat, Max Klinger zu Leipzig. Nicht anders als verbotene Flugblätter in aufgeregter Zeit gehen die radierten Blätter dieses unseres neuen Dürer, diese tiefsinnigen Evangelien neugeborener Schönheit, durch die Hände einiger weniger Menschen in unserer Stadt. Mancher bringt von

einer Reise den herben entzückenden Nachgeschmack so seltener Früchte mit. Dem oder jenem jungen Menschen ist im Kaffeehaus beim Durchfliegen irgend welches Kunstblattes aus einer schlechten Reproduktion so blitzartige Offenbarung einer neuen ergreifenden Schönheit aufgeflogen, daß es ihm wie einen klingenden Stich ins Herz gab und manche Phantome seiner Sehnsucht seitdem Gestalt gefunden haben. Dr. Brahms freilich, der kennt ihn; zum Dank für tönende Erlebnisse der träumenden Seele hat der in Leipzig dem in Wien ein paar Bogen voll stummer Phantasmata geschenkt, »Brahmsphantasien« oder wie es heißt. Billroth mag ihn auch gekannt haben; wenigstens liebte er so einen Klingerschen Stil, das Leben zu leben; oder ist das nicht ein Klingerblatt?: der alte weise Arzt, wie er in seinem Garten sitzt und sich süßtönende, schwermütig selige Gartenmusik vorspielen läßt, gleich unbekümmert um den Tod, der mit bösen Augen im Wipfel eines Baumes sitzt, und um die eitlen und herrischen Göttinnen, die hinter der Gartenmauer in seltsam geformten Galeeren über ein dunkel leuchtendes Meer fahren... Also Klinger fehlt auch diesmal und im großen und ganzen kennt ihn in Wien kein Mensch.

Hugo von Hofmannsthal, Internationale Kunstausstellung 1894, Gesammelte Werke in Einzelausgaben, Prosa I, Frankfurt 1956, S. 181 f.

77 Eva und die Zukunft, 1880, Bl. 4, Kat. Nr. 116

Seine Menschen sind Kinder der Gegenwart

Zu den neuen Erwerbungen der Dresdener Galerie, welche den Wänden im Oberstock dieses Museums im Laufe der letzten Jahre allmählich ein frischeres Aussehen verliehen haben, sind vier Gemälde hinzugekommen, die beweisen, daß die Direktion es als ihre Pflicht erkennt, das gute Neue aufzufinden. Sie bestrebt sich somit, das Publikum zu leiten; es genügt ihr nicht, das Lob der laienhaften Mehrzahl zu erringen, indem sie nur allgemein gefällige Kunstware vorführt.
Als großes Staatsinstitut giebt die Galerie hierdurch den Talenten außerordentliche Ermutigung. Diesmal kommt das unter anderen einem Künstler zu gute, der sich auf einem Gebiete schon allgemeine Achtung erworben hat, dessen Malerei aber noch meist verworfen wird. Max Klinger wird als Radirer in Deutschland heute allgemein unter die ersten gerechnet. Das deutsche Volk, von dessen Kunsttrieb die Phantasie immer den hervorragendsten Bestandteil bildete, kann sich verhältnismäßig schnell in ein Kunstschaffen hineinfinden, welches von einer so mannigfaltigen und kühnen Phantasie geleitet wird, wie die Klinger'sche Zeichnung. Jedoch über das Bestreben, sich in die Gedankenwelt des Künstlers hineinzuleben und seine Schöpfungen zu deuten, sind wohl wenige gelangt. Selten hört man ein Urteil, aus welchem man erkennt, dass dem Betreffenden die Schönheit Klinger'scher Kunst, sein großartiger Formensinn, seine Meisterschaft in der Behandlung des Widerspiels von Licht und Schatten, aufgegangen seien. Daher finden seine Gemälde, bei denen es nichts zu deuten giebt, die im wesentlichen Schöpfungen seines Auges, nicht seines Denkens sind, weniger Anklang. . . .
· Neben dieser volkstümlichen Erneuerung der christlichen Kunst [in den Werken Uhdes] möchte ich die Klinger's bezeichnen als eine Erneuerung für die oberen Zehntausend der gebildeten Kreise. Sie will uns die christliche Geschichte nicht vergegenwärtigen durch Anpassung der äußerlichen Merkmale, sondern setzt die seelischen Leiden der biblischen Personen um in die seelischen Leiden des modernen Menschen, wie sie mittels Gebärden, Gesichtsform und Gesichtsausdruck gekennzeichnet werden können. Wer sich selbst einmal in die biblischen Gestalten vertieft hat, wem es gelungen ist, sich mittels der schriftlichen Überlieferung in das Seelenleben dieser oder jener Person zu versenken, der allein kann Klinger folgen. Er versucht nicht, uns in die alte Geschichte zu versetzen, er versetzt die alte Geschichte in uns. Seine Menschen sind Kinder der Gegenwart, so wie sie sich verhalten würden, wären ihnen – an denen zwei Jahrtausende gearbeitet haben – jetzt plötzlich die Begebenheiten des neuen Testaments widerfahren.

Hans W. Singer, Max Klingers Gemälde, Zeitschrift f. bildende Kunst, N.F., 5, 1894, S. 49 f.

78   Eva und die Zukunft, 1880, Bl. 5, Kat. Nr. 117

Ausnahmestellung unter den vornehmsten Genien der deutschen Kunst

»Wie immer das Urteil über die Malerei des Leipziger Meisters ausfallen mag, der ideale Schwung seiner grüblerischen Phantasie, die mit dem Gewaltigsten ringt, die Selbständigkeit in der Stellung des Problems, die geistreiche Art, wie eine monumentale Verkörperung der Idee durch die Verbindung von Malerei und Plastik versucht wird – das alles sichert Klinger eine Ausnahmestellung unter den vornehmsten Genien der deutschen Kunst.«

Richard Graul, Pan 1897, Heft 2, S. 108 ff.

Was ist Radieren?

An Max Klinger:

Was ist Radieren? – Leises, flücht'ges Schweifen
Auf dem Metall – in Abenddämmerstund'
Melodisch zart es in die Saiten greifen,
Ein zärtliches Geheimnis, uns vom Mund
Alliebender Natur vertraut, beim Schauen
Nach Himmelswolken, nach dem stillen Teich,
Wo Schwäne ziehen; nach dem Meer, dem blauen;
Des Adlers Klau', der Taube Traum zugleich;
Homer in einer Nuss, die zehn Gebote
Auf eines Hellers Fläche; Wunsch und Traum,
Gefasst in zierlich ciselierte Note;
Ein schnell ergriffenes Bild aus Aetherraum.
Auf goldigem Metalle ist's ein Malen
Mit einer Wespe Stachel und dem Staub
Von Falterflügeln unter Sonnenstrahlen,
Auf einer Nadel-Spitze flücht'ger Raub,
Von dem, was in des Künstlers Seelenwelt,
Aus Wirklichkeit und Träumen Form erhält.

Karl Vosmaar, An Max Klinger, aus dem niederländischen übersetzt von
Lina Schneider, Die Kunst, 1898/99, S. 373.

79   Eva und die Zukunft, 1880, Bl. 6, Kat. Nr. 118

In diesem höheren Sinn ist fast das ganze Schaffen Klingers »dekorativ«

Es ist schwer zu sagen, worin das »Dekorative« eines Werkes, vor allem, wenn es nicht den alleinigen Zweck verfolgt, dekorativ zu sein, eigentlich besteht, aber im wesentlichen liegt es wohl in einer bestimmten Einordnung aller Elemente unter einer Gesamtwirkung, die ausser dem eigentlichen Zweck der Darstellung des Werkes noch den Zweck der rein sinnlichen Harmonie verfolgt. Es ist das ein Streben, das dem Wesen architektonischen Schaffens nahe verwandt ist und deshalb auch mit architektonischem Schaffen meistens in Beziehung tritt. Aber auch ohne jede äussere Verbindung mit etwas Architektonischem kann es vorhanden sein.

In diesem höheren Sinne ist fast das ganze Schaffen Max Klinger's »dekorativ«. Diese dekorative Seite ist fraglos nicht der letzte Zweck und die Hauptsache an Klinger's Kunst, aber sie ist da, und bei einer so reichen Natur wird auch das, was gleichsam nebenbei noch mit unterfliesst, interessant und bedeutend.

Das Schaffen dieses Mannes ist von so deutlichem Einfluss auf die Vorstellungswelt unserer jungen Kunst geworden, dass man es fast historisch verfolgen kann. Wenn man die Mappen Klinger'scher Radierungen durchblättert, so wird man schon rein äusserlich eine ganze Reihe von dekorativen Gebilden darin entdecken, die heute einen bevorzugten Platz im Lexikon der Kunstsprache unserer Jüngsten gefunden haben. Die absonderlichen Typen der Pflanzen- und Tierwelt, die uns hier entgegentreten, sind heute specifisch modern geworden, vor allem aber die Art und Weise, wie Klinger für abstrakte Ideen und Begriffliches eine sinnliche Ausdrucksweise gefunden hat, zeigt wie die Meister vom Geiste der »Jugend« bewusst oder unbewusst hier in die Lehre gegangen sind; selbst solche Äusserlichkeiten, wie das originelle langgestreckte Bildformat, das die Fabel so wirkungsvoll durchschneidet, und in dem sich so merkwürdig viel halb andeutend erzählen lässt, findet in den Leisten der Brahmsphantasie ein erstes Vorbild.

Aber nicht die einzelnen Formen und dekorativen Mittel, die in Klinger's Radierungen vorkommen, oder gar die Sarkophage, Gartengitter und dergleichen sind es, die uns hier interessieren; was uns fesselt, ist vor allem das dekorative Prinzip, das sich in diesen Werken kundgiebt.

Fritz Schumacher, Das »Dekorative« in Klingers Schaffen, Zeitschrift für bildende Kunst, 9, 1898, S. 290.

Solche Sinnenschmäuse

Dieses Werk ist eine hochmoderne Geistestat eigensten Schlages, wie sie die wiedergeborene Kunst noch kaum irgendwo geleistet hat. Es ist eine urdeutsche, teutonisch wilde Phantasie, Jesum Christum, gefolgt von vier Kardinaltugenden, die ihm sein großes schwarzes Marterkreuz nachtragen, mitten in die heidnische Göttergesellschaft des Olympos hineinschreiten zu lassen. Christus und Zeus leibhaftig Aug in Auge gestellt, da stoßen eine aufgehende und eine untergehende Welt, zwei Religionen, zwei Gottheiten und zwei Menschheiten in ihrer vollen typischen und fatalen Grundgegensätzlichkeit plötzlich wider einander. Ist das gemalte Kulturgeschichte, wie sie etwa Kaulbach in jenem Treppenhause zu Berlin an die Wände gesetzt hat, als reine Bücherweisheit, Belesenheit des Pinsels, Sammlung von Zitaten und Porträts in einer systematischen Gruppierung, jede Gruppe eine gedrucktes Kapitel? Nein, um die Mitte des Jahrhunderts herrschte die belehrsame Gedankenmalerei, die jetzige Kunst aber ist zu ihren natürlichen Quellen, den Sinnen, zurückgekehrt, sie weiß wieder den sinnlichen Ausdruck zu finden, selbst für die abstraktesten Gedanken. Der Sieg des Christentums über das Heidentum, das klingt so theoretisch und dogmatisch, so körperlos und begrifflich, aber Klinger malt auch das fürs Auge, für den Hunger des Schausinns. Die gewaltige Symbolik, die das Werk ganz durchsetzt, wird nicht mit dem Verstand begriffen, wie in Dantes »Göttlicher Komödie«, sondern mit dem Gefühl, dessen greifende Hände ja die Sinne sind. Nur die frühe Renaissance besaß diese naive Kühnheit, und man fragt sich, durch welches Wunder gerade im denkenden Leipzig solche Sinnenschmäuse ausgerichtet worden.

Ludwig Hevesi, Max Klingers »Christus im Olymp« (17. Januar 1899), Acht Jahre Sezession, Wien 1906, S. 108f.

Eine der größten Gestalten der Kunstgeschichte

Das ist das Werk von Max Klinger bis zum nahen Ende unseres Jahrhunderts. – Schon in seinem äußeren Umfang kündet es sich als eine der Gesamtkünstlerschaften an, welche wie die von Alberti, Lionardo, Michelagniolo, Dürer nur in sehr stark bewegten, nach Ausdruck ringenden Zeiten vorzukommen pflegen und dann gleichsam die ganze Kraft und die reiche Fülle von Anschauungen eines Jahrhunderts in sich enthalten. – Sein Buch: »Malerei und Zeichnung« ist grundlegend für die Griffelkunst, wird wahrscheinlich im Stil, kaum je aber in seinem Geiste veralten, – seine Malerei hat mit ein paar Würfen und riesigen Versuchen bedeutende Eigenschaften und große Gesichtspunkte, die in harrenden Aufgaben für Museum und Universität in Leipzig sicher glänzende Beweise in absehbarer Zeit ablegen werden. – Der neue Stil und die wichtigen Probleme, welche die wenigen Plastik-Meisterwerke des Künstlers bisher gebracht und gelöst, reihen ihn schon heute unter die bedeutendsten Bildhauer der Gegenwart ein. –
Sein Griffelwerk jedoch steht im Vordergrund bis heute, trotzdem er seit 1894 eine neue und monumentale Bahn eingeschlagen hat. In seiner Radiertechnik ist die schöne alte Kunst der Kupfertafel verjüngt, unendlich bereichert und aufs Neue den höchsten Ideen erschlossen; er ist heute unbedingt als einer der größten Stecher aller Zeiten anerkannt. – Als Künstler dazu ist er mit dem Griffel in der Hand anscheinend alle Spuren menschlicher Gedankenflüge gezogen und hat alle Register der modernen Menschenseele geöffnet. Die Kulturen der letzten paar Jahrtausende liehen ihm ihre Formen, die in völlig neuer Prägung die Ideengänge moderner Naturwissenschaft, der herrschenden Philosophie, der sozialen, ethischen, künstlerischen Fragen, der Lebenstriebe und Zukunftsinstinkte der Gegenwart vielartig gestalteten und jede Tonart des Menschenempfindens von heiterer Lust bis zu düsterer Verzweiflung, von gelassenem Ernst bis zur demütigen Entsagung anschlugen. Eine unendliche Fülle von Bildern, Metaphern, Allegorien aber war ihm in jedem Augenblick des leisesten Winks gewärtig . . . und was er auch anpackte und wie er es anpackte: immer geht der Zug zu einer kraftvollen neuen Schönheit hindurch!
Reynolds hat in einem seiner Vorträge das sehr angreifbare Wort fallen gelassen, daß der größte Künstler nicht mehr als etwa 6–7 einwandfreie Meisterwerke schaffe. An Raffael, Dürer, Böcklin wird es zu Schanden. Auch an Klinger. 300 Werke sind bis zu seinem 40. Lebensjahr etwa entstanden, – mehr als ein Drittel ist davon vernichtet, weil es vor seiner Selbstkritik nicht vollgültig war. Von diesem Rest bestehen etwa 50 Werke jede Prüfung durch eine unbefangene Kritik . . . sie werden der Zukunft sagen, welch' eine Fülle von edelster Kunstschönheit in unseren Tagen aus dieser einen Hand eines Zeitgenossen geschaffen ist . . .

80 Intermezzi, 1881, Bl. 1, Kat. Nr. 119

rung der Seelenkräfte verheißt und in seinen Eigenschaften aus ihrem eigenen Volkskörper und seiner Zeitphysiognomie hervorging. Sie haben ihre Nacken willig einem Dürer, Michelagniolo, Shakespeare, Goethe, Wagner, – diesen harten und tyrannischen Eroberern, – gebeugt, – sie werden sich unbedingt auch dem Werk von Max Klinger beugen, weil in einem halben Hundert von Plastiken und Malereien und 12 Folgen mit rund 150 Blättern aus seiner Hand bisher nicht nur die größte Zahl von Meisterwerken einer so neuen als kraftstrotzenden Schönheit, sondern auch die umfangreichste Summe von lebensvollen Ideen und zündenden Vorstellungen in künstlerischer Form enthalten sind. Und das eben wird die unbefangene Zukunft, die rückwärts nur mit Thatsachen rechnet, bestaunen: gleich nach Wagner ist Max Klinger auch als eine der größten Gestalten der Kunstgeschichte durch unsere Mitte gegangen! –

Franz Herrmann Meissner, Max Klinger, Berlin u. Leipzig 1899, S. 128 ff.

Ein echter Vertreter der Aristokratie des Geistes

So gilt es von Klinger. Er verachtet die stereotypen Formen, die ausgenutzten Formeln. Man hat ihm deshalb krampfhafte Originalitätshascherei vorgeworfen. Nun – besser als gedankenloses Hintreten in ausgefahrenem Geleise ist das jedenfalls. Und schließlich – jeder wirklich originelle Mensch wird Feinde und Neider finden, die seine Eigenart eine erkünstelte schelten. Gewiß! – Klinger hat auch gelegentlich fehl gegriffen im Suchen nach dem Originellen. Aber wie viel Großes, Eigenes hat er auch dabei gefunden!

Vor allem hat er sich in der Form frei gemacht von der Tradition, soweit das überhaupt in unserem, mit der Erinnerung von Jahrtausenden belasteten Jahrhundert möglich ist. Das heißt, von der knechtischen Nachahmung des Überlieferten ist er zur freien dekorativen Beherrschung desselben mit den führenden Geistern unserer Zeit übergegangen. Und diese Richtung auf das Dekorative, wie sie sich heute in der Architektur, dem Hervortreten des Kunsthandwerkes, in der Herrschaft des Stimmungselementes in Malerei und Plastik äußert, darf ja als ein charakteristisches Element der modernen Kunst angesehen werden. Sie beherrscht Klingers graphische Kunst, sie leitet ihn zu seinen vielfarbigen Skulpturen, sie ist das oberste Gesetz in seinen monumentalen Gemälden.

Aber seine Kunst ist nicht nur neu in formaler Gestaltung, sie ist auch neu in der Empfindung, im Gedanken. Wie Arnold Böcklin ist er einer der Gewaltigen, die nicht nur treue und geschickte Nachbildner der Natur, der Wirklichkeit, sondern neue Gedanken produzierende Kraftmenschen sind.

Und noch Anderes wird die Zukunft bewundern, wenn sie mit den weitesten Volkskreisen in die kraftvollen Schönheitsgebilde Klingers hineingewachsen sein wird, – wie jene Vergangenheiten im Lauf weniger Jahrzehnte einst in die Welt Michelagniolos, Dürers, Holbeins, Velasquez', Rubens, Rembrandts hineinwuchsen, so fremdartig ihnen diese schien und so viel tiefer vorher ihr Geschmack in Kunstdingen war. Denn hier wirkt das große Zuchtwahlgesetz der Kultur mit unerbittlichem Druck auf jede Bequemlichkeit. Die Volksinstinkte greifen nach allem Starken, Neuen, Reichen, das ihnen Verjüngung und Vermeh-

81 Intermezzi, 1881, Bl. 2, Kat. Nr. 120

Wenn uns Klinger in seinen Werken einen seltenen Reichtum an Phantasie offenbart, die kühnsten Bilder und die tiefsten Gedanken in seiner Künstlerseele wohnen, so ist dem doch in seltener Weise eine reichliche Gabe kritischen Geistes beigemischt. Er ist kein zügelloser Phantast, wie er auch in seiner Lebensführung nichts von genialer Bummelei und behaglicher Lässigkeit zeigt, sondern als ein gegen sich strenger, ungemein fleißiger Arbeiter dasteht, der mit reichster Phantasie unbezähmbare Arbeitslust, zähe Energie in der formalen Ausbildung seiner Gedanken verbindet. Auch ist er kein weltfremder Träumer, keiner der den Schatten der Dinge und wesenlosen Allegorien nachgeht, sondern ein Beobachter der Wirklichkeit, so scharf, wie nur ein Adolf Menzel das Wirkliche beobachten konnte. Wie dieser ist er ein Forscher in der Menschenseele, einer, dem auch die schlichteste Erscheinung der Natur getreulicher Beobachtung wert erscheint.

In seiner äußeren Erscheinung zeigt Klinger, hoch gewachsen und elegant, den Typus des vornehmen Menschen, der, wohlerzogen und weltgewandt, seiner Bedeutung sich voll bewußt, doch jenen natürlichen Adel besitzt, der ihm persönliche Liebenswürdigkeit in zurückhaltender Form zu äußern gebietet. Man hat ihm Menschenscheu nachgesagt, aber mit Unrecht. Er erscheint mehr als ein abgesagter Feind alles unnötigen Verkehres mit Leuten, die ihn innerlich zu fördern nicht geeignet sind, und er ist in der glücklichen Lage, ohne Rücksicht auf äußeren Vorteil mit philosophischer Ruhe die abweisen zu können, die ihm geistig nichts zu bieten vermögen. Ehrgeizig, ohne Streber zu sein, bedeutsam in seiner Erscheinung ohne das Bedürfnis nach Repräsentation, zuvorkommend ohne Aufdringlichkeit, ist er ein echter Vertreter der Aristokratie des Geistes.

Klinger gleicht also nicht dem Bilde, das der Durchschnittsmensch sich von einem Künstler zu machen pflegt. Auch sein Wohnsitz ist weder ein stiller poetischer Winkel, noch ein genial in Wirrwarr gehaltener Prunkraum. Es ist ein geräumiger Arbeitsplatz. Wer, Leipzig verlassend, die langgestreckte Plagwitzerstraße entlang schreitet, an der sich zur Linken und Rechten behäbige und elegante Villen reihen, wird, weit von der Straße zurückliegend, in den eben emporsprießenden Anlagen eines Gartens einen Wohnhausbau sehen, der sich kaum von den Nachbarhäusern auf den ersten Blick unterscheidet, hinter dem sich aber noch ein Stück Natur, Wasser und Wiesen, der Blick in die Weite erhalten hat. Wer, die Haustür öffnend, das Gebäude betritt, dem stehen zunächst vielleicht Enttäuschungen bevor. Das Treppenhaus ist schlicht und einfach. Nirgends ziehen sich geniale Dekorationsmalereien an den Wänden hin. Aber dem aufmerksamen Beobachter fällt es auf, daß eine feine Linie an der Wand über die Stufen hingezogen ist, aus der in kurzen Abständen dünne Gräser und Blümlein emporwachsen. Aus solcher kleinen Beobachtung schließt man vielleicht darauf, daß ein Mensch von eigenem Willen und eigener Anschau-

82 Intermezzi, 1881, Bl. 3, Kat. Nr. 121

ung hier heimisch ist. Betritt man dann den großen Empfangsraum, so ist man von neuem enttäuscht. Nicht wie in den Ateliers gewisser Modemaler umgibt uns hier jenes Tausenderlei von antiken Stoffen, Renaissancemöbeln, kostbaren Gläsern, Waffen, orientalischen Teppichen und japanischen Bronzen, das den Empfangsraum moderner Künstlerwohnungen so oft wie einen Antiquitätenladen erscheinen läßt. Hier sind vielmehr die Wände in jenen klaren frischen Farben abgestimmt, die aus den Bildern der Modernen so wohlbekannt sind. Statt fremder Schmuckstücke hat der Künstler stolz und selbstbewußt nur seine eigenen Werke an den Wänden aufgehängt und die geistesverwandter Größen, wie eines Arnold Böcklin. Ein Schritt weiter führt uns dann in einen Riesenraum, das Atelier. Auch hier nichts von gedämpfter Beleuchtung, von überschüssiger Dekoration: das volle klare Tageslicht flutet herein. Hier und dort stehen Staffeleien mit angefangenen Gemälden, mit Studien, mit Entwürfen, einige Schritte weiter ein Modellierbock mit einer lebensgroßen, eben angelegten Thonfigur. Am Fenster auf einer niedrigen Estrade ein Tisch, mit Werkzeugen des Kupferstechers und Radierers bedeckt, weiterhin ein prächtiger Flügel, daneben ein halbvollendeter Marmortorso mit den ersten Spuren versuchter Abtönung, Gipsmodelle und Marmorproben, Statuen, Entwürfe und vollendete Gemälde. In diesem Raume arbeitet Max Klinger, der Bildhauer, Maler, Radierer, Musiker und Schriftsteller.

Max Schmid, Klinger, Bielefeld u. Leipzig 1899, S. 3–6.

Er ist einer von diesen Souveränen

»... Otto hat Klinger bei Pauli gesehen. Es ist doch etwas Wundervolles um das Allbezwingende seiner Persönlichkeit. Er ist einer von diesen Souveränen, und dabei gütig. Wenn ich an jenen Blick denke, den er mir vor drei Jahren beim Abschied gab; ich war so unreif, so sehr unfertig und sehr ergiebig. Und sein Blick war, als ob er mir leise das Haar streichelte...«

Paula Becker Modersohn, Briefe und Tagebuchblätter (3. November 1900), Berlin 1920, S. 130.

Der erwachende Zug zu monumentaler Größe

Wir sehen in unseren Tagen einen neuen Stil wachsen. Die Nachahmung älterer Kunstweisen hat auf der ganzen Linie abgewirtschaftet. Durch den befreiten Wirklichkeitssinn sind in unablässiger Arbeit neue Anschauungs- und Empfindungswerte, neue Mittel zu deren Befestigung im Bilde entdeckt. Und schon mehren sich die Anzeichen dafür, daß die so umgeschaffenen Einzelkünste zum Gesamtkunstwerk zusammenstreben.

Bei keinem ist dies deutlicher als bei Max Klinger. Ein Bild wie seine Kreuzigung, das jetzt durch Schuchhardts mutige Bemühungen in der öffentlichen Kunstsammlung Hannovers seinen Einzug gehalten hat, wird auf manchen wie die Verheißung und der Ausgangspunkt einer neuen Monumentalmalerei gewirkt haben.

Seitdem hat Klinger auch mit dem Marmor um eine neue »Raumkunst« im weiteren Sinne gerungen. Er ist aus diesem Kampfe als ein Bildhauer großen Stiles hervorgegangen. Grund genug für uns, es nicht bei blos genießendem Verweilen vor dem einzelnen Bildwerk bewenden zu lassen, sondern es im Zusammenhang der Lebensarbeit unseres Künstlers zu betrachten. Es ist dies einfach eine Pflicht der Gerechtigkeit.

Klinger als Bildhauer ist selbst bei einem so großen Überrascher eine Überraschung. Wer hätte wohl Anno achtzig oder selbst fünfundachtzig dem Träumer des Handschuhzyklus, dem Seher der Christusvisionen, dem Dichter der »Dramen« eine solche Wendung vorausgesagt?

Und doch stand schon im Jahre 1886, als alle Welt in Klinger ausschließlich den Radierer sah, dessen ungezügelte Phantasie sich nur in der Griffelkunst austoben könne, in seiner Werkstatt ein farbiges Statuenmodell, welches das ganze kommende Bildhauertum des Künstlers wie in einem kühnen Wurf vorausnahm: sein Beethoven.

Die altbekannte, über dem lebenden Antlitz Beethovens geformte Maske muß es Klinger früh angetan haben. Er deutete sie tiefsinnig um, als er sie zweimal für das Antlitz des Apokalyptikers Johannes verwandte: auf der Dresdner Beweinung Christi und in der Kreuzigung. Hier blickt beidemal der Jünger in Schmerz und Glut dumpf vor sich hin, als schaue er die Welt in Flammen.

Aus den Stimmungen dieses Antlitzes ist auch Klingers Beethovenstatue erwachsen. Auf einer Bergspitze, den Adler des Zeus neben sich, thront der Fürst der Töne als Olympier. Der nackte Oberleib ist vorgebeugt, die Fäuste auf den Schenkeln geballt, das Kinn mit den fest zusammengepreßten Lippen vorgeschoben. So blickt er düster vor sich hin, ein Bild grollend gesammelten Sinnens, königlichen Schaffens. Ein faltenreiches Prachtgewand umhüllt die unteren Gliedmaßen. Hinter dem Rücken wölbt sich die Lehne eines reichgeschmückten Thrones. Palmstämme ragen an seinen Ecken, und Engelsköpfe schauen über

83 Intermezzi, 1881, Bl. 4, Kat. Nr. 122

die Schulter des Meisters. Über Rücken- und Seitenlehnen aber breiten sich Flachbilder aus, die in Gestalten der hellenischen und der christlichen Gedankenwelt von schmerzvollem Genuß und verklärtem Seelenleid erzählen. An den Seitenlehnen einerseits Eva, Adam die Frucht vom Baume der Erkenntnis des Guten und Bösen darbietend; andrerseits ein Tantalidenpaar, das sich vergeblich lechzend nach dem Genusse reckt. Hinten an der Rücklehne Aphrodite, auf einer Muschel über das Meer gezogen. Neben ihr kniet eine nackte weibliche Gestalt, die höhnende Worte in den Hintergrund hineinzurufen scheint. Dort auf dem Hügel ragen die drei Kreuze mit Christus und den Schächern und stehen die Marieen. Aus dem Grunde hervor aber schreitet Johannes, zornig und eilend, mit vorgereckten Armen, als werfe er der Liebesgöttin vor, daß sie schuld sei an all dem Unheil!

Dies Bild des thronenden Beethoven geht jetzt, nachdem vierzehn Jahre seit der Herstellung des ersten Modells verflossen sind, in überlebensgroßen Maßen und kostbarsten Stoffen der Vollendung entgegen: die nackten Teile in lichtem Syra-Marmor, der Mantel in gelbgebändertem tiroler Onyx, Adler und Fels aus schwarzem und braunem pyrenäischem Marmor. An dem mächtigen Bronzethron sollen Einzelheiten, wie die Engelsköpfe in Elfenbein eingelegt, deren Flügel mit bunten, antiken Millefiorigläsern inkrustiert werden.

Hier war von Klinger also schon früh alles vorausgenommen und vorgeschaut, was ihn bei seinen späteren plastischen Schöpfungen führte: der Blick für das packende physiognomische Seelenbild, die Freude an dem marmorleuchtenden Körper und an der Pracht der Gesteine, das Interesse an kühnen Neuerungen technischer Art, und vor allem der erwachende Zug zu monumentaler Größe.

Georg Treu, Max Klinger als Bildhauer, Pan, 1900, S. 7 ff.

Er ist ein König, der seinem Gott ein »Agalma« errichtet hat

»Und es sitzt der Gott auf einem Throne und ist aus Gold und Elfenbein gemacht.«

Mit diesen Worten beginnt Pausanias seine Schilderung des olympischen Zeus, der vielbewunderten Goldelfenbeinstatue von Phidias' Hand. Und das ganze elfte Kapitel seines fünften Buches widmet der Bädeker von Alt-Hellas der Beschreibung dieses allmächtigen Wunderwerkes. Ich beneide ihn um die Trockenheit, mit der er dies bewerkstelligt. Das heißt, Griechisch ist ja an sich schon eine so ölige Sprache, daß es auch in trockenem Zustande etwas Gleitendes und Gleißendes behält. Und ich griff, als ich vom Beethoven kam, eigens nach meinem Pausanias, als nach einem Beruhigungsmittel bei so erregtem ästhetischem Pulsschlag. Ich wollte zunächst dem Superlativistischen vorbeugen, das mir in die Feder geströmt wäre. Und dann, es war wirklich mein erster Eindruck, als ich Klingers Beethoven in seinem Tempel gegenüberstand, daß die Plastik seit jenem Olympier nichts Ähnliches geschaffen habe. Ein richtiges »Agalma«, das simulacrum eines modernen Gottes, der auf seinem Hochsitz thront, »und der Thron ist bunt von Gold und Steinen, und bunt auch von Ebenholz und Elfenbein.« Nur der Adler sitzt nicht auf seinem Zepter, sondern ihm zu Füßen, und blickt zu ihm empor, gerade in sein Antlitz, wie er ja gewohnt ist, in die Sonne zu schauen...

Er ist ein König, der seinem Gott ein »Agalma« errichtet hat, für die Cella eines Tempels, der noch gebaut werden soll. Er hat viele Lebensträume da hineingeträumt. Alle seine Marmorwon-

103

84 Intermezzi, 1881, Bl. 5, Kat. Nr. 123

vorgebildet. Und die Maske Beethovens ist eine der Urquellen moderner Physiognomik. Ihr und der Meduse kann Franz Stuck nicht entrinnen. Sie verdrängt sogar die Meduse, die seit Leonardo eine der stärksten Versucherinnen der Malerphantasien war. In ihren Zügen haben sich alle Dämonen der Menschenbrust eingeschrieben. Es ist Schicksal darin, aber mit Trotz und Sieg gesellt. Märtyrer und Überwinder; Versteinerung und Erlösung.

Doch wer könnte dem Meister diesen Beethoven nachfühlen? Seinen eigenen, an sich selbst erlebten Beethoven. Dieses menschenförmige Gefäß voll Lebensinhalt, voll Schmerz und Lust, Sturm und Drang, Fieber und Genesung. Es ist daraus eine monumentale Allegorie geworden, nämlich etwas an sich höchst Verständliches, hinter dem Tiefen von Ahnung liegen, Abgründe von Geheimnis. Andeutung davon ist alles. Anspielungen daran sind auch die wundersamen Reliefs, welche die Rückseite des Thrones schmücken. In der Mitte das Golgatha mit den drei Kreuzen und darunter Aphrodite in ihrem Muschelkahn stehend, während eine Gestalt im Mantel des Sturmes unwiderstehlich wider sie einherfährt. Und rechts und links gewonnene und verlorene Paradiese, verhängnisvoller Genuß, verschmachtende Entbehrung. Die Evasfigur, die mit der Trinkschale in der ausgestreckten Hand sich zum Quell bückt, ist eine der reizendsten Eingebungen Klingers. Und der Quell ist eigentlich ein Napf, ganz unten im Stamme einer Palme ausgehöhlt, wie in den Palmenländern geschieht, um den abträufenden Palmsaft zu sammeln. Zwei herrliche Palmen nämlich, der Lieblingsbaum Klingers, sind rückwärts die stützenden Pfosten des Thrones. Ihre gefiederten Zweige wehen leise über die geschwungenen Flächen hin. Vielleicht kommt einmal ein deutscher Musikgelehrter, der jede Einzelheit dieses idealen Beethoven-Denkmals mit Notenbelegen aus der Missa sollemnis, der Siebenten und der Neunten, aus Fidelio und vielleicht sogar aus den 33 Variationen zumDiabelli-Walzer belegt. Ich glaube sogar fest an diesen analytischen Messias. Max Klinger hat nicht so mit dem Gehirn der Notenköpfe gedacht. Er ist ganz und gar auf Beethoven gestimmt, ist aber der Mensch der Gesteine und der Erze, die denn seine Stimmungen weiterklingen. In seinen »Metallen« ist Musik, sie klingen nach Beethoven.

Ludwig Hevesi, Max Klingers Beethoven (17. April 1902), Acht Jahre Sezession, Wien 1906, S. 385–389.

Tempelkunst

Die Pforten der Secession sind geschlossen. »Das Höchste und Beste, was die Menschen zu allen Zeiten bieten konnten, – die Tempelkunst« hatten uns die Herren von der Secession – so versicherte der Katalog – diesmal zeigen wollen. Wie unvorsichtig just in der Stadt und in der Zeit confessioneller Kämpfe! Dass es sich um einen Tempel handle, haben ja Misstrauische, da sie

nen, in denen er zeitlebens geschwommen, alle seine heimlichsten Linienfreuden. Die moderne »Gefühlslinie« feiert in dem Antlitz Beethovens ihre stillen Siege. Der Zug dieses Mundes, der Umriß dieser Stirne, die trotzige Selbstherrlichkeit und Niedagewesenheit des Konturs dieses ganzen, einzigen Kopfes – sie haben Klinger durch sein Leben begleitet. Als typischer Ausdruck für viel Unaussprechliches, das in ihm gelegen, für so manches, was ohne diese von der Natur einmal und nicht wieder geschaffene Formel überhaupt nicht formulierbar wäre. Die Beethoven-Maske, die in den Bildern Klingers wiederholt auftaucht, als Apollo, Johannes, sogar als heiliger Josef der Pietà, ist einer der ewigen Heroentypen des modernen Menschen. Vom Schädel des Neandertal-Menschen bis zur Beethoven-Maske geht die Darwinische Entwicklung. Und bis zum Bismarck-Schädel. Sie haben sich im Laufe der Zeiten gewiß wiederholt gemeldet und erst nach vielen Wiedergeburten diese Idealität erreicht. In einer der Stationen Adam Kraffts zu Nürnberg kenne ich einen römischen Krieger, der ein vollkommenes Modell Bismarcks ist. Auch Dürer hat in seinem Johannes schon Schiller

die Gesichter der wenigen wirklich andächtigen Besucher musterten, sogleich vermuthet und solche Vermuthung durch die Sitte, den Hut auf dem Kopfe zu behalten – und den Hut behielt, auch wer den Kopf verloren hatte –, noch bekräftigt gefunden. Da überdies das ‚Deutsche Volksblatt‘ alsbald meldete, Max Klinger sei jüdischer Abstammung, brach der allgemeine Unwille des antisemitischen Wien über die Secession herein. . . . Das liberale Wien benahm sich nicht viel besser. Seit langem hängt hier der Begriff »liberal« viel enger mit Nehmen – von Pauschalien, Inseraten etc. – als mit der ursprünglichen Bedeutung der Freigebigkeit zusammen. Nun ward dem Liberalismus zugemuthet, neunzehn Zwanzigstel der Summe, die Klinger für sein Werk verlangt hatte, und, als der Wiener Stadtrath die Beisteuerung eines Zwanzigstels verweigerte, sogar die ganze Summe aufzubringen. Aber das liberale Wien hat ausser einer kunstfreundlichen Empörung gegen das stadtväterliche Banausenthum nichts aufgebracht. Das Drängen der Herren von der Secession nutzte nichts. Vergebens hat man mit den Leipzigern gedroht, die schon darauf lauerten, den »Beethoven« für ihre Stadt zu gewinnen, vergebens erzählt, dass »Klinger die Güte hatte, uns eine Frist zu geben, bevor er endgiltig Wien verlässt«. Am 1. Mai musste ein »hervorragendes Mitglied der Secession« einem Redacteur der ‚Wiener Allgemeinen Zeitung‘ resigniert bekennen: »Die Frist ist vorüber!« Und in den seither verstrichenen Wochen haben – so scheint es – nicht bloss die Leipziger endgiltig die Absicht, sondern auch die Wiener Secessionisten die Hoffnung aufgegeben, Klingers Werk zu erwerben.

Dass es so kommen musste, ist ernstlich schade. In der Stadt, in der der Beethoven des Herrn Professors Zumbusch Allen nichts sagt, hätte der Klinger’sche Vielen etwas gesagt. In eine Zelle gleich jener, die hier Ueberschätzer Canovas einst seinem Minotauruskämpfer erbaut haben, hätte man ihn stellen sollen: da wäre sein Anblick den Profanen und Profanierenden entzogen und für die Bewunderer mächtiger und ungetrübt gewesen. Aber was hat die Secession dazu beigetragen, dass das Wünschen der Kunstfreunde erfüllt werde? Die Herren, die vorgaben, Klingers Sache zu der ihrigen zu machen, haben in Wahrheit nur ihre eigene Sache zu der Klingers zu machen versucht. Wes Geistes Kind Klingers Beethoven sei, haben aufrichtige Feinde und falsche Freunde gleichmässig aus seiner Umgebung schliessen wollen, und die Wiener Stadtväter, die sich vom Beethoven abgestossen fühlten, sind nachträglich durch Herrn Hermann Bahr, die Blechtrompete der Secession, gerechtfertigt, der jüngst, um seine Meinung über Klinger gefragt, in der Berliner ‚Zukunft‘ versicherte, er wisse nicht, »was von dieser Wirkung seiner (Klingers) Statue gehört und was die Werke unserer Künstler, die sie umgeben, an Wirkung etwa hinzugefügt haben«. »Ich bin unfähig«, ruft Herr Bahr aus, »sie im Geiste auszulösen und abzutrennen. Ich kann sie mir ohne die Bilder Klimts gar nicht denken«. Und doch verargt die Sippe des Herrn Bahr den communalen Machthabern, dass auch diese sich von dem Gedanken an Klimts Bilder bei der Betrachtung einer Plastik nicht freimachen konnten, die Klinger unleugbar ganz

85   Intermezzi, 1881, Bl. 6, Kat. Nr. 124

unabhängig von der in Wien besorgten Umrahmung geschaffen hat.

Klingers Beethoven verlässt Wien. Das ist nicht, wie uns die Herolde der Secession einreden wollen, ein Kunstscandal, sondern das ist nur einer der alljährlich wiederkehrenden Klimt-Scandale. Angewidert hat man sich von den grossmannssüchtigen Excessen der Allegoristerei, von jenen Verrenkungen der Körper und des Denkens abgewendet, zu denen wieder einmal begeisterungstaumelnde Schmöcke einen zweifellos hochstehenden und nur zu gern mit der Technik seines Handwerks spielenden Landschaftenmaler aufgestachelt haben. Aber das Publicum sollte nachgerade klüger werden. Man braucht nicht in Empörung zu gerathen, wenn Herr Bahr erzählt, Klimt stelle »immer die höchsten Ideale unserer ganzen Zeit« dar, wenn Otto Wagner betheuert, Klimt sei ein »Gigant« und seine Fresken »mindestens 100.000 Kronen werth«. Man kann sogar angesichts der Klimtschen Fresken selbst die Fassung und bei der Lectüre des Katalogs, der sie erklärt, den Verstand behalten.

86 Intermezzi, 1881, Bl. 7, Kat. Nr. 125

87 Intermezzi, 1881, Bl. 8, Kat. Nr. 126

Und wenn der Katalog zu melden weiss, dass der geflügelte Gorilla in einem der Klimt'schen Bilder – Herr Hevesi hielt ihn für einen geflügelten Löwen – der »Gigant Typhoeus, gegen den selbst Götter vergebens kämpften«, sein soll, dann braucht man sich nicht aufzuregen und darf sich bei der Erkenntnis beruhigen, dass auch die ganze übrige Allegorienmalerei des Herrn Klimt etwas ist, wogegen heute wie seit jeher – Götter selbst vergebens kämpfen. Man lasse Dummheiten sich ausleben. Wir werden auch noch die nächste Ausstellung der Secession mit dem dritten für die Universität bestimmten Deckengemälde des Herrn Klimt, der uns ach! seine Philosophie, Juristerei und Medicin angethan hat, glücklich überstehen. Und unsere Leiden sind schliesslich noch rascher vergänglich als die Werke, die sie uns zufügen. Schon rüsten sich die Tüncher, um von den Mauern des Secessionsgebäudes die Kaseïnfarben, mit denen sie seit Monaten bemalt waren, abzukratzen. Das beklagt höchstens Herr Bahr, der indes, wie man weiss, weder den Lesern der ,Volkszeitung' noch in Oesterreich etwas zu sagen hat. Hätte er's – so hat er in einem Feuilleton verkündet –, dann »dürfte das Haus der Secession nie mehr verändert werden«. Ganz zu verwerfen wäre dieser Vorschlag übrigens nicht gewe-

sen. Denn mindestens wären wir, wenn man die Umrahmung des Klinger'schen Beethoven intact erhalten hätte, vor allen weiteren Veranstaltungen der Secession bewahrt geblieben. Und man kann auch Herrn Bahrs Behauptung zustimmen, dass die verewigte Beethoven-Ausstellung »ein Monument dieser sehnsüchtigen und gequälten Menschen (des heutigen Wien) für alle Nachkommen« gewesen wäre. Aber es ist sicherlich humaner, den Nachkommen unsere Qualen zu ersparen.

Karl Krauss, Die Fackel, Nr. 106, Juni 1902, S. 17–21.

Ein thronendes Genie

»Ein Fels! Hoch oben, denn er scheint gewitterwolkenfarben umzogen. Kaum vermag der Adler, dieser Durchstreifer höchster Höhen, sich mit seinen scharfen Krallen dort noch einzuhaken.

Droben aber steht ein Thron aus Erz. Ehern wie die Zeit. Ein Thron der Ideen. Dort sitzt Beethoven in gedankenversunkener Haltung. Sein gedankenvoll vorgeneigter Körper scheint Stütze zu finden in der willensstark geballten Faust. Das Auge träumt hinaus in Weiten, in denen er sein eigenes Innere findet.
Nicht mehr der Mensch Beethoven ist es, sondern ein thronender Genius, entkleidet jeder Zeitmomente.
Sein nackter Oberkörper ist so ausdrucksvoll gegeben, daß er zum Mitsprecher der Züge wird. Aus dem Antlitz leuchtet das Pathos einer bis zum Höchsten gesteigerten Innerlichkeit. Alles, was am Thron erzählt wird, die ganze Odyssee der Menschheit, wetterleuchtet und zuckt über dieses Gesicht. Dennoch ist sein Ausdruck der einer über allem sich gleichbleibenden Kraft.
Edelstes Material unterstützt die Komposition, so daß die Herstellungskosten allein sich auf ungefähr 150 000 Mark belaufen. Der Körper Beethovens ist aus griechischem Inselmarmor. Tiroler Onyx bildet das Gewand. Pyrinäischer Marmor wurde zum Fels und zum Adler verwendet. Die Engelsköpfe sind aus vollem, ungestücktem Elfenbein. Als Hintergrund zu denselben dienten echte Opale; zu den Schwingen wurden Achate, Jaspis und geschliffene antike Glasflüsse verwendet. Der Thron, sowie die Krallen des Adlers sind aus Erz.«

Elsa Asenijeff, Max Klingers Beethoven, eine kunsttechnische Studie, Leipzig 1902 (Vorwort).

Ein wertvoller Kulturfaktor von nationaler und allgemeiner Bedeutung

Aber über das engere Reich der Kunstübung hinaus hebt sich Klingers Persönlichkeit als ein wertvoller Kulturfaktor von nationaler und allgemeiner Bedeutung. Gleich Segantini, der aus den fruchtschwangeren Tiefen seiner sinnlich-reinen Natur sich zur Höhe einer philosophischen Weltbetrachtung emporfühlte – nur auf einer ganz anderen Bildungsunterlage, und darum weit bewusster, weit intellektueller, stellt auch Klinger in wundervoller Prägung den Typus des mit allen Weltproblemen ringenden, von der Totalität eines Weltgefühls durchseelten Künstlers dar. Nicht müßiger Laune zu Liebe nannte ich im ersten Satz die Namen Richard Wagners und Friedrich Nietzsches. Mit diesen beiden aus dem Volksstamm der Sachsen hervorgegangenen Künstler- und Menschennaturen verbindet Klinger vielfache Wahlverwandtschaft. Mit Wagner: das Streben nach einem die Fachkünste verbindenden höheren Gesamtkunstwerk – nur dass Klinger hier reifer und gereinigter erscheint und alles Gewaltmässige beiseite lässt. Mit Nietzsche aber: die schöpferische Sehnsucht nach einem veredelten, verinnerlichten und dadurch machtvolleren Menschentypus. Klingers Schönheitssuchen steht auf der gleichen Basis wie sein

88 Intermezzi, 1881, Bl. 9, Kat. Nr. 127

89 Intermezzi, 1881, Bl. 10, Kat. Nr. 128

Trachten nach tieferer, gewaltigerer Beseelung. Im einen Falle wie in dem anderen sucht er das über den Haufen Hinausragende. Denn Schönheit adelt – wie Seelenfülle. Und hier ist auch der Punkt, wo sich der Schöpfer und der Denker bei Klinger aufs innigste durchdringen. Seele wird Schönheit, und Schönheit Seele. Dort wo unser Künstler seinen Gipfel erreicht, ist ihm diese Verschmelzung höchster Naturkräfte gelungen.

Franz Servaes, Max Klinger, Berlin 1902, S. 53–60.

Machtvoll erschüttert hier die Kunst des Meisters

Das Dresdner Kupferstichkabinet, das den denkbar vollkommensten Einblick in Max Klingers graphische Schöpfungen gestattet, besitzt eine Anzahl von Blätterfolgen, die der Künstler dem Schicksal des Weibes gewidmet hat, jenem Schicksal, das es noch immer als Geschlechtswesen, ohne Rücksicht auf seine individuelle Veranlagung, sein persönliches Streben erdulden muß. Machtvoll erschüttert hier die Kunst des Meisters, der, indem er dieses Schicksal in seiner ganzen Furchtbarkeit vor uns hinstellt, eine herbe Kritik an der Welt zu üben weiß, eine Kritik, die kraft seines vertieften Schauens unmittelbarer, eindringlicher zu uns redet als manches tendenziöser gefärbte literarische Werk. Ich möchte durch einige erläuternde Einführungen zum Beschauen dieser tiefsinnigen Gedankenkunst anregen...

Aus dem düster pessimistischen Zyklus (Eva und die Zukunft) ragt das Blatt »Adam« durch seine gesunde Frische, durch sein trutziges Packen und Aufsichnehmen des Lebens, auch im Verantwortlichkeitsgefühl für die schwächere Genossin hervor.

Möchten wir nicht das Weib lieber mit dem gleichen Empfinden hoch aufgerichtet wie den Mann aus dem Paradiese schreiten sehen, entschlossen zu wackerem Tun an seiner Seite? Und doch gefällt uns hier der jugendliche Idealismus des Künstlers, der sich nach alter Überlieferung berufen fühlt, die Gefährtin zu schützen.

Doch der reifere Künstler, der tiefer ins Leben geblickt hat, sieht das Weib schutzlos, der empörendsten Willkür preisgegeben. Geschminkt, hohlwangig gleitet das Laster an ihm vorüber. Wo ist der kühne Beschützer, der dereinst Eva mit starkem Arme aus dem Paradiese trug? Wie kam dies freigeborene Geschöpf dazu, sich für ein Lumpengeld zu verkaufen? Weil es nur Verführer, keine Beschützer hatte. Weil es ein Opfer derer wurde, die im Weibe nur das Geschlecht sehen wollen. Ergriffen von der Grausamkeit dieses heute noch immer geltenden ungerechten Abhängigkeitsverhältnisses, das die Unbeschützte zum Freiwild macht, gräbt Klinger die furchtbar anklagenden Blätter »Ein Leben«, die Geschichte der Dirne ...

Und nun wächst das Erbarmen des jungen Künstlers ins Riesengroße. Etwas tief Innerliches zwingt ihn, Erlösung aus diesen dunklen Lebensmächten zu suchen, und er, der aufgeklärte, moderne Mensch geht den Weg durch Jahrtausende zurück zum Urquell des tiefsten liebenden Erbarmens: Christus stellt er im folgenden Blatt dar inmitten der Sünderinnen. Sie sind vom Paradies verstoßen und scharen sich nun um ihn, der als strenger und doch gütiger Lehrer vor ihnen steht, die einen reuig und zerknirscht, die andern noch stumpf von dem Druck ihres Lebens, oder trutzig in ihrer Verstockung. Er nimmt sie alle an. Er heftet das Weib an sein Kreuz und ruft ihm zu: Leide! Es gibt nur einen Weg zur Erlösung, das furchtbare aber läuternde Leid. Hoch aufgerichtet ragt nun das Kreuz mit dem daran gehefteten nackten Frauenleib in alle Zeiten hinein. So erlebt die Frauenseele ihr bitteres Golgatha, und niemand hilft ihr. Maria, die mütterliche Trösterin wendet sich ab mit verhülltem Angesicht und Johannes, der sie stützt, wirft noch einen erbarmenden Blick zurück, dann scheidet auch er. Einsam ragt die Gekreuzigte durch alle Völker und Zeiten. Aber die Erlösungsstunde schlägt auch ihr. Geläutert und verklärt sinkt ihr Leib zurück in die mystischen Urtiefen, aus denen alles Leben hervorging, und siehe, aus dem Schoß der Tiefe blickt ein geflügelter Genius mit unendlichem Erbarmen empor und zwei erbarmende Hände strecken sich der Heimgekehrten liebevoll entgegen. Sie ist nicht einsam mehr, sie ist wieder empfangen worden vom Urgeist der Liebe, der durch alle trostlosen Verirrungen hindurch die Menschheit leitet und von dem alles ausgeht, in den alles wieder zurückkehrt, was groß, tief und warm ist. Welch gewaltige, befreiende Wirkung geht von diesem Blatt aus! So befreit jede echte Kunst, weil sie sich nicht zufrieden geben kann mit der Unrast des Zeitlichen, sondern unabhängig das Ewiggültige sucht, das über allen Zeitkampf sein verklärendes Licht ausgießt. Dieser sich erbarmende Künstler spricht in seiner jugendlichen Großherzigkeit tief religiös; wie Wenige verstehen zu reden wie er!

90   Intermezzi, 1881, Bl. 11, Kat. Nr. 129

Brahmsphantasie, seinen erschütternden Ausdruck findet. Dem Tod, dem Allbeherrscher singt er gewaltige Hymnen, die wie ein antiker Chorgesang daherrauschen. Er offenbart sich als Mensch von starkem sozialen Empfinden, indem er dem Knochenmann alle Vernichtungsformen in die Hand gibt, die die Fülle unserer sozialen Ungerechtigkeiten geschaffen hat. Aber wie er im Werden das Vergehen erblickt und dies den großen Grundzug seiner graphischen Darstellungen ausmacht, erblickt er auch im Tode das Leben, das sich trotz allem behaupten will. Und noch einmal wendet er sich zum Weibe, sie wird ihm das hehrste Symbol von Vergehen und Werden. Ihr hat er das bekannte künstlerisch vollendete Blatt gewidmet Mutter und Kind (vom Tode II). Im Sarge ruht, rosenbekränzt, die junge Mutter, indes das Kind, auf ihr hockend, mit großen fragenden Augen ins Leben schaut, darin sein junges Bäumchen zu grünen beginnt.

So lehrt uns der große Künstler und hier insbesondere der bedeutendste Meister der gedankenreichen Griffelkunst mit seinen Augen sehen und mit seinen Gedanken denken und erschließt uns des Lebens Ernst, Tiefe und Schönheit. Teilnahmlos hasten wir nur zu oft an dem vorüber, was anscheinend außer uns liegt und werden durch ihn erst offenbar, daß auch wir all das in uns tragen und erleben müssen, daß wir alle Glieder sind in der unendlichen Kette von Lebewesen, daß einer für des anderen Schicksal teilweise verantwortlich ist, und daß es nur einen Weg gibt, unser aller Schicksal zu mildern: ein liebendes Verstehen.

Anna Brunnemann, Max Klingers Radierungen vom Schicksal des Weibes, Leizig 1903, S. 3–37.

Klingers Beethoven spiegelt uns den unseligen Zwiespalt unserer Zeit

Der Gewalt dieser Gedankenkunst kann sich niemand ganz entziehen. Je länger man sich hineinsieht, desto stärker packt das Innerliche, Vergeistigte dieser Schöpfung.

Das Arbeiten des Geistes! Auch andere Völker und Zeiten haben die unsichtbare Arbeit, die wir nur aus ihren Wirkungen kennen, sichtbar darzustellen unternommen. Versuchen wir, den Beethoven an ihnen zu messen. Da ist das Bild des greisen Homer, ein in hellenistischer Zeit, vielleicht in der Schule des Lysipp, geschaffener Idealkopf mit porträthaften Zügen, der blinde Sänger, in dessen Antlitz sich alles spiegelt, der Zorn des Achill, des Odysseus Wagemut und der lange Gram der Penelope. Was es an Leid und Freude gibt, hat dieser Greis erfahren. Aber er hat es nicht stumpf hingenommen, sondern durch die Kraft seines Geistes, als Schaffender, sich unterthan gemacht

...Angesichts einer solch erschütternden Macht des Gedankens, mit der sich die höchste Kraft künstlerischer Bewältigung des Stoffes verbindet, verstummt alle kleinliche Engherzigkeit. Wir werden mit emporgerissen, dieses Menschenschicksal zu schauen, wie der Künstler es geschaut hat und in ihm symbolisch abertausend Schicksale zu erkennen. So ist der Künstler selbst gewachsen, von seiner jugendlichen Idee vom Weibe durch das Mitleid mit den Verlorenen hindurch, zur absoluten Tragik der Liebe und neben seinem gedanklichen Wachsen ging ein stetiges Ringen nach technischer Vollendung, nach höchstem Inhalt in höchster Form. Weiter geht er dann über zum Schicksal des Menschen, das in seiner Paraphrase über das Schicksalslied von Hölderlin, diesem höchsten Moment der

91 Intermezzi, 1881, Bl. 12, Kat. Nr. 130

und hat aus Furchtbarem und Süssem unsterbliche Lieder geformt. Das erloschene Auge wendet sich suchend und sieghaft der Sonne zu. Der Triumph des Geistes über das Irdische!

Ein anderes Zeitalter. Raffael und Michelangelo. Wenn man von den Stanzen des Vatikan zur sixtinischen Kapelle hinüberwandelt, so empfindet man, wie verschieden diese beiden das geistige Ringen auffassten. Die Schule von Athen, und die Propheten und Sibyllen der sixtinischen Decke! Bei Raffael die griechischen Denker, die in heiterer Lebendigkeit, mit der schönen Geste des Südländers, mit dem feurigen Pathos des beredtesten Mundes ihre Gedanken im klaren Strom der Worte dahinfliessen lassen. Wie der Glücklichste unter den Künstlern selbst, so sind auch diese Philosophen ganz erfüllt von überlegener Ruhe und leichtestem Vollbringen.

Wie anders Michelangelos Sibyllen und Propheten. Sie dehnen, zerren und wenden sich in ungeheurer innerer Erregung. Nichts von der vollendet eleganten Geste Raffaels. Aber alles ist gross, übermenschlich. Diese Männer und Weiber haben ihren Gedanken nicht die Zügel einer wohlgesetzten Rede angelegt, sie ringen noch selbst mit den höchsten Ideen, die die Gottheit in ihnen offenbaren will. Am mächtigsten wirkt wohl der Prophet Jeremias. Aus den gewaltigen Gliedern ist alles körperliche Wollen gewichen, sie sinken kraftlos, abgespannt, müde in sich zusammen; die linke Hand greift unbewusst in die Falten; das Ganze ein Bild allerschwersten Denkens und Grübelns.

Dürfen wir diesen höchsten Leistungen Klingers Beethoven anreihen? In gewissem Sinne ja. Zwar hat er nichts von dem genialen Pathos des griechischen Dichters, noch weniger von der vollendeten Schönheit und Sicherheit der Raffaelischen Gestalten. Ihn unmittelbar neben den Moses Michelangelos zu stellen, würde unrecht sein, denn gegenüber der explosiven Gewalt dieser Statue kann überhaupt nichts aufkommen. Wohl aber dürfen wir ihn sich mit dem Jeremias messen lassen. Freilich bleibt dieser in allem grösser, mächtiger, weil hier die höchsten bildnerischen Werte, die geschlossene Anordnung aller Flächen und Linien, ins eins zusammenfallen mit den höchsten psychologischen Ausdruckswerten, während bei Klinger sich die disparaten Elemente der äusseren Erscheinung erst abgestumpft haben müssen, ehe die geistige Wirkung zu ihrem Rechte kommt. Verwandt ist bei beiden Künstlern, wie sie der Gewalt des Ausdrucks zuliebe auf alles verzichten, was elegante Geste und schöne Linie heisst. Michelangelo, der ja eigentlich in allem ganz ausserhalb von Zeit und Ort steht, ist darin dem nordischen Künstler ähnlicher als seinem Zeitgenossen Raffael, der überall der schönheitsdurstige, aber oberflächlichere Italiener bleibt.

Die Geste des Beethoven ist fast die simpelste, die denkbar ist. Sie hat nichts von Grossheit, nichts von der körperlichen Sicherheit, die den Südländer so augenfällig vom Germanen unterscheidet, der sich schwerfällig bewegt, seine Rede mit unbeholfenen, nichtssagenden Gesten begleitet, der sein Äusseres vernachlässigt, während sein Geist in die höchsten Regionen steigt. So ist der Beethoven typisch nordisch, germanisch, trotz seiner heroischen Tracht.

Über diese Tracht ein Wort zu verlieren, scheint mir überflüssig. Es wird neuerdings wieder mehr über die alte Frage gestritten, ob es erlaubt sei, eine historische Person in idealer Tracht darzustellen. Erlaubt ist in der Kunst, was überzeugt. Wen seine Augen nicht belehren, dass dieser halbnackte Mann ein richtigerer, grösserer, wahrerer Ausdruck ist für einen heroischen, weit über Ort und Zeit erhabenen künstlerischen Genius, als eine Porträtfigur im Zeitkostüm, mit dem ist nicht zu rechten. Nur kommt es freilich immer darauf an, wie es im einzelnen Falle gemacht wird. Diese Aufgabe hat Klinger für unser Gefühl auf das vollkommenste gelöst.

Wie mag dem Künstler wohl der erste Gedanke zu seinem Werke gekommen sein? Etwa weil ihm aus Beethovens Kunst die höchsten musikalischen Offenbarungen zu teil geworden sind und gewissermassen aus Dankbarkeit gegen diesen Heros? Ich glaube nein, denn er hat den Beethovenkopf auch schon auf seiner Dresdner Pietà dem Johannes gegeben. Wir dürfen vielleicht vermuten, dass die wunderbare Maske, die 1812 nach dem Leben geformt wurde, der erste Anstoss war. Hier ist einer der ganz seltenen Fälle, daß ein Naturgebilde, mechanisch festgehalten, den Wert und die Wirkung eines vollkommenen Kunstwerks hat. Klinger ist nicht der einzige, den sie mit wunderbarer Gewalt gepackt hat. Stuck hat sie plastisch und im Bilde festgehalten, und fast auf jeder Ausstellung der letzten Jahre war sie mehr oder minder gut verwertet zu sehen. Wir stellen eine Photographie der Maske neben den Klingerschen Kopf. Dieser wirkt durch die Umrahmung der Haare voller, lebendiger, während jene ihn an Grossheit und Einfachheit der Formen fast übertrifft.

Wir stehen am Ende unserer Betrachtung und versuchen die – freilich vermessene – Frage zu stellen: was ist bleibend an Klingers Beethoven?

Bleibend ist nach unserer Überzeugung nicht die bildnerische Lösung des plastisch-malerischen Problems. Sie ist ein interessanter Versuch. Vielleicht giebt sie einem dereinst kommenden Neuschöpfer der farbigen Bildhauerkunst entscheidende Impulse.

Aber bleibend wird die starke geistige Wirkung dieses Werkes sein. Und sollte selbst dereinst eine Generation von Beethoven nichts mehr wissen, immer würde sie empfinden müssen, dass

92 Kniende
mit Blumenschale,
1905, Kat. Nr. 11

hier der schöpferischen geistigen Arbeit des Menschengeistes ein Denkmal gesetzt worden ist.

Klingers Beethoven spiegelt uns den unseligen Zwiespalt unserer Zeit. Wir hungern nach Kunst, wir lechzen nach Farbe, nach Schönheit, nach Durchbildung unseres Augenlebens. Aber es fehlen uns die Organe oder sie sind mangelhaft entwickelt und erzogen. Denn wo wir nur schauen wollen, da beginnen wir zu denken; wo wir in Bildern fühlen möchten, da senkt sich der Meltau der Abstraktionen auf uns nieder; wo wir ganz Geniessende zu sein uns sehnen, da werden wir Grübler.

Wie viel glücklicher der Italiener! Da ist jede Bewegung, jede Redewendung ein Stück formaler Kunst, das er aus sich heraus entwickelt; alle seine Sinne leben und produzieren. Die unseren schlafen, weil das abstrakte Denken zu übermässig wach ist.

Vielleicht wird Klingers Beethoven von späteren Jahrhunderten einmal betrachtet werden als ein typisches Produkt, ein charakteristischer Ausdruck des in gesammelter Kraft neu auflebenden Deutschtums, das sich nun auch zu den klaren Höhen einer reinen monumentalen Sinnenkunst erheben wollte, und doch aus tiefgewurzelter Neigung die romantischen Gefilde einer grübelnden Gedankenkunst nicht zu verlassen vermochte.

Heinrich Bulle, Klingers Beethoven und die farbige Plastik der Griechen, München 1903, S. 1–6, 39–45.

Es ist, als hätte es diese Kunstgattung vorher überhaupt noch gar nicht gegeben

... Man sollte über Klingers Beethoven jetzt gar nichts schreiben; es verwirrt nur.

Absichtlich hatte ich vermieden, Besprechungen zu lesen, weil ich mir den eigenen Eindruck nicht stören wollte. Leider aber hatte ich Lichtbilder gesehen und habe es tief bereut. Erst beim dritten oder vierten Besuch hatte das Original die Erinnerungsbilder in meiner Seele ausgelöscht. So lange sie da waren, kam ich nicht voran.

Was ich aus Düsseldorf mitgenommen habe, ist etwas ganz anderes, als ich erwartet hatte. Aufrichtig gestanden, auf den Gesamteindruck war ich nicht sehr neugierig gewesen, den glaubte ich durch die Photographien und das Modell im wesentlichen zu kennen. Wirklich gespannt war ich auf die Lösung der Farbigkeit der Erscheinung und auf die technische Behandlung.

Diese Dinge haben mich dann zu meiner Überraschung sehr wenig beschäftigt. Dass Klinger in früheren Werken die Farbigkeit der Erscheinung einheitlicher durchgesetzt hat, sieht man sofort. Ist er doch beim Beethoven in der Farblosigkeit des Körpers gegen die noch im Modell ausgesprochene Absicht einen Schritt zurückgegangen. Und die technische Verbindung der verschiedenen Stoffe verrät an wichtigen Stellen einen auffallend hohen Grad von Gleichgültigkeit. Als Erzeugnis folgerichtiger Farbigkeit und technischer Subtilität ist Gérômes Bellona nach meiner Erinnerung reifer. Aber bei dieser hatten mich freilich die Behandlung und Zusammenfügung der Materialien und das auf technischen Möglichkeiten aufgebaute Motiv fast ausschliesslich beschäftigt.

Bei Klinger dagegen bin ich über alles Technische und alle Fragen und Zweifel hinweg, die aus der Bekanntschaft mit den Photographien stammten, unter die Hände einer Macht geraten, die ich mir nicht erklären kann, und die ich als etwas Unwider-

93 Amor und Psyche, 1880, Bl. 1, Kat. Nr. 131

stehliches empfinde. Es wird eine günstigere Aufstellung gefunden werden müssen, als die in Düsseldorf war. Aber selbst vor dem banalen Hintergrund und in der widersprechenden Gesellschaft, mit der der Beethoven den Saal teilen musste, ging etwas Zwingendes von ihm aus.

Und wenn man sich von dem Eindruck löste und zu zergliedern begann, hielt man es doch nicht lange bei den Einzelheiten aus. Rätsel gaben sie freilich genug auf und die innere Mathematik, die jedes Kunstwerk haben muss, ist mir nicht völlig aufgegangen. Namentlich bin ich immer wieder an den lauschenden Engelsköpfen an der Rückwand des Thrones fest geraten.

Doch all solche Fragen werden immer gleichgültiger, je länger die Einwirkung dauert, und je öfter sie sich wiederholt.

Mir kam vor dem Original sofort die Erinnerung an Rodins Victor Hugo, der fast zur selben Zeit entstanden ist. Im Innersten sind beide Schöpfungen sehr nahe verwandt als Denkmäler, die alle Konvention hinter sich lassen. Es ist, als hätte es diese Kunstgattung vorher überhaupt noch gar nicht gegeben. Und auch im Motiv sind sie gleich: der Genius im Augenblick des Schaffens, thronend, in zeitloser Nacktheit, dem Realismus, der die wirklichen Fracks und Hosen fordert, schnurstracks entgegengesetzt. Auch dass sie nicht allein sind, ist beiden gemein: den Nymphen, die den Dichter umschweben, entsprechen die lauschenden Engel am Thron des Musikers und der Adler zu seinen Füssen. Nur dass Rodins Nymphen verständlicher sind als Klingers Engelsköpfe an der Thronlehne, bei denen man nicht weiss, woran man ist. Können Ornamente lebendig werden und lauschen? Lauschen auf Vorgänge, die der Genius in seiner Seele erlebt? Aber diese und andere Fragen versinken immer wieder.

Wie ein Bild von Böcklin ist Klingers Beethoven ein Gedicht, ein Märchen, wenn man will. Im Augenblick des Schaffens ist der Genius entrückt und thront über Raum und Zeit. Vor seinen Füssen stürzt es viele tausend Fuss hinab zu dem Tal, wo die sterblichen Menschen wimmeln. Man fühlt es beim Anblick des vorspringenden Felsens, an den sich der Adler klammert, der, eben herangesaust, die Flügel zusammenlegt und scheu zum Thronenden hinaufblickt. Selbst in der stimmungslosen Umgebung habe ich beim Anblick dieses Antlitzes, das die Fülle des ausgeschütteten Reichtums beherrscht, die Entrücktheit sehr stark empfunden. Mir ist ausser Rodins Victor Hugo kein modernes Denkmal erinnerlich, das solche Stimmung ausströmt. Darin scheint mir das Mächtige und Einzige in diesem Beethoven zu liegen: es ist ein Denkmal, das nicht einem Auftrag, der von aussen kam, sondern einem inneren Zwang entsprungen ist, dem Bedürfnis einer Seele, die für höchste Wonnen danken will.

Noch in anderen Punkten enthält das Werk eine Kritik unseres Denkmalwesens. Es ist im Freien undenkbar, es verlangt den Innenraum, wohin das Denkmal, das Stimmung und Andacht erwecken soll, gehört. Und statt unter dem Albdruck des Einlieferungstages hastig und mit steter Rücksicht auf ein von andern aufgestelltes Programm eine angenehm wirkende Skizze zu ent-

94 Amor und Psyche, 1880, Bl. 2, Kat. Nr. 132

werfen, an der bei der Ausführung durch andere Hände tunlichst wenig geändert wird, hat Klinger für die Skizze und die eigenhändige Ausarbeitung zwei Jahrzehnte gebraucht und ist dabei keinem Bedürfnis entgegengekommen als dem eigenen. Er hat an diese eine Gestalt soviel Zeit verwandt, wie selbst von den ungeheuersten Monumentaldenkmälern, die in Deutschland zur selben Zeit entstanden sind, ihrem Urheber keins auch nur annähernd gekostet hat.

Als Denkmal, das wie ein freies Kunstwerk aus dem Bedürfnis einer Seele entsprungen ist, ein neuer Versuch, der Skulptur die Farbigkeit zurückzugewinnen, und als Standbild, das den stimmenden Innenraum fordert, kann der Beethoven einen neuen Ausgangspunkt für unsere Denkmalskunst bilden. Darin scheint mir, noch über seinen Zweck in sich hinaus, seine Bedeutung zu liegen.

Alfred Lichtwark, Max Klingers Beethoven, Jahrbuch der bildenden Kunst, 1903, S. 41–42.

Für die Ästhetik der Raumausstattung geradezu vorbildlich

Max Klingers Jugendwerk, der reiche künstlerische Ertrag der acht Studienjahre in Berlin, bedarf nicht rückstrahlenden Glanzes von den späteren Meisterwerken her, um Beachtung und Bewunderung zu finden. Denn was der junge Künstler damals mit unerschöpflicher Inspiration, mit überraschender Selbständigkeit und Produktivität in seinen neun ersten radierten Folgen, in Einzelblättern, Zeichnungen und Gemälden geschaffen hat, ist volle Geniearbeit, deren beglückende Schönheiten jetzt erst ihre Wirkungen auf weitere Kunstkreise auszuüben beginnen. Als der junge Meister 1884 nach Paris ging, um unter neuen

95 Amor und Psyche, 1880, Bl. 3, Kat. Nr. 133
96 Amor und Psyche, 1880, Bl. 4, Kat. Nr. 134

Verhältnissen neue Kunstbahnen zu betreten und seine ganze Schaffenslust und Schaffenskraft an eine große malerische Aufgabe: das Parisurteil, zu setzen, hatte er kurz vorher die ziemlich umfangreiche Arbeit der dekorativen Malereien im Vestibül einer Villa in Steglitz für einen Freund, den Juristen Albers, vollendet. Auch hier, wo die Bedingungen der Innendekoration es noch besonders nahelegten, hatte er zur zyklischen Anordnung gegriffen und drei Darstellungsfolgen gemalt, die in Geist und Stimmung mit den radierten Folgen die mannigfachsten und interessanten Beziehungen haben. Ein ungünstiger Stern hat über dieser entzückend heiteren, farbenfrohen und phantasiereichen Schöpfung gewaltet, die noch deshalb besonderes Interesse erweckt, weil hier schon ein praktisches Beispiel zu Klingers vielerörtertem Begriff der Raumkunst, das heißt der Malerei im Dienste der Innenwirkung eines Raumes, gegeben war. Das Vestibül selbst ist nur wenige Monate intakt geblieben, da das Balkenwerk des Hauses vom Schwamm zerstört wurde, und der Besitzer seinen Hausstand auflöste und die ganze Dekoration, soweit sie abnehmbar war, mit nach seinem neuen Wohnsitz Graz führte, wo er wenige Jahre später starb.
... Diese künstlerisch so wohl durchdachte Innendekoration, zu einer Zeit entstanden, wo eine zusammengestoppelte Renaissanceausstattung für allein geschmackvoll galt, hätte, wenn sie erhalten geblieben wäre, in der bewegten Zeit des modernen Kunstgewerbes für die Ästhetik der Raumausstattung gradezu vorbildlich wirken können. Noch heute erzählen die erhaltenen Teile von der einzigartigen Schönheit des Ganzen, das ein tückischer Zufall vernichtet hat. An einem Zufall scheiterte auch des Künstlers Plan, das ganze Werk, das ihm mehr wie manches andere ans Herz gewachsen ist, in seinen eignen Räumen wieder herzustellen. Nun aber freuen wir uns der Hoffnung, daß die nächsten Jahre große Monumentalmalereien Klingers in der Aula der Leipziger Universität und im Treppenhaus des Museums bringen werden, und daß der große Künstler da noch viel Bedeutenderes darzustellen hat als in jenem lieblichen Jugendtraume in der Steglitzer Villa.

F. Becker, Max Klingers dekorative Malereien in der Villa Albers in Steglitz, Zeitschrift f. bildende Kunst, N.F., 16, 1905, S. 8–13.

Das ist ein Held

Ich halte also Leute wie Herakles oder Siegfried für populäre Heroen, aber nicht für Helden. Heldenthum ist für mich ein »Trotzdem«, überwundene Schwäche, es gehört *Zartheit* dazu. Klingers schwacher kleiner Beethoven, der sich auf den großen Götterthron gesetzt hat und, sich inbrünstig concentrirend, die Fäuste ballt, – das ist ein Held.

Thomas Mann an Kurt Martens, 1906, Briefe Bd. I (1889–1936), hrsg. von Erika Mann, Frankfurt 1961, S. 63.

97 Amor und Psyche, 1880, Bl. 5, Kat. Nr. 135

98 Amor und Psyche, 1880, Bl. 6, Kat. Nr. 136

99 Amor und Psyche, 1880, Bl. 7, Kat. Nr. 137

Klingers Werke sind zu eigenartig und tiefgründig, um den unvorbereiteten Betrachter schnell ihren Gehalt und Wert zu offenbaren

Dies Büchlein ist aus der praktischen Erfahrung erwachsen. Bei Gelegenheit ihrer kunstgeschichtlichen Lehr- und Vortragstätigkeit im allgemeinen und der diesjährigen Ausstellung Klingerscher Werke im Leipziger Kunstverein im besonderen bemerkte die Verfasserin, daß das Publikum unserer größten einheimischen Künstlerpersönlichkeit – trotz der vielen über sie veröffentlichten, auch für Laien berechneten Schriften – größtenteils fern und öfters hilflos gegenüberstand. Klingers Werke sind zu eigenartig und tiefgründig, um den unvorbereiteten Betrachter schnell ihren Gehalt und Wert zu offenbaren, die zur Einführung nützlichen Bücher aber zu ausführlich oder auch zu kostspielig, um jedem zugänglich zu sein. Der Erfolg einzelner Führungen und Vorträge zeigte, wieviel wärmer in kurzer Zeit die Beziehung zu dem Künstler durch einfache Hinweise und Anleitung zur Betrachtung wurde. Solche Anleitung weiteren Kreisen auf billigste Weise zu gewähren, ist der Zweck dieses Büchleins. Es strebt darum größte Übersichtlichkeit der Anordnung an, vermeidet schwierigere technische Ausdrücke oder fügt kurz ihre Erklärung bei und verweist nur auf Abbildungen in auf Bibliotheken leicht zugänglichen Büchern, da Illustrationen den Preis zu sehr erhöht hätten. In Städten, deren Museen oder Kupferstichsammlungen, Originale von Klinger enthalten, ist das Studium dieser natürlich jeder Abbildung vorzuziehen, besonders auch in Bezug auf die Radierungen und Handzeichnungen. Inhaltlich faßt die kleine Abhandlung die Resultate der Klingerforschung- und Erklärung zusammen, setzt sich in verschiedenen Fällen mit Ansichten anderer Bearbeiter dieses Themas auseinander und fügt einzelne eigene Beobachtungen hinzu. Zugleich aber sucht sie die Bedeutung Klingers noch klarer zu stellen durch die Darlegung seines Verhältnisses zur modernen Weltanschauung und zur Kunst der Gegenwart, was nur noch in dem ausführlichen und kostspieligen Werk Paul Kühns über Max Klinger und zwar nicht so nachdrücklich wie hier unternommen worden ist.

... Zum 18. Februar 1907, dem 50. Geburtstag Max Klingers, hatte der Kunstverein seiner Vaterstadt Leipzig eine Ausstellung der Werke des Künstlers veranstaltet, welche die Aufmerksamkeit weiter Kreise auf sich gelenkt hat.

Wohl kein nur einigermaßen künstlerisch aufnahmefähiger Betrachter hat sich beim Durchwandern dieser Ausstellung dem Eindruck entziehen können, daß er einer fast erdrückenden Schaffenskraft, einer kaum faßlichen Vielseitigkeit der Produktivität gegenübersteht, obgleich selbstverständlich – trotz aller Mühe und Sorgfalt, mit welcher diese Ausstellung zusammengebracht worden war – die Hauptwerke des Malers Klinger und

115

100 Amor und Psyche, 1880, Bl. 8, Kat. Nr. 138

101 Amor und Psyche, 1880, Bl. 9, Kat. Nr. 139

bedeutende plastische Schöpfungen nicht vorgeführt werden
konnten.

Dem mit Klingers Schaffen Vertrauteren, welcher imstande war,
die nicht ausgestellten Werke geistig hinzuzuziehen, offenbarte
sich aber sehr bald aus der Vielheit des Vorhandenen die überra-
schende Einheitlichkeit und Logik einer doppelten Entwicklung, einer formalen, ästhetischen und einer philosophisch ethischen in dem Künstler Klinger, manifestiert in den Schöpfungen
des Meisters.

Es ist die spezifische Eigentümlichkeit deutscher Kunst, daß sie
häufig nicht allein mit dem Formalen, dem eigentlichen Element
der bildenden Künste, arbeitet, sondern damit zugleich das
Gedankliche – bald nach dem Poetischen, bald nach dem Philosophischen gewendet – verbindet, im Gegensatz zu der aus-
schließlicher auf dem Prinzip der Augenfreude basierenden
romanischen Kunst.

Hildegard Heyne, Max Klinger im Rahmen der modernen Weltanschauung und Kunst. Leitfaden zum Verständnis Klingerscher Werke, Leipzig
1907, II f., 1 f.

Das ist das Große an Klinger, das er mit Lionardo, Michelangelo, Dürer, Beethoven und Wagner teilt

Klingers Werke erschließen dem, dem sie zum Erlebnis werden,
eine neue Welt einer reichen und großen Empfindung und
Anschauung, die ihn auf eine höhere Stufe seiner eigenen
Existenz stellt. Denn das ist das Große an Klinger, das er mit
Lionardo, Michelangelo, Dürer, Beethoven, Wagner teilt, daß
seine Werke den ganzen Menschen vollkommen beanspruchen
und in stärkste Mitleidenschaft ziehen. Er ist kein bloßer Augenmensch und keine Inkarnation künstlerischer Prinzipien
und Systeme, er ist eine »Natur« im Sinne Goethes. Die Persönlichkeit ist das Höchste; sie ist das Maß seiner Werke. Unbeirrt
von den Kämpfen der Prinzipien schafft er an seinem Werke. Er
ist einer der ganz großen Phantasie- und Willensmenschen in
der bildenden Kunst, – eine Siegernatur. Alle Mächte unserer
Seele, aller Drang unseres Lebens, alle schweifende Phantasie
müssen sich mit seinen Werken sättigen, und eine neue Schönheit, gesegnet von aller Vergangenheit und Gegenwart, wird
sich dem staunenden Auge auftun. Vom Glück dieses Erlebens
möchte das Buch ein Widerhall sein. Sollte es den Lesern die
spröde Schönheit der Kunst Klingers näher bringen, so wäre
alles getan, was der Verfasser gewünscht hat.

Am 18. Februar 1907 hat Klinger sein 50. Lebensjahr vollendet;
er steht im Zenith seines Lebens, als Mensch und als Künstler.
Aber noch schwankt sein Charakterbild im Urteile der Zeitgenossen. Nach einer Zeit allzu panegyrischer Lobpreisungen gilt
es heute für geistreich, Klinger grundsätzlich zu bekämpfen und
ihn mit einem Bonmot zu registrieren. Damit kommen wir im
Verstehen nicht weiter. Dies Buch bemüht sich, klärend zu
wirken und in Klingers Kunst einzuführen. Jedes seiner Werke
reizt die Geister, zwingt, Stellung zu ihm zu nehmen, und fast
immer sind es Kämpfe prinzipieller Natur, die um sie entbren-
nen und im Für und Wider gleich heftig, oft über alles Maß
hinaus ausgefochten werden.

Paul Kühn, Max Klinger, Leipzig 1907, S. III f.

Mit solch tiefem Gehalt aber, wie er deutschem Empfinden immer als das wesentliche eines Kunstwerks erschienen ist

Wundervoll ist auch wieder der landschaftliche Rahmen, in dem sich diese zweite Szene des Klingerschen Gemäldes abspielt: eine köstlich stille Waldwiese, rings umschlossen von Öl- und Lorbeerbäumen, von hochstämmigen Ulmen und einem dichten schattigen Pinienhain im Hintergrunde, über dem sich das Felsengebirge in steiler Wand lichtdurchglüht erhebt. Prachtvoll ist der Gegensatz zwischen der lichten Weite des inselbesäten Meeres und der farbentiefen Umschränktheit des feierlich stillen Hains am Felshang. Aber ganz vorzüglich hat es der Künstler verstanden, beides zur Einheit zu verschmelzen durch das farbenleuchtende Oleandergebüsch im Vordergrund, durch das niedere weiße Haus im Mittelgrund mit dem aufwärts führenden Laubengang, durch den lichten Glanz der Sonne, die von der rotglühenden felsigen Landzunge im Meer hinüberleitet zur sonnigen Steilwand des Felsengebirges. So schließen sich die festlich heiteren Klänge der hellen Inselwelt mit den feierlichen Akkorden von Gebirg und Wald zusammen zu der vollen Melodie einer wohlgeschlossenen, reichgegliederten und gegensatzreichen Landschaft. Die kunstvolle Gliederung des riesigen Gemäldes in eine große lichtvolle Fläche und eine entsprechende dunklere Masse wirkt um so natürlicher, weil sie durchaus dem geistigen Gehalt der umschlossenen Figurengruppen entspricht: der sonnige Strand und das weite Meer der weitschweifenden, gestaltenden Phantasie des Sängers, die feierliche Pracht von Gebirg und Wald der stillen Denkertätigkeit der Philosophen. So ist das Ganze stimmungsvoll im echten Sinne des Wortes.

So tritt uns in Klingers bedeutsamer Schöpfung die geistige Welt des alten Griechentums, treten uns die großen Ideen seiner inneren Entwicklung in lebendigen Bildern voll eindringlicher überzeugender Wahrheit entgegen. Und diese ferne Vergangenheit ist noch immer Gegenwart: unser geistiges Leben, unser

102   Amor und Psyche, 1880, Bl. 10, Kat. Nr. 140

103   Amor und Psyche, 1880, Bl. 11, Kat. Nr. 141

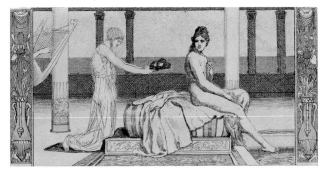

117

104   Amor und Psyche, 1880, Bl. 12, Kat. Nr. 142

gerschen Bilde eine berauschende festliche Farbenpracht, der Glanz schimmernden Lichtes, durchsichtiger Luft, wie sie erst in unseren Tagen durch die Errungenschaften der modernen Malerei möglich geworden sind.

Unvergeßlich werden sich dem Gedächtnis des Beschauers die Hauptgestalten des Bildes einprägen, vor allem der begeistert singende greise Homer und die ernsten würdevollen Philosophen Plato und Aristoteles mit ihren durchgeistigten und lebendigen Zügen, dann aber auch die schönheitsvolle Aphrodite und der leidenschaftliche Alexander; unverlöschlich wird auch die wundervolle Landschaft jedem Beschauer das Land, wo vor mehr denn zwei Jahrtausenden Schönheit und Weisheit zu innigem Bunde zusammentraten, in die Seele graben. Künftigen Geschlechtern aber wird Max Klingers Gemälde sagen, daß auch in unseren Tagen die Geister noch tief bewegt wurden von den großen Ideen griechischer Kultur. –

    Und die Sonne Homers
    Siehe: sie leuchtet auch uns.

Paul Schumacher, Max Klingers Wandgemälde für die Aula der Universität Leipzig, Leipzig 1909, S. 13–15.

ideales Schaffen ist noch immer untrennbar verbunden mit der Welt der Homer, Plato und Aristoteles. Wie vor Jahrtausenden sitzen noch heute dichtgedrängt die Scharen der Jünglinge zu den Füßen der Dichter und Denker und Lehrer; noch bestehen immer die alten Gegensätze von Poesie und Wissen, von Phantasie und exakter Forschung, die erst in ihrer Vereinigung die volle Harmonie ergeben; noch heute kommen die Fürsten der Welt, um den Fürsten der Kunst und der Wissenschaft ihre Huldigung darzubringen. So ist das Klingersche Gemälde im akademischen Festsaal wie ein gewaltiges Symbol hohen geistigen Lebens, manchem kann es auch eine Nahrung sein, über dem nützlichen Lehrbaren auch die große Freudenbringerin Poesie und die Mutter großer Taten, die Begeisterung, nicht zu vergessen.

Mit solchem tiefen Gehalt aber, wie er deutschem Empfinden seit den Tagen der Goldenen Pforte und der Kupferstiche Albrecht Dürers immer als das Wesentliche eines Kunstwerkes erschienen ist – mit diesem tiefen Gehalt eint sich in dem Klin-

Er wies als erster wieder auf den Begriff des Gesamtkunstwerkes hin

Es sind zum erstenmal wieder Probleme zur Diskussion gestellt, wie sie seit den Tagen Marées' in Deutschland nicht mehr erörtert waren. Denn die Bestrebungen der vorausgegangenen Künstler hatten sich ausschließlich um die Regeneration des Tafelbildes gedreht. Sie malten ihre Bilder, doch ohne sich irgendwie um die Frage zu kümmern, in was für Räume sie kämen. Klinger hat in seinem kleinen Buch über Griffelkunst die Worte geschrieben: »Wir haben Künste, keine Kunst.« So wies er als erster wieder auf eine einheitliche Raumkunst, auf den Begriff des Gesamtkunstwerkes hin. Er dachte sich seine Bilder als Schmuck feierlicher Räume. Er hielt sie in den Formen und Farben so, daß die Phantasie sich unwillkürlich ausmalt, wie herrlich sie wirken könnten, wenn sie nicht in Galerien ihr Dasein fristeten, sondern, von einer edlen Architektur umrahmt, Teile einer Raumschönheit wären. Und daß diese Prinzipien, wenn auch theoretisch, abermals formuliert wurden, ist immerhin eine Tatsache von geschichtlicher Tragweite.

Richard Muther, Geschichte der Malerei, Bd. 3, Leipzig 1909, S. 564f.

Umrauscht von einer Welt von Tönen

Einen verwandten Zug mit diesem Wagner-Entwurf hat das Hamburger Brahmsmonument, so sehr dies auch im übrigen durch eine Steigerung ins Malerische und Barocke sich von plastischer Schlichtheit entfernt. Zum Verständnis der Komposition muß vorausgeschickt werden, daß das Wagnerdenkmal für die Aufstellung im Freien, das Brahmsmonument, das ursprünglich als Hermenfigur gedacht war und sich in seinem plastischen Aufbau von dieser aus erst entwickelt hat, für einen Konzertsaal bestimmt ist – hier, wo Klänge und Melodien in der Phantasie des Zuhörers sich zu lebensvollen Gestalten verdichten, hat man sich das riesige Marmorwerk umrauscht von einer Welt von Tönen vorzustellen, in deren Mitte der Meister steht im Gefolge seiner Genien und emporgehoben in höhere Sphären, in die die Begeisterung auch den andächtigen Bewunderer seiner Lieder führt. Wie bei Wagner flutet von seinen Armen ein schweres Gewandstück herab, aber das statische Moment, das dort so imposant wirkt, wird hier aufgelöst durch die malerische Angliederung von drei weiblichen und einer männlichen Figur. Die eine von ihnen hat sich von hinten emporgeschwungen, neigt das Haupt dem des Meisters zu und reicht ihm die Rechte, seine Finger leicht berührend – es ist seine Muse, die, wie es bei Michelangelos Adam der liebe Herrgott tut, den sprühenden Lebensfunken des Genius in die Adern des Meisters hinüberströmen läßt. Zwei andere prachtvolle weibliche Gestalten schmiegen sich an diese Gruppe an, ein herkulisch gebauter Mann, dessen Oberkörper gleichsam aus den Fluten auftaucht, scheint das Ganze mit kraftvollen Armen zu stützen – gedanklich eine Paraphrase Brahmsscher Musik, wie sie in einzelnen Radierungen der »Brahms-Phantasie« wiederklingt, ein Werk echt Klingerscher Phantasiekunst, in seinem plastischen Aufbau ein Novum, das in die strengen Formgesetze der Plastik sich nur schwierig einfügen läßt.

Julius Vogel, Max Klinger. Ein Rückblick und ein Ausblick, Die Kunst für alle, 24, 1909, S. 336 f.

105   Amor und Psyche, 1880, Bl. 13, Kat. Nr. 143

106   Amor und Psyche, 1880, Bl. 14, Kat. Nr. 144

107   Amor und Psyche, 1880, Bl. 15, Kat. Nr. 145

Weder er noch seine Schüler
haben den Ton der Zeit getroffen

Immer wird man, wenn von Neuidealismus die Rede ist, zuerst an Max Klinger (geb. 1857) denken, und zwar um so mehr, je mehr sich dieser Neuidealismus auf die dem Impressionismus am fernsten stehende plastische Modellierung des Nackten bezieht. Und dennoch hat er in dieser vom Impressionismus abhängigen Malerei kaum eine Stätte. Nicht weil sein Anteil an den Stimmungen und Problemen der Zeit mehr in den Radierungen als im Gemälde zum Ausdruck gelangt ist, auch nicht nur, weil er eine starke, vielseitige, Richtung und Umkreis ihres Schaffens sich selbst bestimmende Persönlichkeit ist. Vielmehr ist es so, daß er zwar in seiner Person und mit seinem Werk allen idealistischen Bestrebungen der neuesten Zeit eine Anknüpfung bieten konnte, aber nur deshalb, weil er selbst so unzeitgemäß war. Wie er selbst mit seinen frühen Werken und auch in dem starken Persönlichkeitsbewußtsein in die 70er Jahre hineinreicht und oft genug bewußt an Böcklin anknüpft, so ist es seine Bedeutung, fast als einziger unter den jüngeren, in heroischen Themen und in der Darstellung des Nackten die Tradition der Monumentalkunst fortgeführt und sie dem Milieurealismus der 80er Jahre, und zwar in den 80er Jahren selber entgegengestellt zu haben. So ist er ein Begründer, aber kein Vollender, an ihm konnte zwar der Neuidealismus der poetischen Landschaft, der Ausdrucksfigur und des dekorativen Impressionismus sich aufrichten, aber die Erfüllung liegt bei anderen. Doch das ist schon wichtig genug. Denn was neben der absoluten Negierung alles Vornehmen, Erhabenen, Traditionellen in der Milieuschilderung noch bestand, war der Highlife-Idealismus. Auch dieser geht mit dem Impressionismus und Neuidealismus mit, wenn der Haremsmaler Bredt jetzt Stimmungslandschaften mit Seerosen und Nymphen in süßlicher Manier malt, oder Raffael Schuster-Woldan hübsche, nackte Damen zu symbolisch gemeinten Gruppen – Odi profanum vulgus – mit geleckter Körperzeichnung und salonmäßigen Farben zusammenstellt. Am temperamentvollsten entfaltet sich noch A. v. Kellers Kunst unter dem Einfluß des Impressionismus, Aufgelöste Figuren und sprühende Farben erzeugen eine Stimmung, wie die modernen Schleier- und Traumtänzerinnen im Wintergarten. Aber dieser Highlife-Idealismus konnte vielleicht für die erotischen Ausdrucksfiguren Anregung bieten, obwohl auch da die Kunst eines Corinth wie Stuck oder Hofmann über das Salonmäßige des mondänen Naturalismus hinausführte, im ganzen mußte er doch mehr noch als die Milieukunst, die es ernster meinte, überwunden werden. Das ist Klingers Tat.

Seine Stoffe sind religiöse, und zwar christliche, verquickt mit der dem Nackten zuliebe gewählten heidnischen Götter- und Heroenwelt, seine Form ist die ideale nackte oder ideal gewandete Gestalt, sein Inhalt ein großer Gedanke, und sein Bildformat die große Wandfläche mit dekorativ angeordneten, lebensgroßen Figuren, so im Parisurteil, der Kreuzigung und dem

108   Amor und Psyche, 1880, Bl. 16, Kat. Nr. 146

109   Amor und Psyche, 1880, Bl. 17, Kat. Nr. 147

Christus im Olymp. Aber so großartig auch die Idealität der Formen und Charaktere, der Reichtum gedanklicher Beziehungen und die Fülle künstlerischer Bildungen ist, das, was davon das eigentlich Moderne ist, sind Züge, die diese Werke mit dem Milieunaturalismus der 80er Jahre verbinden und vom Geiste echter Monumentalkunst entfernen. Gegenüber Böcklins und Feuerbachs dramatischer Bühnenkomposition, wo wenige Spieler die Hauptrollen agieren, fällt auf, wie die Komposition in die Breite gezogen ist, wie viele Nebenpersonen den Schauplatz füllen, und wie die direkter beteiligten Personen zerstreut sind. Man sehe die lockere Fügung der Figuren des Parisurteils, die dreifache Beziehung des Gekreuzigten zur Gruppe des Johannes und der Magdalena, zur Mutter und zu dem Eiferer in der Gruppe der Männer links. Man sucht die Hauptpersonen, die die Idee illustrieren, in der reichen Götterversammlung im Olymp. Es ist der Einfluß der Milieuschilderung, der hier einge-

110 Amor und Psyche, 1880, Bl. 18, Kat. Nr. 148

111 Amor und Psyche, 1880, Bl. 19, Kat. Nr. 149

wirkt hat. Besonders aber lenken die vielen durch die Idee gar nicht geforderten Aktfiguren ab, die keineswegs durch vorbildliche Posen auf uns wirken, wie in der echten Monumentalkunst, sondern mit einer an den Naturalismus erinnernden sorgfältigen Aktmalerei prunken. So ist auch der Inhalt nicht jenes sich sofort überschaubar präsentierende dramatische Geschehen, sondern eher wie in der illustrativen Malerei der Biedermeierzeit ein beziehungsreiches Gedankenprodukt, das zwar aus dem Bilde selbst, aber doch nur mühsam und mit Durchlesen der einzelnen Teile des Bildes verstanden werden kann. Auch hier imponieren weniger die Gestalten als die Tatsache, daß der Künstler einen besonderen, durchdachten Ausdruck für alte traditionelle Themen gefunden hat. So ist es doch schließlich ein Gegensatz zu der echten Monumentalkunst, die uns eine sichtbare Form des Überlieferten in einer Weise bieten möchte, daß wir daran glauben und meinen, nur so könne es ausgesehen

haben. Der Willkür und Respektlosigkeit seiner Zeitgenossen entspricht die Bewußtheit der künstlerischen Arbeit und die Originalität des Gedankens, die die Monumentalkunst auch hier zum interessanten Bilde machen. Aber auch das Dekorative, das raumgestaltende Prinzip, das er mit Marées, Thoma und Böcklin in den 80er Jahren teilt, verträgt sich nicht mit diesen lastenden Gestalten und lastenden Gedanken. So möchte man die Symbolik von Christus im Olymp mit Beziehung auf Klingers eigenes Schaffen so interpretieren: die schöne Form ist durch den Gedanken, der naive Glaube durch die bewußte Geistigkeit des Künstlers zerstört. Wie auch bei Uhde der religiöse Stoff eher stilzerstörend wirkte, haben auch Klingers Bilder in der Vielfältigkeit der Motive, der studierten Aktzeichnung und der abstrakten Gedankenhaftigkeit etwas Stilloses. In den 90er Jahren paßt sich Klinger zuweilen dem neuen Geiste an, wie im Frühling, wo sich jagende und kranzwerfende Gestalten eine dem

112 Amor und Psyche, 1880, Bl. 20, Kat. Nr. 150

113 Amor und Psyche, 1880, Bl. 21, Kat. Nr. 151

Jugendstil verwandte Komposition erzeugen, oder der blauen Stunde, wo die Farbenmystik die Stimmung hergibt. Aber der plastische Bildner ist zu stark in ihm, um mit dieser Mystik Schritt zu halten. Weder er noch seine Schüler wie Greiner haben den Ton der Zeit getroffen. Das Zeichnerische der Form läßt in ihren Gemälden etwas Akademisches zurück. Sie werden in den 90er Jahren durch Stuck, Hofmann, Corinth abgelöst. . . .

Richard Hamann, Die deutsche Malerei im 19. Jh., Leipzig u. Berlin 1914, S. 346 ff.

Es ist dieselbe Sache wie bei Wagner. Aber die sächsische Zähigkeit in der Durchbildung technischer Illusionsmittel ersetzte bei keinem die reine Kunst

Die ganze Verlegenheit des falschen Stils offenbart sich in Klingers Schrift über Malerei und Zeichnung. Er unterscheidet da mit einer Strenge, deren Ursachen sich zwar nicht kunstlogisch, wohl aber psychologisch verstehen lassen, zwischen den Aufgaben der Malerei und der Plastik auf der einen Seite und denen der Graphik auf der anderen. Den Maler macht die Eindringlichkeit der Farbenanschauung, den Bildhauer das Organ für das in der Gestalt konzentrierte Leben des Raums. Aber den Graphiker macht der Gedanke. Der Griffel hat es mit dem Stoff zu tun – und zwar ganz besonders mit dem widerwärtigen. Diese Unterscheidung ist schon höchst verdächtig. Von Schritt zu Schritt wird nun die Logik Klingers peinlicher. Die Malerei, die Plastik hat es mit dem Schönen zu tun: das heißt – im Gegensatz zur Graphik, die das Gebiet des materiell Widerwärtigen für sich fordert – mit dem materiell Schönen. Ja mehr: die Malerei und die Plastik haben die Aufgabe, das materiell Unschöne zu überwinden, indem sie es – stat verbum – »verschönern«. Man muß die unglaubliche Banalität dieser Logik einmal ganz glatt herausschälen. Diese Logik sagt faktisch nichts anderes, wiewohl sie in dem Verlauf der nicht ungewandten Dialektik Klingers nicht so nackt zum Vorschein kommt.

Dies ist schlimm. Die Graphik als philosophische »Ergänzung« der Malerei und der Plastik von der pessimistischen Seite her, die Graphik als subjektive Kritik des Lebens, als Ausdruck der Weltanschauung im Gegensatz zur schönen Objektivität der malerischen und der plastischen Erscheinung: man möchte sagen, diese Unterscheidung sei von einer Naivität, die nur ein in den höchsten Kunstfragen Dilettant gebliebener Mensch hervorbringen kann. Sie ist geradezu entsetzlich. Sie ist banausisch. Kunst ist auf allen Wegen Form oder sie ist überhaupt nichts. Eine Radierung von Rembradt ist genau so restlos formal wie ein gemaltes Bild von ihm.

Die Konsequenzen, die aus solchen Voraussetzungen folgen müssen, sind klar: klar für die Graphik wie für die sogenannte hohe Kunst. Wo die Energie der Anschauung sich der Reflexion zuwendet, wo die Radierung zur Weltanschauung wird, da verliert naturgemäß die rein formale Klärung. Der Graphiker Klinger konnte nichts anderes anstreben und nichts anderes erreichen als eine naturalistische Illusion, die den Gedanken, die imaginäre Szene – oder was es sonst war – möglichst scharf wiedergab. Da die formale Leistung auch hier, wie bei Böcklin, in der »Erfindung« bestand, blieb für die formale Darstellung, für den Strich, für den sichtbaren künstlerischen Ausdruck fast nur der Name Technik übrig. Die Technik wurde mit einer

Eindringlichkeit durchgebildet, die schlechthin phänomenal ist. Es ist dieselbe Sache wie bei Wagner. Aber die sächsische Zähigkeit in der Durchbildung technischer Illusionsmittel ersetzte bei keinem die reine Kunst.

Und die Malerei? Die Plastik? Klinger ist konsequent. Das radierte Œuvre ist nun einmal, man mag sagen was man will, die eigentliche Leistung seiner Begabung, wie die Reklamationen die er in seiner theoretischen Schrift zugunsten der Graphik vornimmt, seinen eigenlichsten Kunstabsichten entsprechen. Er ist ein Illustrator, wie Böcklin und Stuck Illustratoren sind. Böcklin treibt das mythologische, Stuck das allegorisch-erotische, Klinger das philosophische Genre. Nur der Stoff und das menschliche Temperament, aber nicht die Kunstform markiert den letzten Gegensatz zu dem ihnen gegenüber ungerecht zurückgesetzten Knaus. Als nun Klinger daran ging, reine Malerei und reine Plastik zu versuchen, da hatte er zwei Wege: er legte inhaltliche Bedeutung – mit einem Wort Gedanken – in seine Malerei und in seine Plastik, wie er sie in seine Graphik gelegt hatte, von der sich Malerei und Plastik nur dadurch unterscheiden, daß ihre Gedanken weniger kompliziert, weniger ausgeführt, allgemeiner sind, und er entwickelte das Möglichste an materieller Pracht. Der Beethoven mußte zum ersten bedeutend aussehen: bedeutend im Sinne des Motivs. Er mußte zum zweiten materiell eindrucksvoll sein: das machte die luxuriöseste, durchgefeilteste und kapriziöseste Technik. Wie Lalique die Welt umreist, wenn er das Bedürfnis hat, an der Place Vendóme einen unerhörten Steinschmuck auszustellen, so bereist Klinger Europa von Kleinasien bis zu den Pyrenäen, um ein unerhörtes Naturmaterial zu finden.

... Klinger ist eine geistige Potenz: kein Zweifel. Aber er ist nicht so sehr Künstler als Virtuos. Es konnte nicht ausbleiben, daß er sich im Zeichen Wagners für das peinlichste aller modernen Enzyklopädistenideale, das Gesamtkunstwerk, begeisterte: für eine Sache, in der eins das andere halten soll und nichts an sich selber etwas Vollendetes, durch sich Bestehendes wird – für eine Sache, die dadurch, daß man sich heute bequem auf Griechenland beruft, noch nicht zu einer Möglichkeit gediehen. Mozart war etwas sehr Ganzes – auch kulturell Ganzes – ohne »Gesamtkunstwerk«. Unbekümmert und pathetisch schuf Klinger einen Systematismus für die Verbindung von Plastik, Malerei und Architektur. Was an der Idee des Gesamtkunstwerks möglich ist, hat er wie Wagner banalisiert. Er hat Verwirklichungen gegeben, die grotesker Ungeschmack sind. Um eine mögliche Verbindung von Architektur und Plastik zu erhalten, bedurfte man einer echten formalen Kraft wie Hildebrand; und wenn die Malerei hätte dazu kommen sollen, so wäre Marées notwendig gewesen. Dann hätte die Sache sich debattieren lassen: aber nicht, wenn eine dem wahrhaft Formalen so ferne, so brillant-phraseologische, so sehr von höchster Technik und höchster Weltanschauung erfüllte Kraft wie Klinger oder Wagner vom Gesamtkunstwerk spricht und einen an sich schon leicht höchst mißlichen, ja dilettantischen Begriff für Generationen doppelt diskreditiert. ...

114 Amor und Psyche, 1880, Bl. 22, Kat. Nr. 152

115 Amor und Psyche, 1880, Bl. 23, Kat. Nr. 153

. . . In seinen »unzeitgemäßen Betrachtungen« sagt Nietzsche einmal, wir hätten in dem Moment, in dem wir über Frankreich den glänzendsten militärischen Sieg davontrugen, die schwerste kulturelle Niederlage erlitten. Die Geschichte der deutschen Malerei der jüngsten Vergangenheit gibt eine Illustration zu dieser These. Der falsche Stil, der sich im neuen Deutschland ausbreitete, war der Stil der Gründerperiode und der Welt, die mit ihr zusammenhing. Klinger ist der universalste Ausdruck dieser Welt. Er ist ihr originellster Ausdruck. Er ist ihr ästhetisches Zentrum.

Wilhelm Hausenstein, Die bildende Kunst der Gegenwart, Stuttgart und Berlin 1914, S. 211 ff.

Man wird einst an seiner Kunst beurteilen können, wie einer der Besten das Treiben dieser Zeit mitgelebt hat

Max Klinger ist vielleicht der einzige Künstler der Gegenwart, der sich an eine so schwierige Aufgabe, wie es die Charakteristik einer musikalischen Persönlichkeit in Bildern ist, heranwagen konnte. Ist er doch einer der wenigen bildenden Künstler, die an der Bewegung unserer Kultur nicht nur im engsten Rahmen ihres Handwerks teilnehmen. Weit davon entfernt, Augenmensch schlechtweg zu sein, wie es manche Modernen fordern, zeigt seine Kunst eine Persönlichkeit, die feinfühlig das Beste mitempfindet, das in der Zeit nach Ausdruck ringt. Man kann gerade in Wien angesichts seines Christus im Olymp beurteilen, wie sehr ihn z. B. die Idee eines Ausgleichs zwischen Hellenismus und Christentum Jahre hindurch beschäftigte. Und so hat er auch in anderen Bildern, Statuen und radierten Zyklen für seine Person ein Bekenntnis abgelegt, das ihn ganz durchglüht zeigt von Anbetung für die Schönheit der Natur, zugleich aber als den schärfsten Beobachter und unbarmherzigsten Kritiker des Großstadtlebens, endlich als getreuen und dankbaren Bewunderer der großen Künstler seiner eigenen Zeit, eines Menzel und Böcklin einer-, und eines Beethoven, Liszt und Brahms andererseits, wie sie seiner Individualität im Gebiete der Tondichtung am nächsten standen. Klingers Werke sind ein feiner Gradmesser für die Aufnahmsfähigkeit unserer Zeit all dem kulturell Weltbewegenden gegenüber, das sich in ihr abspielt. Man wird einst an seiner Kunst beurteilen können, wie einer der Besten das Treiben dieser Zeit mitgelebt hat. Ein solches Dokument ist auch Klingers Brahmsphantasie. Der bildende Künstler spricht darin anschaulich aus, was ihm die Brahmssche Musik mit dem Einblick in das musikalische Kunstwerk an Erkenntnis über Ziel und Zweck des Lebens selbst erschlossen hat.

Josef Strzygowski, Klingers Brahmsphantasie in öffentlicher Vorführung, Die Kunst für alle 31, 1916, S. 218 f.

116   Amor und Psyche, 1880, Bl. 24, Kat. Nr. 154

117   Amor und Psyche, 1880, Bl. 25, Kat. Nr. 155

118   Amor und Psyche, 1880, Bl. 26, Kat. Nr. 156

Seit Goethe und Beethoven hat die deutsche Kunst nichts Gewichtigeres aus den Tiefen und nichts höher zum Äther hin gehoben

Klinger-Ausstellung, irgendwann, irgendwo und so vollzählig – wie es gar keine gegeben hat. Tut nichts, wir stellen sie uns mal vor. Eine Menge Volks durchläuft sie: alte und junge Künstler und Kunstgelehrte mit Brillen von allen gangbaren Sorten, Bilderfreunde, Musikfreunde, Dichterfreunde, Herren und Damen aus und von außerhalb der Gesellschaft her, Männ- und Weiblein, wie sie der Bildungsdrang oder der Wunsch, mitzureden, oder die Hoffnung aufs Stelldichein beim Konzert oder auf die Spezialitätentorte beim Konditor zu Apoll und Dionysos führen. Vor den Radierungen, Gemälden, Skulpturen Berufene und Gerufene, Harmlose und Verschmitzte, Herzklopfige und Nasengähner. Das wär einmal eine Gelegenheit, zu erfahren, wie unser Volk zu Klinger steht? Wenn man sie nur offen reden hörte! Ziehn wir unsre Tarnkappen aus dem Futteral und belauschen wir Geeignete. Etwa diese zwei Liebesleute dort, die mit dem Einander-Emporbilden beschäftigt sind. Wie zeigt sich denen Klinger?

Sie: »Nein, wie ist er doch originell!«
Er: »Letztes Mal erinnert' er dich aber bald an Menzel, bald an Böcklin«?
Sie: »Tut er noch, er hat doch auch jedem ein Blatt gewidmet. Aber er ist doch auch wieder anders. Man erkennt ihn doch immer. Nur, siehst du, er muß doch wohl innerlich unharmonisch sein, denn mitunter ist er so edel und mitunter so abscheulich häßlich. Weißt du (sie blickt zur Seite) auch unanständig.«
Er: »Glaubst du, daß dich's immer zu ihm zurückziehen würde, wenn das dein letztes Gefühl wäre? Auch hinter seiner Unanständigkeit ist was Bessres.«
Sie: »Es ist überhaupt so viel bei ihm dahinter, was man zunächst gar nicht sieht. Bei jeder Wolke, die er zeigt, mein ich immer, sie verbirgt was.«
Er: »Und gerade das sei das Wichtigste, nicht? Ich versteh ihn auch oft nicht, aber ich fühle ihn immer. Und das Sonderbarste: so geht mir's sogar mitunter, wenn das, was er darstellt, ganz einfach und klar ist. Etwa ein Berg, eine Pflanze, ja ein Ornament. Wie kann einen denn das ergreifen? Und es tut's doch. Als wenn es ein Klinger-Geheimnis gäbe! . . .«
Sie: »Manchmal ist er aber nichts als bizarr, oder? Die Amphitrite ohne Arme, das mag ja vom verhauenen Block kommen, und ich begreif' auch: keine Arme, so sieht man den Rumpf um so andächtiger an. Torsoschönheit sagst du ja wohl. Aber der bunte Beethoven! Sein Kopf freilich . . . Dann der große ›Christus im Olymp‹, nein, da kann ich nicht mit – ist denn das nicht Stillosigkeit? Und bei den Radierungen steht mir oft der Ver-

120 Amor und Psyche, 1880, Bl. 28, Kat. Nr. 158

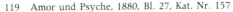

119 Amor und Psyche, 1880, Bl. 27, Kat. Nr. 157

121 Amor und Psyche, 1880, Bl. 29, Kat. Nr. 159

stand still. Der ›Handschuh‹, zum Beispiel, das ist doch einfach alles Unsinn, wo man sich gar nichts bei denken kann!«

Er: »Geb ich nicht zu. Aber wenn's wirklich so wäre: muß man sich denn immer was denken können, wenn einem was gefällt? Es ist eben etwas schön oder stark oder froh, und das geht in mich über.«

Sie: »Vetter Karl tut so überlegen, als verständ er's, fragt man ihn aber, weiß er auch nichts. Lustig wäre das? Ja, als ob Klinger sich über mich lustig machte.«

Er: »Kind, er erzählt doch von seinem Traum. Sage mal: lehnst du ihn denn etwa neuerdings ab?«

Sie: »Nein, wie du fragst!›An die Schönheit‹ und ›Prometheus‹ und das ›Schicksalslied‹ . . . und noch vieles, vieles . . .«

Beide schreiten in den Erfrischungsraum und beginnen, sich in Irdisches und Irdisches in sich zu vertiefen. Uns unserseits ruft das laute Sprechen zweier eifriger Herren von der Tür zurück, denn ihr Auftreten drückt ihre geistige Gewichtigkeit unverkennbar aus. Achtung, der Vorstand, Respekt, die Herren vom Fach! Künstler und Kunstgelehrte, Autoritäten und starke Geister.

»Sie genehmigen meine Offenheit, Herr Geheimrat,« sagt der zurzeit vortragende große Kritiker aus Berlin, »mir scheint, Sie sind durch das Literarische voreingenommen. Mein Gott, das ist doch schließlich Anekdoten-Radiererei. Das erzählt ja doch alles. Mitunter geistreich, na ja, mitunter, übrigens, ooch nich – aber ob geistreich oder blutarm, sehn Sie, ich will doch Kunst. Ist auch welche? Na ja, wie er anfing, geb ich zu, diese sogenannte Neubelegung Goyas, diese Zusammenarbeit von Aquatinta und Radierung und da und dort ja auch noch recht nett, was mit andern schätzbaren Instrumenten dazwischen – war damals ein Fortschritt, stimmt. Können wir aber nu! Ich bitte Sie, Herr Geheimrat, wo ist denn bei ihm, was wir so unter uns ›Strich‹ nennen? Denken Sie doch, wenn Sie die Neuesten nicht mögen, an die uralten Herren, meintwegen an Rembrandt, denken Sie doch an Ihren hochseligen Dürer, wo ist denn bei Klinger so was? Wie, von der Melancholie geht eine Linie zu seinem Tod-

Zyklus her? Von ›Ritter, Tod und Teufel‹ zum ›Und doch‹? Ach, ich meine doch nicht das Stoffliche, ich denke, wir reden von der Kunst. Gestatten: mir scheint das sogar noch die Frage, ob Dürer ein großer Zeichner war – aber angenommen, Herr Geheimrat, angenommen, dann geht's doch zu ihm rückwärts via Menzel-Chodowiecki. Den Strich, Herr Geheimrat, den künstlerischen, den individuellen, den persönlichen Strich, den such ich. Und die Klingerschen Gemälde, ich bitte, gehn Sie doch vom Stoff weg aufs Wesentliche – wie steht's da mit der Flächigkeit? Der Raumgliederung? Dem Farbenstil? Oder ist da Bewegungs-Linien-Stil? Denken Sie doch an Hodler! Was schlägt denn bei Klinger? Der Ausdruck? Beinah hätt ich auf die Expressionisten verwiesen, auf die richtigen rassigen – wenn schon, denn schon! Aber nein, Verehrter, mit der Plastik sollten Sie mir nicht erst kommen. Gehört zu Kastan. Oder ins Mineralmuseum in die Achatgegend. Auch beim Plastischen will ich Stil. Nichts mit eingeflickten schönen Steinen. Gibt sonst Verfallsache. Nicht so was als Rahmen, das von außen her aufs Bild kleckert . . .«

Der Herr Geheimrat kommt kaum zu Worte. Sein Angesicht arbeitet, als drohe Sturm. So gestikulieren sie mitsammen dahin, der Türe und unserm Brautpaare zu. Die Türe schließt sich. Ruhe.

Ja: Ruhe. Für friedliche Leute ist jetzt Verdau-Stunde nach dem Mittagessen. Die Säle sind leer. Und wir sind mit Klinger allein.

Auch mit den Vorwürfen gegen ihn, die wir eben gehört haben. Wie kommt es, daß sie uns alte Klinger-Freunde gar nicht weiter erregen? Sie sind uns nicht neu. Sie haben uns schon lange umschwirrt, und oft genug nicht bloß als Brummfliegen, auch als Bremsen, die stechen. Oder ist etwa einer unter uns, der sich an Klinger nicht schon geärgert hat? In jedem Vorwurf unsres

122 Amor und Psyche, 1880, Bl. 30, Kat. Nr. 160

123 Amor und Psyche, 1880, Bl. 31, Kat. Nr. 161

124 Amor und Psyche, 1880, Bl. 32, Kat. Nr. 162

grollenden Kritikus steckt etwas, das beißt, in jedem. Wie oft haben wir uns vor einer neuesten Gabe Klingers gedacht: wie konnte er nur! Teufel noch mal, die Frage schließt an: war er denn etwa wirklich ein Blender? Aber gottlob beruhigt uns eines: vom Besten, was wir an Klinger lieben, hat der kritische Kennersmann gar nicht gesprochen. Das ermutigt. Wie, unsern Klinger hat er überhaupt nicht bewertet, nicht beachtet? Und ein ganz lästerlicher Gedanke kommt: sollte der Kritiker gerade das, was uns an Klinger entzückt, etwa gar nicht sehn? Sollte gar sein Auge an Klingers Ich nur außen herumtasten und nicht hinein können? Sollte das innere Phänomen Max Klinger etwa seiner Phantasie – über die Kraft gehen? . . .
Streiten sie über seine Radierungen, seine Gemälde, seine Bildhauerarbeiten, so ist dieser Streit um seine Kunst fast immer einer, der bei der Verwendung seiner Kunstmittel stecken bleibt und sich aufbraucht. Es gäbe, sagen sie, bessere Bildhauer, Maler, Radierer als ihn, und mitunter sei er als Radierer, Maler, Bildhauer geradezu schlecht. Es wäre kein Weiterkommen in irgendeiner Kunst ohne den Stil – und gegen den Stil, da sündige er. Zwar hat Klinger als Griffelkünstler, Maler und Bildhauer Werke geschaffen, die auch in ihrem Sinne voller Stil sind, aber zugegeben: auch andre. Nehmen wir an, was wir bestreiten: daß ihm auf keinem der drei Gebiete das höchste, sagen wir: Fachlob gebühre. Aber der fachmännische Künstler ist ja nur eine »Erscheinung« des »Poeten« im höchsten Sinne, des Erzeugers, des Schöpfers. Eine – wie der echte Komponist und der echte Dichter auch wieder je eine sind. Es gibt noch andre. Und der »Poet« kann größer, reicher, auch absonderlicher sein, als das ihm Überkommenes zum Ausdruck genüge, dann schreitet er, um ins Unendliche zu schreiten, im Endlichen nach allen Seiten – und versucht. Gerät er dabei ins Dickicht, fällt er, so konstatiere das Kritikus zu Recht, doch tät er wohl gut, über den Gestrauchelten weg nach dem Ziele, meinethalben: nach der Fata Morgana auszuschaun, in deren Richtung das Verlangen des Suchenden wies. Die Fata Morgana spiegelt ja – was jenseits eines Horizontes liegt. Wer ihr in Kunstland folgen will, kann das nicht, indem sie sie betastet, »begreifen« will. Er kann es nur

mit der Phantasie. Denn die kann etwas Mißlungenes weg- und etwas Gesuchtes hinsehen. Hinsehen – und sei es nur als künstlerisch noch Ungeborenes, Geahntes, Ersehntes.
. . . Und wiederum zieht die lange Reihe seiner Schöpfungen an uns vorüber, die heute noch wie in Klingers Frühling blühen. Die Gaben anspruchsloser und anmutiger Heiterkeit, die sich im »Handschuh« zu den allerfeinsten Gebilden bildnerischen Humors zusammenfalten, die wir kennen. Die herben Niederschläge eines Ringens mit der Wirklichkeit, das ihr nicht ausweicht, das sie stellt und überwältigt und bindet. Das nämlich bedeuten ja Klingers »gezeichnete Schaueranekdoten«, beispielsweise in den »Dramen«. Ferner: die glossierenden, aber mehr als glossierenden Zeichnungen »zum Thema Christus«. Als »Intermezzo« seine Landschaftskunst: vom deutschen Simplizissimus-Wald bis zu all den südlichen Küsten des Paradieses. In »Blauer Stunde« träumt die Sehnsucht auf. Dasjenige Werk erscheint, das Antike und Neuzeit tragisch zusammenführt, der »Christus im Olymp«, das mächtigste aller »Historienbilder« der Welt. Und wie Gewitterwolken ballen sie sich empor, die griffelkünstlerischen Menschheitstragödien »Ein Leben«, »Eine Liebe«, »Vom Tode«. Die Wundergebilde der »Brahmsphantasie« ertönen mit dem »Schicksalslied«. Aus weißem Marmor treten aphroditische Frauen. Salome spukt, Kassandra klagt dazwischen. Die riesenhaften Häupter der Denker und Seher recken sich davor, bei denen der Marmor aufgelöst scheint in Licht und alle Form in Geist. Und im Beethovenwerk huldigt mit allen Prachten der sichtbaren Irdischkeit die körperliche Welt der Gesteine und Metalle dem Unsichtbaren, welches das Höchste ist, dem Schaffen. Wer nacherleben konnte und nacherlebt hat, was in all diesen Gebilden vom prometheischen Funken sprüht, wen ihr seelischer Gehalt »zermalmte und erhob«, der weiß, daß die deutsche Kunst seit Goethe und Beethoven nichts Gewichtigeres aus den Tiefen und nichts höher zum Äther hin gehoben hat.

Ferdinand Avenarius, Klinger in der Gegenwart, Max Klinger als Poet, München 1917, S. 3–11.

125   Amor und Psyche, 1880, Bl. 33, Kat. Nr. 163

126   Amor und Psyche, 1880, Bl. 34, Kat. Nr. 164

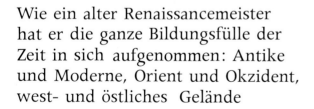

Wie ein alter Renaissancemeister hat er die ganze Bildungsfülle der Zeit in sich aufgenommen: Antike und Moderne, Orient und Okzident, west- und östliches Gelände

Einer von den Sehern und Begabten ist Max Klinger immer gewesen, auch (oder richtiger: gerade) in den Zeiten seines entschiedensten und bittersten Realismus. Er hatte jenes zweite Gesicht, das seine Lieblinge Flaubert, die Goncourts, Zola und sein teurer Führer Goya hatten. Bei ihm auch schieden sich »Wissen und Nutzen« und »nahmen das Gefühl zu sich als Drittes«. Wie ein alter Renaissancemeister hat er die ganze

Bildungsfülle der Zeit in sich aufgenommen: Antike und Moderne, Orient und Okzident, west- und östliches Gelände. Wie allen grossen Dichtern, die auf Klassizität Anspruch haben, ist das Vergängliche ihm nur ein Gleichnis: er braucht nicht Sinnbilder zu schaffen für seine Ideengänge – jeder Wirklichkeitsfund kann ihm zum Sinnbild werden. Der »Nutzen«: Klinger bohrt sich wohl auch mit dem Intellekt in die Flucht der Erscheinungen ein, weil er erkennen und durch die Erkenntnis die Sünde blossstellen und die Schönheit reinigen und eine höhere Sittlichkeit heraufführen möchte.

Man hat diesen latenten Anklagegeist, diesen mystischen Erkenntnisdrang, diese philosophisch überlegene Grübelsucht als etwas besonderes Deutsches an ihm verkündet: aber auch Goya war ein Grübler, und wer Félicien Rops, mit dem Klinger sich in der Motivreihe berührt, die ihn auch zu einer leisen Denkverwandtschaft mit Oskar Wilde und August Strindberg führte, –

128

127 Amor und Psyche, 1880, Bl. 35, Kat. Nr. 165

128 Amor und Psyche, 1880, Bl. 36, Kat. Nr. 166

wer Rops, sage ich, persönlich genauer kannte, der weiss, in welch tiefer, rätselhafter Andacht sich dieses so starke wie empfindliche Belgiergehirn mit dem Sexualproblem als mit einem Gesellschaftsproblem herumschlug. Klinger ist unser, aber dem Wesen nach gehört er der Welt. Schönheit und ethische Wahrheit sind eins in seiner Weltanschauung; doch niemals haben bis heute die Verstandesenergien das Leben und Lebensform suchende Auge wesentlich beschattet und getrübt: Zweckhaftigkeit und Wissenstriebe wurden gebunden und neutralisiert von einer genialen Kunstempfindung, die sich mit mannigfachsten Ausdrucksmitteln Gefässe einer schöpferischen Persönlichkeit schuf. Letzten Endes ist sein scheinbar verwickeltes Lebenswerk sehr einfach, so viel auch von einem Weisheitsbund verzückter Klingerfreunde da herausinterpretiert und hineingeheimnist wurde.

Julius Elias, Max Klinger, Opus XIV, Kunst und Künstler, 15, 1917, S. 86 ff.

Jenseits von Schön und Häßlich ist Klingers Werk ein Bestandteil der deutschen Bildung geworden

Vor wenigen Monaten – am 18. Februar – ist Max Klinger sechzig Jahre alt geworden. Dieser Anlass, über ihn, seine Leistung, seine Stellung und seinen Ruhm öffentlich zu sprechen, hat, soweit ich es verfolgen konnte, zur erwünschten Klärung des Urteils oder gar zur Einigung nicht viel beigetragen. Der

Pendel schwang weit, von kritikloser lokalpatriotisch gesteigerter Huldigung zur Erwägung, in der sich Bedenklichkeit und Widerstand regten. Der Maassstab, mit dem gegenwärtig Schöpfungen der bildenden Kunst gemessen werden, schien zu versagen. Manche Kunstfreunde gedachten etwas verschämt ihrer ehemaligen Klinger-Begeisterung wie einer Tanzstundenpassion, und nicht wenige schwiegen, um nicht ein Streben ablehnen zu müssen, dessen hohes Ziel ihnen Respekt einflösst.

Jenseits von Schön und Hässlich ist Klingers Werk ein Bestandteil der deutschen Bildung geworden, und er hat in der Walhalla des deutschen Volkes seinen Platz nicht allzuweit von Richard Wagner entfernt.

Wir wollen im Urteil sauber unterscheiden zwischen Klingers Ruhm und seiner Leistung. Dieser Meister hat einige Vorurteile, Neigungen und Ansprüche des deutschen Publikums so vollkommen befriedigt, dass der Verdacht entstehen konnte, er habe es als ein Charlatan darauf angelegt, diesen Instinkten entgegenzukommen. Solches Misstrauen ist unberechtigt. Klinger war stets ehrlich und echt, in seiner Weise sogar naiv; sein Schaffen ist organisch gewachsen aus einer originellen Begabung. Seine Phantasie war triebkräftig zur Bildgestaltung, wenn auch musikalisch erregt, gedanklich belastet und literarischen Anstössen nachgiebig. Indem er seiner Natur nach zwischen den Kunstgattungen seinen Weg suchen musste, hat er Bilder, Radierungen und Skulpturen hervorgebracht, die auch den ewig Blinden etwas bedeuten, wie Wagners Musikdramen unmusikalischen Ohren die Welt der Töne erschliessen. Nietzsche hat mit seiner berühmten Streitschrift die Kunst Wagners schwerlich ins Herz getroffen, gewiss aber einem gerechten Zorn Ausdruck gegeben gegen den trüben Nebel von falschem Idealismus, der Wagners Werk umdampft. Und gefährlichem Missbrauch wie ein Narkotikum ist auch Klingers Schöpfung ausgesetzt.

Max J. Friedländer, Max Klingers Radierungen, Kunst und Künstler, 15, 1917, S. 305 f.

129 Amor und
Psyche, 1880,
Bl. 37, Kat. Nr. 167

Hier liegt der Abweg, von dem aus Klinger oft falsch gepriesen und falsch getadelt wird

Als Klinger diese Drei-Einigkeit vollendet hatte, löste sich sein Genius in neuen Lauten und hob sich über den holden Schein der Malerei. Der Sinn für plastische Form war in ihm früh entwickelt: das zeigt sein graphisches Werk, das zeigen seine Gemälde. Er war nie ganz Graphiker, nie ganz Maler, und ist auch schließlich nie ganz Plastiker geworden. Man greift nicht fehl, wenn man seiner Plastik das Wort malerisch anheftet. Sicher aber trifft man ins Ziel, wenn man solche Betrachtung, zu der jedes einzelne seiner Werke verführt, beiseite läßt und den Kern von Klingers Wesen eben darin findet, daß er nicht in irgend einer bestimmten Technik seine ganze Welt empfunden hat, als Meister jeder bildnerischen Ausdrucksform greift er nach der Verkörperung, die ihm die stärkste Verdeutlichung seiner Absichten bietet. Denn – das sei hier noch einmal ausgesprochen – das Formproblem ist für Klinger alles, nicht der Gedanke. Ob er, in der Auswirkung von Pariser Erlebnissen, die moderne Salome mit allen Mitteln einer raffinierten Technik verkörpert; ob er die erregte, entladungsschwere Schöpferkraft Beethovens im Götterstandbild offenbart; ob er Friedrich Nietzsches Menschentum mit naturalistischer Eindringlichkeit auferstehen läßt – immer ist es der Ausdruck, die Form, um die er ringt. Klinger ist also kein Poet, kein Denker, sondern ein Bildner. Hier liegt der Abweg, von dem aus Klinger oft falsch gepriesen und falsch getadelt wird.

Gustav Kirstein, Die Welt Max Klingers, Berlin 1918, S. 1–9 (Liebesgaben Deutscher Hochschüler, 8. Kunstgabe).

131 Amor und Psyche, 1880, Bl. 39, Kat. Nr. 169

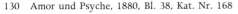

130 Amor und Psyche, 1880, Bl. 38, Kat. Nr. 168

Dafür danken wir dir, Max Klinger

Die Freie Sezession, deren Ehrenmitglied Max Klinger lange Jahre hindurch gewesen ist, schickt durch mich einen letzten Gruß. Mich aber drängt es, an dieser Stelle für meine eigene Person dem toten Meister meinen Dank zu sagen. Was mir Max Klinger in meiner Jugend gewesen ist, ist schwer in Worte zu fassen. Es war ein ganz großes Erleben, als ich die Radierungen von Klinger kennenlernte. Und wie mir ging es vielen tausend anderen. Wir jungen Leute drängten uns zu den Kupferstichkabinetten in München, in Berlin, um Klingers Radierungen zu sehen. Was uns fortriß, was wir liebten in diesen Blättern, war

132 Amor und Psyche, 1880, Bl. 40, Kat. Nr. 170

nicht die technische Meisterschaft. Der ungeheure Lebensdrang, die Energie des Ausdrucks waren es, was uns daran packte. Wir wußten: Max Klinger bleibt nicht an der Oberfläche der Dinge haften, er dringt in die dunkle Lebenstiefe. In diesen Blättern brauste und tönte es, wie in dem Blatt aus der Brahmsphantasie, wo eine ungeheure Musik einem entgegentönt. Alle Register des Lebens zog er auf, das gewaltige herrliche und traurige Leben faßte er und deutete es uns. Dafür danken wir dir, Max Klinger.

Käthe Kollwitz, Ansprache zur Beisetzung von Max Klinger, 8. Juli 1920. Käthe Kollwitz, Bekenntnisse, ausgewählt und mit einem Nachwort von Volker Frank, Frankfurt am Main 1982, S. 49.

133 Amor und Psyche, 1880, Bl. 41, Kat. Nr. 171

Klinger war der moderne Künstler schlechthin

Einige Überlegungen zuvor

Deutschland liegt in der Mitte Europas. Dieses Schicksal setzt eine Barriere gegen die Länder am Mittelmeer und im Orient. Italien und Frankreich sind Griechenland und Afrika nahe. Die Deutschen aber können den Geist und den Atem dieser Länder nicht spüren – es sei denn, sie durchqueren die Wälder und Gebirge, die ihr Land im Süden und Osten umschließen. Ob eine derartige Situation einen guten oder einen schlechten Einfluß auf die intellektuellen Äußerungen eines Landes und das Schaffen seiner besten Künstler haben kann?

Betrachten wir den Einfluß, den Griechenland erst bei den Römern und dann viel später bei den Italienern der Renaissance gewann. Fragen wir uns, ob er mehr in der Form oder eher im Geiste geschah. Ich kenne keinen italienischen Philosophen, Dichter, Maler oder Bildhauer, den das Mysterium Griechenlands »aufgerüttelt« hätte. Ich sage das nicht, um meinen Landsleuten Vorwürfe zu machen. Sie waren und sind von anderen Mysterien bewegt, von denen unserer Erde und unserer Rasse. Sie stehen in nichts hinter den Mysterien der Kunst, des Denkens und der Erscheinungsformen auf der hellenischen Halbinsel zurück. Frankreich kann sich keines derartigen Ausgleichs für seinen Mangel an Verständnis für den griechischen Geist rühmen. Es hegt eine außerordentliche Sympathie für den Orient, in dem wenig oder gar nichts zu verstehen ist. Es liebt ihn, weil er in vielen Farben schillert. Seine Dichter, Schriftsteller und Maler werden nicht müde, die Herrlichkeit und die Pracht Marokkos, Arabiens, Ägyptens und der kleinasiatischen und

europäischen Türkei zu schildern. Einige seiner Philosophen
widmen einen guten Teil ihrer Arbeit dem Studium der orientalischen Märchen. Es scheint, als ob sie in Entzücken geraten,
wenn sich ihnen die Gelegenheit bietet, den komplizierten und
langen Namen einer berühmten Sultanin oder eines bekannten
Eunuchen zu schreiben.

Sehen wir uns François Marie Arouet an, den schrecklichen
Philosophanten von Ferney[1]. In seinen ›Visions de Barbouc‹
brachte er alle seine bittere und sarkastische Kritik gegen die
französische Gesellschaft und die Stadt Paris an den Mann,
indem er in wortreichen Anspielungen die Menschen, die Gesellschaft und die Länder des asiatischen Orients darstellte.
Nicht anders, wenn er im »Zadig« die Heldentaten der persi-
schen Märchen in Erinnerung rief oder im »Babarek« über
Indien phantasierte.

Sprechen wir nicht vom orientalischen Einfluß auf geniale Maler
wie Delacroix und mittelmäßige Schriftsteller wie Benjamin
Constant. Nicht zu vergessen schließlich die kraftlosen Romane
des Philotürken Pierre Loti.

Die Schranke, die zwischen Deutschland und dem Mittelmeer
und dem Orient liegt, ist wirkungsvoll. Wenn seine genialen
Männer tiefer in diese Welt eindringen wollen, müssen sie sich
wie Gefangene hinter den Gittern der hohen Fenster aufrecken,
sich abmühen, sich anstrengen und das ganze komplizierte Rä-
derwerk des Denkens und der Phantasie in Gang setzen. Dank
der so großen Distanz und der so großen Mühe, nehmen sie das,
was sie zu sehen und zu begreifen wünschen, dann besser und
gründlicher auf.

Das Phänomen gleicht dem, das der geniale Mann erfährt. Er
wird eher von Menschen erkannt und begriffen, die ihn kaum
kennen und ihm fernstehen, als von seinen Eltern und Verwandten und von engen Freunden. Man könnte auch das Beispiel der Landschaft anführen: Sie offenbart den Geist ihrer
Skulpturen nur dem, der sie aus einer gewissen Entfernung
betrachtet.

134   Amor und Psyche, 1880, Bl. 42, Kat. Nr. 172

Der mythisch-griechische Geist

Wenn man das Werk von Max Klinger betrachtet, vor allem
seine Radierungen, so ist man betroffen von der bizarren und
phantastischen Art und Weise, in der er den griechischen Mythos darstellt. Diese Blätter überraschen aus einem besonderen
Grund. Bevor man sie gesehen hat, hätte man keine »griechische
Kunst« in Klingers Werk vermutet. Nachdem man sie kennengelernt hat, weiß man dagegen, daß es in ihr seinen Ursprung hat.
Das Werk Klingers ist voller Phantasie und reich an bildneri-
scher Kraft. Es könnte auf den ersten Blick jenen, die metaphy-
sisch nicht genau definieren, allerdings paradox und sinnlos
erscheinen. Es basiert jedoch immer auf einer eindeutigen, stark
empfundenen Realität. Delirien und Wahnvorstellungen kennt
es nicht. In all dem zeigt sich Klingers Genialität.
Man sehe sich die Radierung »Der befreite Prometheus« aus der

Serie »Brahmsphantasie« an. In dieser Arbeit ist nichts unklar
und verworren. Über ein Stück schaumbedeckten Meeres wird
Prometheus, lastend wie ein Verwundeter oder Kranker, von
Merkur und dem Adler des Zeus fortgetragen. In der Gruppe
wird die *reale* Anstrengung der drei genau dargestellt. Der
Flügelschlag des Adlers, der gezwungen ist, gegen den Wind zu
fliegen und eine schwere Last zu tragen, zeugt von einer außer-
ordentlichen Beobachtungsgabe. Ebenso die Haltung des Merkur, der wie ein fliegender Geist aussieht. Er umfaßt die Knie
des Prometheus, der sich verzweifelt fest an den Adler klammert. Währenddessen fallen die Blätter des Lorbeerkranzes, den
die Menschheit dem Prometheus für den Raub des göttlichen
Feuers verlieh, nach und nach ab . . .[2].
Um die Szene noch realer zu machen, stellt Klinger die fliegende

135 Amor und Psyche, 1880, Bl. 43, Kat. Nr. 173

Gruppe in die Augenhöhe des Betrachters, der auf diese Weise an dem merkwürdigen und aufregenden Flug teilnimmt.

Diese Komposition erweist sich als genial, weil sie beim Betrachter den Eindruck eines Ereignisses erweckt, das tatsächlich geschah. Sie erinnert ein wenig an Böcklins »Kentaur vor der Schmiede«. Wenn wir ihn betrachten, glauben wir für einen Augenblick, daß es wirklich einmal Kentauren gegeben hat; wir meinen, daß wir noch heute auf einige überlebende Exemplare stoßen könnten, wenn wir durch eine Straße gehen oder auf einen Platz kommen.

Möglich, daß der Einfluß Böcklins Klinger angespornt hat, in zahlreichen Radierungen die mythische Existenz zu verwirklichen, die uns so merkwürdig erregt. Er stellt den Kentauren, den Faun, den Triton nicht inmitten der einsamen Natur oder in Begleitung von Göttern und Halbgottheiten dar, wie es die Künstler stets zu tun pflegen. Bei ihm treten sie in der Gesellschaft des Menschen und in einer überraschenden Realität auf, sie sind »natürlich«. Beim ersten Blick haben wir den Eindruck, daß diese Wesen tatsächlich existieren.

Klingers bedeutendste Radierung dieser Art ist der »Kentaur und die Wäscherinnen«. Ein Kentaur hat sich den ersten Häusern eines Weilers genähert. Er wirkt wie ein klassisches Standbild. Gegen einen Felsen gelehnt plaudert er gelassen mit zwei Wäscherinnen, die am Ufer eines Baches ihre Tücher spülen. Eine andere Radierung trägt den Titel »Der fliehende Kentaur«. Nahe den ersten Häusern einer Ortschaft sehen wir, wie ein großer Kentaur durch die Weizenfelder flieht. Er ist mit einem Bogen bewaffnet. Sich halb umdrehend wie ein Parther, schießt er mit Pfeilen hinter sich. Einige Männer verfolgen ihn, tief auf ihre galoppierenden Pferde gebückt. Eines der Pferde bäumt sich auf. Ein Pfeil des Kentauren hat es in die Gurgel getroffen.

Wenn es um die Landschaft geht, malt Klinger fast immer Küsten, Buchten und Inseln. Er bereichert sie durch Pinien, die verkrümmt auf überhängenden Felsen stehen.

Seine Landschaften sind poetisch und philosophisch im Sinne einiger Philosophen aus Kleinasien und einiger Denker und Dichter aus Großgriechenland. Sie liegen im Glanze des Mittel-

meeres. Glückliche Menschen lagern sich am Meeresstrand oder im Schatten der Pinien. Die Sonne scheint, brennt aber nicht. Ein leiser Hauch von Schwermut liegt über allem, über dem Wasser, der Erde, den Pflanzen, den Menschen und Tieren. Stark empfunden ist der weite, aber nicht beängstigende Horizont.

Nach dem, was ich dargelegt habe, steht Klinger dem Geist seiner Landschaft nach im Gegensatz zu Böcklin. Dieser erfuhr die Tragik der nördlichen, kontinentalen Natur. Er beschwor weit zurückliegende Ereignisse aus dunklen und unruhigen Zeiten und heilige Stätten, die den Nordwinden und der Macht der nordischen Dämonen ausgesetzt waren; die weissagenden Eichen von Dodona (»Heiligtum des Herakles«); bewaldete Berge in Thessalien, von wilden Kentauren bewohnt und dunkle Zypressen, von den Stürmen des Meeres zerzaust und gebeugt (»Toteninsel«, »Villa am Meer«). Klinger, geistig viel kompli-

136 Amor und Psyche, 1880, Bl. 44, Kat. Nr. 174

zierter, wenngleich weniger klassisch als Böcklin, integriert in einem Bild Szenen aus der Gegenwart und antike Erinnerungen. Er gewinnt auf diese Weise eine Traumrealität von großer Eindruckskraft. Betrachten wir die Radierung »Akkord« aus der Brahmsphantasie. Auf dem Meere ist ein Gerüst aufgebaut; Wellen und Schaum bedecken es. Auf ihm sitzt ein Pianist vor einem Klavier. Er trägt einen schwarzen Anzug, er spielt so, als ob er in der Wärme und der Ruhe eines Konzertsaales wäre. Neben ihm sitzt eine Frau. Hinter beiden hängt ein vielfältiges Segel. Es bewirkt einen geheimnisvollen Horizont. Unten im Wasser hat ein Triton alle Mühe, eine gewaltige Harfe zu tragen, die der Wind ihm gegen die Stirn drückt. Meerfrauen spielen auf dem Instrument.

Auf dem Meere kreuzt eine Barke, eine Art von *cutter*. Schräg im ungestümen Wind liegend, fährt sie schnell einem unbekannten Ort entgegen. Im Hintergrund bilden hohe Felsen ein Becken. Geschützt vor Winden und Stürmen liegt das Meer dort ruhig und dunkel. Weiß leuchtet der Marmor einer Villa.

Klinger wollte diese auf paradoxe Weise poetische Szene noch realer machen. Er hat deshalb neben den Pianisten eine kleine Treppe aus Holz gestellt – ähnlich denen, die wir in den Badeanlagen am Meer finden. Man sieht die ersten Stufen, die ins Wasser gehen. Die Idee des Treppchens zeigt eine außerordentliche Genialität. Wenn ich in die Erinnerungen an meine Kindheit zurückgehe, fällt mir ein, daß die Treppchen an den Badekabinen mich stets aufgeregt und bestürzt haben. Diese wenigen Stufen aus Holz, bedeckt von Algen und Schimmel – mir schien, ich müßte hinabsteigen, Meile um Meile, bis in das Herz des finsteren Ozeans. Diese Empfindung kehrte wieder, als ich die Radierung von Klinger sah. In ihr hat das Treppchen allerdings einen anderen Sinn. Es verbindet die reale Szene mit der irrealen. Beide sind mit denselben Mitteln ausgeführt. Trotzdem ist die irreale Szene nicht nebelig und verworren dargestellt – wie das viele Maler machen, wenn sie irreale Bildpartien schaffen. (Man denke an ›Rêve‹ von Detaille[3]). Wir haben nämlich den Eindruck, daß der Pianist, das Instrument verlassend, in das Wasser steigen kann. Andererseits können die Meerwesen die kleine Treppe hinaufsteigen und sich auf dem Gerüst niederlassen.

Das Bild ist Traum und zugleich Realität. Wer es betrachtet, meint, die Szene schon einmal gesehen zu haben. Er kann sich aber nicht an das Wann und Wo erinnern.

An Hintergründigkeit und metaphysischem Sinn ließe sich das Traumbild Klingers in der Literatur mit der Geschichte von Thomas de Quincey[4] vergleichen, die von einem merkwürdigen Traum handelt. Er erzählt, wie er sich in den Sälen eines festlich beleuchteten Schlosses wiederfindet. Damen der alten Zeit und Kavaliere tanzen. Plötzlich ruft eine mysteriöse Stimme *Consul romanus*. Der Konsul erscheint mit den Legionen. Er klatscht dreimal in die Hände. Daraufhin löst sich die tanzende Gesellschaft in nichts auf. Rings um den Konsul werden die Feldzeichen und Standarten aufgestellt. Dann kracht das gewaltige »Hurra« der Legionen.

137   Amor und Psyche, 1880, Bl. 45, Kat. Nr. 175

138   Amor und Psyche, 1880, Bl. 46, Kat. Nr. 176

139 Ein Handschuh, Zeichnung zu Bl. 1, 1878, Kat. Nr. 38

140 Ein Handschuh, 1881, Bl. 1, Kat. Nr. 177

Es gibt nicht viele Menschen, die imstande sind, derartige Bilder zu ersinnen und zu verwirklichen. Man begreift durchaus, daß Klingers Radierungen meist unverstanden bleiben. Sie verursachen nicht den Spektakel, den manchmal das Werk jener Maler auslöst, deren Unzulänglichkeit und Impotenz man in Genialität verwandeln will.

Der romantisch-moderne Geist

Aus dem modernen Leben, aus der kontinuierlichen Entwicklung der Geschäfte, der Maschinen und Konstruktionen, aus dem *comfort* des gegenwärtigen Fortschritts gewann Klinger den romantischen Geist seiner eigenwilligen und tiefen Ansichten. Was ist diese Romantik des modernen Lebens?
Romantisch ist die Sehnsucht, die leise durch Europas Metropolen zieht, durch die Straßen, die schwarz von Menschen sind, durch die City, die vor Geschäftigkeit dröhnt, durch die Vorstädte, in denen sich die Geometrie der Fabriken und Werkstätten ausbreitet. Sie erreicht die Mietskasernen, die wie kubische Archen aus Stein und Zement mitten im Meer der Häuser und der Baustellen vor Anker gegangen sind, während sie in ihren Seitenwänden die Härte, den Schmerz und die Hoffnung des schalen Alltags komprimieren. Romantik ist die herrschaftliche Villa in der bedrückenden Wärme eines Frühlingsmorgens oder in der Mondstille einer Sommernacht mit geschlossenen Fensterläden hinter den Bäumen des Parkes und dem schmiedeeisernen Gittertor. Romantisch ist das Heimweh der Bahnhöfe, der Ankunft und der Abfahrt; die Melancholie der Überseehäfen mit ihren Transatlantikdampfern, die ihre Taue lösen und bei Nacht über den schwarzen Wassern leuchtend wie eine

Stadt am Feststage auslaufen... Klinger wird von diesem modernen Drama tief ergriffen. In mehr als einem Werk verwirklicht er es ausdrucksvoll. Auf der Radierung »In flagranti« sehen wir das wehmütige Bild der Villa, das ich skizziert habe. Es wurde in jener gespenstischen Dramatik erweitert, die sich in gewissen geglückten Filmszenen findet. Mondnacht. Man sieht die Hauswand einer Villa. Zwischen den Läden eines Fensters im zweiten Stockwerk hat ein Mann, der Ehemann, auf das ehebrecherische Paar geschossen, das auf der Terrasse des Erdgeschosses stand. Er hält noch das rauchende Gewehr in der Hand. Tauben, vom Schuß aufgeschreckt, flattern verloren sich weiß vom schwarzen Himmel abhebend wie Vögel der japanischen Malerei. Der Liebhaber ist auf die Steinplatten gestürzt. Man sieht nichts als die Beine und einen Zipfel der Jacke. Der übrige Körper wird von einem Postament verdeckt auf dem eine große Vase posiert. Die Frau, von Entsetzen gepackt, versteckt sich und drückt die Hände gegen ihre Ohren. Voller Angst befürchtet sie einen zweiten Schuß. Die Pflanzen und die großblättrigen Bäume, die ringsherum wachsen, steigern den unheimlichen tragischen Eindruck der Szene. Diese Radierung ist eine der schönsten Imaginationen Klingers. Wie schon gesagt: Er besitzt eben die dramaturgische Gabe, die in einigen Filmdramen zu beobachten ist, in denen Personen der Tragödie und des modernen Lebens zwischen erschreckend realen Szenen in magischen Augenblicken identisch werden.
In der Folge der Radierungen, die den Titel »Paraphrasen über den Fund eines Handschuhs« trägt, bereichert Klinger den romantisch-modernen Geist um die Phantasie des Träumers und des Erzählers. Sie ist schwarz und unendlich melancholisch. Die Serie ist ein Stück Autobiographie, eine Erinnerung an eine Episode seines Lebens. Als Klinger eines Abends Rollschuh lief,

fand er auf dem Boden der Bahn einen Damenhandschuh. Er hob ihn auf und nahm ihn mit sich. Soweit die erste Radierung. Aus dem Fund des Handschuhs entwickelte der Künstler dann eine phantastische Geschichte; sie ist voll von bewundernswerter dichterischer Phantasie. In dem zweiten Blatt, das »Der Traum« heißt, sitzt er in seinem Bett, das Gesicht in die Hände vergraben. Der Handschuh liegt auf dem Nachtschrank neben der brennenden Kerze. Die Wand im Hintergrund öffnet sich wie die Szene eines Theaters. Wir blicken in eine weite und wehmütige Frühlingslandschaft. In den folgenden Radierungen kommt es zu anderen Visionen. Die Frühlingslandschaft hat sich in ein Meer verwandelt, das der Sturm aufwühlt. Die Sturzwellen schäumen bis ans Bett und rauben den Handschuh. Der Schläfer träumt dann, auf hoher See zu sein, allein in einem kleinen Boot, das die Wellen tanzen lassen. Ungeduldig versucht er, mit einem Haken den Handschuh wiederzufassen, der auf den schäumenden Wassern schwimmt.

Plötzlich hat sich der Handschuh riesig vergrößert. Er wurde zu einem Symbol der geheimnisvollen und quälenden Liebe. Triumphal fährt er in einer Muschel dahin, die von flinken Seepferden gezogen wird. Er hält sie am Zügel, die langen und leeren Finger aus Leder zusammenpressend. In der nächsten Radierung liegt der Handschuh auf einem glattgewaschenen Felsen, der wie ein Grabmal am Strande des Meeres steht. Alte Lampen brennen an den Seiten. Die Wellen tragen Rosen heran, die sich zu Füßen des Felsens ausbreiten.

Jetzt wird der Traum zur Qual; er verwandelt sich in einen Alptraum. Das Meer dringt in das Schlafzimmer ein. Der Schläfer kehrt sich voll Schmerz und Angst von der Seitenwand ab. Über den Wellen erscheint, den Mond verdunkelnd, der am Horizont aufgeht, ein gigantischer Handschuh, aufgeblasen wie ein Segel, das im Sturm steht. Merkwürdige Meerwesen tauchen aus dem Wasser auf; sie wenden sich mit feindseligen Gesten gegen den Träumenden, der den geliebten Handschuh profanieren will. Der Alptraum vom Meer vergeht und der Schläfer sieht den Handschuh, der seine ursprüngliche Gestalt zurückgewonnen hat, auf dem Tisch eines eleganten Ladens liegen. Hinter dem Tisch ist ein Regal, das an eine Barriere oder einen Gewehrständer erinnert. An ihm hängt eine Reihe handfester und riesenhafter Handschuhe. Aber siehe da, ein monströser Vogel spaziert über das Regal. Er schnappt sich den Handschuh und fliegt aus dem Fenster. Der Träumende stürzt sich aus dem Bett und springt hinterher. Der Vogel aber ist schon fern.

Die letzte Radierung bringt den Epilog der Fabel. Der Träumende ist erwacht. Der Handschuh liegt immer noch auf dem Nachtschrank neben dem Bett. Der reizende Jüngling kommt uns lächelnd entgegen als ob er sagen will, daß alles nichts anderes gewesen sei als ein böser Traum.

141   Ein Handschuh, Zeichnung zu Bl. 2, 1878, Kat. Nr. 39

142   Ein Handschuh, 1881, Bl. 2, Kat. Nr. 178

144　Ein Handschuh, 1881, Bl. 3, Kat. Nr. 179

◁ 143　Ein Handschuh, Zeichnung zu Bl. 3, 1878, Kat. Nr. 40

145 Ein Handschuh, Zeichnung zu Bl. 4, 1878, Kat. Nr. 41

146 Ein Handschuh, 1881, Bl. 4, Kat. Nr. 180

Die Malerei

Gleich allen Malern, die mit einem tiefgründigen und hellen Geist begabt sind, hat Klinger in seiner Malerei nichts anderes angestrebt, als präzise, solide und perfekt die Bildgedanken und Gefühle auszudrücken, die in bedrängten. Darum stand er niemals unter dem Einfluß des französischen Impressionismus. Lehrreich waren für ihn dagegen die pompeianische Malerei und unsere Meister des 15. Jahrhunderts. Er suchte stets die geistvolle und vollendete Zeichnung, die gediegene Form. Er hat in Öl und Tempera gemalt, er hat sich lange Zeit mit dem verwickelten Problem der Farben und des Firnisses beschäftigt.

Eines der wichtigsten Werke dürfte »Die Kreuzigung« sein. In diesem Bild hat Klinger von der Bühne gelernt. Er nützt die eigenartige, metaphysische Verwandlung, die wir bei den Schauspielern in antiken Tragödien beobachten. Er greift auf die symmetrische Bühnendisposition zurück, in der wir die Hauptpersonen in der Mitte der Szene und zu Seiten den Chor und die Akteure zweiten Ranges sehen.

Das ganze Bild ist theatralisch; aber nicht in dem Sinne, den man gemeinhin dem Begriff gibt. Es gibt Maler, bei denen das Theatralische des Werkes ein Element ist, das ins Bild kommt, ohne daß sie es ihrem künstlerischen Wollen unterwerfen. In diesem Falle sinkt der ästhetische und spirituelle Wert. In der Malerei Klingers aber ist der theatralische Aspekt bewußt gewollt. Er hat nur dessen metaphysische Seite übernommen. Auf diese Weise wird die Ausdruckskraft des Werkes nicht gemindert, sondern verstärkt.

Das Panorama der Häuser und Türme von Jerusalem, das hinter den Personen steht, wirkt wie ein Bühnenbild. Die Akteure stehen alle auf der gleichen Bildebene, auf einer Art Terrasse, anscheinend eine Hochebene, die mit Platten belegt wurde. Sie ist für den Vollzug des Todesurteils bestimmt.

Die drei Gekreuzigten hängen an kurzen Kreuzen. Ihre Füße berühren fast die Erde. Christus, im Profil erfaßt, sieht nicht wie

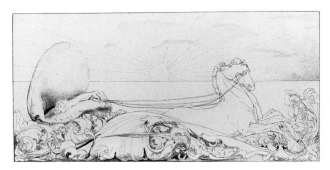

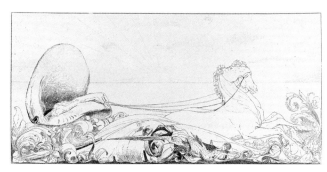

147 Ein Handschuh, Zeichnung zu Bl. 5, 1878, Kat. Nr. 42

148 Ein Handschuh, 1881, Bl. 5, Kat. Nr. 181

149 Ein Handschuh, Zeichnung zu Bl. 6, 1878, Kat. Nr. 43

150 Ein Handschuh, 1881, Bl. 6, Kat. Nr. 182

ein Sterbender aus. Er gleicht vielmehr einem Menschen, der lebt und leidet, Sinnbild des außergewöhnlichen Mannes und seines Schicksals. Vor Christus steht eine Gruppe, in der man Magdalena erkennt. Die Mutter hält sich ernst, vergeistigt, statuarisch abseits. Links treten Zuschauer auf. Sie sehen aus wie Akrobaten auf dem Jahrmarkt oder Komparsen der Opernbühne. Eine Gruppe von Rabbinern und hebräischen Schriftgelehrten rundet das Bild ab.

Die »Kreuzigung« wurde in Paris ausgestellt. Wie nicht anders zu erwarten, blieb sie trotz ihres hohen spirituellen und malerischen Wertes unbeachtet. Nach Deutschland zurückgekommen, wurde das Bild für das Museum in Hannover angekauft. Dort ist es heute noch. Die Aufmerksamkeit und das Interesse für dieses Gemälde wuchsen immer mehr. Heute gilt es als Meisterwerk der modernen deutschen Malerei.

Ein anderes bedeutendes Gemälde von Klinger heißt »Der Spaziergang«. Vor einer langen und niedrigen Mauer aus Klinkersteinen ergehen sich einige Männer in der Sonne. Ihre Schatten fallen auf den Boden und zeichnen sich an der Mauer ab. Der Horizont ist leer. Die Mauer macht den Eindruck, als bedeute sie die Grenze der Welt. Hinter ihr scheint nichts mehr zu sein. Das Gefühl der Langeweile und des unendlichen Staunens, die Frage, die in der Linie des Horizontes steht, dies alles durchdringt das ganze Bild: die Figuren und den Erdboden, den Schatten und das Licht. In einigen anderen Bildern geht Klinger dagegen in die Irre. Sie gelten philosophisch-sozialen Ideen, wie etwa

sein »Christus im Olymp« oder die Wandmalerei in der Aula der Universität Leipzig, auf denen die heroischen Zeiten Griechenlands dargestellt werden mit einem unbekleideten Homer, der vor dem Volk seine Epen rezitiert.

Er irrt sich im Ausdruck, im Prunk der überladenen Kompositionen. Er gerät in ein verrauchtes Labyrinth. Was er macht, hat nichts mit dem zu tun, das er im Inneren tief erkannte. Immerhin gibt es in den Fresken von Leipzig, gleichsam zum Ausgleich, eine bewundernswerte Landschaft mit Küsten, Inseln und Golfen, die erfüllt ist vom Atem des Mittelmeeres.

Die Plastik

Die Plastik Klingers ist unter allen Umständen klassisch. In vielen polychromen Standbildern, etwa in der großartigen »Kassandra«, bemüht er sich, die Emotion der Goldschmiede-Statuen wiederzufinden, die es im Griechenland der goldenen Epochen gab. Man denke an den chrysoelephantinen Zeus[5]), an die Pallas mit den Augen aus Diamanten. Genial wie er war, vermied er alle Banalitäten der Plastik, denen fatalerweise fast jeder verfällt, der diese Kunst übt. Er versucht immer, auch im Marmor, den Menschen in seinem geistigen und ewigen Sein zu erfassen, eine Gestalt zu schaffen, die nicht vom Augenblick, der flieht, bestimmt wird, sondern der Vergangenheit und der Zukunft gehört.

151 Ein Handschuh, Zeichnung zu Bl. 7, 1878, Kat. Nr. 44

152 Ein Handschuh, 1881, Bl. 7, Kat. Nr. 183

aber auch nicht ganz verstanden und gewürdigt. In Frankreich spricht niemand von ihm, obgleich er mehr als einmal im Salon ausgestellt hat und die Bibliotheken von Paris seine Radierungen gesammelt haben. Wer könnte schon erwarten, daß der Großteil der französischen Kritiker und Schriftsteller das Werk Klingers schätzt? Einer der scharfsinnigsten Geister Frankreichs, Jules Laforgue[6]), hatte Gelegenheit, Klinger und sein Werk kennenzulernen als er Vorleser bei der Kaiserin Augusta[7]) war. Obwohl ihn die Bilder interessierten, sprach er mit einer Lässigkeit, die auf die Nerven ging, von ihnen und tat sie mit wenigen Zeilen ab. Dagegen konnte er nie genügend Worte finden, um die Vorentwürfe von Pissarro und Berthe Morisot zu loben. Ich zitiere als Beispiele einige Stellen aus Briefen, die Laforgue aus Berlin an seinen Freund Charles Ephrussis[8]) schrieb:

»A ce propos, vous ai-je parlé d'un artiste d'ici Max Klinger, qui a une sorte de génie du bizarre? Il a envoyé au Salon de Paris une toile intitulée ›Cerné‹, qui je n'ai pas vue, mais qu'il m'a décrite et qui doit être bien étonnante. Il a peur qu'elle soit réfusée. Il va envoyer en outre quatre eauxfortes en deux cadres. Rémarquez-vous, vous seréz étonné. C'est peniblement Fait, très travaillé, mais si voulu, si profond. Au reste, si vous voyez M. M. . . . il vous en parlera et vous serez temoin de ses accès de lyrisme.«

Wenige Tage später schrieb er an den Freund: *»J'ai vu un catalogue du Salon et j'ai un vague soupçon, que toile de Max*

Manchmal, wie im Denkmal für Beethoven, verfällt Klinger allerdings auf einen Kraftakt. Er will, daß der Betrachter sich den Komponisten sitzend vorstellt. Um aber trotzdem den Eindruck unerreichbarer Höhe zu geben, hat er einen müden Adler gemeißelt, der Mühe hat, sich mit seinen Krallen in den Steinen des Sockels festzuhalten.
Dieses Werk steht auf dem Niveau seiner Wandmalereien und des »Christus im Olymp«.

Schlußwort

Max Klinger wurde am 18. Februar 1857 in Leipzig geboren. Er starb am 5. Juli dieses Jahres [1920] in Jena. Im November vergangenen Jahres erkrankte er schwer. Irrtümlicherweise meldeten die Zeitungen, daß er gestorben sei, was dann dementiert wurde.
Er war Maler, Bildhauer, Radierer, Philosoph, Schriftsteller, Musiker und Dichter. Er hinterließ ein gedankenreiches Buch über Malerei und Zeichnung. Wir verdanken ihm viele Essays und Studien über alte und moderne Kunst.
Trotz seines Ruhmes kann man ihn heute zu den unverstandenen Künstlern zählen. In Italien verwechseln ihn viele Einfaltspinsel in gröblicher Weise mit Franz Stuck und all dem, das sie verallgemeinernd und verächtlich »deutsche Kunst« nennen. In den nordischen Ländern wird er mehr beachtet und respektiert,

153 Ein Handschuh, Zeichnung zu Bl. 8, 1878, Kat. Nr. 45

154 Ein Handschuh, 1881, Bl. 8, Kat. Nr. 184

155 Ein Handschuh, Zeichnung zu Bl. 9, 1878, Kat. Nr. 46

Klinger a été réfusée. Que dites-vous du moins de ses eaux-fortes?
C'est curieux d'idée, quoique pénible, trop préparé et sabré, pas
avec assez de bravoure.« Bemerkenswert die letzten fünf Worte:
ein Mann, der wenig von seiner eigenen Meinung hält! Das
Urteil einer Jury des Salons genügte, um Zweifel in ihm zu
erwecken und ihm das bißchen Achtung und Interesse zu
nehmen, das er zunächst für Klinger übrig hatte.
Klinger war der moderne Künstler schlechthin. Modern nicht in
dem Sinne, den man heute dem Begriff gibt, sondern im Sinne
eines gewissenhaften Mannes, der das Erbe an Kunst und Denken aus Jahrhunderten und aber Jahrhunderten achtet, der
wachen Auges in die Vergangenheit, in die Gegenwart und in
sich selbst blickt.

[1920]

1 Dorf am Genfer See, Aufenthaltsort von Voltaire (François
  Marie Arouet, 1694–1778) seit 1758 bis zu seinem Tode.
2 Zur Prometheus-Vision vergleiche auch »Der Sohn des Inge-
  nieurs«, S. 131.
3 Edouard D., französischer Militär- und Schlachtenmaler
  (1848–1912).
4 Englischer Essayist (1785–1859).
5 Statue Zeus im Zeustempel zu Olympia aus Gold und Elfenbein (griechisch: chrysos=Gold, elephantinos=Elfenbein),
  ein Werk des Pheidias.
6 Französischer Dichter (1860–1887), weilte als Vorleser der
  Kaiserin am Hofe in Berlin (1881–1886).
7 Prinzessin von Sachsen-Weimar (1811–1890), Gemahlin Kaiser Wilhelms I.

8 Französischer Schriftsteller (1849–1905), Mitherausgeber der
  »Gazette des Beaux-Arts«, Paris (erscheint seit 1859).

Giorgio de Chirico, Max Klinger, Il convegno, 1. Jg. 1920, Nr. 10, S. 32–
44. Wiederabgedruckt in: Commedia dell'arte moderna, Rom 1945,
S. 47–57. Die vorliegende deutsche Übertragung von Anton Henze ist
entnommen dem Band: De Chirico, Wir Metaphysiker, Gesammelte
Schriften, hrsg. v. Wieland Schmied, Berlin 1973. Mit freundlicher
Genehmigung des Propyläen Verlags, Berlin.

Er hat den Zweifeln und den Schauern, der Unseligkeit und Zerrissenheit, den Qualen und der Sehnsucht der modernen Seele Gestalt zu geben versucht

Wenn Böcklin sich lachend über das Getriebe der Gegenwart in
eine zeitlose Welt der Schönheit und Dichtung erhebt, so gehört
Klinger zu denen, die sich im tiefsten Herzen als Söhne ihrer Zeit
fühlen und alle Kämpfe und Leidenschaften der Gegenwart am
eigenen Leibe schmerzlich spüren. Mit Radierungen von heiterer und origineller Phantasie begann er (Rettungen ovidischer

156 Ein Handschuh, 1881, Bl. 9, Kat. Nr. 185

Opfer, Paraphrase auf den Fund eines Handschuhs), in graphischen Folgen von fortreißender, oft grotesker Wildheit hat er dann mit einem Reichtum der Erfindung, in dem ihm keiner gleichkommt, den Zweifeln und Schauern, der Unseligkeit und Zerrissenheit, den Qualen und der Sehnsucht der modernen Seele Gestalt zu geben versucht. Aus rücksichtslosen Schilderungen des Lebens (die Zyklen »Dramen«, »Ein Leben«, »Eine Liebe«) und des Ringens mit der Leidenschaft (»Eva und die Zukunft«) fand Klinger den Weg zu einer Weltauffassung, die sich machtvoll über das Erdentreiben emporschwingt und den kosmischen Problemen des Werdens und Vergehens kühn ins Auge blickt (»Vom Tode« I und II). Aus einer vertieften Betrachtung religiöser Probleme (Zeichnungsfolge »Zum Thema Christus«) und der unbegreiflichen Rätsel unserer Schicksalskämpfe sucht er immer aufs neue den Pfad zur Klarheit und Läuterung, zur Aussöhnung des Individuums mit dem All, die nur der Kunst gelingen kann (Brahms-Phantasien; »An die Schönheit«), zur »tragischen Weisheit« Nietzsches, zur Heiterkeit und feierlichen Großartigkeit der Antike, die er bald in ihrem eigenen Lande aufsuchte, bald frisch in das wirre Leben der Gegenwart entbot. In Klinger sammeln sich alle Ströme der modernen deutschen Kunst. Neben seinem Widmungsblatt an Böcklin steht ein anderes an Menzel. In Karlsruhe ließ er sich von Gussow in den Realismus einführen, in Berlin (1875 bis 1879) studierte er das neue Leben der aufblühenden Großstadt, in Paris tritt er den Problemen der Freilichtmalerei nahe, mit denen er sich in heißem Bemühen auseinandersetzt, in Rom kommt er in den Kreis,

157 Ein Handschuh, Zeichnung zu Bl. 10, 1878, Kat. Nr. 47

158 Ein Handschuh, 1881, Bl. 10, Kat. Nr. 186

der durch Böcklin und Marées sein Gepräge erhalten hat. Und wie ein Meister der Renaissance hat Klinger als Zeichner und Radierer, als Maler und als Bildhauer und als Schriftsteller seiner Sehnsucht Ziel zugestrebt, ohne sich in dem oft unruhigen Wechsel der künstlerischen Ausdrucksformen überall die letzte technische Reife zu erwerben, doch ununterbrochen Werke schaffend, die durch das Ringen einer mächtigen Persönlichkeit, eines unbändigen Künstlergeistes im Tiefsten ergreifen. Auch Klinger hat den deutschen Fluch der handwerklichen Unsicherheit und Schwerfälligkeit gespürt. Namentlich der Farbe hat er Schlachten geliefert und doch gewaltige Bildkompositionen geschaffen von feierlicher, herber Größe und stolzer Monumentalität (Pietà, Kreuzigung). Von frühen resoluten Freilicht- und Wirklichkeitsstudien (Spaziergänger; Sommerglück) bis zu den koloristischen Experimenten Besnards hat er alle Stadien der modernen Farbenkunst durchlaufen (L'heure bleue), bis ihn das Bewußtsein seiner überwiegenden Begabung für die lineare und plastische Form von der Radierung zur Bildhauerei trieb. Eine Verbindung von Malerei und Plastik

159 Vier Landschaften, 1883, Bl. 1, Kat. Nr. 187

stellt den Übergang her (Urteil des Paris, Christus im Olymp). Dann beginnt ein emsiges Versenken in das Skulpturale. In einer Reihe glänzender Aktfiguren (Badende, Amphitrite) übt er sich im Studium des Nackten. Doch auch hier reißt ihn die Überfülle des Gedanklichen in seinem Wesen von der Naturnachbildung zur Verkörperung von Ideen und zur Betonung des Seelischen im Körperlichen. Die Halbfiguren der Salome und der Kassandra halten noch einmal Abrechnung mit der Sinnlichkeit, die den Menschen zu ihrem Sklaven macht, und mit der unerbittlichen Grausamkeit des Schicksals. Monumentale Porträtbüsten (Liszt; Nietzsche; Wagner) spiegeln den Kampf mit diesen Mächten in den Köpfen großer Persönlichkeiten. Die Farben müssen helfen, das Weiß des Marmors ausdrucksvoller zu steigern; durch buntes, seltenes und kostbares Gestein, durch Schleifen und Ätzen des Marmors, durch Einfügung von Elfenbein und Bernstein wird das Bildwerk im Sinne der Antike intensiver dekorativer Effekte fähig gemacht. Und in dem gewaltigen Werk des sitzenden Beethovens, dem die Leipziger in ihrem Museum einen eigenen Raum hergerichtet haben wie die Amsterdamer der Rembrandtschen Nachtwache, tönt alles zusammen, was Klinger ersehnt: Wirkung für das Auge und Erregung des Geistes. Die Reliefs des Bronzesessels künden wiederum von dem Kampf zwischen Christentum und Antike, zwischen Innerlichkeit und Schönheitslust, der schon in der Begegnung von Christus und den Göttern des Olymp vorklang, und die großartige Gestalt des sitzenden Beethoven selbst verkündet die Sehnsucht nach einem Ausgleich dieser streitenden Elemente, nach dem »dritten Reich«, von dem Ibsens Julian Apostata prophetisch sprach, durch den großen Künstler, den schöpferischen Menschen.

Anton Springer, Die Kunst von 1800 bis zur Gegenwart, Leipzig 1920, S. 342–44 (Handbuch d. Kunstgeschichte, Bd. 5).

Eine Homeride zwischen Fabrikschornsteinen

Ein neues Werk Klingers war immer ein Ereignis, ja, es war dem weiten Kreise unserer Kunstdenker oft eine Sensation. Man sprach davon überall, wo ernstes Kunstinteresse ist, debattierte darüber und erhitzte sich dafür. Ähnlich war es, als Böcklin noch lebte. Beide Künstler sind Erscheinungen nach dem Herzen derer, die den Künstler als Seher, als begeisterten Visionär begreifen, die sich die Schöpfung eines Kunstwerkes etwa so denken, wie es in Romanen dargestellt wird: daß nämlich in Augenblicken hellseherischer Erregung eine Eingebung, eine »Idee« sich einfindet, und daß alles Vermögen in diesem erregten Augenblick zu neuen Formgedanken kristallinisch zusammenschießt. Die so über Kunst und Künstler denken, schätzen naturgemäß das andere Arbeitsprinzip gering, dem wir Werke wie die Leibls oder Liebermanns, Manets oder Monets verdanken. Ein neues Bild Leibls war nie eine Sensation; ein neuer Liebermann ruft Aufregung nicht hervor, wenn nicht ein zufälliges äußeres Interesse damit verknüpft wird; und auf einen Monet mehr oder weniger kommt es nicht an. Bei Künstlern dieser Art erläutert das Gesamtwerk ihr Wollen, die Kunstidee ist über alle Arbeiten gleichmäßig verteilt; bei Klinger und anderen seiner Art interessiert dagegen das einzelne Werk, es wirkt die auf einen Punkt jedesmal programmatisch konzentrierte Idee. Dort ist die Stimmungsbereitschaft, die Form schaffende Anschauungskraft dauernd, sie ist stationär geworden; hier bei Künstlern wie Klinger und Böcklin, setzt die schöpferische Einbildungskraft zeitweise aus, bis sie sich jäh in einer guten Stunde einstellt und in ein einziges Werk dann zu zwingen sucht, was bei jenen anderen in allen Werken, in allen Studien sogar ist. Die Natur selbst erklärt diesen Dualismus. Was die Monumentalen, die Stilisten wollen, kann dauernd nicht gewollt werden, weil die hohe Anspannung das Individuum zerbrechen würde; sehr wohl möglich ist dagegen die permanente Stimmungsbereitschaft bei denen, die meistens, wenn auch ungenau, Realisten genannt werden. Denn diese bewegen sich auf ihrem Hochplateau wie auf ebener Erde; jene denken in Gipfeln.

Über diesen Gegensatz der Arbeitsweisen ist vieles zu sagen. Denn es liegen darin die Ursachen zum ganzen Kunststreit dieser Tage. Persönlichkeiten wie Klinger können sich mit freilich sehr, sehr bedingtem Recht auf einen Namen wie Michelangelo berufen; die Malernaturen, wie wir sie in der Impressionistenschule finden, können dagegen auf Velazquez, Franz Hals, auf Holbein und jene Maler alter Zeiten verweisen, die als Künstler im höchsten Sinne Handwerker waren. Auch sie beschränken sich auf ihr Handwerk und vertrauen, daß sie in dem einen, was sie ganz haben, alles besitzen; die Klinger-Naturen aber möchten in jedem Werke auch äußerlich ein Ganzes geben, möchten unmittelbar Synthetiker sein und, als Schöpfer von »Gesamtkunstwerken«, Malerei, Plastik, Architektur, Graphik und am liebsten auch noch Poesie und Philosophie in einen Willen vereinigen. Sie sind darum starker Wirkungen stets sicher. Denn zu ihnen kann die konzentrierte Idee nur in Gestalt eines *bedeutenden symbolischen Stoffes* kommen. Da sie, um *leidenschaftlich gesteigerte Gefühle* auszudrücken, *heroische Formen* brauchen, müssen sie auch den *heroischen Stoff* suchen. Dabei begibt es sich dann, daß dieses Suchen nach dem *großen Stoff*, der sich *in unserer bürgerlichen Zeit* auf *natürlichem Wege* nicht mehr darbietet, den Dichter und Philosophen im Maler mehr in Anspruch nimmt, als es dem bildenden Künstler nützlich sein kann. Aber gerade diese *intensive Bemühung* um das Was, *um den Stoff*, um die Idee erweckt das allgemeine Interesse. Die neuen Stofformeln wirken sensationell, die konzentrierten Stoffgedanken locken die Gedanken des Betrachters an, und man sieht sich vor Kunstwerken, über die man sprechen und streiten kann. So entstehen bei Klinger klassische Walpurgis-

160   Vier Landschaften, 1883, Bl. 2, Kat. Nr. 188

nachtscharaden, woran die Deutungslust ihren Witz übt, Allegorien des Heroentums und gemalte Ideen einer großdenkenden Lebensphilosophie.

Es ist nicht schwer, das Problematische eines gedankentiefen Monumentalstrebens, dem unsere Zeit so gar keine Arbeitsmöglichkeiten gewährt, nachzuweisen: aber es ist dann doch unmöglich, sich einer Persönlichkeit wie Klinger zu entziehen, die sich in den Dienst solcher auf schmalem Höhenpfad wandelnden Stilkunst gestellt hat. Wenn dieser Fruchtbare uns seine Werke zeigte, war jedesmal etwas einzuwenden; aber über jedes Werk hinweg wirkte auch die merkwürdige Großheit einer seltenen Natur. Die sieht besonders hinter den spitzig akademischen, mit virtuosem Prachtbedürfnis malenden Strichen des Graphikers hervor. Man erblickt die durchgearbeitete Geistigkeit eines sehr reinen und männlichen, stirnrunzelnden Willens, der sich *über die Dinge seiner Umgebung an der Hand uralter Symbole aus der Griechengeschichte zu erheben trachtet.*

161 Vier Landschaften, 1883, Bl. 3, Kat. Nr. 189

162 Vier Landschaften, 1883, Bl. 4, Kat. Nr. 190

Ein Homeride zwischen Fabrikschornsteinen, ein attischer Aristokrat in der Determination des Gymnasialprofessors, eine arkadische Vorstellung in die kahlen Arbeitsräume der Gegenwart gesperrt! Ein *Ateliergenie!* Klinger *liebt nicht eigentlich Leben und Natur,* liebt nicht Baum, Blatt und Blume, Mensch und Tier, Luft und Licht mit jener hingebenden Zärtlichkeit, die beglückt Gottes Atem in allem Geschaffenen fühlt. Und *die Schönheit, der er sich hingibt, ist nie ganz frei von einer kalten Blässe des Antikensaals.* Aber er liebt leidenschaftlich die lebensschaffende Kraft. *Sein Lebenswerk ist ein Hohes Lied* auf die Vitalität des Erdgeistes, auf das *Abstraktum »Lebenswille«.* Und weil er die bauende Kraft mehr liebt als die Erscheinung, läßt er das Leben nur in höchsten Formen gelten. Er wendet sich ab von der »leidenden Natur«; seine Kunstwelt ist ganz auf Aktivität gestellt. Da sie aber, in einer Zeit des Leidens, ihre Absicht nicht naiv durchführen kann, gibt sie statt der natürlichen Aktivität wenigstens den poetischen Begriff davon. Die Welt, wie sie am siebenten Tage der Schöpfung war, in eine überkultivierte und doch kulturlose Gegenwart hineinzustellen: damit quält sich faustisch dieser Titanide aus Leipzig an der Pleiße. Daneben ist Klinger *ein Später vom Stamme der Nazarener,* wie Böcklin es war, ein Nazarener, der Darwin kennt und an die natürliche Schöpfungsgeschichte glaubt; ein grübelnder Nazarener wie Ibsen, der das Wort vom »Dritten Reich« prägte, als er den uralten Kampf zwischen christlicher und hellenischer Weltanschauung in seiner Weise aufnahm. Ein maskuliner Präraffaelit, ein Dichter und Denker, der vor den meisten seiner Kollegen wirkliche Geisteskultur voraushat, ein Romantiker des Gedankens, der Idee, weil er will, was die Zeit noch nicht erfüllen kann. Kein Mensch leidenschaftlicher Herzlichkeit; *ein Harter, fast Grausamer ist er,* ein schamhaft Verschwiegener und zum Teil auch starrköpfig sich Abschließender. Seine Natur hat *nicht Rubens' Fülle,* sondern Menzels Schärfe; er hat nicht das Temperament Goyas, und er ist *im Grunde ohne Phantasie.* Die Formlos-

igkeiten seines phantasierenden Intellekts erregen hier und da sogar Entsetzen. Sehr oft wird die Zeichnung zum Bild, das Bild zur Allegorie und die Allegorie zum »Labyrinth dunkler Beziehungen«; der Rahmen wird zum eigentlichen Kunststoff, ist wichtiger als das Umrahmte, ja, das allein Wichtige, um dessentwillen der ganze Aufwand getrieben wird. Und doch ist hier eine Persönlichkeit, deren Unordnung auch das Gesetz einer höheren Ordnung ahnen läßt und deren Künstlertum von einem außerordentlich *starken Lebenswillen und Allgefühl* bedient wird; ein Könner, dessen reiche Vielseitigkeit in hundert Einzelheiten, in großen Kompositionen sowohl wie in kleinen Ornamenten entzückt und dessen problematisches Heroentum wir für manche gut bürgerliche Richtigkeit nicht hingeben möchten. In Klingers kühn gräzisierender Kunst ist *viel Groteskes,* in seinem Grotesken ist Akademisches, und in dem Akademischen ist dann wieder ein Keim lebendiger Größe. In der Pracht seiner Motivenhäufung steckt Kunstgewerbliches. Und man charakterisiert auch ihn, wenn man einschränkend von Dürer sagt, dieser sei in vielem eine Klinger-Natur gewesen.

In der vieldenkenden Kunst Klingers, die ihn zum Helden aller philologisch schwärmenden, humanistisch griechelnden und pädagogisch denkenden Deutschen, zum *Hauptvertreter derer vom »Gehalt«* macht, zuckt die Flamme einer brünstig flackernden Erotik, einer übersinnlichen Sinnlichkeit. Gefrorenes Feuer ist in dieser Klassik, im Gehirn starrgewordene Schönheit und dann auch eine pikante Zierlichkeit, die die Grenzen des banal Dekorativen nicht scheut. Wo man an die Manen des Cornelius denken muß, erinnert man sich zugleich oft an Félicien Rops. Vor allem aber ist Wille zur Aktivität in den Werken dieses Seltenen. Felsschründe, knorrige Eichwälder, strotzende Leiber, schwellende Muskeln, Wellengischt und kahle Felsen, Frauenkörper von harter Üppigkeit, kriegerische Männer, Kampf und Vergewaltigung, Nacktheit, Herrschsucht, Gesundheit und ein überall durchbrechender *Drang zu plastischer* Fülle; und als Atmosphäre die Härte der gebärenden und vernichtenden Naturkraft.

...In Klingers Werk selbst ist jene olympische Tragik, die er so gerne darstellt. Bei leidenschaftlichem Schöpferwollen keine Schöpfersinnlichkeit. Vielleicht ist es eben der Adel dieser Tragik, daß wir von Klingers Werken, zu denen wir so oft nein sagen müssen, immer doch wieder mit Dankbarkeit und mit sehr bescheiden stimmender Ehrfurcht vor den Schicksalen der Kunstbegabung hinweggehen.

Karl Scheffler, Deutsche Maler und Zeichner im Neunzehnten Jahrhundert, Leipzig 1920, S. 61–71.

Da schuf kein Künstler, dessen Gedanken Erlebnisse und dessen Erlebnisse Bilder sind

Nehmen wir ein Kunstwerk, das nicht gefühlsmäßig produziert ist – sage ich, und ich denke dabei an so manches »gedankentiefe« Klingersche Werk, an ein unseliges Prinzip im Schaffen dieses Künstlers.

Gewiß ein schöner und tröstender »Gedanke«, daß der Tod für den zum Tode Reifen, wie sich die Phrase ausdrückt: ein Erlöser aus der Wüste des Lebens ist. Aber das ist abstrakt, ein Ausspruch, nicht mehr, der eine Weltanschauung zur Voraussetzung hat, mit der in Verbindung er auch im Gedanken erst lebendig wird – und nicht der Ausspruch ist wichtig, sondern die Weltanschauung! –, dem darum für die Kunst erst recht noch jede Vorstellung, jede naive Gefühlsunmittelbarkeit fehlt. Wenn wir vorläufig nur soviel feststellen wollen, und uns erst einmal ruhig auf den illustrativen Standpunkt stellen, den wir vorfinden.

Klinger macht ein Bild daraus »Der Tod als Heiland« – eine Illustration der Phrase: eine Wüste mit Sand und kleinen Wüstenbäumchen, ein Heiland mit der Friedenspalme, vor ihm im Staube der Reife, eine Gruppe Flüchtender...

Nicht einmal der – an das eigentlich Bildkünstlerische noch gar nicht streifende – Versuch, das Thema zu durchleben, den Trost, der in dem Gedanken liegt, stimmungsmäßig zu erfassen, nichts als eine künstliche Sprache, die mit – dem Wesen nach – rein technischen Mitteln einer hohen Ausdrückensfähigkeit im einzelnen arbeitet: der in Todesschauern im Staube Liegende z. B. ist sprechend – eben sprechend – charakterisiert! – –

Was bedeutet denn der »Gedanke«, das »Thema« überhaupt, an sich mehr in einem Bilde als ein Titel, und wenn wir das Buch aufschlagen und finden auf jeder Seite nur den Titel, in tausend Variationen, dann wird uns etwas wie Irrenhaus anwehn aus der Sinnlosigkeit dieses Tuns. –

163   Ein Leben, 1884, Bl. 1, Kat. Nr. 191

Wenn ich Klingers Bild abgetastet habe, bin ich auch noch keinen Schritt über die Unterschrift hinaus. –

Rein vom illustrativen Standpunkt aus noch läßt sich ein schönes Gegenbeispiel anführen: Das gleiche »Thema« behandelt, aber aus dem ⟨illustrativen⟩ Gefühl: Alfred Rethels »Tod als Freund«. Da ist nicht unfruchtbare Abstraktheit, sondern ein Stück Daseins, und es ist versucht, seine Stimmung, eine des Trostes, zu geben. Die Erfindung bewegt sich – wenn auch nicht so in den Formsymbolen der großen Kunst als in etwas harter Gegenständlichkeit –, so doch jedenfalls nicht in leeren Begriffen. Wir sehen selbst und empfinden selbst das wohligstille Gefühl eines ruhigen, reifen Abscheidens. Und keine kalte Allegorie predigt uns dürre »Gedanken«: der Tod, der da steht und die Glocke schwingt, ist kein leeres, deutendes Symbol, sondern ein Produkt der Stimmung, das in ihr lebt, der »Gedanke« ist ausgesprochen, aber er basiert auf dem Gefühl, wird Leben, Erfahrung.

Hier haben wir – im illustrativen Sinne allerdings nur – die Weltanschauung.

Da ist auch keine einzeln »charakterisierende« Scheinkunst, sondern jedes hat nur Wert als Glied des Ganzen, als Stück der

164   Ein Leben, 1884, Bl. 2, Kat. Nr. 192

Stimmung und kann für sich nichts »sagen« und »ausdrücken«.

Klinger gibt Hieroglyphen, Rethel ein Bild.

Wir erkennen also schon rein auf dem Standpunkte der Illustration einen bedeutsamen Unterschied: zwischen einer gedanken- und hieroglyphenmäßigen und einer gefühls- und bildmäßigen Illustration. Nur diese letztere aber ist die Wiege der eigentlichen Kunst, der, die durch Gefühlswerte der Form wirkt. Nur hier kann die Hingabe ans »Thema« zugleich eine ans Bild sein oder werden. Jene andere Art aber, die Klingers, ist auch, wo sie nicht so rein gedanklich schon im Thema ist, gedacht, oder besser: getüftelt in der Ausführung. –

Nehmen wir ein weiteres Beispiel aus diesem Zyklus »Vom Tode«, die Allegorie des Lebens: Integer vitae.

Hat denn, um auch das zu sagen, Klinger das Leben wirklich erkannt in seiner Allegorie, die ja nur von der pathetisch ernsten Seite spricht ⟨und wohlgemerkt: spricht⟩? Da ließe sich viel streiten, und schon das ist charakteristisch, über ein Produkt der wahren Kunst so streiten, wäre genau so, wie wenn man darüber disputieren wollte, ob ein Pferd vier Füße haben darf. Der wahre Künstler handelt und hat immer recht, weil die Aktion selbst das Thema ist, der lebendige Geist, der unwahre spricht nur, Worte, nichts als Worte – und hat nie recht.

Es gilt gerade, über alle diese immer falschen Meinungen hinausgehoben zu sein.

Was Klinger begreift, ist verstandesgemäß begriffen, und was dann auf seinen Bildern steht, das soll nur sagen, ausdrücken, und das versteht er denn vortrefflich.

Überlegen wir uns jedoch einmal, was wir auf dem Bilde tatsächlich sehen: eine große weiße Leere, auf der einige Hieroglyphen eingezeichnet sind, die wir als Mensch, Riese, Berg kennen. Nicht nur dies oder jenes ist hier unmotiviert, sondern das Ganze. Eine Zusammensetzung, die für unser empfindendes Auge ebenso gut umgekehrt vor sich gehen könnte. Wir haben kein Bild, kein unzerreißbares Gefühlsganze sichtbarer Symbole. Starr, unlebendig, unbegreiflich sieht uns das an, und wir sind weder warm noch kalt. Und nun kommen die klugen Leute und erklären, was der Riese bedeutet, der Akt im Vordergrun-

de, die Sehnsucht mit den ganz unvermittelt auftauchenden Bildnissen. Und jetzt erfahren wir allerdings etwas: eine ziemlich pessimistische Phrase über das Leben. Also auch diese Phrase steckt nicht im Bild. Unserm Verstande wird auf einem weiten Umweg erzählt, was ein andrer Verstand sich ausdachte. Den Nachweis der Richtigkeit hat sich dieser dabei gespart. Aber wenn es auch richtig wäre, was sollen wir nun eigentlich damit? Und was sollen wir mit dem Bilde, den Umrißabbildungen von Menschen und Bergen?

Blicken wir auf irgend ein echtes Kunstwerk, so wird dem, der nur sehen kann, eine Erregung übermittelt werden, rein durchs Auge, die weiter ist, als daß man sie im Worte fassen könnte, eine Erregung, wie wenn uns etwas durch die Seele griffe. Da ist eine ganze Weltanschauung, eine eigentümliche, und sie offenbart sich in den Formen wie in einer Geste. Auch das sind »Allegorien des Lebens«. Aber nichts zu tüfteln, und dann kommt auch nicht irgendeine tiefsinnige Phrase heraus, von der du nicht weißt, was sie dir helfen soll. Hier weißt du alles, von Anfang bis zu Ende, und du fragst gar nicht, was es dir nützen soll.

Denn da ist nicht die Scheidemünze unseres kleinen Lebens das Mittel zum Mittel zum Mittel ins Endlose, sondern unmittelbar erreichtes Ziel, errungenes Glück.

Klinger aber hat »Gedanken« und malt Figuren und Berge, und die Figuren und Berge werden immer richtiger und plastischer, und das ist seine »Form«, aber sie hat nichts mit seinen »Gedanken« zu tun, die ja auch erst Sinn hätten als Bausteine einer philosophischen Auseinandersetzung, als Mittel. Und – wenn auch nicht so lächerlich krass –, in feinere und feinste Konsequenzen verfolgt, ist so fast sein ganzes Werk.

Seine bildmäßigeren Blätter haben auch Stimmung, aber diese »Stimmung« ist sozusagen nichts weiter als ein mehr oder weniger geschmackvoll hinzuempfundener Hintergrund.

Ein Beispiel ist seine Radierung »Elend«, ebenfalls aus dem Zyklus »Vom Tode«, die äußerlich nicht mehr so grob allegorisch ist, wohl aber innerlich. Wie zu erwarten, wenn der Verstand künstlerische Mittel führt, ist Klingers Auffassung ⟨... oder halt! nageln wir erst fest: hat Klinger eine Auffassung, und wenn ich schon auf solche immer tief unter der Kunstsphäre liegende »Auffassung« eingehe, finde ich sie:⟩ einseitig, gedanklich pathetisch und darum kleinlich. Der wahre Künstler packt das Lebendige in all seiner Verworrenheit und Vielseitigkeit, in der Tragik die Komik, im Heldentum die Jämmerlichkeit, es ist seine Wirklichkeit ⟨und in dem Moment schon die von uns allen⟩, die er lebt, und was wir jämmerlich, und was wir heldenhaft, und was wir gut, und was wir böse nennen, sind ja nur gleich konsequente Äußerungen desselben Lebenden, Wirkenden, die wir erst scheiden, und die der Künstler, indem er dies Wirkende schaut, lebt, auf einmal und alle umfaßt, wiedergibt, während der Pseudo-Künstler, der das Gute oder Schlechte nur schaut, am Schein hängen bleibt, trotz aller Pose ein gemeiner Philistermoralist ist, wo der wahre die ewige Ethik enthüllt.

Hätte doch Klinger seine Gedanken niedergeschrieben, rein gedanklich, klar, unverhüllt, und nun kommt, ihr Männer des Geistes, auf die Walstatt! – wie hätte sich diese »Gedankenfülle«, »Gedankenbedrängnis« jämmerlich entblößt! So aber: große Posen, düstere Andeutungen... Wie sagt man doch: in Worten wären Gedanken einseitig, Klingers Bildergedanken dagegen ließen sich tausendfach denken, regten an, aus eigener Lebenserfahrung zu ergänzen? Als wenn nicht jeder wahre Philosoph unendlich Unaussprechliches anregte, jeder Philosoph verlangte, mit dem eigenen Leben, der Fülle eigener Erfahrung gelesen zu werden. Es sind eben nur Philosophen von Klingers Art, die in Worten einseitig werden, aber sie sind es auch in ihren Bildern, und da erst recht. Es ist, wie wenn ein Taubstummer sich auch noch die Hände bindet. Wo soll ich bei diesem »Elend« etwa angeregt werden, aus meinem Geiste zu bilden: es fehlt ja jede unmittelbare Verbindung. Vor einem Selbstbildnis Rembrandts trifft mich ein Blick, der scheint weit gewandert zu sein, ehe er zu mir kam, und die Stirn ist faltig und grau und voller Erdenstaub, und Gott hat sie doch geküßt, daß sie zu mir leuchtet. Und da ist gar keine Stirn, da ist gar kein Auge, da webt aus nichts ein Wesen, das vor mir nüchtern so lebt, so unbekümmert um mich, so nicht gemacht, so in sich selbst versunken, innerhalb vier Begrenzungslinien und will nicht hinaus. Stirnfalten, Augenwülste, Farbentöne sprechen eine Sprache voller Wunder, voller Tiefe, diese ganze Summe von Erfahrung in mir, aufgespeichert durch Jahrtausende, schwingt mit, mein Bewußtsein weitet sich, ergriffen von diesen aufregenden, ungreifbaren und zugleich höchst intensiven Raumvorstellungen, die, wo Klinger nur Form feststellt, mich zwingen, Form zu leben, und in diesem gesteigerten Erleben zu durchschauen und erhoben zu werden, wenn ich nur fähig bin der Erregung durch Gesichtsvorstellung. Wenn mein Auge sieht. – Was sieht mein Auge bei Klinger? Plastisch ausgeformte Figuren, die dem Augen, dem Gefühl der Raumvorstellung sinnlos sind, nichts sagen, in eine düstere Sauce ⟨»Elend«⟩ getunkt, und wenn ich bei Rembrandt so wenig mich gefragt habe, wozu dieses Porträt da ist, wie ich mich frage, wozu ich atme, möchte ich hier durchaus wissen, wozu das alles ist. Ich finde keine Verbindung, und da tritt eben jener materielle Verstand in Aktion, an den sich Klinger wendet, jene niedere Region in unserem Geiste, die Rätsel ratet, dann verstehen wir die Figuren, freuen uns, wie richtig und charakteristisch das alles hingestellt ist, machen Worte über die vollendete »Form«, um uns und anderen einzureden, daß wir da auch Kunst treiben – es gibt je nun leider für sehr verschiedene Sachen nur gleiche Wörter –, kurz: wir geben das Schauspiel kleiner Kinder, die sehen, »was das Männlein alles macht« – nur raffinierter, unerträglich durch die großen Prätentionen und die daraus folgenden weitgreifenden Lügen, geben das Schauspiel der ewig Beschränkten, der Masse mit materiellen Instinkten und geistigen Allüren. Nach rückwärts verfolgt, gibt das auch ungefähr den Entstehungsgang solcher Werke. Da schuf kein Künstler, dessen Gedanken Erlebnisse und dessen Erlebnisse Bilder sind. Hier

bleibt der Gedanke etwas speziell Gedachtes, einseitig, und gleichgültig wie die Form, die nur Kunst scheint. Was diese Gedanken so »vielseitig« erscheinen läßt, ist die Undeutlichkeit der Scharade.

A. Suhl, Max Klinger und die Kunst, München 1920, S. 11–17.

165   Ein Leben, 1884, Bl. 3, Kat. Nr. 193

Die einzige Ehre, die wir solchen Leuten antun können, ist: sie endgültig begraben

Er gehört zu den Enzyklopädisten der großen Zeit. Ihre Aufgabe war, die Mentalität der aufstrebenden Weltmacht in Symbole zu fassen. Wagner, Böcklin, Klinger sind unsere Diderot und D'Alembert. Ein dichtgedrängter Kreis umgibt sie, buntscheckig, aus Leuten aller Stände und Berufe zusammengesetzt, aber die Drei ragen wie verallgemeinerte Gipfel hervor, nach denen sich noch in späten Zeiten der Geschichtsschreiber richten kann, um die Dinge ohne den Ballast geschichtlicher Kleinigkeiten zu erkennen; reinste Repräsentanten nicht nur der deutschen Kunst, sondern deutschen Denkens, das man mit dem Begriff des Germanischen erhöhen zu müssen glaubte. Dieses Germanentum griff in Ermangelung einer deutschen und europäischen Übereinkunft zu einer zeitlosen Fiktion, die man bei uns gern Romantik nennen möchte, und die eine Krankheit war, pestilenzartige Seuche. Ihrem tödlichen Verlauf sieht gegenwärtig der Rest Deutschlands mit gemischten Empfindungen zu.

Wir hatten einmal eine Romantik. Wir haben vielleicht die schönste Romantik gehabt, die einzige, die den gestaltlosen Trieb, das über alle Gestalten hinauswuchernde Sehnen der Phantasie zu formen wußte. Gefährlicher Besitz, für den wir büßen, auf den wir stolz sind, der zu uns gehört wie zu dem Gallier die Klarheit. Göttliche Unzufriedenheit mit allem Gegebenen, allem Erreichbaren, die zur Form wie zu der einzigen Realität greift; göttlicher Idealismus. Formlose Romantik ist barbarischer Unfug, grober Materialismus, auch wenn sie irgendwie organisiert ist, auch wenn sie irgendwelche volkstümlichen Gelüste befriedigt: eine außerhalb der Schienen hinrasende Lokomotive. Die oft wiederholte Behauptung, diese wahnsinnige Maschine trage das nationale Empfinden, entschädigt nicht für das Gemetzel unter den Rädern.

Natürlich kamen Wagner, Böcklin, Klinger nicht irgendwoher, sondern waren genau so legitim wie Wilhelm der Zweite, nahmen ihren Irrtum nicht aus einer versteckten, exotischen Schublade, sondern aus dem offen daliegenden deutschen Fundus, der alle Herrlichkeiten der Welt und alle Nieten enthält, aus dem alle großen Deutschen schöpften, Dürer so gut wie Novalis und Hölderlin. Eine Schatzkammer, die kein zweites Volk besitzt. Alles enthält sie, nur nicht die Form, mit der zeitgenössische Barbaren ihre Blößen verhüllen können, nur keine Schule. Das ist vielleicht ihr geheimster Vorzug. Man kann irgendwie weitermachen als Franzose, als Italiener, als slawischer Dichter. Der Deutsche muß seine Schule hinter sich haben, bevor er in die Schatzkammer tritt. Wagner, Böcklin, Klinger erwiesen, daß Goethe umsonst in Italien war, und daß unser Mittelalter heute noch so lebendig ist wie zu Zeiten Grünewalds. Bei uns möchte jeder ein Grünewald, ein Faust, ein Barbarossa sein. Mit unsrer Metaphysik läßt sich alles machen. Auch unsere Metaphysik ist eine Schatzkammer mit Herrlichkeiten und Nieten. Unsrer Metaphysik wegen haben wir eine Glaskasten-Kunst und abgesehen von unsrer Lyrik, eine Glaskasten-Dichtung. Unsre Metaphysik heiligt jede Formlosigkeit. Unsrer Metaphysik verdanken wir den Weltkrieg.

Als Entschuldigung mag gelten, daß Wagner und die andern immer noch eine Art Reaktion auf den gläsernen Klassizismus aus der Zeit des Cornelius betrieben. Böcklin wollte zeigen, daß die lateinische Legende keineswegs so trocken und ledern war, wie sich die Zeitgenossen des alternden Goethe vorstellten, daß sich im Gegenteil mit Göttern und Nixen ganz lustig und herzhaft leben ließ. Warum nicht? Klinger ersetzte diesen Karneval durch eine neue Würde. Warum nicht? Auch gegen die Mythologie Wagners an sich läßt sich nichts Wesentliches einwenden. Wenn nur nicht das eine und andre mit Kunst verbunden gewesen wäre! Die Art der Verbindung war vom Übel, überhaupt der Umstand, daß es sich um Verbindung, um Kombination handelte. Man war zu wenig Künstler und griff deshalb zur Mythologie, zum Karneval, zur Würde. Offenbach griff auch zur Mythologie und zum Karneval, aber amüsierte sich damit, lachte und tanzte mit den Göttern und dem Karneval. Sein lachender Tanz war vorher da. Deshalb schuf er Werke keiner übertrieben hohen Gattung, aber reine Werke. In Wagners Konzeption war etwas Unreines. Der ganze Mensch war unrein und niederer Gattung. Deshalb sprengte er die Grenzen der Musik und erfand Ersatz. Wagner und Böcklin hätten nicht verheerend gewirkt, wenn sie ihre geborenen Möglichkeiten, die nicht unbegrenzt waren, begriffen hätten, wenn Böcklin den zarten Idylliker, der in ihm war, kultiviert hätte, wenn Wagner das bescheidene Maß, das er besaß – es war vermutlich Offenbach näher als den Nibelungen – ausgefüllt hätte. Sie wollten das Große. In magnis voluisse sat est! Den Satz sollte man aus der deutschen Metaphysik streichen, weil er immer, fast immer nach Kilometern verstanden wird. Deutsche Kunst, deutsche Politik haben immer verkehrte Formate.

Das Format des Malers Klinger? Fragt man so, antworten die Getreuen, die nicht aller Kritik bar sind, er sei Zeichner gewesen. »Weiß man nicht, wo und wie, ist's eine neue Kategorie.« War Klinger Zeichner, so war die Zeichnung der Dürer und Holbein, der Rubens und Poussin, der Marées und Menzel etwas andres. Dann ist Zeichnen nicht das, was gemeinhin darunter verstanden wird, keinesfalls Kunst. Nichts fehlte Klinger so unbarmherzig als die Fähigkeit, mit einem Strich zu tanzen, zu lachen, zu weinen. Er brauchte griechische Jünglinge zum Tanz, Götter, um zu lachen, tragische Geschichten, um zu weinen, eine Riesen-Apparat. Zeichnete er einen Handschuh, war es ein Handschuh, nichts weiter, das Bein war Bein, Gesicht war Gesicht. So wie es entsteht, wenn man mit dem Finger um das Ding herumfährt. Die Möglichkeit, aus einem faltigen Etwas einen Handschuh, aus einem Geschwungenen das Bein, aus einem Gekräuselten das Gesicht werden zu lassen, entging ihm. Er wußte viel von dem und jenem, ein gebildeter Mensch, aber er hatte keine blasse Ahnung von den Äquivalenten. Kein Künst-

166 Ein Leben, Studie zu Bl. 4, um 1883, Kat. Nr. 53

167 Ein Leben, 1884, Bl. 4, Kat. Nr. 194

ler. Er war noch viel weniger Künstler als Böcklin, der es hätte sein können und es einmal war, sondern ein Zwischending, ein Ersatz, Kunstgewerbler.

Es hilft alles nichts. Wir haben den Krieg verloren und können nur aus der Niederlage gewinnen. Wir haben verloren, weil wir keine blasse Ahnung von Äquivalenten, sondern Apparate besaßen. Um Gottes willen: weg mit dem Zeug! Gut, wir haben fünfzig Jahre auf dem Stuhl gesessen, aber nun ist der Sitz endgültig entzwei, und wir werden komisch in unserem Unglück, wenn wir immer noch die Kniebeuge machen, als ob. Das ist hin und kommt nicht wieder, darf nie wiederkommen. Seien wir froh!

Er war Kunstgewerbler sehr bescheidenen Umfangs. Es gibt hübsche antikisierte Rahmen und dergleichen aus seiner Jugend, sauber gezeichnet, schwarz-weiß, verteufelt bescheiden. Das konnte er. Außerdem hat er in der Jugend nach Goya gezeichnet. Solche Sachen sind mit dem Finger um Goya herumgefahren. Er machte Erotik, unerträglich ödes Zeug, abgesehen vom Sujet, nur unanständig; gemachte Erotik. Er setzte wie Bouguereau mit dem Sujet den nicht einmal spurweise vorhandenen Rhythmus. Das gab Bilder, neben denen Cornelius, Kaulbach, Anton v. Werner von Leben zittern. Sein Christus im Olymp ist eine Marne-Schlacht deutschen Geistes.

Solche Bilder erweisen eifriges Denken über die Probleme des Lebens. Auch seine Radierungen sind Zeugnisse vielfältigen Sinnens. Er war Denker. War er Radierer, hat Rembrandt nie radiert. Wäre er Radierer gewesen, hätte er auch gezeichnet, hätte er auch gemalt, schlecht, gut, irgendwie, hätte irgendwie die Fläche belebt. Das mißlang ihm hier wie dort. Es gibt keine Technik an sich, keine Kategorie. Bläuen wir es uns ein, liebe

Mitbürger: keine Apparate! keinen Hokuspokus! Die Kunst trägt keine Brille, keine falschen Zähne, keine Gummikissen. Sie ist hundertmal einfacher, als ihr es euch vorstellt, und millionenmal schöner und größer. Sie ist ebensowenig euern Obszönitäten zugänglich wie euerm gelehrten alten oder neuen Geschwafel. Nackt wie sie in ihrer anbetungswürdigen Reinheit müßt ihr vor sie hintreten, nicht um ihr näher zu kommen, sondern um Distanz zu gewinnen, denn euer Schlimmstes ist die Zudringlichkeit, womit ihr sie mit euern albernen Details behelligt. Klinger war Virtuose der Belanglosigkeit. Mangelhafte Umsicht trieb ihn, alle nur denkbaren Sackgassen technisch zu vervollkommnen. Seine Radierungen sind Kalligraphie ohne Text, sorgfältige Reproduktionen unproduktiver Zustände. Es gibt Leute, die dergleichen sammeln. Es gibt Kupferstich-Kabinette, die den ganzen Klinger besitzen, in allen Etats. Verbrennt das Zeug, es ist Makulatur, es kann uns nicht nur nicht helfen, sondern schädigt uns über alle Maßen. Ein metaphysischer Schwindel, der uns abhält, an einen Anfang zu kommen.

Vielleicht war er noch am ehesten Bildhauer. Das weniger gefüge Material vereinfachte zuweilen das Gedachte. Es gibt ein paar sehr unselbständige Fragmente aus der Jugend, in denen sich nicht das Motiv, sondern die Materie bewegt: ein leises Schwingen der Flächen des Marmors. Da es ihm zu leise war, versuchte er es durch Modifikation des Materials zu vergrößern, setzte die Teile aus verschiedenen Steinsorten zusammen, verwendete Edelmetalle. Der Gipfel dieser Industrie war der Beethoven, Ableger des »Gesamtkunstwerks« Richard Wagners. Warum nicht weitergehen im Sinne des Bayreuther Ahnen? Warum nicht die marmornen Glieder des Monstrums in Scharniere hängen und beweglich machen, da Bewegung gesucht wird? Warum nicht das Auge aus Onyx in Kugellagern rollen lassen? Der heilige Vogel, der den Thron schmückt, müßte mit den Flügeln schlagen. Im Thron ist Platz für die Maschine.

Stellt den Vogel weg, liefert ihn aus. Er gehört zu den militärischen Dingen, die von der Entente verlangt werden. Oder wundert euch nicht, wenn jugendliche Bolschewiks den letzten Rest eurer Bürgerlichkeit kurz und klein schlagen. Solange solche Maschinen in Tätigkeit bleiben, glaubt niemand an eine Umkehr.

Klinger war ein vornehmer Mensch. Es gab Momente, wo ihm das Loch in seiner Anschauung nicht entging. Dumme Menschen stopften es immer wieder zu. Als ich vor fünfzehn oder zwanzig Jahren das letztemal bei ihm war, fragte er am Schluß eines Gesprächs über sein »Drama«, das im Atelier stand: »Also halten Sie mich eigentlich gar nicht für einen Künstler?« Als ich ihm die erwartete Antwort gab, schüttelten wir uns die Hände und tranken ein Glas. Ich verließ ihn mit Ehrerbietung und ein wenig traurig.

Heute haben wir keine Zeit, gar keine Zeit, keine Kraft, gar keine Kraft übrig. Die einzige Ehre, die wir solchen Leuten antun können, ist: sie endgültig zu begraben.

Julius Meyer-Graefe, Max Klinger, Ganymed, 2, 1920, S. 130–35.

168   Ein Leben, 1884, Bl. 5, Kat. Nr. 195

169 Ein Leben, Studie zu Bl. 6, um 1884, Kat. Nr. 56

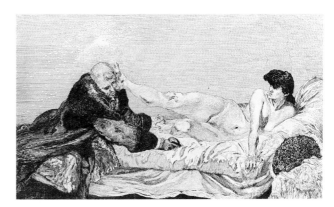

170 Ein Leben, 1884, Bl. 6, Kat. Nr. 196

171 Ein Leben, 1884, Bl. 7, Kat. Nr. 197

Expressionistischer Phantasiereichtum

Will man ein Symbol für Klingers Wesen, so nehme man die »Malerische Zueignung« aus den »Rettungen Ovidischer Opfer«. Ein in mutigster Kühnheit der Konzeption von rechts unten her ins Bild stoßendes – rein zeichnerisch nicht ganz geglücktes – Hand-Paar und das Arbeits-Werkzeug auf dem Tisch sind Früchte jenes objektiv-naturalistisch eingestellten Teilbezirkes, der alles Sichtbare nach seiner gegebenen Wirklichkeit gestaltet, schon im Leuchter beginnt die Phantasie zu spielen, die dann in deutlichem Expressionismus das aus der aufzüngelnden Flamme steigende Gehäuse der Vision in Rauch- und Wolkenformen baut; als Inhalt aber dieses visionären Geschehens hebt sich im Kopf des Aufgerufenen die klassizistische Idealität aus Rauch- und Blumenwirrnis zur strahlend-dauerhaften Klarheit ihrer Formen.

So hat Klinger in künstlerischer Traumsicht sein Wesen selbst gestaltet und erklärt. Eindringende Betrachtung lehrt immer wieder, wie wahr er sich hier gesehen hat. Und lehrt gleichzeitig, wie vorsichtig hier das Urteil verfahren müßte, um in gerechter Verteilung erst expressionistischen Phantasiereichtum als Größtes zu erleben, dann naturalistische Stärke in ihrer Kraft anzuerkennen, und schließlich klassizistische Öde ins Nichts hinabsinken zu lassen. –

Max Deri, Die Malerei im 19. Jh., Berlin 1920, S. 378.

172   Ein Leben, 1884, Bl. 8, Kat. Nr. 198

Aus einem Nachbildner der Menschen konnte er der Schöpfer einer ihm eigenen Menschenwelt werden

Der Anfang der achtziger Jahre ließ Berlin zur entscheidenden Stadt werden. Künstler wie Klinger und Stauffer-Bern waren zwar damals noch weit entfernt von öffentlicher Anerkennung. Aber schon kündete sich immer deutlicher die Notwendigkeit des Bruches mit der Akademie und ihrer französisch-romantischen Richtung an. Spuren der Zerbröckelung dieser selbst zeigten sich überall. Menzel und die um ihn Gescharten, Liebermann mit seinem wachsenden Anhang begannen den Akademikern die Hölle heiß zu machen. Die ärgerlichen Ausstellungen von allerhand »wilden Sachen« rührten den Geschmack und die Kampflust auf; die internationalen Kunstausstellungen 1886 und 1891 stellten fest, daß etwas faul sei in der allgemeinen Kunstübung Deutschlands.

Max Klingers Name begann emporzusteigen. Zuerst genannt wurde er 1878 gelegentlich einer Ausstellung von Zeichnungen. Damals schon sprach Th. Lewin, einer aus dem Kreise, der sich um Georg Brandes, den dänischen Literaturhistoriker, bildete, die Ansicht aus, daß sich hier eine große neue Kraft offenbare. Dann waren Folgen von selbständigen Radierungen erschienen. Zuerst befangen, in manchem an die Japaner sich anlehnend, in manchen auf Rethel und Böcklin weisend, das meiste vorwiegend sachlichen Inhalts, der Menschheit ganzen Jammer umfassend.

Klinger ist durch Flauberts Realismus hindurchgegangen; er hat das Grausen der Wahrheit im Sinne Zolas gesucht; er hat sich mit dieser Welt auseinandergesetzt, indem er sie in ihren Nachtseiten schilderte. Während er in seinen Jugendbildern, im Gefühl der Unzulänglichkeit das Lächeln der Überlegenheit annahm, ward er in seinen Radierungen immer ernster. Er fertigte ganze Bilderreihen, erzählte durch sie Romane in steigender Entwicklung des Grausigen: Die Liebe, ihre Zweifel, Seligkeiten, Folgen. Das Schicksal der Frau beschäftigte ihn. Er zeichnet die Revolution, Rethels großem Totentanz an Größe nachstrebend; ein Bild menschlichen Elendes, die Mutter, die sich mit ihrem Kinde in der Spree ertränkt; hart in seiner Wirklichkeitsliebe, stärksten Ausdruck nicht vermeidend; eine Liebesgeschichte mit grimmem Ausgang, an Kraft dem Hogarth nahestehend, doch ohne ermahnende Nebengedanken; in der Absicht geschaffen, dichterisch Empfundenes zu künstlerisch Schaubarem zu machen. Dies und viel anderes mehr zeigt, daß Klinger die selbständige Naturauffassung in seiner Kunst durch eine rücksichtslose Wahrheitsliebe zu erlangen bestrebt war. Noch ist das Gegenständliche, die Erzählung das Vorwiegende im Bilde. Die Erzählung gibt entweder die Tatsachen, oder sie deutet die sie begleitenden Empfindungen an. Hier setzt schon ein Geist ein, der ihn von Zola trennt. Denn dieser glaubte durch die Tatsachen allein wirken zu können. Gemeinsam aber hat er mit dessen besten Werken den Wagemut der Sinnlichkeit, die Absicht, die Grenzen des Darstellbaren zu erweitern, das Recht des Zynismus im Sinne Vischers sich zu wahren: in dem Sinn, der das Laster nicht durch Verstecken, sondern durch Bloßlegen, nicht durch Umschreiben, sondern durch die Derbheit des geraden Wortes bekämpfen will. Wer in deutschen Künstlerwerkstätten jener Zeit Bescheid wußte, der wunderte sich nicht darüber, daß er viel öfter dort den Simplizissimus Grimmelshausens als ein lüsternes Buch fand. Die Ehrlichkeit des 17. Jahrhunderts erschien den Künstlern künstlerischer, feiner als die Elégance und das Equivoque.

Daneben trat bei Klinger alsbald ein anderer Zug auf. Jener nach allgemeinem Ausdruck gegenüber dem Darstellen von Vorgängen. Er schritt fort zum Darstellen nicht eines Erschauten, sondern eines Erdachten. Der Realismus wurde ihm zur Vorstufe selbständigen Formgefühls, aus der Fülle durch treue Wahrheitsliebe erlernter Formen wuchs ihm die Herrschaft über diese Form heraus. Aus einem Nachbildner der Menschen konnte er der Schöpfer einer ihm eigenen Menschenwelt werden, aus einem Berichterstatter ein Dichter. Mit den achtziger Jahren

173 Ein Leben, 1884, Bl. 9, Kat. Nr. 199

Gewaltigen; es war nur sich selbst ähnlich; ein neuer, bisher unbekannter Geist sprach aus ihm. Aber in der Masse der Besucher machte sich die erbarmungsloseste Kritik laut; ihre plumpen Witze wirkten auf den feiner Blickenden wie Peitschenknall in der Kirche. Klinger war ganz zerschlagen und vernichtet. Er hatte eine halbe Stunde vor seinem Bilde gestanden, seinem ersten großen Ölgemälde, in das er alle Kraft, auf das er alle Hoffnung gesetzt hatte, und mußte nun die Urteile der Berliner hören: Herrjeh! von wem ist denn das?! Der muß nach Dalldorf; den darf man nicht frei rumlaufen lassen? Klinger, bis ins tiefste verletzt und den Tränen nahe, forderte sofortiges Zurückziehen des Bildes. Nur schwer war er dazu zu bewegen, das Bild zunächst noch hängen zu lassen. Der Kreuzzeitung gab es Anlaß, einen Leitartikel über den Verfall der Sitten und des Idealismus zu schreiben. Die Presse aller Parteien erhob ein allgemeines Wehegeschrei; sie fühlte sich in den Tiefen ihrer Sittlichkeit verletzt.

Cornelius Gurlitt, Die deutsche Kunst seit 1800 – Ihre Ziele und Taten, Berlin 1924, S. 418f.

Jene Sphäre des Unrealen war seiner Kunst praktisch verschlossen

Als ein Fortsetzer Menzels konnte zeitweise der berühmte Graphiker des neueren Deutschland angesehen werden, Max Klinger. Der unerbittliche Ernst der Beobachtung und das manchmal illustrativ bilderrätselhaft Spielende des sachlichen Preußen lebt in dem Tun des nüchternen Sachsen auf zeitgemäß realistische und aufklärerisch grübelnde Weise fort. Schüler des Berliners Gussow, trieb er einen harten, an der Oberfläche der Dinge haftenden Realismus, und diesen Realismus vermochte er dann nicht mehr zu überwinden, als ein phantasievolles und gedankliches Teil nach Ausdruck verlangte und als er sich in seinem ehrlichen Idealismus der Kunst der Deutschrömer näherte. Er war ein Illustrator ohne Worte und schuf als solcher eine Reihe von inhaltsschweren Radierzyklen, in denen über Tod und Leben mit dem Griffel bedeutende Gedanken philosophisch abgewandelt werden. Aber trotz aller Leidenschaft reicht seine Anschaulichkeit nicht immer, und in reiferen Jahren immer weniger, heran an die Größe der gedanklichen Vorstellungen. Wo er vom Sichtbaren ausgeht, in einigen Blättern aus dem Zyklus vom »Handschuh« oder den »Dramen« oder »Eine Liebe« und auch früheren Blättern aus dem Gesicht »Vom Tode«, kommt er manchmal Menzelschen Wirkungen nahe, und zwar nicht nur durch die Befolgung des Menzelschen Mottos vom Genie als Fleiß, sondern durch die charaktervolle, schöne Darstellung einer Wirklichkeit, die teils gesehen ist, teils so phantasievoll vorgestellt, daß sie wie gesehen erscheint. Aber in den

begann Böcklin auf ihn zu wirken. Klinger radierte Die Burg am Meer, Die Toteninsel, Den Frühlingstag nach Böcklin. Damals galt er bei den Berlinern für einen Mystiker und Genialitätshascher. Beides war unbequem und paßte nicht in den Rahmen der Weltstadt. Schlagt ihn tot, er ist ein Original, sagte die besonnene Kritik. Er malte sein Parisurteil: es war das eines der ersten Werke einer neuen Richtung, das auf deutschen Ausstellungen erschien. Der Erfolg war überraschend. Nur wenige fesselte das große mythologische Bild, unzweifelhaft das Werk eines der

174 Ein Leben, 1884, Bl. 10, Kat. Nr. 200

Unvergleichliche Dokumente der inneren Kämpfe unserer Zeit

Der stolze Rhythmus aber und die beflügelte Phantasie von Böcklins Kunst lebte wieder auf im Werke Max Klingers (1857–1920), der nun alle Gedanken der Kunst seines Zeitalters in sich vereinigte. Klinger hatte in Karlsruhe und in Berlin durch Gussow einen scharfen Realismus in sich aufgenommen. Er hatte Menzel kennengelernt, und der malerische und zeichnerische Geistreichtum des Altmeisters hatte stark auf ihn gewirkt. Die Reformen des Impressionismus nahm er gierig auf, um seine Palette aufzuhellen und seine Lichtanschauungen zu erneuern. Und in Italien und Griechenland, wohin ihn die rastlose Sehnsucht nach großem Ausdruck und dekorativ-monumentaler Sprache trieb, näherte er sich aus eigenem Geiste den Lehren der großen Trias. Wie Klinger alle diese modernen Elemente in sich

175 Ein Leben, 1884, Bl. 11, Kat. Nr. 201

Gebilden seiner gedanklichen Phantasie, die im Reiche des Idealen und der Träume leben, vermochte er nicht jene Leichtigkeit der Abstraktion zu geben, jenen Grad von Unwirklichkeit und Überwirklichkeit, durch den sein bewundertes Vorbild Goya auch die unwahrscheinlichsten Dinge aus dem Spukreich noch glaubhaft macht. Jene Sphären des Unrealen, von der Klinger in seiner theoretischen Schrift über »Malerei und Zeichnung« redet, war seiner Kunst praktisch verschlossen. Er überwindet das Modell nicht, sondern bleibt selbst in den höchsten Höhen der Spekulation von der Wirklichkeit beschwert. Leichtigkeit der Niederschrift von Dingen, die als leichte Wesen vor seiner Phantasie aufgestiegen waren, blieb ihm versagt, und keine noch so leidenschaftliche technische Arbeit, keine noch so hexenmeisterhafte Kunst in der Mischung der Stile und Manieren von Ätzung und Kaltnadel, Schabkunst, Aquatinta und Stichelarbeit in undurchdringlichem Durcheinander konnte dies ausgleichen. Sein schöner Realismus, dem man einiges auch illustrativ Meisterhafte verdankt, scheiterte an den Grenzen des Idealreiches, das er so leidenschaftlich mit der Seele suchte.

Emil Waldmann, Die Kunst des Realismus und Impressionismus im 19. Jahrhundert, Berlin 1927, S. 146f.
(Propyläen Kunstgeschichte, Bd. 15)

XIII Bildnis
Dr. jur.
H. H. Meier,
1898,
Kat. Nr. 30

sammelte, so versuchte sich die erstaunliche Vielseitigkeit seines Talents in allen Techniken. Als Radierer begann er, und seine grüblerische Phantasie fühlte sich zu der Beweglichkeit und anregenden Kraft des abstrakten Schwarz-Weiß immer besonders hingezogen. In der großartigen Folge seiner Zyklen, die mit geistreichem Humor die antiken Märchen des Ovid, in den Blättern »Vom Tode« Holbeinsche Gedanken im modernen Sinne erneuern, alle Probleme und Fragen des Lebens in tiefsinnigen Kompositionen durchforschen, hat Klinger unvergleichliche Dokumente der inneren Kämpfe unserer Zeit geschaffen. In Malerei wie in der Plastik hat er, so sehr er auch hier, als ein Werkstattkünstler nach früherer Art, die Gesetze der Technik durchgrübelte und erweiterte, die Widerstände der Materie niemals völlig besiegt. Dennoch gelangen ihm, namentlich in seiner Frühzeit, da er Böcklins festliche Naturfeier mit der reicheren Malerei der Impressionisten verband, aber auch später, da er auf Besnards koloristischen Spuren die Geheimnisse der »Heure bleue« ergründete und seine altdeutsch-dürerische Pietà schuf, meisterliche Gemälde, die in ihrer Vereinigung geistiger und künstlerischer Qualitäten ihresgleichen suchen, Offenbarungen einer gewaltigen Persönlichkeit, in der die Ergebnisse leidenschaftlicher Gefühlsreflexion und unaufhörlicher Denkerarbeit mit stürmischer Energie zu bildhaft greifbarem Ausdruck drängen. Ebenso hat Klinger in seinen plastischen Werken, von den Köpfen der Salome und der Kassandra und seinen rhythmisch belebten weiblichen Aktfiguren an bis zu den Monumenten für Beethoven und Brahms, obwohl auch hier der Reichtum des gedanklichen Gehalts sich oft gegen die künstlerische Bewältigung sträubte, Schöpfungen von großartiger Wirkung gegeben, die den Visionen einer aus geistigen und sinnlichen Elementen eigentümlich gemischten Einbildungskraft mit majestätischem Formgefühl Gestalt verleihen.

Max Osborn, Geschichte der Kunst, 4. Aufl. Berlin 1929, S. 429 f.

Tragische Erscheinung

Alles Können, alle Begabung, alles Suchen, alle Ratlosigkeit, Zerrissenheit und Not der Übergangszeit wird Gleichnis im Leben und Schaffen Max Klingers (1857–1920).
Es gibt kaum eine Kunst, die der vom Ehrgeiz nach dem Größten Umgetriebene nicht geübt hätte: Wandmalereien, Tafelbilder jedes Stoffes, Graphiken der verschiedensten Art, vorzüglich die Radierung, Bildwerke schleudert er aus sich heraus. Ein philosophischer, grübelnder Geist, erfüllt von starkem ethischem Pathos, das ihn zwingt, stets an die letzten und tiefsten Menschheits- und Weltanschauungsfragen zu rühren, immer mit trotzigem Eigenwillen unbetretene Wege zu erkämpfen. Die Techniken selbst der Könner genügten ihm nicht. Seine Radierungen häufen die raffiniertesten, durch eigene Experimente

176   Ein Leben, 1884, Bl. 12, Kat. Nr. 202

vermehrten Verfahren, und das Schaffen des Bildhauers kreist um das dem Geschlechte der Jahrhundertwende unerhört kühne Problem der farbigen Skulptur und gar um den Traum, es Phidias gleichzutun, der aus der Vermählung kostbarster Stoffe die Kraft gewann, die Götter aus dem Olymp herabzurufen. Und doch – was hat von all dem gewaltig Gedachten die Begeisterung der Stunde überdauert? Weder die Fresken in der Leipziger Aula, noch die gleichsam verselbständigten Monumentalgemälde »Christus im Olymp« und »Golgatha«, noch endlich der als Lebenswerk angestrengtester Jahre in technischer Vollendung aus weißem und farbigem Marmor und Gold gefügte Beethoven-Zeus, als unvergängliche Huldigung gewollt für jenen Künstler, in dem Klinger das Urbild des Schöpfermenschen verehrte. Immer wird das Problem geistig und formal richtig erfaßt. Und immer scheitert die gleichwertige Durchbildung an dem Naturalismus, dem der 1857 Geborene rettungslos verfallen bleibt. Nur die Radierungen, oft Einzelblätter von grandioser Wucht gleich dem Tod im Krankenhause, oft zu Zyklen gefügt wie »Eine Liebe«, »Fund eines Handschuhs«, »Vom Tode«, »Brahms-Phantasie« oder das schwer zugängliche, symbolüberladene Spätwerk »Das Zelt«, erzählen, daß eine der höchstbegabten, erfindungsreichsten und mit am weitesten von Oberflächenkunst entfernten Persönlichkeiten unserer Zeit zugleich ihre tragischste Erscheinung war.

Hans Hildebrandt, Die Kunst des 19. und 20. Jahrhunderts, Potsdam 1931, S. 334 (Handbuch zur Kunstgeschichte, Abt. 18).

Kam in die Kunstabteilung des königlich preußischen Kultus-Ministeriums ein Neuling, so wurde er gefragt, im Hinblick auf Seine Majestät: wie stehen Sie zu Klingers Beethoven?

Er ging mit vielseitiger und ungewöhnlicher Begabung auf mancherlei Wegen. Zuerst wurde er durch ausgezeichnete Radierungen bekannt, später durch oft sehr umfangreiche Ölbilder und Wand-Gemälde. Schließlich trat er auch als Bildhauer hervor; sein Beethoven, in mehreren Arten farbigen Marmors, zum Teil vergoldet, erregte ungeheures Aufsehen. Kam in die Kunstabteilung des königlich preußischen Kultus-Ministeriums ein Neuling, so wurde er gefragt, im Hinblick auf Seine Majestät: wie stehen Sie zu Klingers Beethoven?

In den römischen Jahren wurde Klinger zu einem Nachzügler der großen deutschen Malerei, die sich dort aus schöpferischer Anschauung südlicher Natur und Kunst entfaltet hatte. Er radierte eine Huldigung an Böcklin. Allein er schafft nicht mehr in der gesetzhaften Strenge jener Meister, sondern in der Form-Lockerheit und Prachtliebe seiner Zeit, beides gesteigert durch künstlerische Beweglichkeit und starke Sinnlichkeit. Im Aufbau waltet nicht edler Rhythmus, sondern es werden Modelle bühnenhaft aufgestellt; nahe Wirklichkeit mischt sich, nicht immer rein, mit der Unwirklichkeit des gedachten Vorganges aus Geschichte oder Sage, mit der übersteigerten Farbigkeit. Sein Urteil des Paris ist nicht ein künstlerischer Traum wie bei Marées: den Göttinnen sieht man an, daß sie stundenlang im Atelier still stehen mußten. Ein späteres Kolossalgemälde, Christus im Olymp, zeigt noch seltsamere Modelle. Es ist umgeben von einem formenschwülstigen Marmor-Rahmen. Die schwingende Linie des Jugendstils macht sich geltend. Der Impressionismus bringt ihn zum Aufsplittern des Farbkörpers und zur Annäherung an das zerteilte Tageslicht. Das verträgt sich nicht mit der theaterhaften Anordnung, der gewollten Farbenglut und der starken Körperhaftigkeit der Gestalten.

Im Gegenstand brachte Klinger gern Ungewohntes, das ihm als geschichtlich richtig galt, während es die Zeitgenossen aufregte, zu Spott oder Empörung: Alexander der Große schreitet auf dem Wandbild der Leipziger Universität als fast komischer kurzer Mann einher, und der Gekreuzigte, in einem leidenschaftlich umkämpften Gemälde, sitzt rittlings auf einem Holz, das in den Kreuzes-Stamm getrieben ist. Was für Wichtigkeiten! Wie anders hatte sich früher die Vorstellung in solchen Bereichen bewegt!

Leichter und angenehmer als seine Kolossal-Gemälde wirken die sieben kleinen Leinwandbilder, die ursprünglich zum Wandschmuck eines Steglitzer Hauses gehörten. Launige Erfindung, Auflockerung Böcklinischer Formklarheit, trägt das nicht ganz passende Gewand des Impressionismus: lichte Farbe und freie Flecken-Malerei – schon Mitte der achtziger Jahre, erstaunlich für das damalige Berlin.

Der aufbrennende Ruhm Klingers ist bald erloschen, heute hat man ihn fast vergessen. Seine Begabung war sehr groß, doch nicht rein auf Malerei gerichtet, der Radierer und Bildhauer Klinger beirrten den Maler, die Großspurigkeit im neureichen Deutschland verführte ihn zu Übersteigerung, und außerdem geriet er noch sozusagen in das Kreuzfeuer von Renaissance, Jugendstil und Impressionismus.

Ludwig Justi, Von Runge bis Thoma, Berlin 1932, S. 203–5.

Der musikalische Urgeist in ihm

Max Klinger ist der erste Maler und Graphiker, der das Musikalische in der bildenden Kunst zu einem der Hauptinhalte neben dem denkerisch Philosophischen gemacht hat. Seine musikalische Begabung als Mensch geleitete sein ganzes Leben von einer großen Erscheinung zur anderen. Mit den übermütigen »Davidsbündern« von Robert Schumann begann seine Liebe; ohne Bruch und Sprung übertrug sie sich auf Schumanns größten Schüler, Johannes Brahms, dessen nordische, schönheitsselige Schwermut Klingers Ernst und Tiefsinn lag. Später wurde Max Reger Klingers Freund. Wenn auch Beethoven für Klinger der Gipfel der neueren Musik blieb und der Schöpfer der Neunten

177 Ein Leben, 1884, Bl. 13, Kat. Nr. 203

XIV   Sitzender Akt,
      1880, Kat. Nr. 15

XV   Am Strand, 1892, Neue Pinakothek, München

XV   Sirene, 1892, Kat. Nr. 26

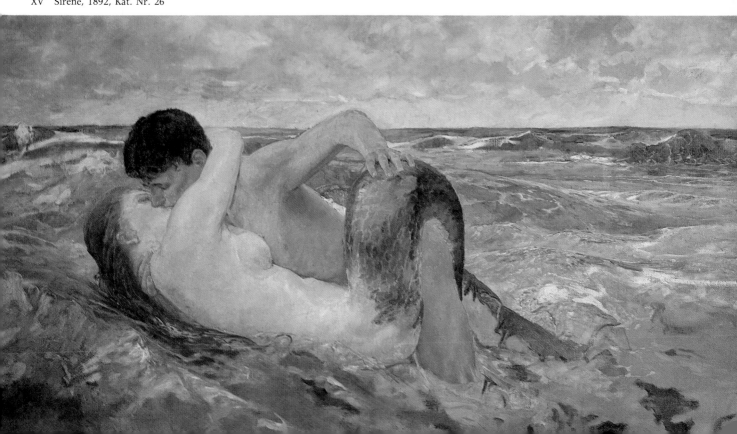

178 Ein Leben, 1884, Bl. 14, Kat. Nr. 204

das wiedergab, was der Wiener Meister ihm unerschöpflich reich geschenkt hatte.

Die unendliche, einmalig geformte Menschlichkeitslyrik in Hölderlins »Schicksalslied«, die vor Brahms niemals einen Vertoner fand, war auch für Klinger das Grundmotiv seines ganzen Schaffens. Man könnte sagen: an diesem Punkte mußten die beiden wesensverwandten Vertreter der beiden Künste zusammenstoßen. Brahms' Biograph Max Kalbeck berichtet in seinem Werke, daß den großen Komponisten gerade die Ausdeutung des Schicksalsliedes durch Klinger am tiefsten ergriff und daneben noch dieses und jenes Blatt aus der ersten Hälfte der Brahms-Phantasie, das die Not des armen, vom Schicksal tiefgebeugten Menschen besonders unterstrich. Aber auch das vordem von der bildenden Kunst niemals in der Illusion erreichte Verschwebende und Ahnungsvolle der Stimmungen in zahlreichen Vignetten und Randleisten des Radierwerkes, alles das, was sich kaum noch erkennbar in die tiefe Gemütsdämmerung der inneren Gesichte verliert, löste in dem Urmusiker Brahms die Dankworte aus »Ich sehe die Musik, die schönen Worte dazu und nun tragen mich ganz unvermerkt Ihre herrlichen Zeichnungen weiter; indem ich sie ansehe, ist es, als ob die Musik ins Unendliche weitertönte und alles ausspräche, was ich hätte sagen mögen, deutlicher, als Musik es vermag, und dennoch ebenso geheimnisreich und ahnungsvoll.« Und an Eduard Hanslick schrieb Brahms 1894 »die neue Brahms-Phantasie nur anzuschauen ist mehr Genuß, als die zehn letzten zu hören«. Mit diesen Worten ist im Grunde alles gesagt. Hier erklärte ein Meister der Töne, daß ein Meister des Griffels mit seiner Kunst die geheimnisvollsten Wirkungen der bis dahin hierin einzig dastehenden Musik erreicht hatte.

Man kann vielleicht im Zweifel sein, ob es nicht einem Künstler wie Max Slevogt in seinen rauschhaften Arabesken und Rahmenspielen zu Mozarts »Zauberflöte« gelungen ist, noch über Klinger hinaus den Geist der Griffelkunst in die Musik zu verwandeln. Doch kann man dazu bemerken, daß es für Slevogt relativ leichter war, aus den bereits durchgestalteten Erscheinungen der Mozartschen Meisteroper radierte Phantasien herauszuvariieren, als aus einer viel unsinnlicheren und spröderen nordisch-herben Gefühlslyrik eines Brahms eine derartige Fülle von symbolischen, realen und traumhaften Visionen herauszuzaubern, um sie in der Glorie der Prometheusblätter zum Schicksalslied in der Brahms-Phantasie gipfeln zu lassen. Ja, vielleicht führte Klingers Bewunderung für den Geist der Musik in den Werken des Johannes Brahms ihn noch über Brahms hinaus.

Jedenfalls hat sich in Klingers Brahms-Phantasie eine einmalige unio mystica der bildenden Kunst und der musikalischen Seelenwelt vollzogen.

Für dieses unsterbliche Geschenk konnte der Beschenkte nur durch eine gleichwertige Gabe danken. Dazu bedurfte es einer besonderen Gelegenheit. Sie bot sich über 2 Jahre später, als Brahms aus einer inneren Todesvorahnung heraus am 8. Mai 1896 seine vier ernsten Gesänge zu Texten des Predigers Sa-

Symphonie für seine Bildhauerphantasie nur in der Form eines thronenden Jupiters eine seiner würdige Gestaltung finden konnte, so blieb das Schwingende, Melancholisch-Unerlöste, manchmal Vergrübelte, dann wieder Aufjauchzende der Brahmsschen Melodik für ihn eine unergründliche Fundgrube seiner zeichnerischen Phantasie. Bei keinem anderen Komponisten konnte diese Dichterdenkernatur so träumen und komponieren. Darum waren es keineswegs äußere Gründe, die Klinger zur Schöpfung seines Hauptradierwerkes, der grandiosen »Brahms-Phantasie« führten, sondern es war der musikalische Urgeist in ihm, der Johannes Brahms in seiner Ausdrucksform

lomo, des Jesus Sirach und der berühmten Stelle über die Liebe aus dem Korintherbrief schrieb. Kurz vorher war der Vater Max Klingers, den dieser über alles liebte, gestorben. Brahms empfand sehr feinfühlend, daß er in dieser Situation dem erschütterten Maler ein seiner traurigen Stimmung entsprechendes passendes Geschenk mit einer persönlichen Widmung der vier Gesänge machen würde. Und das war es auch. Die vier ernsten Gesänge sind in ihrer düster gewaltigen Stimmung Brahms' wahrhaftiger Schwanengesang. So stattete er mit ihnen in gleichwertiger Form Klinger den tiefsten Dank seiner Seele für dessen größtes graphisches Werk ab.

Paul Friedrich, Musikalische Griffelkunst, Zu Klingers »Brahms-Phantasie«, Die Kunst, Bd. 67, 1933, S. 263 f.

179 Ein Leben, 1884, Bl. 15, Kat. Nr. 205

Dieses Phantastische und Gedankliche, ein echt deutsches Erbstück

Der universelle Geist Max Klingers, der schon im ausgedehnten Reich der bildenden Künste ungewöhnlich weite Gebiete befruchtete, strahlte darüber hinaus auch machtvoll in die Gefilde der Philosophie und Dichtung, mehr noch aber in die der Musik. Ihr war Klinger bis in die innersten Fasern seiner Seele hinein ergeben, so daß man sogar versucht hat, seine Kunst aus dem Geist der Musik heraus, namentlich der Beethovenschen, als ihrem dionysischen Urelement zu erklären. Von allen Königreichen der Seele, die sich um die bildenden Künste erstrecken, war sie für sein Schaffen das ausschlaggebendste. Besonders das Metaphysisch-Phantastische in ihm ruhte im wesentlichen auf musikalischer Grundlage.

Dieses Phantastische und zugleich Gedankliche, ein echt deutsches Erbstück, hat ihm immer wieder den Vorwurf zugezogen, seine Kunst sei nicht wahrhaft empfunden, sondern nur gedacht, ja gekünstelt und ergrübelt, seine Plastik Ideenmeißelei, seine Malerei Gedankenpinselei. Ähnlich hatte man einst in der Musik Brahms geschmäht, ja ihn sogar als kalt-mathematischen Rechenkünstler und Nur-Musik-Denker verschrien, obwohl seine Kunst doch in ihrer schlichten Innerlichkeit, ihrer herben nordischen Schönheit, ihrem stolzen Verzicht auf Prunk, Pose und Phrase und ihrer starken, aber vornehm beherrschten Leidenschaft ebenso echt und groß war wie in der plastischen Schärfe ihrer Umrisse und der Vollkommenheit ihrer formalen Gestaltung.

Klinger kam von Schumann, dem Abgott seiner Jugend (dem er seine Rettung Ovidischer Opfer gewidmet und dem zu Ehren er sein opus IV Intermezzi getauft hatte) zu Brahms. Und zwar war es zuerst die phantastisch kühne f-moll-Sonate, deren urwüchsige Kraft und dann wieder so seltsam verträumte Innigkeit ihn in ihren Bann zog. Er vertiefte sich in andere Schöpfungen von Brahms und fühlte mit tiefem Glück, wie stark sie ihn zum Schaffen anregten, ja wie sie eine geradezu magische Anziehungskraft auf ihn ausübten. Und dies erfüllte ihn mit höchster Dankbarkeit gegen den großen Musiker, zumal dessen reiches, ungekünsteltes Menschentum ihn trotz all der Stacheln, die es umgaben, ja, gerade dieser Stacheln wegen, ebenso magnetisch anzog. Auch andern Meistern der Tonkunst hat er gehuldigt, denken wir nur an seinen Beethoven, an die Lisztbüste und an das Wagnerdenkmal. Aber in Brahms steckte ein gutes Stück von ihm selbst, er war ihm – wenn auch gewiß weniger Kulturgenie als er – seelenverwandt. Und so konnte es nicht wundernehmen, daß er gerade ihm eines seiner reichsten und eindrucksstärksten Werke widmete, nämlich die jedem Kenner seines Schaffens vertraute monumentale Brahmsphantasie, in der er Inspirationen aus Brahmsschen Schöpfungen in seiner phantastisch-gedanklichen Art mit unvergleichlicher Meisterschaft gestaltete. Aus den Werken des geliebten Meisters trat ihm das Menschenschicksal entgegen, er zeichnete es, und über-

XVI Bildnis der Mutter,
um 1880, Museum
der bildenden Künste,
Leipzig

XVII Alte Frau,
um 1895,
Kat. Nr. 29

180   Dramen, 1883, Bl. 1, Kat. Nr. 206

181   Dramen, 1883, Bl. 2, Kat. Nr. 207

wältigt von der Erhabenheit seiner Geschichte empfinden wir im Anschauen dieser Kunstblätter, welch seltene Gabe er besaß, mit dem Griffel in der Hand tiefe Einblicke in das Wesen der Tonkunst zu vermitteln.

Das Werk wurde 1894 vollendet, Brahms hatte also schon die Sechzig überschritten, als ihm die kostbare Vorzugsausgabe zuging, die ihm von Klinger zugedacht war. Schon viele Jahre vorher, Weihnachten 1889, hatte ihm der Künstler einmal eine Huldigung dargebracht, und zwar mit der Widmung seines phantasiereichen Zyklus »Amor und Psyche«, und schon damals hatte er ungeteilten Beifall bei ihm für diese »höchst interessanten und talentvollen Blätter« geerntet. Später bat ihn dann der Brahms-Verleger Simrock mehrmals um Titelbilder zu neuen Brahmswerken, u. a. zu den Liederheften op. 96 und 97, und er schuf sie aus reiner Verehrung für Brahms in bewundrungswürdiger Selbstentäußerung. Um so tragischer war es,

daß gerade hier der erhoffte Erfolg ausblieb. Denn von den bis ins Unkenntliche verschmierten, kläglichen Fehldrucken, die herauskamen, war der kritische Meister wenig erbaut und machte aus seiner Enttäuschung auch kein Hehl. Um so mehr wurde es nun für Klinger, obschon er an den Fehldrucken keine Schuld trug, Herzenssache, Brahms erneut eine Probe seines überragenden Könnens zu geben, ja möglichst eine, die ihn noch mehr befriedigte als das Jugendwerk von 1880.

Und nicht nur das geschah, sondern Brahms hatte an dem wundervollen neuen Werk sogar eine geradezu unaussprechliche Freude. Er war ganz außer sich vor Glück. Und so war es denn auch besonders genußreich, die Blätter an seiner Seite zu betrachten. Er verweilte mit größter Liebe bei ihnen und begleitete das Anschauen mit treffenden Bemerkungen. Immer neue Feinheiten und Reize wurden entdeckt. Und auch die Sorgfalt rührte ihn, mit der Klinger sogar den Satz der Musiknoten

182 Dramen, 1883, Bl. 3, Kat. Nr. 208

183 Dramen, 1883, Bl. 4, Kat. Nr. 209

geordnet und überwacht, ja, wo es nottat, eigenhändig eingetragen hatte. Ein so großer Künstler konnte sich so weit herablassen, daß er wie ein handwerksmäßiger Notenstecher die Linien, Striche und Köpfe mit derselben Gewissenhaftigkeit kopierte, mit der er den Leib der Venus, den Himmel und das Meer auf die Platte zauberte! Sebastian Bach habe ja auch Noten in Kupfer gestochen, aber das seien seine eigenen gewesen. Was für ein Mensch wäre das, der so etwas einem andern zuliebe tue! Während er sprach, leuchtete sein Gesicht, das dem eines selig beschenkten Kindes glich, von Begeisterung und Stolz.

So etwa hat uns Kalbeck, sein Kurwenal, berichtet, den er zur Besichtigung gebeten hatte, damit sie zusammen Buße tun und dem Künstler abbitten könnten, was sie nach den Fehldrucken an ihm gesündigt hätten. Seinen Freunden aber schrieb Brahms immer wieder entzückt von den »herrlichen« Blättern, die wie gemacht seien, alles Erbärmliche zu vergessen und sich in lichteste Höhen tragen zu lassen. »Es sind«, heißt es in einem Brief,

»41 Zeichnungen und Radierungen, denen Lieder von mir und schließlich das Schicksalslied zugrunde liegen. Die ganz wundervollen Blätter sind nicht ohne weiteres zu verstehen. Obwohl sie nichts Symbolisches und dergleichen enthalten, sind sie doch keine bloßen Illustrationen, wie etwa eine Blume gemalt ist, wenn es heißt: Du bist wie eine Blume. Desto schöner aber kann man sich hinein vertiefen und sieht und denkt sich nicht satt«. Die Blätter zum Schicksalslied hatten es ihm besonders angetan, sie sind wohl auch die erschütterndsten des Werks. Daß der Künstler in edler Selbstbescheidenheit nur wenige Hundert Abzüge hatte herstellen und die Platten dann hatte vernichten lassen, berührte ihn, den ähnlich vornehm und uneigennützig Denkenden, zugleich so sympathisch, daß er, um ihn wenigstens einigermaßen zu entschädigen, alles tat, daß diese Abzüge bald verkauft wurden, und Clara Schumann, Josef Joachim und andern Freunden selbst Geschenke damit machte.

XVIII Junge Frau,
um 1895,
Kat. Nr. 28

184 Dramen, 1883, Bl. 5, Kat. Nr. 210

185 Dramen, 1883, Bl. 6, Kat. Nr. 211

Sein feiner Sinn für Meisterwerke der bildenden Kunst hatte sich schon bei Feuerbach gezeigt, für den er, wie wir wissen, in schwerer Zeit mit größter Hingabe gekämpft hat. Auch Böcklins geniale Naturmystik fesselte ihn ungemein und ebenso – ein Beweis für die Weite seines künstlerischen Horizonts – der grundverschiedene großartige Realismus Adolf Menzels. »Diese drei«, hat er einmal in froher Stunde von Feuerbach, Böcklin und Klinger geschrieben, »füllen Herz und Haus, und es ist doch keine schlimme Zeit, in der man sich solcher Dinge freuen kann, und da mir Menzel gerade einfällt, merke ich, wie üppig wir leben«. Auch im engeren Bereich der bildenden Kunst war es also kein Unwürdiger, dem Klinger sein Werk geweiht hatte. Und wunderschön ist der Dankbrief, den er ihm schrieb: »Ich sehe die Musik, die schönen Worte dazu – und nun tragen mich ganz unvermerkt Ihre herrlichen Zeichnungen weiter; indem ich sie ansehe, ist es, als ob die Musik ins Unendliche weitertöne und alles ausspräche, was ich hätte sagen mögen, deutlicher, als Musik es vermag, und dennoch ebenso geheimnisreich und ahnungsvoll. Manchmal möchte ich Sie beneiden, daß Sie mit

dem Stift deutlicher sein können, manchmal mich freuen, daß ich es nicht zu sein brauche. Schließlich aber muß ich denken, alle Kunst ist dieselbe und spricht die gleiche Sprache.« Später hat er sich in noch schönerer Weise bedankt. Nicht allein, indem er dem ihn auch menschlich überaus fesselnden dämonisch-heiteren jungen Kunstkollegen, wenn sie sich in Wien oder Leipzig sahen, alles zuliebe tat, was er konnte, wie z. B. damals, als Klinger auf seiner Reise nach Griechenland Wien besuchte. Da war er um ihn wie um einen Sohn bemüht, mochte auch der Prater, wohin er ihn führte, damit er das Wiener Volksleben kennen lerne, dem Gast, der bei aller Ausgelassenheit und kraft-vollen Männlichkeit das »Odi profanum vulgus« noch mehr als er auf seinen Schild geschrieben hatte, viel weniger zusagen als ein Abend, an dem eine begabte junge Wiener Sängerin Lieder von Brahms unter dessen Begleitung sang. Noch nach Jahren schwelgte er in der Erinnerung an diesen Genuß, da mit dem Klavierspiel des Meisters das anderer, selbst ganz großer Pianisten auch nicht entfernt zu vergleichen gewesen sei, und be-dauerte schmerzlich, daß er nicht den Mut zu der Bitte gefun-

186   Dramen, 1883, Bl. 7, Kat. Nr. 212

187   Dramen, 1883, Bl. 8, Kat. Nr. 213

den hatte, ihm allein vorzuspielen, hiermit das richtige Gefühl beweisend, denn Brahms am Klavier im engeren Kreis hat vielen Unvergeßliches gegeben.

Der schönste Dank des alten Meisters – wenn auch von dem Bescheidenen als ein »nur zu bescheidener Dank« bezeichnet – war das königliche Geschenk seiner »Vier ernsten Gesänge«, die zum Erhabensten gehören, was er geschrieben hat. Mag er sie im Grunde für sich selbst geschrieben haben, wie er brieflich angedeutet hat, mögen auch Erinnerungen an die beiden edlen Frauen, denen er im Leben diente, an Clara Schumann und Elisabeth von Herzogenburg, darin nachklingen, gewidmet sind sie Max Klinger, und in dem herzlichen Brief, den er ihm schrieb und in dem er in seiner schnurrigen Weise, die jeder Feierlichkeit scheu aus dem Wege ging, diese gewaltigen Gesänge mit einem ganz despektierlichen Wort abtat, heißt es am Anfang: »Lieber und Verehrter! Was werden Sie sagen, wenn nächstens ein paar Liederchen von mir kommen, die ausdrücklich Ihnen zugeeignet sind! Ich habe Ihrer oft dabei gedacht, und wie tief Sie die großen, gedankenschweren Worte ergreifen möchten!« Klinger ward von größter Freude erfüllt über diese Widmung und hat sich noch später energisch gegen alle Unterstellungen

gewehrt, die ihn als den wahrhaft Bedachten ausschalten wollten, indem er mit stolzer Entschiedenheit betonte, daß die Lieder nur rein persönlichen Beziehungen zwischen Brahms und ihm ihre Entstehung verdankten.

Als Brahms im Frühjahr 1897 abberufen worden war, reiste er tieferschüttert nach Wien und wollte am Begräbnistag eigenhändig einen kunstvoll geflochtenen Kranz auf dem Grab des hingebend Verehrten niederlegen. Aber durch das Mißverständnis eines Hotelbediensteten wurde die Ausführung des liebevoll ausgedachten Vorhabens vereitelt, und schmerzlich enttäuscht fuhr er zurück, ohne es jemandem mitzuteilen. Er hat das erst lange danach getan. Seine dritte Huldigung an Brahms wurde dann das tiefsinnigste und ergreifendste aller Brahmsdenkmäler. Im Jahre 1909 hat er es am Eingang zur Musikhalle in Brahms' Vaterstadt Hamburg aufgestellt. Es war die Zeit, wo er sich mit dem Brahmsjünger Max Reger in Freundschaft verbunden hatte, und beide werden des verewigten Großmeisters oft in liebender Verehrung gedacht haben.

Konrad Huschke, Max Klinger und Johannes Brahms, Ein Gedenken zu Brahms' 100. Geburtstag, Die Kunst, Bd. 67, 1933, S. 257–262.

188 Dramen, 1883,
Bl. 9, Kat. Nr. 214

Klinger steht kein von einer allgemein verbindlichen Weltanschauung getragener einheitlicher Zeitstil zur Seite

Von unserer Zeitstufe aus gesehen, erscheint Max Klinger in vieler Hinsicht als eine letzte Zusammenfassung der Kunstbestrebungen des neunzehnten Jahrhunderts. Wenn er auch zeitlich weit in das zwanzigste hineinragt, gehört er dennoch seiner Bedeutung nach dem neunzehnten Jahrhundert an. Er durchschreitet noch einmal die Vorstellungswelt der Romantik, erneuert das Suchen des Klassizismus nach einer versunkenen »großschreitenden« Welt, und stilistisch bleibt er einem Naturalismus auf früherer Stufe verhaftet. Als Gesamterscheinung ist er trotzdem durchaus selbständig. Weder eine einseitig geistesgeschichtliche, noch eine einseitig formale Betrachtung können Klinger gerecht werden, am wenigsten in seinem Graphischen Werk, das seine Persönlichkeit am reinsten spiegelt. Nur die Verbindung beider Betrachtungsweisen kann heute noch eine Arbeit über Klinger fruchtbar machen. Sicher ist Klinger ohne Kenntnis seines und seiner Zeit Bildungs- und Weltanschauungsgutes nicht voll zu verstehen, nur unternimmt er die kühnsten Versuche, seine Gedanken Bild und Form werden zu lassen. Er fordert darin geradezu grundsätzliche Stellungnahme heraus. Andererseits läßt eine rein formale Betrachtung das Kunststreben einer ganzen Kunstepoche ungewürdigt, die in Klingers Versuch einer persönlichen Erfüllung des alten romantischen Traumes vom Gesamtkunstwerk eine letzte heroische Anstrengung macht. Klinger steht kein von einer allgemein verbindlichen Weltanschauung getragener einheitlicher Zeitstil zur Seite, der uns gleichzeitig einen Maßstab zur Beurteilung seines Werkes geben könnte. Das bürgerliche individualistische neunzehnte Jahrhundert glaubt sich eine Zeitlang in Klingers Werken zu spiegeln, und zollt ihnen dafür lauten Bifall. Als dann der Impressionismus seinen Siegeszug durch Mitteleuropa antritt, wird es allmählich still um Klinger, der unbeirrt seinen Weg zu Ende geht.

Klinger ist eine Späterscheinung; der Weg, an dessen Ende er steht, führt weit zurück in das Ursprungsgebiet des klassizistischen und romantischen Kulturstroms. Das Selbstbewußtsein der Menschen, die in der Befreiung des Ichs aus jahrhundertealten Bindungen durch die Aufklärung den Anbruch eines neuen Zeitalters gesehen haben, lebt noch stark in Klinger. Hier liegen zuletzt die Wurzeln, deren späte, verwickelte Verzweigungen in Klingers Werk zu finden und nur durch einen weiten Rückgriff in die Vergangenheit zu entwirren sind. Es liegt an der eigentümlichen Bewußtseinshaltung des 19. Jahrhunderts, daß sich so umfassende geistige Erscheinungen wie Klinger nur in einer verlängerten Perspektive geschichtlich erschließen lassen.

Christian Walter Biermann, Max Klinger in seinem graphischen Werk, Phil. Diss. Berlin 1938, S. 9f.

189   Dramen, 1883, Bl. 10, Kat. Nr. 215

Ein Zeitalter, in dem derartiges bildmöglich wurde, war von dem alten Glauben an die Harmonie des gesellschaftlichen Daseins schon durch einen Abgrund getrennt.

Ein 1878 entstandenes Frühwerk Max Klingers, das Bild »der Spaziergänger« in der Nationalgalerie mag zeigen, welche Möglichkeiten der Spannungsverschärfung für das spätere 19. Jahrhundert dort bestanden, wo man nun nicht mehr Gesellschaft, sondern Gegnerschaft und Kampf auf Leben und Tod darstellen wollte. Um einen Überfall mehrerer auf einen einzelnen handelt es sich. Wo aber jeder Barockmaler den aktiven Angriff, das Sichineinanderverbeißen der Gegner gezeigt haben würde, gibt

der Künstler des späten 19. Jahrhunderts nur das nervenkit-
zelnde Gegeneinander weit voneinander entfernt stehender
Menschen in einem Raume, der aus einem vereinigenden, bin-
denden, wie es der Raum jedes Barockbildes war, jetzt zu einem
Spannungsfelde geworden ist, in dem der einzelne völlig auf
sich gestellt ist und die eigentliche Entladung überhaupt erst
bevorsteht.

Ein Zeitalter, in dem derartiges bildmöglich wurde, war von
dem alten Glauben an die Harmonie des gesellschaftlichen Daseins schon durch einen Abgrund getrennt. Schon wuchs immer
mächtiger eine Klasse herauf, die jenen Vertrag, von dem einst
die Gesellschaft ihr Recht und ihr Dasein ableitete, als gebrochen, gekündigt und für sich nicht mehr verpflichtend betrach-
tete. Die Spannungen verschärften sich von Jahrzehnt zu Jahrzehnt, und auf die Dauer schien die bewaffnete Auseinandersetzung zwischen Klasse und Klasse, zwischen Ausbeutern und
Unterdrückten, so wie sie die marxistische Ideologie voraussah,
unausbleiblich zu sein.

Hans Beenken, Das Neunzehnte Jahrhundert in der deutschen Kunst,
München 1944, S. 334 f.

Welche Entfremdung aller Zusammenhänge

Reinste Natur ist für Klinger das Ordnungslose, das Chaos. Wie
Nietzsche, dessen Zarathustra (1883) gelehrt hatte, man müsse
*»noch Chaos in sich haben, um einen tanzenden Stern gebären zu
können«,* so liebte auch Klinger die Wüste und die vegetationslo-
se Urnatur gewaltiger Felsgebirge, Kinder des Chaos, nicht mehr
Ausgeburten einer beseelten Natur, sind die Kentauren, Götter,
Halbgötter, Fabelwesen, mit denen er – wenn sie nicht, wie
gelegentlich auch wohl, plötzlich dem Nichts entsteigen – Böcklin folgend, oft die Landschaft bevölkert. Der alte Mythos der
Vorzeit, die Geschichten von Prometheus und vom Titanenauf-
ruhr fesseln den Künstler. Chaos ist auch das Meer für Klinger,
sein unaufhörliches Wogen und Rauschen, seine verführende
Macht. Dies Chaos lebt aber, ganz so wie Nietzsche es sah,
zugleich auch im Subjektiven, im Künstler zumal, der aus ihm
sein Werk gestaltet. In zwei Radierungen der »Brahmsphantasie« (1894) wird – jedem sinnvollen, natürlichen und menschlichen Zusammenhang hohnsprechend – auf einer Estrade der
Klavierspieler unmittelbar neben der wogenden See gezeigt. In
dem Blatte »Evokation« erscheinen in der blassen Ferne des
Himmels über dem Wasser Titanenheere, deren Sturm nicht
anders als das Brausen der Wellen dem Wogen der Töne entspricht. Im Spiele zur Seite blickend, erschaut der Künstler ein
nacktes, dem Meere entstiegenes Weib, das, ihn aufrufend, die
Arme ausbreitet. Neben ihr steht eine riesige Harfe mit einer
bärtigen Maske, deren geöffnetem Munde die Töne machtvoll
entströmen werden.

Welche Entfremdung aller Zusammenhänge! Schon formal ist es
so, daß sich das musikalische, das landschaftliche und das my-

190   Eine Liebe, 1887, Bl. 1, Kat. Nr. 216

thologische Geschehen in streng – durch parallele Horizontalen
und durch verschiedene Tonwertigkeit – von einander geschie-
denen Bildschichten ereignen. Hier ist Natur nicht mehr der
umfassende Raum für das Ganze, sondern nur ein Bereich neben
anderen Bereichen, die Verbindung ist eine bloß noch gedankliche. Der Künstler erst gestaltet das brodelnde Chaos. Auch er
aber ist nicht mehr wie bei den älteren Romantikern in Natur als
Natur eingebunden, er steht einem Abgrund des Nichts gegenüber.

Als Gegenspielerin des Nichts erscheint in einigen Darstellungen Klingers das Weib, die ewige Eva, die, seiner spottend, mit
der Gefahr spielt und ihr dennoch verfällt. Im Titelblatte der
»Radierten Skizzen« (1879) tänzelt sie, tambourinschwenkend,
nur die bleiche Mondsichel hinter sich, auf einem herabgeboge-
nen Schilfrohrkolben mitten im Leeren, während unter ihr aus
nächtlich-öder Wasserfläche der Kopf eines Krokodiles auftaucht. Dann wieder (»erstes Intermezzo«) schwenkt sie sich auf
einer Schaukel an endlosen Seilen übermütig durch die riesige
Leere des Weltdunkels. In dem 1884 erschienenen Zyklus »Ein
Leben« zeigt das Blatt »Untergang« im weiten Meere nichts als
den Kopf einer Ertrinkenden, in einem anderen: »Ins Nichts

191   Eine Liebe, 1887, Bl. 2, Kat. Nr. 217

(in »Eva und die Zukunft« 1880); nun aber nicht in die der Natur, sondern in die des eigenen Bildes im Spiegel, den ihr die vom Baume der Erkenntnis sich herabbringelnde Schlange entgegenhält.

Das Weib, von Klinger in der ganzen Weite seiner Möglichkeiten zwischen Psyche und Dirne gesehen, ist wie das Chaos, das Nichts elementarischer Macht, in seiner rätselvollen Unberechenbarkeit lockend und quälend zugleich. Ähnlich sind als Mächte gesehen: Leidenschaft, Tod, Elend, Götterwille, Eros, Schönheit und Kunst. Die für die Struktur der Weltbeziehung Klingers entscheidende Tatsache ist, daß an die Stelle der einen Gottesnatur eine Pluralität von Mächten getreten ist, Naturmächten, Lebens- und Schicksalsmächten, die statt harmonischer Einbeziehung des Menschen oder betrachtender Andacht blinde Huldigung und Unterwerfung verlangen. Ein Blatt in Klingers zweitem Zyklus: »Vom Tode« heißt: »An die Schönheit« (1888). An südlicher Küste, im Angesicht des unendlichen Meeres, hat ein Mensch die Kleider von sich geworfen und ist verehrend in die Knie gesunken. Auch er eine Rückenfigur; aber nicht mehr betrachtend, sondern anbetend, wie es sich der nunmehr als Macht begriffenen Natur gegenüber gebührt.

Die Mächte, die das Dasein des Menschen bestimmen, sind nicht mehr einfach Teil seines eigensten Wesens und ihn beglückend, ebenso oft auch stellen sie die über ihn verhängte Züchtigung dar. Obschon sie auf eine schwer faßbare Weise miteinander zusammenhängen, wird ein gemeinsamer Urgrund nicht sichtbar. Von vornherein sind sie mehrere. Nie wird der Mensch fertig mit den Rätselmächten, die ihn und sein Geschick vor immer neue Probleme stellen, nie sind sie ganz zu ergründen. Klingers Kunst war im wesentlichen ein einziges großes Suchen nach Sinnbildern für diese Mächte und die Beziehung des Menschen zu ihnen. Für eine schon in sich selber erfüllte, eine alles in sich einbeziehende Natur war kein Platz in diesem ganz polytheistisch gewordenen Weltbilde, und so vermochte auch Landschaft hier im letzten nur Wüste, Chaos oder aber Schauplatz für das blinde Walten jener Mächte zu sein. Dies wenigstens wäre die Konsequenz einer solchen Weltschau gewesen. Klingers Weltschau freilich war in sich selber bereits zu zersplittert, um bis ins letzte folgerichtig zu sein.

Eine Pluralität von Mächten hatte auch das politische Bild jenes Zeitalters bestimmt. Die Baukunst der öffentlichen Interessen hatte – wie in dem ersten Kapitel dieses Buches gezeigt wurde – deren Geltungsansprüchen Ausdruck verliehen, auch dort hatte das Allerverschiedenartigste ohne zentrale Bindung nebeneinandergestanden und blinde Verehrung geheischt. Dies war die Auflösung und das Ende der romantischen Weltbeziehung: die Schau einer zersplitterten Welt, in der eine Mehrheit von Mächten nicht mehr faßbarer Herkunft und nicht mehr erweisbarer Legitimität eine im tiefsten immer bestreitbare und bestrittene Herrschaft ausübt, ins Leere hinaus.

Hermann Beenken, Das Neunzehnte Jahrhundert in der deutschen Kunst, München 1944, S. 206–210.

zurück« fällt mitten im Leeren eine tote nackte Frau rücklings in die Arme eines dunklen riesigen Genius, während eine Sense den Lebensfaden zerschnitten hat. Ein Weib ist bei Klinger auch aus dem »Mönch am Meer« Friedrichs geworden. In einem Blatte der »Intermezzi« (um 1880) und einem anderen in »Ein Leben« (1884) läßt sich eine Dame einsam am Strand den Wind in Kleider und Haare wehen. Auch das andere Friedrich-Motiv, die dem unendlichen Horizonte der See zugewandte Betrachterfigur, begegnet bei Klinger, und wieder ist es – in einer frühen Leipziger Zeichnung – eine Schöne, diesmal in lockerem Badekostüm, das, leise verrutscht, die Schulter in koketter Entblößung zeigt. In Betrachtung versunken ist auch Eva im Paradiese

192 Eine Liebe, 1887, Bl. 3, Kat. Nr. 218

derer das deutsche Bürgertum seinen großen wirtschaftlichen Aufschwung nahm und in seiner Lebenshaltung nach Repräsentation und Großartigkeit strebte. Klinger war ein Sohn dieses Bürgertums und dieser Zeit. Einer Zeit, die aus allen Stilepochen Anregungen und Anleihen aufnahm, um ihrer Prachtliebe und ihrem Machthunger Ausdruck zu verschaffen.

Die in Frankreich einheitlich verlaufende Entwicklung vom Realismus Courbets bis zum Impressionismus wurde in Deutschland unterbrochen von den Meistern des klassizistischen Romantizismus, zu denen neben Böcklin, Feuerbach und Marées auch Klinger gehört. Sie strebten einer von antiken Idealen genährten Raumkunst zu, die ganze Wände füllen sollte, und flüchteten aus der Realität des Alltagslebens mit seinen

193 Eine Liebe, 1887, Bl. 4, Kat. Nr. 219

Seine Radierfolgen sind ganze Romane ohne Worte. Sie reflektieren die Probleme der Zeit ebenso wie Maupassantsche Novellen und Ibsensche Dramatik

Es ist nicht leicht für uns Heutige, der Persönlichkeit Klingers gerecht zu werden. Zu seiner Zeit hat er Ruhm und Anerkennung wie selten einer erfahren. Allerdings hat er neben fast kultischer Verehrung auch starken Widerspruch gefunden. Seine fruchtbarste Schaffenszeit sind die achtziger und neunziger Jahre, jene Epoche, die wir die Gründerjahre nennen, während

194   Eine Liebe, 1887, Bl. 5, Kat. Nr. 220

Klingers kosmische Phantasien dagegen leiden an einer Diskrepanz von Form und Inhalt. Er erreicht niemals jenen Grad von Unwirklichkeit, durch den z. B. Goya die unwahrscheinlichsten Dinge glaubhaft macht. Goya schuf instinktsicher und mit einfachen Mitteln. Der grüblerische Klinger dagegen brauchte einen großen theatralischen Apparat. Seine schönsten Blätter finden sich im Zyklus »Vom Tode«. Wie die Zeit erbarmungslos über Ruhm und Glanz hinwegschreitet, wie der Jüngling ergriffen vor der herrlichen Größe der Natur auf die Knie gezwungen wird und das Kind auf dem toten Körper der Mutter angstvoll ins Leben blickt – das alles rührt an letzte menschliche Dinge. Die Größe der Auffassung läßt das Zuviel an Dekor vergessen. Seine Großgemälde erinnern fatal an lebende Bilder, da das Dekorative zu sehr den Vorgang beherrscht. Dabei verraten Einzelheiten immer wieder die Möglichkeiten, die in Max Klinger lagen.

So ist er auch in seinen plastischem Œuvre voll schöner Einzelheiten, wie z. B. dem viel umstrittenen Beethoven, vor dem man Bewunderung und Verstimmung zugleich empfindet. Die Farbigkeit, die ganze zur Schau gestellte Kostbarkeit des Materials und die vielen schmückenden Elemente verringern die Monumentalität des groß konzipierten Werkes. Bei der »Salome«, die voll morbider Anmut ist, ist der bunte Stein schon eher am Platz. Wenn man durch die Ausstellung geht, die Leipzig zum 90. Geburtstag seines großen Sohnes veranstaltet, so sprechen den heutigen Beschauer besonders die Zeichnungen an. Im ganzen aber bleibt der Eindruck als Ergebnis zurück, daß dem Künstler, der darin ganz der deutsche Bürger der Zeit war, keine eigene Form gefunden hat. Es ist häufig zu einem seltsamen Gemisch von deutsch-römischer Idealität und fotografisch getreuem Naturalismus gekommen. Am deutlichsten wird uns seine Volksgebundenheit klar, wenn wir ihn mit seinen Zeitgenossen jenseits der Grenzen vergleichen. Wie heben sich gegen ihn Künstler wie Gauguin, van Gogh, Munch und Hodler ab, jene Meister des Überganges, die auf eine ganze Generation stilbildend gewirkt haben, während Klinger sich an große Gedanken und literarische Inhalte verlor und kaum nennenswert auf die allgemeine europäische Kunstentwicklung ausgestrahlt hat. So blicken wir auf Klingers Werk als auf etwas imponierend Großangelegtes, aber durchaus Vergangenes. Sein künstlerisches Streben war eine Art »bourgeoiser« Titanenkampf. Wir neigen heute mehr einer Kunst zu, die uns, wie jene der Kollwitz, vom sozialen Thema her berührt oder, wie die von Matisse, zum sinnenfrohen Genuß auffordert.

Margarete Hartig, Max Klinger und unsere Zeit, Bildende Kunst, 1947, 20 f.

Das noch Extremere

Diese Auffassung wird aber überboten von noch Extremerem: Reinste Natur ist gerade das Ordnungslose, das Elementarische,

immer krasseren Widersprüchen in eine ideale Welt, die fast stets der Süden – aber ein idealisierter Süden war. Böcklin war der Volkstümlichste dieses Kreises; Klinger dagegen ist nur in wenigen Werken von naiver Anschaulichkeit. Sein philosophischer Gedankenreichtum bedrängt ihn dermaßen, daß er ihm in allen künstlerischen Techniken Gestalt zu leihen versucht. Sein Eigentliches hat er dabei zweifellos als Radierer gegeben. Manchmal werden bei Max Klinger auch soziale Klänge angeschlagen. Erregten doch die Arbeiter- und die Frauenfrage damals in stärkster Weise die Gemüter. Die Liebe zwischen Mann und Frau ist das Motiv, um das sein Schaffen immer und immer wieder kreist. Das Schicksalhafte berührt ihn dabei ebenso wie das gesellschaftliche Moment. Er macht sich zum Anwalt der Frau, die das Opfer einseitiger Geschlechtsmoral wird. Seine Radierfolgen sind ganze Romane ohne Worte. Sie reflektieren die Probleme der Zeit ebenso wie Maupassantsche Novellen und Ibsensche Dramatik.

195   Eine Liebe, 1887, Bl. 6, Kat. Nr. 221

der Traum, das Chaos (M. Klinger); es ist das wahre Feld der
Kunst, denn »alles künstlerische Schaffen ist alogisch«.
Am Schlusse steht nach dem Ungenügen an dem Menschen und
der Natur das Ungenügen an der Kunst – welche sich damit im
Munde von Künstlern, die nicht mehr Künstler sein wollen,
selbst aufhebt.

Hans Sedlmayer, Verlust der Mitte. Die bildende Kunst des 19. und 20.
Jahrhunderts als Symptom und Symbol der Zeit, Salzburg 1948, S. 156.

Leipzig war für unsere damalige Bildungsbeflissenheit, merkwürdig genug, die Stadt Max Klingers

Leipzig war für unsere damalige Bildungsbeflissenheit, merkwürdig genug, die Stadt Max Klingers. Schon in der Schulzeit
hatte ich einige Blätter von ihm besessen, erschwingliche Nach-
drucke einiger Radierungen. Klinger hatte 1904 eine große Mar-
morgruppe vollendet – es war wohl jene, die dann »Die Badenden« genannt wurde – man konnte zu einer bestimmten Stunde

das Atelier besuchen. Ich war zum erstenmal in einer Künstler-
werkstatt, ein verwirrendes Abenteuer – Klinger kam einmal
herein, um etwas zu suchen und wegzuholen. Von dem Gast
nahm er nicht die geringste Notiz. Dieser selbst empfand die
flüchtige Begegnung als ein rechtes Geschenk, auch wenn der
rötliche Vollbart eine leichte Desillusionierung brachte. Unsere
Generation war bereit, in der technischen Vielschichtigkeit dieses Künstlers die rechte Nachfolge des Michel Angelo zu sehen.
Das Urteil hat sich später geändert. Eine Zeitlang wurden wir
gegen den Mann geradezu ungerecht wegen seiner, wie wir
glaubten, *zu* starken bildungsgefüllten Bewußtheit. Der Ausgleich in einer ernsten Achtung vor der großen Gestalt fand sich
wieder.

Theodor Heuss, Vorspiele des Sehens, Jugenderinnerungen, Tübingen
1953, S. 290f.

Zu scharf gesehen und zu reich durchdacht

Klingers *Brahmsphantasie* (1890–1894) unterstreicht die titanischen und dramatischen Momente der Prometheusmythe und
verflicht diese mit dem Los des Künstlers und den Geschicken
der Menschheit. Hölderlins Schicksalslied, dem Sänger Homer

177

196   Eine Liebe, 1887, Bl. 7, Kat. Nr. 222

freilich gelingt ihrem technischen oder materiellen Aufwand eine interessante Kontrastkoppelung. Etwa auf der Beethoven-Statue, die den titanischen Künstlergott feiert. Der weiße Körper empfängt von den ihn umgebenden verschiedenfarbigen Steinen und Metallen einen unruhigen, materiell betonten Rahmen, wovon seine bleiche Spiritualität effektvoll betont wird. Der Adler ist nicht mehr zur Qual ausersehen, er ist das Symbol des Genies, das keine irdischen Fesseln kennt, und zugleich der Bote der göttlichen Inspiration. Darum hängt *Klingers Beethoven nicht nur* mit dem *Prometheussymbol*, sondern *auch* mit einem Thema des *christlichen Bilderkreises* – dem *Johannes auf Patmos* – zusammen. In welchem Maße dieses Werk den Bedürfnissen der Künstlerreligion entsprach, zeigt seine sakrale Darbietung in der Wiener Secession (1902), die aus diesem Anlaß in einen temporären Weihetempel umgestaltet wurde.

Werner Hofmann, Das irdische Paradies, Kunst im neunzehnten Jahrhundert, München 1960, S. 223 f.

197   Eine Liebe, 1887, Bl. 8, Kat. Nr. 223

in den Mund gelegt, schlägt die ewigen Leitbilder der Ungewißheit an: *Wasser, Klippen und Absturz*. Der Grundgedanke ist pessimistisch: auf der Menschheit ruht ein Fluch, jede ihrer Handlungen ist von Vernichtung gezeichnet. Das letzte Blatt der Folge zeigt den befreiten Prometheus auf einem Felsvorsprung, das Gesicht schmerzhaft in die Hände gepreßt. Die Krümmung des Körpers – ein im 19. Jahrhundert von Blake bis Munch häufiges Motiv des Grübelns – und die auseinandergerissenen Beine drücken Verzweiflung aus. Tief unten tauchen die jubelnden Okeaniden aus den Wellen empor. In der Stunde seiner Befreiung ist der erlöste Erlöser einsamer denn zuvor. Darin gleicht er dem *Denker* Rodins, obzwar er nicht dessen satanische Melancholie besitzt.
Ein unangenehmer Mißton geht durch die Mehrzahl von Klingers Schöpfungen. Sie sind zu scharf gesehen und zu reich durchdacht. Ähnlich wie Moreau ätherische Leiber mit preziösen Details überlädt, versucht er, den penetranten, nahsichtigen Naturalismus mit visionärer Monumentalität zu koppeln. Selten geht seine Kunst dabei über den Effekt hinaus, manchmal

Einer der größten Eklektiker deutscher Kunst, gleichzeitig aber eine der stärksten und einflußreichsten Künstlerpersönlichkeiten der Jahrhundertwende

Am stärksten konzentrieren sich die Widersprüche des ausgehenden neunzehnten Jahrhunderts in Berlin im Werk von Max Klinger, der einer der größten Eklektiker deutscher Kunst, gleichzeitig aber eine der stärksten und einflußreichsten Künstlerpersönlichkeiten der Jahrhundertwende gewesen ist. Alle Hochleistungen vergangener Kunst standen ihm als Repertoire zur Verfügung und dennoch hat er diese Mittel nur benutzt, um eigenwillig seine eigenen Wege zu gehen ...

Bei aller Vielseitigkeit im Werke Klingers spielt der Jugendstil bei ihm doch eine bedeutsame Rolle, und man wird ihn als einen der wirksamsten Anreger im deutschen Raum ansprechen müssen. Ähnlich wie in Frankreich Puvis de Chavannes hat er lange vor Beginn des neuen Stils eine Vereinfachung der künstlerischen Mittel erreicht, die Prinzipien des Jugendstils vorwegnimmt. Schon in seinem *Gang zur Bergpredigt* und der *Rückkehr von der Bergpredigt*, die 1877 entstanden sind, ist die ganze Komposition auf die Anordnung von Silhouettenfiguren innerhalb der bis zum oberen Bildrand emporgezogenen Fläche abgestellt. Dabei erfolgt diese Verteilung nicht nach dekorativen, sondern nach geistig-inhaltlichen Gesetzen: die ungeordnete, regellose Füllung der Fläche mit lauten, schwatzenden, rufenden Menschen, die zum Berg eilen, wie zu einem Vergnügen – und die Rückkehr in betretenem Schweigen: in einzelnen Grüppchen vor der großen leeren Fläche, mit harten Schlagschatten, die jede Figur nochmals isolieren. Wie jeder denkt und schweigt, wird optisch spürbar.

1880 entstehen die Radierungen zu ›Amor und Psyche‹; fast jedes Blatt zeigt andere Möglichkeiten der graphischen Behandlung, und die Skala reicht vom Klassizismus über die Romantik bis zum Jugendstil, ohne jedoch einen dieser Stile wirklich eindeutig zu formulieren. In dem hier wiedergegebenen Blatt sind die Beziehungen zum Jugendstil deutlich: man spürt die Anregungen, die daraus abgeleitet werden. Die Komposition mit der langen, leicht nach links absinkenden Horizontalen und der vertikal Sitzenden ist mit äußerster Bewußtheit auf die beabsichtigte, schwermütige Stimmung von Mensch und Landschaft zugespitzt. Obwohl jede Perspektive vermieden ist, konzentriert sich direkt über der Horizontlinie – die durch überragende Gräser und auffliegende Vögel beunruhigt wird – eine zwingende Tiefenwirkung. Ihr steht das Liniengespinst der vordersten Ebene entgegen, das nicht impressionistisch und auch nicht dekorativ gemeint ist, sondern, ähnlich wie auf dem Holzschnitt Séguins oder Minnes den Blick des Betrachters zwingt, den grübelnden Linien der Fläche zu folgen und in die Gedanken der sitzenden Frau einzustimmen. Überall, wo die Malerei eine Verbindung zwischen Mensch und Landschaft sucht, beide zum

198   Eine Liebe, 1887, Bl. 9, Kat. Nr. 224

199   Eine Liebe, 1887, Bl. 10, Kat. Nr. 225

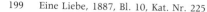

200   Vom Tode I, 1889, Bl. 1, Kat. Nr. 226

Ausdruck einer gemeinsamen Stimmung erhebt, oder schließlich die Landschaft allein menschliche Stimmung spiegeln läßt, wie bei Ludwig von Hofmann, bei Walter Leistikow, bei Segantini, bei den Worpswedern, wurden diese Anregungen Klingers fruchtbar. Auch Munch wird seiner Kunst viel Verständnis entgegen gebracht haben.

Es gibt Gemälde Klingers, wie seine *Blaue Stunde*, wo alle Gegenstände und Figuren in das verdämmernde Stimmungslicht des Abends getaucht werden, wo nicht mehr die Figuren im Licht gemalt ist, sondern die Reflexe des Lichtes auf der menschlichen Gestalt Reflexen aus ihrem Inneren gleichkommen; die drei weiblichen Akte drücken in stummer Beschaulichkeit verschiedene seelische Haltung aus. Hier verbindet sich die akademische Malerei mit der Stimmung des Jugendstils.

In seinen radierten Skizzen, graphischen Capriccen und Intermezzi kommt Klinger dem rein dekorativen Jugendstil gelegentlich noch näher, sogar bis zur Festlegung und zum Abschluß, aus dem eine Weiterentwicklung nicht mehr möglich ist. Doch auch das bewußte oder unbewußte Vordringen zu solchen Endpunkten ist für Klingers Schaffen charakteristisch und gilt nicht nur für seine Beziehungen zum Jugendstil.

Hans H. Hofstätter, Geschichte der europäischen Jugendstilmalerei, Köln 1963, S. 168 f.

201   Vom Tode I, 1889, Bl. 2, Kat. Nr. 227

202   Vom Tode I, 1889, Bl. 3, Kat. Nr. 228

Mindestens vom Surrealismus her müßte der Zugang leicht fallen

Max Klinger sich nähernd, wird man den Weg voller Fallstricke finden.

Übrigens ging das schon den Zeitgenossen so. Karl Scheffler etwa oder Meier-Graefe: sie standen mit Bewunderung teils, teils mit Ratlosigkeit oder Verdruß vor seinem Werk, an das sie aber – dies zieht sich durch die ganze Klinger-Literatur – jeweils den größten Maßstab anlegten. Es war offenbar schon damals (oder gerade damals) nicht möglich, Klinger zu betrachten ohne gleichzeitig Goya oder Michelangelo oder Dürer anzuvisieren. Wer dabei auf der Strecke bleiben muß, ist keine Frage.

Inwieweit Klinger diese Vergleichsmaßstäbe persönlich provoziert hat, bleibe hier ununtersucht. Sicher war er ein bescheidener Mann – was bekanntlich Selbstbewußtsein nicht ausschließt –, ein überaus fleißiger Arbeiter im Weinberg des Herrn (und in seinem eigenen Weinberg bei Großjena); er war ein Handwerker, zuallererst und bewußtermaßen, all seine schriftlichen oder mündlichen Äußerungen zur Kunst basieren redlich auf handwerklichen Erwägungen, auf redlichem Handwerkertum. Und nur von daher mag ihm selber – seine Platten radierend und verwerfend, seine Blöcke, jahrelang, meißelnd –

203   Vom Tode I, 1889, Bl. 4, Kat. Nr. 229

Goya und Michelangelo in den Blickpunkt gerückt sein, nun ja, und was dem einen seine Caprichos, seine Mediceergräber sind, ist dem andern sein Beethoven, seine Brahms-Phantasie.

Vergleichsmaßstäbe der genannten Art wurden also objektiv provoziert durch den Anspruch, mit dem sich Klinger – gleich Feuerbach, gleich Marées, gleich Böcklin – in Korrespondenz setzte zu den Großen künstlerisch glücklicherer Epochen. Was in den Untersuchungen kritischer Köpfe lediglich den Vorstellungshintergrund bildete, vor dem sie Klingers hochstrebende Leistung absetzten, nahm in der Klinger-Literatur der Adepten und Panegyriker unfreiwillig komische, unfreiwillig diffamierende Züge an.

Hans Wolfgang Singer zum Beispiel, dem wir den unentbehrlichen Oeuvre-Katalog von Klingers graphischem Werk (1909) und manches grundlegende Handbuch über die graphischen Künste danken, stellte noch im Jahre 1947 in einer Leipziger

Gedenkmappe zum neunzigsten Geburtstag des großen Leipzigers, seinen Heros in trotziger Unentwegtheit »zur Seite der Kunstheroen aus der Renaissancezeit«.

Etliche Jahre vorher, gelegentlich der Besetzungsfrage zu Ibsens »Wenn wir Toten erwachen« – Gerhard F. Hering erzählt die Anekdote in einem bemerkenswerten Essay des Bandes »Theater bei Tageslicht« –, sagte der Regisseur Jürgen Fehling: »Rubek? Ibsens Rubek, das ist Max Klinger, der sich für Michelangelo hält.«

Zwischen diesen beiden Polen, einer voraussetzungslosen Anbetung und ablehnendem Spott, bewegt sich die Klinger-Einschätzung – gestern und heute. Die Gerechtigkeit – gestern wie heute – liegt nicht in der (voraussetzungslosen) Mitte, sondern in einer kritisch wachen Begegnung, die sich zum Beispiel Meier-Graefe, Scheffler, Theodor Heuss haben süß und sauer werden lassen. Und wie sie uns, Zeitgenossen des Kubismus, Expressionismus, magischen Realismus, Surrealismus, Neo-Realismus, Tachismus, Informel, Pop- und Op-Art, leichter wird als den Zeitgenossen von damals. Mindestens vom Surrealismus her müßte der Zugang leicht fallen. De Chirico hat ihn ausdrücklich gesehen, und sicher auch Dali und Max Ernst.

Heinz Schöffler, Anläßlich einer Klinger-Ausstellung, Katalog: Max Klinger – Eberhard Schlotter, Radierungen, Kunsthalle Darmstadt, 8. Okt. bis 19. Nov. 1966, S. 9.

204   Vom Tode I, 1889, Bl. 5, Kat. Nr. 230

Demokratisches Pathos

Während aber Klimt in seiner Malerei dem Aristokratisch-Exklusiven der überfeinerten Geistigkeit des Fin de siècle Ausdruck gab, äußerte sich Klingers grüblerisch unterbaute Monumentalität in einem gleichsam demokratischen Pathos. Gegen das Raffiniert-Morbide setzte er seinen zukunftsgläubigen Idealismus. Klingers Schaffen bewies, wie sehr der gegen das Neue eifernde Historismus einem Irrtum erlag, wenn er in der Abkehr von der bisher geforderten Verherrlichung nationaler Großtaten eine allgemeine Abneigung gegen das Erhabene und Ideale zu erkennen meinte. Das Gegenteil war der Fall: Die Kunst nahm den sich bereits ankündigenden Wandel zu sozialeren Lebensformen voraus, sie bekannte sich zum Allgemeinmenschlichen und vertrat Weltbürgergesinnung; nur selten zuvor war ein Stilwandel in gleichem Ausmaß von der Überzeugung getragen, daß Schöpfertum auf das Große und Edle gerichtet sein und um die Ausdeutung hoher Gedanken ringen müsse. Die Maßlosigkeit dieser neuen Ideale, die sich am einprägsamsten in den großen Symphonien Gustav Mahlers manifestierte, hatte etwas Weltumspannendes. Die Kunst erhob Anspruch darauf, die ganze Menschheit umzugestalten, indem sie den einzelnen auf eine höhere Daseinsstufe erhob. Dieser Totalitätsanspruch in der Durchdringung des Alltags ließ zwangsläufig die schon von Philipp Otto Runge aufgestellte romantische Forderung nach einem Gesamtkunstwerk wieder lebendig werden, die auch Richard Wagner in seinem Opernschaffen geleitet hatte. Aus gleichem Geist suchte Max Klinger in der bildenden Kunst mit den Mitteln seiner Zeit nach neuen Möglichkeiten, Plastik, Malerei, Zeichnung und Architektur zu einheitlicher Wirkung miteinander zu verschmelzen. Nicht immer bewies er dabei eine glückliche Hand; er gelangte zu Lösungen, die in ihrem Hang zu gedanklicher Überladenheit und zu einer Vermengung einander

widersprechender Darstellungselemente zwar dem Geschmack des Bürgertums der Gründerjahre und des Wilhelminischen Zeitalters entsprachen, jedoch auch mit diesem zu Vergangenheit wurden. So erlebte Klinger ebenso die Erfüllung des höchsten Ruhmes wie am Ende seines Lebens die Enttäuschung, als »Malerdilettant« und »Bildungsgrübler« verspottet zu werden. Die Gegenwart bewundert vor allem sein graphisches Werk, das in seiner Vielfalt nahezu unausschöpfbar ist. Als Meister, der »den Besten seiner Zeit genug getan«, war er repräsentativ wie nur wenige.

G. Tolzien, Max Klinger, Kindlers Malerei Lexikon, Bd. 3, Zürich 1966, S. 672 f.

205   Vom Tode I, 1889, Bl. 6, Kat. Nr. 231

206   Vom Tode I, 1889, Bl. 7, Kat. Nr. 232

207 Vom Tode I, 1889, Bl. 8, Kat. Nr. 233

beiden Geschlechtern nicht nur in soziologischen und gesell-schaftlich bedingten Ursachen, sondern er versucht ihnen All-gemeingültigkeit für alle Zeiten zu verleihen. Es begann in Adam und Evas Zeiten und wird dauern, solange das Menschen-geschlecht dauert ... Diese Problematik der Spannung zwi-schen den Geschlechtern, eine Spielart der gestörten zwischen-menschlichen Beziehungen überhaupt, die bis zum Kampf der Geschlechter ausarten kann, bricht zur Zeit Klingers mit der Vehemenz eines verdrängten Komplexes vornehmlich in der Literatur, aber auch in der bildenden Kunst hervor. Die Stellung der Frau in der spätbürgerlichen Gesellschaft Europas, ihre Rechte und Pflichten sowie die gesamten Moralanschauungen bedürfen einer Korrektur, und die Kunst kommt nicht umhin, sich damit auseinanderzusetzen. Die Ursachen und die Notwen-digkeit, die dazu führen, sind für die meisten Künstler und auch für Klinger nicht klar erkennbar, trotzdem bemühen sie sich auf ihre Weise, und sei es erst einmal für sich, zur Klärung oder wenigstens Fixierung dieser Problematik beizutragen. Klinger wendet sich allerdings nicht der Frauenemanzipation zu, dem Bestreben der Frauen, ihr Schicksal in die eigenen Hände zu nehmen und sich aus der Abhängigkeit vom Mann zu lösen, sondern er betont gerade diese Abhängigkeit der Frau vom Mann als ihr ureigenes Schicksal.

Anneliese Hübscher, Betrachtungen zu den beiden zentralen Problem-komplexen Tod und Liebe in der Grafik Max Klingers – in Vebindung mit seinen Theorien über Grafik, Phil. Diss., Halle-Wittenberg 1969, Mschr., S. 123f.

Er will die ganze Problematik des Geschlechtlichen aufrollen

Das eigentliche Anliegen Klingers ist es, in seiner Grafik die Tragödie der Liebe, die gleichzeitig die Tragödie der Frau ist, zu schildern und philosophisch zu interpretieren. Hierbei genügt ihm die bloße künstlerische Fixierung der sinnlichen Anzie-hungskraft der Frau auf den Mann nicht. Er will die ganze Problematik des Geschlechtlichen aufrollen. Für ihn gibt es keine harmonische Ergänzung der Geschlechter; ihre Beziehun-gen führen zu Qual und Verderben – und zwar von Anbeginn an. Obwohl Klinger seine beiden großen grafischen Werke, die sich mit dem Schicksal der Frau und der Liebe beschäftigen, in seiner Zeit ansiedelt, sieht er die Diskrepanzen zwischen den

Seine künstlerische Position sollte neu überdacht werden

Nur zwei deutsche Museen gedenken mit Ausstellungen in diesem Jahr des 50. Todestages von Max Klinger: Die Bremer Kunsthalle mit einer Präsentation nahezu der gesamten Gra-phik, die nur hier so vollständig gesammelt wurde, und das Museum für schöne Künste, Leipzig. Die Bremer Kollektion ist ein Vermächtnis des früheren Vorsitzenden des Kunstvereins der Hansestadt, Dr. H. H. Meyer, jr., der der Kunsthalle über 100 000 Blätter Graphik überlassen hat ...
Für die gerechte Beurteilung des Graphikers Klinger, zu der die ausführliche Bremer Ausstellung herausfordert, sind einige Hinweise der Biographie unerläßlich: Nach seinem Studium in Karlsruhe und Berlin geht er 1883 nach Paris und beschäftigt sich mit den graphischen Werken von Goya und Doré; 1887 lernt Klinger Böcklin kennen: 1897 wird er Professor, 1903 Vizepräsident des Deutschen Künstlerbundes. Wesentliche Quellen seiner graphischen Kunst sind damit angedeutet: Goyas surreale Schreckenswelt des Krieges; Dorés Symbolfiguren und

208 Vom Tode I, 1889, Bl. 9, Kat. Nr. 234

Kubin und Max Ernst nachweislich profitiert. Damit ist das Werk von Max Klinger als wichtigste Durchgangsstation bereits bedeutend geworden ...

Die kunsthistorischen Beziehungen und das fundierte Können, die kultischen Ansätze und vielfältigen Ausdrucksformen innerlicher Vorgänge geben den Graphiken von Max Klinger so große Bedeutung, daß seine künstlerische Position neu überdacht werden sollte.

Jürgen Weichardt, Max Klinger zum Gedächtnis, Weltkunst, 40, 1970, S. 1247.

Hier ist man auf den Spuren von Max Ernst, de Chirico und Cocteau

Um so überraschender ist es nun, in einer Ausstellung, die in Bremen anläßlich des 50. Todestages von Klinger (bis Ende Oktober) gezeigt wird, dem fast Vergessenen auf einem Gebiete zu begegnen, auf dem er noch immer erstaunliche Wirkungskraft hat: der Druckgraphik ...

In den zehn radierten Zyklen (die teilweise mehr als 40 Einzelblätter umfassen) – von den »Rettungen Ovidischer Opfer« (1879) bis zur »Brahmsphantasie« (1894) und den beiden Folgen »Vom Tode« (1889 bzw. 1898) erweist sich Klinger nicht nur als ein geradezu souveräner Meister seines Handwerks, der mit den äußersten technischen Feinheiten von Radierungen, Aquatinta,

209 Vom Tode I, 1889, Bl. 10, Kat. Nr. 235

Böcklins modischer Symbolismus in der Malerei. Sie alle verhindern, daß der phantasiebegabte Künstler zu einem vordergründigen Realisten wird.

Doch gerade diese Fülle an gedanklichem Inhalt und Sentiment hat man ihm vorgeworfen: Tatsächlich gibt es auch in Bremen Blätter, deren Sentimentalität nicht zu übersehen ist, z.B. »An die Schönheit«, wo allerdings die Hauptfigur doch nur Statistin für eine Landschaft ist. Dieser Zyklus »Vom Tode« enthält aber auch das Blatt »Der Philosoph«, 1910, wo aus angedeuteter Mädchenfigur, gespiegelter Jünglingsgestalt und den abstrahierten, gar nicht mehr real vorhandenen Räumen ein Gefüge von Raum und Figur, Inhalt und Form entsteht, das weit über die Zeit hinausweist. Tatsächlich haben von dem Symbolisten Max Klinger – soweit er Graphiker war – Künstler wie Munch,

Stich und Schabkunst die sublimsten Wirkungen zu erzielen vermag, sondern als Bildschöpfer von ungewöhnlicher Phantasie. Ironie und Satire, zu denen nach Klingers Beobachtung gerade der Zeichner zu neigen pflegt, kommen in oft überraschender Weise zu Wort – schon in den »Rettungen«, die für Ovids tragische Ausgänge glückliche Alternativen ausspinnen, meldet sich ein überlegener Humor . . . Daneben wird der gelegentlich grausame Ernst eines sozialen »Engagements« sichtbar, der in einigen Blättern der »Dramen«-Erfolge deutlich auf Käthe Kollwitz vorausweist (»Mutter«). Das erstaunlichste ist jedoch der enge Zusammenhang mit dem Surrealismus, der namentlich in der kaum bekannten Folge »Ein Handschuh« (1881) sichtbar wird. In diesen zehn Radierungen finden sich die surrealistischen Grundelemente geradezu beispielhaft – unerschöpflich im Vieldeutigen und Hintergründigen, Alltäglichstes vom nahezu Makabren durchwoben. Hier ist man auf den Spuren von Max Ernst, de Chirico und Cocteau – während ein Blatt wie die »Huldigung«, mit dem in Rosen verwandelten Schaum der Meeresbrandung, unmittelbar an Verse Swinburnes erinnert.

Heinrich Wiegand Petzet, Ein sächsischer Athener, Die Weltkunst, 40, 1970, S. 1248.

210   Titel zu Brahmsliedern: Im Grase, 1886, Kat. Nr. 336

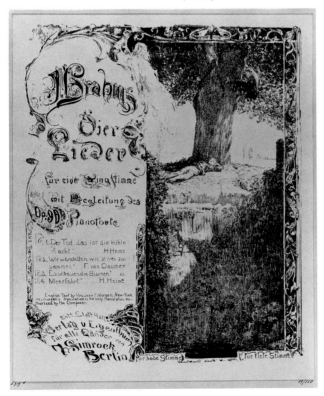

Bürgerlich-denkerisches Gegenbild

Klingers Vorstellungen von der Welt bildeten sich auf der Grundlage der Ideale des klassischen Humanismus, wie sie vom aufstrebenden Bürgertum ausgeprägt worden waren. Ganz im Sinne dieser klassischen Anschauungen hatte sich sein Bildungsweg vollzogen. Das individuelle Bewahren-Wollen dieser Ideale drängt ihn historisch auf die Position des Zwischen-zwei-Welten-Gestelltseins. Als Künstler empfindet er den kalten Glanz des neuen Reiches, ist angewidert von der offiziellen Kunst sowie ihren akademischen Trägern und wendet sich ab von dem unwahren Schema der historischen und religiösen Thematik. Für ihn als jungen Künstler ist dieses Abwenden eng verknüpft mit einer oppositionellen liberalen Verurteilung des verpreußten öffentlichen Lebens seiner Gegenwart. Das Heranreifen eigener Zweifel und deren Niederschlag im Kunstwerk ist für Klinger ein verwickelter, widersprüchlicher Prozeß. Auf der Suche nach Auswegen ist er den vielseitigen Schwankungen der bürgerlichen Intellektuellen seiner Zeit ausgesetzt, die wie Klinger selbst nicht unerheblich in ihren Anschauungen von den nihilistischen Philosophien Schopenhauers und Nietzsches beeinflußt werden. So radikal Klingers Ablehnung der akademischen Linie seiner Zeit auch ist, sein Suchen nach Auswegen gipfelt in der subjektiv-idealistischen Kulturidee einer Versöhnung, die das Widerstreitende zwischen dem Schönheitsbegriff der Antike und der geistigen Haltung des Christentums vereinen will. Für Klinger, der im Für und Wider eines solchen Versöhnungsideals sich selbst lebt, wird diese Vorstellungswelt zum konfliktreichen Dasein. In diesem Versöhnungsideal gipfelt Klingers mühsam erarbeitete und durchlebte Weltanschauung. Sie ist bürgerlich-denkerisches Gegenbild zu den gesellschaftlichen Verhältnissen. Von dieser weltanschaulichen Position aus stellt Klinger die Fragen an seine Zeit und beantwortet sie auf vielschichtig-intellektuellen Umwegen, ohne dabei reale Wege weisen zu können. Hier zeigen sich die Grenzen Klingers, der in vergangener bürgerlicher Denkweise befangen bleibt, die ihm als Künstler keinen anderen Ausweg gestattet als den der utopisch-geistigen Erhebung. Diese in sich vielseitig widersprüchliche subjektiv-idealistische Kombination ist der geistige Hintergrund seiner Größe und zugleich seiner menschlichen Tragik; sie ist im Zusammenhang mit der gesellschaftlichen Realität Ausdruck der Begrenztheit bürgerlich-utopischen Denkens und Fühlens. Von dieser utopisch-illusionären Position her offenbaren sich in Klingers Werken die Fragen und Antworten vorwiegend im abstrakt phantastischen Allgemeinen, dessen idealistische Überhöhung er zeitweilig dann durchbricht, wenn er sich mit realen Erscheinungen des bürgerlichen Lebens künstlerisch auseinandersetzt und dabei im Kunstwerk wesentliche Wahrheiten in ihrer konkreten Situation aufdeckt. Diese Dualität durchzieht sein Gesamtwerk, mit ihm als Ganzem wendet Klinger sich subjektiv gegen Erscheinungsformen gesellschaftlicher Deformation seiner Zeit und gegen die allgemein herrschenden Kunstdogmen. Klinger war kein Höfling, kein bewußter Anhänger des feudal-bourgeoisen Bündnisses. Er war und blieb ein aufrechter bürgerlicher Künstler, dessen humanistisch geprägte Vorstellung von der Welt nicht mit den existierenden gesellschaftlichen Verhältnissen übereinstimmte. Aus dieser Nichtübereinstimmung heraus reagiert er als Künstler mit seinen Mitteln gegen gesellschaftliche Erscheinungen, ohne die eigentlichen Ursachen dieser Erscheinungen zu erkennen. Die Art seines Reagierens ist bezeichnend für bürgerliches Bewußtsein in seiner Zeit; sie erfolgt als unsoziologische Haltung im Bereich der Ästhetik und Moral, und auf dieser Grundlage reflektiert sein kritisches Gegenbild eine Kulturidee als allgemein ästhetisch-moralischen Weltzustand. Damit löst er sich auch mit seiner Kritik gegenüber gesellschaftlichen Erscheinungen nicht vom liberalen Bürgertum los.

Gerhard Winkler, Max Klinger 1857–1920, Museum der bildenden Künste zu Leipzig, Ausstellung zum 50. Todestag des Künstlers vom 4. Juli bis 20. September 1970, Leipzig 1970, S. 7f.

Sein Blatt ist im modernen Sinn eine Collage

Für dies begründende Werk des Surrealismus in der Malerei (Oedipus Rex, 1922), das zugleich Max Ernsts wichtigstes Frühbild wird, bezieht er, über Collage und Populärgraphik hinaus, als thematischen Anreger einen Künstler mit ein, der ihn vor dem Ersten Weltkrieg ebenso fasziniert hatte wie den 1906–09 in München studierenden de Chirico: Max Klinger. Anläßlich der Max-Ernst-Ausstellung, die der Württembergische Kunstverein im Frühjahr 1970 in Stuttgart veranstaltete, wurde in einem Nebenraum Klingers Zyklus »Der Hanschuh« gezeigt. Schon beim flüchtigen Vergleich beider Künstler fiel Gemeinsames auf: das leichte sich Hineinziehenlassen in den Traum, die eher locker anspielende als penetrant deutliche Behandlung von Traumsituationen, die thematischen Sprünge.

Auch Klingers Bildwelt ist ja nicht eindeutig. Sie wechselt jäh im Ton von Zyklus zu Zyklus, ja innerhalb der gleichen Folge. Man hat als Erklärung die stimmungshafte Gebrochenheit des Jahrhundertendes herangezogen, ferner die aphoristische, damals alle Geister aufrührende Denkweise Friedrich Nietzsches, der seine psychologischen Tiefensonden punktuell gezielt einsetzte. Wichtiger scheint noch, daß sich auch Klingers Ikonographie von Mal zu Mal, und je nach dem Thema, aus anderen Quellen speist, daß er zur Materialisierung seiner Vorstellungen Heterogenes heranzieht: klassische Modelle und Posen, Verismen, aber auch kunstgewerbliche Stilisierung. Er vermag dadurch in den frühen, sehr volkstümlich gewordenen Serien »Rettungen ovi-

discher Opfer« (1879), »Amor und Psyche«, »Der Handschuh«, »EinLeben« (1882) ganz frei auf Stoffe der Tradition zu reagieren. Diese Unbefangenheit beim Umgang mit tradierten Bildungsgütern hat Max Ernst sicher beeindruckt und wirkt bis in den Ton seiner Collageromane »La femme 100 têtes« (1929) und »Un Semaine de Bonté«, ja bis in die »Paramythen« (1949) weiter. Auch direkte Motiventnahmen sind festzustellen. So bildet Max Ernst in seiner Collage »Leimbereitung aus Knochen« (1920, Galerie Petit, Paris), nach der auch ein verschollenes Bild gemalt wurde, die auf dem Sofa liegende, mit Knochen umschüttete Versuchsperson jenem Blatt der ironischen »Rettungen ovidischer Opfer« (Opus II, Bl. 5) nach, wo Pyramus ganz mit Binden umwickelt auf dem Lager ruht.

Durch das Verfügen über die Themen und Stimmungen vorhergehender Kunst nehmen Max Klingers Radierungen selbst gelegentlich den Charakter von Collagen an. Sie sind im positiven Verstand synkretistisch und beziehen ihre Wirkung aus der frappierenden Amalgamierung und Bündelung von Motiven. Das hat Klinger befähigt – zwar weniger vital als Arnold Böck-

211 Titel zu Brahmsliedern: Arion, 1886, Kat. Nr. 337

212 Titel zu Brahmsliedern: Satyr und Dryade, 1886, Kat. Nr. 338

Ein Drache, den Handschuh im Schnabel, fliegt davon, während sich ihm aus dem durchbrochenen Fenster zwei Männerhände, eben die des Träumers, nachstrecken. Darunter, als typisch Klingerscher Kontrast, ein blühender Busch. Bei Max Ernst entfallen das Anekdotische und die Details. Durch die Wandöffnung links dringen durchstochene Finger, ein Motiv, das seitenverkehrt auch schon in den Illustrationen des Buches »Répétitions« (1922) auftaucht und ein Jahr später abgewandelt in »Au premier mot limpide«, einem der kürzlich entdeckten Wandbilder für das Haus Paul Eluards in Eaubonne wiederkehrt. Rechts sieht man statt einem nun zwei Vogelwesen, oder doch die Köpfe davon. Der Schnabel des vorderen läßt an das Flügeltier Klingers denken, das vermutlich auch in die Ernst'schen Vogelmonstren und -denkmäler der Jahre 1926–28 eingegangen ist. In Klingers Graphik fällt die Häufigkeit aggressiver, wo nicht latent erotischer Vogelwesen auf, die sich bei Max Ernst zu einem fast autobiographischen Zentralmotiv auswachsen.

Günter Metken, Max Ernst und Klinger, Weltkunst, 42, 1972, S. 368f.

Ein genaues Bild der geistigen Möglichkeiten im Rahmen einer kapitalistischen Gesellschaftsordnung

Max Klinger in Deutschland bietet dagegen ein Beispiel für die Diskrepanz, die zwischen idealer Weltanschauung und positivistisch orientierter Wirklichkeit entsteht. Klinger versucht nicht, diese Wirklichkeit zu verlassen und sich im Traum von ihr zu entfernen, sondern ihm schwebt die Vereinigung des Unvereinbaren vor. Die Paraphrase über den Fund eines Handschuhs ist dafür ein sprechendes Beispiel: Der reale Gegenstand verfolgt den Künstler auch im Traum und wird dort zum Albtraum, weil der Traum sich nicht völlig vom Wirklichkeitsrelikt lösen und befreien kann. Damit aber gibt Klinger einer pessimistischen Erfahrung Ausdruck, die zum erstenmal in dieser Zeit so radikal veranschaulicht wird und den Geist in seiner Abhängigkeit von der Materie zeigt. Was von vielen Kritikern als Kompromißkunst abgetan wurde, ist in Wirklichkeit ein genaues Bild der geistigen Möglichkeiten im Rahmen einer kapitalistischen Gesellschaftsordnung. Nur mit Hilfe identifizierbarer und damit für die Zeitgenossen verständlicher Situationsbilder kann Klinger Einfluß auf den Betrachter nehmen und den Anspruch der Idee gegenüber der materiellen Wirklichkeit behaupten. In dieser Hinsicht ist Klinger nur am Rande als Wegbereiter des Surrealismus zu verstehen, weil er die zweite Wirklichkeit nie als selbständigen Bereich anstrebt, sondern sie immer in konkreter Abhängigkeit des Menschen, der in seine Umwelt eingesponnen bleibt, umreißt.

lin, den Ernst und Chirico ebenfalls schätzen, dafür aber intellektuell zwingender –, psychologisch diffuse, makabre und ironische Themen aufzugreifen. In »Malerische Widmung«, dem Titelblatt zu »Rettungen ovidischer Opfer«, sieht man den Tisch des Stechers, sein Gerät, das leere weiße Papier, eine brennende Kerze im Jugendstilhalter. Der Künstler, von dem am unteren rechten Rand nur die Hände ins Bild ragen, wartet auf Eingebung. Da taucht oben links vor bergiger Kulisse die Büste Ovids auf. Sie ist ein Zitat der Antike, so wie die gefalteten Hände ein Dürerzitat oder jedenfalls ein Topos seit der Spätgotik sind. Klinger vereinheitlicht seine Vision nicht mehr wie noch Goya und Blake. Sein Blatt ist im modernen Sinn eine Collage, etwas Indirektes, das eine ungewohnte direkte Wirkung tut, ganz in der späteren Art von Max Ernst.

Nun wird begreiflich, warum dieser für sein Programmwerk »Oedipus Rex« auf ein Bildschema Klingers zurückkommt. Es handelt sich um Blatt 9 aus Opus VI, »Der Handschuh«. Die Szene ist, wie bei Max Ernst, von links nach rechts angeordnet.

Schon Klingers Werdegang zeigt, daß er kein naiver Künstler sein konnte. Sein Bildungsweg ist ganz von den Idealen des bürgerlichen Humanismus geprägt, deren Bewahrung eines seiner großen Anliegen bleibt. So versucht er, der in leerer Rhetorik erstarrten akademischen Tradition, die das Bild der offiziellen, vom Bürgertum geschätzten Kunst bestimmt, eine neue Grundlage zu schaffen, in dem er die überkommenen Formen und Motive als Ausdruck einer zeitgemäßen Weltanschauung verstehen möchte. Er selbst charakterisiert seine künstlerischen Absichten sehr deutlich in einer Äußerung über Böcklin: »Er ist der erste moderne Künstler, der fähig ist, Bilder zu schaffen. Das heißt Kunstwerke, in denen Idee und Darstellung gleichmäßig abgewogen sind auf ihre harmonische Erscheinung, bei denen das sichtbare, bei vielen Künstlern zwar geistreiche, aber den Beschauer beunruhigende Studium der Natur, welches doch jedem Kunstwerk zugrunde liegen muß, völlig überwunden und unfühlbar gemacht worden ist.«

Die Trennung der Aufgabenstellung für Malerei und Graphik wie wir sie im einleitenden Kapitel darlegten, entspringt einerseits Klingers Bestreben, für die Tag- und Nachtseite der menschlichen Seele die ihnen gemäßen Ausdrucksmittel zu finden, andererseits stellt Klinger seine Graphik mit Entschiedenheit in die Tradition irrationaler Kunst, wobei er Bilder und Motive erfindet, die in einem anderen Medium kaum möglich sind. Vor allem erlaubt eine andere Technik nicht die Abwicklung von Bildfolgen, wie sie Klinger in seinen graphischen Zyklen vorlegt, indem er Szene an Szene reiht und dabei reale und irreale Schauplätze und Situationen gegeneinander setzt. Seinen Zyklus »Eine Liebe – Opus X« (1887) leitet ein Widmungsblatt an Arnold Böcklin ein und verweist so gleich im ersten Blatt in eine romantisch-phantastische Schicksalswelt, obwohl der Inhalt der Bildfolge real und zeitbezogen als Tragödie der Verbindung von Mann und Frau verstanden werden soll. Rauchschwaden steigen aus einer Meeresbrandung auf und bilden über der Erde den Schauplatz personifizierter Naturmächte und Leidenschaften. Ein Kentaurenweib hockt am Boden und Erinnyen halten Stricke bereit, um ihr Opfer zu fangen, zu fesseln und zu erwürgen. In ihrer Mitte sitzen Amor und Venus, die Liebesgöttin, aber nicht als glückbringende, sondern als verderbliche Mächte. Venus führt den Bogen und richtet den vergifteten Pfeil direkt auf den Beschauer des Bildes, während dunkle Raubvögel bereit sind, sich auf das getroffene Opfer zu stürzen. Die vier folgenden Blätter enthalten vergleichsweise realistische Szenen: ein Mann beobachtet eine Frau auf ihrer Spazierfahrt im Park; nachdem er ihre Bekanntschaft gemacht hat, verabschiedet er sich galant am Gartentor; nachts dringt er über die Balkonbrüstung ins Haus und wird von der Frau mit einem leidenschaftlichen Kuß erwartet; vor der mondbeschienenen Landschaftskulisse des geöffneten Fensters vereinigen sich die Liebenden im Bett der Frau. Die danach folgenden Blätter führen wieder ins Reich der Phantasie: vor einer weiten Landschaft begegnen Adam und Eva dem Tod und dem Teufel und liegen, um Gnade bittend, vor ihnen auf den Knien. In »Träume« entführt der

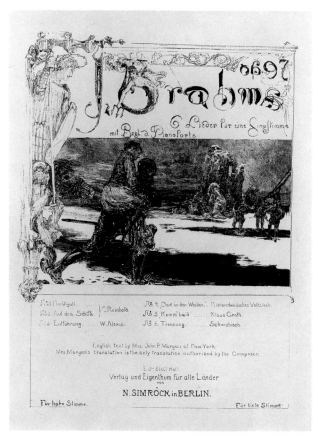

213 Titel zu Brahmsliedern: Entführung, 1886, Kat. Nr. 339

Liebesgott die nackten Leiber von Mann und Frau auf seinem Mantel zu einem von Finsternis umgebenen Lichtflug. In den nächsten Blättern erfolgt das »Erwachen«, die Entdeckung der »Schande« und schließlich das durch den Selbstmord der Frau herbeigeführte unversöhnliche »Ende«. So wird die realistische Handlung immer wieder aufgehoben durch irrationale Einblendungen, durch die verständlich gemacht werden soll, warum die Personen der Tragödie gegen Vernunft und Moral der gültigen Gesellschaftsordnung handeln: weil Bindungen bestehen und Mächte das Schicksal bestimmen, die sich in keine Ordnung einfügen lassen. Weit über den Bereich des Anekdotenhaften hinaus, der bei Klinger immer Gleichnischarakter trägt, geht ein Blatt aus dem Zyklus »Vom Tode, zweiter Teil – Opus XIII«, das den Titel »Der Philosoph« führt: über der dämmrigen Landschaft, in welcher als Personifikation der Natur ein schlafendes Weib halbdeutliche Gestalt annimmt, ragt der Körper eines nackten Mannes auf, dessen ausgestreckter Arm über den Horizont hinweg sein Spiegelbild im unendlichen Raum ertastet.

Die Aussage in Klingers graphischen Blättern wird von einem

214 Überzeichnetes Foto des Modells zum Brahmsdenkmal I., 1903,
      Kat. Nr. 71

215 Überzeichnetes Foto des Modells zum Brahmsdenkmal II., 1903,
      Kat. Nr. 72

216 Modell des Brahmsdenkmals, um 1903

Stilmittel getragen, das Max Deri als »naturalistische Permuta-
tion« bezeichnet hat: Klinger gestaltet alle Motive realistisch
und mit der natürlichen Vorstellung identifizierbar; aber er
verfremdet die Beziehung der Dinge untereinander und zur
Umwelt. Dies betrifft nicht nur einzelne Blätter innerhalb der
Zyklen, sondern seine zyklische Methode überhaupt: Er baut
sie als Bildreportagen auf, in denen wirkliche und unwirkliche
Szenen gleiches Gewicht erhalten können und damit in die
gleiche Erlebnisebene rücken, wie im Zyklus »Eine Liebe«. Oder
die Reportage beginnt mit einer konkreten Situation, der mit der
gleichen definierenden Zeichnung gestaltete unwirkliche Szenen folgen, wie im »Handschuh«. An solchen Beispielen wird
deutlich, was der Künstler selbst unter der Freiheit versteht, die
nur in der Zeichnung möglich ist: »Sie läßt der Phantasie den
weiten Spielraum; sie kann die nicht unmittelbar zur Hauptsache gehörenden Formen, ja diese selbst, mit derartiger Freiheit

217 Modell
des Brahmsdenkmals,
um 1903

behandeln, daß auch hier die Phantasie ergänzen muß; sie kann den Gegenstand ihrer Darstellung so isolieren, daß die Phantasie den Raum selber schaffen muß; und diese Mittel kann sie anwenden einzeln oder zugleich, ohne daß die so angeführte Zeichnung im mindesten an künstlerischem Wert oder an Vollendung einzubüßen hätte... Die Möglichkeit, die sichtbare Körperwelt so frei poetisch zu behandeln, wird durch jene vorerwähnten Freiheiten gegeben, welche gestatten, alles Dargestellte mehr als Erscheinung, denn als Körper wirken zu lassen.«

Hans H. Hofstätter, Idealismus und Symbolismus, Wien u. München, 1972, S. 56–61.

Es ist fast so, als ob er selbst nicht mehr an die Illusion der versöhnten Künste und die Wiederherstellung einer ästhetischen Totalität geglaubt habe

»Wir haben Künste, aber keine Kunst.« Max Klinger kommt zu dieser Diagnose in seiner einzigen theoretischen Schrift »Malerei und Zeichnung«, die er 1891 als Privatdruck publizierte. Klinger dachte nicht allein an die absurde Vielfalt der Kunststile, die sich im Laufe des 19. Jahrhunderts angesammelt hatten. Er beklagt auch die wachsende Spezialisierung, die Zersplitterung der Funktionen und Bedürfnisse und das Gefälle der Qualität. Klinger sah, wie sich Baukunst, Bildhauerei, Malerei, die deko-

218 Brahmsphantasie, 1894, Bl. 1, Kat. Nr. 236

219 Brahmsphantasie, 1894, Bl. 2, Kat. Nr. 237
220 Brahmsphantasie, 1894, Bl. 3, Kat. Nr. 238

rativen und die illustrierenden Künste das Feld gegenseitig streitig machten und sich zu überbieten suchten.

Bewundernd schaut Klinger auf Richard Wagner, der »in seinen musikalischen Dramen anstrebte und erreichte«, was einem »Gesamtwirken aller bildenden Künste entspricht«. In der Kunst sei dieser Zustand noch nicht in Sicht. Es fehle auch an historischen Vorbildern, da die großen Gesamtkunstwerke der Vergangenheit nur selten unverstümmelt auf uns gekommen seien. »Malerei«, das ist Klingers Resümee, »beschränkt sich für uns auf den Begriff Bild.«

Als Maler und Bildhauer hat Klinger diese Vereinzelung zu überwinden und die Kunst in den Zusammenhang einer »Raumkunst« zu transzendieren versucht. Seltsamerweise bleibt die Architektur dabei ausgeklammert. Die Riesenformate seiner Bilder usurpieren ganze Wände. Wie eine Bühne eröffnen sie Illusionsräume in Konkurrenz zum realen Raum. Seine drei berühmtesten, heute fast vergessenen Monumentalgemälde, »Kreuzigung«, »Pietà« und »Christus im Olymp«, hatte er ursprünglich für einen einzigen Raum geplant. Sie hätten rundum die Wände geöffnet und den realen Raum praktisch aufgehoben. Dekoratives Rahmenwerk und vor allem bemalte Skulpturen leiteten über die Schwelle von der Realität in die Fiktion. Mit dem plastischen Dekor und den bemalten Skulpturen, die Klinger – inspiriert von der römischen Spätantike – durchgesetzt hatte, versöhnte er Malerei und Plastik, freie und angewandte Kunst.

221–23 Brahmsphantasie, 1894, Bl. 4–6, Kat. Nr. 239–241 ▷

Klingers Werk kreist noch in anderer Hinsicht um Synthesen. In seinen kühnen religiösen Bildern versuchte er das Christentum mit der Antike zu versöhnen, er wollte das verhängnisvolle Dominieren moralischer und spekulativer Elemente gerade in der deutschen Kunst durch eine neue Sinnlichkeit nach dem Vorbild Böcklins überwinden. Als Maler fast ein deutscher Puvis de Chavannes, hat Klinger den Klassizismus mit dem Realismus und Impressionismus zu durchdringen und zu erneu-

224 Brahmsphantasie, 1894, Bl. 7, Kat. Nr. 242

ern versucht und die Salonmalerei auf den Boden einer monumentalen Sachlichkeit gestellt. Bedeutender ist zweifellos der Bildhauer, der, eindrucksvoller als in seiner Malerei, die moderne Versachlichung des Klassizismus anstrebte und sich dabei zum Teil mit Marées und Hildebrand berührte. Räumliche Gesamtkunstwerke sind seine Denkmäler, voran der »Beethoven« (für den Rodins »Denker« sicher das Modell war, wie der »Balzac« für das majestätische Mantelmotiv in Klingers Brahms- und Wagner-Denkmal). Der thronende Beethoven, eine Wiedergeburt des antiken Zeus, ist die glanzvolle Verwirklichung malerischer Plastik (Weißer Marmorkörper, Alabastermantel, reich reliefierter Bronzethron, elfenbeinerne Engelsköpfe und Mosaik im Hintergrund, der Adler aus schwarzem, das Postament aus violettem Marmor). Zur Apotheose der Idee des Gesamtkunstwerks kommt es, als der »Beethoven« 1902 in der Wiener Sezession ausgestellt wird und Josef Hoffmann eine Flucht von drei Weiheräumen für das Denkmal entwarf, die unter anderem Klimt ausgemalt hat.

Trotzdem verbindet sich Klingers Ruhm nicht mit seiner öffentlichen und monumentalen Kunst (oder dem vorzüglichen Kunsthandwerk). Bahnbrechend für die moderne Ästhetik wurde seine Graphik. Mit ihrem Reichtum, mit der Dichte und komplizierten Verschlungenheit ihrer Erfindungen und Verwandlungen halten Malerei und Plastik den Vergleich nicht aus, erscheinen als Teilrealisationen vielschichtigerer künstlerischer Möglichkeiten. Das ist kein Zufall und nicht aus der spezifischen Begabung zu erklären. Klinger propagiert zwar das neue Gesamtkunstwerk, aber er kann der Malerei nur konventionelle Rezepte verschreiben. Es ist fast so, als ob er selbst nicht mehr an die Illusion der versöhnten Künste und die Wiederherstellung einer ästhetischen Totalität geglaubt habe. . . .

Eduard Beaucamp, Max Klinger 1857–1920, Druckgrafik. Eine Ausstellung des Instituts für Auslandsbeziehungen, Stuttgart 1978, S. 1.

Die Überzeugung, daß Kunst einen Inhalt haben müsse

Der Aufschwung der Wissenschaften, die rasche Industrialisierung, die zwar wirtschaftliche Prosperität, aber auch Entwurzelung und Verarmung herbeiführte, und eine materialistische Gesellschaft, die den Glauben an eine außerirdische lenkende Instanz verloren hat, dies sind die zeitgeschichtlichen Grenzmarken, die das Feld abstecken, in dem Klingers Werk entsteht. Für das Bürgertum war in dieser Situation die Philosophie

Arthur Schopenhauers ein geradezu ideales Angebot. Sie erklärt die Welt aus sich selbst, sie proklamiert einen Urdrang, den »Willen zum Leben«, zum »Ding an sich«, sie erhebt den Kampf zu einem allgemeinen Lebensgesetz. Auf die Frage nach Unterdrückung und Armut antwortet sie mit einem säkularisierten Begriff der christlichen Nächstenliebe, mit der Mitleidsethik; revolutionären Wünschen nach Veränderung der Lebensumstände setzt sie die fatalistische Gewißheit entgegen, daß Menschsein mit Notwendigkeit Leiden bedeutet. Schließlich liegt in dem Irrationalismus der Schopenhauerschen Konzeption, in der Überzeugung vom sekundären Wert des Intellekts gegenüber den unbewußten Äußerungen des Willens die Chance, das Unbehagen an dem nach Kausalitäten fragenden wissenschaftlichen Denken zu kompensieren.

Klingers Kunst spiegelt diese Gedanken und Erwartungen. Sie übersetzt Schopenhauers Lebensanschauung in Bilder, in selbsterdichtete Bilder, gibt den von der Tradition überlieferten Zeichen neue Inhalte. Der Künstler eifert dem Genie nach, das aus eigener Kraft die letztgültigen Wahrheiten zu erkennen weiß; das Individuum, der große Einzelne, zieht als neuer Gott in das nach dem Auszug der Religion leerstehende geistige Weltgebäude ein. Das Bedürfnis nach einem Ersatz für die verlorengegangenen Faszinationen, die vordem die Geheimnisse des Glaubens ausübten, befriedigen der Traum und das Rätsel des dunklen, triebhaften Weibes.

Die Lebensanschauung, die Klinger ins Bild setzte, hat in dieser reinen Form keine Nachfolge gefunden. Legitime Erben sind de Chirico und die Surrealisten. Neben ihnen tut sich ein großes, widersprüchliches Panorama der Anleihen, der fragwürdigen Entlehnungen und der Gegenreden auf. Löst man Blätter wie *Und doch* und *An die Schönheit* aus dem Kontext des Zyklus, dann erscheinen sie wie Vorboten der banalen Lichtmystik eines Fidus. Edvard Munch läßt sich von Klingers *Toter Mutter* zu verschiedenen Fassungen des Themas *Die tote Mutter und das Kind* inspirieren. Aber er bettet das Sterben nicht mehr ein in die Vorstellung vom ewigen Lebensstrom, in dem der Tod des Einzelnen nurmehr ein Geschehen von minderem Rang ist, sondern gibt dem Schmerz und der Verzweiflung elementaren Ausdruck. Käthe Kollwitz drückt sich wie Klinger in graphischen Zyklen aus. In ihren frühen Arbeiten bedient sie sich auch noch einer Klinger verwandten allegorischen Sprache, schafft später jedoch graphische Manifeste der Anklage ohne literarische Umschweife, die überleiten zu Otto Dix und George Grosz, bei dem sich die Mitleidsethik verwandelt in den Aufruf zum Kampf. Dix und Grosz aber hatten noch eine zweite, unterschwellige Verbindung zu Klinger. Ihr Lehrer an der Dresdener Akademie war Richard Müller, ein Klinger-Epigone. Müller, sein Vorbild und seine Schüler verband bei aller Gegensätzlichkeit der Form die heftige Abneigung gegen das Prinzip l'art pour l'art; gemeinsam war ihnen die Überzeugung, daß Kunst einen Inhalt haben müsse.

Alexander Dückers, Max Klinger, Berlin 1976, S. 154f.

225 Brahmsphantasie, 1894, Bl. 8, Kat. Nr. 243

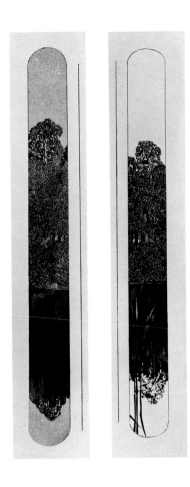

226–28 Brahmsphantasie,
1894, Bl. 9–11,
Kat. Nr. 244–246

Resignation

Max Klingers Montage simultaner Szenen ist in ihrer Phantastik kritisch aufzufassen. So wollte er seine »Griffelkunst« verstanden wissen; Kritik stellt er als positive Möglichkeit der Zeichnung heraus: »Alle Künstler der Zeichnung entwickeln in ihren Werken einen auffallenden Zug von Ironie, Satire, Karikatur. Mit Vorliebe heben sie die Schwächen, das Scharfe, Harte, Schlechte hervor. Aus ihren Werken bricht fast überall als Grundton hervor: so sollte die Welt nicht sein! Sie üben also Kritik mit ihrem Griffel.«[1] Die Malerei verschönert für Klinger die Welt – der Zeichner bedient sich des »verneinenden Betrachtens«.[2]

Er steht »vor den ewig unausgefüllten Lücken, zwischen unserem Wollen und Können, dem Ersehnten und dem Erreichbaren, und es bleibt ihm nichts als ein persönliches Abfinden mit der Welt unvereinbarer Kräfte«[3]. In diesem Spannungsfeld von

Wollen und Können sind auch die »Dramen« angesiedelt. Klinger sucht nach einem Ausdrucksäquivalent für die Erfahrungen, die Zola, die Goncourt und Flaubert ihm vermittelten. Ursprünglich sollten die »Dramen« nicht C. Gussow, sondern Zola gewidmet werden[4]. Klinger erwartete Umwälzungen, glaubte an einen Determinismus des Fortschritts: »Das Menschengeschlecht in einem Zustand zu denken, in dem es dauernd ohne Revolution verharrt, ist eine besondere Art es mit den Vegetabilien und Steinen auf eine Stufe zu stellen (...).«[5] Zugleich tritt bei ihm das Drängen nach vorn, in eine ganz andere Zukunft, mit dem positivistischen, resignierenden »Abfinden mit der Welt unvereinbarer Kräfte.«[6] Klingers Kritik in den »Dramen« ist nicht radikal, sondern konformistisch. Schon der Schluß, die »Märztage«, weisen die Vergeblichkeit kämpferischen Einsatzes aus. Klingers Antizipation der Revolution ist eine Antizipation der Endgültigkeit ihres Scheiterns.

Bleibt zu berichten, daß Klinger sich später vom Ansatz der »Dramen« distanzierte. Dazu haben sicherlich eine Reihe von

Schwierigkeiten in der Rezeption beigetragen; so das Mißverständnis, es handelte sich in den »Märztagen« um eine historische Reminiszenz; so der Vorwurf des Literarischen. Schon im Februar 1889 schreibt er H. Meier in einem Brief, der in Bremen archiviert ist: »In meinen neuen und späteren Sachen hoffe ich ganz anders vorgehen zu können. Sachen wie die ›Dramen‹ z. B. dürften kaum wieder wenigstens der Tendenz nach unter meine Nadel kommen. – Der Tribut an die moderne Literatur ist damit hoffentlich endgültig bezahlt.«[7]) Zusätzlich wurde diese Entwicklung dadurch beschleunigt, daß sich sein Interesse vom Naturalismus weg zu einer intensiven Beschäftigung mit Schopenhauer – der Schopenhauerkultus war kennzeichnend für das geistige Leben des Berlin der 80er Jahre –, später mit Nietzsche entwickelte. Zola oder Maupassant sagten ihm nicht mehr zu[8]).

Als Klinger am Ende seines Lebens den Zusammenbruch des Kaiserreichs und die Novemberrevolution 1918 erleben mußte, hatte sich seine Perspektive völlig verändert. Selbst von reformerischen Ideen, die in den Anklagen der »Dramen« allemal gemeint sind, ist nichts mehr zu spüren. Vom pessimistischen Reformator hatte er sich zum Reaktionär konsequent weiterentwickelt. Die Revolution, die er in den »Märztagen« selbst in der Phantasie vorweggenommen hatte, betrachtet er als Schrecknis staatlicher Unordnung – ja er versteigt sich, vom »blöden Gerassel mit Freiheit und Recht«[9]) zu sprechen. Er ist »mit Hand und Fuß gegen Räte-Sachen. Das ist der Kleister der Bolschewisten.«[10]) und bekennt: »Ich habe erst in dieser Zeit meine, sagen wir, monarchische Seele entdeckt. Früher hielt ich mich für radikal.«[11]) Sein Brief kulminiert in der Aufforderung zu totaler politischer Abstinenz: »Beobachten, aber nichts mitthun.«[12]) Resignation, die sich selbst nicht mehr erkennt, an der Grenze zur Selbstaufgabe.

Das positivistische Registrieren, die bloße distanzierte Beobachtung war schon Bestandteil der »Dramen«. Dennoch kann – neben dem kunsthistorischen Interesse – diese Serie für den aktuellen Rezipienten fesselnd werden, wenn er ihre Gründerzeitfassade durchdringt. Die Blätter können als Belege der Kontinuität der Entfremdung gesehen werden. Als Entdeckungen des Phantastischen im Alltäglichen verändern sie den Blick auf die gewohnte Umwelt. Das Bild der Großstadt in der montierten Szenenfolge illustriert eigene Erfahrungen von Desintegration und Diskontinuität; Klinger greift in verkleinertem Maßstab in der bildenden Kunst Döblins »Berlin Alexanderplatz« und Joyce's »Ulysses« vor. Beobachten, nicht mittun ist das Motto des Inszenierten, Distanzierten in den zum Changeant zusammengefügten Szenen der »Dramen«; darin aufgehoben die erst später als endgültig attestierte Resignation.

Anmerkungen

1 Max Klinger: Malerei und Zeichnung (Leipzig ²1895) S. 44.
2 ebd., S. 45.
3 ebd., S. 44.
4 Briefe (a.a.O.), S. 208.
5 Klinger: Gedanken und Bilder (a.a.O.), S. 63.
6 ders.: Malerei und Zeichnung (a.a.O.), S. 44.
7 Katalog Max Klinger (Bremen 1970), S. 15.
8 Briefe (a.a.O.), S. 50.
9 ebd., S. 224.
10 ebd.
11 ebd.
12 ebd.

Bernd Growe, Beobachten, aber nichts mitthun, Max Klinger, Kunsthalle Bielefeld usw., 1976–77, S. 26 f.

230 Brahmsphantasie, 1894, Bl. 13, Kat. Nr. 248

229, 231, 232, 234, 235, 244–46 Brahmsphantasie, 1894, Bl. 12, 14–15, 17–18, 27–29, Kat. Nr. 247, 249–250, 252–253, 262–264

Klingers Werk ist so auch ein Abbild der Unfähigkeit und Begrenztheit bürgerlich-utopischen Denkens zum Ausgang des 19. Jh.

Der Handschuh erfüllt in der Serie »Der Handschuh« zwei Funktionen. Zum einen ist er Fetisch und damit für Klinger ein transformierendes Realerlebnis. Die Transformation des reinen Gegenstandes Handschuh und das damit direkt verknüpfte Erlebnis wird in dem Augenblick notwendig, als der Handschuh und die damit verbundene Aufforderung zur Kontaktaufnahme zwar erkannt und anerkannt wird, aber nicht wahrgenommen wird. Zum anderen symbolisiert der Handschuh aber auch schlechthin die Frau, in unserem Fall eine zumindest für Klinger auch benennbare Frau. Es ergeben sich drei Ebenen, auf der die Handlung spielt. Sie steht einmal unter dem Zeichen des in den Fetisch verliebten Helden, sie zeigt zum anderen die Haltung, die die Frau – in den Augen des Künstlers – ihm gegenüber einnimmt, und die Handlung der Frau läßt sich unter

Absehung oder auch der Unkenntnis, daß es sich um eine auf den Künstler bezogene Geschichte handelt, objektivieren und auf das Publikum allgemein beziehen.

In der Zeit des »bürgerlichen Geldadels« war die Frau zu einem Objekt geworden, das den Gesetzen und Mechanismen des Geldes unterworfen wurde. Ein Symptom dieser Versachlichung der Frau und damit der Beziehung Mann und Frau überhaupt, war der ständige Versuch des Bürgertums, »Kinder« möglichst mit Adeligen zu verheiraten und umgekehrt. Der Einwand, daß es sich dabei um eine Extremerscheinung handelt, ist insofern nichtig, als sich dieses Verhalten von oben nach unten in die kleinsten Bürgerschichten übertrug, teilweise selbst in proletarische Kreise. Das Standesbewußtsein strebte grundsätzlich nach oben. In diesem Spiel war die Frau natürlich zum willfährigsten Objekt geworden. Wie klar Klinger diese Mechanismen des »Käuflichen« waren, zeigt sein Opus »Ein Leben« und das Opus »Eine Liebe«. Die Entwicklung einer aus freier Kommunikation entstehenden Liebe war für viele schon als Vorstellung zerstört. Sie spielte sich gleichsam nur außerhalb der »Legalität« ab (s. Opus »Dramen«).

Wenn Klinger im Opus »Der Handschuh« zeigt, daß der Kontakt nicht aufgenommen wird, zeigt er, gleichfalls auf die Gesellschaft übertragen, daß die Kontaktaufnahme in diesem Rahmen nicht möglich sein durfte. Allein das Aufzeigen dieses Tatbestandes als eines gesellschaftlichen Phänomens enthebt das Werk der bejahenden Position. Klinger macht dieses äußerst gravierende gesellschaftliche Problem zu seinem Thema.

Vor diesem Hintergrund sind die Bilder und Geschehnisse zu bewerten. Insbesondere das Schlußblatt, das die Versöhnung des Themas stiftet. Gerade angesichts des Blattes 9 – Entführung – ist der versöhnliche Schluß nicht zu erwarten. In dem Maße wie die Versöhnung nicht zu erwarten ist, wird ihr Eintreten um so stärker erfahren. Woher rührt dieses Schlußblatt, das außer der Tatsache, daß es eine Versöhnung gibt, keinerlei konkrete Anhaltspunkte gibt, wonach man den Modus der Versöhnung benennen könnte? D. h. Klinger bietet ein Ideal an, das aus der Folge nicht mit Inhalt gefüllt werden kann, es bleibt notwendig abstrakt. Die Utopie dieses antizipierten Ideals liegt vielmehr in Klingers Weltbild begründet. Klinger steht auf der Grundlage eines klassischen Humanismus, der in weiten Kreisen bürgerlicher Intellektueller verbreitet war. Da in der Gegenwart keine »Richtlinien« zu finden waren, besann man sich der antiken Welt, deren Weltanschauung und Ideale durch die Geschichte gereinigt frei waren, neu besetzt zu werden. Klingers Auseinandersetzung mit der antiken Welt (z. B. Ovid) durchzieht sein gesamtes Werk. In der Auseinandersetzung mit der Antike und den realen gesellschaftlichen Zuständen gerät Klingers Werk zeitweise in kritische Bereiche. In diesem Augenblick spiegelt er selbst die Zerrissenheit bürgerlicher Idealvorstellungen wider. So sehr Klinger die bürgerlichen Idealvorstellungen und Lebenspraxis ablehnt, um so mehr gerät er auf das Gebiet einer subjektiv-idealistischen Kulturidee. Er sucht ein humanistisches Versöhnungsideal, das aber – und das ist ausgesprochen kritisch zu verstehen – als reines Gedankenmodell gegen die bürgerlichen Wertvorstellungen gestellt wird. Angesichts der ungeheuren gesellschaftlichen Antagonismen kann das Werk Klingers zu keiner Zeit real gesellschaftliche Momente evozieren. Sein Werk bleibt zur Wirkungslosigkeit verdammt, da das antizipierte Ideal nur in den Kreisen zur Wirkung kommen kann, die intellektuell sowieso schon auf dieser Position stehen. Es ist eine rein intellektuelle »Insider«-Utopie. Der Kreis der Wirkungslosigkeit schließt sich in dem Augenblick vollkommen, wo Klinger mit seiner Utopie das Bürgertum reformieren will, das zur Reformation seiner eigenen ideologischen Voraussetzungen gar nicht bereit war. Klingers Werk ist so auch ein Abbild der Unfähigkeit und Begrenztheit bürgerlich-utopischen Denkens zum Ausgang des 19. Jh. Es erscheint uns deshalb auch so vieles – vor allem in Klingers Malerei – so idealistisch überhöht.

Das Opus »Der Handschuh« wird unter diesen genannten Aspekten ein Gedankenmodell, das auf der Zeit fußend alle positiven und negativen Erlebnisse zwischen Mann und Frau als Ausdruck des erotischen Verhaltens einer Gesellschaftsschicht durchspielt.

Befragt man nun die Folge nach der Dualität von Wirklichkeit und Bildwirklichkeit, dann zeigt sich, daß Klinger zwar die

Wirklichkeit als Voraussetzung respektiert und wissentlich einführt, sie doch gleichzeitig unter dem Aspekt der geschlossenen Folge in eine autonome Bildwirklichkeit überführt. Das hat zur Folge, daß der Erlebnisgehalt der Bildwirklichkeit auch keinen Rückbezug zur Wirklichkeit, d. h. auch keinen Lernerfolg auf Seiten des Betrachters, aufweist.

233 Brahmsphantasie, 1894, Bl. 16, Kat. Nr. 251

236 Brahmsphantasie, 1894,
Bl. 19, Kat. Nr. 254

237 Brahmsphantasie, 1894,
Bl. 20, Kat. Nr. 255

238 Brahmsphantasie, 1894,
Bl. 21, Kat. Nr. 256

239 Brahmsphantasie, 1894,
Bl. 22, Kat. Nr. 257

Fragt man sich, warum das Werk Max Klingers heute eine neue Aktualität erfährt und warum es zum Gegenstand einer Ausstellung gemacht wird, dann ist ein Grund darin zu suchen, daß das Werk Klingers die Möglichkeit bietet, über das reine kunsthistorische Interesse hinaus Einblick in eine Zeit zu nehmen, die mit zur geschichtlichen Voraussetzung unserer heutigen Zeit gehört.

Michael Pauseback, Wirklichkeit und Bildwirklichkeit, Max Klinger, Kunsthalle Bielefeld, 10. Oktober–11. November 1976, Bielefeld usw., 1976–77, S. 12

persönlichen Probleme – vielleicht nicht bewußt – in der Leidensgeschichte der Frau am besten verkörpert, er kann sich mit ihrem Schicksal besser als mit dem der Männer identifizieren. In seinen Graphiken stellt er seine Konflikte dar, indem er sie auf die Situation der Frau allgemein überträgt.

Katrin Simons, Zwischen Sinnlichkeit und Moral, Die Darstellung von Mann und Frau in Klingers graphischen Zyklen, Max Klinger, Kunsthalle Bielefeld usw. 1976–77, S. 269.

Sieht seine persönlichen Probleme in der Leidensgeschichte der Frau am besten verkörpert

Die philosophische Beschäftigung mit den Ursachen des »Geschlechterkampfs«, die in Klingers Werken zum Ausdruck kommt, beruht auf seinen persönlichen Problemen im Kontakt mit Frauen. Der Pessimismus seiner Weltsicht wird auch in Worten zu seiner eigenen Person deutlich, in denen er umschreibt, daß auch er bereits die ersten Schritte ins Verderben getan habe: »Mit dreißig Jahren schon so übers Leben denken, wie ich jetzt tue. Bin ich enttäuscht oder – gefallen Mädchenschicksal«.

Seine Zyklen bieten keine Lösungsmöglichkeiten, da Klinger auch für seine eigenen Probleme keine Lösungen gefunden hat. Die Bildwelt seiner Werke war die einzige Möglichkeit für ihn, seine Konflikte durch ihre Darstellung auszutragen.

Auffallend ist, daß Max Klinger das Problem des »Geschlechterkampfes« mit Ausnahme des frühen »Handschuh-Zyklus« am Schicksal der Frau darstellt. Falls Männer in den Zyklen auftreten, so wird vom Künstler deutlich gemacht, daß sie ebenfalls zum Leiden verurteilt sind. Im Verhältnis zur Frau ist ihre Rolle jedoch unbedeutender. Die Biographie Klingers scheint zu belegen, daß er die gesellschaftlich sanktionierten Freiheiten, die dem Mann zugestanden wurden, nur selten in Anspruch nahm. Er konnte sich nicht in die Doppelmoral des Bürgertums flüchten, sondern blieb innerhalb der Normen der bürgerlichen Sittenlehre, unter der er zugleich stark litt. Da ihm keine Flucht möglich erschien und er trotz des Zwanges, den er empfand, keine Ausbruchsmöglichkeiten sah, teilte er das Schicksal vieler Frauen, denen ebenfalls kein Ausweg aus ihren gesellschaftlichen Bindungen geöffnet war. Möglicherweise liegt darin die Erklärung für die auffallend intensive Auseinandersetzung mit dem Frauenschicksal und auch für die Tagebuchstelle, in der er sich selbst ein Mädchenschicksal bescheinigt: er sieht seine

Das Interesse an Klinger nimmt immer mehr zu

Das Interesse an Klinger nimmt immer mehr zu. Der Plan zu einer umfassenden Ausstellung seiner Graphik wurde zunächst unabhängig von der Bielefelder Kunsthalle wie von der Kunstsammlung der Göttinger Universität gefaßt. Als gemeinsamer Leihgeber eines überaus qualitätsvollen Bestandes von Klinger-Radierungen hat die Bremer Kunsthalle beide Aussteller zusammengeführt. Entstanden ist so eine Gemeinschaftsarbeit, die, in ihrem ganzen Umfang erstmals in Göttingen ausgestellt, als bisher wohl ausführlichste Auseinandersetzung mit Klingers Graphik gelten darf und zudem in einem opulenten Katalog ihren Niederschlag gefunden hat . . .

Bemerkenswert nun, daß Klingers kunsthistorisch so weitausgreifendes graphisches Œuvre letztlich nur ein Zentralthema kennt: die Frau und die Kunst, beziehungsweise der Künstler als vergleichbare Opfer der Gesellschaft. Damit ist ein Hauptthema des ganzen Jahrhunderts wieder aufgenommen. Schon Fernow hatte, wie dann auch Baudelaire, den modernen Künstler wegen seiner Außenseiterstellung mit der Dirne gleichgesetzt, und im Sinne der gefallenen Frauen seiner Zyklen »Ein Leben« oder »Eine Liebe« hat auch Klinger sein Leben als ein »Mädchenschicksal« bezeichnet.

In dieser, durch die Göttinger Katalogbeiträge eindringlich herausgearbeiteten lebenslangen Selbsteinschätzung als Außenseiter, beruht Klingers weitere Gleichsetzung des Künstlers mit Christus und – erhellender noch – mit Prometheus. Prometheus wird ihm zum Sinnbild eines Leidens am Leben, das allein durch Kunst Erlösung findet. Daß hinter dieser Auffassung bei Klinger bis in die Details seiner graphischen Blätter hinein die Philosophie Schopenhauers steht, wird in der Göttinger Ausstellung umfassender als bisher nachgewiesen. Bei Schopenhauer vorgegeben ist auch Klingers hohe Wertschätzung der Musik, die – wie ebenfalls in dieser Schlüssigkeit erstmals gezeigt wird – neben literarischen Vorformen wesentlich die zyklische Darstellungsweise seiner Graphik beeinflußt hat. Daß Klingers Zy-

240 Brahmsphantasie, 1894, Bl. 23, Kat. Nr. 258

klen selbst in ihren gesuchten Abschweifungen jeweils als Einheit zu begreifen sind, ist ein weiteres neues Ergebnis besonders für die »Radierten Skizzen«.

Deren Thema, des »Künstlers Erdenwallen«, zeigt auch das hier abgebildete Blatt »Das Genie«. Motivisch geht es über Anleihen bei Böcklin und den Präraffaeliten letztlich auf das alte Emblem des durch Armut und Widrigkeiten gefesselten Künstlergenius zurück. Mit diesem gesuchten Arrangement des Künstlers zwischen einer furchterregenden Realität und einer schöneren Idealität gibt Klinger zugleich ein sehr präzises Bild seiner Zeit, ihrer Zitatenbildung, ihrem Kult der großen Männer und nicht zuletzt ihrer konfliktreichen Flucht ins Reich des schönen Scheins. Sein ausgesprochener Sinn für solche Widersprüche seiner Zeit hat Klingers frappierend irreal-reale Bilderfindungen zu wichtigen Vorläufern sowohl für Käthe Kollwitz wie auch für Edvard Munch werden lassen. Auch diesen vielschichtigen Aspekten des Nachwirkens Klingers bis hin zu Max Ernst gilt die Aufmerksamkeit der Göttinger Ausstellung und ihres Kataloges. Von Gerd Unverfehrt redaktionell betreut, darf er als ein Handbuch der Klingerforschung gelten.

Peter-Klaus Schuster, Göttingen, Kunstsammlungen der Universität, Ausstellung: Max Klinger-Graphik, 14. Januar–27. Februar 1977, Pantheon, 35, 1977, S. 249f.

Max Klinger redivivus?

Haben wir es demnach mit einer Klinger-Renaissance zu tun? Erlebt der lange Zeit mit seiner Kunst als eher kitschig empfundene Klinger eine neue, von der Qualität und auch dem Ideenreichtum seiner Arbeiten durchaus zu rechtfertigende Wertschätzung? Einige Publikationen aus neuerer Zeit, die Klinger gewidmet sind, legen eine solche Einschätzung nahe. Im übrigen hat er nicht nur gewaltige Rahmenkunstwerke mit plastischem Beiwerk wie das »Urteil des Paris« oder den nur spärlich bekleideten thronenden Beethoven mit dem gewaltigen Adler zu Füßen geschaffen, zweifellos Kolossalkunstwerke aus natürlich kostbarstem Material, sondern auch ebenso einfache wie eindringliche Bildszenen aus dem Alltag, so den berühmten »Überfall an der Mauer«, ein ganz wichtiges Bild der Ostberliner Nationalgalerie, 1878 entstanden. Es ist also wohl zumindest ein differenziertes und differenzierendes Urteil über diesen Künstler angebracht, auch wenn man nicht so weit gehen muß wie de Chirico, der Klinger bei seinem Tode 1920 als den »modernen Künstler schlechthin« bezeichnete.

L. M., Max Klinger redivivus?, Weltkunst, 48, 1978, S. 1037

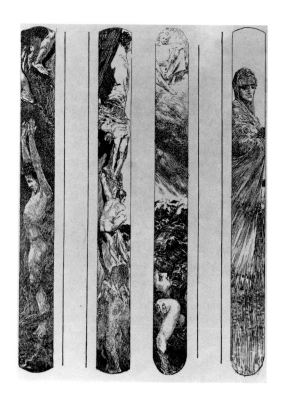

Noch immer abgestanden

Alle diese Beziehungen, die zum Klinger-Verständnis beitragen können, kommen in der Rotterdamer Ausstellung nicht zur Geltung. Das Werk ist als Augenweide präsentiert. Wie es scheint, soll sich der Betrachter unvorbereitet mit Klinger auseinandersetzen. Der Katalog ist eine gute Hilfe, doch läßt er die Rezeptionsgeschichte aus, die gerade für die Klinger-Rehabilitierung den Anstoß gab. Sie ist, soweit es die Graphik und die Skulptur betrifft, auch geglückt, doch der theatralische Idealismus seiner Malerei (»Kreuzigung« und »Christus im Olymp«) mit ihrem Anspruch auf Erhabenheit, Ergriffenheit und Monumentalität erscheint der Nachkriegsgeneration heute noch immer »abgestanden« und ein bißchen »lächerlich«. Statt dessen gilt es heute, Klinger als einen philosophierenden Symbolisten zu entdecken: Ein Blatt wie »der Philosoph« (1898) aus der Serie »Opus XIII, Über den Tod« zeigt beispielsweise einen nackten Menschen, der über die Gestalt einer Schlafenden und einer Landschaft hinweg, in der ein Wasserfall in den Abgrund stürzt, sein Spiegelbild berührt. Erscheint ein solches Blatt nicht wie eine Parabel auf die nur wenige Jahre später erschienene Relativitätstheorie?

Antje von Graevenitz, Rotterdam, Museum Boymans–van Beuningen, Ausstellung: Max Klinger-Bildhauerarbeiten, Gemälde, Zeichnungen, Graphik, 30. September bis 19. November 1978, Pantheon, 37, 1979, S. 24

241   Brahmsphantasie, 1894, Bl. 24, Kat. Nr. 259

242   Brahmsphantasie, 1894, Bl. 25, Kat. Nr. 260

SCHICKSALSLIED

Ihr wandelt droben im Licht
Auf weichem Boden, selige Genien!
Glänzende Götterlüfte
Rühren Euch leicht
Wie die Finger der Künstlerin
Heilige Saiten.

Schicksallos, wie der schlafende
Säugling, athmen die Himmlischen;
Keusch bewahrt
In bescheidener Knospe
Blühet ewig
Ihnen der Geist,
Vnd die seligen Augen
Blicken in stiller
Ewiger Klarheit.

Doch uns ist gegeben
Auf keiner Stätte zu ruh'n;
Es schwinden, es fallen
Die leidenden Menschen
Blindlings von einer
Stunde zur andern,
Wie Wasser von Klippe
Zu Klippe geworfen,
Jahrlang in's Vngewisse hinab.

FRIEDRICH HÖLDERLIN

243   Brahmsphantasie, 1894, Bl. 26, Kat. Nr. 261

Max Klinger
Malerei und Zeichnung

Jede gebildete Sprache sammelt die Darstellungen mittels Öl-, Fresco-, Gouache-, Aquarell-, Pastell-Farben unter der präzisen Bezeichnung Malerei. Für Kunstwerke, die sich auf einfarbige Wiedergabe von Licht, Schatten und Form beschränken, ist dagegen eine genaue, zusammenfassende Benennung nicht vorhanden.

Wer den Prinzipien der bildenden Künste näher tritt, wird bald fühlen, daß die Handzeichnung, vor allem aber Stich, Radierung, Schnitt, Lithographie in ihren selbständigen Äußerungen sich häufig mit den Forderungen der Ästhetik der Malerei in völligem Widerspruch befinden, ohne daß ihnen der Charakter eines vollendeten Kunstwerkes verloren ginge.

Dieser Widerspruch wird als Ausnahme oder aus der berechtigten persönlichen Eigentümlichkeit des Künstlers erklärt. Beide Annahmen sind irrig. Es handelt sich bei derartigen Kunstwerken um eine besondere Kunst, welche eigene Ästhetik und eigene künstlerische Interessen beansprucht. Der Umstand, daß die tägliche Berührung mit derlei Werken fast unvermeidlich ist, macht den Mangel einer eigenen Benennung bemerkenswert, um so mehr als er von der unzureichenden Erkenntnis der Unterschiede dieser Künste und der Malerei herrührt.

Die Sonderstellung der Zeichnung als Kunst und ihr Verhältnis zu anderen Künsten, besonders zur Malerei, darzulegen, ist der Zweck dieser Schrift.

Im Laufe der Erörterungen drängte sich der Versuch auf, ein deckendes Wort für den vorhandenen Kunstbegriff zu finden. Die gebräuchlichen Bezeichnungen aller Sprachen sind ungenau oder zu eng, oder enthalten Nebenbedeutungen. »Graphische Kunst«, »graphic arts« wäre noch die beste, doch schließt dieser Ausdruck in seiner gebräuchlichen Anwendung z. B. Handzeichnung aus, bezieht sich mehr auf vervielfältigende Prozeduren. »Gravure« und »gravura« werden auch für den der Zeichnung doch fremden Stein- und Medaillenschnitt, also für die Miniaturbildhauerei, angewendet. Ich möchte das Wort »Griffel«, das gemeinsame Werkzeug aller vervielfältigenden Techniken, das symbolische Wort für Feder und Stift, als Stamm zu einem Worte »Griffelkunst« wählen. Dieser Versuch könnte noch damit begründet werden, daß eben diese Kunst ihren ausgesprochenen individuellen Charakter erst sich erwarb, als der Griffel, Stichel die Zeichnung auf Holz, Metall, Stein festzuhalten begann. In den langen Zeiträumen wechselnder höchster Kunstblüte, die der Anwendung des Druckes vorangingen, hat die Handzeichnung allein nicht vermocht, den Charakter eben dessen, was ich »Griffelkunst« nennen möchte, annähernd zu entwickeln. Ein neues Wort ist aber immer unbequem, und so soll »Zeichnung«, so weit Undeutlichkeit vermieden ist, den Begriff bezeichnen, der damit so unvollständig gedeckt wird.

Es ist eine feststehende Ansicht, daß Kreide, Feder, Kohle usw. nur zum Skizzieren von Bildern und Ideen als vorläufiges Schulmaterial für Künstler und Laien dienen, und Kupferstich, Holzschnitt, Lithographie, wo sie nicht als Illustration in Buch und Witzblatt erscheinen, haben nur als reproduzierende Kunst, als

Kunst zweiter Hand, Geltung. Die beste Stellung genießt in der allgemeinen Anschauung noch die Radierung. Indessen auch ihre Werke, wie die selbständig auftretenden der vorgenannten Gattungen, werden als Abnormitäten angesehen, die ihre Existenz nur dem schneller fördernden Material eines für die Malerei überproduktiven Künstlers, oder aber seinen finanziellen Verhältnissen verdanken.

Gerade diese scheinbar zufälligen Arbeiten bilden die Kunst, um welche es sich hier handelt. Sie mußten mit eben diesen Mitteln geschaffen werden und waren durch ein Bedürfnis hervorgerufen worden, welches nur in solcher Weise befriedigt sein konnte.

Bis zur Erfindung des Druckes war die Zeichnung freilich nicht viel mehr als das unentbehrliche vorbereitende Material. Als solches wurde es denn auch in höchster Dekoration im Altertum, und im Mittelalter Begleiterin oder Ersatz der Miniaturmalerei, kam sie wenig über die schraffierten Konturen hinaus, Konturen und Kompositionen allerdings, die sich in den Händen der griechischen und etrurischen Vasenmaler zu wunderbarstem Rhythmus undLiebreiz erhoben. Für sich allein wurde die Zeichnung nur sehr selten angewendet, nach dem verhältnismäßig Wenigem uns Bekannten zu schließen. Es könnte verwunderlich erscheinen, daß die Zeichnung, die Handzeichnung, die dem Meister so viel Freiheit, so viel Mittel, die ihm jeden Moment Urteil über seine Arbeit gibt, an Anregung zur künstlerischen Produktion so hinter dem Drucke zurücksteht. Allein die vereinzelte Stellung als Kunstwerk, die Unscheinbarkeit, das unvermeidliche ins Graue, Blasse, ins Ungleiche Fallen der Zeichnung macht sie dem Druck nachstehen, dessen Einheitlichkeit, Kraft und Tiefe, dessen auch für die Ausführung reizvoller wirkende Mittel die der Zeichnung weit übertreffen.

Nur anderthalb Jahrhundert brauchte die Griffelkunst, um sich von den einfachen Niellen, den Goldschmiedeabdrucken, bis zu Dürer am Druck völlig zu entwickeln, gegenüber der Riesenzeit, innerhalb deren die Zeichnung immer beschränkt, fast nur kunsthandwerksmäßig, existierte. Natürlich fiel der Wiedergabe von Kunstwerken bald der Löwenanteil aller Produktion zu. Der schönste Erfolg war aber schon errungen. Es war ein Reich gefunden worden für die Kunst, und dies wurde von denen, die es erkannten, sofort im ganzen Umfange beherrscht. Die neuen Techniken erschlossen Quellen der Poesie, der Leidenschaft, der geistigen Vertiefung, die der Malerei und deren Schwesterkünsten nur selten, teilweise gar nicht zugänglich sind.

Wie in der Politik, war auch dieses Reich auf Kosten anderer gegründet, und hier war es die große einheitliche farbige Kunstanschauung, die den Verlust trug. Sie zerfiel in Sonderkünste, nachdem sie bis ins hohe Mittelalter einheitlich fest geschlossen dastand.

Es ist notwendig, bevor ich weitergehe, den Begriff davon festzustellen, was unter Zeichnung, »Griffelkunst« in unserem Sinne, zu verstehen ist.

Schon der vorausgeschickte kurze Abriß läßt vier, eigentlich drei Arten von Zeichnung erkennen. Eine Handzeichnung Rafaels, ein Stich Dürers, ein Stich Calamattas und eine Illustration Caton Woodville's stellen diese vier Spezies dar. Auf den Gebildeten werden diese Blätter ihrer Zahl nach ebenso viel verschiedene Eindrücke hervorbringen, ganz abgesehen von den selbstverständlich verschiedenen Künstlercharakteren.

Um die Verschiedenheit dieser Eindrücke zu verstehen, untersuchen wir die Beweggründe, die der Entstehung jener Blätter zu Grunde lagen.

Der Maler-Illustrator Woodville wollte die gesehene Natur so wiedergeben, wie er sie sah. Er wendete also den Farben und Valeuren seine Aufmerksamkeit ebenso zu wie der Zeichnung und Modellierung. Bei der Ausführung der Blätter übersetzt er durch möglichst charakteristische Verwendung des Zeichen- und Druckmaterials jeden Eindruck. Die Lokalfarben, die stofflichen Unterschiede, die Gesamtwirkung der Gruppen und der Licht- und Schattenmassen beschäftigen ihn so, wie sie es getan haben würden, wenn er sie malte. Er sucht Farbempfindung zu erregen und setzt alles daran, die Reduktion der Naturerscheinung auf Schwarz und Weiß vergessen zu machen. Alle seine Bestrebungen fallen also genau mit denen des Malers zusammen. Äußere Gründe hielten ihn vom Malen ab: Mangel an Zeit, Schwierigkeit und Kosten der farbigen Reproduktion, die Art des Geschäfts, des Auftrages. Ein treibendes ästhetisches Motiv, das Zeichnungsmaterial zu seiner Darstellung zu wählen, ist nicht vorhanden, denn die etwa unterzuschiebende Absicht, großes technisches Geschick zu entfalten, kann dafür nicht angesehen werden. Damit soll nicht in Frage gestellt werden, daß nicht besonderes Talent und Geschick und Studium für derartige Leistungen notwendig seien. Aber das Verhältnis dieses Künstlers zu seiner Arbeitsweise ist etwa, wie wenn er Pastell oder Aquarell der Ölfarbe zur Ausführung seiner Arbeit vorzöge. Der Grund, daß er zeichnete, lag also außerhalb seiner Darstellung.

Fast auf gleichen technischen Grundlagen ruht die Wiedergabe von Bildern durch Stich, Schnitt, Lithographie usw. Die Begabung des Stechers ist noch nicht derart intensiv, daß er eigener farbiger oder zeichnerischer Produktion sich hingeben könnte, und daß er hoffte, Persönliches in dieser zu leisten. Er widmet sein Talent der Vertiefung in liebevollste Wiedergabe schon bestehender Kunstwerke auf seiner Platte. Wie beim Illustrator, finden wir, daß durch geeignete Verwendung von Strichlagen, Wechsel des Arbeitsmaterials und besondere Druckverfahren die Farben- und Lichtwerte übersetzt werden. Es ist alles völlig auf Bildwirkung abgesehen. Da die Hauptschwierigkeit, die Natur in ein Kunstwerk zu übertragen, schon in dem von ihm reproduzierten Werke überwunden war, kann er seine ganze Kraft auf das »Wie« der fertigen Formen und Farben wenden. Dieser Verzicht auf eigenes Schaffen gibt der reproduzierenden Zeichnung eine eigene Stellung, speziell in dem, was ich Griffelkunst nennen möchte, welche die produktivste aller bildenden Künste ist. Für uns handelt es sich also auch hier um die Wiedergabe von Farben mittels der Skala von Schwarz zu Weiß, und so kommen wir zum Schluß, daß die Zeichnung auch hier aus

248   Brahmsphantasie, 1894, Bl. 31, Kat. Nr. 266

anderen als selbst inneren ästhetischen Gründen zum Darstellungsmittel gewählt wurde.

Rafael arbeitete bei seiner Zeichnung der Malerei vor. Vor seinem Geiste schwebte ein Bild in mehr oder weniger voller Bestimmtheit. Seine Vorstellung in die Fläche zu sammeln, oder die konzipierten Gestalten für die Malerei in Linie und Form vorzubereiten, diente die Zeichnung. Diese empfängt bei solcher Entstehungsart alle Vorzüge des Frischen, Rücksichtslosen, fast Unwillkürlichen, sei es nun, er studiere die vor ihm stehende Natur, sei es, er gebe der unfertigen, schwebenden, unvollendeten Idee erst vorläufige Form. Aber eben der unvollendeten! Sein wirklicher Gedanke, das, was er wollte, fand erst vollkommenen Ausdruck in der Harmonie des Bildes. So hoch auch seine mächtige Persönlichkeit das Material emporhob, so vollendet sie ein Stück Natur nachfühlen läßt, als Kunstwerk betrachtet bleibt seine Zeichnung Fragment. Sie war auch ihm Mittel zu einem anderen Zwecke.

Das Dürersche Blatt ruft in uns weder den Gedanken an ein übertragenes Bild hervor, noch scheint es farbige Eindrücke um ihretwillen zu übersetzen, noch läßt es uns die Empfindung des

255 Brahmsphantasie, 1894, Bl. 38, Kat. Nr. 273

fragmentarischen zurück. Es ist vollendet in sich! Was es gibt, war so gedacht, wie es gegeben wurde, nach Abzug dessen, was die ewig unerreichbare Intention jedem Künstler vorenthält.

Nicht daß Dürer ohne farbige Vorstellung seine Arbeit in das Metall eingeschnitten hätte! Kein Mensch wohl ist im stande, sich frei zu machen von dem einheitlichen Eindruck, den die Natur hervorbringt, und zu dem untrennbar ihre farbige Erscheinung gehört. Dürer wurde vielmehr durch seine Empfindung in eine Welt geführt, farbiger vielleicht, als die reale um uns. Doch so wechselnder, so unkörperlicher, so mit der Wandlung der Vorstellung veränderlicher Art sind die Farben jener Welt, daß, wenn auch er selbst mit seinem inneren Auge sie sah, dennoch die äußeren Mittel nicht ausreichten, sie festzuhalten. Nur die Form, die Handlung, die Stimmung sind ihm faßbar. Denn die Farben, über die er verfügen könnte, würden seine Phantasie auf diese wirkliche Welt zurückführen. Eben diese jedoch überwand er. Die Zeichnung allein ist es, welche jene Eindrücke unberührt von unserem Alltagssinnen festzuhalten vermag.

Dies Dürersche Blatt repräsentiert die Zeichnung, welche eine Kunst für sich bildet, und welche einen Künstler zur Beherrschung voraussetzt. Ein solcher Künstler will keine anderen Darstellungsmittel als hell und dunkel. Er will an die Farbe oft erinnern, aber nicht sie übersetzen. Er weiß, daß die wirkliche Farbe eben jene geistige Welt zerstören würde, welche von allen Künsten die Zeichnung allein mit der Kunst und Poesie gemein hat. Und es ist auffallend, daß diese Künstler, meist Maler, fast nie ihre eigenen Bilder reproduzierten, höchstens die Anderer.

Es ist wohl wert zu bemerken, welche Stellung die verschiedenen Zeichnungsarten im Leben nehmen. Durch die Natur seines Talents, die Schwierigkeit der Existenz und des Bilderverkaufs wird der Künstler zur einträglicheren Illustration geführt, die ihn bequemer ernährt. Andererseits gibt es eine enorme Menge, welche teils aus wirklichem Gefallen, teils aus gesellschaftlicher Notwendigkeit den Wunsch und Drang, nicht aber die Mittel hat, Originalkunstwerke zu besitzen. Diesem Bedürfnis kommt das bescheidenere Talent des Stechers entgegen. Man könnte also sagen, der Illustrator erwächst aus dem Geschäftsinteresse des Angebots, der Stecher aus dem der Nachfrage. – Die Zeichnung als Vorbereitung der Malerei entspringt der Notwendigkeit des Studiums. Nur allein das, was ich Griffelkunst nennen möchte, ist aus innerem Drange, dem ein anderes Ausdrucksmittel Intensität und Freiheit rauben würde, geschaffen worden.

Ich kann mir ohne Abneigung denken, daß ein Künstler sein Leben mit Schaffen von Zeichnungswerken dieser letzten Art ausfüllte, ohne daß seine Persönlichkeit verkleinert erschiene, verglichen mit Malern und mit anderen Künstlern. Er schafft vollgültige Kunstwerke, die eben nur auf diesem Wege entstehen können. Belege dafür sind z. B. Schongauer. Goya und Dürer verdanken ihren großen Namen fast nur ihren Stichen und

Schnitten. Als Maler waren beide bei weitem weniger bekannt.

Der Gedanke, daß ein Künstler sein Leben nur auf Darstellung von Fragmenten, wie selbst Rafaels Studien, verwendet, ist peinlich, ja absurd, denn man müßte voraussetzen, daß der Künstler nicht Künstler sei, seine Persönlichkeit und sein Streben nach Vollendung unterdrücke.

Ein Kunstwerk kann aber nur dann vollendet sein, wenn es mit dem Material geschaffen worden ist, welches den erschöpfenden Ausdruck seiner Grundidee möglich macht.

Deshalb war die Rafaelische Zeichnung kein vollendetes Kunstwerk, denn ihre Idee fand erst Genüge in der Harmonie der Bilder.

Deshalb sind die Reproduktionen und die weite Mehrzahl der Illustrationen keine Kunstwerke, denn auch ihnen lag die farbige Darstellung zu Grunde.

Diese vorangeschickten Sätze sind darin begründet, daß jedem Material durch seine Erscheinung und seine Bearbeitungsfähigkeit ein eigener Geist und eine eigene Poesie innewohnt, die bei künstlerischer Behandlung den Charakter der Darstellung fördern und die durch nichts zu ersetzen sind: etwa so, wie der Charakter eines Musikstückes auf seiner vorempfundenen Tonart beruht, und durch Umsetzen in eine andere verwischt wird. Wo diesem Geiste des Materials bei Konzeption und Ausführung nicht zugedacht und zugearbeitet wird – sei es aus Mangel oder aus Laune, willkürlich oder aus äußerem Zwange – ein Material zu einem anderen zu stempeln gesucht wird, ist die künstlerische Einheit des Eindruckes schon vor Beginn gebrochen. Unser ohnehin schon leicht abschweifender Gedanke richtet sich von der Darstellung selbst weg auf die angewendeten Mittel, und auf die Schwierigkeit des erhaltenen Effekts. Ein zu künstlicher Techniker oder Stümper gleicht sich dann im Erfolg: bei beiden übersieht man über dem Material das Ziel.

Die Tendenz dieser Erörterung kann jetzt in den Satz zusammengefaßt werden: Ein Motiv, vollständig künstlerisch darstellbar als Zeichnung, kann für die Malerei – sofern man dieselbe als Bild im Auge behält – aus ästhetischen Gründen undarstellbar sein.

Das Wesen der Malerei definiere ich so: Sie hat die farbige Körperwelt in harmonischer Weise zum Ausdruck zu bringen, selbst der Ausdruck der Heftigkeit und Leidenschaft hat sich dieser Harmonie unterzuordnen. Die Einheitlichkeit des Eindrucks zu wahren, den sie auf den Beschauer ausüben kann, bleibt ihre Hauptaufgabe und ihre Mittel gestatten zu diesem Zwecke eine außerordentliche Vollendung der Formen, der Farbe, des Ausdruckes und der Gesamtstimmung zu erreichen, auf denen sich das Bild aufbaut. Es kann hier nicht das wiederholt werden, was Lessing im »Laokoon« festgestellt hat, ebensowenig sollen die Stellen daraus kommentiert werden, wo dem Schriftsteller und Denker die künstlerisch-technische Kenntnis der Handgriffe abging, er in Folge dessen falsche Schlüsse zog. Alle seine Grundprinzipien setze ich als bekannt voraus.

257 Brahmsphantasie, 1894, Bl. 40, Kat. Nr. 275

Die Malerei ist durchaus in drei Kategorien zu teilen, als Bild-, als Dekorations- und als Raumkunst wechselt sie ihre Ästhetik. Besonders als letztere hat sie vieles mit der der Zeichnung gemein. Die eigentlichste Aufgabe der Malerei als solche bleibt immer das Bild. Rein durch sich wirkend, vom Raum und Umgebung unabhängig, hängt sein Reiz ausschließlich von der Benutzung und der Bewältigung seines wunderbar ausbildungsfähigen Materials, seines die ganze sichtbare Welt umfassenden Stoffes ab, welche sie in allen Erscheinungsformen mit vollständiger Klarheit und Tiefe wiederzugeben vermag. In diesem Umfassen und Sehen, in diesem Nachgehen und Nachfühlen alles Geschauten, der lebendigen Form sowohl, wie der toten, und in der Kraft, das All in seinen wunderbaren Wechselbeziehungen nachleben zu können, liegt der Zauber des Bildes. Das Einfachste gewinnt höchste Bedeutung durch die Intensität des Erfassens; denn das Wesentliche der Malerei ist, daß jede durch sie gegebene Form eben als solche wirken kann. Das Talent des Malers besteht in der Kraft und Vollendung, mit der er charakteristisch diese Form beherrscht, und jedes Stück geschauter und vollendet wiedergegebener Welt ist an sich völlig hinreichend, einen Vorwurf für ein Bild zu geben. Über allem Sichtbaren ruht der Zauber des individuellen Lebens; diesen zu heben, das Geringe aus seiner scheinenden Gleichgültigkeit in seiner Erscheinungsform uns lebendig vorzustellen, ist die Kunst der Malerei. Es bedarf dazu keinerlei geistiger Zutat, keiner Kombinationen. Diese schaden im Gegenteil. Der Eindruck, den ein Bild auf uns macht, ist um so größer, je mehr es aus sich selbst heraus auf uns wirkt. Wir erhalten dann Eindrücke, die die Natur nur selten geben kann, weil uns die Gleichzeitigkeit vieles Geschauten, der stete Wechsel, vor allem aber die eigene innere Sammlung selten zum reinen Empfinden durch das Auge kommen lassen. Wir sind vor der Natur immer Mitwirkende bei dem, was wir sehen. In ihre Stimmungen und Eindrücke mischen sich stets unsere Wünsche, unsere Unruhe. Vor dem Bilde werden diese ausgelöst, weil wir unsere eigene Person in der des Künstlers aufgehen lassen müssen, und wir die Welt durch seine Augen sehen, wenn er voll die eigene Natur zu geben weiß. In diesem Aufgehen erlangen wir das, was wir im Leben umsonst suchen: ein Genießen ohne geben zu müssen, das Gefühl der äußeren Welt ohne deren körperliche Berührung.

Es ist für die bildliche Darstellung darum wesentlich, Zutaten überphantastischer, allegorischer oder novellistischer Art zu vermeiden, die den Geist des Beschauers zu über das Bild hinausliegenden Spekulationen führen. Jene sich selbst genügende Ruhe, die die Höhe des Kunstwerkes bezeichnet, ist es, die uns zu den Werken aller Bild-Meister zieht. Sie ist nur durch die Vollendung der Darstellung in Formen, in Farbe, in Ausdruck und Gesamtstimmung zu erreichen. Die Phantastik, die im Bilde angestrebt werden kann, muß derart sein, daß nie jene vier Bedingungen gestört werden, daß selbst, wo zu Umbildungen der Natur gegriffen wird, immer der Eindruck der Lebensfähigkeit und des Folgerichtigen auch im Ungewöhnlichen festgehalten ist.

Diese künstlerischen, besser ästhetischen, Anforderungen ändern sich in bezug auf die Einheit des Bildes bei der dekorativen und Raummalerei bedeutend. Bei Beiden ist es nicht mehr das einzelne Kunstwerk, welches auf uns Eindruck machen soll, sondern es soll die künstlerische Einheit des Raumes, also der Umgebung des Bildes, zugleich auf uns wirken. In beiden ist der geistige Anschluß des Bildes an die Bestimmung und Bedeutung des Raumes notwendig, und da dies ohne wechselseitige Beziehungen, ohne allegorische oder beabsichtigt symbolische Grundlage nicht wohl zu leisten ist, ist von vornherein die geschlossene Einheit der Darstellung aufgehoben — wenn man nicht blos auf eine landschaftliche oder vedoutenhafte Ausschmückung ausging. Schon bei etwas mehr als mäßigen Dimensionen treten Form und farbige Durchbildung im Streben nach einheitlicher Zusammenwirkung mit weniger Bedeutung auf, um der Gesamtstimmung, dem Ausdruck, der rhythmischen Bewegung größere Klarheit und Verständlichkeit zu geben. Es erweitern sich die geistigen Grenzen der bildlichen Darstellung von selbst. Der Anschluß an die Architektur, die nahe Verbindung mit Ornamentik nötigen schon bei einzelnen dekorativen Bildern zur Allegorie; ein Gebiet, wo die geistreiche Ideendarstellung der formellen Behandlung gleichsteht, wenn nicht konventionellste Abwandlung bekannter Themen oder Eintönigkeit statthaben soll.

Bedeutend steigern sich diese Anforderungen an die geistige Seite der Malerei bei der Raumkunst. Reine Denkmäler derselben sind uns leider, außer wenigen Schöpfungen der romanischen und gotischen Epoche wie der Renaissancezeit, nicht erhalten. Die Anläufe der Neuzeit zu solchen Werken sind durch die herrschenden künstlerischen Verhältnisse derart zerfahren, daß man eigentlich davon nicht sprechen kann. Sowohl werden durch zu riesenhafte Räume die Bilder der Architektur völlig untergeordnet, als auch durch uneinheitliche Ausschmückung ein Gesamteindruck zerstört. Vor allem aber fehlt uns die erste Grundlage der Kunst, eine strenge der Raumkunst gewachsene Anschauung und Beherrschung der menschlichen Form. — Geistreiche, beziehungsvolle Erfindung, die zur Deutung und Auslegung herausfordert, nimmt hier mit der Farbenkombination, der Rhythmik und Gliederung des Ganzen einen gleichbedeutenden Platz ein. Und zwar so, daß wir der freien Behandlung der Form und der Durchbildung ganz anders gegenüber stehen, als selbst bei der dekorativen Malerei. Die Einheit des Raumes und die Eindringlichkeit seiner Bedeutung fordern geradezu auf, die sonst so streng einzuhaltenden Formen- und Farbengesetze der Natur aufzulösen zu Gunsten einer rein dichterischen Verwendung der Mittel. Die großartige Wirkung beruht gerade darauf, daß alles, was nicht in allererster Linie zu dem Gedanken gehört, nicht blos weniger betont, sondern sogar prinzipiell umgemodelt wird, um jeden Nebengedanken abzuleiten, den Vergleich mit der lebendigen Natur auszuschließen und den Geist des Beschauers ganz auf das Gesamtgewollte zu führen. Man vergleiche in diesem Sinne die Darstellung der Luft und der Landschaft in der wunderbaren Kapelle Signorellis in

258 Brahmsphantasie, 1894, Bl. 41, Kat. Nr. 276

Orvieto, in den Bildern Giottos mit denen der Spätrenaissance-malereien. Die Herbigkeit und gewollte Unnatur, die uns darin beinahe erst abstieß, erhebt, bei tieferem Eingehen, die Gestalten ihrer Fresken gänzlich über das Meer der gewöhnlichen Menschen. Wir sehen nicht mehr die Zufälligkeit der Welt, der Natur, die heut stürmt, morgen lächelt, Zufälligkeiten, die wir, ohne zu wollen und zu wissen, auf die Handlungen der Geschöpfe übertragen, – sondern wir stehen vor Menschen, die mit größeren, festeren Mächten zu rechnen haben. Nicht vor Personen stehen wir, vor Charakteren und Typen, die Volksirrtümern, Leidenschaften, menschlichen Kämpfen Gestalt geben.

Hier, bei der Raumkunst, ist es, wo die farbige Skulptur einzusetzen hat, der wir so merkwürdig zaudernd gegenüberstehen. Wir haben bei jedem Monumentalraum das Bedürfnis, an den rein architektonischen unteren einfachen Gliederungen plastische Werke zu suchen, die in Gestalt bekräftigender Charaktere, stimmender Gruppen die Vermittelung bilden zu den Phantasiewerken der höheren Raumteile. Da nun in solchen Räumen der erste Gesamteindruck zweifellos in der farbigen Erscheinung besteht, dürfen jene Skulpturen keinesfalls in einfarbigen Werken bestehen, die durch den Kontrast silhouettenartig wirken müßten, ihrer Bestimmung und ihrem Wesen ganz zuwiderlaufend. Die Farbe muß auch hier zu ihrem Recht kommen, muß gliedern, stimmen, sprechen. Und ganz mit Unrecht fürchtet

man in dieser farbigen Plastik das Übergreifen des Realismus. Gewiß wird man diesem oder einer zwecklosen Farbenspielerei in die Hände fallen, wenn solche Werke nicht farbig für farbige Räume gedacht sind. Wo von der farbigen Erscheinung ausgegangen mit den entsprechenden Materialien gearbeitet wird, da würde, ganz im Gegensatz zur allgemeinen Befürchtung, die Rückkehr zur Einfachheit, zum strengen Festhalten des plastisch Wesentlichen, zum schärfsten Abwägen der Kompositionsteile nur immer notwendiger sich herausstellen und damit würde der Weg zur Stilbildung, d. h. das Ablassen vom Unwesentlichen, von Naturkünstelei sich eröffnen. Nichts verleitet mehr zum Zuviel, zur Übertreibung der Technik, als das schrille Weiß eines Materials. Durch künstliche Behandlung, durch Aufsuchen der einzelnen Zufälligkeiten im Gegenstand sucht der Bildhauer seinerseits zu einer Farbigkeit im einheitlichen Ton zu gelangen; meist auf Kosten seiner plastischen Empfindung.

Dieses Gesamtwirken aller bildenden Künste entspricht dem, was Wagner in seinen musikalischen Dramen anstrebte und erreichte. Wir besitzen jenes noch nicht, und das, was davon aus vergangenen großen Epochen uns überkommen ist, haben anders denkende Zeiten meist verstümmelt oder zerrissen. Malerei beschränkt sich für uns auf den Begriff »Bild«.

Der Wert dieses in sich abgeschlossen sein sollenden Kunstwerkes beruht, wie gesagt, auf der vollendeten Durchbildung von

213

259 Vom Tode II, 1898, Bl. 1, Kat. Nr. 277

Form, Farbe, Gesamtstimmung und Ausdruck. Jeder Gegenstand, der so behandelt ist, daß er diesen Forderungen entspricht, ist ein Kunstwerk. Außerhalb jener Forderungen bedarf es keineswegs noch einer »Idee«. Die ganz ungewöhnlichen
Vorzüge einer der vier Bedingungen können wohl für Mängel
der anderen entschädigen, nie kann es die Idee, solange sie nicht
durch jene voll geschützt wird.

Für den Begriff »Bild« ist es ganz gleichgültig, welcher Richtung
der Künstler sich anschließt. Ob Realismus, ob Idealismus, in
den Übertreibungen ihrer Tendenz geht jede Richtung über den
Rahmen des Bildes hinaus. Der Idealist, der zu transzendenten,
der Realist, der zu soziologischen Spekulationen über das Leben
führen will durch seine Arbeiten – beide malen eigentlich nur
pro forma.

Der wahre Künstler, für den es keine Richtung als seine Natur
gibt, wird da, wo er dem Ausdrucke – dem Keim, der Seele der
Idee im Bilde – großen Raum gewährt, sich Stoffe suchen, mit
denen er und wir uns von früh auf vertraut sind. Er nötigt auf diese
Weise uns nicht, erst in eine neue Welt, uns einzuleben, um zum

wirklichen Genusse seines Werkes zu kommen. Die Intensität,
mit der er das bisher im Stoffe kaum Geahnte zum Ausdruck
bringt, macht seine Kunst aus, nicht seine Gedanken. Diese
Intensität besteht in der Stärke und Sicherheit, mit welcher
Form und Farbe jeden Gegenstand und jede Bewegung im Bilde
zu umschließen und zu gestalten wissen. Der Beschauer erhält
durch sie das beruhigende Gefühl der Gesetzmäßigkeit, welches
uns vor den Werken aller wirklichen Meister überkommt. Sie
allein macht es, daß ein Kopf ein Kopf sei, eine Hand eine Hand
und daß sie greife, so daß der ihr geleistete Widerstand erkennbar ist. Diese Beherrschung der Form beruht keineswegs auf der
Technik, sondern umgekehrt entspringt diese aus jener. Viel
Technik ohne Formgefühl ist ja eine alltägliche Erscheinung.

Das was man allgemein »Gedanken«, »Idee« im Bilde nennt,
besteht nur zu oft aus willkürlichen, fast immer aber mehr oder
weniger geistreichen Kombinationen von Dingen und Ereignissen, die mit der Darstellung selbst nichts zu tun haben, aber
Ideenassoziationen erwecken. Diese können wohl geeignet sein,
charakteristisches Licht auf den Gegenstand zu werfen, sind
aber meist für ein Publikum berechnet, das, über den Kunstwert
sich unklar, etwas haben will, darüber zu fabulieren, zu »verstehen«. Daß ein wirkliches Kunstwerk eben nur Fleisch als
Fleisch, Licht als Licht geben will, ist viel zu einfach, um sogleich verstanden zu werden.

Ein ruhender menschlicher Körper, an dem das Licht in irgend
einem Sinne hingleitet, in dem nur Ruhe und keinerlei Gemüts-
bewegung ausgedrückt sein soll, ist, vollendet gemalt, schon ein
Bild, ein Kunstwerk. Die »Idee« liegt für den Künstler in der der
Stellung des Körpers entsprechenden Formentwicklung, in seinem Verhältnis zum Raum, in seinen Farbenkombinationen,
und es ist ihm völlig gleichgültig, ob dies Endymion oder Peter
ist. Für den Künstler reicht diese Idee aus, und sie reicht aus!
Unser Tagesgeschmack verlangt aber vorerst genau zu wissen,
ob das nicht etwa Endymion ist*). Ist die Form des Körpers der
Bewegung der Lage entsprechend gelöst, das Fleisch in seiner
seidigen Weichheit, sind Raum und Licht harmonisch gegeben,
so hat man es mit einem Kunstwerk zu tun, und wenn man es
von einem anderen ähnlichen unterscheiden will, mag man ihm
dann einen Namen geben. In scheinbar einfachstem Gewande,
und bei leichtesten Hilfsmitteln – ruhendes Modell, an dem man

---

*) Ich bin überzeugt, daß alle jene unvermeidlichen hübschen Mäd-
chenköpfe – Ada – Hermine – Lydia – der illustrierten Blätter
vollständig verschwinden würden, wenn Eigennamen nicht mehr
darunter gesetzt werden dürften. Ich habe beobachtet, daß ein
solches, in einem Blatt nur »Studie« genanntes Gesicht einen Kunst-
freund ganz kalt ließ, aber als »Kläre« in einem anderen volles
Interesse abgewann. Der Mangel einer regelrechten Vorstellung
hinderte den Wohlerzogenen jedenfalls am Abwickeln der selbstge-
sponnenen kleinen Novelle, die sich jedem solchen Blatte anzuschließen pflegt.

260   Vom Tode II, 1898, Bl. 2, Kat. Nr. 278

Ziehen wir die Mittel der Malerei in Betracht, so erscheint sie uns als der vollendetste Ausdruck unserer Freude an der Welt. Das Schöne liebt sie um seiner selbst willen und sucht es zu erreichen, und selbst im häßlichen Alltäglichen oder in der höchsten Tragik, wo sie uns rührt, bewegt sie uns durch das Reizvolle, selbst im Kontrast Harmonische der Formen und Farben. Sie ist die Verherrlichung, der Triumph der Welt. Sie muß es sein.

Neben der Bewunderung, der Anbetung dieser prachtvollen, großschreitenden Welt wohnen die Resignationen, der arme Trost, der ganze Jammer der lächerlichen Kleinheit des kläglichen Geschöpfes im ewigen Kampfe zwischen Wollen und Können.

Zu empfinden was er sieht, zu geben was er empfindet, macht das Leben des Künstlers aus. Sollten denn nun, an das Schöne gebunden durch Form und Farbe, in ihm die mächtigen Eindrücke stumm bleiben, mit denen die dunkle Seite des Lebens ihn überflutet, vor denen auch er nach Hilfe sucht? Aus den ungeheuren Kontrasten zwischen der gesuchten, gesehenen,

261   Vom Tode II, 1898, Bl. 3, Kat. Nr. 279

leicht beobachten kann – bietet das Motiv selbst dem mit genauesten Körperkenntnissen Ausgestatteten doch Schwierigkeiten, die nur ein Künstler lösen wird, der der Natur innerlich folgen kann, um aus einer Studie ein organisches, auf sich selbst und seiner Klarheit beruhendes Kunstwerk zu schaffen. Und gerade bei solchen einfachen Stoffen sehen wir, wie gewöhnlich die eigentliche Aufgabe durch novellistische Zutaten, sogenannte »Ideen«, umgangen wird. Überraschung, Kitzeln etc. lenken den Beschauer von der Kritik der Darstellung ab auf die unkünstlerische Frage: Was wird nun geschehen?

Durch die ganze moderne Kunst geht ein Drang nach jener vorerwähnten Novellistik, in der die ruhige natürliche Form völlig ertränkt erscheint. Es gehören sehr starke Anstrengungen dazu, sich aus dieser Flut zu einer einfachen künstlerischen Anschauung durchzuarbeiten und die Kunst im Menschen, in der Natur zu suchen, statt im Abenteuer.

empfundenen Schönheit und der Furchtbarkeit des Daseins, die schreiend oft ihm begegnet, müssen Bilder entstehen, wie sie dem Dichter, dem Musiker aus der lebendigen Empfindung entspringen. Sollen diese Bilder nicht verloren gehen, so muß es eine die Malerei und Skulptur ergänzende Kunst geben, in welcher zwischen diese Bilder und den Beschauer die plastische Ruhe nicht in dem Maße hindernd eintritt, wie bei jenen. Diese Kunst ist die Zeichnung.

In seinem »Laokoon« scheidet Lessing von den der Darstellung durch Malerei völlig künstlerisch möglichen Vorwürfen alle die Punkte aus, wo das Verharren in höchsten Affekten, im Häßlichen Grauen- und Ekelerregenden unnatürlich wäre und daher auf die Dauer unerträglich werden und dem Zwecke zuwiderlaufen würde. Diese Punkte sind der Darstellung durch Poesie, Drama, Musik erlaubt, ja für sie unentbehrlich, weil in diesen die Phantasie nicht an eben dieselben gebunden ist selbst wenn sie mit aller Kraft und Intensität sich vordrängen. Durch das Gleich- und Nacheinanderwirken der ihnen vorhergehenden Entwicklung, so wie durch das Vorgefühl der erfolgenden Lösung können sie nicht für sich allein und voll als solche Höhepunkte oder Widerwärtigkeit wirken, sondern bleiben stets ein natürliches Glied eines vorbereiteten Ganzen.

Die gleichzeitige Beschäftigung unserer Phantasie bei Gewahrwerden des an und für sich Widerwärtigen, das Verhindern seiner Alleinwirkung ist also das wesentliche Moment, dieses künstlerisch darstellbar zu machen. Solche Momente besitzt nun die Zeichnung, indem sie z. B. der Farbe entbehrt, eines der unerläßlichsten Teile des Gesamteindruckes, den die Natur auf uns macht. Wir sind genötigt, dem einfarbigen Eindruck die fehlende Farbe nachzuschaffen, wie wir dem gelesenen Wort Ton und Rhythmus nachschaffen.

Man könnte nun einwerfen, daß dann die Skulptur, besonders die heutige, in genau der gleichen Lage wäre, da sie doch auch mit Aufgabung der farbigen Erscheinung arbeitet. Indessen liegt der Fall anders. Einmal, weil die Skulptur nur die geschlossene, formvolle Erscheinung nachzubilden hat, dann, weil sie auf den Raum, innerhalb dessen jene Erscheinung sich bewegt, verzichten muß. Durch diese Isolierung als greifbare räumliche Masse muß jeder Punkt vollständig aufgeklärt und durchgearbeitet werden. Nur dann kann sie voll und schön wirken, wenn ihr Hauptgewicht auf der Klarheit und Schönheit, der Zweckmäßigkeit und Richtigkeit jedes einzelnen Teiles für sich, wie in seinen Beziehungen zu den anderen beruht, wenn bei Abgeschlossenheit der äußeren Erscheinung trotzdem jeder Punkt seine Individualität besitzt.*)

*) Es ist vielleicht nicht ausgeschlossen, daß das Suchen der modernen Bildhauer nach besonderen Motiven mit der heutigen Einfarbigkeit der Plastik zusammenhängt, wenn dieses Suchen nach Sujets gleich der gemeinsame Zug fast aller bildenden Künste jetzt ist, wohl weil die meisten Künstler sich der Durchbildungsfähigkeit innerhalb eigenster Grenzen ihres Materials nicht völlig bewußt sind.

Die Zeichnung steht, wie gesagt, in einem freieren Verhältnis zur darstellbaren Welt:

Sie läßt der Phantasie den weiten Spielraum, das Dargestellte farbig zu ergänzen;

sie kann die nicht unmittelbar zur Hauptsache gehörigen Formen, ja diese selbst, mit derartiger Freiheit behandeln, daß auch hier die Phantasie ergänzen muß;

sie kann den Gegenstand ihrer Darstellung so isolieren, daß die Phantasie den Raum selbst schaffen muß;

und diese Mittel kann sie anwenden einzeln oder zugleich, ohne daß die so ausgeführte Zeichnung im Mindesten an künstlerischem Werte oder an Vollendung einzubüßen hätte.

Der verlassenen Körperhaftigkeit dient die Idee als Ersatz. Es handelt sich dann um ein solches Bild, wie es aus den Kontrastwirkungen der realen Welt zu unserem Darstellungsvermögen entspringt. Wesentlich für den Ausdruck einer solchen Idee ist es, den Zusammenhang mit der großen Welt festzuhalten. Diesen Zweck zu erreichen, bedarf es anderer Mittel als die, über welche die Malerei verfügt. Die Malerei stellt jeden Körper eben nur als solchen, als positives Individuum, das als abgerundetes, vollendetes Ganze ohne Bezug nach außen für sich existiert, dar. Es sind überall die materiellen Seiten der Stoffe, die die Malerei beschäftigen: die Luft leicht, leuchtend; das Meer feucht, glänzend; das Fleisch weich, seidig. Für die Zeichnung können alle diese Stoffe Eigenschaften annehmen, die weniger dem Auge, als der dichterischen Auffassung und Kombination zufallen. Mit der Luft verbindet sich eher der Begriff der Freiheit, mit dem Meer der der Gewalt, und der Mensch ist nicht so die von ihren individuellen Formen eingeschlossene Person, als das Wesen, das zu allen jenen äußeren Kräften in Beziehung und Abhängigkeit steht; er ist vor allem Repräsentant seiner Gattung. Die Möglichkeit, die sichtbare Körperwelt so frei poetisch zu behandeln, wird durch jene vorerwähnten Freiheiten gegeben, welche gestatten, alles Dargestellte mehr als Erscheinung, denn als Körper wirken zu lassen.

Es ist kaum notwendig, zu sagen, daß diese Lizenzen, wo sie auch benutzt werden, dennoch das strengste Bewußtsein und die Beherrschung der Formen seitens des Künstlers voraussetzen, und daß sie nur dann künstlerisch sein können, wenn der Phantasie nur so viel des Sichtbaren selbst zu schaffen überlassen wird, als sie ohne Mühe und ohne auf Unmöglichkeiten zustoßen, ergänzen kann. – Man bedenke nur, daß alle wirklichen Künstler der Zeichnung auch Meister der Malerei, also der vollendeten Form, waren.

Mit diesen Ideen und jenen Lizenzen steht die Zeichnung auch dem Unschönen und Widerwärtigen anders gegenüber als andere bildende Künste. Die bildenden Künste haben das überwundene Unschöne, die redenden das zu überwindende Unschöne zur Grundlage. Dieses ist bei den redenden ein bald einzelnes, bald wiederkehrendes Glied in der Kette der Handlung, in deren Laufe unser Gefühl durch verschiedene gleichzeitige Empfindungen und fortrollende Wirkungen gegen das Widerwärtige

262 Vom Tode II, 1898,
Bl. 4, Kat. Nr. 280

XIX   Der pinkelnde Tod, um 1900, Kat. Nr. 31

XX Elsa Asenijeff,
um 1900,
Neue Pinakothek,
München

geführt wird wie ein Strom gegen einen Pfeiler. Der Stoß bricht wohl den Lauf, verändert seine Richtung, aber der Strom wird vom Pfeiler nicht aufgehalten, nur von neuem konzentriert; Strom und Handlung haben neue Kraft. Ähnlich kann die Zeichnung uns gegen das Unschöne führen. Die Unmöglichkeit, die Welt anders als durch Farbe, Form, Raum zu sehen, zwingt unsere Phantasie, gleichzeitig mit dem Erblicken des Abstoßenden jene drei Bedingungen zu ergänzen, und in dieser Tätigkeit findet sie nicht nur Ablenkung vom Unschönen, sondern auch den Eindruck jenes Ringens mit dem Widerwärtigen, welches der Grund der Dichtung ausmacht. Der Unterschied ist, daß der Eindruck bei dieser ein fortschreitend wechselnder ist, bei der Zeichnung ein momentaner. Die Malerei (auch die farbige Skulptur), für welche die Feststellung jener drei Bedingungen conditio sine qua non ist, bietet unserer Vorstellung nichts als das fertige Häßliche und seine Mache, und hier staut sich das Gefühl wie ein Fluß an einer Mauer.

Aus dem Reichtum des Grundstoffes – demselben, auf den Religionen sich gründen, wegen dessen Völker sich vernichteten, dem man so gern sich verschließt, den deshalb der Menschengeist mit allen Mitteln und Formen von der naivsten Einfalt bis zur fratzenhaftesten Ungeheuerlichkeit zu verdecken sucht, den Selbstsucht und Opferwilligkeit in ewiger Gärung

264   Vom Tode II, 1898, Bl. 6, Kat. Nr. 282

263   Vom Tode II, 1898, Bl. 5, Kat. Nr. 281

halten – läßt sich schließen, daß die Ideen und Vorstellungen dem Künstler in Fülle zuströmen. Ob in einzelnen Bildern, ob in zyklischen Werken wie bei Goya und Holbein, ob in sich selbst steigernder Folge, wir sehen die Werke dieser Künstler stets in reicher Fülle entstehen. Und diesem Drange wird auch die Handlichkeit des Materials gerecht. Im engsten Raum lassen sich die stärksten Empfindungen zusammenpressen, in der schnellsten Abwechslung die sich widerstrebendsten Empfindungen geben. Wo die Malerei dem Beschauer zu reinem Genießen Muße, neue Sammlung oder Überleitungen bieten mußte, um von einem Zustand zu einem widerstrebenden vorzubereiten, entwickelt die Zeichnung in der gleichtönigen Folge von Bildern im schnellen Wechsel ein Stück Leben mit allen uns zugänglichen Eindrücken. Sie mögen sich episch ausbreiten, dramatisch sich verschärfen, mit trockener Ironie uns anblicken: nur Schatten, ergreifen sie selbst das Ungeheuerliche ohne anzustoßen.

265   Vom Tode II,
1898, Bl. 7,
Kat. Nr. 283

XXII Beethoven, vollendet 1902, ▷
Museum der bildenden Künste,
Leipzig

XXI Kassandra, 1886, vollendet 1895,
Kat. Nr. 2

266   Vom Tode II, 1898, Bl. 8, Kat. Nr. 284

Form, nur von ihrer Stärke geleitet, seine eigensten Freuden und Schmerzen, flüchtigsten und tiefsten Gefühle freikünstlerisch geben.

Die vorausgeschickten Erörterungen führten zu dem Schlusse, daß es Phantasiebilder gibt, die durch die Malerei nicht, oder nur bedingterweise künstlerisch darstellbar sind, daß dieselben jedoch der Darstellung durch Zeichnung zugänglich sind, ohne daß ihrem Kunstwerte etwas vergeben wird. Es ergab sich, daß diese Vorstellungen der Weltanschauung, ich möchte sagen dem Weltgefühle entspringen, wie die Vorstellungen der Malerei dem Formgefühle.

Diese Betrachtungen werden bei Untersuchung der technischen Mittel der Griffelkunst bestätigt.

Ich schicke nochmals voraus, daß alles, was in der Folge Zeichnung genannt wird, durchaus nicht unter den heutigen Illustrationen für Buch und Blatt und Künstleralbum zu suchen sei. Alle diese sind aus dem großen, aber nicht wählerischen Dekorationsbedürfnis entstanden. Noch bei den besten unter ihnen

267   Vom Tode II, 1898, Bl. 9, Kat. Nr. 285

Aus allem bisher Gesagten spricht sich der hervorragendste Charakterzug der Zeichnung aus: die starke Subjektivität des Künstlers. Es ist seine Welt und seine Anschauung, die er darstellt, es sind seine persönlichen Bemerkungen zu den Vorgängen um ihn und in ihm, und er braucht sich um nichts zu bekümmern, als sich künstlerisch mit der Natur seiner Eindrücke und seinen Fähigkeiten abzufinden. Die Malerei, die Skulptur legt überall den strengen, nicht abzuwerfenden Zaum der Naturbedingungen auf, an denen, allgemeingültig wie sie sind, allgemein anschaulich wie sie im Kunstwerke sein müssen, nicht zu rütteln ist. Der Zeichner allein modelt sie nach seiner Ausdrucksfähigkeit, ohne seinem künstlerischen Gewissen etwas zu vergeben. Der Vergleich mit Klaviermusik und dem Gedichte liegt hier nahe. Bei beiden macht sich der Geber von der Interpretation Vieler, von den strengen Forderungen von Szene und Orchester frei, und darf in zwangloser Folge und

268 Vom Tode II,
1898, Bl. 10,
Kat. Nr. 286

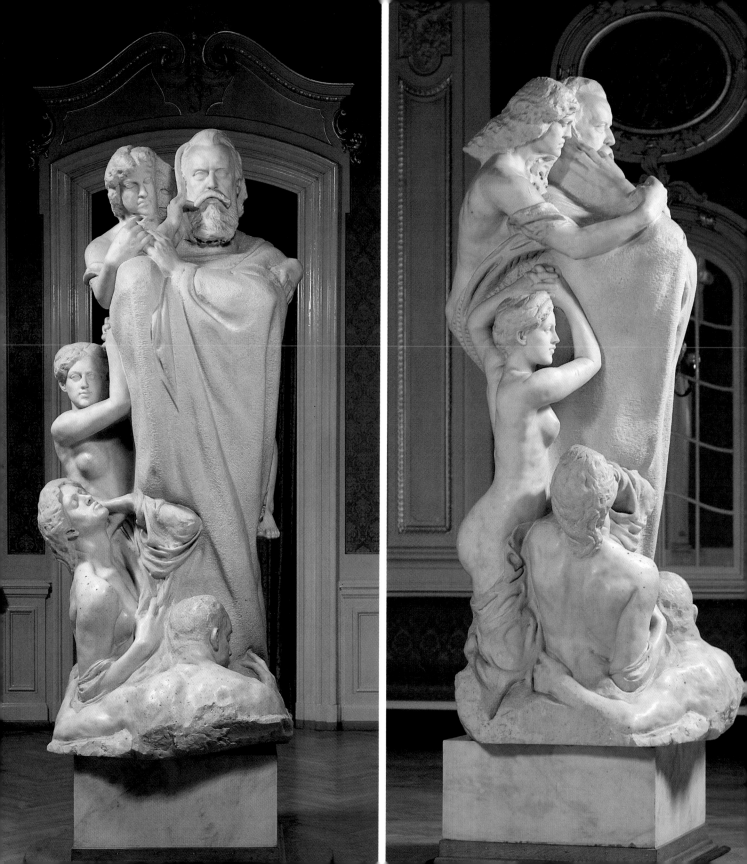

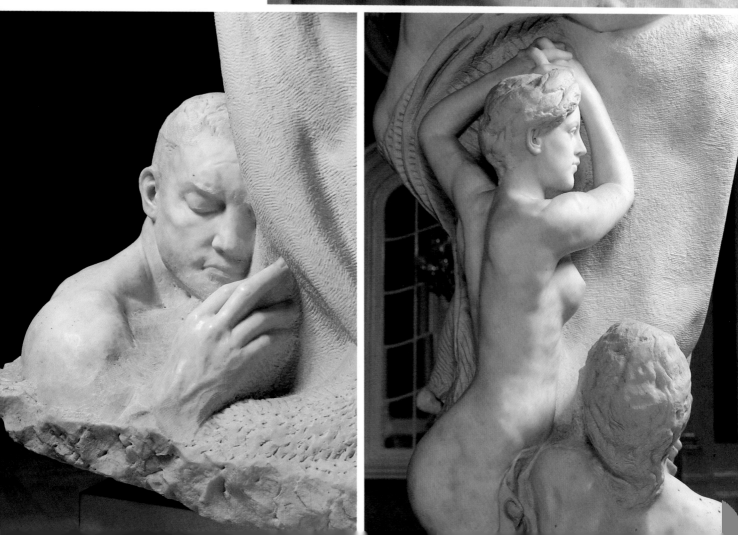

269 Vom Tode II, 1898, Bl. 11, Kat. Nr. 287

270 Vom Tode II, 1898, Bl. 12, Kat. Nr. 288

fühlt man durch: eigentlich sollte es ein Bild sein, aber Zeit, Verleger, Geld wollten es anders, wenn überhaupt noch etwas dabei zu fühlen war. Vielmehr ist hier unter Zeichnung nur das gemeint, was mit anderen Mitteln nicht geschaffen werden wollte. Man suche sich ins Gedächtnis zu rufen, was man von Schongauer, Dürer, Goya, Rethel, Menzel gesehen hat. Das ist Zeichnung in unserem Sinn. Jene andern verhalten sich zu diesen, wie Zeitungsartikel zu Kunstwerken der Sprache und des Gedankens.

Unter Malerei ist immer Bild zu verstehen.
Einen charakteristischen Unterschied zwischen Malerei und Zeichnung bildet die Behandlung des Lichts.
Der Griffel verfügt über eine weit geringere Skala zwischen hell und dunkel als die Palette. Diese verfügt über größere Saftigkeit und Kraft der Tiefen und mehr Energie der Lichter, die noch durch Kontrastwirkung der warmen und kalten Töne und durch Farbenkombination erhöht werden. Aber was die Palette an Intensität und Farbe voraus hat, ersetzt der Griffel durch die

Unbeschränktheit der künstlerischen Darstellbarkeit von Licht und Schatten. Er kann direktes Licht und direkte Dunkelheit – Sonne, Nacht – darstellen, die Malerei nur Reflexlichter und Schatten im Kontrast mit jenen. Der Reif z. B., der in der Zeichnung die Sonne verkörpert, genügt völlig, um uns deren Wesen und Wirken empfinden zu machen, ebenso kann die Nacht mittels weniger Andeutungen, mit geringsten Kontur- und Tonmitteln zum Ausdruck gebracht werden. Es beruht dies eben auf jenem erwähnten poetisierenden Charakter der Zeichnung, die die Dinge nicht um der Erscheinung willen und in ihren gegenseitigen sichtbaren, formentsprechenden Verhältnissen und Wirken gibt, als vielmehr um die eng mit ihnen verknüpften Ideen in dem Beschauer wachzurufen. Es sollen durch charakteristische Verbindung der Umstände bestimmte, vom Künstler beabsichtigte Ideenassoziationen herbeigeführt werden. So braucht der Reif nicht nur das Licht oder die Sonne darzustellen, je nach seiner Verknüpfung bedeutet er Freiheit, Wärme, Raum. Der Künstler bedient sich seiner völlig als Dichter, nicht mehr als Maler, dem ebenso die dunkle Nacht als völlig kontrastlos undarstellbar ist, will er nicht die Allegorie zu Hilfe nehmen. Für den Zeichner ist selbst dies nicht nötig. Für ihn hat die Nacht noch die anderen künstlerischen Seiten als Ruhe, Schlaf und andere charakteristische Zeichen; Dunkelheit ist nur eine ihrer Seiten. Eine in einem gleichmäßigen, unmodellierten Ton, aber mit vollem Ausdruck der Ruhe, des Schlafes, gelegte Figur gibt uns den Eindruck der Nacht ausreichend. Wie der Dichter, kann der Zeichner das Leben und die Form noch da zeigen, wo er sie nicht mehr würde sehen können.

Der Kunstbegriff Rembrandts, im vollen Lichte stehende Figuren kaum mehr als leicht umschrieben, einem voll und tief modellierten Hintergrund, einen Schattenteil mit durchgearbeiteten Figuren und detailliertester Umgebung entgegenzustellen, gibt eine Lichtwirkung, die der Malerei immer verschlossen bleibt. Wir empfangen den Eindruck des leuchtenden Sonnen-

scheins. Ist aber wegen der Ungleichheit der Durchführung Rembrandts Blatt weniger fertig? Ist diese leichte, gleitende Behandlung des beleuchteten Teiles nicht vielmehr eine geistvolle Interpretation des Lichtes?

Vollständig durchgebildete, bis auf die kleinsten Details modellierte Figuren gegen eine nur mit leisesten Konturen angedeutete und doch deutliche Landschaft, ohne Spur einer Luftmodellierung, ist eine der meist angewendeten Arten, Personen schlagend charakteristisch hinzustellen. Was gemalt notwendig die Landschaft zu einem Stimmungsbilde machen würde, fügt in der Zeichnung der Person nur Zug um Zug zu.

Eine Reihe anderer technischer Eigentümlichkeiten bekräftigen noch weiter das ideelle Wesen der Zeichnung. Es sind hauptsächlich: die reine Kontur, die Möglichkeit, ohne definierten Hintergrund zu arbeiten, das leichte Verschmelzen mit Ornamentik und das Zusammenarbeiten aller dieser Freiheiten. Keine

271 Friedrich Nietzsche, um 1903 (Guß 1923), Kat. Nr. 8

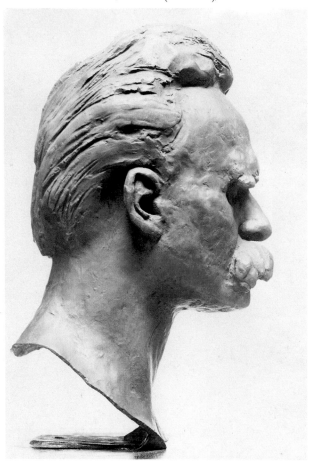

272 Franz Liszt, 1904, Kat. Nr. 9

229

274   Wilhelm Wundt, 1908, Kat. Nr. 13

einzige davon ist der Malerei gestattet. Die Farbe legt dem Künstler die Bedingung auf, daß jeder Punkt im Bilde als Form und Stoff definiert sei, selbst da, wo die einzelnen Formen und Teile ineinander verschwimmen. Die Tendenz dieser angeführten Freiheiten ist, die der Idee oder Handlung dienenden Glieder so zu isolieren und derart in Wechselwirkung zu setzen, daß der Gedanke so unberührt wie möglich von Nebenumständen zum Ausdruck komme.

Die Kontur, die älteste Zeichnungsform, überhaupt vielleicht die älteste Form der bildenden Künste, betont die Handlung; derselbe Vorgang gemalt, die Geste. Die oft angewendeten, leichten Tonmodellierungen akzentuieren nur den Rhythmus der Gruppen und sind für die Körperformen selbst von geringer Bedeutung. Eben weil die Kontur die Handlung, das »Wie« eines Vorganges konzentriert, sehen wir sie meist in Massen- und Gruppenkompositionen angewendet. Die Handlung erhält

durch die zahlreichen Figuren ebensoviel Reflexe und kann sich daher leichter steigern lassen. Die Gleichmäßigkeit der Wirkung aller Teile unterscheidet die Konturszenen von Bildern gleicher Tendenz, die notwendig einen Mittelpunkt haben müssen. Derselbe ist im Ausdruck der Hauptperson gegeben, aus der wir allein schon den Charakter der Handlung schließen. Diese Konzentration legt dem Maler die größte Sorgfalt in der Wahl der Nebengruppen auf. Der Zeichner kann sich in ganzer Behaglichkeit und Breite ergehen. Ohnehin ladet die Konturzeichnung zu zyklischen Kompositionen ein – man denke an Flaxmann, Carstens, Genelli – setzt also seitens des Künstlers eine Fülle phantasiereicher und bezeichnender Einfälle und Nebenumstände voraus.

Wie sehr sich die Kontur zur Darstellung von Rhythmus und Bewegung eignet, und dadurch Handlung auszudrücken im Stande ist, sehen wir z. B. an ägyptischen Konturen storchähnli-

273 Kauernde, um 1902, Kat. Nr. 5

275 Modell des Wagner-Denkmals, um 1911

276 Beethoven,
vollendet 1902,
Museum der
bildenden Künste,
Leipzig

277 Beethoven,
Detail

cher Vogelgruppen. Dieselben wirken bei allereinfachster Um-
rißzeichnung so lächerlich lebendig, daß man auf den ersten
Blick wirklich eine Bewegung zu sehen glaubt. Vergleichen wir
sie mit Kunstwerken der Japaner, die gleichfalls in ihren Lacken
und Emails eine große Vorliebe für derartige Vögel haben, so
werden wir trotz ihrer viel vollendeteren Formenkenntnis, ihres kühneren Rhythmus einen viel ruhigeren Eindruck erhalten.
Der geringste Farbenzusatz, die einfachste Modellierung würde
den lebhaften Eindruck, würde die Drastik der Bewegung sofort
aufheben. Es würde dadurch dem Auge der Überblick der Masse
erleichtert, eine gewisse Ruhe und Gleichmäßigkeit hervorgebracht werden und der Reiz der Bewegung wäre aufgehoben,
der eben auf dem Zugleich- und Durcheinanderwirken aller
Körper und Linien beruht.
Die Vasenbilder der Griechen und der Etrusker – jener höchsten
Meister der Kontur – bilden einen Beleg für die Trennung der
Ästhetik in Zeichnung und Plastik, denn wenig genug existiert
an Malereien. Jedenfalls finden wir nur an Bildwerken der
spätesten romanischen Epoche Vergleiche mit jenen Kompositionen auf Gefäßen. Die fratzenhaften Körperumbildungen,
derbsinnlichen Ungeheuerlichkeiten und die ausgesprochene
Vorliebe für stärkste Bewegungen stehen in merkwürdigem

278   Das Beethoven-Denkmal in der Ausstellung der Wiener Sezession,
       1902

279   Beethoven-Torso, nach 1902, Kat. Nr. 7

Kontrast zu der wunderbaren Geschlossenheit und Ruhe der
gleichzeitigen Bildwerke. Es ist auch nicht einzuwenden, daß es
sich hier um Handwerkserzeugnisse handle. Bei aller Skizzen-
haftigkeit sind diese Arbeiten Kunstwerke im besten Sinne. Ich
sehe in ihnen eine Äußerung des antiken Genius, der verschiedene Materiale mit dem diesen innewohnenden verschiedenen,
zweck- und sinnentsprechend dem Geiste behandelte. Dort für
große Zwecke, große Formen und eine nie fehlgreifende Durchbildung der Erscheinung, hier im kleineren Leben Fülle von
Sinnlichkeit, Witz und Lebensbehagen in der knappesten Form-
andeutung der Kontur.
Den Versuch, die Ästhetik der Zeichnung rein für die Malerei
anzuwenden, hat die deutsche Kunst in der Mitte dieses Jahrhunderts leider gemacht. Ihm fällt ein gutes Stück der Verant-
wortung jenes Mangels an Formenverständnis zu bei unserem
heutigen Publikum, welches noch immer einen gewissen Hang
zu jener »Tradition« hat. Dieser Versuch war auch nur möglich
bei einem Volke, welches so tiefen Hang zum Poetisieren hat wie
unseres. Ihm war besonders günstiger Boden bereitet worden
dadurch, daß unser ganzes künstlerisches Emporringen am Ende des vorigen und Anfang dieses Jahrhunderts nicht durch
Künstler, sondern durch Dichter und Schriftsteller hervorgeru-

280   Badende (Die Quelle), 1912, Kat. Nr. 32 ▷

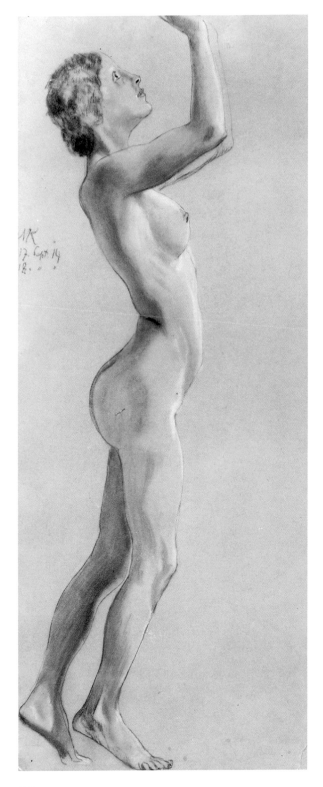

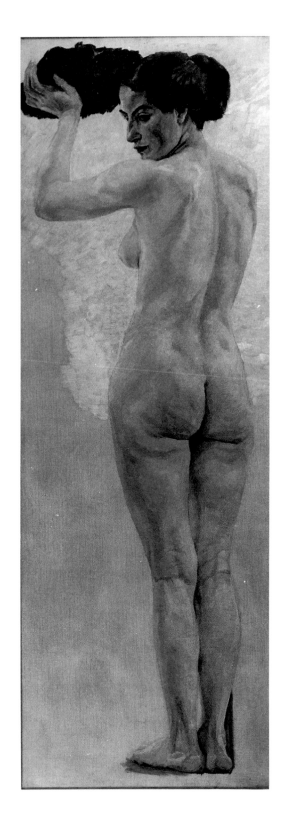

fen wurde. Diese besaßen zu wenig Kenntnis von den praktischen Notwendigkeiten der Kunst, um nicht deren zu einfache Grundlagen zu unterschätzen und zu viel von den bedeutenden und dadurch verführerischen Zielen ihres Berufs in ihre Kunsttheorien zu bringen.

Licht, Farbe und Form sind unbedingt der einzige Boden, von dem aus sich jedes Bild, jede Raumausschmückung entwickeln soll. Etwas davon aufgeben, heißt alles aufgeben. Und so sind in jenen Arbeiten meist nur Abstrakta erreicht, vor denen der Künstler mehr verwundernd als bewundernd stehen kann. Es ist ein Unsinn, zu sagen: »hätte Cornelius malen können« etc. Dies ist eine Voraussetzung, die mit dem von ihm Vorhandenen nicht mehr rechnen läßt. Er hätte dann jene Kartons nicht gemacht, sondern überhaupt anders komponiert und geschaffen. Der Farbe will so gut vorgedacht und vorgearbeitet sein wie der Form, und mit einer bloßen Kolorierung seiner Schöpfungen wäre ebensowenig erreicht worden, wie z. B. in den insipiden Farbenzusammenstellungen Kaulbachs. Er konzentrierte sein Talent auf Rhythmus und Phantasie, durch Farbe und Modellierung wäre die nicht zu leugnende Kraft seiner Darstellungen nur gebrochen worden.

Ich möchte den Vorschlag machen, Cornelius' Kartons zu den Camposanto-Bildern in kleinem Maßstabe, etwa 40 zu 60 Zentimeter, genau so reproduzieren zu lassen, wie sie gezeichnet sind. Die Blätter würden an Größe der Wirkung den Kartons nicht nachstehen. Das, was bis jetzt an Nachbildungen existiert, ist durch den Stich so geschönt, daß es zum Teil dem Geiste seiner Arbeiten zuwiderläuft, denn dieser ist nichts weniger als glatt.

Ein formloser Ton als Hintergrund ist in der Malerei nur unter sehr bedingten Umständen zulässig. Bei der farbigen Darstellung muß eben jeder Punkt im Bilde definiert sein. Die Befreiung von dieser Notwendigkeit ist für die Zeichnung ein großes Hilfsmittel für die ideellen Zwecke. Ein solcher Ton bildet die Folie für psychologische Momente, wie sie Goya z. B. mit barbarisch großartiger Nacktheit behandelt. Vor einen Ton, der kaum sich abstuft, mit wenig Strichen, die kulissenhaft leicht nur den Raum allgemein andeuten, nagelt er wie einen Schmetterling den Menschen fest, meist im Momente seiner Thorheit, seiner Schlechtigkeit. Ein dämonischer Haß, eine ungezügelt leidenschaftliche Kritik, die nur ihr Objekt im Auge hat, für alles andere blind ist, spricht aus seinen Blättern auf uns ein. Das geringste Mehr der Umgebung würde seine Schärfe mildern, seine Leidenschaft absurd machen und ihr die Größe nehmen, sein Entsetzen über die Abgründe menschlicher Natur auf ein berechnendes Hinstellen eines bestimmten Falles herabsetzen.

So frei vor uns gerückt wird der Vorgang zu einem bezeichnenden Moment für das Geschlecht. Der fast leere Hintergrund ist die ganze Welt.

Dieser leidenschaftlichen Art, die Menschheit in ihren wechselnden Formen zu beleuchten, aus der aber doch ein Bewußtsein des Guten, ein Schimmer von Hoffnung hervorleuchtet, steht eine andere gegenüber, welche enttäuscht oder überzeugt vom Werte der Personen, in objektiver Ruhe sie mit einem Kranz von Lorbeeren oder Pasquillen schmückt. Ich meine jene Porträts, jene Charakterfiguren, um die sich frei anschließend eine ornamentale Würdigung ihrer Persönlichkeit schlingt. Diese Verschmelzung der Realität (die sich überdies keineswegs auf einzelne Figuren beschränkt, sondern auf Handlungen, Gruppen auszudehnen ist), mit mehr oder weniger Allegorie in Form frei behandelter Ornamentik, zeigt noch augenfälliger wie die vorerwähnte Art, das Streben der Zeichnung, über die eigentliche Darstellung hinaus uns zu beschäftigen. Meisterwerke dieser Art schufen uns Menzel in seinen Porträts, z. B. von Machiavel, der Pompadour u. a. m., ebenso auch Schwind und Ludwig Richter in einzelnen Blättern. Wie in dem einen Falle der Künstler die Durchbildung der Form verläßt, um mit ganzer Kraft sich dem Herausarbeiten der einen Handlung hinzugeben, so sehen wir ihn mit sorgfältiger Wahl den durchgearbeiteten Mittelpunkt der Arbeit mit geistreichen Seitenbemerkungen umgeben, in beiden Fällen uns über die eigentliche Darstellung hinaus zu Betrachtungen zu reizen.

Es scheint mir hier eine Bemerkung am Platze über die verschiedene Wirkung gleichartiger Gegenstände als Bild und als Zeichnung dargestellt. Aus einer mit wenigen Mitteln gezeichneten Porträtskizze schließen wir zuerst auf den Charakter des Porträtierten. Bei einem mit den geringsten Mitteln gemalten Porträt schließen wir aus der Qualität der so rasch geschaffenen Form auf die Bildungskraft des Künstlers.

Alle Künstler der Zeichnung entwickeln in ihren Werken einen auffallenden Zug von Ironie, Satire, Karikatur. Mit Vorliebe heben sie die Schwächen, das Scharfe, Harte, Schlechte hervor. Aus ihren Werken bricht fast überall als Grundton hervor: so sollte die Welt nicht sein! Sie üben also Kritik mit ihrem Griffel. Schärfer kann der Gegensatz zwischen dem Maler und Zeichner nicht ausgesprochen werden. Jener bildet Form, Ausdruck, Farbe nach in rein objektiver Weise, also nicht eigentlich kritisch, er verschönert lieber. Dies ist nun auch eine Kritik, doch keine negierende. Sie sagt: so sollte es sein! oder: so ist es! Denn seinem Geiste schwebt doch schließlich ein geistig, ja fast auch körperhaft, erreichbares Urbild der von ihm erkannten Schönheit vor. Der Zeichner dagegen steht vor den ewig unausgefüllten Lücken, zwischen unserem Wollen und Können, dem Ersehnten und dem Erreichbaren, und es bleibt ihm nichts als ein persönliches Abfinden mit der Welt unvereinbarer Kräfte. Aus den Werken des Einen spricht der Optimismus, der Genuß der Welt, des Auges. Unter dem Drucke der Vergleiche, des Schauens über die Formen hinaus, kann sich der Andere des verneinenden Betrachtens nicht entziehen.

283 Zelt, 1915, Bl. 1, Kat. Nr. 289

284 Zelt, 1915, Bl. 2, Kat. Nr. 290

285 Zelt, 1915, Bl. 3, Kat. Nr. 291

286 Zelt, 1915, Bl. 4, Kat. Nr. 292

287 Zelt, 1915, Bl. 5, Kat. Nr. 293

288 Zelt, 1915, Bl. 6, Kat. Nr. 294

Das Arbeitsmaterial eines Jeden entspricht genau der geistigen Bestimmung.

In diesen Betrachtungen dürfte Vielen das Gewicht auffallen, welches ich auf den Gegensatz weniger zwischen Malerei und Zeichnung lege, als stillschweigend zwischen Zeichnung und Zeichnung zu legen scheine. An der Hand einer umfangreichen Reihe von Werken aller Zeiten und aller Meister der Zeichnung, in denen die Prinzipien der Malerei in nichts verlassen worden sind, die den Stempel der höchsten künstlerischen Vollendung tragen, kann der Kritiker sagen, daß die von mir beregte Tren-

289 Zelt, 1915, Bl. 7, Kat. Nr. 295

290 Zelt, 1915, Bl. 8, Kat. Nr. 296

291 Zelt, 1915, Bl. 9, Kat. Nr. 297

292 Zelt, 1915, Bl. 10, Kat. Nr. 298

293 Zelt, 1915, Bl. 11, Kat. Nr. 299

294 Zelt, 1915, Bl. 12, Kat. Nr. 300

nung eine willkürliche oder übertriebene sei. Meine Erörterungen wenden sich aber auch nicht gegen solche Werke, sondern sie treten für jene anderen künstlerisch so hoch bedeutenden, für das Wesen der Zeichnung so charakteristischen ein, gegenüber denen die Kritik zweifelnd und ausschließend sich verhält, weil sie nicht den Standpunkt der Ästhetik der Malerei verlassen mag. Ein tieferes Eingehen in die angeregte Materie wird mehr als rein theoretische Folgen haben. Auf dem Standpunkte stehend, daß jedem Material nicht nur seine besondere technische Behandlung, sondern auch sein eigenes geistiges Recht

295 Zelt, 1915,
Bl. 13, Kat. Nr. 301

296 Zelt, 1915, Bl. 14, Kat. Nr. 302

297 Zelt, 1915, Bl. 15, Kat. Nr. 303

298 Zelt, 1915, Bl. 16, Kat. Nr. 304

299 Zelt, 1915, Bl. 17, Kat. Nr. 305

300 Zelt, 1915, Bl. 18, Kat. Nr. 306

301 Zelt, 1915, Bl. 19, Kat. Nr. 307

zukommen muß, wird man eigentümliche und fruchttragende Eindrücke erhalten über das Wesen der einzelnen Kunstgebiete und über unsere heutigen Kunstzustände, die so merkwürdig verquickt sind.

Bedenkt man, daß die Zeichnung mit Feder und Stift usw. – die

wirkliche sogenannte Handzeichnung – eigentlich den Gedanken des Künstlers leichter und unmittelbarer zum Ausdruck bringt, als die erst für den Druck berechnete Arbeit mit dem Griffel, so liegen die Fragen nahe: »Warum haben die Künstler der Zeiten, die der Anwendung des Druckes vorausgingen, die

302   Zelt, 1915, Bl. 20, Kat. Nr. 308

Reihen von Wandflächen ihre Phantasie zu entwickeln. Erst die Möglichkeit, sicher und ganz den Gedanken verarbeiten zu können, und ihm den Wert und die Würdigung zu verschaffen, welche die aufgebotene Arbeitskraft verdient, bringt den Künstler dazu im Material zu denken.*)

Die Erfindung des Druckes änderte dieses Verhältnis. Durch die ermöglichte Vervielfältigung fiel jener Kontrast zwischen Arbeit und Erfolg weg. Das Werk verlor sich nicht mehr in Bibliotheken, sondern konnte in seiner Vielheit denselben allgemeinen Beifall erwarten, wie die gemalte Wandfläche. Kraftvoller, vieltöniger und doch ebenso zart wie die Handzeichnung, bot der Griffel der Individualität soviel Gelegenheit, sich eine selbständige Ausdrucksweise zu schaffen, wie es nur irgend die

*)   Wir besitzen einige solcher Zeichnungswerke, z. B. Botticellis Dante und Dürers »Gebetbuch Kaiser Maximilians«. Und es mag zu ersterem bemerkt werden, wie, nach dem kolorierten ersten Blatt zu schließen, es auf farbige Darstellung abgesehen war und wie jenes nur anfangsweise kolorierte Blatt gegen die poetischen Konturzeichnungen absticht.

303   Zelt, 1915, Bl. 21, Kat. Nr. 309

Zeichnung nicht in dem heutigen Sinne und Masse benutzt?« – und: »Existierte das Bedürfnis für derartige Darstellungen damals nicht so stark wie seither?«

Das Zeichenmaterial jener Zeiten war dasselbe wie unser heutiges, einige Verfeinerungen und Verallgemeinerungen abgerechnet. So rasches, delikates und geistreiches Arbeiten dasselbe gestattet, so geht ihm doch an Kraft und einheitlicher Erscheinung viel ab. Eine gewisse Eintönigkeit und eine durch die Zeit immer wachsende Stumpfheit sind nicht zu vermeiden. Vor allem aber werden Arbeiten dieser Art – ich sehe selbstverständlich von den Studien und den das Bild vorbereitenden Arbeiten im Sinne des so gewollten Kunstwerkes im Auge – durch das Verhältnis von Künstler zu Käufer kostspielig. Der Erfolg entspricht nicht der aufgewendeten Mühe. Unscheinbar, in den Händen einzelner schwer zugänglich, konnte eine solche Aufgabe in glanzliebenden Epochen wenig Reiz auf den Künstler ausüben. Das Material entsprach auch wenig der Farbenfreudigkeit jener Zeiten. Dies gab den Künstlern reiche Gelegenheit in Haus, Kirche, Palast, an

Malerei vermag. Stich und Schnitt und später Radierung und Steindruck überlieferten der Initiative und Erfindungsgabe ein unendlich vielseitiges, ausbildungsfähiges und überraschungsreiches Feld.

Der andere Grund, warum die Zeichnung in jenen Epochen nicht zu einem wirklich ausgesprochenen Dasein gelangte, lag in der Auffassung der Kunst überhaupt. Diese war vor allem Eine Kunst.

Von der Anschauung ausgehend, daß Baukunst, Malerei, Bildhauerei durchaus miteinander verbunden sein müßten, daß jede einzelne der anderen bedürfe, um zur vollen Höhe sich aufschwingen zu können, blieb die Hauptaufgabe, das Ideal jener Zeiten, die Ausgestaltung des Raumes zum Kunstwerk. Bei solchem Zusammenwirken fand das Bedürfnis, in künstlerischer Form die Vorgänge der Seele auszusprechen, vollste Befriedigung. Und in diesem Bewußtsein wurde gearbeitet. Der Baumeister wußte für den Maler Flächen und Licht, nachdem Plan und Proportion festgestellt waren, zu schaffen, für den Bildhauer die zweckmäßigen Plätze nicht durch Zuviel seiner Zutat unmöglich zu machen. Ein Jeder, da er wußte, wo und für was er seine

305 Zelt, 1915, Bl. 23, Kat. Nr. 311

304 Zelt, 1915, Bl. 22, Kat. Nr. 310

ganze Kraft einzusetzen hatte, unterließ es, durch Kleinigkeiten dem Mitwirkenden Raum und Luft zu nehmen. Religiöse und Profan-Bauten boten unendliche Arbeitsfelder – und welcher Künstler, in dem ein Funke von Farbenfreude glühte, hätte zwischen diesen Wänden und jenen unscheinbaren, unausgebildeten Materialien lange gewählt! Es gibt einen sehr bezeichnenden Umstand für das Bewußtsein, mit dem jene Künstler – ich habe allerdings die Glanzepoche der Renaissance im Auge – für ihre Wandmalereien die tragende Idee in den Vordergrund stellten. Sie ließen es bewußt geschehen, Sie!, die in ihren Tafelbildern jeden Punkt, jede Wirkung so bis ins Kleinste abwogen, daß an keiner Stelle zu rütteln war, sie ließen Marc Anton, den Vater des reproduzierenden Stichs, ihren Gruppen Landschaften fremden Geschmacks unterlegen! Und kein Geringerer als Rafael ertrug diese Behandlung!

Durch alle großen Kunstepochen hindurch war die Farbe das bindende Element für die drei Künste, Architektur, Malerei und Skulptur, gewesen. Umstände der verschiedensten Art trugen dazu bei, dies Verhältnis zu lockern und es schließlich aufzulö-

306 Zelt, 1915, Bl. 24, Kat. Nr. 312

307 Zelt, 1915, Bl. 25, Kat. Nr. 313

sen. Das Zurückgreifen auf die vermeintlich farblose antike Skulptur war der eine der Gründe. Zum farbigen Bildwerk gehört notwendig eine farbig ausgebildete Umgebung. Mit dem Wegfall der Farbe gewann es allerdings die Möglichkeit, an jedem beliebigen Punkte seine künstlerische Geschlossenheit zu bewahren. Eine solche Behandlung, nach und nach zum Prinzip erhoben, lockerte den Zusammenhang mit den Schwesterkünsten. Um dieselbe Zeit begann der Übergang von der Tempera- und Firnis-Malerei zur Öltechnik. Das bequemere und reichere Material bildete die Vorliebe für das Staffeleibild heraus, zu Ungunsten der Freskowandmalerei. Dazu kamen im Norden die Stürme der Reformation, die durch puritanische Behandlung der ritualen Räume das Wandbild aus seiner festesten und besten Position brachten, und kurz vor jene Zeiten der Wandlungen und Auflösung fiel die Erfindung der Druckverfahren. Zu keinem günstigeren Zeitpunkt konnte diese sich einstellen als in jenem, wo durch alle Künstler ein Streben nach Individualität ging. Kein besseres Geschenk konnte ihnen gemacht werden, als

jene neue Technik von Stich und Schnitt, für welche die neugeöffnete Bibel wie geschaffen erschien, sie von den konventionell scheinenden Forderungen der religiösen Kunst frei zu machen.

Verfolgen wir von jenen Zeiten ab den Fortgang der Raumbehandlung, so finden wir eine stetig zunehmende Verwandlung der stilstrengen Monumentalbilder in Dekoration, der freien Phantastik des Ornaments in geregelte Formen, der raumbewußten Skulptur in losgelöste Gruppen. Größte Entfaltung der Kräfte im Einzelwerk begann die Tendenz der Kunst zu werden.

Das farbige Rokoko faßte noch einmal die Künste zusammen. Die Kräfte waren aber schon zuviel auf ein Alleinschaffen gerichtet und nichts Monumentales wollte unter den viel zu viel Originelles suchenden Händen entstehen. Es bedurfte noch der großen Revolution, des falschen Griechentums und der in seinem Sinne farblos antikisierenden neuen Kunst, um die Zersetzung der Gesamtkunst gründlich zu vollenden.

308   Zelt, 1915,
Bl. 26, Kat. Nr. 314

309 Zelt, 1915, Bl. 27, Kat. Nr. 315

310 Zelt, 1915, Bl. 28, Kat. Nr. 316

311 Zelt, 1915, Bl. 29, Kat. Nr. 317

312 Zelt, 1915, Bl. 30, Kat. Nr. 318

313 Zelt, 1915, Bl. 31, Kat. Nr. 319

314 Zelt, 1915, Bl. 32, Kat. Nr. 320

Wir haben nun Baukunst und Bildhauerkunst, Malerei und reproduzierende Kunst, dazu noch dekorative und Fachkünste. Der große, gesammelte Ausdruck unserer Lebensanschauung fehlt uns. Wir haben Künste, keine Kunst.

Mit historischen Genrebildern und Illustrationen schmücken wir unsere Staatsgebäude, mit Monumental-Allegorien unsere Cafés. Der Baumeister drückt durch Leisten, Panele, Halbpfeiler, aller Epochen und Stilarten, durch Stuck an allen Ecken und

315 Zelt, 1915, Bl. 33, Kat. Nr. 321

Auf dem Verständnis und der gleichmäßigen Ausbildung dieser Verhältnisse allein kann eine selbständige Naturauffassung sich entwickeln. Denn wie kann ich ein Nebending charakteristisch vereinfacht darstellen, wenn ich die Hauptsache, auf die es Bezug hat, nicht charakteristisch zu formen weiß? Wer eine Hand nicht zu bilden weiß, wird auch keine Handhabe darstellen können, ausgenommen, er stiehlt sie anderswoher. Und so leben wir heutzutage in jeder Kunst auf Raub. Das Studium und die Darstellung des Nackten sind das A und das O jeden Stils. Wir sehen in jedem aufstrebenden Stil die strengste, aufrichtigste Behandlung und Darstellung des Nackten, das der Zerfall mit Zierrat, mit Nebenwerken und Effekten überwuchern läßt. Wie stehen wir in dieser Beziehung unseren Monumentalaufgaben gegenüber? Allegorien, Kostüme und Fahnen, Helme und Waffen, die so lächerlich anspruchsvolle und doch leere historische und archäologische Treue, an die wir bis zur Naivität glauben, verschwemmen jede gesunde Darstellung von dem, was doch den Kernpunkt aller Darstellung ausmacht: den Menschen.

316 Zelt, 1915, Bl. 34, Kat. Nr. 322

Enden den Maler zum Veduten- und Teppichkünstler herab, und der Maler vergilt es ihm mit dem Farbenselbstzweckbau: dem Panorama.

Wir können keiner Kunsterscheinung irgend welcher Art nahetreten, ohne uns daraus zum Hausgebrauch das Nötigste zusammenzustehlen. Der Lanzknecht ist kaum im japanischen Topf verschwunden, vom Renaissancestil wird der Rokokopuder abgestäubt. Und in dieser Verwirrung schreien wir nach Stil!

Der Kern- und Mittelpunkt aller Kunst, an den sich alle Beziehungen knüpfen, von dem sich die Künste in der weitesten Entwickelung loslösen, bleibt der Mensch und der menschliche Körper.

Es ist die Darstellung des menschlichen Körpers, die allein die Grundlage einer gesunden Stilbildung geben kann. Alles, was künstlerisch geschaffen wird, in Plastik wie Kunstgewerbe, in Malerei wie Baukunst, hat in jedem Teil engsten Bezug zum menschlichen Körper. Die Form der Tassen, wie die Bildung des Kapitäls stehen jedes in Proportion zum menschlichen Körper.

Und hier ist die Frage, ob die Prüderie die Schneiderei, oder diese jene großgezogen hat. Denn es kann für jeden, der der höchsten Aufgabe der Kunst, den menschlichen Körper zu bilden, aufrichtig gegenübertritt, keine Frage sein, daß der ganze unverhüllte Körper ohne Lappen, ohne Fetzen die wichtigste Vorbedingung einer künstlerischen Körperentwickelung ist. Es soll damit nicht gesagt werden, daß ohne Sinn und Verstand, ohne Wahl und Notwendigkeit das Nackte überall beim Haar herbeigezogen werden müsse. Aber daß es da, wo es logisch notwendig ist, ohne falsche Scham, ohne drückende Rücksicht auf gewollte und gesuchte Blödigkeit vollständig gegeben werden darf, muß gefordert werden.

Zu welchen Verirrungen und Inkonsequenzen die laufende Auffassung führt, ist für den unbefangenen Beobachter überraschend und demütigend. In den Ausstellungen darf die schamloseste halbentkleidete Spekulation auf die Sinnlichkeit sich ungehindert breit machen, bei Monumentalwerken aber wird auf Anbringung gedrungen – für den gesund Denkenden obszöner – Lappen und Flickwerkes, welche weder so sein könnten, noch so sein dürften. Uns wird von Jugend auf die Größe und

Schönheit der antiken und mittelalterlichen Kunst als Ideal hingestellt, wir bewundern in Deutschland glücklicherweise, auch unverstümmelt ihre Werke in unseren Museen, dennoch wird durch die Scheu vor der Darstellung und Ausstellung des Nackten in unseren Arbeiten das energischere Studium völlig lahm gelegt. Wir werden durch Erziehung und Vorbilder zugleich auf ein großes Ziel gewiesen und in der Praxis des Berufs davon zurückgehalten. Entweder sind die gerühmten Meister falsche Ideale, oder wir sind nicht reif genug ihre Schüler zu sein. Nur die Möglichkeit, das ganz und groß Gefühlte auch voll äußern zu können, bewegt uns zum Studium, zur Ausführung. Was ich dem Publikum nicht zeigen darf, hätte ich sonst keinen Grund zu leisten.

Es ist dies weder eine lächerliche noch geringfügige Forderung, die Forderung des Nackten. Aber eine schlechte Konzession ist es an eine falsche Empfindlichkeit, wenn das Publikum geradezu genötigt wird, beim nackten Körper – dem Schönsten, was wir überhaupt uns vorstellen können – jeder Zeit und jedes Orts an das Geschlecht zu denken. Die sichere Aufstellung einer schlanken und schweren Masse auf doppelten, je dreifach fle-

317 Zelt, 1915, Bl. 35, Kat. Nr. 323

318 Zelt, 1915, Bl. 36, Kat. Nr. 324

319 Zelt, 1915, Bl. 37, Kat. Nr. 325   320 Zelt, 1915, Bl. 38, Kat. Nr. 326   321 Zelt, 1915, Bl. 39, Kat. Nr. 327

322 Zelt, 1915, Bl. 40, Kat. Nr. 328   323 Zelt, 1915, Bl. 41, Kat. Nr. 329   324 Zelt, 1915, Bl. 42, Kat. Nr. 330

xiblen Grundlagen wäre für die Mechanik ein schwieriges Problem. Dasselbe wird bei unserem Körper noch erschwert durch den hochgelegten Schwerpunkt der getragenen Masse und dessen in ziemlichem Spielraum sehr erleichterte Verlegbarkeit. Daß die schwierigsten Punkte der Konstruktion in den Verbin-

dungen der Träger mit Getragenen liegen müssen, ist einleuchtend. So spiegelt sich jede wesentliche Veränderung der oberen an den unteren Teilen, die der Bewegung erst Sicherheit verschaffen. Alle diese wichtigen Konstruktions- und Bewegungsfragen des menschlichen Körpers finden ihre Lösung im Becken

325 Zelt, 1915, Bl. 43, Kat. Nr. 331

326 Zelt, 1915, Bl. 44, Kat. Nr. 332

und zwischen seinen hervorragenden Punkten. Wie die Konstruktion jedes individuellen Körpers selbst, ob schlank, ob breit, ob kräftig, ob fein, so spiegelt sich auch jede Bewegung an jenen Stellen. Die wunderbare Kompliziertheit des Mechanismus bietet, unter scheinbarer Einfachheit verborgen, die schönsten Flächen- und Formenkombinationen. Durch ihre künstlerische Lösung ist die Darstellung der menschlichen Gestalt erst möglich. Gerade diese Stellen, die für die Arbeit des Künstlers, wie für das Verständnis des Beschauers von höchster Wichtigkeit sind, deren Konstruktion den menschlichen vom tierischen Organismus unterscheidet, deren vollendete Lösung dem Kunstwerke Einheit und Klarheit verleiht, sollen wir mit den unsinnigsten Lappen verdecken! Wie aber soll sich ein Künstler an solche, Zeit und Geld kostende Arbeit wagen, wenn er weiß, daß nach gelungener Arbeit er sie bei sich behalten muß, höchstens zum Genuß für intime Freunde? Betrachten wir die Werke der besten Meister, so finden wir, besonders bei der Antike, schlagende Beweise für das Gesagte. Sie waren Meister des Gewandes, weil sie Meister der Körperformen waren. Wie ha-

ben sie nun das Gewand im Verhältnis zum Körper behandelt? Ihre großartigen Schöpfungen tragen fast alle Gewänder oder Gewandstücke: Harmodios und Aristogeiton, eine Anzahl der Niobiden, Laokoon, die Venus von Milo, der Apoll vom Belvedere und Iphigenie mit Orest in Neapel, um nur einige anzuführen. Wie tragen diese nun das Gewand? Es läßt absichtlich den ganzen Torso unbedeckt. Die Entwicklung seiner Formen entweder von der einen Schulter zu den Knieen, oder des ganzen Oberkörpers von der Mitte der Oberschenkel ab, zeigt frei die ganze Körperschönheit. Das Gewand bedeckt nur solche Teile, die am Körper gedoppelt sind, so daß die so wichtigsten Konstruktionspunkte dem Beschauer keinen Zweifel über die Bewegung und Lösung der Körperentwickelung lassen. Dasselbe können wir an ihren Friesen (man denke z. B. an den Pergamenischen Fries) beobachten, wo aus Gewandgruppen der herrlichsten Schönheit mit Fleiß die nackten Körper in allen Lagen, in ihrer ganzen Einheit und Ruhe hervorleuchten. Ähnliches finden wir in den Werken der Frührenaissance, des Signorelli, und in den Werken Michelangelos, die erst durch verdorbene spä-

250

327 Zelt, 1915,
Bl. 45, Kat. Nr. 333

tere Jahrhunderte verstümmelt worden sind. Waren die Zeitgenossen jener Bildwerke, die diese Darstellung zu ertragen wußten, demoralisiert? Waren diese Künstler, um von einem Windchen nicht einen Zipfel des Gewandes über jene Blößen führen zu lassen, zu unmoralisch, zu unerfinderisch oder zu groß denkend?

Der Schurz, der widerwärtig künstliche Lappen, oder gar das unglaubliche Feigenblatt, mit dem wir unsere, eben ihretwegen meist schlecht konzipierten Körper bedecken müssen, zerreissen die Einheit desselben in einen Torso und in zwei einzelne Beine. Es gehört die ganze Inkonsequenz unserer geistigen und künstlerischen Erziehung dazu, solche armselige Scheußlichkeit nicht als Beleidigung zu fühlen.

Leider müssen wir uns gestehen, daß in allen heutigen Kunstrichtungen die Darstellung des menschlichen Körpers in den Hintergrund tritt, daß über Novellistik, über die historische, die archäologische Zutat und die sogenannten sozialen Tendenzen jene Forderung selbst vernachlässigt wird.

Wir haben täglich Gelegenheit, in allen Kunstschriften über die Stillosigkeit unserer Zeit Klagen zu lesen, wir sind, in Architektur, in Plastik und Malerei abhängig von anderen, früheren, toten Richtungen und selbst neue, große Mittel wie die Eisenkonstruktion in der Architektur, und die zweifellos erweiterte Anschauung über Licht und Farbe in der Malerei, reichen nicht zur Bildung eines Stiles aus. In diesen Neustoffen muß aber das genügende Material zu einer eigenen Stilbildung liegen.

Um zu einer solchen zu gelangen sind die merkwürdigsten Versuche gemacht worden. Man hat geglaubt, es müsse die Technik erneuert werden. Und wir haben dem zufolge durch die ganze Malerwelt einen Drang mit doch nur teilweisen Erfolgen gehen sehen, solidere Mittel zu finden. Es ist behauptet worden, daß es an der Erziehung und Bildung des Publikums läge. Und man hat das Möglichste in Museen und durch Publikationen getan, sein künstlerisches Interesse zu erregen und sein Urteil zu bilden. Aber man hat nur totes Material, verlebte Stile, sei es Renaissance oder Griechentum, wieder herbeigeholt. Dann hat man sich über die Kritik hergemacht. Und von Laien und Künstlern sind die absurdesten gegenseitigen Vorwürfe in Aufsätzen und Broschüren erschienen – allein das Wesentliche hat man übersehen.

Man überblicke die Stilarten aller Zeit und man wird ohne Weiteres erkennen, daß jede selbstbewußt auftretende Kunstepoche den menschlichen Körper auf ihre Weise aufzufassen und zu bilden wußte. Ägypter oder Grieche, Japanese oder Renaissancekünstler, jeder hat die einfache menschliche Form, die sich doch seit Jahrtausenden gleichgeblieben ist, deren Rassenunterschiede so gering in Bezug auf Form sind, daß sie durch Maße nur in minimalster Weise auszudrücken sind, präzis und trotzdem selbständig aufzufassen gewußt. Eine jede Epoche hat davon ihre eigene, von allen anderen verschiedene Auffassung gegeben, so daß das allen anscheinend gleiche Vorbild für jede Zeit dennoch als eigene Person und eigener Charakter auftritt.

Diese Körperanschauung ist nicht die Folge des Stiles, sondern umgekehrt der Stil ist die Folge der Körperanschauung.

Nur am frei gegebenen Körper entwickelt sich ein gesunder Kunstsinn. Wollen wir diesen und einen gesunden Stil, so müssen wir gesunden Sinn genug haben, das Nackte nicht nur zu ertragen, sondern es sehen und schätzen zu lernen. Die wunderbare Einfachheit des menschlichen Körpers erduldet im Kunstwerke keine Künstelei, sie zwingt den Künstler auch zur Einfachheit, zum Aufgeben der kleinlichen Nebensachen und bereitet damit den ersten Schritt zu einem eigenen Stil vor. In der Weise, wie wir heute zu arbeiten genötigt sind, erhält sich die schlechte Berninische Körperauffassung, in der die neusten heutigen Künstler tief aber unbewußt stecken, oder sie kommen nicht über eine flache und falsche Antikisierung nach schlechten Mustern hinaus. Denn nur wer ganz frei vor dem menschlichen Körper gestanden und gearbeitet hat, kann die Höhe der Leistung anderer Stilepochen empfinden, deren Vorstellungsweise in eine Form gepreßt ist, die, Zug um Zug, ohne die Natur zu verlassen, ohne sie kleinlich zu beschnüffeln, sich neben die Entwickelung ihrer Zeit stellen kann, sich mit ihrer Höhe mißt, als ihre unverkennbare, unantastbare Verkörperung im sichtbaren Menschen!

Die erste Auflage von »Malerei und Zeichnung« kam 1891 in Leipzig heraus. Bis 1919 erschienen sechs (unveränderte) Auflagen sowie eine Ausgabe als Insel-Taschenbuch (Leipzig 1919). Dieser Veröffentlichung liegt die 4. Auflage (Leipzig 1903) zugrunde.

328   Zelt, 1915, Bl. 46, Kat. Nr. 334   ▷

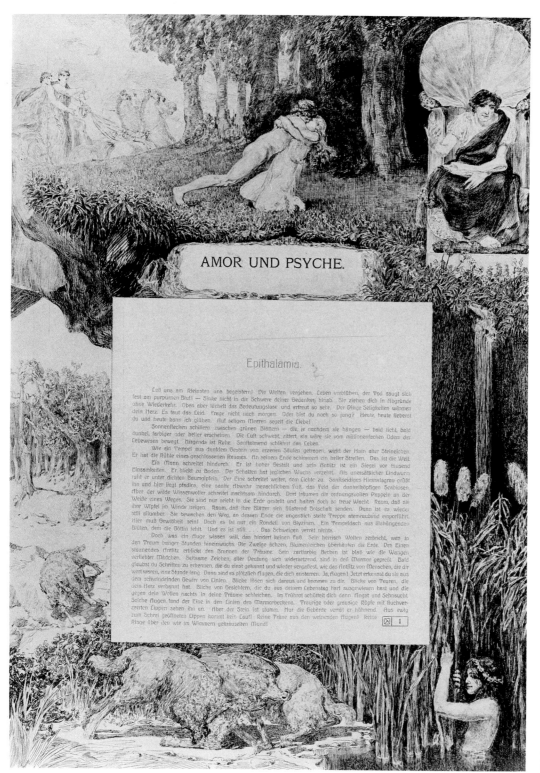

329 Epithalamia, 1907,
Bl. 1, Kat. Nr. 335

Biografie

1857
Geboren am 18. Februar in Leipzig, Petersstraße Nr. 48, als Sohn des Seifensieders Heinrich Louis Klinger (geb. 3. Juli 1815) und dessen Frau Auguste Friederike Eleonore, geb. Richter (geb. 22. Juni 1820).

1863–1867
Besuch der Bürgerschule in Leipzig. Auf Wunsch des Vaters, der selbst künstlerisch sehr begabt war, besuchen die Brüder Heinrich, Max und Georg die Sonntagsschule bei Zeichenlehrer Brauer, bei dem sie nach Vorlagen Umrisse antiker Köpfe, Landschaften und Genreszenen zeichnen und kleine Aquarelle anfertigen.

330 Max Klinger, um 1880

LOESCHER & PETSCH, KÖNIGL. HOF-PHOTOGRAPHEN.

1867–1873
Besuch der Realschule in Leipzig.

1874
Der Dresdener Architekt Richard Steche empfiehlt Klinger als Lehrer Anton von Werner in Berlin. Dieser lehnt ihn aber ab und verweist ihn an Karl Gussow in Karlsruhe.
24. April: Beginn des Studiums an der Kunstschule in Karlsruhe. Zuerst Schüler von Ludwig Des Coudres, dann von Karl Gussow. Mitschüler von Ferdinand Hodler, Carl Schirm und Wilhelm Volz.

1875
Im Oktober Übersiedlung nach Berlin.
18. Oktober: Aufnahme des Studiums an der Königlichen Akademie der Künste bei Karl Gussow, der durch Anton von Werner dorthin berufen worden war. Während der Berliner Zeit ist ihm besonders Adolph von Menzel künstlerisches Vorbild. Beschäftigung mit der Lehre von Charles Darwin.

1876
Erhält von der Königlichen Akademie der Künste in Berlin das Zeugnis mit dem Prädikat »Außerordentlich« und die Silberne Medaille.

1876–1877
Dient als Einjährig-Freiwilliger beim 8. königlich-sächsischen Infanterieregiment »Prinz Johann Georg«.

1878
Debütiert in der 52. Ausstellung der Königlichen Akademie der Künste in Berlin mit: Spaziergänger oder Der Überfall (1878; Berlin, Staatliche Museen, Nationalgalerie); Ratschläge zu einer Konkurrenz über das Thema Christus (1877/78; Berlin, Staatliche Museen, Kupferstichkabinett, Slg. der Zeichnungen) und den Vorzeichnungen zur Paraphrase über den Fund eines Handschuhs 1878; Hamburg, Privatbesitz.

1879
Lebt seit April völlig zurückgezogen in Brüssel, wo er Schüler von Emile Charles Wauters wird.
Werkauswahl: Radierte Skizzen, Opus I. Rettungen Ovidischer Opfer, Opus II. Caesars Tod.

1880
Ab Juni Aufenthalt in München. Dort Ausstellung der Folge »Eva und die Zukunft« Opus III. Lektüre von Sakuntala und Urvasi.
Werkauswahl: Amor und Psyche, Opus V.

1881
Verläßt im Januar München und mietet ein Atelier in Berlin, Möckernstraße, nahe dem Anhalter Bahnhof. Ab September

bewohnt er ein zusätzliches Atelier in Berlin NW, Mittelstraße 61.
Beginn der Freundschaft mit Karl Stauffer-Bern, von dem sich Klinger aber wegen eines Prozesses gegen diesen 1889 distanziert.
Werkauswahl: Intermezzi, Opus IV. Paraphrase über den Fund eines Handschuhs, Opus VI.

1882
Aufsatz des dänischen Literaturhistorikers und Kritikers Georg Brandes, mit dem Klinger seit 1877/78 bekannt ist, in der Reihe »Moderne Geister« mit der ersten umfassenden Charakteristik Klingers.
Werkauswahl: Abend (Darmstadt). Die Gesandtschaft.

1883
Erhält durch Julius Albers seinen ersten großen Auftrag, die Dekorationen des Vestibüls seiner Villa in Steglitz bei Berlin auszuführen.
Bekanntschaft mit Alfred Lichtwark.
Im Sommer Übersiedlung nach Paris, wo er isoliert lebt. Im Louvre besonderes Studium der Werke Goyas und Dorés. Zum Vorbild wird ihm aber vor allem Puvis de Chavannes. Herausgabe und Ausstellung der »Dramen« (Opus IX) für die er in München, Berlin und Paris Auszeichnungen und hervorragende Kritiken erhält.
Werkauswahl: Vier Landschaften, Opus VII. Ein Leben, Opus VIII.

1884
Intensive Arbeit an den Entwürfen und der Ausführung der Dekorationen in der Villa Albers.
Werkauswahl: Menzelgedenkblatt. Zum 50jährigen Jubiläum von Menzels Steindruckfolge »Künstlers Erdenwallen«.

1885
Ab Januar Aufenthalt in Paris.

1886
In Paris entstehen das Gipsmodell zum »Beethoven« und die erste Konzeption der »Neuen Salome«.
Ende Juli verläßt er Paris, angeblich unter dem Druck einer damals inszenierten antideutschen Bewegung.
Italienreise. Besucht dabei auch die Steinbrüche von Carrara.

1887
Seit März in Berlin. Lernt hier Arnold Böcklin und bei einem Aufenthalt in Leipzig auch Julius Vogel, den damaligen Assistenten am Museum der bildenden Künste, kennen.
Beteiligung an der 59. Ausstellung der Königlichen Akademie der Künste in Berlin, mit dem »Urteil des Paris« (1885/87; Wien,

Neue Galerie des Kunsthistorischen Museums), das anschließend auch im Kunstverein in Leipzig gezeigt wird.
Werkauswahl: Eine Liebe, Opus X.

1888
Reist im Februar nach Rom, von wo aus er mit Karl Stauffer-Bern mehrere Reisen u. a. in die Albaner Berge und nach Tivoli unternimmt.
Lehnt die Mitarbeit an der künstlerischen Ausführung einer Grußadresse der in Rom lebenden Deutschen anläßlich des Rombesuches des Deutschen Kaisers ab.
Ausstellungen graphischer Arbeiten in Breslau und Brüssel.

1889
Im Mai mehrwöchige Reise durch Italien, die ihn über Paestum und Pompeji u. a. auch zum Vesuv und nach Neapel führt.
Werkauswahl: Vom Tode I, Opus XI.

331   Max Klinger, um 1899

1890

Am 15. Mai bezieht er in Rom sein neues Atelier auf der Piazza Mattei 10 (Palazzo Costacuti). Studium der antiken Plastik.

Weitere Reisen durch Italien u. a. nach Rimini, Ravenna, Ferrara, Padua und Verona.

Werkauswahl: Die blaue Stunde. Pietà (ehemals Dresden, Gemälde-Galerie; Kriegsverlust). Am Strand (München, Neue Pinakothek).

1891

Im Mai Reise über Neapel nach Sizilien. In Rom Bekanntschaft mit Otto Greiner, der Klinger auf verschiedenen Reisen begleitet.

Es erscheint im Privatdruck die 1. Auflage von »Malerei und Zeichnung«, Klingers einzigem kunsttheoretischen Werk, dessen erste Gedanken bereits 1885 konzipiert wurden.

Wahl zum ordentlichen Mitglied der Münchner Akademie. An Ausstellungen in München und Paris beteiligt.

Werkauswahl: Die Kreuzigung Christi.

1892

Klinger unterzeichnet das Protokoll der Gründungsversammlung der Gruppe »XI«, in der sich am 5. Februar in Berlin elf Künstler gegen den »Verein Berliner Künstler« zusammenschlossen. Vermutlich seit diesem Jahr enges Freundschaftsverhältnis mit Dr. jur. Hermann Heinrich Meier jr., dem wichtigsten privaten Sammler Klingers. (Diese wohl beste und vollständigste Sammlung von Klinger-Graphiken ging als Vermächtnis in den Besitz der Bremer Kunsthalle über.)

Werkauswahl: Campagna (»Die Quelle«). (Ehemals Dresden, Gemälde-Galerie; Kriegsverlust.)

1893

Kündigt im April sein Atelier in Rom und kehrt nach Leipzig zurück.

Entwirft den Plan zum Bau eines eigenen Hauses auf dem väterlichen Grundstück, dessen Auf- und Grundriß sowie dessen Innenausstattung er selbst bestimmt.

Erster Ankauf graphischer Arbeiten durch das Leipziger Museum: Sämtliche damals vorhandene Folgen, außer Opus I, das später aus dem Kunsthandel erworben wird, und dazu seltene Einzeldrucke. Im November Ausstellung der »Kreuzigung Christi« in Dresden.

Werkauswahl: Die neue Salome.

1894

Im Januar erste umfangreiche Sonderausstellung durch den Kunstverein in Leipzig mit allen bis dahin entstandenen Hauptwerken. August Schmarsow und Theodor Schreiber, Direktor des Museums der bildenden Künste, fördern durch Vorträge den Erfolg dieser Ausstellung.

26. Januar: Wahl Klingers zum ordentlichen Mitglied der Königlichen Akademie der Künste in Berlin.

Ende April reist er über Wien, wo er Johannes Brahms besucht, mit dem er seit etwa 1880 bekannt ist, und Triest nach Korfu. Von dort aus ausgedehnte Reise durch Griechenland, um mehrere Marmorsteinbrüche aufzusuchen.

In Athen Begegnung mit den deutschen Archäologen Paul Hartwig, Botho Graef und Paul Wolters, die bei ihren letzten Grabungen auf der Akropolis in Athen Reste farbiger Skulpturen gefunden hatten.

Auseinandersetzung mit Friedrich Nietzsches »Zarathustra«.

Werkauswahl: Brahmsphantasie, Opus XII.

1895

Besucht auf Reisen in diesem Jahr u. a. Paris, London, Den Haag, Haarlem und Bonn.

Ausstellungen seiner Werke finden in Leipzig, Paris und Dresden statt.

Erste Ankäufe durch den Architekten Alexander Hummel (»Urteil des Paris«) und durch die Gemälde-Galerie in Dresden (»Pietà«). Im Juni Baubeginn von Klingers Wohn- und Atelierhaus.

Lehnt das Angebot einer Professur in Wien ab, weil ihm die Erfüllung seiner gestellten Bedingungen, fünf zusammenhängende Monate für die eigene Arbeit verwenden zu können, nicht garantiert werden kann.

Werkauswahl: Kassandra.

1896

Im Januar kündigt er das erste Leipziger Atelier und wohnt nur noch in seinem Haus, Leipzig-Plagwitz, heute Karl-Heine Straße 6. In den dortigen Wohn- und Arbeitsräumen, die bei bestimmten Anlässen auch dem Publikum zugänglich waren, befanden sich neben den eigenen Arbeiten zahlreiche Kunstwerke u. a. Gemälde von Arnold Böcklin (»Flora«, »Petrarca an der Quelle von Vaucluse«, »Tiberlandschaft« – sämtliche als Stiftungen Klingers jetzt im Museum der bildenden Künste in Leipzig), Zeichnungen von Adolph von Menzel und Auguste Rodin sowie antike Skulpturen in Originalen und Abgüssen.

Im Mai Verhandlungen über die Auftragserteilung für die Gestaltung des Treppenhauses des Museums der bildenden Künste und der Aula der Universität in Leipzig. 22. Januar: Tod des Vaters.

Werkauswahl: Morgen, Mittag, Abend, Nacht – Entwürfe zu den Wandgemälden im Treppenhaus des Museums.

1897

Ernennung zum Professor an der Akademie der Graphischen Künste in Leipzig und zum korrespondierenden Mitglied der in diesem Jahr gegründeten Wiener Sezession.

Als Reaktion auf die erste Ausstellung des »Christus im Olymp« in einer Kunstausstellung, die anläßlich der sächsisch-thüringischen Industrie- und Gewerbeausstellung in Leipzig stattfand, erscheinen zwei Schriften polemischen Charakters:

332 Max Klinger, um 1900

333 Max Klinger, um 1913

»Kling, Klang, Klung« und »Der Olympier Kritik des Klinger-schen Bildes Christus im Olymp«.
Werkauswahl: Badende.

1898

Lernt in Leipzig die Schriftstellerin Elsa Asenijeff (1868–1941) kennen, die für etwa 15 Jahre seine Lebensgefährtin und Modell wird.
Erklärt sich bereit, für Thomas Theodor Heine, der wegen Maje-stätsbeleidigung in Leipzig inhaftiert ist, die Kaution von 30.000 Mark allein zu erstellen, wovon allerdings kein Gebrauch ge-macht wird und animiert andere, sich ähnlich zu verhalten.
Ausstellung der »Kreuzigung Christi« in Wien. Reisen nach Wien, Paris und in die Marmorbrüche von Biarritz.
Werkauswahl: Amphitrite (Berlin, Staatliche Museen, National-galerie). Vom Tode II, Opus XIII, 1. Ausgabe mit sechs Blättern. Tanzreigen (Leipzig, Museum der bildenden Künste).
Bildnis Dr. jur. Hermann Heinrich Meiher jr. (Bremen, Kuns-thalle).

1899

Im Januar Reise nach Bagnères-de-Bigorre (Pyrenäen), um Mar-mor für den »Beethoven« auszuwählen.
Der Dresdner Bürgermeister Leupold erteilt ihm über die Tied-ge-Stiftung den Auftrag zum »Drama«. Deshalb erneute Reise nach Griechenland zwecks Marmorankauf.
Errichtung eines Interimsateliers im Hofe des ehemaligen Gras-si-Museums in Leipzig für die Arbeit an den Gemälden im Treppenhaus des Leipziger Museums. Dort entstehen später auch die Wandbilder für die Leipziger Universität und das Rathaus in Chemnitz (heute Karl-Marx-Stadt).
Werkauswahl: Athlet.

1900

Seit Anfang Juni in Paris, um den Bronzeguß des Beethoven-Thrones vorzubereiten.
7. September: Geburt der Tochter Désirée in Paris, die bis zum Tode Klingers bei ihrer Pflegemutter Mme. Charlotte Heudeline in der Nähe von Paris lebt.

Werkauswahl: Porträtbüste Elsa Asenijeff (um 1900; München, Neue Pinakothek).

1901
Gestaltet sein einziges Plakat für ein Konzert, dessen Erlös der Unterstützung eines Schriftstellerheimes dienen soll. Ankauf der »Kreuzigung Christi« durch Alexander Hummel für dessen Villa in Triest.
In der Nacht vom 2. zum 3. Dezember erfolgt der Guß des Beethoven-Thrones durch den Gießer Bingen in Paris.
Werkauswahl: Bildnis Franz Liszt (ehemals Leipzig, Gewandhaus; Kriegsverlust).

1902
Der »Beethoven« (1885–1902) wird nach seiner Vollendung im März zunächst in Wien und anschließend in Düsseldorf und Berlin gezeigt. Im Juni Ankauf durch das Leipziger Museum der bildenden Künste, wo er seit Dezember Aufstellung findet.

1903
Erwerb eines Weinberghäuschens in Großjena bei Naumburg, das ihm zum zweiten Wohnsitz wird.
Neben Max Liebermann, Fritz von Uhde und Harry Graf Kessler wird er zum Vizepräsidenten des in Weimar am 15. Dezember gegründeten Deutschen Künstlerbundes gewählt, der unter dem Vorsitz von Leopold von Kalckreuth steht.
Das Komitee zur Errichtung eines Wagner-Denkmals tritt in Verhandlungen mit Klinger ein, der besonders um 1905 an diesem Auftrag arbeitet, ohne das Denkmal aber zu beenden.
Werkauswahl: Bildnis Friedrich Nietzsche (Weimar, Nationale Forschungs- und Gedenkstätten der klassischen deutschen Literatur).

1904
Im März endgültiger Vertragsabschluß über das Brahms-Denkmal für die Hamburger Musikhalle.
Seit Ende April längerer Aufenthalt in Italien, u.a. auf der Insel Elba, um Marmor zu kaufen. Ankauf der »Blauen Stunde« durch das Leipziger Museum der bildenden Künste.
22. November: Tod der Mutter.
Werkauswahl: Drama (vollendet 1904; Dresden, Staatliche Museen, Skulpturensammlung).
Bildnis Elsa Asenijeff im Abendkleid.

1905
Klinger und der Leipziger Verlagsbuchhändler Georg Hirzel erhalten vom Deutschen Künstlerbund den Auftrag, den Klingerschen Vorschlag zur Gründung eines Atelierhauses in Florenz zu realisieren. Daraufhin Präliminarankauf der Villa Romana, die aber 1906 wieder vom Deutschen Künstlerbund getrennt wird.
Werkauswahl: Silberner Tafelaufsatz für das Neue Rathaus in Leipzig. Bildnis Georg Brandes.

1906
Im Mai Wahl Klingers in den Vorstand des Leipziger Kunstvereins.
16. Dezember: Gründung des Villa-Romana-Vereins mit dem Sitz in Leipzig und Wahl Klingers zum Vorsitzenden.
Fertigstellung des Sonderbaues an der Südseite des Leipziger Museums der bildenden Künste nach Entwürfen Klingers, in dem der »Beethoven« und andere plastische Werke Klingers aufgestellt werden.
Erhält die Ehrendoktorate der Universitäten in Greifswald und Königsberg sowie die Ehrenmitgliedschaft der Dresdner und Stockholmer Akademien. Klinger ist außerdem Ritter des Ordens Pour le mérite, Träger des bayerischen Maximiliansordens für Wissenschaft und Kunst, des Hohen Sachsen-Weimarischen Ordens und Komtur des sächsischen Albrechtsordens.
Werkauswahl: Galatea.

334 Villa Romana, Florenz

1907

Von Paris aus Reise nach Spanien, wo er u. a. Barcelona, Valencia, Granada, Cordoba, Toledo und Madrid besucht. Im Prado begeistertes Studium der Werke von Goya, Ribera und Velázquez. Anläßlich seines 50. Geburtstages zeigt der Leipziger Kunstverein im Museum der bildenden Künste eine repräsentative Ausstellung von Klingers Gesamtwerk.

Wahl zum Vorsitzenden der Jury bei der vom Deutschen Künstlerbund veranstalteten Graphikausstellung in der Gutenberghalle des Deutschen Buchgewerbevereins in Leipzig.

Im September Reise nach Laas (Tirol), um Marmor zum Wagner-Denkmal zu kaufen.

Werkauswahl: Epithalamia. Umrahmungen in Federzeichnung von Max Klinger. Text von Elsa Asenijeff. (Verlag von Amsler und Ruthardt. Berlin 1907.)

1908

Max Reinhardt erteilt ihm den Auftrag zur Gestaltung des Bühnenbildes zu Shakespeares »Macbeth«, der aber nicht ausgeführt wird.

Abbruch der bisherigen Verhandlungen und Festlegung eines zeitlich unbefristeten Vertrages über die Ausführung der Wandmalereien im Treppenhaus des Leipziger Museums der bildenden Künste.

Werkauswahl: Bildnis Wilhelm Wundt.

1909

Ernennung zum sächsischen Hofrat als Anerkennung für das Wandbild »Die Blüte Griechenlands« (1907/09; Kriegsverlust) in der Aula der Leipziger Universität, das er zum 500jährigen Jubiläum der Universität fertigstellte.

335   Im Garten der Villa Romana, Frau Hirzel, Georg Hirzel, Elsa Asenijeff, Geheimrat Friedrich, Max Klinger (v. l. n. r.), 1905

336 Klingers Atelier, 1920

Werkauswahl: Vom Tode II, Opus XIII, 2. Ausgabe mit 12 Blättern. Bildnis Karl Lamprecht (Leipzig, Museum der bildenden Künste). Brahms-Denkmal (Hamburg, Musikhalle).

1910
Vertrag mit dem Oberbürgermeister Singer (Jena) über die Errichtung des Ernst-Abbe-Denkmals.
Werkauswahl: Zwei kleinere Tafelaufsätze für das Neue Rathaus in Leipzig.

1911
Gertrud Bock (1893–1932) wird Klingers Modell.

1912
Gründung des Vereins »Leipziger Jahresausstellung« (LIA) unter dem Vorsitz Klingers.

1913
Zum 100. Geburtstag Richard Wagners am 23. Mai Grundsteinlegung zum Wagner-Denkmal in Leipzig, das unausgeführt blieb.

1915
Werkauswahl: Zelt (Opus XIV).

1916
Im Juli Austritt aus dem Vorstand des Leipziger Kunstvereins.

1917
Legt den Vorsitz des Vereins »Leipziger Jahresausstellung« nieder.
Zum 60. Geburtstag wird die Anlage zwischen der Plagwitzer Straße und dem Elster-Pleiße-Flutbecken in Leipzig »Klingerhain« genannt.
Innerhalb der 4. Leipziger Jahresausstellung wird das Jugendwerk Klingers gezeigt.

1918
6. Oktober: Ankauf der »Kreuzigung Christi« für die Stadt Leipzig, die sie dem Museum der bildenden Künste übereignet.
Aus Dankbarkeit gegenüber den Stiftern der Ankaufssumme schreibt Julius Vogel »Max Klingers Kreuzigung im Museum der Bildenden Künste zu Leipzig«, von der die Stiftung ein Exemplar mit einer Originalradierung Klingers, seinem letzten Selbstbildnis, erhalten.
Werkauswahl: Arbeit, Wohlstand, Schönheit – Wandgemälde für den Saal der Abgeordneten im Chemnitzer Rathaus (vollendet 1918; Karl-Marx-Stadt, Rathaus).

1919
12. Oktober: in Großjena Schlaganfall mit rechtsseitiger Lähmung. Im November vermelden die Zeitungen in Stettin, Karlsruhe und Heidelberg seinen Tod; Klinger liest seinen eigenen Nekrolog.
22. November: Vermählung mit Gertrud Bock in Großjena. Austritt aus dem Leipziger Kunstverein.

1920
Ende April endgültige Übersiedlung nach Großjena. Gertrud Klinger wird in einer Neuformulierung des Testamentes als Alleinerbin eingesetzt.
4. Juli nachmittags, 14.30 Uhr, stirbt Max Klinger in Großjena.
5. Juli: Abnahme der Totenmaske. Es ist noch ungeklärt, ob sie entgegen den bisherigen Angaben nicht durch Johannes Hartmann, sondern vielmehr durch Albrecht Leistner abgenommen wurde. (Der Kopf und die Hände Max Klingers sind in je einem Gips- und Bronze-Exemplar im Besitz des Leipziger Museums der bildenden Künste.)
8. Juli: Trauerfeier in Großjena. Seinem Wunsche entsprechend, findet Klinger auf seinem Weinberg die letzte Ruhestätte. Am Grabe sprechen Franz Studniczka als Vertreter der Universität Leipzig, Oberbürgermeister Karl Rothe für die Stadt Leipzig, Julius Vogel als Direktor des Museums der bildenden Künste in Leipzig, Hugo Licht für die Akademie der Künste in Berlin, Käthe Kollwitz für die Freie Sezession, Franz Langheinrich und die Witwe Otto Greiners als Vertreter der »Münchner Jugend«, Robert Sterl für den Akademischen Rat Dresden und Dr. Julius Zeitler für die Akademie der Graphischen Künste in Leipzig.
3. Oktober: Klinger-Gedächtnisfeier im Leipziger Gewandhaus.

Verzeichnis der ausgestellten Werke

337 Klingers Atelier, 1920

Skulpturen

1   Tafel II
Die neue Salome, 1893
Kopf, Bruststück und Hände pentelischer, Gewand hymettischer, Jünglingskopf blau getönter carrarischer, Kopf des Alten afrikanischer Marmor; die Augen der Salome und des Jünglings Bernstein. Sockel schwarzer belgischer, Würfeluntersatz Pyrenäen-Marmor (Campan mélangé)
Höhe der Figur ohne Sockel 88 cm, Gesamthöhe 104 cm
Bez. ehem. an der rechtenHüfte: MK 93 (die in Golddraht eingelegte Signatur wurde entfernt)
Museum der bildenden Künste, Leipzig, DDR, Inv.-Nr. 25
Erworben 1894 vom Künstler aus einer Sonderausstellung seiner Werke im Leipziger Kunstverein. Sockel und Würfeluntersatz Geschenke Klingers
Angeregt durch die Lektüre von Flauberts Novelle »Herodias« und einer Pariserin, die als Modell des gezeichneten »Urbilds der neuen Salome« gedient hatte, begann Klinger bereits während seines Pariser Aufenthalts Studien zur ersten Fassung der Salome; in jüngster Zeit ist auch auf eine weitere Parallele, ein Gedicht in Joséphin Péladans 1884 erschienenem Roman »Le vice suprême«, durch A. Dückers verwiesen worden. 1887 war das bemalte Gipsmodell vollendet (Dresden, Skulpturensammlung, 1894 von G. Treu erworben). Die Ausführung in verschiedenfarbigem Marmor erfolgte zum größten Teil in Rom: der hymettische Marmor des Gewands stammt von einem Säulenkapitell, das in der römischen Campagna vor Porta Furba gefunden worden war.
Ein zweites bemaltes Gipsmodell, nur Kopf und Halsausschnitt, dessen zeitliche Einordnung noch ungeklärt ist, befindet sich seit 1968 im Wallraf-Richartz-Museum, Köln. Ein weißes Gipsmodell der gesamten Figur in Leipzig, Museum der bildenden Künste. Gezeichnete Studien zur Salome im Kupferstichkabinett Dresden und in der Leipziger Graphischen Sammlung.
In seinen letzten Lebensjahren arbeitete Klinger an einer Neufassung der Salome in weißem Marmor.
Die Firmen Gladenbeck, Berlin, und C. B. Lorck, Leipzig, brachten mit Zustimmung des Künstlers Bronzegüsse des Kopfes sowie der gesamten Figur der Salome in zwei verschiedenen Größen in den Handel. (L)

2   Tafel XXI
Kassandra, 1895
Kopf carrarischer, Arme pentelischer Marmor, Gewand italienischer Alabaster von Montaiuto; Augen Bernstein, die das Gewand zusammenfassende Kette Bronze, die Kameen aus Muscheln.
Sockel roter nassauischer, Würfeluntersatz pyrenäischer Marmor (Campan vert)
Höhe der Figur ohne Sockel 93,5 cm, Gesamthöhe 115,5 cm
Unbez.
Museum der bildenden Künste, Leipzig, DDR, Inv.-Nr. 26
Erworben 1895 als Geschenk von Dr. Max Abraham, dem Begründer der Musikbibliothek Peters, dessen Name erst nach seinem Tode (1900) genannt werden durfte. Sockel und Würfeluntersatz Geschenke Klingers
Die Arbeit an der Kassandra erfolgte in zwei Etappen. Den Kopf hatte Klinger als ersten bildhauerischen Versuch bereits 1886 aus einem Block Seravezzamarmor gehauen, allerdings nicht, wie ausnahmslos in der Literatur überliefert wird, ohne Modell. Es existierte dazu ein blaugrau getöntes Gipsmodell, das sich ehemals im Besitz des Dresdner Kunsthistorikers Paul Schumann befand und heute als verschollen gelten muß. Die Halbfigur der Kassandra, die zunächst auch als schreitende Ganzfigur skizziert war, wurde ebenso wie die Salome in einem farbig gefaßten Gipsmodell vorbereitet (Museum der bildenden Künste, Leipzig, Inv.-Nr. 260). Es dürfte etwa gleichzeitig mit den 1892 datierten gezeichneten Gewandstudien vollendet gewesen sein. Die Marmorarbeiten erfolgten im wesentlichen im Jahre 1894, wobei das technisch unangenehme Material Klinger viele Schwierigkeiten bereitete und das Alabastergewand beim Zusammensetzen der Figur in fünf Teile zerbrach. Das Bronzeband, das die Ansatzstelle zwischen Hals und Schulter verdecken sollte, wurde Ende 1894 in Paris gegossen, und im Januar 1895 begann Klinger mit der Bemalung der Skulptur.
Zahlreiche Studien zur Kassandra in der Graphischen Sammlung des Museums der bildenden Künste, Leipzig (vgl. Kat.-Nr. 67, 68).
Von den Firmen Gladenbeck, Berlin, und C. B. Lorck, Leipzig, wurden mit Zustimmung des Künstlers Bronzegüsse des Kopfes sowie der gesamten Figur in zwei verschiedenen Größen in den Handel gebracht. Ebenfalls scheinen verschiedenen Replikate des Kopfes in Alabaster angefertigt worden zu sein. (L)

3
Kassandra, nach 1895
Bronze, Höhe 59 cm
Von-der-Heydt-Museum, Wuppertal
Vgl. Kat.-Nr. 2

4   Tafel IV
Badende, 1897
Bronze, Höhe 62 cm
Bez. a. d. Sockel: Akt. ges. v. H. Gladenbeck u. Sohn 04841
Kunsthalle Bremen
Als Modell für die Badende, deren Standmotiv bereits in der Sockelfigur »Reue« zum »Christus im Olymp« vorgebildet ist, diente Helene Donath; ihr Profilbildnis malte Klinger 1902

5   Abb. 273
Kauernde, 1901
Marmor, Höhe 82 cm
Kunsthistorisches Museum Wien, Inv.-Nr. NG T96

6
Beethoven-Torso, nach 1902
Bronze, Höhe 35 cm
Bez. am Bein mit Monogramm MK, rückseitig Gießerstempel: Aktien-Gesell-

schaft-Gladenbeck, Berlin-Friedrichs-
hagen
Galerie Bernd Dürr, München
Verkleinerter Bronzeabguß der Torso-
Fassung von Klingers 1902 vollendetem
»Beethoven«.

7   Abb. 279
Beethoven-Torso, nach 1902
Bronze, Höhe 52 cm
Bez. m. Monogramm MK a. d. Innenseite
d. r. Oberschenkels
Galerie Bernd Dürr, München
Verkleinerter Bronzeabguß der Torso-
Fassung von Klingers 1902 vollendetem
»Beethoven«.

8   Abb. 271
Bildnis Friedrich Nietzsche (1844–1900),
1903/1923
Bronzeguß von 1923 nach einem um
1903 entstandenen Originalmodell im
Nachlaß Klingers
Bronze, Höhe 53 cm
Bez. rückseitig: MK (Monogramm)
Museum der bildenden Künste, Leipzig,
DDR, Inv.-Nr. 155
Erworben 1923
Kein Porträt hat Klinger jemals zu so
wiederholter Auseinandersetzung genötigt wie dasjenige Nietzsches. Aufschlußreich für die Vorgeschichte der
verschiedenen Nietzsche-Büsten ist ein
Brieffragment von 1901 im Stadtarchiv
Naumburg: »Die Aufforderung (zur An-
fertigung einer Porträtbüste) kam mir
durch Vermittlung einiger dem Weima-
rer Archiv nahestehenden Herren von
hier durch Frau Dr. Förster-Nietzsche
selbst. Es wurde sofort ein Tag respekti-
ve Tage festgesetzt, doch bat mich Frau
Dr. Förster-Nietzsche kurz vor Antritt
meiner Reise, lieber zu warten, da im
Befinden des Kranken eine Krise einge-
treten sei. Als dann Besserung eingetre-
ten, traten für mich Hinderungen ein,
die zum Aufschieben des Versuches nö-
tigten, leider! – denn kurze Zeit darauf
war Nietzsche nicht mehr . . . Eine nach
Leipzig gerichtete Aufforderung, die
Maske Nietzsches zu nehmen, traf mich
völlig verspätet in Paris. Es ist ein
Glücksfall gewesen, daß Curt Stöving

den Entschluß faßte und ausführte, die
Maske zu nehmen. Wir wären sonst um
ein tragisches Todtenantlitz ärmer
. . .«
Während seines Pariser Aufenthalts anläßlich der Arbeit am Beethoven-Thron
ließ Klinger zunächst diese Totenmaske
Stövings in Bronze gießen. Anschließend daran entstand der erste Nietz-
sche-Kopf – »mehr Studie als definitive
Arbeit« –, dessen Guß in verlorener
Form Anfang 1902 erfolgte (ehemals bei
Keller & Reiner, Berlin, jetziger Verbleib
unbekannt). 1903 vollendete Klinger
dann die Marmorbüste als Bestellung
des Nietzsche-Archivs (jetzt Nationale
Forschungs- und Gedenkstätten der
klassischen deutschen Literatur, Weimar). Als Vorstudie dazu hatte vermutlich das Gipsmodell gedient, dessen
Bronzeabguß in der Ausstellung gezeigt
wird. 1904 folgten noch zwei weitere
Nietzsche-Büsten: eine in Bronze, jetzt
im Städelschen Institut, Frankfurt am
Main, und eine zweite in Marmor auf
einem hermenartigen Postament, das an
den Seiten mit Reliefs versehen ist; sie
entstand im Auftrag des Kröner-Verlags
(zur Zeit als Leihgabe im Museum der
bildenden Künste, Leipzig). In der Graphischen Sammlung des Museums der
bildenden Künste, Leipzig, die vermutlich in Paris entstandene Federstudie zu
einer Büste. (L)

9   Abb. 272
Bildnis Franz Liszt (1811–1886),
1901
Gips, Höhe 81 cm
Bez. m. Monogramm MK
Ny Carlsberg Glyptotek, Kopenhagen
Gipsmodell der Marmorbüste, die Klinger im Auftrag des russischen Pianisten
Alexander Siloti für das Leipziger Gewandhaus schuf. Eine zweite nahezu
unveränderte Fassung entstand 1904 für
das Musikzimmer, mit dem Leipzig auf
der Weltausstellung in St. Louis (1904)
vertreten war.

10
Bildnis Richard Wagner (1813–1883),
1904

Bronze, Höhe 100 cm
Museum der bildenden Künste, Leipzig,
DDR, Inv.-Nr. 720 d
Späterer Bronzeguß nach der Wagner-
büste, die Klinger 1904 für das Musikzimmer, mit dem Leipzig auf der Weltausstellung in St. Louis (1904) vertreten
war, schuf. Originalmodell im Museum
der Bildenden Künste, Leipzig.

11   Abb. 92
Kniendes Mädchen mit Blumenkorb
(Tafelaufsatz für das Neue Rathaus in
Leipzig)
Silberguß; die von Delphinen getragene
Platte aus Alabaster (Onychit), deren Fü-
ße aus geschliffenem Bergkristall
Höhe der Figur mit Sockel 106 cm, Ge-
samthöhe 175 cm
Unbez.
Museum der bildenden Künste, Leipzig,
DDR, Inv.-Nr. 142 a
Seit 1918 als Leihgabe im Museum der
bildenden Künste, Leipzig, in dessen Be-
sitz er 1952 überging
Der Tafelausatz war ein Geschenk Leipziger Bürger zur Weihe des Neuen Rat-
hauses im Oktober 1905. Der Guß der
Figur erfolgte durch Noack und Brück-
ner in Leipzig, der Silberkorb wurde
nach Klingers Modell von dem Silber-
schmied Louis Scheele gearbeitet. Eine
Vorstudie zur Knienden in der Graphischen Sammlung des Museums der bildenden Künste, Leipzig. Die ebenfalls im
Museum der bildenden Künste, Leipzig,
befindliche große Ölstudie (Inv.-Nr.
2191) vermittelt eine Vorstellung der
von Klinger vorgesehenen Blumendeko-
ration.
Der Tafelaufsatz wurde 1910 um zwei
weitere Stücke ergänzt. (L)

12   Tafel III
Diana von Aktäon belauscht, 1906
Marmor, Höhe 112 cm
Bez. m. Monogramm MK
Ny Carlsberg Glyptotek, Kopenhagen
Erworben 1907

13   Abb. 274
Bildnis Wilhelm Wundt (1832–1920)
Bronze, Höhe 65,5 cm

Bez. rückseitig: Wundt MK (Monogramm) 08
Museum der bildenden Künste, Leipzig, DDR, Inv.-Nr. 30
Erworben 1912 vom Künstler
Dem Bronzeguß liegt das nach der Natur geformte Modell zugrunde, das Klinger 1908 für die Marmorherme des Leipziger Philosophen, Physiologen und Mitbegründers der experimentellen Psychologie Wilhelm Wundt angefertigt hatte. Die ehemals im Besitz der Familie Wundt befindliche Marmorskulptur jetzt in Leipziger Privatbesitz. Weitere Exemplare der Bronzebüste in Dresden, Bremen und Mannheim. Die etwa gleichzeitig entstandene erste Fassung des Aristoteles für das Leipziger Aulabild trägt ebenfalls Wundts Züge (der Ausschnitt des Kartons mit dem Kopf des Aristoteles in der Graphischen Sammlung des Museums der bildenden Künste, Leipzig). Das Originalmodell ebenfalls im Besitz des Museums der bildenden Künste, Leipzig (Inv.-Nr. 719). (L)

Gemälde

14 Tafel I
Selbst im Atelier vor Staffelei, 1874
Öl a. Lwd., doubliert, 52,5 × 37,7
Bez. u. l. MKlinger C (für Carlsruhe) 1874
Verso auf einem Stück des ehemaligen (originalen) Keilrahmens, das in den jetzigen Keilrahmen älteren Datums eingesetzt ist: »Selbstportrait von Max Klinger. Gemalt unter Gussow in Karlsruhe 1874. Geschenk Klingers an mich. April 1916. Georg Hirzel«. L. u. weiterer Besitzervermerk: Eigentum Dr. Steinkopf.
Galerie Bernd Dürr, München
Variante in der Staatlichen Kunsthalle, Karlsruhe

15 Tafel XIV
Sitzender Akt
Öl . Holz, 49,5 × 34 cm
Bez. u. l. Max Klinger 1880

Neue Galerie der Stadt Linz – Wolfgang Gurlitt Museum, Inv.-Nr. 72
Erworben 1953 aus der Sammlung Wolfgang Gurlitt, ehemals Nachlaß Klinger.

16–19
Die Ausstattung des Vestibüls der Villa Albers, Berlin-Steglitz, 1883–85
Klingers Bekanntschaft mit Julius Albers (1855–1896) begann Anfang 1883, als letzterer beim Künstler eine Zeichnung für einen Handschuhkasten bestellte. Anschließend radierte Klinger das in Albers' Besitz befindliche Böcklin-Bild »Die Burg am Meer«. Mitte des Jahres erfolgte der Auftrag zur malerischen Ausgestaltung des Vestibüls der Villa, die sich Albers, damals Kammergerichtsreferendar, 1882/83 von Baumeister Ewald in Berlin-Steglitz, Kaiser-Wilhelm-Straße 5, bauen ließ, wobei zunächst nur an eine Füllung der vier größeren Wandflächen gedacht war. Tatsächlich verwirklichte Klinger in den Jahren 1883/85 hier zum ersten Male seine Vorstellung von einem »Gesamtkunstwerk«: Weiße Pilaster mit goldenen Kapitellen rahmten die vier hochformatigen Landschaften, darüber in zehn Einzelteilen auf Leinwand ein Meerfries. Die Grisaillen der Sockelzone waren direkt auf das Holz gemalt, ebenso die Dekoration der von schwarzblauen Pfosten gerahmten Türen, deren unbemalte Fläche in türkis und rosa Tönen gehalten und von Palmwedeln überzogen war. Über dem Marmorkamin ein gerahmtes Gemälde »Sommerglück«, die Wände über dem nach oben offenen Vestibül mit gobelinartig bemaltem Leinen (nach Klingers Entwürfen) bespannt. Zwei weibliche Büsten, die den Eingang zum Speisesaal flankierten, wurden nach Klingers Vorstellung von Artur Volkmann in carrarischem Marmor geschaffen und von Hermann Prell bemalt (jetzt Leipzig, Museum der bildenden Künste, Inv.-Nr. 90, 91).
Die Ausstattung des Vestibüls blieb nur kurze Zeit intakt. Albers, der bereits 1885 das Gut Posthof in Kalsdorf bei Graz erworben hatte und dorthin über-

siedelt war, verkaufte 1889 die Steglitzer Villa, bei der sich schon während des Baues gezeigt hatte, daß sie vom Schwamm befallen war. Alle auf Leinwand gemalten Teile der Dekoration wurden damals entfernt und in einem Raum des Gutes Posthof untergebracht. Da nach Albers' Tod kein Museum die Ausstattung des Vestibüls geschlossen übernehmen wollte, gingen schließlich je zwei der hochformatigen Landschaften und je fünf der Friesbilder in den Besitz der Hamburger Kunsthalle und der Berliner Nationalgalerie über (hier zum größten Teil Kriegsverlust). Die fünf Türen verblieben beim Verkauf der Villa am ursprünglichen Ort und gelangten durch Vermittlung der Erbengemeinschaft des damaligen Käufers Max Krause 1942 in den Besitz des Museums der bildenden Künste, Leipzig. (L)
Klinger hat mehrfach den Versuch gemacht, das Raumkunstwerk der Villa Albers wiedererstehen zu lassen: so 1902 in einer Ausstellung der Wiener Sezession und – in einer erweiterten Fassung (vgl. Kat.-Nr. 32) – auf der Großen Dredner Kunstausstellung von 1912. In der gegenwärtigen Ausstellung wird dieser Versuch wiederholt: Die noch vorhandenen Teile der Dekoration sind – soweit sie ausleihbar waren – wieder zu einer räumlichen Einheit zusammengefügt worden.

16 Tafel XII
5 Türflügelpaare
Öl auf Holz, Maße nachstehend
Unbez.
Museum der bildenden Künste, Leipzig, DDR, Inv.-Nr. 1352a bis k
Erworben 1942 von Max Krause, Berlin
a) Eingangstür
Obere Füllungen:
2 wappenschildähnliche Ornamente, 23 × 15,5 cm
Mittlere Füllungen:
2 Meerjungfrauen, Muscheln emporhaltend, 120,5 × 15,5 cm
Untere Füllungen:
2 Pentagramme
b) Tür zu einem einfenstrigen Zimmer neben dem Eingang

Obere Füllungen:
links Nackter Jüngling, von Amor niedergerungen, rechts Mädchen, von Amors Pfeil getroffen, 23 × 15 cm
Mittlere Füllungen:
links Alter Mann an Steilküste, rechts Flora streut Blumen über Landschaft, 120,5 × 14,5 cm
Untere Füllungen:
links Liebespaar vor Hütte, rechts Altes Paar am Kamin, 23 × 14,5 cm
c) Tür zum Speisesaal
Obere Füllungen:
2 heraldische Vögel auf Goldgrund, 24,5 × 23 cm
Mittlere Füllungen:
2 Blumenfestons mit Masken, 94 × 23 cm
Untere Füllungen:
2 Sphingen auf Goldgrund, 24,5 × 23 cm
d) Tür zur Bibliothek
Obere Füllungen:
2 bärtige Masken, 22,5 × 14,5 cm
Mittlere Füllungen:
Parodie auf den Raub des Ganymed, 121 × 14,5 cm
Untere Füllungen:
links Harfespielende Seejungfrau und Triton, rechts Nackter Jüngling am Meer, 23 × 14,5 cm
e) Tür zu einem Gartenzimmer
Obere Füllungen:
Lorbeerzweige und Sterne, 22,5 × 21,5 cm
Mittlere Füllungen:
Venus und Mars auf Muscheln, von Schwänen durch die Lüfte getragen, darunter Delphine, 121 × 21,5 cm
Untere Füllungen:
2 nackte Jünglinge zu Pferd, 23 × 21,5 cm

17   Tafel X
Felsschlucht
Öl a. Leinwand 194,5 × 98,5 cm
Unbez.
Hamburger Kunsthalle, Inv.-Nr. 1648
Erworben 1902 als Geschenk des Vereins von Kunstfreunden von 1870. Das Motiv dürfte durch den »Tempio di Vesta« (della Sibilla) in Tivoli oberhalb des Tals der Aniene angeregt worden sein. Die »Felsschlucht« war für den linken Teil der Wand rechts neben dem Kamin vorgesehen.

18   Tafel XI
Brandung
Öl a. Leinwand, 51 × 102,5 cm
Unbez. Verso: Kleines Feld neben dem Kamin
Hamburger Kunsthalle, Inv.-Nr. 2182
Obere Ecken abgeschrägt. Erworben wie Kat.-Nr. 17. Das Bild ist in dieser Ausstellung – wie von Klinger vorgesehen – im Fries über der »Felsschlucht« (Kat.-Nr. 17) angebracht.

19   Tafel IX
Sommerlandschaft
Öl a. Leinwand, 192,5 × 92,8 cm
Unbez.
Hamburger Kunsthalle, Inv.-Nr. 1649
Erworben wie Kat.-Nr. 17. Die Landschaft, durch ein Motiv bei Meißen angeregt, hat Klinger auch in einer kleineren Variante verwendet. Die »Sommerlandschaft« füllt als Pendant zur »Felsschlucht« den rechten Teil der rechten Wand neben dem Kamin.

20
Gesamtentwurf   zur   Kreuzigung, 1884/85
Öl auf Leinwand, linkes Viertel und untere Querleiste in Holz angestückt, 86,5 × 155 cm
Unbez.
Museum der bildenden Künste, Leipzig, DDR, Inv.-Nr. 1287
Erworben 1938 von Johannes Hartmann aus dem Nachlaß Klingers. Entstanden in Paris, 1884/85 (L)

21   Tafel VIII
Die Kreuzigung Christi, 1890
Öl auf Leinwand, 251 × 465 cm
Bez. r. u. am Kreuzesstamm des rechten Schächers: MK 90
Museum der bildenden Künste, Leipzig, DDR, Inv.-Nr. 1117
Erworben 1918 als Stiftung 63 Leipziger Kunstfreunde von den Erben Alexander Hummels, die das Bild bereits 1915 dem Leipziger Museum als Leihgabe überlassen hatten.
Erste Studien zum Kreuzigungsthema entstanden während Klingers Pariser Aufenthalt, darunter die undatierte Öl-

skizze der Gesamtkomposition (Kat.-Nr. 20). Die Ausführung des Gemäldes erfolgte in Rom von März 1888 bis Frühjahr 1891, worüber der Künstler in Briefen an die Eltern berichtete. Wegen vorgerückter Arbeit an der »Kreuzigung« wechselte er im Mai 1890 das Atelier.
Da das vollendete Gemälde 1893 während einer Ausstellung in München wegen des völlig nackten Christus einen Skandal hervorrief – die untere Hälfte der Christus-Figur mußte mit einem Tuch verhängt werden –, übermalte Klinger die beanstandete Stelle im Hinblick auf die für 1894 in Leipzig geplante Ausstellung: »Der Christus ist übermalt. Ich habe es mit Ochsen- und mit eigener Galle getan« (Brief vom Oktober 1893 an Julius Vogel).
Der 1899 geplante Ankauf der »Kreuzigung« für die Galerie in Hannover kam infolge Einspruchs kirchlicher Kreise nicht zustande. 1901 wurde das Gemälde als zweites Monumentalwerk Klingers von Alexander Hummel in Triest erworben, nachdem dieser kurz zuvor das »Paris-Urteil« der Wiener Galerie überlassen hatte.
Nach der 1946 erfolgten Rückführung des am Auslagerungsort beschädigten Gemäldes zeigte sich, daß die Übermalung mit einem Lendentuch, wohl infolge Feuchtigkeitseinwirkung, fast völlig verschwunden war. Bei der 1970 erfolgten Restaurierung ist die Übermalung, Klingers ursprünglichen Intentionen folgend, nicht ergänzt worden.
Zahlreiche Studien zur Kreuzigung, außer den bereits genannten frühen Skizzen, in der Graphischen Sammlung des Museums der bildenden Künste, Leipzig (Kat.-Nr. 62, 63), im Kupferstichkabinett Dresden und in der Staatsgalerie Stuttgart. (L)

22   Abb. 46
Bianca, 1890
Öl auf Holz, 24 × 37,7 cm
Bez. l. o. Bianca Rom 90 M. K.
Museum der bildenden Künste, Leipzig, DDR, Inv.-Nr. 1337

Erworben 1941 aus der Sammlung Hans Vogel, Chemnitz

Das Bildnis der »Bianca« gehört in eine Reihe von Freilichtstudien, die auf der Terrasse von Klingers römischem Atelier entstanden. (L)

23   Tafel V

Die Blaue Stunde
Öl auf Leinwand, 191,5 × 176 cm
Bez. l. u.: 9 MK (Monogramm) 0
Museum der bildenden Künste, Leipzig, DDR, Inv.-Nr. 833
Erworben 1904 durch Paul Cassirer, Berlin

Über Entstehung und Sinn des Bildes, das während Klingers Aufenthalt in Paris konzipiert und 1890 in Rom vollendet wurde, unterrichtet ein Brief des Künstlers an den Dresdner Kunsthistoriker Paul Schumann: »Den ersten Anstoß dazu gaben mir reine Licht- und Farbenstudien, die ich in Paris vor langen Jahren begann. Ich habe schon damals dann das Bild komponiert. Daß man unwillkürlich dabei einen Gedanken einflicht, ist ja nur natürlich, und so habe ich versucht, drei verschiedene Arten stiller Beschaulichkeit möglichst zu charakterisieren: das stumpfe Träumen in die abendliche Dunkelheit hinein, das beschauliche Gruseln, bei dem man ins Feuer schaut, und schließlich das weite Aufträumen.« Unabhängig von Klinger entstand gleichzeitig Albert Besnards »L'heure bleue«. In zwei Briefen an die Eltern nennt Klinger das Bild »Die Weiber am Feuer«. Es wurde 1894 für M 2000,– für die Sammlung Wertheim, Hamburg, erworben und ging zehn Jahre später für M 60 000,– in den Besitz des Leipziger Museums über.

Eine Kopfstudie zur liegenden Frau, Kat.-Nr. 66

Der 1905 nach einem Entwurf Klingers entstandene Rahmen wird in der Ausstellung gezeigt. (L)

24   Tafel VI

Italienische Landschaft (Blick auf den Vesuv von Capri aus), um 1889
Öl a. Leinwand a. Holz kaschiert, 33 × 47 cm

Unbez.

Neue Galerie der Stadt Linz – Wolfgang Gurlitt Museum, Inv.-Nr. 37
Erworben 1953 aus der Sammlung Wolfgang Gurlitt, ehemals Klinger-Nachlaß. Das Bild entstand wahrscheinlich im Zusammenhang mit einer mehrwöchigen Süditalienreise, die Klinger nach Capri, Sorrent, Paestum, Pompeji, zum Vesuv und nach Neapel führte.

25

Geigenspielerin am Fenster, 1891
Öl a. Fichtenholz, 78 × 100 cm
Bez. u. l. MK 1891
Museum Folkwang, Essen, Inv.-Nr. G 96
Das Bild gehört in die Reihe der »italienischen« Frauenbildnisse Klingers.

26   Tafel XV

Sirene, 1895
Öl a. Leinwand, 100 × 185 cm
Bez. u. l. »MK 95«
Villa Romana, Florenz

27   Abb. 38

Gesamtstudie zum Hauptbild des »Christus im Olymp«, 1893
Öl u. Feder a. Pappe, 50,1 × 89,6 cm
Unbez.
Museum der bildenden Künste, Leipzig, DDR, Inv.-Nr. 1296

1893 entstandener Entwurf zu dem 1897 vollendeten Monumentalgemälde »Christus im Olymp«. Erworben 1938 von Johannes Hartmann.

Wie das »Urteil des Paris« als »Gesamtkunstwerk« konzipiert, entstand die monumentale Komposition des »Christus im Olymp«, deren Maße mit der originalen Rahmung 550 × 900 cm betragen, ohne äußeren Auftrag von 1889 (dem vermutlichen Datum der ersten Ideenskizze, vgl. Kat.-Nr. 64) bis 1897, wobei die Hauptarbeit 1893–1896, in den ersten Jahren von Klingers endgültiger Niederlassung in Leipzig, geleistet wurde. In einem Brief an die Mutter, wohl vom Sommer 1892 aus Rom, ist von der Konzeption des Hauptbildes die Rede, an dem Klinger zunächst auch aus-

schließlich arbeitete; der Plan des tektonischen Gesamtaufbaus sowie der zum Teil plastischen Rahmung reiften wohl erst im Laufe der Entwicklung. Tragender Gedanke des Hauptbildes ist der Einbruch des Christentums in die antike Götterwelt. Christus, gefolgt von den vier Kardinaltugenden, schreitet an den drei Göttinnen Hera, Athene und Aphrodite vorbei und tritt dem von Dionysos, Ganymed, Hermes, Artemis und Apoll umgebenen Göttervater Zeus entgegen; zu Christi Füßen kniet Psyche. In den Flügelbildern, vom Hauptbild durch Palmenstämme aus Mahagoniholz getrennt, links tanzende Bacchantinnen, rechts Ares, Pluto und Persephone. Den oberen Abschluß bildet ein friesartiges Mäanderornament; in der Sockelzone aus afrikanischem und Pyrenäenmarmor die Predella mit dem Kampf der Titanen im Hades, eingerahmt von zwei Skulpturen aus parischem Marmor: links die »Reue«, die das Standmotiv der »Badenden« (vgl. Kat.-Nr. 4) vorwegnimmt, rechts die »Hoffnung« (die Originalmodelle der beiden Figuren im Museum der bildenden Künste, Leipzig, Inv.-Nr. 706 a/b).

Nachdem das Werk erstmalig 1897 in der Kunst-Halle der Sächsisch-Thüringischen Industrie- und Gewerbe-Ausstellung in Leipzig der Öffentlichkeit vorgestellt werden konnte, kam es zunächst nach Dresden und wurde dann 1901 für die im Unteren Belvedere zu begründende Moderne Galerie in Wien erworben; im gleichen Jahr hatte Alexander Hummel dieser Sammlung sein »Paris-Urteil« als Geschenk überlassen. Die vorhandenen Räumlichkeiten waren für eine dem Charakter des Kunstwerks gemäße Ausstellung wenig geeignet, und bei der Neuordnung der Galerie des 19. Jahrhunderts im Oberen Belvedere konnte der »Christus im Olymp« überhaupt nicht berücksichtigt werden, weshalb 1938 seine Überführung als Leihgabe an das Leipziger Museum beschlossen wurde.

Verschiedene Studien zu den Gemälden in der Graphischen Sammlung des Museums der bildenden Künste, Leipzig, und im Kupferstich-Kabinett, Dresden. (L)

28   Tafel XVII
Junge Frau, um 1895
Öl a. Pappe, 77 × 55 cm
Bez. o. Mitte: Klinger
Galerie Brockstedt, Hamburg

29   Tafel XVIII
Alte Frau, um 1895
Öl a. Pappe, 77 × 55 cm
Bez. o. l. MKlinger
Galerie Brockstedt, Hamburg

30   Tafel XIX
Bildnis Dr. jur. H. H. Meier, jun.,
1898
Öl a. Leinwand, 100 × 75 cm
Bez. u. r.: 9MK8
Kunsthalle Bremen
Vermächtnis Dr. H. H. Meier, 1928. Dr.
H. H. Meier, der langjährige Vorsitzende
des bremischen Kunstvereins gehörte zu
den engagiertesten Freunden und
Sammlern Klingers. Ihm verdankt die
Kunsthalle Bremen eine ungewöhnlich
gute und vollständige Sammlung
Klinger'scher Druckgrafik mit zahlrei-
chen Probedrucken, Unikaten und Zu-
standsexemplare.

31   Tafel XX
Der pinkelnde Tod, um 1900
Öl a. Leinwand, 95 × 45 cm
Bez. u. r. Max Klinger Pinx.
Galerie Brockstedt, Hamburg

32   Abb. 280
Badende (Die Quelle), 1912
Öl a. Leinwand, 250 × 195,6 cm
Bez. u. r. MK 1912
Wallraf-Richartz-Museum, Köln. Leih-
gabe der Bundesrepublik Deutschland,
WRM Dep. 398
Das Bild war auf der Großen Dresdner
Kunstausstellung 1912 unter dem Titel
»Die Quelle« ausgestellt. Der Sammler
Dr. Schnabel erwarb das Gemälde direkt
von Klinger, sein Sohn Dr. Walter
Schnabel veräußerte es 1943 an die
Reichskanzlei.

33   Tafel XI
Meeresfries, 1912
Öl a. Leinwand, 58 × 135 cm
Bez. u. r. MK 12
Galerie Brockstedt, Hamburg
Gemalt für die erweiterte Fassung des
Vestibüls der Villa Albers, die 1912 auf
der Großen Dresdner Kunstausstellung
gezeigt wurde. Der »Meeresfries« war
im Zentrum über der Tür an der Schmal-
seite des (Doppel-)Zimmers angebracht.
Vgl. Kat.-Nr. 16–19.

34   Abb. 281
Stehender weiblicher Akt mit erhobe-
nen Armen, um 1915
Öl a. Leinwand, 166 × 60 cm
Bez. o. r. (unleserlich)
Galerie Kunze, Berlin
Das Gemälde ist unvollendet, spätere
Montierung. Ehemals Sammlung Prof.
Hartmann, Leipzig

Zeichnungen

35   Abb. 9
Toter Vogel, 1878
Feder, 16,8 × 12,4
Bez. a. d. Untersatz Berlin 1878
Hamburger Kunsthalle, Inv.-Nr. 1963/234

36   Abb. 10
Tanzender Toilettentisch und Spiegel,
1878
Feder 14,4 × 8,1 cm
Bez. a. d. Untersatz Berlin 1878
Hamburger Kunsthalle, Inv.-Nr. 1963/230

37   Abb. 11
Nymphe und Kranich, 1878
Feder, 4,4 × 13,2
Bez. a. d. Aufsatz Berlin 1878
Hamburger Kunsthalle, Inv.-Nr. 1963/231

Vorzeichnungen für den graphischen
Zyklus »Ein Handschuh«, Opus VI (Vgl.
Kat.-Nr. 177–186), 1878

38   Abb. 139
Ort, Blatt 1
Feder laviert, 29 × 41,5
Bez. a. d. Untersatz M. Klinger 1878

39   Abb. 141
Handlung, Blatt 2
Feder laviert, 22,2 × 19
Bez. a. d. Untersatz Max Klinger 1878

40   Abb. 143
Wünsche, Blatt 3
Feder, 28,5 × 10,5
Bez. a. d. Untersatz Max Klinger 1878

41   Abb. 145
Rettung, Blatt 4
Feder laviert, 15,8 × 10,9
Bez. a. d. Untersatz Max Klinger 1878

42   Abb. 147
Triumph, Blatt 5
Feder, 15 × 28
Bez. a. d. Untersatz Max Klinger 1878

43   Abb. 149
Huldigung, Blatt 6
Feder, 13,8 × 30,3
Bez. a. d. Untersatz Max Klinger 1878

44   Abb. 151
Ängste, Blatt 7
Feder, 11,7 × 24
Bez. a. d. Untersatz M. Klinger 1878

45   Abb. 153
Ruhe, Blatt 8
Feder, 11 × 23,5
Bez. a. d. Untersatz M. Klinger 1878

46   Abb. 155
Entführung, Blatt 9
Feder laviert, 9 × 22
Bez. a. d. Untersatz M. Klinger

47   Abb. 157
Amor, Blatt 10
Feder laviert, 12 × 24,5
Bez. a. d. Untersatz M. Klinger 1878
Privatsammlung.
Die hier gewählte Blattfolge entspricht
der Blattfolge der radierten Fassung von
1881 – nicht der Reihenfolge der Blätter

in der Ausstellung des Berliner Kunstvereins (1878), die Georg Brandes beschrieb: 1. Ort, 2. Handlung, 3. Ängste, 4. Amor, 5. Rettung, 6. Triumph, 7. Entführung, 8. Ruhe, 9. Huldigung (ein 10. Blatt wird nicht erwähnt). Vgl. Max Klinger, die graphischen Zyklen, Museum Villa Stuck, München 1979. Katalog bearb. v. Jochen Poetter, S. 21.

48   Abb. 13
Eva und die Schlange, 1879
Feder, laviert, 29 × 17 cm
Bez. u. r. M. Klinger 1879
Galerie Brockstedt, Hamburg

49   Abb. 14
Alpdrücken, 1879
Feder, Pinsel, 36 × 23,2 cm
Bez. u. l. Max Klinger, u. r. Bruxelles 1879
Hamburger Kunsthalle, Inv.-Nr. 33906 B

50   Abb. 12
Widmungsblatt an ein Freudenhaus, 1879
Feder, 28,5 × 24,8
Bez. u. l. Max Klinger, u. Mitte: dedié à une maison de tolérance, u. r. Bruxelles 1879
Hamburger Kunsthalle, Inv.-Nr. 33905 B

51   Abb. 15
Der Alptraum, 1883
Feder mit Tusche, 41,8 × 25,8 cm
Bez. r. u.: M. Klinger. März 83
Museum der bildenden Künste, Leipzig, DDR, Inv.-Nr. I-1792
Erworben 1910 von der Kunsthandlung Beyer und Sohn, Leipzig
Eine frühere, ebenfalls gezeichnete Fassung des Themas (»Das Alpdrücken«) entstand bereits 1879 in Brüssel und befindet sich im Kupferstichkabinett der Hamburger Kunsthalle. Vgl. Kat.-Nr. 49. (L)

52   Abb. 37
Urteil des Paris, 1883
Feder mit Tusche, 30,5 × 51,3 cm
Unbez.
Auf der Rückseite: Sitzender Sklave, Studie zur Radierung »Elend« aus »Vom

Tode. Zweiter Teil«, Opus XIII, Blatt 7 (Singer 236).
Museum der bildenden Künste, Leipzig, DDR, Inv.-Nr. I-7763
Erworben 1939 aus der Sammlung Gustav Kirstein, Leipzig
Die vorliegende Studie für das Gemälde »Urteil des Paris« (Wien, Neue Galerie des Kunsthistorischen Museums), an dem Klinger 1885–1887 arbeitete, entstand 1883. Weitere Studien befinden sich im Museum der bildenden Künste, Leipzig und im Kupferstich-Kabinett, Dresden. (L)

53   Abb. 166
Meeres-Ritt (Verführung), 1879
Feder, Tusche, laviert 61 × 46 cm
Bez. u. l. Max Klinger./Bruxelles 1879 u. m. Meeres-Ritt
Privatbesitz
Vorzeichnung zu Blatt 4 des graphischen Zyklus »Ein Leben«, Opus VIII, 1884. Vgl. Kat.-Nr. 194.

54
Villa Albers in Berlin-Steglitz, 1883/84
Pastell, 47,7 × 63,1
Museum der bildenden Künste, Leipzig, Deutsche Demokratische Republik, Inv.-Nr. I-7961
Das Blatt ist entstanden im Zusammenhang mit der Ausmalung des Vestibüls dieser Villa (vgl. Kat.-Nr. 16–19).

55   Abb. 22
Allegorie des Lebens, 1884
Feder, Tusche, laviert, teilw. m. Weiß korrigiert, 47 × 29,3 cm
Bez. im Bildfeld u. l. Max Klinger/8. Juni 84. Bez. außerhalb d. Bildfeldes u. l. Sèvres 2. Juni, u. Mitte: Allegorie des Lebens, r. o. Bl. XXXV
Kunsthalle Bremen, Inv.-Nr. DXIX 1962/90

56   Abb. 169
Anerbieten, um 1884
Feder, 17,5 × 26,5 cm
Unbez.
Städtische Wessenberg-Gemäldegalerie, Konstanz
Aus der Sammlung Brandes. Das Blatt

wurde 1900 von W. Brandes erworben. Studie zu Blatt 6 des graphischen Zyklus »Ein Leben«, Opus VIII, 1884. Vgl. Kat.-Nr. 196.

57   Abb. 7
Das Urbild der neuen Salome, 1885
Bleistift auf graublauem Papier, 48,1 × 32,2 cm
Unbez.
Auf der Rückseite: Gewandstudien
Museum der bildenden Künste, Leipzig, DDR, Inv.-Nr. I-3343
Erworben 1916 vom Künstler
Das Salome-Thema behandelte Klinger zum ersten Male in einer Zeichnung im Skizzenbuch der Jahre 1874–1877 (Abb. 6). Das Bildnis eines Pariser Mädchens aus dem Jahre 1885 wurde das Vorbild für die Plastik der »Neuen Salome« (Kat.-Nr. 1). Ebenfalls in Paris entstand 1886 die Zeichnung »Salome in der Mode der Kürassierhüte« (Leipzig, Sammlung Hirzel). (L)

58   Abb. 21
Weiblicher Kopf, 1893
Kreide a. blauem Papier, 36 × 30 cm
Bez. u. r. M. K. 93
Städtische Wessenberg-Gemäldegalerie, Konstanz
Aus der Sammlung Brandes. Das Blatt wurde 1899 von W. Brandes erworben.

59   Abb. 17
Aktstudie (Studienblatt zur Böcklin-Widmung), um 1887
Kreide a. grauem Papier, 36,5 × 30,5
Bez. u. r. M. Klinger
Städtische Wessenberg-Gemäldegalerie, Konstanz
Aus der Sammlung Brandes. Das Blatt wurde 1900 von W. Brandes erworben. Wohl Studie zu Blatt 1 des A. Böcklin gewidmeten graphischen Zyklus »Eine Liebe«, Opus X, 1887. Vgl. Kat.-Nr. 60, 190.

60   Abb. 18
Sitzendes Mädchen (Studie zur Böcklin-Widmung), um 1887
Feder a. grauem Papier, 38 × 30 cm
Bez. u. r. M. Klinger

Städtische Wessenberg-Gemäldegalerie, Konstanz
Erworben wie Kat.-Nr. 59

61   Abb. 19
Liegender Akt, 1888
Feder, Tusche, 31 × 46 cm
Bez. r. M. K. 88.
Privatbesitz

62   Abb. 52
Akt-Studie zum Gekreuzigten für die
»Kreuzigung«, 1888
Bleistift, weiß gehöht auf gelblichem Papier, 63,5 × 48,3 cm
Bez. Mitte u.: MK 9.5.88
Leipzig, Museum der bildenden Künste, Leipzig, DDR, Inv.-Nr. I-3874
Erworben 1918 aus dem Nachlaß Alexander Hummel, Triest, dem die Zeichnung 1901 von Klinger geschenkt wurde (l. u. Sammlerstempel Lugt Suppl. 129 c). (L)

63   Abb. 51
Kopf der Maria, 1888
Bleistift auf rötlichem Papier, 46,4 × 30,1 cm
Bez. r. u.: M. Klinger 88
Auf der Rückseite: Studie zur Minerva des Gemäldes »Urteil des Paris«, bez. MK. 18. Nov. 86
Museum der bildenden Künste, Leipzig, DDR, Inv.-Nr. I-3877
Erworben 1918 aus dem Nachlaß Alexander Hummel, Triest, dem die Zeichnung 1901 von Klinger geschenkt wurde (r. u. Sammlerstempel Lugt Suppl. 129 c).
Kat.-Nr. 62 u. 63 sind Studien für das Gemälde »Die Kreuzigung Christi« (vgl. Kat.-Nr. 21), das Klinger 1888–1891 in Rom ausführte. Weitere Studien befinden sich im Museum der bildenden Künste Leipzig, im Kupferstich-Kabinett Dresden, in der Staatsgalerie Stuttgart und in Leipziger Privatbesitz. (L)

64
Christus im Olymp, vor 1893
Feder mit Tusche, 19,3 × 40,7 cm
Unbez.
Museum der bildenden Künste, Leipzig,

DDR, Inv.-Nr. I-2728
Erworben 1914 vom Künstler, ehemals im Besitz von Elsa Asenijeff, Leipzig
Früher Entwurf für das Gemälde »Christus im Olymp«, das Klinger 1897 vollendete. Die Datierung der Zeichnung ist unklar, liegt aber doch vor dem Beginn der eigentlichen Arbeit am Gemälde 1893. Vgl. Kat.-Nr. 27. (L)

65   Tafel VII
Siena von San Domenico
Aquarell und Deckfarben, 24,3 × 32 cm
Bez. l. u.: Siena Freitag
Museum der bildenden Künste, Leipzig, DDR, Inv.-Nr. I-8136
Erworben 1941 aus der Sammlung Hans Vogel, Chemnitz
Studie für den Landschaftshintergrund des Gemäldes »Die Kreuzigung Christi«. Gleichzeitig mit Kat.-Nr. 88 schuf Klinger ein großformatiges, genau durchgearbeitetes Aquarell mit der Ansicht von Siena (Konstanz, Wessenberg-Haus). Weitere Aquarelle, ehemals in Privatbesitz, sind 1889 datiert. (L)

66   Abb. 8
Weibliche Kopfstudie, 1890
Schwarze Kreide, weiß und rosa gehöht auf dunkelgrauem Papier, 48,2 × 31,6 cm
Bez. r. Mitte: MK (Monogramm) 2. Dez. 90
Museum der bildenden Künste, Leipzig, DDR, Inv.-Nr. I-8110
Erworben 1941 aus der Sammlung Hans Vogel, Chemnitz
Studie zur liegenden Frau des Gemäldes »Die blaue Stunde« (vgl. Kat.-Nr. 23). Eine weitere Studie befand sich 1981 im New Yorker Kunsthandel. (L)

67   Abb. 3
Gewandstudie mit den Armen von der Seite, 1892
Schwarze Kreide, weiß gehöht auf Pappe, 60,8 × 46,2 cm
Datiert r. u.: 4. Nov. 92
Leipzig, Museum der bildenden Künste, Graph. Sammlung, Inv.-Nr. I-2326 a
Erworben 1895 vom Künstler, Studie zur »Kassandra«. Vgl. Kat.-Nr. 2. (L)

68   Abb. 4
Gewandstudie mit dem rechten Arm und der Brust, 1892
Schwarze Kreide, 59,8 × 41,7 cm
Datiert r. u.: 4. Nov. 92
Auf der Rückseite: Gewandstudie (Rückenansicht)
Leipzig, Museum der bildenden Künste, Graph. Sammlung, Inv.-Nr. I-2326 b
Erworben 1895 vom Künstler, Studie zur »Kassandra«. Wie Kat.-Nr. 67. (L)

69   Abb. 16
Dame auf dem Sofa mit Hündchen, um 1894
Feder, 24,1 × 34 cm
Unbez.
Kunsthalle Bremen, Inv.-Nr. D.XIX/08/07 B
Möglicherweise Studie zur Radierung »Siesta« vgl. Kat.-Nr. 346, Singer 275

70
Liegender weiblicher Akt, 1898
Kohle, Blei, 36 × 31 cm
Bez. u. l. M. K. 16. 11. 98
Privatbesitz

71–73
Studien zum Brahmsdenkmal in der Hamburger Musikhalle, vollendet 1909 (Tafel XXIII und XXIV)

71   Abb. 214
Überzeichnetes Foto des Modells, 1903
Museum der bildenden Künste, Leipzig, DDR, Inv.-Nr. NI 9076

72   Abb. 215
Überzeichnetes Foto des Modells, 1903
Museum der bildenden Künste, Leipzig, DDR, Inv.-Nr. NI. 9077

73
Weiblicher Kopf, 1908
Kohle, Pinselstriche, leicht rosa getönt a. graubraunem Papier, 51 × 40,8 cm
Bez. M. Klinger-L08. Studie zum Brahms.
Staatliche Kunsthalle, Karlsruhe
Erworben im Kunsthandel 1973
Vier Jahre nach Vollendung der »Brahms-Phantasie« tauchte in einem Brief an Frau Lehrs vom 7.6.1898 zum

ersten Mal der Gedanke an ein von Klinger zu schaffendes Brahmsdenkmal auf. Noch ohne einen bestimmten Auftrag beschäftigte sich der Künstler dann 1901 in Paris mit einer Brahms-Büste und dem Abguß der Maske des Komponisten. In dieser Zeit wurden von Hamburg aus, wo die Konkurrenz zu einem Brahms-Denkmal für die Musikhalle lief, erste Verhandlungen mit Klinger eingeleitet: »Die Nachricht aus Hamburg ... traf in den Tagen ein, als ich die Maske Brahms' hier beim Gießer für Bronze vorbereitete – auch hatte ich mich ja schon längst auf eigene Hand mit Absichten getragen –! Nun, es ist ja noch nicht alles so complet wie es in den Zeitungen steht – aber es kann sich machen.« (Brief an A. Hummel vom 29. 9. 1901). Klingers erster Entwurf sah eine Stele mit der Büste des Komponisten vor, um die sich eine schwebende weibliche Figur schlingt (Abb. in: Leipzig. Eine Monatsschrift. 3/1926, Nr. 1, S. 14). Zum endgültigen Vertragsabschluß mit Hamburg kam es erst im März 1904 (Brief an Lichtwark vom 13. 3. 1904). Der Marmorblock für das Denkmal, dessen erweiterter Entwurf inzwischen Brahms in ganzer Gestalt, umgeben von drei weiblichen und einer männlichen Figur, zeigte, wurde im Oktober in Seravezza bestellt (Brief an A. Hummel vom 9. 10. 1904). Die eigentliche Arbeit am Denkmal dauerte von 1905–1909; Anfang April wurde es nach Hamburg transportiert. Über die Aufstellung in der Musikhalle schrieb Klinger: »Als Autor soll man ja keine Meinung haben über eigene Sachen, aber ich finde ihn dort brillant aufgestellt. Noch selten ist es mir passirt, daß ich ohne Kater von einer meiner Sachen wegging. Aber hier doch!« (Brief an Lichtwark vom 30. 4. 1909). Vgl. Abb. 14.
Ein weiterer, 1902 entstandener Entwurf Klingers für ein Brahms-Denkmal in Wien, der den Komponisten in einem offenen fünfeckigen Säulentempelchen sitzend zeigt, wurde nicht ausgeführt (vgl. Hevesi, 1903, S. 236 ff. m. Abb.). Studien zum 1. Entwurf in der Graph. Slg. des Museums der bildenden Künste:

Vorder- und Seitenansicht, 1901, Inv.-Nr. I. 7761; je eine Seitenansicht, Paris 1901, Inv. I. 8123 und 8124; Detailliertere Ausführung der Vorderansicht, verso Rückenansicht, Slg. Hirzel. (L)

74
Weiblicher Akt, 1910
Schwarze, farbige Kreide, 71,5 × 43
Bez. Mitte r.: MK 10. 2. 10
Kunstmuseum Düsseldorf, Inv.-Nr. 16/22

75   Abb. 20
Liegende, um 1910
Kohle, 17,6 × 46,3
Bez. u. l. M. K.
Galerie Brockstedt, Hamburg

76   Abb. 282
Weiblicher Akt, 1914
Blei, weiß gehöht, 71 × 32 cm
Bez. im o. Drittel l.: MK/17. Sept. 14/18.
Galerie Bernd Dürr, München

77
Skizzenbuch, 1916–17
Blei
38 Blatt, Leinen, gebunden, 23 Blatt Bleistiftzeichnungen, 12,5 × 19,5 cm
Städtische Kunsthalle, Mannheim. Leihgabe der Bundesrepublik Deutschland

Druckgraphik

Zyklen

Festschrift des Kgl. Kunstgewerbe-Museums zu Berlin
Folge von 14 Radierungen
Die Radierungen dieser Eröffnungsfestschrift waren für Klinger eine Brotarbeit und er hat sie gewissermaßen nicht als voll zu seinem Werk gehörig anerkannt, was sich darin zeigt, daß er sie im Unterschied zu seinem restlichen Œuvre nicht mit einer Opus-Zahl versah. Zeitlich gesehen stehen sie bei den frühen Zyklen und sind daher an den Anfang des Druckgraphischen Werks gestellt.

Der Titel der ersten Ausgabe lautet: »Probedrucke zu Max Klinger's Radierungen für die Festschrift zur Eröffnungsfeier des Königl. Kunst-Gewerbe-Museums zu Berlin. 21. November 1881.« Die Folge wurde, leicht verändert, ebenfalls 1881 in Buchform herausgebracht, zusammen mit Tafeln, die nicht von Klinger stammen. (UH)

78   Abb. 23
Blatt 1: Titelblatt
Aquatinta u. Radierung, 24,9 × 16,5 cm
Unbez.
Singer 1

79   Abb. 24
Blatt 2: Portalgiebelfeld und zwei Fresken
Radierung, 9,5 × 16,0 cm
Unbez.
Singer 2

80   Abb. 25
Blatt 3: Portal des neuen Kunstgewerbe-Museums
Radierung, 10,5 × 16,0 cm
Unbez.
Singer 3

81   Abb. 26
Blatt 4: Zwei Fassadenreliefs
Radierung, 8,0 × 16,0 cm
Unbez.
Singer 4

82   Abb. 27
Blatt 5: Schmiedeeisernes Gitter im Vorraum
Radierung, 10,3 × 16,0
Unbez.
Singer 5

83   Abb. 28
Blatt 6: Mittelfigur aus dem Fries im Lichthof
Radierung, 9,4 × 16,0 cm
Unbez.
Singer 6

84   Abb. 29
Blatt 7: Zwei Medaillons im Fayence-Saal

Radierung, 8,0 × 16,0 cm
Unbez.
Singer 7

85 Abb. 30
Blatt 8: Zwei Figuren aus Komposition
im Gold-Saal
Radierung, 7,5 × 16,0 cm
Unbez.
Singer 8

86 Abb. 31
Blatt 9: Gothisches Zimmer im Kunstgewerbe-Museum
Radierung, 9,9 × 16,0 cm
Unbez.
Singer 9

87 Abb. 32
Blatt 10: Aktsaal der Kunstgewerbe-Schule
Radierung, 10,0 × 16,0
Unbez.
Singer 10

88 Abb. 33
Blatt 11: Alte Kunstkammer im Königl.
Schloß
Radierung, 9,4 × 16,0 cm
Unbez.
Singer 11

89 Abb. 34
Blatt 12: Altes Kunstgewerbe-Museum
Radierung, 9,4 × 16,0 cm
Unbez.
Singer 12

90 Abb. 35
Blatt 13: Professor Gropius
Radierung, 7,3 × 16,0
Unbez.
Singer 13

91 Abb. 36
Blatt 14: Professor Gropius
Radierung, 7,9 × 16,0 cm
Unbez.
Singer 14
Kunsthalle Bremen

Radierte Skizzen, Opus I
Folge von 8 Radierungen

Auf Anraten des Berliner Kupferstechers und Kunsthändlers Hermann Sagert vervielfältigte Klinger sieben Zeichnungen aus dem Skizzenbuch der Jahre 1874–1877 als Radierungen. Mit einem Titelblatt, als Vorlage dazu diente eine Zeichnung nach dem Einbanddeckel eines anderen Skizzenbuches, vervollständigt, erschien die Folge als Opus I und steht damit am Anfang der eigentlichen Reihe der graphischen Zyklen von Max Klinger.
Die erste Ausgabe erschien mit einer Auflage von zehn Exemplaren 1879 in Brüssel unter dem Titel »Radierte Skizzen. Acht Blätter. Componirt und Radirt von Max Klinger. Rad. Op. I.... Druck von J. Bouwens Bruxelles MDCCCLXXIX...«. Eine zweite Auflage gab im selben Jahr der Leipziger Kunsthändler Alexander Danz heraus.
Die Folge besteht aus einer losen Reihe von Einzelblättern, die inhaltlich kaum miteinander in Verbindung stehen und freie Phantasien des Künstlers, entstanden »zwischen Schlaf und Wachen«, darstellen und als geheime Elegie auf das Leben gedeutet werden. (L)

92 Abb. 53
Blatt 1: Titelblatt
Radierung u. Aquatinta, 41,4 × 29,7 cm
Unbez.
Singer 16

93 Abb. 54
Blatt 2: Malerische Zueignung
Radierung u. Aquatinta, 21,0 × 30,1 cm
Unbez.
Singer 17

94 Abb. 55
Blatt 3: Siesta I
Radierung u. Aquatinta, 21,0 × 30,1 cm
Unbez.
Singer 18

95 Abb. 56
Blatt 4: Frühlingsanfang
Radierung u. Aquatinta, 41,5 × 16,8 cm
Bez. u. l. Max Klinger
Singer 19

96 Abb. 57
Blatt 5: Schaukel
Radierung u. Aquatinta, 30,1 × 41,4 cm
Unbez.
Singer 20

97 Abb. 58
Blatt 6: Verfolgung
Radierung u. Aquatinta, 41,5 × 29,8 cm
Unbez.
Singer 21

98 Abb. 59
Blatt 7: Sterbender Wanderer (Wanderers Ende)
Radierung u. Aquatinta, 41,4 × 29,7 cm
Bez. u. r. Max Klinger
Singer 22

99 Abb. 60
Blatt 8: Siesta II (Dolce far niente)
Radierung u. Aquatinta, 41,4 × 29,7 cm
Unbez.
Singer 23
Kunsthalle Bremen

Rettungen Ovidischer Opfer, Opus II
Folge von 13 Radierungen
Die erste Ausgabe der Folge, die dem Andenken Robert Schumanns gewidmet ist, erschien in einer Auflage von 25 Exemplaren 1879 in Brüssel unter dem Titel »Sauvetages de Sacrifices d'Ovide Dédiés a la Mémoire de Robert Schumann par Max Klinger (1.) Imprimerie J. Bouwens. E.-F. Opus II. Edition d'Artiste Bruxelles octobre 1879...«.
Die zweite bis fünfte Ausgabe der Folge erschien jeweils mit einem deutschen Titel 1880 in Theo. Ströfer's Kunstverlag in München, 1882, 1891 und 1898 im Selbstverlag des Künstlers in einer Auflagenhöhe von 25 beziehungsweise 15 Exemplaren mit teilweise verändertem Titel und Erweiterung auf 15 Blätter. Gedruckt wurden die Radierungen von Theodor Zehl in Leipzig, Friedrich Felsing in München und Wilhelm Felsing in Berlin. Den Vertrieb übernahm die Kunsthandlung Amsler und Ruthardt in Berlin.
Die Folge behandelt die »Metamorphosen« des römischen Dichters in scherz-

hafter Weise so, daß die bei Ovid tragisch endenden Episoden eine glückliche Wendung nehmen; die Liebespaare Pyramus und Thisbe, Narcissus und Echo sowie Apollo und Daphne werden in der Klingerschen Deutung »gerettet«. Während alle Vorzeichnungen für die Radierungen 1879 entstanden, verwendete Klinger für die beiden »Intermezzi« Zeichnungen aus dem Skizzenbuch der Jahre 1874–1877. Diese älteren Kompositionen sind inhaltlich nicht auf die Geschichte, die sie trennen, bezogen. (L)

100   Abb. 61
Blatt 1: Malerische Zueignung (Anrufung)
Radierung u. Aquatinta, 41,3 × 26,0 cm
Unbez.
Singer 25

100a   Abb. 1a
Blatt 1a: Titelblatt (Erweiterungsblatt)
Radierung u. Aquatinta, 27,0 × 40,0 cm
Unbez.
Singer 38

101   Abb. 62
Blatt 2: Pyramus und Thisbe I
Radierung, 20,7 × 29,7 cm
Unbez.
Singer 26

102   Abb. 63
Blatt 3: Pyramus und Thisbe II
Radierung u. Aquatinta, 20,9 × 29,5 cm
Unbez.
Singer 27

103   Abb. 64
Blatt 4: Pyramus und Thisbe III
Radierung u. Aquatinta, 29,6 × 41,3 cm
Unbez.
Singer 28

104   Abb. 65
Blatt 5: Pyramus und Thisbe IV
Radierung u. Aquatinta, 20,7 × 29,5 cm
Unbez.
Singer 29

105   Abb. 66
Blatt 6: Erstes Intermezzo
Radierung u. Aquatinta, 31,4 × 21,9 cm
Unbez.
Singer 30

106   Abb. 67
Blatt 7: Narcissus und Echo I
Radierung u. Aquatinta, 29,7 × 41,2 cm
Unbez.
Singer 31

107   Abb. 68
Blatt 8: Narcissus und Echo II
Radierung u. Aquatinta, 29,9 × 20,9 cm
Unbez.
Singer 32

108   Abb. 69
Blatt 9: Zweites Intermezzo
Radierung u. Aquatinta, 24,9 × 36,4 cm
Unbez.
Singer 33

109   Abb. 70
Blatt 10: Apollo und Daphne I
Radierung u. Aquatinta, 11,8 × 20,7 cm
Unbez.
Singer 34

110   Abb. 71
Blatt 11: Apollo und Daphne II
Radierung u. Aquatinta, 18,0 × 20,7 cm
Unbez.
Singer 35

111   Abb. 72
Blatt 12: Apollo und Daphne III
Radierung u. Aquatinta, 14,5 × 29,5 cm
Unbez.
Singer 36

112   Abb. 73
Blatt 13: Satyre (Beschluß)
Radierung u. Aquatinta, 13.3 × 20,5 cm
Unbez.
Singer 37
Kunsthalle Bremen

Eva und die Zukunft, Opus III
Folge von 6 Radierungen
Klinger widmete die Folge dem norwegischen Maler Christian Krohg, der 1873–1878 in Karlsruhe und Berlin studiert hatte und zum Freundeskreis um Klinger gehörte.

Die erste Ausgabe erschien in einer Auflage von 25 Exemplaren 1880 in München unter dem Titel »Eva Und die Zukunft Ein Capriccio Componirt und Radirt von Max Klinger . . . . . . Theo. Ströfers Kunstverlag. E.-F. Opus III. München, Juli 1880 . . .«. Ein Teil dieser Ausgabe wurde mit neuem Titel und um ein Blatt erweitert (Singer 50) durch die Berliner Kunsthandlung Amsler und Ruthardt vertrieben.
Weitere fünf Ausgaben erschienen 1882, 1891, 1893 und 1898 wiederum in München beziehungsweise im Selbstverlag des Künstlers in Auflagen von jeweils 25 Exemplaren, die teilweise ebenfalls von Amsler und Ruthardt vertrieben wurden. Den Druck der Radierungen besorgten Friedrich Felsing in München und Wilhelm Felsing in Berlin. Die Vorzeichnungen für die Radierungen entstanden größtenteils 1879. Klinger versuchte in dieser Folge, die das Schicksal Evas und der Menschen nach dem Sündenfall behandelt, der im 19. Jahrhundert verbreiteten Meinung, daß die Frau am Elend der Menschheit schuld sei, entgegenzutreten. Drei Darstellungen aus der Frühgeschichte der Menschen sind Szenen zugeordnet, welche die Zukunft des Menschen nach der Vertreibung aus dem Paradies wiedergeben. Klinger läßt Eva, entgegen der biblischen Schilderung, durch Adam mürrisch davontragen und sie damit von ihrer »Schuld« befreien.
In einem Brief an Ludwig Pietsch schreibt Klinger am 20. September 1880: »Eva, an die sich die Versuchung speciell richtete, ist damit die Mutter der Zukunft. – Die Versuchung – also auch Zukunft – drängt sich Eva erst als Denken daran, dann als Versuchung selbst auf und trägt dann die benannten Folgen. – Daher 1. die sinnende Eva und die Zukunft als ein zu fürchtendes Wesen an einem festbegrenzten Weg (ich bin Fatalist). – 2. Die Versuchung ein aus der anderen Welt zuschwimmender Dämon. – 3. Ausstoßung und Tod. –« (Singer, Briefe 1924, S. 35.)
An seine Eltern schreibt Klinger am 20. April 1880: »Eva‹, ›Schlange‹ und Adam

sind wohl keiner Commentare bedürftig, wohingegen Zukunft I, II und III bedenklicher sind. Auch für diese habe ich nur einige kurze Fingerzeige. Es ist vor allem Dinge jede dieser Zukünfte an das betreffende Paradiesstadium gedacht zu denken und ist I. die große allgemeine Zukunft für jeden Lebensweg von A bis Z, als fest bestimmt und unabänderlich, II., die Zukunft in den einzelnen Lebenslagen respective Verführungen, III. die einzige bestimmte und sicher eintreffende Zukunft, also eigentlich keine Zukunft mehr.« (Singer, Briefe 1924, S. 37.) Der »Pflasterer« nach Jean Paul (Singer 48) läßt die Menschheit ohne Hoffnung vernichten. (L)

113   Abb. 74
Blatt 1: Eva
Radierung u. Aquatinta, 20,5 × 25,2 cm
Unbez.
Ph 4008
Singer 43

114   Abb. 75
Blatt 2: Erste Zukunft
Radierung u. Aquatinta, 39,7 × 26,9 cm
Bez. u. r. M. Klinger
Ph 4010 a
Singer 44

115   Abb. 76
Blatt 3: Die Schlange
Radierung u. Aquatinta, 29,5 × 16,0 cm
Unbez.
Ph 4009
Singer 45

116   Abb. 77
Blatt 4: Zweite Zukunft
Radierung u. Aquatinta, 29,8 × 26,9 cm
Unbez.
Ph 4010
Singer 46

117   Abb. 78
Blatt 5: Adam
Radierung u. Aquatinta, 29,5 × 27,2 cm
Unbez.
Ph 4011
Singer 47

118   Abb. 79
Blatt 6: Dritte Zukunft
Radierung, 29,8 × 20,3 cm
Bez. o. r MK
Ph 4012
Singer 48
Roemer-Museum, Hildesheim

Intermezzi, Opus IV
Folge von 12 Radierungen
Die Folge erschien in nur einer Auflage mit der Widmung an Hermann Sagert unter dem Titel »Intermezzi. Componirt, radirt und Herrn Kupferstecher und Kunsthändler Hermann Sagert dankbarst zugeeignet von Max Klinger. Rad. Op. IV ... ... Theo. Stroefer's Kunstverlag München« (beziehungsweise Nürnberg). Die Auflagenhöhe ist nicht bekannt. Auf den Titelblättern ist entweder München oder Nürnberg als Erscheinungsort angegeben. Die Jahreszahl fehlt auf allen Titelblättern, so daß in der Literatur sowohl 1880 als auch 1881 als Jahr der Veröffentlichung angeführt werden. Da Blatt 12 (Singer 63) in das Jahr 1881 datiert ist, dürfte dies auch das Erscheinungsjahr sein. Die Folge entstand während Klingers Arbeit an den geschlossenen großen Zyklen und geht teilweise auf Zeichnungen aus dem Jahre 1879 zurück. Sie zeigt keine inhaltliche Geschlossenheit. Nur die »Kentaurenlandschaften« und die »Simpliciusdarstellungen« sind zu je einer Gruppe zusammengefaßt; die übrigen Blätter reihen sich lose aneinander. (L)

119   Abb. 80
Blatt 1: Bär und Elfe
Radierung u. Aquatinta, 41,4 × 29,0 cm
Bez. u. r. »Max Klinger 1880«
Sh 907 a
Singer 52

120   Abb. 81
Blatt 2: Am Meer
Radierung u. Aquatinta, 23,1 × 40,3 cm
Unbez.
Sh 907 b
Singer 53

121   Abb. 82
Blatt 3: Verfolgter Centaur
Radierung u. Aquatinta, 21,0 × 40,8 cm
Unbez.
Sh 907 c
Singer 54

122   Abb. 83
Blatt 4: Kämpfende Centauren
Radierung u. Aquatinta, 41,0 × 26,7 cm
Unbez.
Sh 907 e
Singer 55

123   Abb. 84
Blatt 5: Mondnacht
Radierung u. Aquatinta, 41,4 × 30,0 cm
Unbez.
Sh 907 d
Singer 56

124   Abb. 85
Blatt 6: Bergsturz
Radierung u. Aquatinta, 42,4 × 29,9 cm
Unbez.
Sh 907 f
Singer 57

125   Abb. 86
Blatt 7: Simplici Schreibstunde
Radierung, 33,1 × 26,9 cm
Unbez.
Sh 907 g
Singer 58

126   Abb. 87
Blatt 8: Simplicius am Grabe des Einsiedlers
Radierung, 33,3 × 27,0 cm
Unbez.
Sh 907 h
Singer 59

127   Abb. 88
Blatt 9: Simplicius unter den Soldaten
Radierung, 26,8 × 42,1 cm
Unbez.
Sh 907 i
Singer 60

128   Abb. 89
Blatt 10: Simplicius in der Waldeinöde
Radierung, 26,8 × 42,1 cm

Unbez.
Sh 907 k
Singer 61

129   Abb. 90
Blatt 11: Gefallener Reiter
Radierung, 36,5 × 23,0 cm
Unbez.
Sh 907 l
Singer 62

130   Abb. 91
Blatt 12: Amor Tod und Jenseits
Radierung u. Aquatinta, 20,3 × 42,1 cm
Bez. u. r. »Max Klinger comp. 1879 rad. 1881«
Sh 907 m
Singer 63
Roemer-Museum, Hildesheim

Amor und Psyche, Opus V
Folge von 46 Radierungen
Die Radierungen des Opus V erschienen 1880 als Illustrationen zu der Sage von Amor und Psyche des Lucius Apulejus. Hatte sich Klinger auch sonst schon von literarischen Vorlagen zu einzelnen Radierungen inspirieren lassen (vgl. die Simplicius-Blätter in Opus IV, Intermezzi), so beschäftigte er sich hier zum ersten und einzigen Male damit, einen Text durchgängig zu bebildern. Entsprechend eng ist der Zusammenhang zwischen den Bildern und der Erzählung.
Der Titel der einzigen Ausgabe lautet: »Amor und Psyche. Ein Märchen des Apulejus. Aus dem Lateinischen von Reinhold Jachmann. Illustriert In 46 Original-Radirungen und Ornamentirt von Max Klinger. E.-F. Opus 5. ... Holzschnitte von Kaeseberg & Oertel, R. Klepsch U. And. Kupferdruck von Fr. Felsing in München. München. Theo. Stroefer's Kunstverlag.«
Das Buch hat einen Kaliko-Einband mit Prägung in Gold, Silber und Schwarz nach Klingers Entwurf. Vier Seiten unnumeriert, 68 numeriert in römischen Ziffern. Widmung für Johannes Brahms. Die großen Radierungen sind auf 15 Tafeln auf Fälzen eingebunden, die Vignetten auf China gedruckt, entlang der Ein-

fassungslinien geschnitten und dann an freigelassenen Stellen in den Text eingeklebt.
Im Anschluß schuf Klinger noch einen gesonderten Zyklus (ohne Textteil), der die Originalplatten reproduziert. Nach den Motiven aus ›Amor und Psyche‹ entstanden später die Illustrationen zu Elsa Asenijeffs ›Epithalamia‹ (siehe dort). (UH)

131   Abb. 93
Blatt 1: Die Jugend Amors
Radierung u. Aquatinta, 36,5 × 27,0 cm
Unbez.
Singer 64

132   Abb. 94
Blatt 2: Psyche wird vom Volk verehrt
Radierung u. Aquatinta, 7,4 × 14,7 cm
Unbez.
Singer 65

133   Abb. 95
Blatt 3: Priesterinnen der Venus
Radierung, 7,5 × 10,0 cm
Unbez.
Singer 66

134   Abb. 96
Blatt 4: Venus zeigt Amor Psyche
Radierung u. Aquatinta, 36,3 × 27,8 cm
Unbez.
Singer 67

135   Abb. 97
Blatt 5: Venus im Meer
Radierung, 7,0 × 14,8 cm
Unbez.
Singer 68

136   Abb. 98
Blatt 6: Amor und Apollo
Radierung, 6,5 × 10,0 cm
Unbez.
Singer 69

137   Abb. 99
Blatt 7: Orakel
Radierung u. Aquatinta, 12,2 × 10,0 cm
Unbez.
Singer 70

138   Abb. 100
Blatt 8: Trauernde Eltern
Radierung, 6,5 × 9,9 cm
Unbez.
Singer 71

139   Abb. 101
Blatt 9: Hochzeitszug der Psyche
Radierung u. Aquatinta, 6,6 × 41,3 cm
Unbez.
Singer 72

140   Abb. 102
Blatt 10: Psyche auf dem Felsen
Radierung u. Aquatinta, 36,7 × 26,7 cm
Unbez.
Singer 73

141   Abb. 103
Blatt 11: Psyche badend
Radierung, 7,2 × 14,5 cm
Unbez.
Singer 74

142   Abb. 104
Blatt 12: Amor kommend
Radierung u. Aquatinta, 36,8 × 26,9 cm
Unbez.
Singer 75

143   Abb. 105
Blatt 13: Amor und Psyche
Radierung, 6,5 × 10,0 cm
Unbez.
Singer 76

144   Abb. 106
Blatt 14: Die Schwestern Psyche rufend
Radierung u. Aquatinta, 6,5 × 10,0 cm
Unbez.
Singer 77

145   Abb. 107
Blatt 15: Eine Schwester und deren Mann
Radierung, 6,3 × 9,8 cm
Unbez.
Singer 78

146   Abb. 108
Blatt 16: Zephyrus die Schwestern tragend
Radierung, 6,5 × 12,0 cm

Unbez.
Singer 79

147   Abb. 109
Blatt 17: Die Schwestern auf der Heim-
fahrt
Radierung, 7,5 × 10,0 cm
Unbez.
Singer 80

148   Abb. 110
Blatt 18: Psyche und ihre Schwestern
Radierung u. Aquatinta, 25,4 × 17,4 cm
Unbez.
Singer 81

149   Abb. 111
Blatt 19: Psyche mit der Lampe
Radierung u. Aquatinta, 36,4 × 27,7 cm
Unbez.
Singer 82

150   Abb. 112
Blatt 20: Zephyrus Psyche wegtragend
Radierung u. Aquatinta, 6,6 × 13,1 cm
Unbez.
Singer 83

151   Abb. 113
Blatt 21: Pan Psyche tröstend
Radierung u. Aquatinta, 6,4 × 11,9 cm
Unbez.
Singer 84

152   Abb. 114
Blatt 22: Psyche verlassen
Radierung u. Aquatinta, 36,7 × 26,7 cm
Unbez.
Singer 85

153   Abb. 115
Blatt 23: Psyche bei einer der Schwe-
stern
Radierung u. Aquatinta, 7,4 × 14,4 cm
Unbez.
Singer 86

154   Abb. 116
Blatt 24: Die Schwester sich vom Felsen
stürzend
Radierung, 6,5 × 12,0 cm
Unbez.
Singer 87

155   Abb. 117
Blatt 25: Venus erfährt das Verhältnis
Amors
Radierung, 7,0 × 14,6 cm
Unbez.
Singer 88

156   Abb. 118
Blatt 26: Venus im Gemache Amors
Radierung, 7,2 × 14,4 cm
Unbez.
Singer 89

157   Abb. 119
Blatt 27: Venus der Juno und Ceres be-
gegnend
Radierung u. Aquatinta, 6,9 × 14,6 cm
Unbez.
Singer 90

158   Abb. 120
Blatt 28: Psyche wandernd
Radierung u. Aquatinta, 36,7 × 27,0 cm
Unbez.
Singer 91

159   Abb. 121
Blatt 29: Psyche und Ceres
Radierung u. Aquatinta, 7,1 × 14,3 cm
Unbez.
Singer 92

160   Abb. 122
Blatt 30: Psyche und Juno
Radierung, 6,6 × 9,9 cm
Unbez.
Singer 93

161   Abb. 123
Blatt 31: Psyche ausruhend
Radierung u. Roulette, 7,2 × 14,4 cm
Unbez.
Singer 94

162   Abb. 124
Blatt 32: Venus und Merkur
Radierung u. Aquatinta, 7,2 × 14,2 cm
Unbez.
Singer 95

163   Abb. 125
Blatt 33: Jupiter und Venus
Radierung u. Aquatinta, 36,7 × 26,9 cm

Unbez.
Singer 96

164   Abb. 126
Blatt 34: Psyche und Venus
Radierung u. Aquatinta, 36,5 × 26,5 cm
Unbez.
Singer 97

165   Abb. 127
Blatt 35: Psyche im Hause der Venus
Radierung, 7,2 × 14,4 cm
Unbez.
Singer 98

166   Abb. 128
Blatt 36: Psyche und Arundo
Radierung, 6,6 × 14,3 cm
Unbez.
Singer 99

167   Abb. 129
Blatt 37: Psyche und der Adler Jupiters
Radierung u. Roulette, 36,4 × 27,0 cm
Unbez.
Singer 100

168   Abb. 130
Blatt 38: Psyche auf dem Weg zum Tar-
tarus
Radierung u. Aquatinta, 6,5 × 11,9 cm
Unbez.
Singer 101

169   Abb. 131
Blatt 39: Psyche im Tartarus
Radierung, Roulette u. Aquatinta, 36,6
× 26,7 cm
Unbez.
Singer 102

170   Abb. 132
Blatt 40: Psyche fährt über den Acheron
Radierung, 6,3 × 9,9 cm
Unbez.
Singer 103

171   Abb. 133
Blatt 41: Amor findet Psyche
Radierung u. Aquatinta, 36,6 × 26,8 cm
Unbez.
Singer 104

172   Abb. 134
Blatt 42: Amor bei Jupiter
Radierung u. Aquatinta, 36,7 × 26,8 cm
Unbez.
Singer 105

173   Abb. 135
Blatt 43: Psyches Empfang im Olymp
Radierung, 7,0 × 14,6 cm
Unbez.
Singer 106

174   Abb. 136
Blatt 44: Hochzeitsfest Amors und Psyches
Radierung u. Aquatinta, 36,5 × 27,6 cm
Unbez.
Singer 107

175   Abb. 137
Blatt 45: Venus und Psyche
Radierung u. Aquatinta, 7,5 × 10,0 cm
Unbez.
Singer 108

176   Abb. 138
Blatt 46: Die Geburt der Freude
Radierung u. Aquatinta, 12,2 × 9,9 cm
Unbez.
Singer 109
Kunsthalle Bremen

Ein Handschuh.
(Paraphrase über den Fund eines Handschuhs), Opus VI
Folge von 10 Radierungen
Die erste Ausgabe der Folge erschien in einer Auflage von 25 Exemplaren 1881 in München und Berlin unter dem Titel »Ein Handschuh, Cyclus von zehn Compositionen radirt von Max Klinger. Rad. Opus VI in Commission bei Theo. Ströfer München. Deponirt, verlegt von Max Klinger. Berlin MDCCCLXXXI ...«.
Nur der Titel der zweiten Ausgabe 1882 lautet »Paraphrase ueber den Fund eines Handschuhes ...«. Die dritte und vierte Ausgabe erschienen im Selbstverlag des Künstlers 1891 in München und 1898 in Leipzig.
Gedruckt wurden die Radierungen von Friedrich Felsing in München und Wilhelm Felsing in Berlin.

Die Folge geht auf bereits 1878 entstandene Federzeichnungen (Hamburg, Privatbesitz) zurück. Es handelt sich um das persönlichste Werk des jungen Künstlers, in dem er seine Gefühle über die erste große Liebe preisgibt. Die Darstellungen schildern die Seelenzustände eines Verliebten. Die verschiedenen Stimmungen kreisen um ein Objekt, den Handschuh der umschwärmten Frau, den der Künstler auf einer Berliner Rollschuhbahn findet und in dessen phantastischen Abenteuern er seine Träume, Ängste, Wünsche und Begehren zum Ausdruck bringt. (L)

177   Abb. 140
Blatt 1: Ort
Radierung u. Aquatinta, 25,6 × 35,0 cm
Unbez.
Singer 113

178   Abb. 142
Blatt 2: Handlung
Radierung, 29,9 × 31,0 cm
Unbez.
Singer 114

179   Abb. 144
Blatt 3: Wünsche
Radierung u. Aquatinta, 32,0 × 13,8 cm
Unbez.
Singer 115

180   Abb. 146
Blatt 4: Rettung
Radierung, 23,8 × 18,1 cm
Unbez.
Singer 116

181   Abb. 148
Blatt 5: Triumph
Radierung, 14,4 × 26,8 cm
Unbez.
Singer 117

182   Abb. 150
Blatt 6: Huldigung
Radierung, 15,9 × 32,7 cm
Unbez.
Singer 118

183   Abb. 152
Blatt 7: Ängste
Radierung, 14,3 × 26,8 cm
Unbez.
Singer 119

184   Abb. 154
Blatt 8: Ruhe
Radierung, 14,3 × 26,7 cm
Unbez.
Singer 120

185   Abb. 156
Blatt 9: Entführung
Radierung u. Aquatinta, 11,9 × 26,9 cm
Unbez.
Singer 121

186   Abb. 158
Blatt 10: Amor
Radierung, 14,2 × 26,5 cm
Bez. u. r. »op. MK VI c. 1878 r. 1880«
Singer 122
Kunsthalle Bremen

Vier Landschaften, Opus VII
Folge von 4 Radierungen
An den »Vier Landschaften« arbeitete Klinger seit 1881. Das große Format und das gemeinsame Thema mögen dazu geführt haben, die Radierungen 1883 als Folge in einer Auflage von 15 Exemplaren zu veröffentlichen. Ein Titelblatt erschien nicht, denn die vier Blätter wurden meist einzeln verkauft.
Zwei weitere Ausgaben folgten. Da Blatt 4 (Sommernachmittag, Singer 126) bald vergriffen war, wurde die Folge um 1893 mit dem neuen Titel »Drei Landschaften« angeboten. Erst für die dritte Ausgabe ist das Blatt nachgedruckt worden.
Bei den Landschaften handelt es sich um Motive aus der Umgebung Leipzigs (Knauthain, Böhlitz-Ehrenberg, Eutritzsch, Mockau). (L)

187   Abb. 159
Blatt 1: Mittag
Radierung u. Aquatinta, 45,5 × 37,2 cm
Unbez.
Singer 123

188   Abb. 160
Blatt 2: Die Chaussee
Radierung u. Aquatinta, 52,7 × 37,2 cm
Bez. u. l. »Max Klinger Opus VII No. II«
Singer 124

189   Abb. 161
Blatt 3: Mondnacht
Radierung u. Aquatinta, 36,5 × 54,6 cm
Bez. u. r. »Max Klinger Rad Opus VII
No. 3/1881 fec«
Singer 125

190   Abb. 162
Blatt 4: Sommernachmittag
Radierung u. Aquatinta, 36,5 × 53,1 cm
Unbez.
Singer 126

Ein Leben, Opus VIII
Folge von 15 Radierungen
Die erste Ausgabe der Folge, die dem
Schriftsteller und Kritiker Georg Brandes gewidmet ist, erschien in einer Auflage von sechs Exemplaren 1884 in Berlin unter dem Titel »Ein Leben. Cyclus
von fünfzehn Blättern, radiert und componiert von Max Klinger. Radierungen,
Opus VIII. Berlin MDCCCLXXXIV.« Zu
dieser Ausgabe gehören außerdem fünf
weitere Blätter, Probedrucke von verworfenen Kompositionen (Singer 142–
146).
Die zweite Ausgabe erschien im selben
Jahre in einer Auflage von zehn Exemplaren. Eine dritte und vierte Ausgabe
folgten 1891 und 1898 in Auflagen von
16 beziehungsweise 15 Exemplaren.
Die Radierungen der ersten bis dritten
Ausgabe druckte Otto Felsing 1884 in
Berlin, die der vierten Ausgabe wurden
von Wilhelm Felsing (Berlin) gedruckt.
Anregung für die Folge, an der Klinger
von 1880 bis 1884 arbeitete, war der
Roman »Albertine« seines Freundes
Christian Krohg. Obwohl der Roman erst
1886 in Norwegen erschien und kurz
darauf verboten wurde, nahm Klinger
während der Arbeit an seinem Zyklus
regen Anteil an der Entstehung des Ro-
mans. Dieser erzählt die Geschichte der
Albertine Kristiansen, die durch eine

Freundin in »schlechte Gesellschaft«
kommt. Ihre Abhängigkeit von einem
Polizeihauptmann führt zu Albertines
Untergang, der in Prostitution und ihrer
öffentlichen Bloßstellung endet. Die Parallelen sind offensichtlich. Zwar geht
bei Klinger die Frau bewußt auf ihre
Verführung ein, während Albertine ein
Opfer ist, beide werden jedoch verlassen
und so ins Verderben getrieben.
Die Frage der Prostitution hat Klinger als
einer der ersten deutschen Künstler dargestellt. Der Künstler schildert in realistisch packenden Szenen seine Gedanken zur Rolle der Frau, ihre Gefährdun-
gen, ihren Vorstoß aus einer von dop-
pelter Moral geleiteten bürgerlichen Gesellschaft. Die Frau wird ein Opfer der
Verführungen der Welt und der bürgerlichen Scheinmoral.
Klinger berührt nicht das Schicksal einer Frau, sondern der Frau; Einzelge-
stalt und Einzelleben werden zum Gat-
tungsbegriff erhoben. In seinen Blättern
befreit er die Frau von der Schuld, die
ihr von der Gesellschaft über Jahrhunderte hinweg zugeschoben worden war.
(L)

191   Abb. 163
Blatt 1: Prefacio I
Radierung u. Stich, 29,3 × 24,7 cm
Unbez.
Ph 3992
Singer 127

192   Abb. 164
Blatt 2: Prefacio II
Radierung, Stich u. Aquatinta, 16,8
× 28,7 cm
Unbez.
Ph 3993
Singer 128

193   Abb. 165
Blatt 3: Träume
Radierung, 30,3 × 17,7 cm
Unbez.
Ph 3994
Singer 129

194   Abb. 167
Blatt 4: Verführung

Radierung u. Aquatinta, 41,0 × 20,6 cm
Unbez. Ph 3995
Singer 130

195   Abb. 168
Blatt 5: Verlassen
Radierung u. Aquatinta, 31,5 × 44,9 cm
Unbez. Ph 3996
Singer 131

196   Abb. 170
Blatt 6: Anerbieten
Radierung, 18,5 × 29,4 cm
Unbez.
Ph 3997
Singer 132

197   Abb. 171
Blatt 7: Rivalen
Radierung u. Aquatinta, 26,4 × 16,6 cm
Bez. u. r. »Max Klinger«
Ph 3998
Singer 133

198   Abb. 172
Blatt 8: Für alle
Radierung, 28,5 × 20,2 cm
Unbez.
Ph 3999
Singer 134

199   Abb. 173
Blatt 9: Auf der Straße
Radierung u. Aquatinta, 29,3 × 17,7 cm
Unbez.
Ph 4000
Singer 135

200   Abb. 174
Blatt 10: In der Gosse!
Radierung u. Aquatinta, 20,7 × 18,9 cm
Unbez. Ph 4002
Singer 136

201   Abb. 175
Blatt 11: Gefesselt
Radierung u. Aquatinta, 29,4 × 20,7 cm
Ph 4001
Singer 137

202   Abb. 176
Blatt 12: Untergang
Radierung u. Kaltnadel, 27,3 × 21,6 cm

Unbez.
Ph 4003
Singer 138

203 Abb. 177
Blatt 13: Christus und die Sünderinnen
Radierung u. Stich, 29,7 × 40,8 cm
Unbez.
Ph 4004
Singer 139

204 Abb. 178
Blatt 14: Leide!
Radierung u. Aquatinta, 29,2 × 20,8 cm
Unbez.
Ph 4005
Singer 140

205 Abb. 179
Blatt 15: Ins Nichts zurück
Radierung u. Aquatinta, 29,3 × 24,8 cm
Unbez.
Ph 4006
Singer 141
Roemer-Museum, Hildesheim

Dramen, Opus IX
Folge von 10 Radierungen
Die erste Ausgabe der Folge, die Klinger seinem Lehrer Carl Gussow widmete, erschien in einer Auflage von 12 Exemplaren 1883 in Berlin unter dem Titel »Doch uns ist gegeben auf keiner Stätte zu ruh'n – Hölderlin. Dramen . . . Radiert und Componiert von Max Klinger. Radierungen, Opus IX . . . Berlin, Mai MDCCCLXXXIII.« Noch im selben Jahre erschienen vier weitere Ausgaben in Auflagenhöhe von 15, 10, 15 beziehungsweise 148 Exemplaren bei der fünften Ausgabe, da von vornherein eine Gesamtauflage von 200 Exemplaren vorgesehen war. Alle Radierungen druckte Otto Felsing in Berlin.
Die Hauptarbeit an den »Dramen« fällt in das Jahr 1882. Die Folge umfaßt zehn gleichformatige Radierungen, die in zwei Gruppen zu fünf Blättern eingeteilt sind; dabei werden jeweils zwei für sich stehende Episoden Darstellungen von drei zusammenhängenden Blättern vorangestellt.
Inhaltlich reflektiert diese Folge Klin-

gers Berührung mit bestimmten Tendenzen der gleichzeitigen französischen Kunst und Literatur. Der Stoff entstammt demselben sozialen Milieu, in dem auch die Romane Emile Zolas spielen. Zola, schreibt Klinger 1916 in einem Brief an Max Lehrs, »wollte ich eigentlich die ›Dramen‹ widmen« (Singer, Briefe 1924, S. 208).
Klinger wendet sich in den »Dramen« unmittelbar den sozialen und politischen Mißständen seiner Zeit zu, die gekennzeichnet waren durch Wirtschaftsspekulationen, den Berliner Gründerkrach von 1873 und nicht zuletzt durch das reaktionäre Sozialistengesetz von 1878.
Im Inhaltsverzeichnis der fünften Ausgabe ist die Quelle für die Radierungen »Eine Mutter I–III« (Singer 149–151) zu finden: »Eine Familie durch den Krach verarmt. Der Mann, Säufer geworden, mißhandelt Frau und Kind. Sie, vollständig verzweifelt, springt mit dem Kind ins Wasser. Das Kind ertrinkt, sie wird gerettet, wieder zum Leben gebracht, wegen Totschlags und Selbstmordversuchs vor Gericht gestellt – freigesprochen. Berliner Schwurgerichtsverhandlungen, Sommer 1881.«
Die »Märztage I–III« (Singer 154–156) wurden meist als Darstellung der Revolution von 1848 mißverstanden. Klinger trat dieser Deutung 1916 in dem schon zitierten Brief an Max Lehrs entgegen: »Ich habe nie an die Revolution von 1848 gedacht! 1883 habe ich die Sachen componiert! Damals war die Zeit der schärfsten Sozialdemokratie mit revolutionärem Hintergrund in ganz Deutschland. Und die Möglichkeiten wurden am Biertisch und in den Blättern discutiert. Das war der Mutterboden meiner Fantasie. Nämlich die Jetztzeit . . . Das war mein Motiv, ganz auf 1883 eingestellt. Also eher Zukunftsmusik . . . Um diese Zeit lief ein Schlagwort durch die Presse: der Frühling, insbesondere der März, sei der Zeitpunkt der Gährung in der Natur und in der Politik und das Wort ›Märztage‹ las ich damals öfters in politischen Artikeln« (Singer, Briefe 1924, S. 208). (L)

206 Abb. 180
Blatt 1: In flagranti
Radierung, 45,5 × 32,1 cm
Unbez.
Sh 908 a
Singer 147

207 Abb. 181
Blatt 2: Ein Schritt
Radierung, 45,1 × 28,0 cm
Unbez.
Sh 908 b
Singer 148

208 Abb. 182
Blatt 3: Eine Mutter I
Radierung u. Aquatinta, 45,3 × 31,8 cm
Unbez.
Sh 908 c
Singer 149

209 Abb. 183
Blatt 4: Eine Mutter II
Radierung u. Aquatinta, 45,4 × 31,8 cm
Unbez.
Sh 908 d
Singer 150

210 Abb. 184
Blatt 5: Eine Mutter III
Radierung, 45,4 × 35,9 cm
Unbez.
Sh 908 e
Singer 151

211 Abb. 185
Blatt 6: Im Walde
Radierung, 45,2 × 31,7 cm
Unbez.
Sh 908 f
Singer 152

212 Abb. 186
Blatt 7: Ein Mord
Radierung u. Aquatinta, 45,2 × 31,8 cm
Unbez.
Sh 908 g
Singer 153

213 Abb. 187
Blatt 8: Märztage I
Radierung u. Aquatinta, 45,3 × 35,8 cm
Unbez.

Sh 908 h
Singer 154

214   Abb. 188
Blatt 9: Märztage II
Radierung u. Aquatinta, 45,5 × 35,7 cm
Unbez.
Sh 908 i
Singer 155

215   Abb. 189
Blatt 10: Märztage III
Radierung u. Aquatinta, 45,2 × 31,9 cm
Unbez.
Sh 908 k
Singer 156
Roemer-Museum, Hildesheim

Eine Liebe, Opus X
Folge von 10 Radierungen
Die Folge ist Arnold Böcklin gewidmet.
Sie sollte ursprünglich mit dem Untertitel »Der Dramen zweiter Teil« herausgegeben werden und zwölf Blätter umfassen.
Die erste Ausgabe der Folge erschien in Probedrucken in einer Auflage von nur sieben Exemplaren 1887 in Berlin unter dem Titel »Eine ›Liebe‹ Folge von zehn Blättern componiert und radiert von Max Klinger. Rad. Opus X. Berlin 1887. Selbstverlag ...« Die Radierungen druckte L. Angerer in Berlin.
Die zweite Ausgabe erschien in einer Auflage von fünf Exemplaren ohne Titel zwischen 1889 (?) und 1903 und wurde von den Brüdern Felsing in Berlin gedruckt. Eine dritte Ausgabe veröffentlichte der Künstler im Selbstverlag 1903 in einer Auflage von 15 Exemplaren, deren Vertrieb die Kunsthandlung Amsler und Ruthardt in Berlin übernahm. Gedruckt wurden diese Blätter von Wilhelm Felsing in Berlin. Es erschien außerdem noch eine vierte Ausgabe.
In »Eine Liebe« greift Klinger das Thema der Frau erneut auf. Aspekte sozialer Not läßt er bewußt aus. Nicht die äußeren Umstände sollen die Tragödie zur Vollendung bringen, sondern der Künstler legt die Auseinandersetzung in die handelnden Personen, die dem höheren Bürgertum angehören, hinein. Dargestellt wird das Scheitern einer Liebe, deren Ende unversöhnlich ist. Ob dabei persönliche Erlebnisse und Empfindungen Max Klingers eingeflossen sind, etwa wie in der Folge »Ein Handschuh« (vgl. Kat.-Nr. 177), sei dahingestellt. Klinger beschäftigte sich seit 1878 mit der Folge. 1885 schreibt er aus Paris an seinen Freund Hermann Prell »Ich sitze wieder über Platten. Es muß jedoch eine Sache vom Halse geschafft werden, mit der ich mich seit 5 Jahren schleppe, und die mir nachgerade Gewissensbisse machte, wenn sie nicht weggeschafft würde« (Hübscher, Diss. 1969, S. 174). Trotz schleppender Arbeit hat Klinger in »Eine Liebe« die Form des Zyklus am konsequentesten angewendet. (L)

216   Abb. 190
Blatt 1: Widmung
Radierung u. Stich, 45,6 × 35,7 cm
Unbez.
Singer 157

217   Abb. 191
Blatt 2: Erste Begegnung
Radierung, Stich u. Aquatinta, 44,9 × 27,0 cm
Unbez.
Singer 158

218   Abb. 192
Blatt 3: Am Thor
Radierung u. Stich, 45,5 × 31,6 cm
Unbez.
Singer 159

219   Abb. 193
Blatt 4: Im Park
Radierung u. Stich, 45,7 × 27,9 cm
Unbez.
Singer 160

220   Abb. 194
Blatt 5: Glück
Radierung, Stich u. Aquatinta, 45,7 × 32,0 cm
Bez. u. »M Klinger«
Singer 161

221   Abb. 195
Blatt 6: Intermezzo
Radierung u. Stich, 24,6 × 45,7

Unbez.
Singer 162

222   Abb. 196
Blatt 7: Neue Träume vom Glück
Radierung u. Stich, 45,8 × 35,7 cm
Unbez.
Singer 163

223   Abb. 197
Blatt 8: Erwachen
Radierung u. Stich, 45,7 × 31,4 cm
Unbez.
Singer 164

224   Abb. 198
Blatt 9: Schande
Radierung, Stich u. Aquatinta, 45,8 × 31,8 cm
Unbez.
Singer 165

225   Abb. 199
Blatt 10: Tod
Radierung, Stich u. Aquatinta, 31,9 × 45,6 cm
Unbez.
Singer 166
Kunsthalle Bremen

Vom Tode I. Teil, Opus XI
Folge von 10 Radierungen
Die erste Ausgabe der Folge erschien in einer Auflage von 20 Exemplaren 1889 in Rom unter dem Titel »Vom Tode. Folge von 10 Blättern. Componiert und radiert von Max Klinger. Rad. Opus XI. Erster Teil ... Rom MDCCCLXXXIX, Verlag und Eigenthum des Künstlers«. Gedruckt wurden die Radierungen von Ferd. Stecchini in der Regia Calcografia in Rom.
Die zweite und dritte Ausgabe erschien 1897 im Selbstverlag des Künstlers in Leipzig in Auflagen von 15 beziehungsweise 10 Exemplaren; die Radierungen wurden von Giesecke und Devrient in Leipzig gedruckt. Eine vierte Ausgabe druckte Wilhelm Felsing in Berlin, diese wurde von Amsler und Ruthardt (Berlin) vertrieben.
Seit 1882 arbeitete Klinger an den Radierungen zu »Vom Tode. Erster Teil«. Die

Kompositionen gehen teilweise auf frühere Zeichnungen zurück. Blatt 6 (Herodes, Singer 176) entnahm der Künstler dem Skizzenbuch der Jahre 1874–1877. Die Radierung wurde bereits 1879 gedruckt und sollte ursprünglich zu Opus I, »Radierte Skizzen«, gehören.

»Vom Tode. Erster Teil« umfaßt eine Aneinanderreihung von Todesbildern. Klinger gestaltet seine Vorstellung vom Tode als den jeden Menschen unerwartet treffenden Schicksalsschlag: »Wir fliehen die Form des Todes, nicht den Tod. Denn unser höchsten Wünsche Ziel ist: Tod« (Blatt 10, Singer 180). (L)

226   Abb. 200
Blatt 1: Nacht
Radierung u. Aquatinta, 31,5 × 31,6 cm
Unbez.
Singer 171

227   Abb. 201
Blatt 2: Seeleute
Radierung u. Aquatinta, 28,7 × 31,6 cm
Unbez.
Singer 172

228   Abb. 202
Blatt 3: Meer
Radierung u. Aquatinta, 26,9 × 22,8 cm
Unbez.
Singer 173

229   Abb. 203
Blatt 4: Chaussee
Radierung u. Aquatinta, 27,7 × 16,9 cm
Bez. u. r. »MK«
Singer 174

230   Abb. 204
Blatt 5: Kind
Radierung u. Aquatinta, 27,8 × 20,8 cm
Unbez.
Singer 175

231   Abb. 205
Blatt 6: Herodes
Radierung u. Aquatinta, 27,7 × 18,9 cm
Unbez.
Singer 176

232   Abb. 206
Blatt 7: Landmann
Radierung u. Aquatinta, 18,8 × 29,8 cm
Unbez.
Singer 177

233   Abb. 207
Blatt 8: Auf den Schienen
Radierung u. Aquatinta, 26,4 × 19,2 cm
Unbez.
Singer 178

234   Abb. 208
Blatt 9: Arme Familie
Radierung u. Aquatinta, 27,7 × 19,3 cm
Unbez.
Singer 179

235   Abb. 209
Blatt 10: Der Tod als Heiland
Radierung u. Aquatinta, 24,3 × 31,4 cm
Unbez.
Singer 180
Kunsthalle Bremen

Brahmsphantasie, Opus XII
Folge von 41 Radierungen

Zur Verwirklichung der Idee vom Gesamtkunstwerk plante der Verleger Fritz Simrock die Herausgabe einiger Lieder von Johannes Brahms mit künstlerisch gestalteten Titelblättern. Er gewann dafür Max Klinger, der als Verehrer Brahmscher Musik dem Komponisten bereits den graphischen Zyklus »Amor und Psyche« gewidmet hatte, Titelblätter zu Opus 96 und Opus 97 zu entwerfen.

Es entstanden 1885/86 vier Titelblätter, die als Lithographien gedruckt wurden (Singer 319–322). Brahms zeigte sich von den ausgeführten Blättern nicht begeistert. Um Brahms zu versöhnen, machte Klinger dem Komponisten zu seinem 60. Geburtstag die Folge »Brahmsphantasie«, die in fünfjähriger Arbeit entstanden war, zum Geschenk. Es ist Klinger ein inneres Anliegen gewesen, seiner Verehrung für das Schaffen von Brahms Ausdruck zu geben, und so kann dieser Zyklus als Huldigung an das Genie Brahms aufgefaßt werden.

Die erste Ausgabe der Folge wurde in einer Auflage von fünf Exemplaren ohne ein Titelblatt herausgegeben. 1894 erschien die zweite Ausgabe mit dem Titel »Brahms-Phantasie. Einundvierzig Stiche, Radierungen und Steinzeichnungen zu Compositionen von Johannes Brahms. Max Klinger, Leipzig, Selbstverlag Rad.-Opus XII. Copyright 1894 by Max Klinger« in einer Auflage von 150 Exemplaren. Die Radierungen druckte Wilhelm Felsing in Berlin, die Lithographien C. G. Röder in Leipzig. Während die ersten Exemplare dieser Ausgabe im Selbstverlag des Künstlers in Leipzig erschienen, wurde der größere Teil, mit einem neuen Titelblatt versehen, bei Amsler und Ruthardt in Berlin verlegt.

Die Folge, freie bildmäßige Phantasien über Themen von Brahms, ist in zwei Hälften geteilt, denen je ein Blatt als Präludium vorangeht. Im ersten Teil stehen fünf Lieder für eine Singstimme in Verbindung mit fünf Radierungen und zwölf Lithographien. Im zweiten Teil bildet die Prometheus-Folge, ausgehend von Brahms' Vertonung des »Schicksalsliedes« von Hölderlin den Schwerpunkt, illustriert mit vier Radierungen und elf Lithographien.

Am 4. Januar 1894 schreibt Johannes Brahms über die Folge an Clara Schumann: ». . . Mir ist eine ganz ungemein große Freude geworden durch eine ›Brahms-Fantasie‹ des Malers Max Klinger, und ich möchte, Du hättest Deinen gehörigen Teil daran. Das sind nämlich 41 Zeichnungen und Radierungen, denen Lieder von mir und schließlich das Schicksalslied zugrunde liegen. Aber es sind nicht Illustrationen in gewöhnlichem Sinne, sondern ganz herrliche wundervolle Fantasien über meine Texte. Ohne weiteres (ohne einige Erklärung) würdest Du aber gewiß öfter den Zusammenhang mit dem Text vermissen. Wie gern sähe ich sie mit Dir durch und zeigte Dir, wie tief er auffaßt, wie weit und hoch ihn dann sein Geist und seine Phantasie trägt« (Johannes Brahms, Briefe aus den Jahren 1853–1896, herausgegeben von B. Litzmann, Band 2, Leipzig 1927, S. 538).

236   Abb. 218
Blatt 1: Accorde
Stich, Aquatinta u. Schabkunst, 27,7
× 39,1 cm
Unbez.
Singer 183

237   Abb. 219
Blatt 2: »Alte Liebe« Erstes Blatt
Radierung, Stich und Aquatinta,
11,2 × 35,4 cm
Unbez.
Singer 184

238   Abb. 220
Blatt 3: Das Rad der Zeit
Steinzeichnung, 16,6 × 4,5 cm
Unbez.
Singer 185

239   Abb. 221
Blatt 4: Zierleiste mit turmartiger Esse
Steinzeichnung, 27,4 × 2,6 cm
Unbez.
Singer 186

240   Abb. 222
Blatt 5: Zierleiste mit nackter Frau
Steinzeichnung, 26,7 × 2,4 cm
Unbez.
Singer 187

241   Abb. 223
Blatt 6: Zierleiste mit nacktem Mann
Steinzeichnung, 26,6 × 2,4 cm
Unbez.
Singer 188

242   Abb. 224
Blatt 7: Turm
Steinzeichnung von einer schwarzen
und einer Irisplatte, 23,6 × 11,0 cm
Unbez.
Singer 189

243   Abb. 225
Blatt 8: Nackte Frau am Baum (Der Ferngeliebte)
Radierung (Kaltnadel) u. Stich, 26,0
× 13,5 cm
Unbez.
Singer 190

244   Abb. 226
Blatt 9: Zierleiste mit Waldweiher I
Steinzeichnung in zwei Farben, 25,8
× 2,7 cm
Unbez.
Singer 191

245   Abb. 227
Blatt 10: Zierleiste mit Waldweiher II
Steinzeichnung in zwei Farben, 25,4
× 2,6 cm
Unbez.
Singer 192

246   Abb. 228
Blatt 11: Die Kalte Hand
Stich u. Radierung, 17,7 × 13,2 cm
Unbez.
Singer 193

247   Abb. 229
Blatt 12: Zierleiste mit Waldweiher III
Steinzeichnung in zwei Farben, 27,1
× 2,7 cm
Unbez.
Singer 194

248   Abb. 230
Blatt 13: Liebespaar im Gemach
Radierung, Aquatinta u. Stich, 27,4
× 17,9
Unbez.
Singer 195

249   Abb. 231
Blatt 14: Zierleiste mit Faunskopf
Steinzeichnung in zwei Farben, 26,0
× 2,6 cm
Unbez.
Singer 196

250   Abb. 232
Blatt 15: Zierleiste mit dem Mann im
Wasser
Steinzeichnung in zwei Farben, 26,0
× 2,6 cm
Unbez.
Singer 197

251   Abb. 233
Blatt 16: Im Grase
Radierung u. Aquatinta in zwei Farben
eingerieben, 27,8 × 14,8 cm

Unbez.
Singer 198

252   Abb. 234
Blatt 17: Zierleiste mit Satyr
Steinzeichnung in zwei Farben, 26,1
× 2,5 cm
Unbez.
Singer 199

253   Abb. 235
Blatt 18: Zierleiste mit dem Liebespaar
Steinzeichnung, 26,6 × 2,5 cm
Unbez.
Singer 200

254   Abb. 236
Blatt 19: Evocation
Radierung, Stich, Aquatinta u. Schabkunst, 29,2 × 35,7 cm
Bez. r. »MK«
Singer 201

255   Abb. 237
Blatt 20: Titanen
Radierung, Stich u. Schabkunst, 27,3
× 36,5 cm
Unbez.
Singer 202

256   Abb. 238
Blatt 21: Nacht
Radierung u. Aquatinta, 27,4 × 38,7 cm
Unbez.
Singer 203

257   Abb. 239
Blatt 22: Raub des Lichtes
Radierung u. Schabkunst, 29,3 × 36,1
Unbez.
Singer 204

258   Abb. 240
Blatt 23: Fest (Reigen)
Radierung, Stich u. Aquatinta, 25,3
× 35,6 cm
Bez. »MK 94«
Singer 205

259   Abb. 241
Blatt 24: Entführung des Prometheus
Radierung, Stich u. Aquatinta, 27,8
× 38,7 cm

Unbez.
Singer 206

260   Abb. 242
Blatt 25: Opfer
Radierung, Weichgrund u. Stich,
27,7 × 36,4 cm
Bez. u. r. »MK 92«
Singer 207

261   Abb. 243
Blatt 26: Homer (Titelblatt)
Radierung u. Stich, 27,8 × 39,4 cm
Unbez.
Singer 208

262   Abb. 244
Blatt 27: Zierleiste mit der Verschmach-
tenden
Steinzeichnung, 25,6 × 3,9 cm
Unbez.
Singer 209

263   Abb. 245
Blatt 28: Zierleiste mit der nackten Frau
und grünem Schleier
Steinzeichnung in Farben, 26,3 × 3,0 cm
Unbez.
Singer 210

264   Abb. 246
Blatt 29: Zierleiste mit nackter Frau und
zwei Adlern
Steinzeichnung in Farben, 26,7 × 3,0 cm
Unbez.
Singer 211

265   Abb. 247
Blatt 30: Zierleiste mit dem ertrinkenden
Paar
Steinzeichnung, 26,4 × 2,6 cm
Unbez.
Singer 212

266   Abb. 248
Blatt 31: Die Schönheit (Aphrodite)
Stich, 27,6 × 14,9 cm
Bez. u. r. »MK«
Singer 213

267   Abb. 249
Blatt 32: Zierleiste mit dem Herabfallen-
den

Steinzeichnung, 26,3 × 2,7 cm
Unbez.
Singer 214

268   Abb. 250
Blatt 33: Zierleiste mit den Kletternden
Steinzeichnung, 26,4 × 2,6 cm
Unbez.
Singer 215

269   Abb. 251
Blatt 34: Zierleiste mit Wüstenszene
(1. Hälfte)
Steinzeichnung, 26,3 × 2,7 cm
Unbez.
Singer 216

270   Abb. 252
Blatt 35: Zierleiste mit Wüstenszene
(r. Hälfte)
Steinzeichnung, 26,4 × 2,6 cm
Unbez.
Singer 217

271   Abb. 253
Blatt 36: Zierleiste mit Bergsturz
(1. Hälfte)
Steinzeichnung, 26,2 × 2,7 cm
Unbez.
Singer 218

272   Abb. 254
Blatt 37: Zierleiste mit Bergsturz
(r. Hälfte)
Steinzeichnung, 26,1 × 2,6 cm
Unbez.
Singer 219

273   Abb. 255
Blatt 38: Ritter Tod
Radierung u. Stich, 27,5 × 16,7 cm
Unbez.
Singer 220

274   Abb. 256
Blatt 39: Zierleiste mit der antiken
Frauengestalt
Steinzeichnung, 26,5 × 2,7 cm
Unbez.
Singer 221

275   Abb. 257
Blatt 40: Der Bauer dessen Saat in Unheil

aufgeht
Stich, 26,7 × 7,9 cm
Bez. u. r. »MK 91«
Singer 222

276   Abb. 258
Blatt 41: Der befreite Prometheus
Radierung, Stich, Aquatinta u. Schab-
kunst, 27,7 × 36,2 cm
Unbez.
Singer 223

Kunsthalle Bremen

Vom Tode II. Teil, Opus XIII
Folge von 12 Radierungen

Die Folge »Vom Tode, Zweiter Teil« gehört zu den Werken Klingers, mit denen
sich der Künstler am längsten beschäftigte und die den meisten Wandlungen
unterlag. Einzelne Platten gehen auf das
Jahr 1879 zurück. 1885 erhielt der Zyklus im Anschluß an die Folge Opus XI,
»Vom Tode. Erster Teil« einen gewissen
Abschluß und sollte als Opus XI B herausgegeben werden. Erste Probedrucke
sind 1885 datiert. Bald darauf hat Klinger jedoch die Folge neu konzipiert und
in ein größeres Format umgesetzt. Die
Veröffentlichung erfolgte 1898 unter
dem Titel »Vom Tode. Zweiter Teil. Folge von 12 Blättern. Erfunden und gestochen von Max Klinger. Rad.-Werk
XI...Amsler und Ruthardt (Gebrüder
Meder) Berlin...MDCCCIIC« mit dem
»Inhalt des vollständigen Werkes«, obwohl damals nur sechs vollendete Blätter (7, 8, 9, 10, 11 und 12) ausgeliefert
werden konnten. Drei weitere Radierungen wurden 1904 veröffentlicht (1,
4, 5), die restlichen Blätter (2, 3, 6)
folgten erst 1910.
Als erste Ausgabe der Folge sind die 100
Exemplare anzusehen, die 1898 bei
Amsler und Ruthardt in Berlin veröffentlicht wurden. Davon erschien im
gleichen Jahre eine zweite Ausgabe,
ebenfalls nur die genannten sechs Radierungen umfassend, die durch Vermittlung des Bremer Klinger-Sammlers Hermann Heinrich Meier in einer Auflage

von 180 Exemplaren als »Veröffentlichung der Verbindung für Historische Kunst« herausgegeben wurde. Diese Radierungen sind von Giesecke und Devrient in Leipzig beziehungsweise von Wilhelm Felsing in Berlin gedruckt worden.

Der Folge liegt die Idee zugrunde, den Tod in einem übergeordneten gedanklichen Zusammenhang darzustellen. Wie Klinger selbst bemerkte, gingen die Anregungen dazu auf eine Auseinandersetzung mit dem Werk Arthur Schopenhauers zurück: »... so ziemlich der ganze Zweite Teil ›Vom Tode‹ ist das Resultat der langgepflegten Lektüre der ›Parerga und Paralipomena‹. Die gehörten lange Zeit zu meinem täglichen literarischen Futter...« (Singer, Briefe, 1924, S. 205).

Die gedankliche Konzeption der Folge, allerdings bevor die endgültige Anordnung der Blätter feststand, hat Klinger in einem Schreiben – wahrscheinlich 1888 – an H. H. Meier folgendermaßen notiert: »Diesem ersten Theil, der mir zu ›kleine Nachrichten‹ schafft, die Idee des Todes nur von außen her in einzelnen Zufälligkeiten anfaßt, versuche ich eine größere, weitere Form durch den zweiten Theil zu geben, in dem den kleinen Zufällen die großen Prinzipien, dem äußeren Schrecken die innere Auflösung derselben entgegengesetzt werden, so daß ein harmonischer Abschluß ermöglicht ist. Die Blätter, die den zweiten Theil bilden, sind so angeordnet, daß nach diesem Titelblatt, die allgemeine Vergänglichkeit darstellend, drei Blätter die armen Massen der Menschheit darstellen von ihren Hauptfeinden, Massentod, 1. Krieg, 2. Pest, 3. Elend (bedrängt): dann (folgen) 3 Blätter, die Gipfelpunkte der Menschheit, der Herrscher, das Genie und der Philosoph (in dieser meiner Auffassung sehr wohl als zweierlei zu betrachten). Die Idee dieser Gegenstellung ist, – mit der Summe der Erkenntnis der Ehren, wächst die Fähigkeit des Leidens. Ein Blatt ›Und doch‹ führt aus diesen ausschließlich düsteren, erschreckenden Ideen zu der in vier Blättern dargestellten Anschauung 1

›Das Individuum stirbt – das Geschlecht lebt‹ – ihm entspricht 2, ›An die Selbstverläugnung‹. – 3 ›Die That stirbt, vergeht – die Natur lebt‹, – ihm entspricht 4 ›An die Schönheit‹.« (Singer, Seite 89.)

277   Abb. 259
Blatt 1: Integer Vitae
Stich, 40,6 × 31,7 cm
Bez. u. l. »1885 MK 1900«
Singer 230

278   Abb. 260
Blatt 2: Herrscher
Stich, 48,6 × 33,8 cm
Bez. u. l. »MK 1910 1885 April 1910«
Singer 231

279   Abb. 261
Blatt 3: Künstler
Stich, 44,9 × 34,5 cm
Bez. u. r. »MK«
Singer 233

280   Abb. 262
Blatt 4: Philosoph
Stich, 49,8 × 33,8 cm
Bez. u. l. »MK 10«
Singer 232

281   Abb. 263
Blatt 5: Pest
Radierung u. Stich, 42,9 × 34,1 cm
Bez. u. l. »MK 03«
Singer 234

282   Abb. 264
Blatt 6: Krieg
Stich, 51,5 × 33,8 cm
Unbez.
Singer 235, ähnlich 248

283   Abb. 265
Blatt 7: Elend
Radierung u. Stich, 45,4 × 35,6 cm
Bez. u. l. »MK92«
Singer 236

284   Abb. 266
Blatt 8: »Und doch«
Radierung, Stich u. Aquatinta, 41,3 × 32,1 cm
Bez. u. l. »MK 88«
Singer 237

285   Abb. 267
Blatt 9: Mutter und Kind
Stich, 45,5 × 34,7 cm
Bez. u. l. »MK 89«
Singer 239

286   Abb. 268
Blatt 10: Versuchung
Stich, 45,5 × 35,6 cm
Bez. o. l. »MK 90«
Singer 238

287   Abb. 269
Blatt 11: Zeit und Ruhm
Stich, 45,5 × 27,7 cm
Unbez.
Singer 240

288   Abb. 270
Blatt 12: An die Schönheit
Radierung u. Stich, 41,2 × 32,1 cm
Unbez.
Singer 241

Prof. Eberhard Schlotter,
Altea/Darmstadt

Zelt, Opus XIV
Folge von 46 Radierungen
»Zelt« bildet den Abschluß der Klinger'schen Graphik-Zyklen. Die Folge erschien 1915 in zwei Teilen in Leipzig. Zugleich erschien eine Buchausgabe mit Versen von Herbert Eulenburg. »Zelt« ist eine von Klinger erfundene phantastische Darstellung der Erlebnisse einer Frau, angeregt durch das Gedicht Richard Dehmels »Ballade von der wilden Welt«.

289   Abb. 283
Blatt 1: Vorspiel
Radierung, 23,0 × 17,8 cm
Bez. o. r. »MK 1. 1. 13«
Beyer 332

290   Abb. 284
Blatt 2: Zelt
Radierung u. Aquatinta, 23,0 × 18,0 cm
Unbez.
Beyer 333

291   Abb. 285
Blatt 3: Am See
Radierung u. Aquatinta, 23,0 × 18,0 cm
Unbez.
Beyer 334

292   Abb. 286
Blatt 4: Die Schwäne
Radierung u. Aquatinta, 23,0 × 17,8 cm
Unbez.
Beyer 335

293   Abb. 287
Blatt 5: Das Lager
Radierung u. Aquatinta, 22,6 × 17,6 cm
Unbez.
Beyer 336

294   Abb. 288
Blatt 6: Der Stier
Radierung u. Aquatinta, 22,7 × 17,7 cm
Unbez.
Beyer 337

295   Abb. 289
Blatt 7: Der Schwanenprinz
Radierung u. Aquatinta, 22,7 × 17,8 cm
Unbez.
Beyer 338

296   Abb. 290
Blatt 8: Vergewaltigung
Radierung u. Aquatinta, 22,7 × 18,0 cm
Unbez.
Beyer 339

297   Abb. 291
Blatt 9: Mädchen und Schütze
Radierung u. Aquatinta, 22,8 × 17,9 cm
Unbez.
Beyer 340

298   Abb. 292
Blatt 10: Der Schuß
Radierung u. Aquatinta, 22,8 × 18,0 cm
Unbez.
Beyer 341

299   Abb. 293
Blatt 11: Dank
Radierung u. Aquatinta, 22,8 × 18,0 cm
Unbez.
Beyer 342

300   Abb. 294
Blatt 12: Nacht
Radierung u. Aquatinta, 22,8 × 17,8 cm
Unbez.
Beyer 343

301   Abb. 295
Blatt 13: Der Zug
Radierung u. Aquatinta, 22,8 × 18,0 cm
Unbez.
Beyer 344

302   Abb. 296
Blatt 14: Einbruch
Radierung u. Aquatinta, 22,8 × 17,9 cm
Unbez.
Beyer 345

303   Abb. 297
Blatt 15: Die Schale
Radierung u. Aquatinta, 22,8 × 18,0 cm
Unbez.
Beyer 346

304   Abb. 298
Blatt 16: Der Fuß
Radierung u. Aquatinta, 22,7 × 17,8 cm
Unbez.
Beyer 347

305   Abb. 299
Blatt 17: Mord und Entführung
Radierung u. Aquatinta, 22,7 × 18,0 cm
Unbez.
Beyer 348

306   Abb. 300
Blatt 18: Durch die Sümpfe
Radierung u. Aquatinta, 23,0 × 17,8 cm
Unbez.
Beyer 349

307   Abb. 301
Blatt 19: Durch Gebirge
Radierung u. Aquatinta, 23,0 × 18,0 cm
Unbez.
Beyer 350

308   Abb. 302
Blatt 20: Bergsturz
Radierung u. Aquatinta, 22,9 × 17,8 cm
Unbez.
Beyer 351

309   Abb. 303
Blatt 21: Flucht
Radierung u. Aquatinta, 22,8 × 17,8 cm
Bez. u. r. »MK 25.12.1912«
Beyer 352

310   Abb. 304
Blatt 22: Gefangen
Radierung u. Aquatinta, 23,0 × 17,8 cm
Unbez.
Beyer 353

311   Abb. 305
Blatt 23: Am Tor
Radierung u. Aquatinta, 22,8 × 17,7 cm
Bez. u. l. »MK 15«
Beyer 354

312   Abb. 306
Blatt 24: Vor der Königin
Radierung u. Aquatinta, 22,8 × 17,8 cm
Unbez.
Beyer 355

313   Abb. 307
Blatt 25: Bereitung zum Tanz
Radierung, 23,0 × 18,0 cm
Unbez.
Beyer 356

314   Abb. 308
Blatt 26: Die große Göttin
Radierung u. Aquatinta, 22,8 × 17,9 cm
Unbez.
Beyer 357

315   Abb. 309
Blatt 27: Tanz
Radierung u. Aquatinta, 22,6 × 17,5 cm
Bez. »MK 15«
Beyer 358

316   Abb. 310
Blatt 28: Bestürmung
Radierung u. Aquatinta, 22,8 × 17,6 cm
Unbez.
Beyer 359

317   Abb. 311
Blatt 29: Geschenke
Radierung u. Aquatinta, 22,9 × 17,9 cm
Unbez.
Beyer 360

318   Abb. 312
Blatt 30: Auf dem Turm
Radierung u. Aquatinta, 22,8 × 18,0 cm
Bez. u. r. »MK 15«
Beyer 361

319   Abb. 313
Blatt 31: Drohung
Radierung u. Aquatinta, 22,7 × 17,8 cm
Unbez.
Beyer 362

320   Abb. 314
Blatt 32: Königin und Göttin
Radierung u. Aquatinta, 22,8 × 17,8 cm
Unbez.
Beyer 363

321   Abb. 315
Blatt 33: Göttin und Zauberer
Radierung, 23,0 × 17,8 cm
Bez. u. l. »MK 15«
Beyer 364

322   Abb. 316
Blatt 34: Zauberer und Ritter
Radierung, 22,8 × 17,0 cm
Unbez.
Beyer 365

323   Abb. 317
Blatt 35: Traumweg
Radierung u. Aquatinta, 22,8 × 17,8 cm
Unbez.
Beyer 366

324   Abb. 318
Blatt 36: Vor'm Turm
Radierung u. Aquatinta, 22,8 × 17,8 cm
Unbez.
Beyer 367

325   Abb. 319
Blatt 37: Die Höhle
Radierung, 23,0 × 17,8 cm
Unbez.
Beyer 368

326   Abb. 320
Blatt 38: Bedingung
Radierung u. Aquatinta, 22,8 × 17,8 cm
Unbez.
Beyer 369

327   Abb. 321
Blatt 39: Mord
Radierung u. Aquatinta, 22,7 × 17,8 cm
Unbez.
Beyer 370

328   Abb. 322
Blatt 40: Luftfahrt
Radierung u. Aquatinta, 22,8 × 17,8 cm
Unbez.
Beyer 371

329   Abb. 323
Blatt 41: Gefunden
Radierung u. Aquatinta, 22,8 × 17,8 cm
Unbez.
Beyer 372

330   Abb. 324
Blatt 42: Waldnacht
Radierung u. Aquatinta, 23,0 × 17,9 cm
Unbez.
Beyer 373

331   Abb. 325
Blatt 43: Im eigenen Land
Radierung u. Aquatinta, 22,8 × 17,9 cm
Unbez.
Beyer 374

332   Abb. 326
Blatt 44: Entsetzen
Radierung u. Aquatinta, 22,8 × 17,9 cm
Unbez.
Beyer 375

333   Abb. 327
Blatt 45: Vertreibung
Radierung u. Aquatinta, 22,8 × 18,0 cm
Bez. u. l. »MK 15«
Beyer 376

334   Abb. 328
Blatt 46: Ende
Radierung u. Aquatinta, 23,0 × 18,0 cm
Bez. o. l. »MK 15«
Beyer 377
Prof. Eberhard Schlotter, Altea/Darm-
stadt

Epithalamia
Folge von 15 Heliogravüren
Ausgehend von seinem Opus V »Amor

und Psyche« von 1880 erarbeitete Klinger 1907 eine Reihe von Illustrationen
zu der Erzählung »Epithalamia« von
Elsa Asenijeff, mit der er zusammen-
lebte. Die Bilder umrahmen den Text auf
allen Seiten. Die Radierungen aus
»Amor und Psyche« wurden nur zum
Teil übernommen, die meisten Illustrationen wurden völlig neu geschaffen.
(UH)

335   Abb. 329
Blatt 1: Amor und Psyche
Heliogravüre, 53,8 × 38,4 cm
Unbez.
Z 655/54

Blatt 2: Erstes Intermezzo No. I aus
Amor's Kriegen
Heliogravüre, 53,8 × 35,7 cm
Unbez.
Z 655/54

Blatt 3: Erstes Intermezzo No. II aus
Amor's Kriegen
Heliogravüre, 53,8 × 35,8 cm
Unbez.
Z 655/54

Blatt 4: Erstes Intermezzo No. III aus
Amor's Kriegen
Heliogravüre, 53,8 × 35,8 cm
Unbez.
Z 655/54

Blatt 5: Erstes Intermezzo No. IV aus
Amor's Kriegen
Heliogravüre, 53,8 × 35,8 cm
Unbez. Z 655/54

Blatt 6: Zweites Intermezzo Die Geburt
von Troia's Unheil I
Heliogravüre, 53,8 × 35,8 cm
Unbez.
Z 655/54

Blatt 7: Zweites Intermezzo Die Geburt
von Troia's Unheil II
Heliogravüre, 53,8 × 35,8 cm
Unbez.
Z 655/54

Blatt 8: Zweites Intermezzo Die Geburt
von Troia's Unheil III
Heliogravüre, 53,8 × 35,8 cm
Bez. u. l. »Max Klinger 1884«
Z 655/54

Blatt 9: Zweites Intermezzo Die Geburt
von Troia's Unheil IV
Heliogravüre, 53,8 × 35,8 cm
Unbez.
Z 655/54

Blatt 10: Zweites Intermezzo Die Geburt
von Troia's Unheil V
Heliogravüre, 55,2 × 37,3 cm
Bez. u. r. »Nov. MK 1904«
Z 655/54

Blatt 11: Zweites Intermezzo Die Geburt
von Troia's Unheil VI
Heliogravüre, 54,8 × 36,4 cm
Unbez.
Z 655/54

Blatt 12: Zweites Intermezzo Die Geburt
von Troia's Unheil VII
Heliogravüre, 56,9 × 41,4 cm
Bez. u. r. »MK 1904«
Z 655/54

Blatt 13: Zweites Intermezzo Die Geburt
von Troia's Unheil VIII
Heliogravüre, 56,7 × 40,5 cm
Bez. u. l. »MK 1904 Nov.«
Z 655/54

Blatt 14: Zweites Intermezzo Die Geburt
von Troia's Unheil IX
Heliogravüre, 53,8 × 38,2 cm
Bez. u. l. »MK 26. VIII. 1906«
Z 655/54

Blatt 15:
Heliogravüre, 54,8 × 39,0 cm
Bez. u. l. »MK 22. Juli 1906«
Z 655/54

Roemer-Museum, Hildesheim

Einzelblätter

336   Abb. 210
Titel zu Brahmsliedern: im Grase, 1886
Steinzeichnung mit Feder u. Schabeisen,
30,3 × 253 cm
Unbez.
Singer 319
Kunsthalle Bremen
Äußerer Hefttitel, Brahms, Opus 96

337   Abb. 211
Titel zu Brahmsliedern: Arion, 1886
Steinzeichnung mit Feder u. Schabeisen,
29,8 × 22,9 cm
Bez. u. r. M.K.86
Singer 320
Kunsthalle Bremen
Innerer Hefttitel, Brahms, Opus 96

338   Abb. 212
Titel zu Brahmsliedern: Satyr und Dry-
ade, 1886
Steinzeichnung mit Feder u. Schabeisen,
28,1 × 20,8 cm
Bez. i. Unterrand i. d. Mitte: 18MK86.
Singer 321
Kunsthalle Bremen
Äußerer Hefttitel, Brahms, Opus 97

339   Abb. 213
Titel zu Brahmsliedern: Entführung,
1886
Steinzeichnung mit Feder u. Schabeisen,
29,4 × 22,1 cm
Bez. u. r. M. Klinger 86
Singer 322
Kunsthalle Bremen
Innerer Hefttitel, Brahms, Opus 97

340
Amor schießend, 1879
Radierung u. Aquatinta, 18 × 23,8 cm
Unbez.
Singer 254
Kunsthalle Bremen

341
Der Traum des Künstlers (Der Traum-
gott, Träume), 1880
Radierung u. Aquatinta, 25 × 41,2 cm
Unbez.
Singer 260
Kunsthalle Bremen

342
Der Künstler in der Dachstube
Radierung u. Aquatinta, 15,8 × 7,4 cm
Unbez.
Singer 261
Kunsthalle Bremen

343
Die Gurlitt-Ausstellungskarte: Phanta-
sie und Künstlerkind, 1881
Radierung u. Aquatinta, 22,6 × 18,9 cm
Bez. u. r. Max Klinger 1881
Singer 262
Kunsthalle Bremen

344
Das Menzelfestblatt, 1884
Radierung, 44,5 × 31,5 cm
Bez. u. l. M.Klinger
Singer 268
Kunsthalle Bremen

345
Weiblicher Akt in Schabkunst
Radierung u. Schabkunst, 28,9 × 16,9 cm
Unbez.
Singer 271
Kunsthalle Bremen

346
Atelierszene (»Nach der Arbeit«,
»Siesta«)
Radierung, Stich u. Kaltnadel, 12,6
× 17,7 cm
Unbez.
Singer 275
Kunsthalle Bremen

347
Das Leuckart-Diplom (Penelope)
Radierung, Stich u. Aquatinta, 18,7
× 30 cm
Bez. l. i. d. Bildfläche M.K.
Singer 276
Kunsthalle Bremen

348
Titelblatt »Radierungen«, Künstler,
Ätzwasser Abgießend, 1881
Radierung u. Roulette, 10,7 × 10,8 cm
Bez. u. r. M.Klinger 1881
Singer 282
Kunsthalle Bremen

349
Umschlagtitel »Secession«, 1893
Radierung, Stich, Aquatinta u. Schab-
kunst, 29,9 × 25 cm
Unbez.
Singer 286
Kunsthalle Bremen

350
Exlibris Fritz Gurlitt »Fuss auf's Feste«,
um 1885
Radierung u. Aquatinta, 9,6 × 8,9 cm
Unbez.
Singer 306
Kunsthalle Bremen

351
Exlibris Fritz Gurlitt »Kunst u. Natur«,
Juli 1885
Radierung u. Stich, 9 × 7 cm
Unbez.
Singer 307
Kunsthalle Bremen

352
Exlibris Leo Liepmannsohn
Radierung u. Aquatinta, 17,9 × 13,3 cm
Unbez.
Singer 311
Kunsthalle Bremen

353
Exlibris Leo Liepmannsohn
Radierung, 14,2 × 11,3 cm
Unbez.
Singer 312
Kunsthalle Bremen

354
Betender Greis (Der hlg. Antonius), 1885
Aquatinta, 15,9 × 12,0 cm
Bez. u. r. M. Klinger
Singer 269
Prof. Eberhard Schlotter, Altea/Darm-
stadt

Bibliografie

Georg Brandes, Moderne Geister, Frankfurt a. M. 1882, 57–72

J. Laforgue, Le Salon de Berlin, Gazette des Beaux-Arts 28, 1883, 170 ff.

Alfred Lichtwark, Max Klinger als Wandmaler, in: Die Gegenwart 1885, 93–95

Max Klinger, Malerei und Zeichnung, 1. Aufl. 1891 Privatdruck, 4. Aufl. Leipzig 1903

J. C. Wessely, Die deutsche Radierung der Neuzeit, in: Die Kunst für alle, Jg. 7, 1892, 186 ff.

Hermann Helferich, in: Die Kunst für alle, 10. Jg., 1. 1. 1894

Hugo von Hofmannsthal, Internationale Kunstausstellung 1894, in: Neue Revue (Wien) 1894. Abgedruckt in: Gesammelte Werke in Einzelausgaben, Prosa I, Frankfurt 1956, 181 f.

E. Michel, Max Klinger et son œuvre, Gazette des Beaux-Arts 3me Pér. 11, 1894, 361–383

Richard Muther, Geschichte der Malerei im 19. Jahrhundert, München 1894, Bd. 3, 651–658

Hans Wolfgang Singer, Max Klingers Gemälde, Zeitschrift für bildende Kunst N.F. 5, 1894, 49–54

Ferdinand Avenarius, Max Klingers Griffelkunst; ein Begleiter durch ihre Phantasiewelt. Berlin, 1895

M. Lehrs, Max Klingers Brahms-Phantasie, Zeitschrift für bildende Kunst N.F. 6, 1895, 113–118

Georg Brandes, Moderne Geister. Literarische Bildnisse aus dem neunzehnten Jahrhundert, 3. Aufl. Frankfurt a/M., 1897

C. Gattermann, Der Olympier Kritik des Klingerschen Bildes Christus im Olymp, Leipzig 1897

Richard Graul, in: Pan 1897, Heft 2, 180 ff.

H. Sellnick, Kling, Klang, Klung! Betrachtungen über das Klingersche Bild »Christus im Olymp«, Leipzig 1897

Fritz Schumacher, Das Dekorative in Klingers Schaffen, Zeitschrift für bildende Kunst N.F. 9, 1898, 290–293

Karl Vosmaar, An Max Klinger, aus dem Niederländischen übersetzt von Lina Schneider, in: Die Kunst 1898/99, 373

Berthold Haendcke, Max Klinger als Künstler; eine Studie. Straßburg, 1899. (Über Kunst der Neuzeit, 2. Heft)

Franz Hermann Meißner, Max Klinger. Berlin, 1899. (Das Künstlerbuch, Band 2)

Max Schmid, Klinger (Künstler-Monographien von H. Knackfuss), Bielefeld-Leipzig 1899

Paul Schumann, Max Klingers Christus im Olymp, Dresden o. J. (1899)

H. Bahr, Secession, Wien 1900, 97–100

Paula Becker Modersohn, Briefe und Tagebuchblätter (3. November 1900). Hrsg. und biografisch eingeführt von S. D. *Gallwitz*, Berlin 1920, 130

Emil Hohne, Zu Klingers »Christus im Olymp«. Gütersloh, 1900

Antoine Rous, Marquis de La Mazelière, La peinture allemande au XIXe siècle, Paris 1900

Georg Treu, Max Klinger als Bildhauer, Sonderabdruck aus der Zeitschrift Pan. Leipzig, 1900

Felix Manggha, promenades a travers le monde, l'art et les idées. Varsovie, 1901

Max Schmid, Klinger, von Max Schmid. 2. Aufl., Bielefeld, 1901. (Künstler Monographien, XLI)

Elsa Asenijeff, Max Klingers Beethoven, Preußische Jahrbücher 110, 1902, 143–149

L. Brieger-Wasservogel, Max Klinger (Männer der Zeit), Leipzig 1902

Magdalene von Broecker, Kunstgeschichte im Grundriß; Kunstliebenden Laien zu Studium und Genuß. 5. neu bearb. Aufl., hrsg. von Richard Bürkner. Göttingen, 1902

Karl Krauss, in: Die Fackel, Nr. 106, Juni 1902, 17–21

J. A. Lux, Klingers Beethoven und die moderne Raumkunst, Deutsche Kunst und Dekoration 10, 1902

J. Mantuani, Beethoven und Max Klinger's Beethovenstatue; eine Studie. Wien, 1902

P. Mongré, Max Klingers Beethoven, Zeitschrift für bildende Kunst N.F. 13, 1902, 181–189

Paul Schumann, Max Klingers Beethoven, Leipzig 1902

Franz Servaes, Max Klinger (Die Kunst, hg. v. R. Muther), Berlin o. J. (1902)

Julius Vogel, Max Klingers Leipziger Skulpturen. Salome Kassandra, Beethoven, Das badende Mädchen, Franz Liszt. 3. Aufl. Leipzig, 1902

Anna E. Brunnemann, Max Klingers Radierungen vom Schicksal des Weibes, Leipzig [1903?]

Heinrich Bulle, Klingers Beethoven und die farbige Plastik der Griechen. München, 1903

Ludwig Hevesi, in: Kunstchronik N.F. 14, 1903, 460–62 (Parisurteil)

Ludwig Hevesi, Max Klingers Entwurf zu einem Brahmsdenkmal, Zeitschrift für bildende Kunst N.F. 14, 1903, 236–238

Rudolf Klein, Max Klinger, Berlin, 1903. (Moderne Essays, Heft 27)

Alfred Lichtwark, Klingers Beethoven, Jahrbuch der bildenden Kunst 1903, 41–42

Kurt Stellmacher, Klingers Werke: Salome, Kassandra, Die Badende, Beethoven, Leipzig 1903

Julius Vogel, Otto Greiner, Leipzig 1903

R. Wustmann, Zum Verständnis Klingers als Radierer und Maler, Kunstchronik N.F. 15, 1903/04, 177–181

Julius Meier-Graefe, Entwicklungsgeschichte der modernen Kunst, Bd. 2, Stuttgart 1904, 465–472

Paul Schumann, Neues von Max Klinger – Zyklus vom Tode, Kunstchronik N.F. 15, 1904, 385–388

Elsa Asenijeff, Das Musikalische in Klingers Schaffen, Musikalische Wochenschrift 1905, Nr. 15

F. Becker, Max Klingers dekorative Malerei in der Villa Albers in Steglitz, Zeitschrift für bildende Kunst N.F. 16, 1905, 8–13

K. Munzer, Die Kunst des Künstlers, Prolegomena zu einer praktischen Ästhetik. Dresden, 1905

Ludwig Hevesi, Acht Jahre Sezession (März 1897 – Juni 1905); Kritik, Polemik, Chronik. Wien 1906, 24–29, 471–475

Thomas Mann, Brief an Kurt Martens (1906), Briefe Bd. I (1889–1936), hrsg. von Erika Mann, Frankfurt 1961, 63

Felix Zimmermann, Beethoven und Klinger. Eine vergleichend-ästhetische Studie, Dresden 1906

Cornelius Gurlitt, Die deutsche Kunst des neunzehnten Jahrhunderts, ihre Ziele und Taten. 3. umgearb. Aufl. 1907. (Das Neunzehnte Jahrhundert in Deutschlands Entwicklung. 2)

Hildegard Heyne, Max Klinger im Rahmen der modernen Weltanschauung und Kunst. Leitfaden zum Verständnis Klingerscher Werke, Leipzig 1907

Paul Kühn, Max Klinger, Leipzig 1907

Sonderausstellung zur Feier des 50. Geburtstages von Max Klinger, Leipzig, Kunstverein 1907

Karl Stauffer, Karl Stauffer-Bern; seine Leben, seine Briefe, seine Gedichte, dargestellt von Otto Brahm. 6. Aufl. Leipzig, 1907

Georg Treu, Max Klingers Dramagruppe, von Georg Treu, 2. Aufl. Leipzig, 1908. Sonderdruck aus der »Zeitschrift für bildende Kunst«

Ludwig Hevesi, Altkunst – Neukunst, Wien 1894–1908, Wien 1909

Richard Muther, Geschichte der Malerei, Bd. 3, Leipzig 1909

Max Klingers Radierungen, Stiche und Steindrucke. Wissenschaftliches Verzeichnis von Hans Wolfgang Singer, Berlin, 1909

Paul Schumann, Max Klingers Wandgemälde für die Aula der Universität Leipzig, Leipzig 1909

Julius Vogel, Max Klinger, Ein Rückblick und ein Ausblick. Die Kunst für alle 24, 1909, 297–311, 334–342

J. Manskopf, Böcklin und Klinger, Christliches Kunstleben 52, 1910, 161–168, 216–219

Paul Schumann, Max Klingers Zyklus »Vom Tode«, Zeitschrift für bildende Kunst N.F. 22, 1911, 125–128

Richard Dehmel, Jesus und Psyche. Phantasie bei Klinger, Erster Druck der aufs neue durchgesehenen Dichtung, mit Genehmigung Richard Dehmels den Teilnehmern des Leipziger Bibliophilen-Abends gewidmet, 16. November 1912 *Pour le Musée Rodin.* [Tours] 1912

Max Klinger, Zeichnungen von Max Klinger; zweiundfünfzig Tafeln mit Lichtdrucken nach des Meisters Originalen, mit einer Einleitung von Hans W.

Singer. Leipzig [1912] (Meister der Zeichnung, Bd. 1)

Henri Focillon, Hokousai. Paris, 1914. (Art et esthétique); 2. Aufl. Paris, 1914

Richard Hamann, Die deutsche Malerei im 19. Jh Leipzig u. Berlin 1914, 346 ff.

Wilhelm Hausenstein, Die bildende Kunst der Gegenwart. Malerei, Plastik, Zeichnung, Stuttgart-Berlin 1914, 210–215, 279

Franz Hermann Meissner, Max Klinger. Radierungen, Zeichnungen, Bilder und Skulpturen, München 1914

M. Lehrs, Alexander Hummel und Max Klinger, Zeitschrift für bildende Kunst N.F. 26, 1915, 29–52

Josef Strzygowski, Klingers Brahms-Phantasie in öffentlichen Vorführungen, Die Kunst 31, 1916, 214–233

Ferdinand Avenarius, Max Klinger als Poet. Mit einem Briefe Max Klingers und einem Beitrage von Hans W. Singer. Hrsg. vom Kunstwart. 4. Aufl., München [1917?]

Julius Elias, Max Klinger, Opus XIV, in: Kunst und Künstler 15, 1917, 86 ff.

Max J. Friedländer, Max Klingers Radierungen, Kunst und Künstler 15, 1917, 86–94

Die Welt Max Klingers. [Hrsg. von Gustav Kirstein] Berlin, 1918. (Liebesgaben deutscher Hochschüler 8)

Paul Schumann, Max Klingers Gemälde Arbeit-Wohlstand-Schönheit. Leipzig [1918?]

Max Klinger, Die Hauptwerke der Malerei und Plastik des Künstlers nebst einer Einführung in seine Kunst, Leipzig o. J.

Heinrich Reimann, Johannes Brahms. 5. Aufl. Berlin [°1919], »Stammtafel der Familie Brahms«: p. 117, »Systematisches Verzeichnis der Brahmschen Werke«: p. 134–136

C. Meder, Erinnerungen an Max Klinger, Der Kunstwanderer 1919/20, 416–419

Giorgio de Chirico, Max Klinger, Il convegno, 1. Jg. 1920, Nr. 10 32–44. Wiederabgedruckt in: Commedia dell'arte moderna, Rom 1945, 47–57. Die vorliegende deutsche Übertragung von Anton Henze ist entnommen dem Band: De Chirico, Wir Metaphysiker. Gesammelte

Schriften, hrsg. von Wieland Schmied, Berlin 1973. Mit Freundlicher Genehmigung des Propyläen Verlags, Berlin

Max Deri, Die Malerei im 19. Jahrhundert, Berlin 1920, 383–388

K. Graf Hardenberg, Max Klinger. Dem großen Toten, Deutsche Kunst und Dekoration 46, 1920, 231–232

Max Klinger, Ausstellung seines künstlerischen Nachlasses sowie anderer Werke des Meisters aus privatem und öffentlichem Besitz, Kunstverein Leipzig 1920

Käthe Kollwitz, Bekenntnisse, ausgewählt und mit einem Nachwort von Volker Frank, Frankfurt/Main 1982, 49 f.

Camille Mauclair, Princes de l'esprit: Poe, Flaubert, Mallarmé [et. al.] Paris [1920?]

Julius Meier-Graefe, in: Ganymed 2, 1920, 130–135

Karl Scheffler, Deutsche Maler und Zeichner im Neunzehnten Jahrhundert, Leipzig 1920, 61–71

Anton Springer, Die Kunst von 1800 bis zur Gegenwart, Leipzig 1920, 342–344. (Handbuch der Kunstgeschichte, Bd. 5)

Abraham Suhl, Max Klinger und die Kunst, München [1920]

Julius Vogel, Max Klingers Kreuzigung Christi. 2. Aufl. Leipzig, 1920

M. Lehrs, Max Klingers Zeichnungen zu biblischen Vorgängen, Grafische Künste 44/1, 1921, 11–20

Elsa Asenijeff, Aufschrei: freie Rhythmen. Leipzig. 1922

L. Graf Kalckreuth, In memoriam Max Klinger, Leipzig 1922

Willy Pastor, Max Klinger. Mit eigenhändiger Deckelzeichnung des Künstlers. 3. Aufl. Berlin 1922

E. W. Bredt, Von Kubin, Bosch und Klinger, Die Kunst 47, 1923, 293–304

Georges Pierre François Grappe, La vie de J. H. Fragonard. – Paris [1923]. – (Artistes d'hier et d'aujourd'hui)

Julius Vogel, Max Klinger und seine Vaterstadt Leipzig, Leipzig 1923

Cornelius Gurlitt, Die deutsche Kunst seit 1800; ihre Ziele und Taten. [4 umgearb. und erweiterte Aufl.], Berlin 1924. Frühere Ausg.: Die deutsche Kunst des neunzehnten Jahrhunderts

Johannes Brahms an Max Klinger, Briefe, Leipzig 1924

Max Klinger, Briefe von Max Klinger aus den Jahren 1874 bis 1919. Hrsg. von Hans Wolfgang Singer. Leipzig 1924

Alfred Lichtwark, Briefe an die Kommission für die Verwaltung der Kunsthalle. In Auswahl mit einer Einleitung, hg. von G. Pauli, 2 Bde., Hamburg 1924

L. Grimm, Vorfahren und Familie Max Klingers, Vogtländisches Jahrbuch 1925, 33–43

F. Haack, Die Kunst der neuesten Zeit, Stuttgart 1925, 236–254

Hildegard Heyne, Max Klinger, Gedanken und Bilder, Leipzig 1925

Max Klinger's Beethoven im Museum der Bildenden Künste zu Leipzig, eine Denkschrift herausgegeben von der Leitung des Museums. Leipzig 1925

Julius Vogel, Max Klinger und seine Vaterstadt Leipzig; ein Kapitel aus dem Kunstleben einer deutschen Stadt. 3. Aufl. Leipzig 1925

Max Schmid, Klinger (Künstler-Monographien von H. Knackfuß), 5. Aufl., bearb. v. J. Vogel, Bielefeld-Leipzig 1926

H. Schulz, Max Klinger als religiöser Künstler, Leipzig o. J. (1927)

Emil Waldmann, Die Kunst des Realismus und Impressionismus im 19. Jahrhundert, Berlin 1927, 146 f. (Propyläen Kunstgeschichte Bd. 15)

Adolf Heilborn, Käthe Kollwitz, Berlin-Zehlendorf [1929], (Die Zeichner des Volks. I)

Max Osborn, Geschichte der Kunst, Berlin 1929[4], 429 f.

Paul Ortwin Rave, Deutsche Bildnerkunst von Schadow bis zur Gegenwart; ein Führer zu den Bildwerken der National-Galerie. Berlin 1929

Romain Rolland, Beethoven the creator. The great creative epochs. Translated by Ernest Newman. London 1929

Carl Beyer, Max Klingers graphisches Werk von 1909–1919, eine vorläufige Zusammenstellung im Anschluß an den Œuvre-Katalog von Hans W. Singer, Leipzig 1930, Maschr.

Max Klinger-Gedächtnisfeier im Museum der bildenden Künste zu Leipzig am 5. Juli 1930. Mit Beiträgen von W. Teupser, Horst-Schulze, H. Schulz, Leipzig 1930

Muhtar. Exposition des œuvres de Mouktar, sculpteur, du 10 mars au 21 mars 1930 chez Bernheim Jeune. Préface de Georges Grappe. Paris [1930] (L'art égyptien contemporain)

Hans Hildebrandt, Die Kunst des 19. und 20. Jahrhunderts, Potsdam 1931, 334 (Handbuch zur Kunstgeschichte Abt. 18)

Ludwig Justi, Von Runge bis Thoma, Berlin 1932, 203–205

Rudolf Georg Binding, Vom Leben der Plastik; Inhalt und Schönheit des Werkes von Georg Kolbe; 2. Aufl. Berlin [1933]

Paul Friedrich, Musikalische Griffelkunst; Zu Klinger's »Brahmsphantasie«, in: Die Kunst Bd. 67, 1933, 263 ff.

Konrad Huschke, Max Klinger und Johannes Brahms; Ein Gedenken zu Brahms' 100. Geburtstag, in: Die Kunst, Bd. 67, 1933, 257–262

Georges Pierre François Grappe, Degas par Georges Grappe. Paris [1936], [Editions d'histoire et d'art]

Gedächtnisausstellung Max Klinger, Museum der bildenden Künste, Leipzig, Kunstverein Leipzig 1937

Christian Walther Biermann, Max Klinger in seinem graphischen Werk, phil. Diss., Berlin 1938

L. Anschütz, Max Klinger und der polymere Itakonsäurecester ein Versuch zur künstlerischen Verwendung eines Kunststoffes aus der Frühzeit der Kunststoff-Chemie. München 1939

W. Teupser, Max Klingers Christus im Olymp im Museum der bildenden Künste zu Leipzig, Denkschrift, hg. vom Direktor des Museums, Leipzig 1939

A. A. Wallis, Symbolist Painters of 1890, New York 1941

Pierre du Colombier, Histoire de l'art. Paris [1942], (Les grandes études historiques)

Max Klinger, Werke der Griffelkunst [hrsg. von] Eduard Plietzsch. Burg b. M. [1943?], (Heimbücher der Kunst)

Hermann Beenken, Das 19. Jahrhundert in der deutschen Kunst, Aufgaben und Gehalte. München 1944, 206–210

Erich Herman Müller von Asow, Max Regen und seine Welt. Berlin [1944]

Paul Ortwin Rave, Die Malerei des XIX Jahrhunderts, 240 Bilder nach Gemälden der National-Galerie. Berlin 1945. (Meisterwerke der Berliner Museen)

Margarete Hartig, Max Klinger und unsere Zeit, Bildende Kunst 1947, 20–21

Max Klinger, Zum Gedenken an seinen 90. Geburtstag am 18. Februar 1947. Im Auftrag des Rates der Stadt Leipzig, hg. v. C. G. Röder

Hans Sedlmayer, Verlust der Mitte. Die bildende Kunst des 19. und 20. Jahrhunderts als Symptom und Symbol der Zeit, Salzburg 1948, 156

M. Hogrebe, Max Klinger im Urteil seiner Zeit, phil. Diss., Münster 1952

Kurt Kluge, Lebendiger Brunnen; eine Briefauswahl. [Aus den Beständen des Kurt-Kluge-Archivs, hrsg. von Carla Kluge und Martin Wackernagel], Stuttgart [1952]

Theodor Heuss, Vorspiele des Sehens, Jugenderinnerungen, Tübingen 1953, 290 f.

G. Pommeranz-Liedtke, Der grafische Zyklus, Von Max Klinger bis zur Gegenwart, Berlin 1956

Max Klinger zum 100. Geburtstag, mit Beiträgen von J. Jahn und P. Angersholm, Museum der bildenden Künste, Leipzig 1957

Max Klingers Radierungen aus dem Besitz des Kaiser-Wilhelm-Museums Krefeld, 1959

Werner Hofmann, Das Irdische Paradies, München 1960

Hans H. Hofstätter, Geschichte der europäischen Jugendstilmalerei, Köln 1963

Secession, Europäische Kunst um die Jahrhundertwende, Haus der Kunst, München 1964

Hans H. Hofstätter, Symbolismus und die Kunst der Jahrhundertwende, Köln 1965

Heinz Schöffler, Anläßlich einer Klingerausstellung, Katalog: Max Klinger – Eberhard Schlotter, Radierungen, Kunsthalle Darmstadt, 8. Okt. bis 19. Nov. 1966, 6

G. Tolzien, Max Klinger, in: Kindlers Malerei Lexikon, Bd. 3, Zürich 1966, 672f.

Richard Hamann – J. Hermand, Stilkunst um 1900, Berlin 1967, 310–314, 424

Anneliese Hübscher, Betrachtungen zu den beiden zentralen Problemkomplexen Tod und Liebe in der Grafik Max Klingers – in Verbindung mit seinen Theorien über Grafik, Phil. Diss., Halle-Wittenberg 1969, Maschr., 123f.

Giorgio de Chirico, Max Klinger, in: De Chirico – Wir Metaphysiker, Berlin 1970, 78–86

Anneliese Hübscher, Zwischen Symbolismus und Wirklichkeit. Zum grafischen Schaffen Max Klingers, Bildende Kunst 12, 1970, 648–652

Max Klinger 1857–1920. Ausstellung zum 50. Todestag des Künstlers. Mit einer Einleitung von Gerhard Winkler. Museum der bildenden Künste zu Leipzig, 1970

Max Klinger zum 50. Todestag, Das druckgraphische Werk aus dem Besitz der Kunsthalle Bremen, 1970

Jürgen Weichardt, Max Klinger zum Gedächtnis, in: Weltkunst 40, 1970, S. 1247

Heinrich Wiegand Petzet, Ein sächsischer Athener, Klinger-Ausstellung der Bremer Kunsthalle, Weltkunst 40, 1970, 1248

J. Ashbery, The joys and enigmas of a strange hour, in: T. B. Hess – J. Ashbery, The grand eccentrics, London 1971, 23–31

Max Klinger, Wichita Art Museum 1971

Stefan Waetzoldt, Bemerkungen zur christlichen und religiösen Malerei in der zweiten Hälfte des 19. Jahrhunderts, in: Triviale Zonen in der religiösen Kunst des 19. Jahrhunderts, Frankfurt am Main 1971, 36–49

J. von Adlmann, Rediscovering Max Klinger, Art News 70, 1972, 52, 73

Hans H. Hofstätter, Idealismus und Symbolismus, Wien-München 1972, 56–61

Günther Metken, Im Zeichen des Handschuhs, Max Ernst und Klinger, Weltkunst 42, 1972, 368–369

M. Rüger, Max Klinger als Monumentalmaler und seine Konzeption der Raumkunst, Diplom-Arbeit, Berlin 1972

Max Klinger, Galleria dell'Incisione Mailand 1973

U. Steiner, Die Malerei Max Klingers, Phil. Diss., Wien 1973

F. Beatty, Max Klinger – the premonition of illusion, Art in America 62, 1974, 78–79

Von Gèricault zu Toulouse-Lautrec, Graphische Zyklen aus Privatbesitz, Wallraf-Richartz-Museum, Köln 1974

Die Stadt: druckgraphische Zyklen des 19. und 20. Jahrhunderts, Kunsthalle Bremen 1974

W. Kasten, Klimt, Klinger und Rahl in der Neuen Galerie der Stadt Linz, Kunstjahrbuch der Stadt Linz 1974/75, 103–106

Max Klinger, Original-Druckgraphik aus dem Besitz des Oldenburger Stadtmuseums, Städt. Kunstsammlungen, Oldenburg 1975

Jürgen Weichardt, Das graphische Werk Max Klingers, Weltkunst 45, 1975, 352

Eduard Beaucamp, Plädoyer für Max Klinger, in: Das Dilemma der Avantgarde, Frankfurt am Main 1976, 123–126

Alexander Dückers, Max Klinger, Berlin 1976

K. Mayer-Pasinski, Max Klingers graphischer Zyklus »Ein Handschuh« (1881), Pantheon 34, 1976, 298–334

W. Neuerburg, Der graphische Zyklus im deutschen Expressionismus und seine Typen 1905–1925, phil. Diss., Bonn 1976

Michael Pauseback, Max Klinger. Das druckgraphische Werk, Weltkunst 46, 1976, 2244

Symbolismus in Europa, Staatliche Kunsthalle Baden-Baden 1976

S. Wega Mathieu, Max Klinger – Leben und Werk in Daten und Bildern, Frankfurt am Main 1976

Max Klinger, Bielefeld, Göttingen, Tübingen, Wiesbaden 1976/77

Thomas W. Gaehtgens, Von der Ästhetik der graphischen Künste, in: Max Klinger, Kunsthalle Bielefeld, 10. Okt. bis 11. Nov. 1976, Bielefeld usw. 1976–77, 203–207

Bernd Growe, »Beobachten, aber nichts mitthun«, in: Max Klinger, Kunsthalle Bielefeld, 10. Okt. bis 11. Nov. 1976, Bielefeld usw. 1976–77, 13–25

Michael Pauseback, Wirklichkeit und Bildwirklichkeit, in: Max Klinger, Kunsthalle Bielefeld, 10. Okt. bis 11. Nov. 1976, Bielefeld usw. 1976–77, 12

Katrin Simons, Zwischen Sinnlichkeit und Moral, Die Darstellung von Mann und Frau in Klingers graphischen Zyklen, in: Max Klinger, Kunsthalle Bielefeld, 10. Okt. bis 11. Nov. 1976, Bielefeld usw. 1976–77, 269

W. Ranke, Böcklinmythen, in: R. Andree, Arnold Böcklin, Die Gemälde, Basel-München 1977

D. Ronte, Geistige Griffelkunst, Museen der Stadt Köln 16, 1977, 1569

Peter-Klaus Schuster, Ausstellung: Max Klinger-Graphik in Göttingen, Pantheon 35, 1977, 249–250

J. K. T. Varnedoe – E. Streicher, Max Klinger: a realm of privileged suspension, Art News 76, 1977, 46–50

G. Winkler, Max Klingers Beethoven, hg. v. Museum der bildenden Künste, Leipzig 1977

Max Klinger 1857–1920, Beeldhouwwerken, Schilderijen, Tekeningen, Grafiek, Museum Boymans-van Beuningen, Rotterdam 1978

L. M., Max Klinger redivivus? Ausstellung Berlin 1978, Weltkunst 48, 1978, 1037

R. Müller-Mehlis, Ausstellung Zürich, Max Klinger, Graphik, Weltkunst 48, 1978, 2453

K. Renger, Max Klinger, Ausstellung Rotterdam, Weltkunst 48, 1978, 2856–2857

Antje von Graevenitz, Max Klinger, Ausstellung Rotterdam, Pantheon 37, 1979, 22–24

Max Klinger 1857–1920, Galleria nazionale d'arte moderna, Einführung v. E. Beaucamp, Rom 1979

Max Klinger. Die graphischen Zyklen, Museum Villa Stuck, München 1979/80

Hans Georg Pfeifer, Die Rezeption der Graphik Max Klingers durch die kunstgeschichtliche Literatur der Gegenwart, Gießener Beiträge zur Kunstgeschichte 4, 1979, 165–184

La pittura metafisica, Palazzo Grassi, Venedig 1979

Marian Bisanz-Prakken, Gustav Klimt, Der Beethovenfries, Frankfurt-Main 1980

K. Hermann-Fiore, Aspetti della teoria e della pratica artistica in Max Klinger, *Ricerche di Storia* dell'arte 12, 1980, 43–64

Hans Georg Pfeifer, Max Klingers Graphikzyklen, Gießener Beiträge zur Kunstgeschichte 5, 1980

Eberhard Paul, Gefälschte Antike von der Renaissance bis zur Gegenwart, Leipzig 1981, 171f.

Josef Adolf Schmoll, gen. Eisenwerth, Salome 1900, in: Du. Die Kunstzeitschrift 8, 1981, 50f.

Magdalena George, Polychrome Plastik Max Klingers, in: Bildende Kunst 1982, 377ff.

Fotos

Museum der bildenden Künste, Leipzig,
Kunsthalle Bremen,
Freunde der Kunsthalle e. V., Bremen,
Lars Lohrisch, Bremen,
Roemer-Museum, Hildesheim (Peter Windzsus, Sylvia Papendorf),
Hamburger Kunsthalle,
Ralph Kleinhempel, Hamburg,
Elke Wallfort, Hamburg,
Galerei Brockstedt, Hamburg,
Foto-Studio Grünke, Hamburg,
Ny Carlsberg Glyptotek, Kopenhagen,
Villa Romana, Florenz,
Städtische Wessenberg Gemäldegalerie, Konstanz,
Neue Galerei der Stadt Linz,
Josef Pausch, Linz,
Rheinisches Bildarchiv, Köln,
Bayerische Staatsgemäldesammlung, München,
Christian Wirth, München,
Joachim Blauel-Artothek, München,
Kunsthistorisches Museum, Wien,
Foto Meyer, Wien,
Galerie Bernd Dürr, München
Galerie Werner Kunze, Berlin.
Das Druckhaus Vorwärts, Wien, stellte die Lithos für Tafel VII, VIII,1, XII, XVI, XXI, und für den Umschlag hinten freundlicherweise zur Verfügung.

Leihgeber

Galerei Brockstedt, Hamburg,
Galerie Bernd Dürr, München,
Galerie Werner Kunze, Berlin,
Hamburger Kunsthalle, Hamburg,
Kunsthalle Bremen,
Kunsthalle Mannheim,
Kunsthistorisches Museum, Wien,
Kunstmuseum, Düsseldorf,
Museum Folkwang, Essen,
Museum der bildenden Künste, Leipzig, DDR,
Neue Galerie der Stadt Linz – Wolfgang Gurlitt Museum, Linz,
Ny Carlsberg Glyptotek, Kopenhagen
Privatsammlung, Hamburg,
Privatsammlung, Hamburg,
Privatsammlung, Wien
Prof. Eberhard Schlotter, Altea/Darmstadt,
Staatliche Kunsthalle, Karlsruhe,
Staatsgalerie, Stuttgart,
Städtische Wessenberg-Gemälde-Galerie, Konstanz,
Villa Romana, Florenz,
Von-der-Heydt-Museum, Wuppertal,
Wallraf-Richartz-Museum, Köln.

Inhaltsverzeichnis

S0-AJB-970

Therapeutic Exercise for Physical Therapist Assistants

THIRD EDITION

WILLIAM D. BANDY, PT, PhD, SCS, ATC

Professor
Department of Physical Therapy
University of Central Arkansas
Conway, Arkansas

BARBARA SANDERS, PT, PhD, SCS, FAPTA

Professor and Chair
Department of Physical Therapy
Associate Dean
College of Health Professions
Texas State University—San Marcos
San Marcos, Texas

PHOTOGRAPHY BY

MICHAEL A. MORRIS, FBCA

University of Arkansas for Medical Sciences

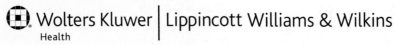

Wolters Kluwer | Lippincott Williams & Wilkins
Health

Philadelphia • Baltimore • New York • London
Buenos Aires • Hong Kong • Sydney • Tokyo

Senior Publisher: Chris Johnson
Acquisitions Editor: Emily Lupash
Product Director: Eric Branger
Senior Product Manager: Heather A. Rybacki
Product Manager: Michael Marino
Marketing Manager: Sarah Schuessler
Manufacturing Coordinator: Margie Orzech-Zeranko
Design Coordinator: Stephen Druding
Compositor: Aptara, Inc.

Third Edition

Copyright © 2013 Lippincott Williams & Wilkins, a Wolters Kluwer business

First Edition, © 2001, Lippincott Williams & Wilkins

351 West Camden Street
Baltimore, MD 21201

Two Commerce Square
2001 Market Street
Philadelphia, PA 19103

Printed in China

All rights reserved. This book is protected by copyright. No part of this book may be reproduced or transmitted in any form or by any means, including as photocopies or scanned-in or other electronic copies, or utilized by any information storage and retrieval system without written permission from the copyright owner, except for brief quotations embodied in critical articles and reviews. Materials appearing in this book prepared by individuals as part of their official duties as U.S. government employees are not covered by the above-mentioned copyright. To request permission, please contact Lippincott Williams & Wilkins at Two Commerce Square, 2001 Market Street, Philadelphia, PA 19103, via email at permissions@lww.com, or via website at lww.com (products and services).

9 8 7 6 5 4 3 2 1

Library of Congress Cataloging-in-Publication Data
Therapeutic exercise for physical therapist assistants : techniques for
intervention / [edited by] William D. Bandy, Barbara Sanders;
photography by Michael A. Morris.—3rd ed.
     p. ; cm.
  Includes bibliographical references and index.
  ISBN 978-1-60831-420-1 (alk. paper)
  I. Bandy, William D. II. Sanders, Barbara.
  [DNLM: 1. Exercise Therapy—methods. WB 541]

   616.7′062—dc23

2012016636

DISCLAIMER

Care has been taken to confirm the accuracy of the information present and to describe generally accepted practices. However, the authors, editors, and publisher are not responsible for errors or omissions or for any consequences from application of the information in this book and make no warranty, expressed or implied, with respect to the currency, completeness, or accuracy of the contents of the publication. Application of this information in a particular situation remains the professional responsibility of the practitioner; the clinical treatments described and recommended may not be considered absolute and universal recommendations.

The authors, editors, and publisher have exerted every effort to ensure that drug selection and dosage set forth in this text are in accordance with the current recommendations and practice at the time of publication. However, in view of ongoing research, changes in government regulations, and the constant flow of information relating to drug therapy and drug reactions, the reader is urged to check the package insert for each drug for any change in indications and dosage and for added warnings and precautions. This is particularly important when the recommended agent is a new or infrequently employed drug.

Some drugs and medical devices presented in this publication have Food and Drug Administration (FDA) clearance for limited use in restricted research settings. It is the responsibility of the health care provider to ascertain the FDA status of each drug or device planned for use in their clinical practice.

To purchase additional copies of this book, call our customer service department at **(800) 638-3030** or fax orders to **(301) 223-2320**. International customers should call **(301) 223-2300**.

Visit Lippincott Williams & Wilkins on the Internet: **http://www.lww.com.** Lippincott Williams & Wilkins customer service representatives are available from 8:30 am to 6:00 pm, EST.

CCS0812

*To Beth, Melissa, and Jamie for providing constant love,
patience, and inspiration.*
WDB

*To Mike and Whitney, whose love and support allow me
to do the things I enjoy.*
BS

William D. Bandy, PT, PhD, SCS, ATC
Professor
Department of Physical Therapy
University of Central Arkansas
Conway, Arkansas

Janet Bezner, PT, PhD
Deputy Executive Director
American Physical Therapy Association
Alexandria, Virginia

Marty Biondi, PT
Therapeutic & Wellness Specialists
Highland Park, Illinois

Mark DeCarlo, PT, DPT, MHA, SCS, ATC
Vice President of Clinical Services
Methodist Sports Medicine/The Orthopedic Specialists
Indianapolis, Indiana

James P. Fletcher, PT, PhD, ATC
Associate Professor
Department of Physical Therapy
University of Central Arkansas
Conway, Arkansas

Gail "Cookie" Freidhoff-Bohman, PT, MAT, SCS, ATC-L
Bauman Physical Therapy
Lexington, Kentucky

Denise Gobert, PT, PhD, NCS
Assistant Professor
Department of Physical Therapy
Texas State University—San Marcos
San Marcos, Texas

Clayton F. Holmes, PT, EdD, MS, ATC
Professor and Chair
Department of Physical Therapy
University of North Texas Health Science Center
Fort Worth, Texas

Barbara Hoogenboom, PT, EdD, SCS, ATC
Associate Professor
School of Health Professions
Grand Valley State University
Allendale, Michigan

Jean M. Irion, PT, EdD, SCS, ATC
Associate Professor
Department of Physical Therapy
University of South Alabama
Mobile, Alabama

Ginny Keely, PT, MS, OCS, FAAOMPT
Ronning Physical Therapy
Santa Cruz, California

Beth McKitrick-Bandy, PT, PCS, MBA
Director of Rehabilitation Services
Arkansas Children's Hospital
Little Rock, Arkansas

Dennis O'Connell, PT, PhD, FACSM
Professor
Department of Physical Therapy
Hardin-Simmons University
Abilene, Texas

Erin O'Kelley, MSPT, ATC
Lecturer (retired)
Department of Physical Therapy
Texas State University—San Marcos
San Marcos, Texas

Michael M. Reinold, PT, DPT, ATC
Facility Director & Coordinator of Rehabilitative
 Research
Champion Sports Medicine
American Sports Medicine Institute
Birmingham, Alabama

Eric Robertson, PT, DPT, OCS, FAAOMPT
Assistant Professor
Department of Physical Therapy
Texas State University-San Marcos
San Marcos, Texas

Chris Russian, RRT, MEd
Associate Professor
Department of Respiratory Care
Texas State University—San Marcos
San Marcos, Texas

Barbara Sanders, PT, PhD, SCS, FAPTA
Professor and Chair
Department of Physical Therapy
Associate Dean
College of Health Professions
Texas State University—San Marcos
San Marcos, Texas

Michael Sanders, EdD
Lecturer
Kinesiology and Health Sciences
University of Texas
Austin, Texas

Marcia H. Stalvey, PT, MS, NCS
Clinical Manager, Inpatient Rehabilitation
Edwin Shaw Rehabilitation Institute
Cuyahoga Falls, Ohio

Russell Stowers, PTA, EdD
Clinical Manager Rehabilitation
CHRISTUS St. Vincent Regional Medical Center
455 St. Michaels Dr.
Santa Fe, New Mexico

J. David Taylor, PT, PhD
Associate Professor
Department of Physical Therapy
University of Central Arkansas
Conway, Arkansas

Steven R. Tippett, PT, PhD, SCS, ATC
Professor and Chair
Department of Physical Therapy and Health Science
Bradley University
Peoria, Illinois

Timothy F. Tyler, PT, MS, ATC
Clinical Research Associate
NISMAT at Lenox Hill Hospital
New York, New York

Michael L. Voight, PT, DHSc, OCS, SCS, ATC
Professor
Department of Physical Therapy
Belmont University
Nashville, Tennessee

Michele Voight, PTA, MPA
Director of Clinical Education
Houston Community College
Houston, Texas

Bridgett Wallace, PT
Balance Therapy of Texas
Austin, Texas

Kevin E. Wilk, PT, DPT
Clinical Director
Champion Sports Medicine
American Sports Medicine Institute
Birmingham, Alabama

Reta J. Zabel, PT, PhD, GCS
Physical Therapist
Hot Springs, Arkansas

Lynette Allison
Winnipeg Technical College
Winnipeg, Manitoba, Canada

Alina C. Adams
Wallace State Community College
Hanceville, Alabama

Kathleen Tomczyk Born
Milwaukee Area Technical College
Milwaukee, Wisconsin

Linda Farrell
Lake Superior College
Duluth, Minnesota

Jodi Gootkin
Broward College
Naples, Florida

Nancy Greenawald
Montgomery College
Takoma Park, Maryland

Julianne Martin
Broome Community College
Binghamton, New York

Christie Simon
Kankakee Community College
Kankakee, Illinois

Krista Wolfe
Central Penn College
Summerdale, Pennsylvania

The first two physical therapist assistant (PTA) education programs, at Miami Dade Community College in Florida and St Mary's Campus of the College of St. Catherine in Minnesota, opened their doors in 1967. In 1969 the first 15 PTAs graduated from these two schools. Since that time the number of these very important technical assistants to the physical therapist (PT) has grown to include an estimated 50,000 PTAs currently licensed in the United States. To date a plethora of textbooks exist defining therapeutic exercises and describing the role of therapeutic exercise in the treatment of patients and clients. But no textbook exists on the topic of therapeutic exercise written specifically for the PTA. The purpose of *Therapeutic Exercise for the Physical Therapist Assistant* is to provide descriptions and rationale for the use of a variety of therapeutic exercise techniques that are frequently delegated to the PTA by the PT for the rehabilitation of an individual with impairment or for the prevention of potential problems.

We are excited to write the first textbook devoted totally to the use of therapeutic exercise for the PTA. Instead of using a therapeutic exercise book written for the PT and making changes to make the content appropriate to the PTA, it is our goal that *Therapeutic Exercise for the Physical Therapist Assistant* will meet the needs of educators who are training the future PTAs.

The primary audience for this textbook is individuals in a PTA curriculum. Although written primarily for PTA students, this textbook can also provide experienced clinicians with background and illustrations of specific exercise techniques, allowing even the experienced clinician to add to their repertoire of therapeutic exercises used.

As indicated in the *Guide to Physical Therapist Practice* (published by the American Physical Therapy Association), therapeutic exercise is the most important procedural intervention provided in the field of physical therapy. We believe that this textbook is an excellent choice for teaching this important topic to the PTA in a therapeutic exercise course in the curriculum or as unit in a musculoskeletal course. The basic assumption of this textbook is that the patient has been examined by the PT, the impairment has been identified, and the plan of care has been established by the PT. This textbook focuses on the implementation of the treatment plan using therapeutic exercise techniques that the PTA will provide under the direction and supervision of the PT.

● ORGANIZATION

A look at the Table of Contents shows that the book is divided into seven parts. Part I lays the foundation for the next six parts of the book. A history of therapeutic exercise is provided and an understanding of where therapeutic exercise fits into the realm of all interventions is explained. Using current policies held by the American Physical Therapy Association, important terms related to the management of the patient are defined and the role of the PTA within the healthcare team is clarified. Additional information presented in to these first two chapters includes the reaction of the various tissues to exercise, the use of complementary modalities, and effective use of communication with patients. In addition, the Nagi classification model of the disablement process is defined and a newer model that has been promoted as a successor to the Nagi model by the World Health Organization called the International Classification of Functioning, Disability, and Health (known more commonly as ICF) is discussed.

Part II presents information for increasing mobility by performing range of motion techniques (passive, active-assistive, and active) and stretching activities. Information on increasing strength and power, ranging from frequently used therapeutic exercise techniques (open-chain and closed-chain exercises) to more sophisticated and aggressive exercises (PNF and plyometrics), is presented in Part III.

Important information needed for understanding the concept of balance and providing therapeutic exercise techniques for treatment of balance dysfunction is presented in Part IV. A unique concept, reactive neuromuscular training, is presented in Part IV as well. Part V addresses the practice area of cardiopulmonary, with information presented on aerobic conditioning for the unfit but healthy individual, cardiac rehabilitation for the patient after a cardiac accident, and enhancement of breathing for the person with respiratory dysfunction.

Part VI integrates information from the previous five parts in order to treat patients with dysfunction of the upper and lower extremities and the spine. Finally, the unique applications of aquatic therapy and a relatively new concept, contextual fitness for the elderly, are presented in Part VII. In addition, Part VII also contains the addition of a new chapter added to the Third Edition on the use of therapeutic exercise in the preparation of a patient prior to giat activities.

CHAPTER STRUCTURE

Each chapter in Parts II to VII is set up using a consistent format (excluding Chapter 6). We believe that this consistent format allows a nice flow to the book from one chapter to the next and adds to the ease of reading and clarity. The standard headings are presented in the following order:

Objectives have been added to the beginning of each chapter to clarify the content that will be presented.

Scientific Basis includes background information and a brief discussion of the benefits of the intervention being presented—supported by evidence, when available.

Clinical Guidelines provide information such as how, why, and when to use the techniques.

Techniques provide illustrations of frequently used therapeutic exercise techniques.

Case Studies not only provide examples as to how to use the therapeutic exercise techniques on patients, but demonstrate how the treatment is advanced as the patient progresses.

Summary contains a bulleted list of key concepts.

References contain the most current evidence available.

Geriatric and Pediatric Perspectives offer information specific to the pediatric and geriatric patient (using "boxes") that is important for understanding the appropriate use of therapeutic exercise across the lifespan.

THE THIRD EDITION

Feedback from reviewers of the first two editions was very complimentary of the use of case studies in each chapter. An important part of practicing efficiently, ethically, and legally is that the PTA provides therapeutic exercise within the plan of care developed by the PT. To illustrate the appropriate relationship between the PT and the PTA, the Third Edition continues to include case studies that describe appropriate (and sometimes inappropriate) interventions performed by the PTA and the interaction between the PT and the PTA. In addition, at the end of each case study, a "Summary—An Effective PT–PTA Team" section is included, which provides feedback as to whether the interaction between the PTA and the PT was appropriate.

In an effort to write a book that is based on the current evidence available, the Third Edition has been, again, updated with the most current research available on the techniques presented in each chapter. Each chapter also contains sample questions and answers to prepare the student for tests. In addition to updating all chapters for the student, ancillary materials for each chapter contained in the Third Edition to assist the PTA educator include: PowerPoint presentations, and an image bank containing all figures in the text, as well as extra figures not presented in the text. The intent of these ancillary materials is to allow the instructor to individualize their course to meet the specific needs of their coursework. All ancillary material is available online (http://thepoint.lww.com).

SUMMARY

Therapeutic exercise can be considered a craft. As such, therapeutic exercise must be learned by doing, not by reading. This textbook provides ideas and techniques; however, to fully learn therapeutic exercise, the PTA student must practice the techniques under the supervision of an experienced educator. To gain this practical experience, the student should begin by practicing on an individual who is free from dysfunction before trying the techniques on patients with impairments; the student should always practice in a supervised environment. It is our hope that you find *Therapeutic Exercise for the Physical Therapist Assistant* a valuable asset to the initial and ongoing education of the PTA.

In writing each revision, we continued to be reminded that the challenges in writing a textbook tend to be more than expected. The support that our family, friends, students, and colleagues provided in allowing us to pursue each new edition was outstanding and greatly appreciated.

Michael Morris, FBCA, our photographer, has taken every picture for each of the three editions. He remains a joy to work with and we continue to appreciate his talent. Related to the photographs, we would also like to thank all the models for this book: Michael Adkins, Melissa Bandy, Laura Cabrera, Rachel Cloud, Emily Devan, Carmen Lawson, Nancy Bond, Ashlee McBride, Amber Montgomery, Dot East, Neil Hattlestad, Renatto Hess, Jean Irion, Verdarhea Langrell, Nancy Reese, and Trigg Ross. A very special thank you goes to Ben Downs from the Respiratory Therapy Department at Arkansas Children's Hospital for his assistance for the pictures in Chapter 14.

New contributors were added with the Third Edition. We are appreciative of Denise Gobert for the new chapter on exercises for the preparation of gait activities (Chapter 18), as well as the contributions of new units by Eric Robertson (Chapter 15) and Marty Biondi (Chapter 17).

A special thank you needs to go out to Russell Stowers and Michele Voight, two very hard-working PTAs who created the case studies. Their work at giving the case studies a PTA focus is appreciated—and we think these case studies are a strength of the book.

The writing of this revision was made easier due to the support of graduate assistants from the University of Central Arkansas and their work with Medline searches, editing, writing objectives, organizing the glossary, and constant word processing. Our thanks go to Kelly Free, Leah Lowe, Emily Devan, Marie Charton, Mieke Corbitt, Carrie Blankenship, Kristen Hook, and Stacie Morgan.

We would be remiss if we did not acknowledge two outstanding physical therapy faculties: Departments of Physical Therapy at the Texas State University—San Marcos and the University of Central Arkansas. We really appreciate such a supportive group of colleagues, a group that makes it fun to come in to work every day.

Finally, writing a textbook takes time from our families. We again wish to thank our families—our spouses (Beth and Mike) and our girls (Jamie, Melissa, and Whitney)—for their love, patience, and support.

CONTENTS

Foundations of Therapeutic Exercise

Introduction to Therapeutic Exercise

William D. Bandy, PT, PhD, SCS, ATC
Barbara Sanders, PT, PhD, SCS, FAPTA
Erin O'Kelley, MSPT, ATC
J. David Taylor, PT, PhD

Objectives

Upon successful completion of this chapter, the reader will be able to:

- Define therapeutic exercise.
- Discuss the role of therapeutic exercise as an intervention in patient care.
- Identify the effect of therapeutic exercise on specific soft tissue.
- Identify physical agent and electrotherapeutic interventions that would be appropriate in support of therapeutic exercise.

Therapeutic exercise consists of a broad category of activities intended to improve a patient's function and health status. In health care environment of today, passive modalities are no longer thought of as the core element in a rehabilitation program. The future of health care arena will rely more and more on therapeutic exercise for the rehabilitation of individuals with impairment.

● DEFINITION OF THERAPEUTIC EXERCISE

In a 1967 survey of more than 100 clinicians and faculty who were using or teaching therapeutic exercise, Bouman[1] collected 53 definitions of therapeutic exercise. Bouman[1] concluded, "I think we all know what therapeutic exercise is. It is just difficult to define." Before providing an operational definition of therapeutic exercise,

a brief discussion of the historical development of the field is presented.

Historical Perspective

The following review of the significant highlights in the history of therapeutic exercise provides the reader with a perspective of the progression of the use of therapeutic exercise by clinicians. For an extensive history of the field, see Licht,[2] who defined therapeutic exercise as "motions of the body or its parts to relieve symptoms or to improve function."

The use of therapeutic exercise (then referred to as medical gymnastics) was recorded as early as 800 BC in the *Atharva-Veda,* a medical manuscript from India. According to the manuscript, exercise and massage were recommended for chronic rheumatism. However, most historians in the field believe that therapeutic exercise first gained popularity and widespread use in ancient Greece. Herodicus is believed to be the first physician to write on the subject (ca. 480 b.c.e.) and is considered the Father of Therapeutic Exercise. Herodicus claimed to have used exercise to cure himself of an "incurable" disease and developed an elaborate system of exercises for athletes. Hippocrates, the most famous of Herodicus' students, wrote of the beneficial effects of exercise and its value in strengthening muscle, improving mental attitude, and decreasing obesity.

Galen, considered by some as the greatest physician in ancient Rome, wrote of exercise in the 2nd century c.e. He was appointed the physician for the gladiators and classified exercise according to intensity, duration, and frequency. In the 5th century c.e., another Roman physician, Aurelianus, recommended exercise during convalescence from surgery and advocated the use of weights and pulleys. In 1553, in Spain, Mendez wrote *Libro Del Exercicio,* the first book on exercise. The book emphasized exercises to improve hygiene.

Therapeutic exercise in modern times appears to have originated in Sweden in the 19th century with a fencing instructor named Pehr Henri Ling. Ling believed that a good fencer should also be a good athlete, and he developed and taught a system of specific movements. His system of therapeutic exercise included dosage, counting, and detailed instruction for each exercise. He demonstrated that precise movements, if scientifically applied, could serve to remedy disease and dysfunction of the body.[3] In 1932, McMillan[4] wrote, "It is Peter Henry Ling and the Swedish systematical order that we owe much today in the field of medical gymnastics and therapeutic exercise."

About the same time that Ling developed his system, Swiss physician Frenkel[5] wrote a controversial paper (1889). Frenkel proposed an exercise program for ataxia that incorporated repetitive activities to improve damaged nerve cells. No weights or strengthening activities were used, and the program became very popular. Although Frenkel's program is not as popular as it once was, his greatest contribution to the development of therapeutic exercise is the insistence on repetition.

Several individuals made major contributions to the development of therapeutic exercise in the 20th century. In 1934, Codman[6] developed a series of exercises to alleviate pain in the shoulder; these exercises are now referred to as Codman's, or pendulum, exercises. One of the most important advances was the adaptation of progressive resistance exercises (PRE) by Delorme[7] in 1945. This exercise program was developed in a military hospital in an effort to rehabilitate patients after knee surgery. According to Licht,[2] PRE was adapted more widely and rapidly than any other concept of therapeutic exercise in the century, except for early ambulation.

Kabat[8] took therapeutic exercise out of the cardinal plane by introducing diagonal movement and the use of a variety of reflexes to facilitate muscle contraction. His work was further developed by Knott and Voss,[9] who published the textbook *Proprioceptive Neuromuscular Facilitation* in 1956.

Using the principles of vector analysis on the flexor and extensor muscles that control the spine, Williams[10] developed a series of postural exercises and strengthening activities to alleviate back pain and emphasize flexion. In 1971, McKenzie[11] introduced a program to treat patients with back pain that focused on extension to facilitate anterior movement of the disks.

Hislop and Perrine[12] introduced the concept of isokinetic exercise in 1967, which was quite popular in the 1970s and 1980s. Finally, the work of Maitland,[13] Mennell,[14] and Kaltenborn[15]—who introduced the basic concepts of arthrokinematics and the use of mobilization and manipulation to decrease pain and capsular stiffness—cannot be overlooked as an important contribution in the 20th century.

It is impossible to name all the accomplishments related to the area of therapeutic exercise, but some of the more important events and concepts were highlighted. This textbook was written by current experts in the field of therapeutic exercise. Each chapter focuses on a specialized field of therapeutic exercise and includes background information and references to the major researchers and scholars in that area. In addition, all the authors are clinicians and, therefore, have firsthand knowledge and understanding of the exercise techniques presented. When Licht's[2] history of therapeutic exercise is revised, it may well refer to the authors of the chapters of this textbook.

Physical Therapy Perspective: Guide to Physical Therapist Practice

In November 1997, the APTA first published the *Guide to Physical Therapist Practice.*[16] The *Guide* provides an outline of the body of knowledge for physical therapists (PT) and delineates preferred practice patterns. In addition, the *Guide* describes boundaries within which the PT may select appropriate care. It represents the best efforts of the physical therapy profession to define itself. The document was developed over 3 years and involved the expert consensus of more than 1,000 members of the physical therapy community.

The *Guide* defines intervention as "the purposeful and skilled interaction of the PT with the patient/client." According to the *Guide*, physical therapy intervention has the following three components, listed in order of importance:

Coordination, communication, and documentation

Patient/client-related instruction

Procedural interventions

Therapeutic exercise

Functional training in self-care and home management (activities of daily living, instrumental activities of daily living)

Functional training in work (job, school, play) community and leisure integration or reintegration

Manual therapy

Prescription, application, fabrication of devices and equipment

Airway clearance techniques

Integumentary repair and protective techniques

Electrotherapeutic modalities

Physical agents and mechanical modalities

Note that therapeutic exercise is considered the most important procedural intervention. Table 1-1 presents a definition of therapeutic exercise and a detailed account of the types of therapeutic exercises used in the practice of physical therapy. The operational definition of therapeutic exercise used in this textbook is the one given in Table 1-1.

● EFFECT OF THERAPEUTIC EXERCISE ON SPECIFIC SOFT TISSUE

Before providing information on the role of the physical therapist assistant (PTA) and the description of the wide variety of therapeutic exercises that the PTA can use in the treatment of their patients and clients, an understanding of injuries, the healing process, and how therapeutic exercise relates to specific soft tissue of the body is needed. This section will provide information that is important to understand how therapeutic exercise is integrated into the total treatment plan and the management of the patient.

Injury Classification

Tissue is either injured with a single injurious force referred to as macro-trauma or by a series of small forces referred to as micro-trauma. With a macro-trauma injury, the pain and tissue destruction occur simultaneously. However, with micro-trauma, the tissue incurs several small injuries prior to the patient experiencing pain. In both instances, pain is not an accurate indicator of the health of the tissue. The chemical mediators relaying the message of pain are often dissipated long before the tissue is healthy enough to respond to the forces such as those that led to the initial injury.

Phases of Healing

Although three phases of the healing process exist, in reality, healing is an ongoing process until resolution with no clear delineation of one phase from the other. *Phase I* is the inflammatory response phase. An injury occurs and the body tries to respond by stabilizing the injured site; the inflammation begins and lasts 24 to 48 h and even up to 7 to 10 days. The acute inflammatory reaction begins with vasoconstriction of small vessels. As the acute phase resolves, vasodilatation of the vessels occurs, which increases the blood and plasma flow to the area of injury. This vasodilatation is followed by increased permeability that leads to edema. These changes allow the increase of white blood cells (WBC) to combat foreign bodies and instigate the process of debris removal. The inflammatory process is a time of many complex events that manifest themselves with the signs of inflammation including redness, swelling, pain, increased temperature, and loss of normal function.

Phase II is considered the repair sequence, or the proliferation phase, and begins after Phase I, anytime from 48 h to 6 weeks after injury. Tissue regeneration occurs with vascularization and cell growth to fill any tissue voids. The fibroblastic activity provides proliferation of the reparative cells for wound closure and regeneration of any small vessels. These events are complex and interactive among cells and chemicals in the area. The collagen that is produced during this phase is type III collagen and is weak and thin but lays down the foundation for further collagen replacement with type I collagen.

Phase III is the stage of connective tissue formation and remodeling and begins from 3 weeks to 12 months following injury. During this phase, a balance between proteolytic degradation of excess collagen and deposition, organization, and modification of the collagen exists in preparation for the maturation process. Type III collagen is converted to type I collagen that strengthens and provides much more cross-linkage to develop tensile strength. Remodeling is the process by which the architecture of tissue alters in response to stress.

Tissue repair is an adaptive intrinsic and extrinsic process. Physical therapy cannot accelerate the healing but can support and not delay or disrupt the process. A balance needs to exist between protection and application of controlled functional stresses.

As more specific makeup of the various tissues in the body is described, it is important not only to gauge the stage of healing but to also understand that tissues have different rates of healing. Tissues must receive nutrients

TABLE 1-1 Procedural Interventions

Therapeutic Exercise

Therapeutic exercise is the systematic performance or execution of planned physical movements, postures, or activities intended to enable the patient/client to (1) remediate or prevent impairments, (2) enhance function, (3) reduce risk, (4) optimize overall health, and (5) enhance fitness and well-being. Therapeutic exercise may include aerobic and endurance conditioning and reconditioning; agility training; balance training, both static and dynamic; body mechanics training; breathing exercises; coordination exercises; developmental activities training; gait and locomotion training; motor training; muscle lengthening; movement pattern training; neuromotor development activities training; neuromuscular education or reeducation; perceptual training; postural stabilization and training; range-of-motion exercises and soft tissue stretching; relaxation exercises; and strength, power, and endurance exercises.

Physical therapists select, prescribe, and implement exercise activities when the examination findings, diagnosis, and prognosis indicate the use of therapeutic exercise to enhance bone density; enhance breathing; enhance or maintain physical performance; enhance performance in activities of daily living (ADL) and instrumental activities of daily living (IADL); improve safety; increase aerobic capacity/endurance; increase muscle strength, power, and endurance; enhance postural control and relaxation; increase sensory awareness; increase tolerance to activity; prevent or remediate impairments, functional limitations, or disabilities to improve physical function; enhance health, wellness, and fitness; reduce complications, pain, restriction, and swelling; or reduce risk and increase safety during activity performance.

Clinical Considerations

Examination findings that may direct the type and specificity of the procedural intervention may include:

- *Pathology/pathophysiology (disease, disorder, or condition), history (including risk factors) of medical/surgical conditions, or signs and symptoms (e.g., pain, shortness of breath, stress) in the following systems:*
  — cardiovascular
  — endocrine/metabolic
  — genitourinary
  — integumentary
  — multiple systems
  — musculoskeletal
  — neuromuscular
  — pulmonary

- *Impairments in the following categories:*
  — aerobic capacity/endurance (e.g., decreased walk distance)
  — anthropometric characteristics (e.g., increased body mass index)
  — arousal, attention, and cognition (e.g., decreased motivation to participate in fitness activities)
  — circulation (e.g., abnormal elevation in heart rate with activity)
  — cranial and peripheral nerve integrity (e.g., difficulty with swallowing, risk of aspiration, positive neural provocation response)
  — ergonomics and body mechanics (e.g., inability to squat because of weakness in gluteus maximus and quadriceps femoris muscles)
  — gait, locomotion, and balance (e.g., inability to perform ankle dorsiflexion)
  — integumentary integrity (e.g., limited finger flexion as a result of dorsal burn scar)
  — joint integrity and mobility (e.g., limited range of motion in the shoulder)
  — motor function (e.g., uncoordinated limb movements)
  — muscle performance (e.g., weakness of lumbar stabilizers)
  — neuromotor development and sensory integration (e.g., delayed development)
  — posture (e.g., forward head, kyphosis)
  — range of motion (e.g., increased laxity in patellofemoral joint)

- — reflex integrity (e.g., poor balance in standing)
  — sensory integrity (e.g., lack of position sense)
  — ventilation and respiration/gas exchange (e.g., abnormal breathing patterns)

- *Functional limitations in the ability to perform actions, tasks, and activities in the following categories:*
  — self-care (e.g., difficult with dressing, bathing)
  — home management (e.g., difficulty with raking, shoveling, making bed)
  — work (job/school/play) (e.g., difficulty with keyboarding, pushing, or pulling, difficulty with play activities)
  — community/leisure (e.g., inability to negotiate steps and curbs)

- *Disability—that is, the inability or restricted ability to perform actions, tasks, or activities of required roles within the individual's sociocultural context—in the following categories:*
  — work (e.g., inability to assume parenting role, inability to care for elderly relatives, inability to return to work as a police officer)
  — community/leisure (e.g., difficulty with jogging or playing golf, inability to attend religious services)

- *Risk reduction/prevention in the following areas:*
  — risk factors (e.g., need to decrease body fat composition)
  — recurrence of condition (e.g., need to increase mobility and postural control for work [job/school/play] actions, tasks and activities)
  — secondary impairments (e.g., need to improve strength and balance for fall risk reduction)

- *Health, wellness, and fitness needs:*
  — fitness, including physical performance (e.g., need to improve golf-swing timing, need to maximize gymnastic performance, need to maximize pelvic-floor muscle function)
  — health and wellness (e.g., need to improve balance for recreation, need to increase muscle strength to help maintain bone density)

(continued)

TABLE 1-1 continued

Interventions

Therapeutic exercise may include:

- Aerobic capacity/endurance conditioning or reconditioning
  — aquatic programs
  — gait and locomotion training
  — increased workload over time
  — movement efficiency and energy conservation training
  — walking and wheelchair propulsion programs

- Balance, coordination, and agility training
  — developmental activities training
  — motor function (motor control and motor learning) training or retraining
  — neuromuscular education or reeducation
  — perceptual training
  — posture awareness training
  — sensory training or retraining
  — standardized, programmatic, complementary exercise approaches
  — task-specific performance training
  — vestibular training

- Body mechanics and postural stabilization
  — body mechanics training
  — postural control training
  — postural stabilization activities
  — posture awareness training

- Flexibility exercises
  — muscle lengthening
  — range of motion
  — stretching

- Gait and locomotion training
  — developmental activities training
  — gait training
  — implement and device training
  — perceptual training
  — standardized, programmatic, complementary exercise approaches
  — wheelchair training

- Neuromotor development training
  — developmental activities training
  — motor training
  — movement pattern training
  — neuromuscular education or reeducation

- Relaxation
  — breathing strategies
  — movement strategies
  — relaxation techniques
  — standardized, programmatic, complementary exercise approaches

- Strength, power, and endurance training for head, neck, limb, pelvic-floor, trunk, and ventilatory muscles
  — active assistive, active, and resistive exercises (including concentric, dynamic/isotonic, eccentric, isoki-netic, isometric, and plyometric
  — aquatic programs
  — standardized, programmatic, complementary exercise approaches
  — task-specific performance training

Anticipated Goals and Expected Outcomes

Anticipated goals and expected outcomes related to therapeutic exercises may include:

- Impact on pathology/pathophysiology (disease, disorder, or condition)
  — Atelectasis is decreased.
  — Joint swelling, inflammation, or restriction is reduced.
  — Nutrient delivery to tissue is increased.
  — Osteogenic effects of exercise are maximized.
  — Pain is decreased.
  — Physiological response to increased oxygen demand is improved.
  — Soft tissue swelling, inflammation, or restriction is reduced.
  — Symptoms associated with increased oxygen demand are decreased.
  — Tissue perfusion and oxygenation are enhanced.

- Impact on impairment
  — Aerovic capacity is increased.
  — Airway clearance is improved.
  — Balance is improved.
  — Endurance is increased.
  — Energy expenditure per unit of work is decreased.
  — Gait, locomotion, and balance are improved.
  — Integumentary integrity is improved.
  — Joint integrity and mobility are improved.
  — Motor function (motor control and motor learning) is improved.
  — Muscle performance (strength, power, and endurance) is increased.
  — Postural control is improved.
  — Quality and quantity of movement between and across body segments are improved.
  — Range of motion is improved.
  — Relaxation is increased.
  — Sensory awareness is increased.
  — Ventilation and respiratory/gas exchange are improved.
  — Weight-bearing status is improved.
  — Work of breathing is decreased.

- Impact on functional limitations
  — Ability to perform physical actions, tasks, or activities related to self-care, home management, work (job/school/play), community, and leisure is improved.
  — Level of supervision required for task performance is decreased.
  — Performance of and independence in ADL and IADL with or without devices and equipment are increased.
  — Tolerance of positions and activities is increased.

- Impact on disabilities
  — Ability to assume or resume required self-care, home management, work (job/school/play), community, and leisure roles is improved.

- Risk reduction/prevention
  — Preoperative and postoperative complications are reduced.
  — Risk factors are reduced.
  — Risk or recurrence of condition is reduced.
  — Risk of secondary impairment is reduced.

(continued)

TABLE 1-1   continued

Anticipated Goals and Expected Outcomes (continued)
— Safety is improved.
— Self-management of symptoms is improved.

• Impact on health, wellness, and fitness
— Fitness is improved.
— Health status is improved.
— Physical capacity is increased.
— Physical function is improved.

• Impact on societal resources
— Utilization of physical therapy services is optimized.
— Utilization of physical therapy services results in efficient use of health care dollars.

• Patient/client satisfaction
— Access, availability, and services provided are acceptable to patient/client.

— Administrative management of practice is acceptable to patient/client.
— Clinical proficiency of physical therapist is acceptable to patient/client.
— Coordination of care is acceptable to patient/client.
— Cost of health care services is decreased.
— Intensity of care is decreased.
— Interpersonal skills of physical therapist are acceptable to patient/client, family, and significant others.
— Sense of well-being is improved.
— Stressors are decreased.

Source: Reprinted with permission from the American Physical Therapy Association.

---

to heal. The most efficient and, therefore, strong determinant of tissue healing rate is blood supply. However, when blood supply is either absent of low, the available avenues to supply the tissue with nutrients, and how to incorporate this information into a safe rehabilitation technique, need to be understood. The various soft tissues of the body that can be affected by therapeutic exercises will now be described: joint capsule, ligament, tendon, and muscle.

Joint Capsule

The joint capsule exists in all synovial joints. Dysfunction of the joint capsule may be due to a tensile force leading to connective tissue failure, and secondly, joint instability. The joint capsule may also contribute to dysfunction by restricting normal arthokinematic motions (defined in Chapter 4) by decreased extensibility from previous injury or tissue disease.

The joint capsule consists of two distinct layers. The external layer, stratum fibrosum, is often referred to as the fibrous capsule. Functionally, the stratum fibrosum contributes to joint stability. The functional role is achieved by the dense irregular connective tissue that has a large percentage of type I collagen fiber bundles oriented in several directions to combat the multidirectional tensile loads possible. Although the stratum fibrosum connects to the periosteum of the bone, the tissue is poorly vascularized. Conversely, the stratum fibrosum is highly innervated with both pain and mechanoreceptors. These mechanoreceptors are very important from a rehabilitation perspective. The use of simple exercises such as simple active or passive range of motion (ROM) (presented in Chapter 3) will help maintain and reeducate the sensory organs after injury. Then, higher level of exercises such as progressive rhythmic stabilization to functional open

chain and closed chain exercises (presented in Chapters 7 to 10) with increases and speed and difficulty are essential to a comprehensive rehabilitation program.

The internal layer of the capsule, stratum synovium, is highly vascularized yet poorly innervated. The stratum synovium is crucial to joint health as a deliverer of lubrication and nutrition to joint surfaces and accessory bodies such as menisci. The specialized cells of the stratum synovium are responsible for manufacturing synovial fluid. Synovial fluid contains hyaluronic acid, which acts like a fluid lubricator filling the joint space, lubricating the synovium, and is responsible for the synovial fluid's viscosity.[17]

Each of us has experienced a change in shape of the stratum fibrosum and the effects of decreased lubrication. If you sit in a chair and have your knee fully extended by placing your foot on another chair for an extended period of time, you will experience pain and a resistance to the initiation of knee flexion. The time in the extended position places the stratum fibrosum on stretch and initiates pain. Additionally, during the elongated position, the synovial fluid becomes stagnant, making your knee feel stiff. To overcome this uncomfortable sensation, we naturally gently move out of the extended position and then repeatedly flex the knee. The repetitive motion promotes synovial bathing and motion becomes easier and less painful. With this simple daily example, you should be able to clearly imagine the results of prolonged immobilization.

Ligaments

Most commonly, ligaments function as a passive connector and stabilizer between two bones. Ligaments are often interwoven in the stratum fibrosum of the capsule and considered capsular ligaments. Similarly to the capsule, ligaments also house neurosensory organs.

Location of a ligament is a key factor in its nutritional supply. In capsular ligaments, the amount of blood supply is limited. Other ligaments are extra-capsular or intra-capsular but extra-synovial and receive blood supply from small vessels, which allows a better blood supply.

When the stability of a joint has been compromised by joint capsule or ligamentous injury, the healing time is between 6 and 8 weeks. Full healing of ligamentous tissue may extend beyond this initial time to 12 to 14 weeks. A fibrous scar will replace the defect. Stress during the healing process will strengthen the repair of the ligamentous tissue when applied in a controlled manner. The goal of rehabilitation is to control the inflammation in the acute stage, provide a healthy environment with pain-free motion, utilize muscles crossing the injured joint to help stabilize the area, and finally provide controlled stresses to help align newly laid collagen fibers in an organized and efficient direction.

Tendon

Mechanically, tendons are similar in biological makeup to ligaments. However, because tendons do not have to resist forces from multiple angles, the collagen fiber alignment is a tightly packed parallel configuration. The tendon attaches to the bone via mineralized fibrocartilage known as Sharpey's fibers. The musculotendinous junction is a critical zone as the collagen fibers of the tendon merge with the contractile units of the muscle. The musculotendinous zone has the greatest vascular contribution. However, the remaining portions of the tendon have relatively poor blood supply available for healing.

Injuries to the tendon may be either from macro-trauma or from micro-trauma. Most macro-trauma injuries, which occur at the boney insertion or below the musculotendinous junction, will require surgical intervention. Micro-trauma injuries are often due to repetitive overload commonly of an eccentric nature. For example, tennis elbow is caused by eccentric overloading of the tendon with the recurrent nature of the swing and ball hit. This type of injury may also occur with an industrial worker who is constantly performing the same repetitive lifting motion. It is important to realize that the tissue injury is present long before the patient identifies the time of pain. Perhaps, more importantly, the patient's pain will subside prior to the conclusion of healing leaving the patient at risk for repeat episodes of injury, inflammation, and pain if returned to full activity too soon after injury. A therapeutic exercise program should begin within the first 24 h of pain onset. Active ROM exercises (presented in Chapter 3) should be initiated only in the pain-free range. Early on, exercise should avoid eccentric loading and be limited to no more than two exercises to the injured tissue. However, as the patient is able to achieve full pain-free ROM and concentric strength, a gradual eccentric load-

ing and rate must be initiated.[18] (The concepts of eccentric and concentric loading will be presented in Chapters 5 and 6.) The tendon responds to loads with increases in tensile strength and efficiency.[19]

Cartilage

Three distinct types of cartilage exist in the human body: elastic cartilage, hyaline cartilage, and fibrocartilage. Elastic cartilage is found in the ears and epiglottis and, as the name implies, has a significantly higher ratio of elastin than the other types of cartilage to allow greater amounts of deformation without permanent alteration in resting shape.

Hyaline cartilage is a specialized substance found at the ends of bones in synovial joints and functions to provide a smooth, low friction surface. Hyaline cartilage serves to evenly disperse compressive and shearing forces. In combination with the synovial fluid, hyaline cartilage provides a low coefficient of friction with a surface that is 5 to 20 times more slippery than ice.[20] The hyaline cartilage is both aneural and avascular. Nourishment to this tissue only comes from the synovial fluid and through diffusion of nutrients from the subchondral bone. This nourishment occurs in a milking action through intermittent compression of the joint surface.

Fibrocartilage is found between bones that require little motion such as the intervertebral disk, menisci, and labrums. Fibrocartilage functions as a shock absorber, as noted above, and can be found in both weight-bearing and non-weight-bearing joints. Fibrocartilage has similar properties to hyaline cartilage but is less distensible due to the dense collagen fibers. Fibrocartilage is avascular, alymphatic, and aneural. It is designed to sustain a large and repeated stress load.

Because the articular cartilage is aneural and avascular, early indications of injury in the form of pain and swelling do not occur until the articular lesion reaches the subchondral bone. However, with advancements in imaging and often identification of cartilage lesions during surgical procedures initiated to address other injuries, early identification of cartilage injury is now common.

Although the classifications of articular damage and methods to repair the damage are beyond the scope of this chapter, in general, the defects are filled with fibrocartilage, which is mechanically less advantageous than hyaline cartilage. However, based on the understanding of how articular cartilage receives nutrition, some rehabilitation guidelines can be provided. The goal is to provide the injured area with a large amount of synovial flushing and to utilize the milking action to receive nutrients from the subchondral bone without further compromising the area. It is important to recognize that with the advances in surgical procedures consisting of articular transplant and laboratory cell growth, alterations in the rehabilitation process are vast and should follow the physician's guidelines.

Skeletal Muscle

Skeletal muscle is the basis for human movement. Muscle strains are graded in accordance to the amount of fiber destruction. A grade 1 is characterized as an adverse stretching of the fibers leading to a minimal tear, no palpable defect, and minor loss of function. A grade 2 strain indicates up to half of the muscle fibers are torn and leads to painful dysfunction that limits full ROM and activity. A grade 3 muscle strain is considered a rupture of all of the muscle fibers. Commensurate with this type of injury is major disability and often a palpable defect.

Muscle also has viscoelastic properties. It is easy to focus on the contractile units of myosin and actin and forget that muscle is surrounded by fascia (information on actin and myosin is presented in Chapter 6). In addition, within the actual muscle unit (sarcomere) resides connective tissue that contributes to the viscoelastic properties. The muscle cell membrane and protein titin provide the parallel elastic properties of muscle. When the muscle is lengthened, these units lengthen with the muscle and then help, through their elastic properties, return the muscle to its resting length. Working in series to provide elastic characteristics is the tendon. When a muscle is contracted, the parallel properties are on slack; however, the tendon becomes under tension. When a muscle is elongated fully over the joint it crosses, both the series and the parallel components are under tension. Collectively, the elastic components found in the muscle and in the tendon provide the spring-like action, or stiffness, of a muscle.[17,21]

Mechanically, increasing the tension of the muscle and adjoining tendon is similar to stretching a rubber band. After taking up the resting slack in the muscle, both the parallel and the serial properties endure an increase in tension that builds exponentially until tissue failure. An abnormal amount of passive tension secondary to a decrease in the elastic properties of the muscle can contribute to a functional decrease in ROM. For example, a woman who wears only high-heeled shoes will demonstrate a decrease in ankle dorsiflexion secondary to a tight gastrocnemius, Achilles complex.

Therapeutic Exercise and Soft Tissue—Summary

Rarely is only one soft tissue affected in a patient. A patient with articular cartilage damage is likely to also present with decreased capsular mobility, or a hamstring injury may be accompanied by nerve irritation. The therapist's responsibility is to follow the rehabilitation plan to address each soft tissue and not to allow a certain intervention on one soft tissue to exacerbate the symptoms and condition of the other tissues involved. Following the stages of healing will assist in a successful intervention. Careful recognition of signs such as decreased ROM, strength, and pain, despite the likely stage of healing, must be addressed by decreasing the load and/or increasing the amount of rest.

● COMPLEMENTARY INTERVENTIONS TO THERAPEUTIC EXERCISE

In the physical therapy management of individuals with diagnoses, various impairments, and functional limitations, the PTA administers a variety of interventions. Physical therapy interventions administered by the PTA are defined as the "purposeful interaction of the PTA with the patient/client using various physical therapy procedures including therapeutic exercise, physical agents, and electrotherapeutic modalities."[16] Physical agents and electrotherapeutic modalities are often utilized to promote healing and complement therapeutic exercise to improve physical performance in people with impairments and functional deficits.

Physical Agents

Physical agents are a group of procedures using various forms of energy (acoustical, aqueous, or thermal) that are applied to tissues in a systematic manner. PTAs implement physical agents to increase connective tissue extensibility, increase the healing rate of soft tissue, modulate pain, reduce swelling and inflammation, and enhance physical performance in individuals with impairments and loss of function. The therapeutic goal of physical agents is to complement the role of therapeutic exercise in improving strength, power, endurance, aerobic capacity, ROM, and physical performance that is impaired due to injury or disease.[16]

Physical agents may include thermotherapy, cryotherapy, hydrotherapy, and sound agents (Table 1-2). Thermotherapy (e.g., dry heat, hot packs, paraffin baths, short-wave diathermy) is the treatment of damaged tissue by therapeutic application of heat. Cryotherapy (e.g., cold packs, ice massage, Fig. 1-1, and vapocoolant spray) is the use of cold in the treatment of tissue injury. Hydrotherapy (e.g., contrast bath and whirlpool tanks) is the external application of water as a liquid, solid, or vapor for therapeutic purposes. A sound agent (e.g., phonophoresis, ultrasound, Fig. 1-2) is used as an intervention to treat tissue injury by transmitting vibrations produced by a sounding body through a conductive medium.[16]

Use of Physical Agents to Complement Therapeutic Exercise

The *Guide to Physical Therapist Practice*[16] indicates that the use of physical agents in the absence of other interventions should not be considered physical therapy unless docu-

TABLE 1-2	Physical Agents
THERMOTHERAPY	
• Dry heat	
• Hot packs	
• Paraffin bath	
• Short-wave diathermy	
CRYOTHERAPY	
• Cold packs	
• Ice massage	
• Vapocoolant spray	
HYDROTHERAPY	
• Contrast bath	
• Whirlpool	
SOUND AGENTS	
• Phonophoresis	
• Ultrasound	

mentation exists that justifies the necessity of exclusive use of physical agents. Therefore, this textbook describes the use of physical agents as a group of complementary interventions to therapeutic exercise.

Cryotherapy is an adjunctive intervention to therapeutic exercise. Bleakley et al.[22] performed a systematic review of randomized clinical trials (RCTs) assessing the efficacy of cryotherapy in the treatment of acute soft-tissue injuries. After a review of 22 RCTs, the authors concluded that ice in addition to exercise was effective in the treatment of ankle sprain and surgical-related impairments.

Yanagisawa et al.[23] conducted a clinical trial that investigated the effects of ice and exercise on shoulder ROM after subjects threw a baseball. The control group and experiment group showed a significant decrease in shoulder ROM immediately after throwing a baseball. But shoulder ROM in the experimental group significantly improved after the intervention with ice in conjunction with exercise when compared to the control group.

Ultrasound is a physical agent that may be utilized to support therapeutic exercise in improving ROM. Knight et al.[24] conducted a clinical trial to evaluate the effect of hot packs, ultrasound, and active exercise warm-up prior to stretching compared with stretching alone on the extensibility of the plantar-flexor muscles. The results of the Knight et al.[25] study indicated that the use of ultrasound prior to stretching was the most effective for increasing ankle dorsiflexion ROM.

Esenyel et al.[25] investigated the effectiveness of ultrasound treatment and trigger point injections in combination with neck-stretching exercises on myofascial trigger points of the upper trapezius muscle. Subjects were randomly assigned to receive either ultrasound therapy to trigger points in conjunction with neck-stretching exercises (group 1), trigger point injections and neck-stretching

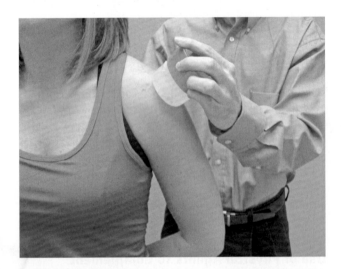

FIGURE 1-1 ● ICE MASSAGE TO THE SHOULDER.

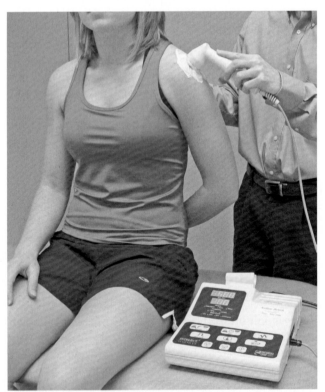

FIGURE 1-2 ● ULTRASOUND TO THE SHOULDER.

exercises (group 2), or neck-stretching exercises only (control group). When compared with the control group, subjects in groups 1 and 2 had a statistically significant reduction in pain and increase in ROM. No statistically significant differences between groups 1 and 2 were found. The study concluded that in patients with myofascial pain syndrome, ultrasound in combination with stretching was as effective as combined trigger point injections and stretching, and the addition of ultrasound or trigger point injections was more effective than stretching alone.

Research suggests that short-wave diathermy alone is effective in reducing the perception of pain and improving physical function in the short-term. Fukuda et al.[26] conducted a randomized clinical trial comparing the effect of short-wave diathermy on pain and physical function in patients with osteoarthritis of the knee. Patients were randomly assigned to one of four groups. One group did not receive an intervention (control group). A second group received a placebo treatment (placebo group). The third group received a low dose of short-wave diathermy and the fourth group received a high dose of short-wave diathermy. The findings of Fukuda et al.[26] indicated that low-dose and high-dose short-wave diathermy were equally effective and more effective than receiving the placebo or no treatment. However, other research by Akyol et al.[27] indicated that short-wave diathermy combined with therapeutic exercise is not any more effective than therapeutic exercise only in patients with knee osteoarthritis.

The Philadelphia Panel[28-31] conducted a series of meta-analysis studies on the effects of various interventions on shoulder, neck, knee, and low back pain. The meta-analysis studies indicated that evidence does exist supporting the utilization of thermotherapy and therapeutic exercise for musculoskeletal pain. Yet, the meta-analysis studies also indicated that the research supporting the utilization of thermotherapy in conjunction with therapeutic exercise is limited. The Philadelphia Panel[28-31] meta-analyses concluded that good evidence exists supporting the use of therapeutic exercise alone as an intervention for musculoskeletal pain, but evidence is insufficient for the combined interventions of thermotherapy and therapeutic exercise.

Electrotherapeutic Modalities

Electrotherapeutic modalities are a group of agents that use electricity and are intended to assist functional training, assist muscle force generation and contraction, decrease unwanted muscular activity, maintain strength after injury or surgery, increase circulation, drive out edema, decrease pain, reduce swelling, reduce inflammation, and assist in wound healing. The PTA utilizes electrotherapeutic modalities to increase joint mobility, improve muscle and neuromuscular impairments, enhance physical performance, and improve upon loss of physical function.[16] As in the case of physical agents, the therapeutic goal of electrotherapeutic modalities is to complement therapeutic exercise in improving strength, power, endurance, aerobic capacity, ROM, and physical performance that is impaired due to injury or disease.[16]

Electrotherapeutic modalities include biofeedback and electrical stimulation (e.g., electrical muscle stimulation, Fig. 1-3, functional electrical stimulation, neuromuscular

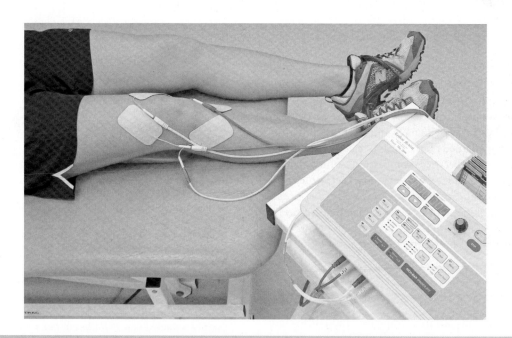

FIGURE 1-3 ● ELECTRICAL MUSCLE STIMULATION TO THE KNEE.

electrical stimulation, and transcutaneous electrical nerve stimulation).[16] Biofeedback is a training technique that promotes gain in voluntary control based on the learning principle that a desired response is learned when received information (feedback) indicates that a specific action has produced the desired response.[16] Electrical stimulation, as referred to in this textbook, is defined as an intervention that is utilized to stimulate muscle contraction.

Use of Electrotherapeutic Modalities to Complement Therapeutic Exercise

As with physical agents, the *Guide to Physical Therapist Practice*[16] indicates that the use of electrotherapeutic modalities in the absence of other interventions should not be considered physical therapy unless documentation exists that justifies the necessity of exclusive use electrotherapeutic modalities. Therefore, this textbook describes the use of electrotherapeutic modalities as a group of complementary interventions to therapeutic exercise.

Biofeedback in combination with therapeutic exercise has been shown to be effective in the clinical management of orthopedic impairments. A recent systematic review of randomized clinical trials (RCTs) by Bizzini et al.[32] assessed nonoperative treatments for patellofemoral pain syndrome. Based on the results of RCTs exhibiting a sufficient level of quality, the combination of exercise with patellar taping and biofeedback was found to be effective in decreasing pain and improving function in patients with patellofemoral pain syndrome.

Ingersoll and Knight[33] studied the changes in the patellofemoral biomechanics as a result of biofeedback training that emphasized vastus medialis obliquus (VMO) strengthening, strength training only, and no exercise. The results of this study suggested that the use of biofeedback training to selectively strengthen the VMO was beneficial in correcting faulty patellar tracking and biomechanics.

Researchers have investigated the use of electrical stimulation in the context of exercise programs to develop strength and physical performance. Improvements in muscle strength are explained on the basis of electrical stimulation of motor units. Electrical stimulation of motor units during exercise promotes synchronous recruitment of muscle fibers. Significant increases in muscle fiber cross-sectional area, isokinetic peak torque, maximal isometric and dynamic strength, and motor performance skills have been found utilizing combined electrical stimulation and exercise.[34]

Complementary Interventions—Summary

Physical agents and electrotherapeutic modalities are a collection of interventions that the PTA can utilize to complement therapeutic exercise. Yet, physical agents and electrotherapeutic modalities should not be used exclusively without appropriate documentation that justifies the sole use of physical agents and electrotherapeutic modalities. Using the best evidence available, the PT should determine the optimum combination of physical agents or electrotherapeutic modalities with therapeutic exercise. The PT can then provide instruction and direction to the PTA for implementation of physical agents and electrotherapeutic modalities in the therapeutic exercise treatment program. In conjunction with therapeutic exercise, physical agents and electrotherapeutic modalities can be an effective group of interventions in the physical therapy plan of care.

SUMMARY

- The *Guide to Physical Therapist Practice*[16] notes that therapeutic exercise is a vital component of patient intervention and is a core element in the care of patients with dysfunctions and of clients who require preventative measures. This textbook emphasizes the specific techniques used in programs of care for individuals with dysfunction as well as prevention of dysfunction.

References

1. Bouman HD. Delineating the dilemma. *Am J Phys Med.* 1967;46:26–41.
2. Licht S, ed. *Therapeutic exercise.* New Haven, CT: Licht; 1965.
3. Taylor GH. *An exposition of the Swedish movement-cure.* New York, NY: Fowler & Wells; 1860.
4. McMillan M. *Massage and therapeutic exercise.* Philadelphia, PA: Saunders; 1932.
5. Frenkel HS. *The treatment of tabetic ataxia.* Philadelphia, PA: Blakeston; 1902.
6. Codman EA. *The shoulder.* Philadelphia, PA: Harper & Row; 1934.
7. Delorme TL. Restoration of muscle power by heavy resistance exercises. *J Bone Joint Surg Am.* 1945;27:645–650.
8. Kabat H. Studies in neuromuscular dysfunction XIII: New concepts and techniques of neuromuscular reeducation for paralysis. *Perm Found Med Bull.* 1950;8:112–120.
9. Knott M, Voss DE. *Proprioceptive neuromuscular facilitation.* Philadelphia, PA: Harper & Row; 1956.
10. Williams PC. Examination and conservative treatment for disc lesion of the lower spine. *Clin Orthop.* 1955;5:28–39.
11. McKenzie RA. *The lumbar spine: Mechanical diagnosis and therapy.* Upper Hutt, New Zealand: Spinal; 1971.
12. Hislop HJ, Perrine JA. The isokinetic concept of exercise. *Phys Ther.* 1967;47:114–118.
13. Maitland GD. *Vertebral manipulation.* 4th ed. London: Butterworth; 1977.
14. Mennell JM. *The musculoskeletal system: Differential diagnosis from symptoms and physical signs.* Gaithersburg, MD: Aspen; 1992.
15. Kaltenborn FM. *The spine.* 2nd ed. Oslo, Norway: Olaf Norris; 1993.
16. American Physical Therapy Association. Guide to physical therapist practice, second edition. *Phys Ther.* 2001;81:1–768.
17. Levangie PK, Norkin C. *Joint structure and function: A comprehensive analysis.* 3rd ed. Philadelphia, PA: FA Davis Company; 2001.

18. Sandrey MA. Acute and chronic tendon injuries: Factors affecting the healing response and treatment. *J Sport Rehabil.* 2003;12:70–91.

19. Young MA, Cook JL, Purdam CR, et al. Eccentric decline squat protocol offers superior results at 12 months compared with traditional eccentric protocol for patellar tendinopathy in volleyball players. *Br J Sports Med.* 2005;39:102–105.

20. Mow FC, Flatow EL, Foster RJ, et al. Biomechanics. In: Simon SR, ed. *Orthopaedic basic science.* Rosemont, IL: American Academy of Orthopaedic Surgeons; 1994.

21. Neumann DA. *Kinesiology of the musculoskeletal system: Foundations for physical rehabilitation.* Philadelphia, PA: Mosby; 2002.

22. Bleakley C, McDonough S, MacAuley D. The use of ice in the treatment of acute soft-tissue injury: A systematic review of randomized controlled trials. *Am J Sports Med.* 2004;32:251–261.

23. Yanagisawa O, Miyanaga Y, Shiraki H, et al. The effects of various therapeutic measures on shoulder range of motion and cross-sectional areas of rotator cuff muscles after baseball pitching. *J Sports Med Phys Fitness.* 2003;43:356–366.

24. Knight CA, Rutledge CR, Cox ME, et al. Effect of superficial heat, deep heat, and active exercise warm-up on the extensibility of the plantar flexors. *Phys Ther.* 2001;81:1206–1214.

25. Esenyel M, Caglar N, Aldemir T. Treatment of myofascial pain. *Am J Phys Med Rehabil.* 2000;79:48–52.

26. Fukuda TY, Alves da Cunha R, Fukuda VO, et al. Pulsed shortwave treatment in women with knee osteoarthritis: A multicenter, randomized, placebo-controlled clinical trial. *Phys Ther.* 2011;91:1009–1017.

27. Akyol Y, Durmus D, Alayli G, et al. Does short-wave diathermy increase the effectiveness of isokinetic exercise on pain, function, knee muscle strength, quality of life, and depression in the patients with knee osteoarthritis? A randomized controlled clinical study. *Eur J Phys Rehabil Med.* 2010;46:325–336.

28. Philadelphia Panel. Philadelphia Panel evidence-based clinical practice guidelines on selected rehabilitation interventions for shoulder pain. *Phys Ther.* 2001;81:1719–1730.

29. Philadelphia Panel. Philadelphia Panel evidence-based clinical practice guidelines on selected rehabilitation interventions for neck pain. *Phys Ther.* 2001;81:1701–1717.

30. Philadelphia Panel. Philadelphia Panel evidence-based clinical practice guidelines on selected rehabilitation interventions for knee pain. *Phys Ther.* 2001;81:1675–1700.

31. Philadelphia Panel. Philadelphia Panel evidence-based clinical practice guidelines on selected rehabilitation interventions for low back pain. *Phys Ther.* 2001;81:1641–1674.

32. Bizzini M, Childs JD, Piva SR, et al. Systematic review of the quality of randomized controlled trials for patellofemoral pain syndrome. *J Orthop Sports Phys Ther.* 2003;33:4–20.

33. Ingersoll CD, Knight KL. Patellar location changes following EMG biofeedback or progressive resistive exercises. *Med Sci Sports Exerc.* 1991;23:1122–1127.

34. Requena Sanchez B, Padial Puche P, Gonzalez-Badillo JJ. Percutaneous electrical stimulation in strength training: An update. *J Strength Cond Res.* 2005;19:438–448.

PRACTICE TEST QUESTIONS

1. In the time before the Christian era (BC), exercise was thought to

   A) prevent injury
   B) improve hygiene
   C) reduce pain better than medication
   D) increase strength and mental attitude

2. The contributions of Kabat, Knott, and Voss included exercise in

   A) isometrics
   B) isokinetics
   C) cardinal planes of motion
   D) diagonal planes of motion

3. Early definitions of therapeutic exercise emphasized motions to relieve symptoms and improve function. The *Guide to Physical Therapist Practice* includes this idea of therapeutic exercise as well as

   A) prognosis and diagnosis
   B) wellness and prevention
   C) examination and evaluation
   D) physical therapy and patient goals

4. Therapeutic exercise during initial recovery from ligamentous injury will

   A) be contraindicated due to inflammation and pain
   B) focus on closed kinetic chain progressive resisted exercise
   C) work to strengthen the undamaged muscles supporting the joint
   D) provide controlled stress in order to promote collagen fiber alignment

5. The patient is recovering from an injury to her Achilles tendon. She is now able to demonstrate full, active, and pain-free motion at the affected ankle. The next type of therapeutic exercise she will do is

   A) eccentric exercise
   B) passive range of motion
   C) one or two concentric exercises
   D) three to five resisted exercises performed daily

6. Initially following injury to the relatively avascular fibrous joint capsule, maintenance and reeducation of mechanoreceptors can be best accomplished by which of the following type of therapeutic exercise?

   A) isokinetic
   B) passive range of motion
   C) progressive resisted exercise
   D) open and closed kinetic chain exercise

7. Prolonged immobilization will **NOT** result in which of the following

   A) increase pain
   B) cause resistance to motion
   C) increase lubrication to joint surfaces
   D) cause synovial fluid within the joint to become stagnant

8. Research studies have examined the relationship of therapeutic exercise and physical agents and electrotherapy modalities. Which of the following statements is **NOT** an accurate statement of this relationship?

   A) Exercise and patellar taping when combined with electrotherapeutic biofeedback is effective in reducing the pain and improving knee function in patients with patellofemoral pain.
   B) Shoulder motion decreases after throwing a baseball, but ice in addition to range of motion exercise will improve the shoulder motion after throwing a baseball.

C) Ultrasound prior to stretching increases ankle dorsiflexion range of motion better than stretching alone.
D) Clear evidence exists to support the effectiveness of physical agents and electrotherapeutic modalities used alone to improve recovery following injury.

9. According to the *Guide to Physical Therapist Practice*, which of the following statements most accurately describes how therapeutic exercise fits within procedural interventions?

   A) It is one of the essential components of patient/client-related instructions.
   B) It is recommended to be performed only by the licensed physical therapist.
   C) It is the most important of the procedural interventions employed by PTs and PTAs.
   D) It will always be done along with the prescription and fabrication of devices and equipment.

10. The most effective indicator of tissue recovery following injury is

    A) pain with initial motion
    B) availability of blood supply
    C) amount of post-injury inflammation
    D) irritability of sensory and mechanoreceptors

ANSWER KEY

1.	D	**3.**	C	**5.**	C	**7.**	C	**9.**	C
2.	D	**4.**	D	**6.**	B	**8.**	C	**10.**	B

2

The Role of the Physical Therapist Assistant

William D. Bandy, PT, PhD, SCS, ATC
Beth McKitrick-Bandy, PT, PCS, MBA
Barbara Sanders, PT, PhD, SCS, FAPTA

Objectives

Upon completion of this chapter, the reader will be able to:

- Describe the roles of the physical therapist (PT) and the physical therapist assistant (PTA) in the provision of physical therapy, including appropriate PT–PTA supervision.
- Define the five elements of patient/client management: examination, evaluation, diagnosis, prognosis, and intervention.
- Describe the interventions that are appropriate for the PTA to perform—and not to perform.
- Define the terms impairment, functional limitation, and disability according to the Nagi model.
- Define the terms activity and participation according to the International Classification of Functioning, Disability and Health (ICF) model.
- Explain the importance of appropriate communication with, and respect for, all patients across all ages, languages, and cultures.

According to the policies and positions of the House of Delegates of the American Physical Therapy Association (APTA), "physical therapy is a health profession whose primary purpose is the promotion of optimal health and function. This purpose is accomplished through application of scientific principles to the processes of examination, evaluation, diagnosis, prognosis, and intervention to prevent or remediate impairments, functional limitations, and disabilities as related to movement and health."[1] PTs are the only professionals who examine, diagnose, and provide prognoses for patients receiving physical therapy.[2]

The purpose of this chapter is to define the important role that the PTA plays in assisting the PT in the delivery of physical therapy. To this end, the role of the PTA will be defined, including suggestions for appropriate supervision; the five elements of patient care will be described, with an emphasis on the interventions that are appropriate for the PTA to provide; the disablement model will be introduced, and the importance of effective communication across all ages and cultures will be discussed.

● PHYSICAL THERAPIST ASSISTANT DEFINED

The APTA defines the PTA as "a technically educated health care provider who assists the physical therapist in the provision of physical therapy. The PTA is a graduate of a physical therapist assistant associate degree program accredited by the Commission on Accreditation in Physical Therapy Education (CAPTE)."[3] The PTAs provide selected physical therapy interventions under the direction and supervision of the PT.[2] The PT remains responsible for the physical therapy services provided by the PTA. The PTA can only modify or change an intervention within the plan of care developed by the PT.[3] Any changes made during an intervention in the plan of care by the PTA should be for reasons of patient safety or comfort and must be communicated to the PT immediately.

Supervision

Selected physical therapy interventions performed by the PTA are under the direction and general supervision of the PT. "In general supervision, the physical therapist is not required to be on site for the direction and supervision, but must be available at least by telecommunications. The ability of the physical therapist assistant to perform the selected intervention as directed shall be assessed on an ongoing basis by the supervising physical therapist."[3]

Although it may be appropriate for the PTA to work in a different location than the PT (after the plan of care is established by the PT), the PT and PTA should have established a good working relationship and discussed proper options for communication (such as oral, written, or electronic) prior to the PTA working off-site. When determining the appropriate extent of independence for the PTA, the PT and PTA should consider the education, training, experience, and skill level of the PTA. In addition, the independence of the PTA may vary depending on the criticality, acuity, stability, and complexity of the patients. The condition of a patient with an acute injury may change significantly and quickly, requiring more frequent reexamination by the PT than a patient with a chronic condition that may be more stable over time. The APTA policy on the requirements for supervision when the PTA is not in the same setting as the PT is provided in Table 2-1.

The PT must determine the degree of delegation that is appropriate. Although not legally binding on the PT,

TABLE 2-1 Requirements for Supervision of the Physical Therapist Assistant When Off-Site[3]
"When supervising the physical therapist assistant in any off-site setting, the following requirements must be observed:
• A physical therapist must be accessible by telecommunications to the physical therapist assistant at all times while the physical therapist assistant is treating patients/clients. There must be regularly scheduled and documented conferences with the physical therapist assistant regarding patients/clients, the frequency of which is determined by the needs of the patient/client and the needs of the physical therapist assistant. In those situations in which a physical therapist assistant is involved in the care of a patient/client, a supervisory visit by the physical therapist will be made. • Upon the physical therapist assistant's request for a reexamination, when a change in the plan of care is needed, prior to any planned discharge, and in response to a change in the patient's/client's medical status. At least once a month, or at a higher frequency when established by the physical therapist, in accordance with the needs of the patient/client. A supervisory visit should include: • An on-site reexamination of the patient/client. • On-site review of the plan of care with appropriate revision or termination. • Evaluation of need and recommendation for utilization of outside resources."

APTA policies offer useful guidance to consider. However, the legal jurisdiction statutes and rules ultimately provide guidance in appropriate delegation of duties. The supervising PT should be knowledgeable of the jurisdiction rules and regulations governing the supervision and delegation of care to the PTA. Each state has different laws and regulations that govern specific physical therapy services that can be performed by the PTA and the level of supervision required. For example, some state laws that require the PT to observe the PTA completing the intervention to ensure that the PTA is following the plan of care appropriately and providing care as the PT would. Other states may define the number of PTAs that can be supervised by a PT. In addition to state practice acts, Medicare addresses both who can provide physical therapy services and the level of supervision required. Medicare supervision requirements for PTAs are dependent on the practice setting in which the services are provided. Other third-party payers may also have additional supervision and delegation requirements that may or may not comply with Medicare and state regulations.

FIVE ELEMENTS OF PATIENT/CLIENT MANAGEMENT

Before a detailed account and in-depth discussion on therapeutic exercise can be undertaken, terms that are commonly used in the practice arena must be defined so that PTs and PTAs from diverse backgrounds can understand not only this text but also each other. Think about the last new patient who was seen in your clinic. What did the *interpretation* of the test results indicate? Did the *evaluation* performed by the PT indicate an individual with an anterior cruciate ligament–deficient knee or was the *assessment* that the patient had a meniscus injury? Or did the PT think that, based on the *examination,* the patient had damage to the medial collateral ligament? Regardless of what the clinical decision-making skills of the PT tell you about the patient's knee, do you realize that, based on the italicized words, we may not even be talking the same language. How do we understand each other when we do not use a language that is consistent among PTs and PTAs in the same treatment venue, much less among clinicians in different states or across different professions?

The APTA defined key terms used in the field of patient rehabilitation and presented them as the "five elements of patient/client management."[4] The APTA's definitions serve as the operational definitions used throughout this text. Examination, evaluation, and establishment of a diagnosis and a prognosis performed by the PT are all part of the process that guides the PT in determining the most appropriate intervention that should be performed by the PT or delegated by the PT to the PTA.

Examination. Required before any intervention (treatment); must be performed by the PT on all patients and clients; consists of three components.

History. Account of past and current health status; specific mechanism of injury, if available.

Systems review. Brief or limited examination that provides additional information about the general health of the patient/client; includes a review of the four systems: cardiopulmonary, integumentary, musculoskeletal, and neuromuscular.

Tests and measures. Special tests or tools that determine the cause of the problem (e.g., for a patient with knee dysfunction, may include a Lachman test, valgus and varus tests, and anterior and posterior drawer tests to the knee).

Evaluation. Thought process of the PT that accompanies each and every examination procedure; information gained from the outcome of a particular test (e.g., the actual performance of a valgus test to the knee is an examination procedure; because the patient's knee does not have a tight end feel and the knee gives, the PT determines that the patient has a positive test—the evaluation).

Diagnosis. Encompasses a cluster of signs, symptoms, syndromes, and categories; the decision reached by the PT as a result of the evaluation of information obtained during the examination (e.g., after the examination and evaluation of the knee, the PT determines that the cluster of signs – positive valgus test, negative Lachman test, negative anterior drawer and posterior drawer test, and negative varus test – indicates a diagnosis of medial collateral ligament damage to the knee).

Prognosis. The predicted optimal level of improvement in function and amount of time needed to reach that level; at this point, the PT establishes a plan of care, including goals (e.g., a patient with second-degree medial collateral ligament damage to the knee is expected to return to full, unrestricted activity within 3 to 6 weeks).

Intervention. The treatment or rehabilitation program, which may be performed by the PT or PTA at the clinic or independently; includes strength work, increasing range of motion, manual therapy, aerobic conditioning, and appropriate sequence of exercise.

Interventions Delegated to the Physical Therapist Assistant

According to the patient/client management model, "physical therapists are the only professionals who provide physical therapy interventions. Physical therapist assistants are the only individuals who provide selected physical therapy interventions under the direction and supervision of the physical therapist."[3] The interventions performed by the PTA are those delegated to the PTA by the PT. The role of the PTA is not to develop a treatment program independently of the PT. The *Evaluative Criteria for Accreditation of Education Programs for the Preparation of Physical Therapist Assistants* provides the minimal standard that all education programs must meet to be accredited by the CAPTE, which is the only accrediting body for PTAs.[5] Table 2-2 presents all the interventions that PTA educational programs must teach to become accredited. As indicated in Table 2-2, therapeutic exercise is a required intervention for a PTA program to achieve accreditation through CAPTE.

In 2000, the House of Delegates of the APTA further defined the interventions that are appropriate for a PTA to perform. This group determined that spinal and peripheral joint mobilization/manipulation (components of manual therapy) and sharp selective debridement (a component of wound management) require immediate and

TABLE 2-2 Interventions listed in the Evaluative Criteria for Accreditation of Education Programs for the Preparation of Physical Therapy Assistant[5]

Plan of Care

3.3.2.6 Communicates an understanding of the plan of care developed by the physical therapist to achieve short- and long-term goals and intended outcomes.

3.3.2.7 Demonstrates competence in implementing selected components of interventions identified in the plan of care established by the physical therapist.

Functional Training

Activities of daily living
Assistive/adaptive devices
Body mechanics
Developmental activities
Gait and locomotion training
Prosthetics and orthotics
Wheelchair management skills

Infection Control Procedures

Isolation techniques
Sterile technique

Manual Therapy Techniques

Passive range of motion
Therapeutic massage

Physical Agents and Mechanical Agents

Thermal agents
Biofeedback
Compression therapies
Cryotherapy
Electrotherapeutic agents
Hydrotherapy
Superficial and deep thermal agents
Traction

Therapeutic Exercise

Aerobic conditioning
Balance and coordination training
Breathing exercises and coughing techniques
Conditioning and reconditioning
Posture awareness training
Range of motion exercises
Stretching exercises
Strengthening exercises

Wound Management

Application and removal of dressing or agents
Identification of precautions for dressing removal

continuous examination and evaluation throughout the intervention. Due to this need for continuous examination during the performance of interventions, the House of Delegates determined that it was inappropriate for a PTA to perform these interventions.[6] CAPTE concurred, and these topics are not included in the *Evaluation Criteria* for the PTA.[5] Therefore, these topics of mobilization/manipulation and sharp debridement are not presented in this textbook.

In addition to performing the delegated interventions as determined by the PT, the PTA must recognize when a change in the patient's status (physical or psychologic) occurs and should report this change to the supervising PT. (Refer Data Collection Skills.) This change may be a significant improvement in a patient, requiring a more aggressive plan of care to be developed by the PT, or it could be that an intervention should not be provided by the PTA due to a regression in the status of the patient. In both scenarios, the PTA should notify the PT of the change in status. In addition, the PTA must recognize when the directions from the PT as to a delegated intervention are beyond what is appropriate for a PTA to perform and the PTA should initiate clarification from the PT. As indicated earlier in this chapter, the PT is ultimately responsible for

the plan of care for the patient and remains responsible for the physical therapy services provided by the PTA. The PTA cannot independently modify the plan of care developed by the PT.

Data Collection Skills

As indicated previously, when the PTA recognizes a significant change in the status of the patient, this change must be reported to the PT. The PT may then make a change to the patient's plan of care. To recognize these potential changes, the PTA must monitor the responses of the patient to the interventions being performed. This patient monitoring by the PTA is referred to as data collection skills, and these are essential skills for the PTA to possess to carry out the plan of care delegated by the PT. The PTA uses information from this data collection to progress the intervention within the plan of care established by the PT and to report changes to the supervising PT as needed.

A list of suggested data collection skills that the PTA should be able to perform upon graduation from an accredited program are listed in Table 2-3.[7] Using these data collection skills allows the PTA to

TABLE 2-3	**Data Collection Skills Listed in Evaluative Criteria for Accreditation of Education Programs for the Preparation of Physical Therapy Assistant[5]**

3.3.2.8. Demonstrates competency in performing components of data collection skills essential for carrying out the plan of care.

These data collection skills are performed within the context of the interventions implemented by the physical therapist assistant under the direction and supervision of the physical therapist. These data collection skills are performed for the purpose of monitoring the response of a patient or client to the interventions delegated to the physical therapist assistant by the physical therapist.

Aerobic Capacity and Endurance

Measures standard vital signs

Recognizes and monitors responses to positional changes and activities

Observes and monitors thoracoabdominal movements and breathing patterns with activity

Anthropometric Characteristics

Measures height, weight, length, and girth

Arousal, Mentation, and Cognition

Recognizes changes in direction and magnitude of patient's state of arousal, mentation, and cognition

Assistive, Adaptive, Orthotic, Protective, Supportive, and Prosthetic Devices

Identifies the individual's and caregiver's abilities to care for the device

Recognizes changes in skin condition while using devices and equipment

Recognizes safety factors while using the device

Gait, Locomotion, and Balance

Describes the safety, status, and progression of patients while engaged in gait, locomotion, balance, wheelchair management, and mobility

Integumentary Integrity

Recognizes absent or altered sensation

Recognizes normal and abnormal integumentary changes

Recognizes activities, positioning, and postures that can aggravate or relieve pain or altered sensations, or that can produce associated skin traumas

Recognizes viable versus nonviable tissue

Joint Integrity and Mobility

Recognizes normal and abnormal joint mobility

Muscle Performance

Measures muscle strength by manual muscle testing

Observes the presence or absence of muscle mass

Recognizes normal and abnormal muscle length

Recognizes changes in muscle tone

Neuromotor Development

Recognizes gross motor milestones

Recognizes fine motor milestones

Recognizes righting and equilibrium reactions

Pain

Administers standardized questionnaires, graphs, behavioral scales, or visual analog scales for pain

Recognizes activities, positioning, and postures that aggravate or relieve pain or altered sensations

Posture

Describes resting posture in any position

Recognizes alignment of trunk and extremities at rest and during activities

Range of Motion

Measures functional range of motion

Measures range of motion using a goniometer

Self-care and Home Management and Community or Work Reintegration

Inspects the physical environment and measures physical space

Recognizes safety and barriers in home, community, and work environments

Recognizes level of functional status

Administers standardized questionnaires to patients and others

Ventilation, Respiration, and Circulation Examination

Recognizes cyanosis

Recognizes activities that aggravate or relieve edema, pain, dyspnea, or other symptoms

Describes chest wall expansion and excursion.

Describes cough and sputum characteristics

- Assist the supervising PT in components of the patient examination process by performing selected data collection tests and measures, as delegated by the supervising PT, within legal guidelines and educational preparation.
- Differentiate normal and abnormal responses to interventions.

- Inform the PT of the patient's response to intervention, results of data collected, progress toward patient's goals, and/or need to modify interventions.
- Document change in patient status in progress notes.
- Provide a consistent, organized application of specific delegated tests and measures through ongoing data collection.

PTA Problem-solving Algorithm

The publication *A Normative Model of Physical Therapist Assistant Education*[7] presents a problem-solving algorithm for the PTA that is based on the patient/client intervention model. The algorithm is intended to assist the decision making of the PTA in the intervention element. A number of controlling assumptions exist that support this algorithm that was developed by APTA's Departments of Education, Accreditation, and Practice. These assumptions are as follows:

• The PT integrates the five elements of patient/client management in a manner designed to achieve optimal outcomes. The PT has primary responsibility for the examination, evaluation, diagnosis, and prognosis and development of the plan of care. However, the PTA may be involved with selected interventions in the plan of care.

• The PT will direct and supervise the PTA consistent with APTA positions, core documents, federal and state legal practice standards, and institutional regulations.

• All selected interventions are directed and supervised by the PT of record.

• Selected intervention(s) may include the procedural intervention, the relevant data collection, and any communication, written or verbal that is associated with the safe, effective, and efficient completion of the task.

• The algorithm represents the thought process involved in patient–client interaction or episode of care. The use of the algorithm will be determined by the entry point into the decision-making process.

• The standard of care requires ongoing communication between the PT and the PTA and is reinforced by use of the algorithm.

Figure 2-1 is the problem-solving algorithm for PTAs in patient/client intervention—*Reprinted from the Normative model of physical therapist assistant education: Version 2007 with permission of the American Physical Therapy Association. This material is copyrighted, and further reproduction or distribution is prohibited.*

● THE DISABLEMENT MODEL

Before specifically addressing the role of the PTA in providing therapeutic exercise, a few more terms need to be introduced. Understanding these terms will enable the PTA to better communicate with the PT.

Disablement refers to "the various impact(s) of chronic and acute conditions on the functioning of specific body systems, on basic human performance, and on people's functioning in necessary, usual, expected, and personally desired roles in society."[8] Several conceptual schemes or models for disablement exist, including those developed by Nagi,[9] the World Health Organization,[10] and the National Center for Medical Rehabilitation Research.[11] For a detailed comparison of these models, see Jette.[8] This textbook uses the Nagi model and definition.

Nagi Classification Model

In the Nagi classification model of the disablement process, clinicians provide services to patients and clients with impairment, functional limitation, and disability. *Impairment* is an abnormality or loss of an anatomic, physiologic, or psychologic origin.[12] Examples of impairments are decreased range of motion, strength, and endurance; hypomobility of the joint; and pain.

Functional limitation is defined as a limitation in the ability of the individual to perform an activity in an efficient or competent manner.[4] Inability to take an object from an overhead shelf, to walk without a limp, and to sit without pain are examples of functional limitations.

Disabilities are restrictions to function within normal limits[12] and represent any inability to perform socially defined roles expected of an individual in a sociocultural and physical environment.[9] Examples of disabilities include inability to perform the normal duties associated with work, school, recreation, and personal care.

Two examples illustrate these definitions. First, consider a lawyer who has back pain (impairment). Because of the back pain, the lawyer is unable to sit in a chair for more than 10 minutes and cannot walk for more than 5 minutes (functional limitation). As a result of the pain and inability to sit or walk, the lawyer is not able to go to work (disability). One goal for intervention is to use therapeutic exercise – such as instruction in posture, body mechanics, and spinal stabilization (Chap. 14) – to treat the impairment of pain, alleviating the functional limitation and disability.

Second, consider a college athlete who has undergone anterior cruciate ligament surgery. After surgery, the athlete has decreased range of motion and decreased strength in the quadriceps and hamstring muscles (impairments). Because of these impairments, the athlete cannot run, cut, or jump (functional limitations). Therefore, the individual will not be able to participate in the sport (disability). One goal for intervention is to use therapeutic exercise – such as passive range of motion (Chap. 3), open- and closed-chain exercises (Chaps. 6 and 8), aquatic therapy (Chaps. 16), and functional progression (Chap. 15) – to treat the impairments of motion and strength, alleviating the functional limitations and disability.

The presence of an impairment does not mean that a functional limitation must occur. Similarly, a disability does not automatically follow from a functional limitation. For example, an individual might present with an

Problem Solving Algorithm Utilized by PTAs in Patient/Client Intervention
* See Controlling Assumptions *

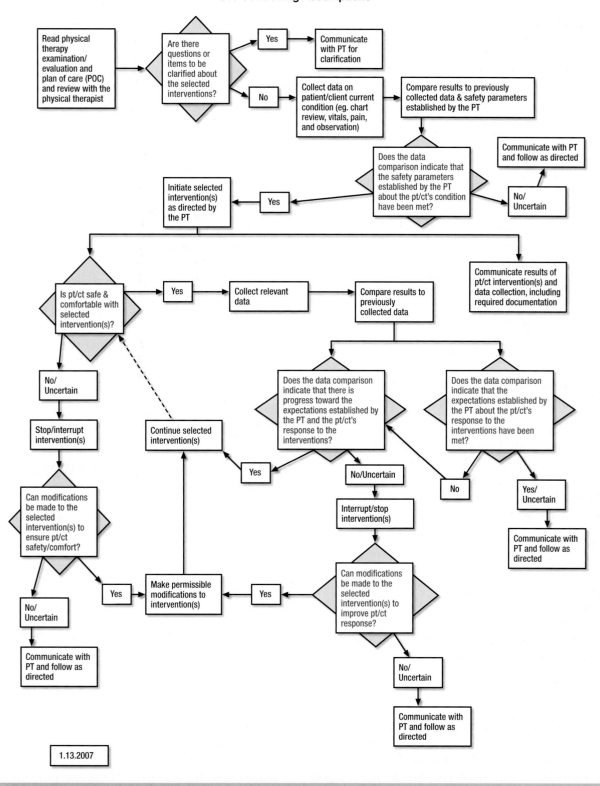

1.13.2007

FIGURE 2-1 ● PROBLEM-SOLVING ALGORITHM FOR PTAS IN PATIENT/CLIENT INTERVENTION.

(Reprinted from a normative model of physical therapist assistant education: Version 2007 with permission of the American Physical Therapy Association. This material is copyrighted, and further reproduction or distribution is prohibited).

anterior cruciate–deficient knee, with hypermobility as the impairment. But the goals of this patient are to play racquetball, hike, and bike. The patient decides to avoid surgery and participate in a therapeutic exercise program. After the intervention, the patient finds that playing racquetball is possible if a brace is worn and that he/she is able to hike and bike without the brace. Therefore, this individual has an impairment (hypermobility); however, through intervention, the patient is able to avoid any functional limitation (running and cutting) or disability (participation in recreational sports).

After considering the examination, evaluation, and diagnosis, the PT works with the PTA to provide interventions for a patient with any level of disablement: to provide services to an individual with a disability, to provide treatment for a client with a functional limitation, or to alleviate an impairment in a patient. On the basis of a consideration of the interrelationships among impairment, functional limitation, and disability, this textbook focuses on the alleviation of impairments through the creative and effective use of therapeutic exercise.

International Classification of Functioning, Disability, and Health

A newer model has been promoted as a successor to the Nagi model by the World Health Organization and is called International Classification of Functioning, Disability, and Health, known more commonly as ICF. The newer model uses a framework in which human function (positive) and disability (negative) are described as a dynamic interaction between a variety of health conditions and environmental and personal factors. The ICF is a classification system that is focused on human function and entails a unified, standard language and framework that describes people with a health condition and how they function in their daily lives rather than a labeled diagnosis focus or disability. This ICF model is in contrast to the Nagi disablement model that focuses on the individual and the process of disability in relationship to pathology, impairment, and functional limitation. The impact of the environment on a person's function is emphasized. The ICF model does not focus on the disability, but focuses on an individual's level of health.[13,14]

The ICF contains two primary components. The first component of the ICF is function and disability, which is further divided into body function and structures, activities, and participation. *Body functions* are physiological functions of body systems (including psychological functions) and *body structures* are anatomical parts of the body (such as organs, limbs, and their components). *Activity* is the exertion of the task or action by the individual and *participation* is the involvement in a life situation. There-fore, in order to illustrate the ICF model, a previous example from this chapter – the person with back pain – can be used with this new terminology. A person who has back pain (impairment) and is having difficulty sitting (activity limitation) may be unable to continue working (participation restriction).[13,14]

The second main components of the ICF are the contextual factors of external *environmental factors* and internal *personal factors* that influence how function and disability is experienced by the individual. External environmental factors include social attitudes, architectural characteristics, legal, as well as climate and terrain. The internal personal factors include sex, age, coping styles, social background, education, profession, past and current experience, overall behavior patterns, character, and other factors.[13]

In summary, the ICF attempts to integrate the social and environmental aspects of disability and health and provides a framework that is equally applicable for mental and physical disorders. In June 2008, the APTA House of Delegates endorsed the ICF, and over the next few years, the APTA will be incorporating this model and the language adopted by the House into Association documents. For an excellent example of how the ICF can be incorporated for the management of acute and chronic low back pain, the reader is referred to an article by Rundell et al.[15]

● COMMUNICATION BETWEEN PTA AND PATIENT

Of great importance to the PTA in the effective delivery of therapeutic exercise to the patient is appropriate communication. Effective communication must incorporate respect for all patients irrespective of differences in age, language, or cultures and is vital for a successful outcome. When the clinician and patient understand each other, adherence to the program is enhanced and outcomes are positive. When communication is poor, the patient may be doing an exercise incorrectly, performing the wrong number of repetitions, or not following the appropriate precautions related to his/her condition; in essence, the outcome will be negatively affected. The PTA needs to be aware that communication with the patient can be influenced by difference in personality, values, teaching and learning styles, and culture. The Standards of Ethical Conduct for the Physical Therapy Assistant provide a concise document that guides the PTA in communication.[16]

Initially, a more passive listening role by the PTA allows the patient to provide information about their condition, expectations, and goals. Good listening skills include paying attention to what the patient is saying and asking follow-up questions for clarification to ensure that the clinician has a full understanding of the patient and his/her needs. Eye contact, along with affirmation and reflection of what the patient has said, can serve to clarify what the clinician hears.[16]

The plan of care and the goals of treatment set by the PT should be shared with the patient. This sharing provides an opportunity for the PTA to discuss the recovery prognosis and the expectations that the PTA has for the patient. In addition, discussing the plan of care and goals will demonstrate to the patient that the PT and PTA have been in communication and will provide the patient with evidence that good quality of care is being provided.

On subsequent visits, the PTA should frequently review short- and long-term goals, provide positive feedback to the patient when short-term goals are achieved, and motivate and encourage the patient when the patient is not adhering to the physical therapy program. Continued clarification of how progress is defined and reasonable expectations regarding progress can improve patient compliance and satisfaction.

Cultural Considerations

A major criterion for good communication between the PTA and the patient is to respect patients who speak a different language or come from a culture unlike that of the PTA. No longer must one live in a major metropolitan area to be exposed to a wide variety of cultures. If the patient does not speak the same language, even the simplest of activities can become difficult. Use of an interpreter that understands medical terminology should be requested, if possible. Questions about the patient's attitudes and beliefs should be worked naturally and carefully into the initial interaction with the patient. Realize that cultures may differ on things like appropriate eye contact, physical contact, and appropriate types of greeting.[16] Religious observance or customs may prevent a patient from wearing clothing that allows the appropriate body part to be visualized or palpated during the treatment session. In these instances, explain what needs to be done (and why) and ask for permission to perform the techniques in advance. It is important that these cultural differences be addressed early in the treatment plan to the best of the ability of both the PT and the PTA so that problems and a lack of trust do not occur later.[17]

Communication with the Elderly

Good communication skills are also important when treating the elderly. Older patients who feel heard and understood are more likely to follow the orders provided, adhere to the treatment, and have positive outcomes. Specifically related to the elderly, the PTA should avoid stereotypes about aging and that problems are an inevitable part of aging. Getting old does not cause illness, and being old does not mean the individual must live with pain and discomfort.[18]

The PTA should establish respect for the patient right away by using formal language. The patient's correct title (Dr., Reverend, Mr., Mrs., Ms., Miss, etc.) and surname should be used unless the patient requests a more casual form of address. The PTA's introduction should be clear, and hurrying the older patient should be avoided. Feeling rushed leads older people to believe that they are not being respected and understood.[17]

Keep the treatment plan as simple and straightforward as possible. Avoid providing too much information too quickly. Speaking more slowly will give time for the older patients to process what is being said. Tell the patient what to expect from the treatment and explain how it will improve the patient's overall health. If a home exercise program is in order, provide oral and written instruction and make sure that the patient has a full understanding of what is expected of him/her.[17]

Cultural Considerations Specific to the Treatment of the Elderly

It is very important for the PTA caring for older adults to develop an understanding of different ethnic groups to effectively communicate and treat patients. The PTA should keep in mind that older patients are diverse and unique, just like younger patients.[19] Older immigrants or nonnative English speakers may need an interpreter. It is in the best interest of the PTA to have a developed plan as to how to treat the non–English-speaking population. The PTA may need to check with the PT for assistance.

The terms referring to specific cultural groups can change over time, and older individuals may use different terms than younger individuals in the same culture. It is important for the PTA to learn what a patient's preferred terms are related to culture.[19] As indicated earlier, each culture has its own rules about body language and hand gestures. Pointing with one finger and making eye contact may be considered rude. If the PTA is not sure about a patient's preference, the PTA should ask.[16]

Communication with Children

When working with children, the PTA has to be aware that the patient, frequently one or both parents, and any siblings that the patient may have will be present during the therapy session. The PTA should talk at a level that both the child and the parent can understand. The PTA should tell the pediatric patient about the treatment plan so that the patient feels a part of the plan and not just that something is being done to him/her. To be successful, the PTA should read the child's chart thoroughly to know the age, cognitive level, and functional level of the child prior to talking to the child and caregiver. While all children develop at their own pace, general behaviors can be expected at certain ages, or they at least follow a general sequence. Contributing to the child's unique development are family, environmental, and cultural influences which impact how the child develops in social, cognitive, and motor domains. Any additional medical factors also play a part in how the child develops in various domains. Just as there is a projected sequence of motor development, there is a projected sequence of cognitive and social development of the individual from child through toddlerhood, preschool, school age, and into adolescence. Being aware of those sequences helps with interaction as the PTA treats the patient.

Be sure to check with the evaluating PT to see if there are any specific concerns that may not be reflected in the chart. The PT should have documented any home program and instructions that were sent home with the child. For the younger child or the more involved child who is dependent on the parent to do the home program, let the parent demonstrate the home program. Provide feedback to the parent. If the parent has done the exercise/activity incorrectly, suggest the parent to try it a different way, demonstrate the correct way, and then ask the parent to try again. If the patient is older and is capable of doing the home program independently but may need the supervision of the parent, ask the child to demonstrate how the exercise is being performed with the parent observing. If corrections are needed, be sure and give the patient reinforcement for having done the program, but tell the patient to try something a little differently, then demonstrate, and ask the patient to demonstrate his/her understanding.

Following are general sequences and approximate ages that children develop in the cognitive/social domains. Being aware of the development and being able to adjust conversation and interaction with the pediatric patient accordingly will augment the clinical skills of the PTA and lead to a more successful clinical outcome. Although various ways of looking at age exist, for the sake of this chapter, the groups are infant (birth to 1 year), toddler (13 to 35 months), preschool (3 to 5 years), school aged (6 to 12 years), and adolescents (13 to 18 years).[20]

Infant (Birth to 1 Year)

Initially, PTAs should introduce themselves to the parents and inform them that the program set up at the initial physical therapy evaluation is going to be followed. Ask if there are any questions and if the parents had any difficulty with the home program provided at the initial

evaluation. During the course of the conversation with the parents, intermittently engage the child. During the first 8 weeks, the infant fixates on faces and will respond to a smiling face. Once the PTA has addressed the parents' concerns, the PTA may focus on the child. Although words may be directed to the parents of the child as an explanation for what is being done, the PTA's voice and expressions are directed to the child. The PTA does not need to use "baby talk" but should talk in an expressive manner to engage the child. Once the child is engaged, the PTA can talk to the parents in a more appropriate manner while maintaining eye contact with the child. Toys used during therapy sessions should be appropriate for the level of the child. The family may have favorite toys that can be used during the therapy session if other available toys do not interest the child. Ideally the toys at home should be different from those used during therapy to allow some novelty. The PTA should ask the parent to entertain the child with toys as the PTA facilitates the movement. At 20 weeks, an infant enjoys seeing his/her reflection in a mirror. Working in front of a mirror allows the infant to see him/herself and the PTA as the child is being treated. Using a mirror also models what a parent can do when another person is not available to entertain the infant when the parent is working with the infant.

When the infant is facing the PTA, as might occur on a ball or roll working on righting reactions, vocal play is a way to engage the infant. Sounds like "ba, da, ga" emerge around 28 weeks. In addition, infants during the 28- to 40-week stage enjoy imitation; therefore, imitating sounds and actions like hitting the mat or ball are reinforcing. At around 40 weeks, the child enjoys nursery rhymes and finger play games like pat-a-cake. As the child approaches 1 year, he/she begins to understand single words like "mommy" and "daddy" and may understand the names of people or pets to which he/she is exposed regularly.

Stranger anxiety generally emerges around 24 weeks or 6 months. If the PTA has worked with the patient throughout this time, no problems may be experienced. However, as the tasks become more challenging, the infant may turn more and more to the parents to be "rescued" from therapy. Asking the parents to leave the treatment area and watch out of the infant's line of sight or through an observation window may be necessary to maximize the outcome of the treatment session. Generally, once the parents are not in view, the infant will cooperate with the therapy session or allow the PTA to comfort and redirect the infant's anxiety. After a few sessions with the parents outside of the treatment area, ask the parents to come in toward the end of the session to see if the infant will allow the session to continue or if the child becomes too distracted by the parents' presence. If the latter is the case, it may be necessary to continue with the parents outside of the treatment area for a while. Periodically re-introduce having the parents present. Parents should feel like they are a part of the child's therapy.

Toddler (1 to 3 Years)

The early toddler will point to objects that are wanted and may utter a single syllable that is perceived as the name of what is desired. The child begins to imitate the actions of parents, such as sweeping the floor or wiping the table. If the child of toddler age is not able to do so physically, the child will attempt activities that are easier to perform. By the age of 2 years, the child is "talking" incessantly and will use vocal variety. Incorporating "pretend" into the therapy session will enhance the likelihood of the toddler to cooperate. The toddler can identify body parts so incorporating an action song like "head, shoulders, knees, and toes" can be fun in therapy—even if the toddler is not standing or walking at this point. Just recognizing the toddler's ability to identify head and toes helps bring the child into the therapy session. The toddler also begins to identify colors; therefore, the color of a toy that is being used in the therapy session should be included. It is helpful to use solid-color toys so as not to confuse the toddler with multiple colors on a single object.[21,22]

Preschool (3 to 5 Years)

During the preschool years, the child's imagination continues to develop. The preschooler tends to tell elaborate stories and may have an imaginary friend. "Pretend" play is very successful in enticing a child of this age. Plan therapy sessions in **advance** and decide what skills/activities need to be worked on during the therapy session. Arrange the treatment area in a way that the preschooler's favorite story, television, or movie character of the time can be incorporated into the treatment session. For instance, climbing stairs may be climbing up into a spaceship or a tree house to help Spiderman.

School Aged (6 to 12 Years)

Continue to talk to the patient and learn what the interests of the child are and adjust activities to the level of the child. Make believe may not be as motivational as it was for the preschool child. Games designed for this age may be played while working on balance. Standing on a rocker board while playing Connect Four can challenge balance and also work on eye hand and cognitive skills. For more dynamic balance, a patient can stand on the rocker board and shoot a basketball or stand on one leg while playing floor hockey; these activities can be quite challenging for patient and therapist alike!

Adolescent (13 to 18 Years)

Skills and activities described for school-aged children can also be used with the adolescent patient. It is important to incorporate the interests of the patient into the treatment session as much as possible. As the adolescent ages, it is more important for the child to be an active participant in establishing goals and recognizing his/her role in performing the home exercise program. Although the parents of the adolescent need to be kept in the loop about what is needed to be done, the adolescent needs to take ownership as much as possible. For the adolescent who is physically dependent on the parent to do the home exercise program, the PTA (and PT) need to make sure that the child is fully aware of the importance of the program and not give his/her parents a hard time when it is time to do the program.

As stated earlier, every child develops at a different speed. Some will develop faster than chronologic age and some slower. It is important to recognize where the child is and structure therapy sessions accordingly. It is also important to understand cultural and family differences that may impact that child's development. Also be aware that children who are nonverbal or have dysarthria are cognitively close to their appropriate chronologic age and should be spoken to as any child that age level. Just because the child cannot speak or is difficult to understand does not mean that the child cannot understand what is said. An individual speaking slower or louder will not make it any easier to understand what the *child* is saying—it will only make the child feel like he/she is being spoken down to.

Cultural Considerations Specific to the Treatment of Children

If the family speaks a language in which the PTA is not proficient, an interpreter who understands medical terminology should be requested. Using a family member should be avoided if possible, especially if that family member is a sibling and an explanation during therapy needs to be given to the parents. In some cultures, the father is considered the primary caregiver and should be addressed only by an adult. Children can take advantage of knowing the language or may not understand terminology and not give a good representation of what is being said. Even if the mother is the primary caregiver, the father should also be told what is needed if he is present.

Family-focused Care

It is very easy to expect families to do everything requested to maximize the time away from therapy and hopefully improve the child's outcome. But one must be very sensitive to what is going on with the family and try to focus on the priorities for the child.

As with any patient, finding time to do a home program is difficult. Ask the patient and family if there is any difficulty getting the home program completed as recommended by the PT. If difficulty occurs, ask the patient and family what the typical day is like and help them find a way to incorporate the program. Talk with the PT to see if there are exercises that require more emphasis and perhaps decrease the number of exercises or activities, the repetitions, or time spent. Another alternative is to do some exercises on one day and the remainder on another day. Sometimes a chart that can be checked off or using a sticker that can be placed to indicate completion is reinforcing to a child, especially when the child brings it back to show completion.[23]

SUMMARY

- The PTA functions as an important member of the health care team assisting the PT in the provision of physical therapy.
- The PTA is actively involved in providing interventions to the patient after a thorough evaluation of the patient's status by the PT and under the direction and supervision of the PT. These selected interventions performed by the PTA include the provision of therapeutic exercise.
- The goal of the PTA using therapeutic exercise is to treat the patient's impairment and thereby alleviate functional limitation and disability.
- Appropriate communication between the PTA and the patient is vital for a successful outcome. When the PTA and the patient understand each other, adherence to the exercise program is enhanced and the outcomes for the patient are positive.
- In today's multicultural society, the PTA must keep in mind that patients, old and young, are diverse and unique. For proper communication, the PTA must remain alert to the differences among individual patients from given cultures and be on guard against stereotyping a person based on ethnic or cultural affiliation.

References

1. American Physical Therapy Association. Physical therapy as a health profession. [HOD 06-99-19-23] House of Delegates Positions, Standards, Guidelines, Policies, and Procedures. October 2010.
2. American Physical Therapy Association. Provision of physical therapy interventions and related tasks. [HOD 06-00-17-28] House of Delegates Positions, Standards, Guidelines, Policies, and Procedures. October 2010.
3. American Physical Therapy Association. Direction and supervision of the physical therapist assistant. [HOD 06-05-18-26] House of Delegates Positions, Standards, Guidelines, Policies, and Procedures. October 2010.
4. American Physical Therapy Association. *Guide to Physical Therapist Practice.* 2nd ed. Alexandria, VA; 2003.
5. American Physical Therapy Association. Commission on Accreditation in Physical Therapy Education. Evaluative criteria for accreditation of education programs for the preparation of physical therapist assistants. Adopted April 26, 2006.
6. American Physical Therapy Association. Procedural interventions exclusively performed by physical therapists. [HOD 06-00-30-36] House of Delegates Positions, Standards, Guidelines, Policies, and Procedures. October 2010.
7. American Physical Therapy Association. *A normative model of physical therapist assistant education.* Version 2007. Alexandria, VA; 2007.
8. Jette AM. Physical disablement: concepts for physical therapy research and practice. *Phys Ther.* 1994;74:380–387.
9. Nagi SA. Disability concepts revisited. In: Pope A, Tarlov A, eds. *Disability in America: toward a national agenda for prevention.* Washington, DC: National Academy Press; 1991.
10. World Health Organization. *International classification of impairments, disabilities, and handicaps.* Geneva: WHO; 1980.
11. National Advisory Board on Medical Rehabilitation Research. *Draft V: report and plan for medical rehabilitation research.* Bethesda, MD: National Institutes of Health; 1992.
12. Schenkman M, Donavan J, Tsubota J, et al. Management of individuals with Parkinson's disease: rationale and case studies. *Phys Ther.* 1989;69:944–955.
13. World Health Organization. *Towards a common language for functioning, disability, and heath (ICF).* Geneva: WHO; 2002.
14. Jette AM. The changing language of disablement. *Phys Ther.* 2005; 85:118–119.
15. Rundell SD, Davenport TE, Wagner T. Physical therapist management of acute and low back pain using the World Health Organization's *Institutional Classification of Functioning Disability and Health.* Phys Ther. 2009;89:82–90.
16. American Physical Therapy Association. Standards of Ethical Conduct for the Physical Therapy Assistant. [HOD s06-09-20-18]. Available at: http://www.apta.org/uploadedFiles/APTAorg/About_Us/Policies/HOD/Ethics/Standards.pdf accessed November 2011.
17. Thein Brody L. Principles of self-management and exercise instruction. In: Hall CM, Brody LT, eds. *Therapeutic exercise: moving toward function.* 3rd ed. Philadelphia, PA: Lippincott Williams & Wilkins; 2011:35–48.
18. National Institute on Aging. *Working with your older patient: a clinician's handbook.* Bethesda, MD: National Institute on Aging; 2004.
19. American Geriatrics Society. *Doorway thoughts: cross-cultural health care for older adults.* Sudbury, MA: Jones and Bartlett Publishers; 2008:3–7.
20. Illingworth R. *The development of the infant and young child: normal and abnormal.* 9th ed. Edinburgh: Churchill Livingstone; 1987.
21. Long T, Toscano K. *Pediatric physical therapy.* 2nd ed. Baltimore, MD: Lippincott Williams & Wilkins; 2002.
22. Mullen EM. *Mullen scales of early learning.* Circle Pines, MN: American Guidance Service, Inc; 1995.
23. Sparling JW, Kolobe TH, Ezzelle L. Family centered intervention. In: Campbell S, ed. *Physical therapy for children.* 3rd ed. Philadelphia, PA: WB Saunders; 2006.

PRACTICE TEST QUESTIONS

1. In which of the following scenarios is the PTA demonstrating **appropriate** professional and legal behavior?

   A) The patient is ambulating with a walker and partial weight bearing. The PTA advances the patient to ambulation with weight bearing as tolerated.
   B) The patient is having difficulty ambulating with a walker and partial weight bearing. The PTA discontinues further physical therapy due to patient not making progress.
   C) The patient is having difficulty ambulating with a walker and partial weight bearing. The PTA returns the patient to the parallel bars for a session of gait training before attempting the walker again.
   D) The patient is ambulating with a walker and partial weight bearing. The plan of care indicates that gait training will occur on all even and uneven surfaces. The PTA will check with the supervising PT before attempting carpet or grass.

2. The plan of care indicates that the patient will do progressive resisted exercise and receive ice and iontophoresis for her tennis elbow injury. The patient states that she is experiencing increased pain and weakness in her elbow and wrist muscles following yesterday's treatment session. The PTA will

   A) Document the patient's response to today's session.
   B) Apply ice and communicate with the supervising PT on the need to reassess the patient.
   C) Treat the patient today using the same exercises and clinical modalities as were used yesterday.
   D) Immediately contact the referring physician as the patient's response signals a severe reaction requiring an emergency response.

3. The supervising physical therapist rotates between two facilities, seeing patients in Clinic A on Mondays, Wednesdays, and Fridays and Clinic B on Tuesdays and Thursdays. Today is Tuesday, and the PTA in Clinic A has a question about a patient he is seeing on today's schedule. The PTA should

   A) Wait until the PT returns to Clinic A on Wednesday to ask the question face to face.
   B) Do not treat the patient today because the PTA has a question about the patient's care.
   C) Make sure that the patient is comfortable and safe and then call the supervising PT at Clinic B.
   D) Treat all other patients on the day's schedule and wait until the end of the day to call the PT at Clinic B.

4. Which of the following types of information will be found in the examination section of the physical therapist's initial documentation?

   A) The plan of care
   B) The patient and family goals
   C) The physical therapy diagnosis and prognosis
   D) The patient's past medical and surgical history and list of medications

5. Which of the following elements of the patient client management model are performed ONLY (or exclusively) by the PT?

   A) Initial interpretation of tests and measures
   B) Performing tests and measures
   C) Therapeutic exercise
   D) Daily documentation

6. Regarding data collection skills, the PTA will

   A) Need to discuss all findings with the supervising PT
   B) Will be able to differentiate normal and abnormal findings
   C) Modify the plan of care based on the interpretation of findings from data collection
   D) Perform new data collection techniques and that the PT did not do and interpret the data

7. The supervising physical therapist identifies weakness in the patient's rotator cuff muscles in the right shoulder. According to the Nagi model, this is an example of a (an)

   A) Disability
   B) Handicap
   C) Impairment
   D) Functional limitation

8. In the patient with rotator cuff muscle weakness in the right shoulder, a disability would be represented by which of the following statements?

   A) Microtears of the infraspinatus muscle
   B) Unable to lift small items off of an overhead shelf
   C) Pain with overhead work such as replacing a light bulb in a ceiling mounted light
   D) Unable to complete a painfree arc of motion in the right shoulder in either flexion or abduction

9. The patient is a professional soccer player who experienced a severely strained hamstring muscle. This problem has caused pain and weakness in knee flexion. The patient is unable to run or kick the soccer ball. His physician has recommended that he should stop play or practice until the pain is more manageable. In the example, the activity restriction is best represented by which of the following statements?

   A) Severely strained hamstring muscle
   B) Pain and weakness in knee flexion
   C) Inability to run or kick soccer ball
   D) Unable to play or practice

10. Which of the following statements **does not** reflect a skill needed to demonstrate good communication among the PT, PTA, and patient?

   A) Asking clarifying questions about short- and long-term goals
   B) Clarification of what the clinicians actually heard the patient say
   C) Watching all other patients in the therapy gym while working with your patient
   D) Asking follow-up questions when you are not sure what your supervising PT means

11. When the PTA is working with an elderly patient, she will do which of the following?

   A) Not modify any of her behavior that has been successful with younger people and working adults.
   B) Make sure that the elderly patient can see, hear, and understand her instructions while working in the PT gym.
   C) Address the elderly patient by his first name and write down all instructions for his spouse to follow at home.
   D) Be extra careful about advancing therapeutic exercise weights or repetitions because elderly people are not likely to have much strength or endurance.

12. A loss of strength is an example of:

   A) Limitation
   B) Disability
   C) Impairment
   D) Handicap

13. Name the degree required by the PTA.

   A) Associate
   B) Bachelors
   C) Masters
   D) Doctorate

14. Good communication between the PTA and the patient includes the PTA:

   A) Asking follow-up questions
   B) Making proper eye contact
   C) Paying attention
   D) All of the above

15. At what age will the child most likely respond to "pretend" play such as helping Spiderman?

   A) Adolescent
   B) Elderly
   C) Infant
   D) Preschool

16. True or false? Living with pain and discomfort is an inevitable part of getting old.

   A) True
   B) False

ANSWER KEY

1.	C	5.	B	9.	C	13.	A
2.	B	6.	B	10.	C	14.	D
3.	C	7.	C	11.	B	15.	D
4.	D	8.	C	12.	C	16.	B

Mobility

Range of Motion

James P. Fletcher, PT, PhD, ATC ●

Objectives

Upon completion of this chapter, the reader will be able to:

- Identify the functional purpose and benefits of range of motion (ROM) in the positioning and mobility of the body.
- Identify extrinsic and intrinsic factors affecting the available ROM at a synovial joint.
- Provide normative ROM for the extremities.
- dentify specific categorizations of ROM exercise as found in the *Guide to Physical Therapist Practice.*
- Identify key factors affecting the application and performance of passive, active-assistive, and active ROM techniques.
- Apply appropriate techniques for passive, active-assistive, and active osteokinematic movements of the extremities and spine performed in anatomic body planes within the established plan of care.

The concept of ROM specific to the human body brings many thoughts and ideas to the mind of the healthcare professional. Along with strength, endurance, power, balance, and coordination, ROM plays a major role in physical ability and therefore contributes significantly to the overall quality of a person's physical functions.[1] This is obvious when one considers the negative effect a ROM impairment can have on the quality and efficiency of human movement.

One broadly accepted notion is that ROM occurs through the interdependent functions of the musculoskeletal and synovial joint systems, enabling the human body to perform free and easy movements. The basic functional purpose and use of ROM is the effective movement of the extremities, head, and trunk in performing body positioning and mobility.[2] This chapter discusses ROM primarily in the context of osteokinematic movement resulting from synovial joint movement. Issues of muscle length are presented in Chapter 4.

● SCIENTIFIC BASIS

Definitions

Much like human anatomy, ROM and its associated terminology are descriptive in nature. A brief introduction of several anatomic and kinesiologic terms is essential. The reader must have a working knowledge of the terminology associated with body planes (e.g., sagittal, frontal, horizontal), anatomic position (e.g., medial, lateral, proximal), and osteokinematic and arthrokinematic movement.[2-5]

The basic definition of ROM differs among published sources.[6-10] One of the clearest descriptions is that ROM is the extent of osteokinematic motion available for movement activities, functional or otherwise, with or without assistance.[6] Osteokinematic motion is the movement of a whole bone resulting from rolling, sliding, or spinning movements (arthrokinematics) among the articulating bony surfaces making up a synovial joint.[3] The assistance in moving a body segment provided by the clinician, as well as effort generated by the patient, requires the division of ROM into three levels of performance: active range of motion (AROM), active-assistive range of motion (AAROM), and passive range of motion (PROM).[6-9]

AROM. Joint movements performed and controlled solely by the voluntary muscular efforts of the individual without the aid or resistance of an external force; the individual is independent in this activity.

AAROM. Joint movement performed and controlled, in large or small part, by the voluntary muscular efforts of the individual combined with the assistance of an external force (e.g., assistance from another body part, another person, or a mechanical device).

PROM. Joint movement performed and controlled solely by the efforts of an external force without the use of voluntary muscular contraction by the person.

Although gravity does act on the mass of the body segment, offering some assistance or resistance to the movement being performed, it is a variable that is controlled by the position of the body segment during the movement. External forces used in the assistance of a movement (AAROM or PROM) are considered nongravitational.

Physical and Physiologic Considerations

The amount of ROM available at a synovial joint depends on many factors, both intrinsic and extrinsic. Intrinsic factors are related to the anatomic composition of the joint, such as shape and congruency of the articulating bony surfaces and pliability of the joint capsule, ligaments, and other collagenous tissues. In addition, the strength and flexibility of musculature acting on or crossing the joint are considered intrinsic factors.[2,3] One or more of these factors create anatomic limits to joint ROM. For example, most osteokinematic motions at the glenohumeral and hip joints are limited by soft-tissue extensibility rather than a bony restriction, except in cases of pathology (e.g.,

osteoarthritis). Conversely, the limitations to osteokinematic motion at the humeroulnar joint owe more to bony contact. This is not to say that joints with anatomic movement limitations related to bone shape, congruency, and approximation have less ROM than other synovial joints. Zachazewski[10] points out that although the amount of joint ROM is determined primarily by the shape and congruency of the articulating surfaces, the periarticular connective tissues are the limiting factors at the end of the ROM. More detailed discussions of the intrinsic factors affecting joint ROM are available in the literature.[2,3,11]

Other factors affecting joint ROM are extrinsic, which may have a direct effect on the intrinsic factors. One significant factor is age. Decreased pliability in contractile and noncontractile tissues caused by changes in tissue composition and tissue degeneration that occur with aging can decrease joint ROM.[1,3] Body segment size related to muscle or adipose tissue bulk is another extrinsic factor that may affect joint ROM; it often limits osteokinematic motions such as knee flexion and elbow flexion.[12]

Finally, the known effects of disease, injury, overuse, and immobilization on joint tissues and joint ROM must be considered. The well-being of joint tissues depends on a certain amount of use of the joint and stress to the joint structures. For example, hyaline cartilage nutrition depends on the compression and decompression that occurs with joint movement. In addition, maintenance of ligament and capsule strength and pliability depends on a certain amount of tissue stress and strain associated with joint movement.

Common diseases affecting the joints include rheumatoid arthritis and osteoarthritis, which adversely affect the synovial membrane and hyaline cartilage, respectively. These diseases (along with traumatic injuries to ligament, capsule, or hyaline cartilage) result in pain, swelling, and loss of joint motion. Often disease and traumatic injuries alter the biomechanics of the joint, leading to malalignment, abnormal motion, and joint tissue degeneration.

Microtrauma to joint tissues from overuse related to prolonged or repetitive work or athletic activities can lead to problems such as ligament and capsule lengthening and cartilage degeneration. The overall effects of microtrauma are similar to changes resulting from disease and joint tissue injury: pain, swelling, and loss of joint motion. The adverse effects of immobilization and joint disuse are commonly recognized and include regional osteoporosis, cartilage dehydration and degeneration, collagenous tissue fibrosis and adhesion, and muscle tissue contracture and atrophy.[3,13-15]

Immobilization

The immobilization of a joint or body segment is still commonplace and necessary to allow the initial stages of healing when dealing with fractures or acutely traumatized tissues, including tissue trauma caused by surgery. Also, a wide variety of conditions such as paralysis, muscle spasticity, various forms of arthritis, and even pain can result in extended periods of immobilization. However, the effects that immobilization and disuse can have on the musculoskeletal and synovial joint tissues, and thus on mobility and joint motion, are profoundly negative. These effects include regional loss of bone density, cartilage degeneration, collagenous tissue fibrosis and adhesion, and muscle tissue atrophy and contracture; each of these effects will be discussed briefly.[3,13-15]

While not always obvious in clinical presentation, diminished bone density and reduced bone strength secondary to immobilization can begin to occur just a few weeks into the immobilization period because of a lack of mechanical loading on the bone, primarily because of a lack of muscle contraction and weightbearing forces.[16,17] If the immobilization continues for several months, regional osteoporosis will occur and full recovery of bone mass, volume, and strength may be delayed or incomplete.[18,19]

Articular cartilage, being largely avascular and dependent on joint loading for nutrition, can undergo irreversible degeneration when subjected to even short periods (i.e., days) of immobilization.[20,21] The gradual softening and breakup of the surface of the cartilage will reduce the thickness and stiffness of the tissue and result in a reduced ability to absorb and dissipate joint forces without injury to the cartilage.[22]

Connective tissues high in collagen, namely ligaments, joint capsule, fascia, and tendons, demonstrate a tightening and stiffening fibrosis during immobilization, which is primarily caused by the formation of excessive collagen fiber cross-links. These changes result in reduced joint motion as well as reduced mechanical strength of the connective tissue.[3,9]

A reduction in muscle tissue size and contractile force (both strength and endurance) is the most obvious change in muscle secondary to immobilization. Such changes can begin to develop after just a few days of immobilization and disuse.[23] Additionally, the extent of the atrophy depends on the type of muscle fiber affected, with muscles consisting of more slow-twitch fibers exhibiting greater atrophy than those composed of more fast-twitch fibers.[24] The amount of muscle tissue contracture (adaptive shortening) is dependent on the positioning during immobilization. Different effects on both sarcomere length and number can occur depending on whether the muscle is immobilized in a shortened or lengthened position.[25]

Benefits of Range of Motion Exercise

When AROM, AAROM, or PROM is performed repetitively for the general purpose of maintaining current

joint movement and preventing decreased pliability of tissue, the action is called a ROM exercise. ROM exercise also offers a potential benefit to the mechanical properties of noncontractile tissue.[11] For example, performing a movement repetitively, actively, or passively through a full ROM moves a joint into and out of the closed packed position (which is the position that a joint is in when the articulating surfaces are maximally approximated and the ligaments and capsule are tight).[4] Movement into and out of this position results in an intermittent compression and decompression of the articular cartilage, which is the natural mechanism used for nutrition and continuous remodeling of the tissue.[15]

The benefits of ROM exercise, beyond maintaining joint mobility and nutrition and preventing tissue adhesion and contracture, depend on the type of movement. To aid blood circulation, inhibit pain via stimulation of joint mechanoreceptors (gate control), and promote ligament and capsule remodeling, PROM exercises may be used.[26,27] In addition, AROM and AAROM exercises may increase blood circulation, prevent clot formation from venous stasis, increase proprioceptive input, maintain contractility, slow the rate of atrophy of contracting muscles, and improve coordination and motor control specific to the motion performed.[27] Furthermore, as low-level exercises that use gravity for resistance, AROM and AAROM may help reduce an individual's emotional or psychologic stress and depression and improve psychologic outlook while serving as a method of exercise in the early phases of rehabilitation for the patient who is deconditioned secondary to illness, injury, or surgery.

Continuous passive motion (CPM) is essentially PROM exercise that is performed continuously to a joint by a mechanical device for hours at a time. After a surgical procedure, CPM is primarily used to decrease the effects of joint immobilization, help with pain management, and promote early recovery of ROM.[26,28-30] Typically, the range, rate, and duration of the motion can be programmed, and specific recommendations are based on the surgeon's preference, the patient's response, and the surgical procedure. A variety of CPM devices are available on the market, and devices for almost all extremity joints exist.

● CLINICAL GUIDELINES

Normative Data

Reese and Bandy[31] "warn" clinicians about accepting ROM as "normative" from unsubstantiated data sources. The authors suggest that normative data should be presented

TABLE 3-1 Suggested Values for Normal ROM for Joints of The Upper Extremity in Adults Based on Analysis of Existing Data[a]

JOINT	ROM
Shoulder	
Flexion	0°–165°
Extension	0°–60°
Abduction	0°–165°
Medial rotation	0°–70°
Lateral rotation	0°–90°
Elbow	
Flexion	0°–140°
Extension	0°
Forearm	
Pronation	0°–80°
Supination	0°–80°
Wrist	
Flexion	0°–80°
Extension	0°–70°
Abduction (radial deviation)	0°–20°
Adduction (ulnar deviation)	0°–30°
First Carpometacarpal Joint	
Flexion	0°–15°
Extension	0°–20°
Abduction	0°–70°
Metacarpophalangeal Joints	
Flexion	
Thumb	0°–50°
Fingers	0°–90°
Extension	
Thumb	0°
Fingers	0°–20°
Interphalangeal Joints	
Flexion	
IP joint (Thumb)	0°–65°
PIP joint (Fingers)	0°–100°
DIP joint (Fingers)	0°–70°
Extension	
IP joint (Thumb)	0°–10° to 20°
PIP joint (Fingers)	0°
DIP joint (Fingers)	0°

DIP, distal interphalangeal; IP, interphalangeal; PIP, proximal interphalangeal.
[a]*Reprinted from Reese, Bandy: Table C-1 in Joint ROM and Muscle Length Testing, 2010 with permission of Saunders/Elsevier.*

TABLE 3-2 Suggested Values for Normal ROM for Joints of The Lower Extremity in Adults Based on Analysis of Existing Data[a]

JOINT	ROM
Hip	
Flexion	0°–120°
Extension	0°–20°
Abduction	0°–40° to 45°
Adduction	0°–25° to 30°
Medial rotation	0°–35° to 40°
Lateral rotation	0°–35° to 40°
Knee	
Flexion	0°–140° to 145°
Extension	0°
Ankle/Foot	
Dorsiflexion[b]	0°–15° to 20°
Plantarflexion[c]	0°–40° to 50°
Inversion	0°–30° to 35°
Eversion[b]	0°–20°
First Metatarsophalangeal (MTP) Joint	
Flexion	0°–20°
Extension	0°–80°

[a]*Reprinted from Reese, Bandy: Table B-6 in Joint ROM and Muscle Length Testing, 2010 with permission of Saunders/Elsevier.*
[b]Component of pronation. (ROM values apply to foot, not to isolated subtalar joint, motion.)
[c]Component of supination. (ROM values apply to foot, not to isolated subtalar joint, motion.)

only after a thorough review of the literature. The authors provide this thorough review of ROM in their text. Table 3-1 and 3-2 provide information on ROM of the extremities based on their analyses of available published literature. This data is presented as a guide to those performing ROM activities with their patients.

The Role of Range of Motion Exercises

A brief discussion of how the *Guide to Physical Therapist Practice*[32] portrays the role of ROM exercise for direct intervention will allow the reader to appreciate the broad range of applications that these exercises can offer the healthcare professional. The *Guide* notes that the direct interventions of therapeutic exercise and manual therapy can improve ROM. Specifically, the *Guide* categorizes AROM and AAROM as therapeutic exercise and PROM as manual therapy, which is broadly defined as a passive intervention in which the clinician uses his or her hands to administer a skilled movement.[32] A review of the direct interventions listed in the *Guide* for practice patterns in the musculoskeletal, neuromuscular, cardiopulmonary, and integumentary domains reveals that some form of ROM exercise is a potential method of treatment in the majority of practice patterns.

The physical therapist (PT) must carefully examine joint pathologies and ROM impairments to determine the source of the problem(s). Direct interventions such as muscular stretching (Chapter 4) may be more effective than ROM exercise for improving the impairment of a joint's ROM caused by capsule, ligament, or musculotendinous tissue restriction. However, ROM exercise is an appropriate adjunct or complement to these interventions. ROM exercise is a recommended component of the treatment program for postsurgical musculoskeletal conditions; pathologic conditions such as musculotendinous spasm, strain, inflammation, and contusion; and joint sprain, inflammation, degeneration, and contracture.[27,33]

Clinical decision making regarding the use of ROM exercises as a method of intervention is based on a knowledge of the needs of the patient and the potential benefits, precautions, and limitations of the intervention. The primary precaution for performing ROM exercises has traditionally been the presence of acute injury. With the discovery of the benefits of early motion for preventing tissue shortening and degeneration and maintaining joint nutrition after trauma or surgery, ROM exercise in the acute phase of rehabilitation is recommended if it is performed with rigid adherence to specific precautions dictated by the nature of the tissue injury or surgical repair. The primary therapeutic limitations of AROM exercise are that it typically will not increase muscular strength or prevent atrophy. PROM exercise has the additional limitation of little to no potential for even slowing muscle atrophy or maintaining strength. Furthermore, PROM exercise is less effective than AROM exercise at increasing circulation because of the lack of voluntary muscle contraction.[26]

Once the PT determines that ROM exercise is an appropriate intervention for a given patient, a decision must be made on the use of AROM, AAROM, or PROM. PROM exercises are typically used when the patient is not able to perform an active joint movement because of pain, weakness, paralysis, or unresponsiveness. In the event that the patient is not supposed to actively move a joint because of injury, inflammation, or surgical repair, PROM exercises might be carefully performed with strict adherence to all motion precautions and avoidance of pain. In most other situations, AAROM or AROM exercise is preferred because of the added benefits and potential for more independent performance by the patient. Tomberlin and Saunders[27] provide a general recommendation for progressing from PROM to AAROM and AROM exercises as part of an intervention program after traumatic injury and add specific precautions for avoiding muscle guarding and pain.

A session of ROM exercises should emphasize full range of movement within the client's tolerance. Each movement sequence has two phases: (a) beginning position to ending position and (b) reversal. The physical therapist assistant (PTA) should perform these movements slowly and rhythmically. The specific number of sessions per day, repetitions within each session, and inclusion or exclusion of a hold time at the end range depend on the goals of the exercise, underlying pathology, and patient's response to treatment. Keep in mind that a patient's independent performance will be best if sessions and repetitions take only a few minutes to perform and use of equipment is kept to a minimum. Finally, establishing a regimen that ensures consistency and quality of independent performance by a patient requires a committed effort to effective communication between the patient and the PTA.

● TECHNIQUES

ROM exercise techniques are performed in anatomic body planes with classic osteokinematic movements, in diagonal or combined joint patterns, or in functional patterns that simulate those used in a patient's daily activities. The techniques presented in this chapter primarily emphasize passive, active-assistive, and active osteokinematic motions performed in anatomic body planes, both with and without equipment. The purpose of all these techniques is to maintain or increase joint mobility, joint nutrition, and tissue pliability. (Given that the purposes of all the exercises are the same, they will not be repeated for each technique.)

The PTA who provides assistance with PROM and AAROM exercise techniques should remember the key factors affecting the application and performance of the techniques. These factors include supportive handling of body segments, proper positioning of the patient, and use of appropriate levels of force to avoid causing intense pain when performing the exercise.

Extremities and Spine

Figures 3-1 to 3-31 illustrate common techniques for ROM exercises. Figures 3-1 to 3-23 show the techniques commonly used for the extremities. Figures 3-24 to 3-31 show frequently used techniques for the spine.

Equipment

Figures 3-32 and 3-33 illustrate a sampling of ROM exercise techniques that use equipment, including wands, pulleys, and CPM devices.

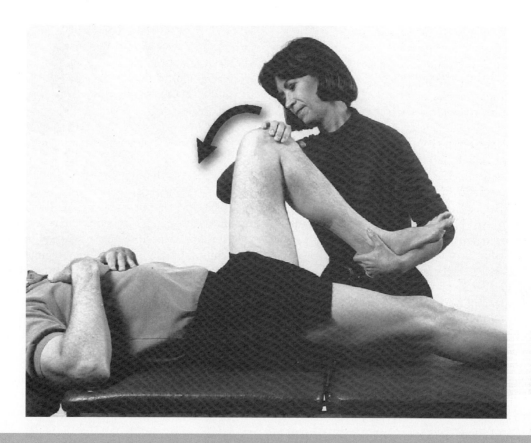

FIGURE 3-1 ● **HIP AND KNEE FLEXION ACTIVE-ASSISTIVE OR PASSIVE RANGE OF MOTION.**

Positioning: Patient lying supine with one knee flexed and foot flat on stable surface. Physical therapist assistant (PTA) standing next to leg that is flexed.

Procedure: PTA performs unilateral flexion of hip and knee by grasping patient's limb at knee and under heel and pushing knee toward patient's shoulder on same side.

Note: Same positioning can be used for active range of motion hip flexion. Patient actively flexes knee and hip on one side and brings knee toward shoulder. Motion can be performed with self-assistance by having patient grasp top of knee and pull hip and knee into flexion by pulling knee toward shoulder on same side.

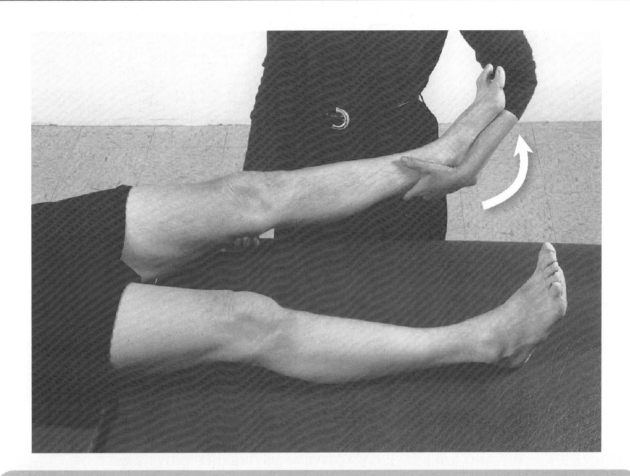

FIGURE 3-2 ● **HIP ABDUCTION AND ADDUCTION ACTIVE-ASSISTIVE OR PASSIVE RANGE OF MOTION.**

Positioning: Patient lying supine on stable surface with both limbs extended and one limb positioned in slight hip abduction. Physical therapist assistant (PTA) standing adjacent to patient's leg.

Procedure: PTA performs unilateral abduction and adduction by grasping patient's leg under knee and ankle and moving extended, neutrally rotated limb into abduction and adduction.

Note: Same position can be used for active range of motion hip abduction and adduction. Patient moves hip by sliding extended, neutrally rotated limb back and forth across surface.

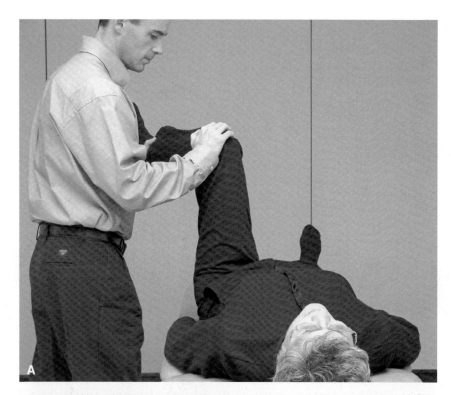

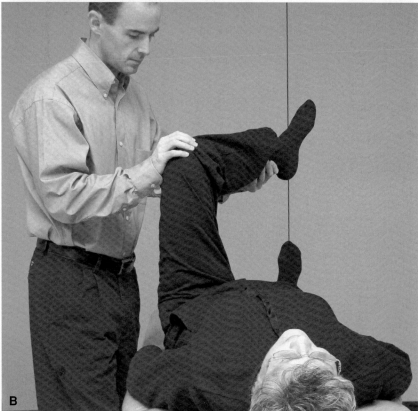

FIGURE 3-3 ● HIP ROTATION ACTIVE-ASSISTIVE OR PASSIVE RANGE OF MOTION.

Positioning: Patient lying supine with one knee flexed and foot flat on stable surface. Physical therapist assistant (PTA) standing at side of flexed limb and adjacent to patient's bent leg.

Procedure: PTA performs unilateral medial **(A)** and lateral **(B)** rotation of hip by first grasping patient's limb at knee and heel and positioning patient's limb in 90 degrees of flexion at hip and knee. In this position, PTA stabilizes patient's distal thigh, knee, and leg while rotating hip by performing a swinging motion of leg in a horizontal plane.

FIGURE 3-4 ● **HIP ROTATION ACTIVE RANGE OF MOTION.**

Positioning: Patient lying prone on stable surface with one knee flexed to 90 degrees.
Procedure: Patient performs unilateral active medial and lateral rotation of hip by moving leg toward floor, keeping thigh and pelvis flat and knee neutral regarding flexion and extension.

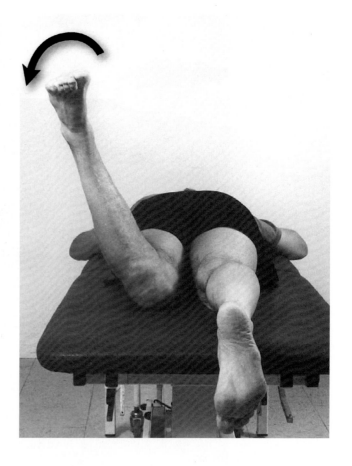

FIGURE 3-5 ● **KNEE FLEXION AND EXTENSION ACTIVE RANGE OF MOTION.**

Positioning: Patient lying prone on stable surface with both legs extended.
Procedure: Patient performs unilateral active flexion and extension of knee by moving leg toward and away from hip in sagittal plane, keeping thigh and pelvis flat.

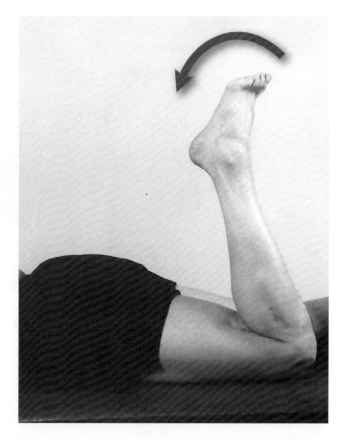

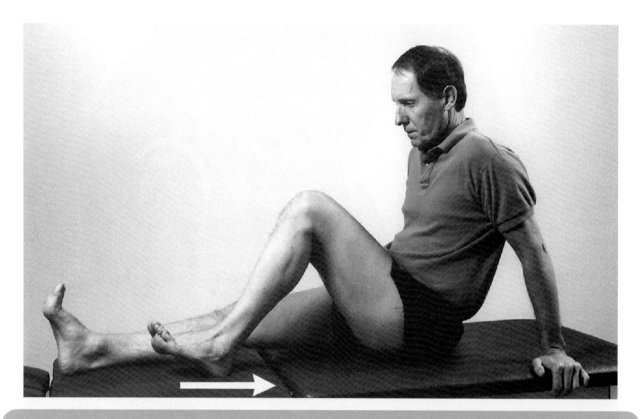

FIGURE 3-6 ● KNEE AND HIP FLEXION AND EXTENSION ACTIVE RANGE OF MOTION (HEEL SLIDES).

Positioning: Patient in long-sitting position on stable surface with back supported or with patient leaning back on extended arms (tripod sitting).

Procedure: Patient performs active unilateral flexion and extension of knee by moving heel of leg toward and away from hip in sagittal plane, keeping pelvis in neutral position.

FIGURE 3-7 ● COMBINED THORACIC, LUMBAR, HIP, AND KNEE FLEXION.

Positioning: Patient kneeling on hands and knees (quadruped).

Procedure: Patient performs combined thoracic, lumbar, hip, and knee flexion by sitting back on heels, keeping hands forward, and lowering chest to surface. Pelvis tilts posteriorly, with cervical spine maintained in neutral regarding flexion and extension.

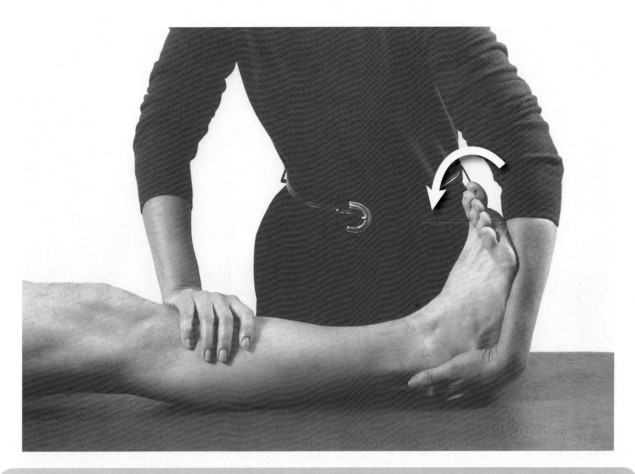

FIGURE 3-8 ● ANKLE PLANTARFLEXION AND DORSIFLEXION ACTIVE-ASSISTIVE OR PASSIVE RANGE OF MOTION.

Positioning: Patient sitting or lying supine on stable surface with limbs extended. Physical therapist assistant (PTA) standing to side of leg and adjacent to ankle and foot.
Procedure: PTA performs unilateral plantarflexion and dorsiflexion of ankle by stabilizing leg at proximal tibia and pulling foot up and down in sagittal plane. Dorsiflexion motion should be performed by grasping heel while pushing plantar surface of forefoot with PTA's forearm.

Dorsiflexion should be performed both with patient's knee extended and with it slightly flexed. Plantarflexion motion should be performed by pushing on dorsal surface of midfoot and forefoot.
Note: Same position can be used for active range of motion of ankle. Patient actively performs dorsiflexion and plantarflexion of the ankle, both with the knee extended and with it slightly flexed.

FIGURE 3-9 ● TOE FLEXION AND EXTENSION ACTIVE-ASSISTIVE OR PASSIVE RANGE OF MOTION.

Positioning: Patient sitting or lying supine on stable surface with legs extended. Physical therapist assistant (PTA) standing to side of leg and adjacent to ankle and foot.
Procedure: PTA performs unilateral flexion and extension of one or more toes at metatarsophalangeal joints by grasping entire digit and moving it in sagittal plane while stabilizing metatarsal bones of forefoot.

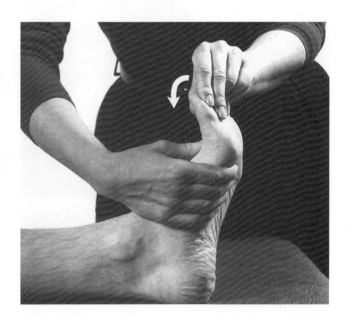

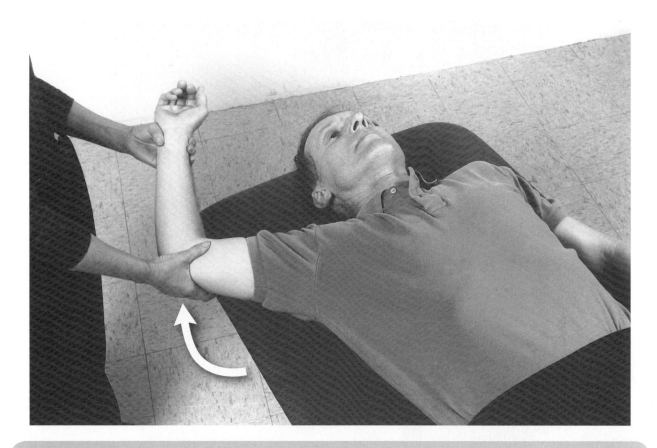

FIGURE 3-10 ● **SHOULDER ABDUCTION AND ADDUCTION ACTIVE-ASSISTIVE OR PASSIVE RANGE OF MOTION.**

Positioning: Patient lying supine on stable surface with one arm at side and shoulder in lateral rotation. Physical therapist assistant (PTA) standing at patient's side and adjacent to shoulder.

Procedure: PTA performs unilateral abduction and adduction of shoulder by grasping patient's limb under elbow and at wrist and hand and moving arm toward head and then back to patient's side in frontal plane. Elbow can be positioned in flexion or extension. Patient's scapula should be allowed to move, and shoulder must be positioned in lateral rotation when moving arm overhead to minimize subacromial impingement.

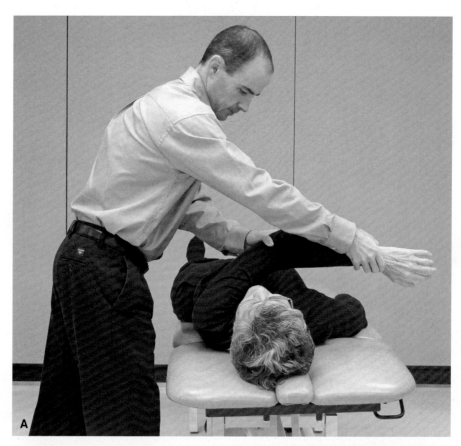

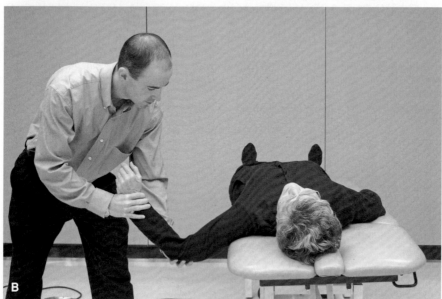

FIGURE 3-11 ● SHOULDER HORIZONTAL ADDUCTION AND ABDUCTION ACTIVE-ASSISTIVE OR PASSIVE RANGE OF MOTION.

Positioning: Patient lying supine on stable surface with one arm in 90 degrees of flexion. Physical therapist assistant (PTA) positioned at patient's side adjacent to shoulder.
Procedure: PTA performs horizontal adduction and abduction of shoulder by grasping patient's wrist and elbow and moving upper arm toward opposite shoulder (horizontal adduction) **(A)** and then back to starting position (horizontal abduction) **(B)** in horizontal plane (relative to patient). Patient's scapula should be allowed to move, and elbow can be positioned in flexion or extension.

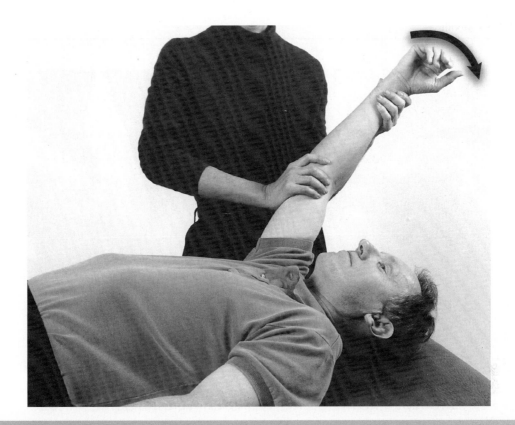

FIGURE 3-12 ● SHOULDER FLEXION ACTIVE-ASSISTIVE OR PASSIVE RANGE OF MOTION.

Positioning: Patient lying supine on stable surface with one arm at side and shoulder positioned in neutral relative to rotation. Physical therapist assistant (PTA) standing at patient's side and adjacent to shoulder.
Procedure: PTA performs unilateral flexion of shoulder by grasping patient's arm at elbow, crossing over to grasp patient's wrist and hand, and moving arm toward head and then back to patient's side in sagittal plane. Elbow can be positioned in extension, and patient's scapula should be allowed to move.

FIGURE 3-13 ● SHOULDER ABDUCTION AND ADDUCTION ACTIVE RANGE OF MOTION (AROM).

Positioning: Patient standing or sitting with upper extremities in anatomic position.
Procedure: Patient performs active shoulder abduction and adduction (unilateral or bilateral).
Note: Same position can be used for performing AROM for shoulder flexion, extension, horizontal abduction, and horizontal adduction.

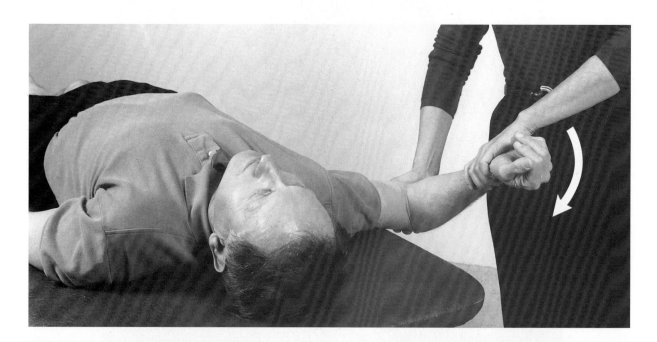

FIGURE 3-14 ● SHOULDER ROTATION ACTIVE-ASSISTIVE OR PASSIVE RANGE OF MOTION.

Positioning: Patient lying supine on stable surface with one arm in 90 degrees of shoulder abduction (neutral rotation) and 90 degrees of elbow flexion. Physical therapist assistant (PTA) standing at patient's side and adjacent to elbow.

Procedure: PTA performs unilateral medial and lateral rotation of shoulder by grasping patient's distal forearm, stabilizing elbow, and moving forearm in swinging motion toward floor in sagittal plane (relative to patient).

Note: Rotation motion can also be performed with patient's shoulder in less than 90 degrees of abduction if necessary.

A

B

FIGURE 3-15 ● SHOULDER ROTATION ACTIVE RANGE OF MOTION.

Positioning: Patient standing or sitting with elbows flexed at 90 degrees.
Procedure: Patient performs active medial **(A)** and lateral **(B)** rotation of shoulder (unilateral or bilateral) by swinging forearms toward and away from abdomen in horizontal plane while keeping upper arms against trunk.

FIGURE 3-16 ● **COMBINED SHOULDER FLEXION AND LATERAL ROTATION ACTIVE RANGE OF MOTION.**

Positioning: Patient standing or sitting with arms at side.

Procedure: Patient performs active motion of combined shoulder flexion and lateral rotation at one shoulder by performing shoulder flexion with elbow flexed and reaching toward posterior portion of shoulder and scapula on same side.

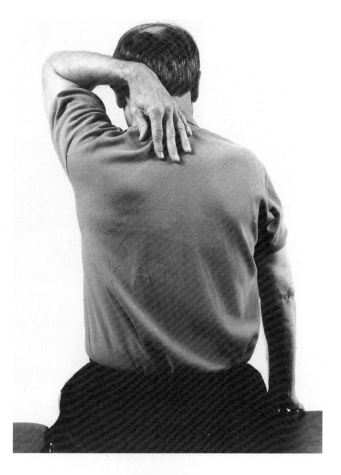

FIGURE 3-17 ● **COMBINED SHOULDER EXTENSION AND INTERNAL ROTATION ACTIVE RANGE OF MOTION.**

Positioning: Patient standing or sitting with arms at side.

Procedure: Patient performs active motion of combined shoulder extension and medial rotation at one shoulder by performing shoulder extension with elbow flexed while reaching toward inferior angle of scapula on same side.

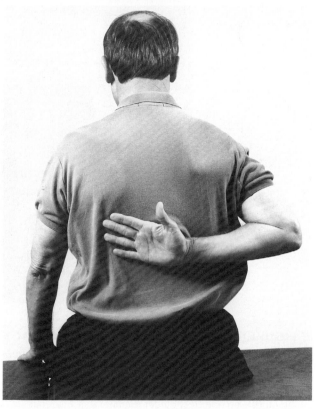

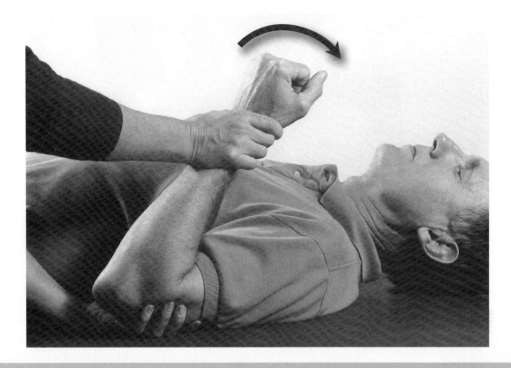

FIGURE 3-18 ● ELBOW FLEXION AND EXTENSION ACTIVE-ASSISTIVE OR PASSIVE RANGE OF MOTION.

Positioning: Patient lying supine on stable surface with arms at side. Physical therapist assistant (PTA) standing or sitting at side of patient and adjacent to elbow and forearm.

Procedure: PTA performs unilateral elbow flexion and extension by grasping patient's distal forearm, stabiliz-ing elbow and upper arm, and moving forearm toward and away from upper arm in sagittal plane. Movement should be performed with patient's forearm pronated and supinated.

Note: Same position can be used for active range of motion of elbow flexion and extension.

FIGURE 3-19 ● FOREARM PRONATION AND SUPINATION ACTIVE-ASSISTIVE OR PASSIVE RANGE OF MOTION.

Positioning: Patient lying supine on stable surface with one arm in 90 degrees of elbow flexion. Physical therapist assistant (PTA) standing or sitting at patient's side and adja-cent to elbow.

Procedure: PTA performs unilateral fore-arm pronation and supination by grasping patient's distal forearm, stabilizing elbow and upper arm, and rotating forearm toward and away from patient in horizontal plane.

Note: Same position can be used for active range of motion of forearm pronation and supination. Patient actively rotates forearm.

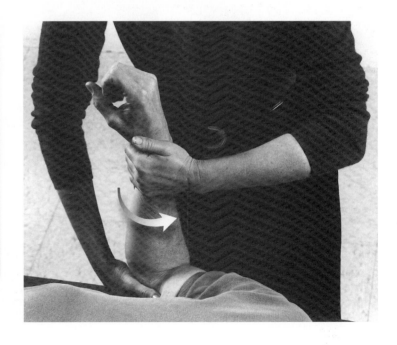

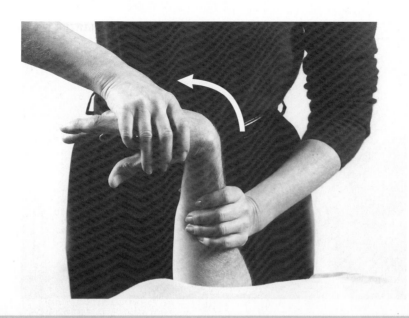

FIGURE 3-20 ● WRIST FLEXION, EXTENSION, AND DEVIATION ACTIVE-ASSISTIVE OR PASSIVE RANGE OF MOTION.

Positioning: Patient lying supine on stable surface with one arm in 90 degrees of elbow flexion. Physical therapist assistant (PTA) standing or sitting at patient's side and adjacent to forearm.

Procedure: PTA performs unilateral flexion, extension, and deviation of wrist by grasping patient's hand; stabiliz-ing distal forearm in neutral rotation; and moving wrist into flexion, extension, radial deviation, and ulnar devia-tion.

Note: Same position can be used for active range of mo-tion at wrist. Patient actively flexes, extends, and deviates wrist.

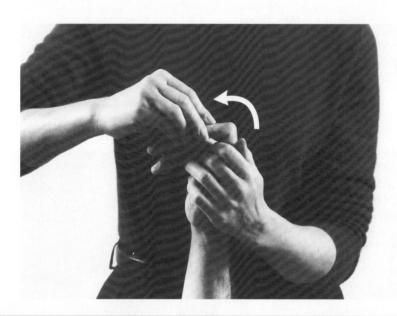

FIGURE 3-21 ● FINGER FLEXION AND EXTENSION ACTIVE-ASSISTIVE OR PASSIVE RANGE OF MOTION.

Positioning: Patient lying supine on stable surface or sit-ting in chair with one arm in 90 degrees of elbow flexion. Physical therapist assistant (PTA) standing or sitting at patient's side and adjacent to hand.

Procedure: PTA performs unilateral flexion and exten-sion of one or more digits at metacarpophalangeal and interphalangeal joints by grasping segment distal to joint and moving it in sagittal plane while stabilizing segment proximal to joint.

Note: Same position can be used for active range of motion at fingers. Patient actively flexes and extends fingers.

FIGURE 3-22 ● **SHOULDER HORIZONTAL ADDUCTION AND ABDUCTION ACTIVE-ASSISTIVE RANGE OF MOTION WITH CANE.**

Positioning: Patient lying supine on stable surface or standing with arms in 90 degrees of shoulder flexion, elbows fairly extended, and wand held in hands.

Procedure: Patient performs unilateral or bilateral horizontal abduction and adduction of shoulder by moving wand and arms back and forth across chest, keeping trunk stable.

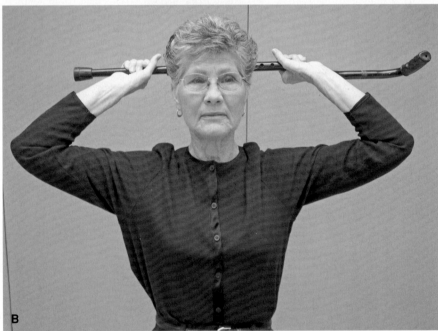

FIGURE 3-23 ● SHOULDER ROTATION ACTIVE-ASSISTIVE RANGE OF MOTION WITH CANE (SITTING).

Positioning: Patient sitting on stable surface with cane elevated over head with full elbow extension and wand held in hands **(A).**

Procedure: Patient performs bilateral lateral rotation of shoulders by moving wand and arms back behind the head (lateral rotation) **(B).** Patient should not flex the cervical spine to achieve this movement.

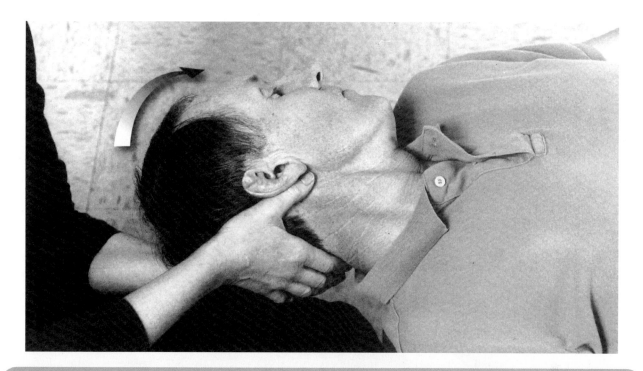

FIGURE 3-24 ● CERVICAL ROTATION ACTIVE-ASSISTIVE RANGE OF MOTION (AAROM) OR PASSIVE RANGE OF MOTION (PROM).

Positioning: Patient lying supine with head off stable surface. Physical therapist assistant (PTA) sitting or standing at end of stable surface, supporting patient's head with his/her elbows at about 90 degrees.

Procedure: PTA performs cervical rotation motion bilaterally with grasp and support applied to patient's occipital region. Extension and lateral flexion motions are avoided.
Note: Similar positioning can be used for AAROM and PROM for cervical flexion, lateral flexion, and extension.

FIGURE 3-25 ● CERVICAL ROTATION ACTIVE RANGE OF MOTION (AROM).

Positioning: Patient sitting, standing, or lying supine.
Procedure: Patient performs active cervical rotation motion bilaterally; flexion, extension, and lateral flexion motion are avoided.
Note: Rotation motion can be self-assisted by patient using one hand to support the mandible and assist with the motion. Similar positioning can be used for AROM for cervical flexion, lateral flexion, and extension.

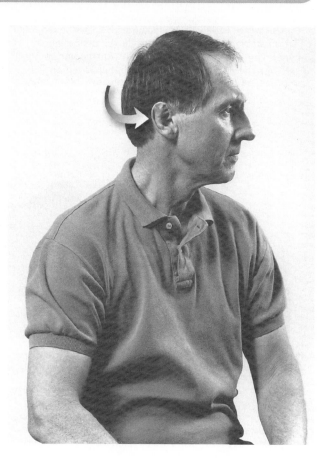

FIGURE 3-26 ● LUMBAR ROTATION ACTIVE-ASSISTIVE OR PASSIVE RANGE OF MOTION.

Positioning: Patient lying supine with knees flexed, feet flat on stable surface, and arms relaxed at side (hook-lying). Physical therapist assistant (PTA) standing to one side of patient and adjacent to lumbopelvic region.

Procedure: PTA performs lumbar rotation motion bilaterally by moving knees laterally with one hand and stabilizing thorax with other. Pelvis should rise off stable surface on opposite side during movement.

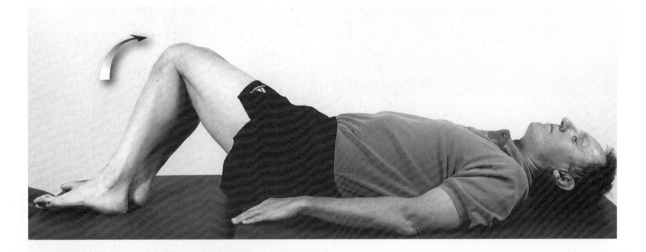

FIGURE 3-27 ● LUMBAR ROTATION ACTIVE RANGE OF MOTION.

Positioning: Patient lying supine with knees flexed, feet flat on stable surface, and arms relaxed at side (hook-lying).
Procedure: Patient performs active lumbar rotation motion bilaterally by moving knees laterally while keeping shoulder girdles and upper back flat on stable surface. One side of pelvis should rise up off stable surface during movement.

FIGURE 3-28 ● LUMBAR FLEXION ACTIVE RANGE OF MOTION.

Positioning: Patient sitting upright in sturdy chair with feet flat on floor, pelvis in neutral, and hands in midline.

Procedure: Patient performs active lumbar flexion by slowly lowering head, upper extremities, and trunk toward floor while allowing pelvis to tilt posteriorly and then returns to upright position. Cervical spine should be kept in neutral position relative to flexion and extension.

FIGURE 3-29 ● THORACIC AND LUMBAR EXTENSION ACTIVE RANGE OF MOTION.

Positioning: Patient standing on stable, level surface with hands placed on iliac crests; pelvis in neutral.

Procedure: Patient performs active thoracic and lumbar extension by slowly leaning trunk backward and allowing pelvis to tilt anteriorly and then returns to upright position.

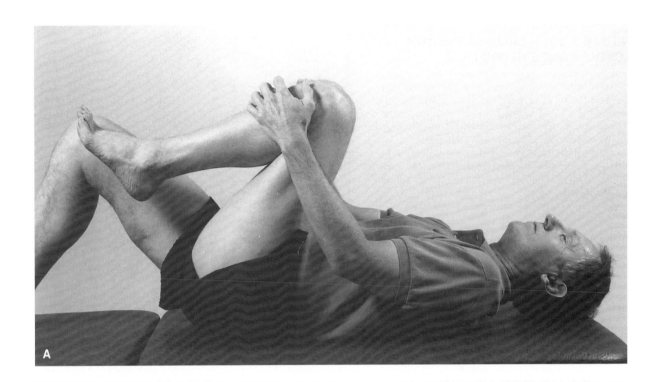

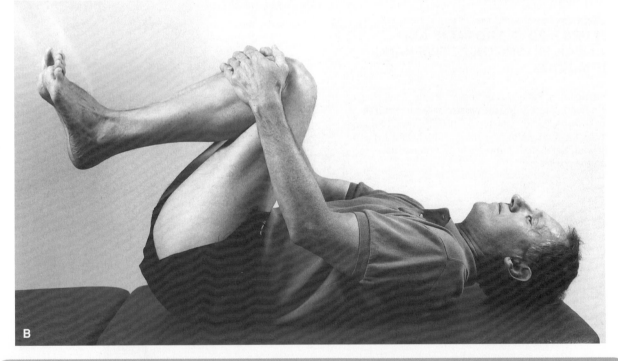

FIGURE 3-30 ● LUMBAR AND HIP FLEXION ACTIVE-ASSISTIVE RANGE OF MOTION (SELF-ASSISTED).

Positioning: Patient lying supine with knees flexed, feet flat on stable surface, and arms relaxed at side (hook-lying).

Procedure: Patient performs self-assisted lumbar and bilateral hip flexion by grasping behind one knee and pulling knee toward chest. **A.** For slightly more difficult exercise, patient grasps both knees and pulls knees toward chest **(B).**

Note: Allowing pelvis to tilt posteriorly during motion will result in greater range of lumbar flexion; stabilizing pelvis in neutral will result in greater range of hip flexion.

FIGURE 3-31 ● **LUMBAR EXTENSION ACTIVE-ASSISTIVE RANGE OF MOTION (SELF-ASSISTED).**

Positioning: Patient lying prone on stable surface with elbows flexed so that forearms and hands are under shoulder and upper arm.
Procedure: Patient performs self-assisted lumbar extension by raising head and upper back off of surface. Force is provided by elbow extensors straightening elbows. Lumbar extensor muscles should remain relaxed during motion.

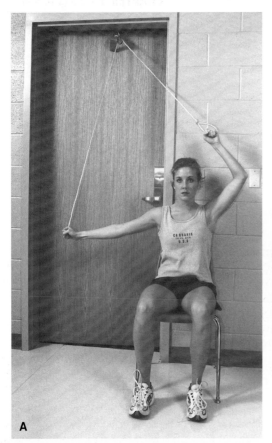

A B

FIGURE 3-32 ● SHOULDER ABDUCTION AAROM (WITH PULLEY).

Positioning: Patient sitting and holding one handle of pulley system in each hand **(A).**
Procedure: Patient performs unilateral or bilateral abduction of shoulders by pulling rope down on one side, causing other arm to be lifted into abduction **(B).** Trunk should be kept stable, elbow extended on arm being lifted, and shoulder being lifted must be positioned in lateral rotation when moving arm overhead to minimize subacromial impingement.

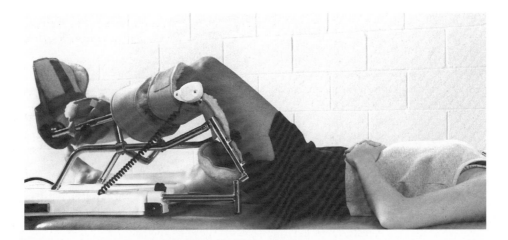

FIGURE 3-33 ● CONTINUOUS PASSIVE MOTION (CPM) FOR KNEE FLEXION AND EXTENSION.

Positioning: Patient lying supine in bed with involved lower extremity stabilized in CPM device (with straps, padding, and an underlying rigid frame). Movement hinge is aligned with knee joint.

Procedure: Range, rate, and duration of motion are programmed. Unilateral flexion and extension of knee are performed continuously by device for hours at a time.

Case Study 1

PATIENT INFORMATION

In an intensive care unit of a hospital, physical therapy was ordered for a 63-year-old woman with a diagnosis of traumatic brain injury as the result of an automobile accident. The patient was in stable condition. Examination performed by the PT at bedside indicated that the patient was comatose and unresponsive. ROM (passive) to all extremities was full, with no limitations present. Strength and functional movements were not examined because the patient was not able to respond. No discoloration or disruption of the integumentary system was noted.

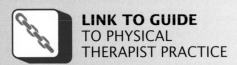

LINK TO GUIDE
TO PHYSICAL
THERAPIST PRACTICE

The diagnosis of traumatic brain injury relates to pattern 5I—"Impaired arousal, range of motion, and motor control associated with coma, near coma, or vegetative state" in the *Guide to Physical Therapist Practice*. The disorders grouped into this pattern include intracranial injury. Anticipated goals of intervention within practice pattern 5I include the maintenance of ROM and joint integrity through the use of specific therapeutic exercise of ROM.[21]

INTERVENTION

Short-term goals were for the patient to maintain full ROM in all extremities to prevent contracture. The PT met with the PTA to briefly discuss the patient's diagnosis and intervention. In addition, the PTA was reminded that even though the patient is comatose, the assumption is that the patient can hear and understand; therefore, explanation and continued verbal communication are essential. The PTA was instructed to perform daily gentle PROM to all joints of the upper and lower extremities. If the patient became more lucid, the PTA was instructed to contact the PT. Daily the PTA performed PROM to the hip and knee (Figs. 3-1 to 3-3), ankle (Fig. 3-8), and toes (Fig. 3-9) of the lower extremity and the shoulder (Figs. 3-10 to 3-12, 3-14), elbow (Figs. 3-18 and 3-19), wrist (Fig. 3-20), and fingers (Fig. 3-21) of the upper extremity.

PROGRESSION

Five Days After Initial Examination

Upon entering the patient's room, the PTA was greeted by a patient who was oriented to person, place, and time. The PTA introduced himself and explained the intervention that would be performed that day. The PTA performed the PROM regimen for the patient. During the treatment, the PTA observed that the patient was assisting the therapist during some of the movements and was moving all four extremities actively during the intervention. Upon completion of the intervention, the PTA contacted the PT about the change of status in the patient.

The next day, the PT accompanied the PTA to the patient's room and found that the patient was coherent and sitting up in a chair. Upon completion of an upper- and lower-quarter screening examination, the PT determined that the patient had gross muscle strength of 3/5. The PT modified the patient's goals to the achievement of full strength of the upper and lower extremities. The PTA was instructed to progress the patient's exercise program to AROM of the upper and lower extremities. The PTA modified the exercise program. Daily the PTA performed AROM to the hip and knee (Fig. 3-1) of the lower extremity and the shoulder and elbow (Figs. 3-13, 3-15 to 3-17, 3-22, 3-23) of the upper extremity.

OUTCOME

Two days after AROM exercises were initiated to the extremities, the patient was transferred to a rehabilitation facility.

SUMMARY: AN EFFECTIVE PT-PTA TEAM

When the status of the patient drastically improved, the PTA was correct to perform the same treatment that he had been doing and to notify the PT of the change in status. It was not appropriate for the PTA to progress the intervention to AROM without the reassessment of the patient by the PT. Depending on how accessible the PT was to the PTA, the PTA might have been able to page the PT, the PT may have been able to come to the room, and the patient may have been able to be progressed to AROM activities on that same day. In both of these scenarios, the action by the PTA was the correct one.

Geriatric Perspectives

- Joint ROM and flexibility (like strength) are lost gradually after approximately age 30, with greater losses after age 40.[1] The age-related changes affecting joint flexibility include increases in the viscosity of the synovium, calcification of articular cartilage, and stiffening of the soft tissue (particularly the joint capsule and ligaments).

- Joint movements that are often used in activities of daily living exhibit less decrease in ROM than less frequently used movements. For example, anterior trunk flexion range is less likely to be lost than backward extension, and upper extremities maintain ROM more than lower extremities. In addition, the ankle joint loses ROM with aging. Women tend to lose more ankle range than men do. Between the ages of 55 and 85, women lose as much as 50% in ankle range, but men lose only 35%.[2] Occupational and leisure activities throughout life may lead to osteokinematic limitations because of the development of bone spurs and degenerative changes in the articular surfaces.

- Normative data for ROM in older adults have not been adequately established. ROM for older adults has been found to differ from the general population.[3] Clinicians should consider these differences when examining older adults and setting goals for them.

- Functional ROM refers to the joint range used during performance of functional activities. An understanding of functional ROM assists the clinician in establishing a plan of care that is based on functional need rather than an ideal or normal joint ROM.[4] Functional ranges for some activities of daily living have been established.[5]

- To maximize the benefits achieved through ROM exercises, the new motion should be incorporated into a functional activity or pattern. For example, a gain in shoulder flexion should be reinforced by passive, active-assistive, or active reaching tasks such as retrieving objects from overhead shelves. Research has shown that purposeful, task-oriented activities increase the physiologic gain for the patient.[6]

1. Spirduso WW, Francis KL, MacRae PG. *Physical dimensions of aging.* 2nd ed. Champaign, IL: Human Kinetics; 2005.
2. Vandervoort AA, Chesworth BM, Cunningham DA, et al. Age and sex effects on mobility of the human ankle. *J Gerontol.* 1992;47:M17–M21.
3. Walker JM, Sue D, Miles-Elkovsy N, et al. Active mobility of the extremities in older adults. *Phys Ther.* 1984;64:919–923.
4. Goldstein TS. *Functional rehabilitation in orthopaedics.* Austin, TX: Pro-Ed; 2005.
5. Young A. Exercise physiology in geriatric practice. *Acta Med Scand Suppl.* 1986;711:227–232.
6. Gliner JA. Purposeful activity in motor learning theory: An event approach to motor skill acquisition. *Am J Occup Ther.* 1985;39:28–34.

SUMMARY

- This chapter presented the benefits, applications, and techniques of various forms of ROM exercise as part of a rehabilitation program. The three forms of ROM exercise are passive, active-assistive, and active. All forms offer physiologic benefits such as maintenance of joint movement and nutrition, prevention of connective and muscle tissue shortening, increased circulation, pain inhibition, and promotion of connective tissue remodeling. AAROM and AROM exercises offer added benefits to muscle tissue, aiding motor function, movement performance, and coordination.

- A wide range of benefits are offered by ROM exercises; they play a useful role in the regimen of care for a multitude of pathologic conditions involving the musculoskeletal, neuromuscular, cardiopulmonary, and integumentary systems. Selection of the specific form of ROM exercise by the PT that is appropriate for the client depends on the diagnosis, impairment, and level of function. Performed gently and with caution, ROM activities can be implemented by the PTA quite early after trauma or surgery. Techniques of ROM exercise, regardless of the type, include motion in anatomic body planes, in diagonal or combined patterns, and in functional patterns that simulate those used in daily activities.

- External force used during PROM or AAROM exercises can be applied by the PTA or by the patient. In addition, a wand, pulley, or mechanical device can be used as an external force to increase PROM or AAROM.

Pediatric Perspectives

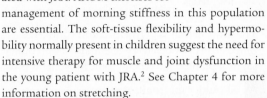

- The developing individual exhibits much greater mobility and flexibility than the adult.[1] Just as it is important to remember that ROM decreases with age secondary to collagen stiffening, clinicians must recognize that a wide range of normal mobility exists in children and adolescents. Because of immature bone and extremely flexible collagen, newborns exhibit patterns of extreme ROM, as evidenced by excessive dorsiflexion in which the dorsum of the foot can be dorsiflexed to such a degree to make contact with the anterior tibia. This hypermobility decreases throughout childhood.
- Maintenance of ROM is essential for children with juvenile rheumatoid arthritis (JRA). Contractures involving both joint and muscle can be anticipated based on an understanding of typical patterns of restriction associated with JRA. AROM exercises for management of morning stiffness in this population are essential. The soft-tissue flexibility and hypermobility normally present in children suggest the need for intensive therapy for muscle and joint dysfunction in the young patient with JRA.[2] See Chapter 4 for more information on stretching.

1. Kendall HO, Kendall FP, Boynton DA. *Posture and pain.* Melbourne, FL: Krieger; 1971.
2. Wright FV, Smith E. Physical therapy management of the child and adolescent with juvenile rheumatoid arthritis. In: Walker JM, Helewa A, eds. *Physical therapy in arthritis.* Philadelphia, PA: WB Saunders; 1996:211–244.

References

1. Cech D, Martin S. *Functional movement development across the life span.* 2nd ed. Philadelphia, PA: WB Saunders; 2002.
2. Rosse C, Gaddum-Rosse P. *Hollinshead's textbook of anatomy.* 5th ed. Philadelphia, PA: Lippincott-Raven; 1997.
3. Levangie PK, Norkin CC. *Joint structure and function: A comprehensive analysis.* 4th ed. Philadelphia, PA: FA Davis Co; 2005.
4. Prentice WE. *Therapeutic modalities for allied health professionals.* New York, NY: McGraw-Hill; 1998.
5. Smith KL, Weiss EL, Lehmkuhl DL. *Brunnstrom's clinical kinesiology.* 5th ed. Philadelphia, PA: FA Davis Co; 1996.
6. Hall CM, Brody LT. *Therapeutic exercise: moving toward function.* 3rd ed. Philadelphia, PA: Lippincott Williams & Wilkins; 2011;124–126.
7. O'Toole M. *Miller-Keane encyclopedia & dictionary of medicine, nursing, & allied health.* 7th ed. Philadelphia, PA: WB Saunders; 2003.
8. Norkin CC, White JD. *Measurement of joint motion: A guide to goniometry.* 3rd ed. Philadelphia, PA: FA Davis Co; 2003.
9. Brown ME. *Therapeutic recreation and exercise.* Thorofare, NJ: Slack; 1990.
10. Zachazewski JE. Improving flexibility. In: Scully RM, Barnes MR, eds. *Physical therapy.* Philadelphia, PA: Lippincott; 1989;698–738.
11. Cornwall MW. Biomechanics of noncontractile tissue. *Phys Ther.* 1984;64:1869–1873.
12. Magee DJ. *Orthopedic physical assessment.* 4th ed. Philadelphia, PA: WB Saunders; 2005.
13. Akeson WH. Effects of immobilization on joints. *Clin Orthop.* 1987; 219:28–37.
14. Donatelli R, Owens-Burchhart H. Effects of immobilization on the extensibility of periarticular connective tissue. *J Orthop Sports Phys Ther.* 1981;3:67–72.
15. Cummings GS, Tillman LJ. Remodeling of dense connective tissue in normal adult tissues. In: Currier DP, Nelson RM, eds. *Dynamics of human biologic tissue.* Philadelphia, PA: FA Davis Co; 1992;45–73.
16. Minaire P, Neunier P, Edouard C, et al. Quantitative histological data on disuse osteoporosis: Comparison with biological data. *Calcif Tissue Res.* 1974;17:57–73.
17. Uhthoff HK, Jaworski ZF. Bone loss in response to long-term immobilization. *J Bone Joint Surg Br.* 1978;60-B:420–429.
18. Minaire P. Immobilization osteoporosis: A review. *Clin Rheumatol.* 1989;8(suppl):95–103.
19. Neumann DA. *Kinesiology of the musculoskeletal system.* St Louis, MO: Mosby; 2002.
20. Candolin T, Videman T. Surface changes in the articular cartilage of rabbit knee during immobilization: A scanning electron microscopic study of experimental osteoarthritis. *Acta Pathol Microbiol Scand A.* 1980;88:291–297.
21. Videman T. Experimental osteoarthritis in the rabbit: Comparison of different periods of repeated immobilization. *Acta Orthop Scand.* 1982;53:339–347.
22. Buckwalter JA. Mechanical injuries of articular cartilage. In: Finerman GA, Noyes FR, eds. *Biology and biomechanics of the traumatized synovial joint.* Rosemont, IL: American Academy of Orthopaedic Surgeons; 1992.
23. Lindboe C, Platou C. Effects of immobilization of short duration on muscle fibre size. *Clin Physiol.* 1984;4:183–188.
24. Lieber RL. *Skeletal muscle structure, function, and plasticity.* 2nd ed. Philadelphia, PA: Lippincott Williams & Wilkins; 2002.
25. Garrett W, Tidball J. Myotendinous junction: Structure, function, and failure. In: Woo SL-Y, Buckwalter JA, eds. *Injury and repair of the musculoskeletal soft tissues.* Park Ridge, IL: American Academy of Orthopaedic Surgeons; 1988.
26. Frank D. Physiology and therapeutic value of passive joint motion. *Clin Orthop Relat Res.* 1984;185:113–125.
27. Tomberlin JP, Saunders HD. *Evaluation treatment and prevention of musculoskeletal disorders.* 3rd ed. Chaska, MN: WB Saunders; 1994.
28. Salter RB. The physiologic basis of continuous passive motion for articular cartilage healing and regeneration. *Hand Clin.* 1994;10:211–219.
29. Salter RB. *Textbook of disorders and injuries of the musculoskeletal system.* 3rd ed. Baltimore, MD: Lippincott Williams & Wilkins; 1999.
30. Salter RB. Clinical application of basic research on continuous passive motion for disorders and injuries of synovial joints. *J Orthop Res.* 1984;1:325–333.
31. Reese NB, Bandy WD. *Joint range of motion and muscle length testing.* 2nd ed. St. Louis, MO: Saunders; 2010.
32. American Physical Therapy Association. *Guide to physical therapist practice.* 2nd ed. Alexandria, VA; 2003.
33. Noyes FR, Barber-Westin SD. Reconstruction of the anterior and posterior cruciate ligaments after knee dislocation: use of early protected postoperative motion to decrease arthrofibrosis. *Am J Sports Med.* 1997;25:769–778.

PRACTICE TEST QUESTIONS

1. An example of arthrokinematic motion is

   A) Active shoulder flexion
   B) Passive supination of the forearm
   C) Active elevation of the arm in the frontal plane
   D) Passive depression of the humeral head in the glenoid fossa

2. The motion that is performed and controlled as a combined effort of both the patient and a wall pulley in the sagittal plane. This type of joint movement is called

   A) Shoulder internal rotation
   B) Active-assisted range of motion
   C) Passive range of motion
   D) Active range of motion

3. The patient performs a straight leg raise in the supine position. As the leg is lowered, the motion is called

   A) Active hip flexion range of motion
   B) Active-assisted hip flexion range of motion
   C) Active hip extension range of motion
   D) Active-assisted hip extension range of motion

4. The full amount of joint motion available at the wrist is based on

   A) Intrinsic factors
   B) Extrinsic factors
   C) Intrinsic and extrinsic factors
   D) Neither factor affects the amount of available motion

5. The wear and tear associated with age and microtrauma occurring at the hip in a patient who worked in construction trades limited the range of motion at his hip. This is an example of

   A) Intrinsic limitations
   B) Extrinsic limitations
   C) Rheumatoid arthritis
   D) Normal active range of motion

6. Which of the following effects does NOT occur with prolonged joint immobilization?

   A) Increased isometric muscle force
   B) Decreased mechanical strength of connective tissue
   C) Increased breaking up of articular cartilage surfaces
   D) Decreased bone density and reduced bone strength

7. Benefits of active, active-assisted, and passive range of motion exercise include

   A) Reduction in the perception of joint pain
   B) Maintenance of joint mobility and nutrition
   C) Prevention of venous stasis and formation of blood clots
   D) All of the above are benefits of range of motion exercise

8. When the PTA is performing ROM of the wrist of the patient who is comatose and unable to move for herself, the PTA does not move the wrist through all of the range of motion available. Why is this incorrect technique?

   A) It will not aid in prevention of venous stasis and formation of blood clots
   B) It does not reach the closed pack position needed to maintain mobility and nutrition
   C) It does not move the joint against gravity needed to help reduce psychological stress and depression
   D) It will not allow for maintenance of functional range of motion at the wrist following the patient's recovery

9. Which of the following statements accurately represents the relationship of the types of therapeutic exercise to the Guide to PT Practice?

   A) Active ROM is a therapeutic exercise and AA and PROM are manual therapy
   B) Active ROM is an impairment and AA and PROM are considered interventions
   C) Active and active-assisted ROM are therapeutic exercise and PROM is manual therapy
   D) ROM will be an appropriate intervention in a limited number of practice patterns in the Guide to PT Practice

10. Which of the following statements expresses the relationships among the different types of range of motion exercise as the patient improves?

    A) Passive then active then active-assisted
    B) Active-assisted then passive then active
    C) Passive then active-assisted then active
    D) Active then active-assisted then passive

11. Which of the following statements represents active range of motion at the hip

    A) The patient is sitting and leans his body forward until his chest rests on his upper thighs.
    B) The patient is standing in the parallel bars and swings the straight leg forward and backward.
    C) The patient is in sitting position and pulls the knee all the way toward his chest when the motion stops short.
    D) The patient is supine with his foot on a towel that allows a slippery surface on which to glide the heel toward his buttocks.

12. Normal range of motion based on available normative data is represented by which of the following statements

    A) Hip flexion 20 degrees, knee extension 0 to 145 degrees, and ankle dorisflexion 0 to 40 degrees
    B) Hip flexion 120 degrees, knee extension 0 degrees, and ankle dorisflexion 0 to 15 degrees
    C) Shoulder abduction 0 to 120 degrees, shoulder lateral rotation 0 to 70 degrees, and forearm supination 0 to 80 degrees
    D) Shoulder abduction 0 to 165 degrees, shoulder lateral rotation 0 to 90 degrees, and forearm supination 0 to 80 degrees

13. An example of age-related changes to joint range of motion include

    A) Upper extremity losing more motion than lower extremities
    B) Decreased flexibility of the articular cartilage and stiffening of joint capsule
    C) Functional range of motion decreases more than passive range of motion
    D) Knee PROM in extension is limited following immobilization in flexed position

14. When working with an elderly individual on restoring range of motion, the PTA should

    A) Instruct the patient in active-assisted range of motion
    B) Use only active and active-assisted range of motion techniques
    C) Make sure that new motions are incorporated into a functional activity
    D) Increase the number of treatment sessions per week so that gains are not lost

15. Which of the following statement is the most accurate?

    A) Well-researched data exist for ranges of motion in both the young and the old.
    B) Ranges of passive motion are greatest in the joints of the very young and the very old.

C) Passive range of motion varies to a large degree in the joints of the very young and adolescent persons.
D) It is best to consider passive range of motion not functional range of motion as an indication of normal mobility.

16. The amount of joint motion produced by voluntary muscle contraction is called:

    A) Active ROM
    B) Active-assistive ROM
    C) Passive ROM
    D) Specificity of training

17. Gross angular motions of the shaft of bones in the sagittal, frontal, and transverse plane is called:

    A) Arthrokinematics
    B) Osteokinematics

18. Intrinsic factors that limit ROM include which of the following?

    A) Age
    B) Muscle flexibility
    C) Immobilization
    D) Injury

19. The *Guide to Physical Therapist Practice* lists which of the following activities as "manual therapy"?

    A) AROM
    B) AAROM
    C) COPD
    D) PROM

20. True or false? Active-assistive ROM is an effective activity for increasing muscular strength.

    A) True
    B) False

ANSWER KEY

1.	D	**6.**	A	**11.**	B	**16.**	A
2.	B	**7.**	D	**12.**	D	**17.**	B
3.	C	**8.**	B	**13.**	B	**18.**	B
4.	C	**9.**	A	**14.**	C	**19.**	D
5.	B	**10.**	C	**15.**	C	**20.**	B

4

Joint Mobilization

Clayton F. Holmes, PT, EdD, ATC
William D. Bandy, PT, PhD, SCS, ATC

Objectives

Upon successful completion of this chapter, the reader will be able to:

- Identify and explore controversy regarding the use of mobilization by the PTA.
- Differentiate between the osteopathic model, the chiropractic model, and current approaches to manual therapy.
- Differentiate arthrokinematics from osteokinematics; and define the concave-convex rule.
- Define the effects of mobilization.
- Differentiate the grade of mobilization.

● INTRODUCTION

Many synovial joints in the body are characterized with what Mennell[1] referred to as a *capsular excess*—a loose folding in the capsule which is necessary for the joint to achieve full range of motion. As an example, this capsular excess can be easily observed at the shoulder in the inferior folds of the capsule (Fig. 4-1). This capsular excess is important in the shoulder, as the loose folds of the inferior capsule allow for full, normal active flexion and abduction. In fact, capsular excess allows a joint to have *play,* commonly called joint play.[1] This joint play movement in human joints is a prerequisite for normal active range of motion. In turn, normal active range of motion is a prerequisite for effective therapeutic exercise.

Perhaps the most direct way for the clinician to improve joint play (and, subsequently, range of motion) is by a manual therapy procedure by which the clinician introduces a passive force, usually in a transverse direction, through a joint.[1]

To date, the appropriate term for this manual therapy procedure in which a passive force is used to take advantage of the joint play in order to increase range of motion has been under question. Currently, disagreement exists with regards to which of the two terms should be considered appropriate: *mobilization* or *manipulation.* The terms mobilization and manipulation are often used interchangeably, which causes both confusion and disagreement in health care.[2,3] In Europe, manipulation is reserved almost exclusively for the procedures involving high velocity, thrust

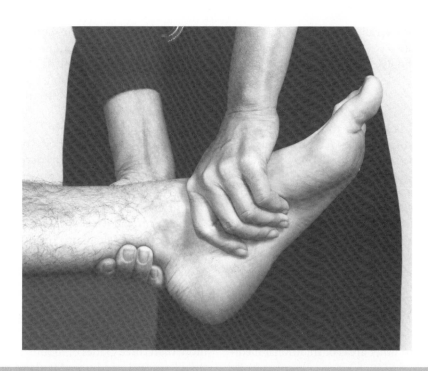

FIGURE 4-1 ● **CAPSULAR EXCESS IN THE AXILLARY RECESS OF THE INFERIOR FOLDS OF THE CAPSULE OF THE GLENOHUMERAL JOINT.**

movement.[2] In the United States, the term manipulation is often used to include all passive forms of joint motion.

For the purpose of clarity for the reader, this chapter will operationally define mobilization and manipulation according to the *Guide to Physical Therapist Practice*, published by the American Physical Therapy Association (APTA). Mobilization, defined as a term more general than manipulation, is "a skilled passive hand movement that can be performed with variable amplitudes at variable speeds."[4] Manipulation is defined as one type of mobilization. More specifically, manipulation will be defined as the "skilled passive hand movement that usually is performed with a small amplitude at a high velocity."[4] In other words, the term mobilization will be used to refer to a passive movement technique performed at any velocity, including the high velocity manipulation which some label as a Grade 5 mobilization (described later in chapter).[5]

Controversy—Mobilization and the PTA

According to the APTA House of Delegates position HOD P06-00-30-36 entitled "Procedural Interventions Exclusively Performed by Physical Therapists," mobilization requires "immediate and continuous examination and evaluation throughout the intervention" and, therefore, is an intervention that should exclusively be performed by the physical therapist. In 2011, the APTA House of Delegates passed a position entitled "Physical Therapist Responsibility and Accountability for the Delivery of Care" (RC-3) which indicates that the APTA "recognizes the physical therapists' abilities to utilize the most appropriate support personnel when directing selected aspects of physical therapy intervention, consistent with jurisdictional law." Therefore, controversy exists as to the appropriateness of the PTA performing joint mobilization.

Consistent with APTA positions, the physical therapist has the final authority as to the interventions that are delegated to the PTA. Some physical therapists believe that mobilization is a part of what the PTA should be performing; some physical therapists do not. To that end, this chapter on mobilization of the extremities is presented. The final decision as to whether mobilization of the extremities should be delegated to the PTA, or not, is with the individual physical therapist.

Theoretical Models in Manual Therapy

Manual therapy, once known as manual medicine, has been in existence since the era of Hippocrates. From that time, through the middle ages, knowledge about the human body increased and intervention techniques changed and developed. By the 1700s, those who performed manual intervention in England were called "bone setters."[5] More recently, within the past two centuries, several approaches to manual therapy, or "schools of thought," have developed.

Osteopathic Model

The Osteopathic Model is perhaps the root of manual therapy in the United States. This model can be traced to an American doctor named Still (1828–1917).[2] From anecdotal evidence, Still developed a theory he called the *Law of the Artery*. Initially, his claim was that all disease processes were a direct result of interference with arterial blood that carried vital nutrients to a body part. He believed that by performing joint manipulation he could maintain and improve this blood flow. In 1892, Still opened the first School of Osteopathy, and the ideas he fostered became the basis of the Osteopathic Model.[6] Over time, this school of thought has gained more acceptance in the United States; in Europe, however, osteopathic ideas are less accepted.[3]

Through the years, osteopathic physicians have migrated from manual therapy into other areas of traditional medicine, and, today, these physicians no longer subscribe wholly to the *Law of the Artery*. A number of the manual techniques developed by these osteopathic physicians, including muscle energy techniques and articulatory techniques, have demonstrated therapeutic value and, consequently, are widely used by practitioners who subscribe to many different schools of thought.

Chiropractic Model

The Chiropractic Model was founded by a grocer named Palmer (1845–1913) who founded the Palmer College of Chiropractics in 1895. Palmer based his theory on what he called the *Law of the Nerve*. He believed that "vital life forces" were cut off from any body part by small vertebral subluxations. By performing manual intervention, Palmer believed that the vital life forces could be maintained or improved.[6]

Today, some chiropractors continue to embrace Palmer's philosophy. These practitioners have been referred to as "straights." Another group of chiropractors exists and is called "mixers." Mixers have combined manual interventions with other more traditional interventions such as passive agents and therapeutic exercise. As a consequence of the differing opinions within the profession, the Chiropractic Model is in a state of flux.[3]

Current Orthopaedic Approaches to Manual Therapy

In this century, many innovative health professionals from other countries have influenced the course of manual therapy in the United States. For example, practitioners

at St. Thomas Hospital in London pioneered the development of current manual intervention. Specifically, two physicians who worked at St. Thomas, James Mennell[1] and, later, Cyriax[7], each published works which proposed manual intervention as an effective mode of treatment for joint pathology.

More recently, Kaltenborn,[8] Maitland,[9] and John Mennell[1] contributed to the body of knowledge regarding manual therapy. Kaltenborn[8] developed what some call a Scandinavian approach to manual intervention. As a chiropractor, osteopath, and physiotherapist; he has blended the different perspectives into a systematic process of examination and intervention. One manual intervention emphasized by Kaltenborn[8] is joint mobilization. In fact, he is one of the two people who have described grades (or levels) of mobilization.[10]

Maitland,[9] a physical therapist from Australia, is the other person who worked out a specific description of mobilization grades. Maitland's categorization of mobilization differs from Kaltenborn's, as Maitland describes more than three grades of mobilization (presented later in this chapter). In addition, Maitland has been a proponent of oscillatory mobilization, an intervention which has been widely accepted by physical therapists.[9,11]

Mennell[1] practiced medicine in the United States, and contributed, among other things, the terms used to illustrate concepts relative to manual intervention such as *joint play, accessory motion,* and *joint dysfunction.* Today, these terms have been widely accepted by manual therapists. For example, his idea that joint play is essential for normal motion is an almost inherent assumption held by many manual therapists.

These individuals described are only a few of the many who have contributed to the body of knowledge relative to manual therapy. All schools of thought described in this section contain unique elements. It should be noted, however, that many consistencies exist among these different models. As Rothstein[12] stated in an editorial in 1992, "We do a disservice to the pioneers of manual therapy when we worship their words and fail to advance the scientific basis of what they developed."

Joint Response to External Force—"Audible Pop"

Traditional theories in health care suggest that it is quite common for "normal" joints to produce an audible pop.[13] Bourdillon[3] refers to this audible pop as a "crackling noise" and suggests that this noise occurs due to "cavitation." As the synovial joint is pulled apart and the opposing surfaces move further and further apart, a negative pressure develops in the synovial fluid driving out carbon dioxide and releasing nitrogen from solution to gaseous form. This gaseous bubble occupies the increased space.

Once the surfaces are separated, the pressure within the joint exceeds that in the bubble, and the bubble collapses causing a crackling noise.[13,14]

In addition, pathological joints create a popping or crackling sound routinely. This popping or crackling sound could occur due to: a) an unstable joint that subluxes during certain movements; b) a roughness in the edges of the joint surfaces, possibly due to articular surface degeneration; or c) a thickening of any scar tissue surrounding the joint. If a joint subluxes frequently or the joint surfaces have become roughened, hypermobility may result. On the other hand, scarring around a joint will most likely cause hypomobility. In all three cases, movement at affected joints could cause a crackling or popping sound.[5]

Therefore, as it is possible for normal, hypermobile, or hypomobile joints to create a popping sound, the therapeutic goal of a manual intervention should *not* be an audible pop. When an audible pop does occur, it may be an indication that the joint surfaces have moved. However, when the pop does not occur, it is not an indication that the joint has not been moved. Rather, this determination of whether the joint has moved should be made by what Maitland[11] refers to as the "feel" of the clinician. Once this "feel" is developed, a clinician can confidently evaluate whether a joint is normal, hypermobile, or hypomobile. If a joint is hypomobile and mobilization is utilized as an intervention, "feel" can again be used to assess whether joint mobility has been improved, regardless of whether a pop occurred during the mobilization procedure. An increase in, or restoration of, improved function and normal motion are the ultimate therapeutic goals of mobilization of the hypomobile joint.

The Osteopathic and Chiropractic Models regarding the cause of an audible pop at the joint are contrary to other more traditional theories in medicine and physical therapy. In the Osteopathic Model and Chiropractic Model, three barriers to movement are defined: anatomic, physiologic, and elastic. The anatomic barrier is defined as the total range of motion from one extreme to the other (Fig. 4-2). Movement beyond the anatomic barrier can only occur with fractures, dislocation, or rupture of ligaments. The elastic barrier is defined as the range of motion within the total range of motion that the examiner can *passively* move the joint. The normal end feel that is felt by the examiner at the end of passive range of motion is this elastic barrier. The range of motion available to the individual *actively* is defined as the physiologic barrier. This range of active movement is less than passive motion.[15]

According to this model, between the elastic and anatomic barrier is a space called the "paraphysiologic space." The primary goal of manipulation for the osteopath or chiropractor is to achieve movement into the paraphysiologic space. The popping sound that results from a high velocity, low amplitude thrust indicates that one has

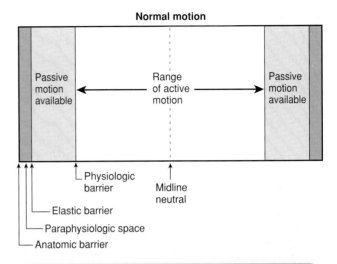

Normal motion

FIGURE 4-2 ● **RANGE OF MOTION ACCORDING TO THE OSTEOPATHIC AND CHIROPRACTIC THEORY ON BARRIERS TO MOVEMENT.**

reached the paraphysiologic space. The primary therapeutic goal of manual intervention for both the osteopath and chiropractor is to produce an audible pop. According to the Osteopathic Model and Chiropractic Model, if the pop occurs, the practitioner knows with "certainty" that the end of the range of motion has been reached.[15]

However, little research exists to support the concepts of the paraphysiologic space, nor is much information available on cavitation or gas release. Because of a paucity of evidence regarding the existence of a paraphysiologic space, this author does not address the function of mobilization within the paraphysiologic space. This does not mean that the clinician should not embrace other components of a specific approach that may subscribe to such an assumption. Though an audible pop often occurs with intervention in manual therapy, and may provide evidence that increased motion has occurred, the assumption of this Chapter is that an audible pop is not required for effective application of manual therapy to improve joint range of motion and function.

● SCIENTIFIC BASIS

Biomechanical Basis for Mobilization

Several biomechanical terms have been adopted by manual therapists, which derive from the field of engineering. Two of these terms are "arthrokinematics" and "osteokinematics."

Arthrokinematics

Arthrokinematics refers to movements of joint surfaces in relation to one another.[16] When two bones move, the articulating ends of the bones move, as well as the movement of the two long levers of the bones occurs. For example, when the tibia moves on the femur (the long lever of the bones) during knee flexion and extension, the condyles of the tibia move on the condyles of the femur (the articulating ends of the bones). Two types of arthrokinematic motions that have been described in the literature are roll and slide (or glide; Fig. 4-3). Roll occurs when new points on one joint surface meet new points on another surface. Slide has been called "pure translatory motion" and occurs when one joint surface moves across a second surface so that the same point on one surface is continually in contact with new points on the second surface.[16] The sliding that occurs during normal motion is due to joint play and is a critical function of each joint. Slide is the movement most affected during mobilization.

Most synovial joints have articular surfaces that are either concave or convex in shape, with the convex end of a bone fitting into the concave end of the adjacent bone. Not only does this congruent arrangement allow for enhanced intrinsic stability of the joint, but the convex–concave relationship dictates arthrokinematic motion. Specifically, "when a convex surface is moving on a fixed, concave surface, the convex articulating surface moves (slides) in a direction opposite to the direction traveled by the shaft of the boney lever."[16] The glenohumeral joint is an example of a convex surface (humeral head) moving on a fixed concave surface (glenoid fossa). In this example, the humeral head is the moving articulating surface, which must slide inferior as the humerus (the shaft of the boney lever) moves superior into abduction (opposite direction; Fig. 4-4 [Shoulder]). Therefore, if the goal of the mobilization intervention is to increase shoulder abduction in light of capsular restriction, mobilization in the inferior direction (inferior glide) is the appropriate manual intervention.

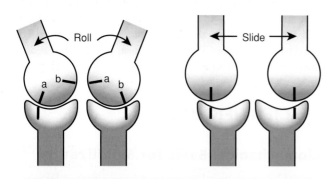

FIGURE 4-3 • ARTHROKINEMATIC MOTIONS OF ROLL AND GLIDE.

When a concave surface is moving on a stable convex surface, sliding occurs in the same direction as the boney lever.[16] The tibio-femoral joint is an example of a concave surface, tibia and meniscus, moving on a fixed convex surface, the femoral condyles. For example, in flexion the tibia is the moving articulating surface, sliding posterior as the femur moves posterior into flexion (Fig. 4-4 [Knee]). Therefore, if the goal of the mobilization intervention is to increase knee flexion in light of capsular restriction, mobilization of the tibial anterior surface is in the posterior direction.

Osteokinematics

The quality and degree of the motion actually observed in the boney lever is called osteokinematic motion, and is determined by the underlying, unseen arthrokinematic motion. The amount of slide (or glide) and roll occurring at the articular surfaces of a joint ultimately determines how much visible, functional movement occurs at that same joint. For example, during the osteokinematic movement of shoulder abduction, the arthrokinematic motion of the humerus sliding inferior occurs. When a capsular restriction exists preventing the downward slide of the humeral head, the concomitant osteokinematic motion of humeral elevation cannot occur normally. Thus, the most important reason to perform joint mobilization is to improve and maintain osteokinematic motion through restoration or maintenance of arthrokinematic motion.

Effects of Joint Mobilization

Tissue Response

Surrounding each joint is the joint capsule, with an outside layer made of dense, irregular collagen connective tissue. If the joint becomes inflamed due to injury or is immobilized for a period of time, the capsule may become thickened due to increased collagen production or by the binding together of individual collagen fibers. Mobilization to increase the restricted range of motion will stress the capsule causing plastic deformation of the collagen.[17,18] With effective mobilization, the collagen fibers are loosened and rearranged, and adhesions in the joint capsule may be broken. These changes in the collagen of the capsule will restore joint mobility.[5]

Neurophysiologic Basis

Low grades of mobilization can be effective in alleviating pain. This decrease in pain is thought to occur via two mechanisms. First, mobilization assists in the improvement of the overall nutrition of the joint through movement of the synovial fluid. Second, mobilization activates Types I

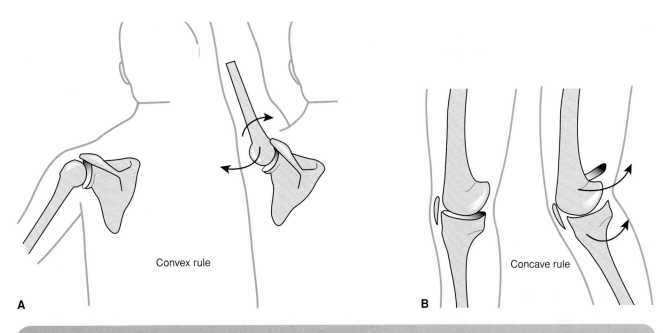

A

B

FIGURE 4-4 ● **ILLUSTRATION OF CONCAVE AND CONVEX RULE AT THE SHOULDER AND THE KNEE.**

A. Shoulder illustration indicates that when the moving convex surface (head of humerus) moves on a fixed concave surface (glenoid fossa), the head of the humerus must slide inferior as the shaft of the humerus moves superior into abduction—the opposite direction (convex rule). **B.** Knee illustration indicates that when the moving concave surface (tibial plateau) moves on a fixed convex surface (femur), the tibial plateau must slide posterior as shaft of the tibia moves into flexion—the same direction (concave rule).

and II mechanoreceptors in the joint capsule. Stimulation of these mechanoreceptors reduces pain. Through either, or both, of these proposed mechanisms, low grades of mobilization have been effectively utilized for pain control.[19]

● CLINICAL GUIDELINES

Indications for Mobilization

The most important indication for mobilization is a limitation in active range of motion, which is often concurrent with a limitation in passive range of motion. Motion limitation most often results from joint hypomobility, which many clinicians categorize according to the following mobility scale: a) ankylosed, b) considerable restriction, c) slight restriction, d) normal, e) slight increase, f) considerable increase, g) unstable.[8]

A second indication for mobilization is a capsular end feel. The end feel of a joint motion is examined by applying gentle overpressure at the end of the range of motion and determining the quality of how the joint feels at that end point. Several types of end feels exist in the body, including muscle, bone-to-bone, springy block, empty, and capsular.[5] If the end point feels thick (an end point described by Cyriax[7] as "leathery") and lacks the resiliency of normal tissue, a capsular end feel is present. In general, when limitation of motion with a capsular end feel is present at a joint, a capsular lesion is indicated. In such cases, mobilization of the limited joint is one of the most effective means of restoring normal motion.

Pain is another indication for mobilization at the affected joint. Lower grade mobilization may be used to stimulate joint receptors and decrease pain perception at the central nervous system. Additionally, small distraction forces may be useful in reducing abnormal, pain-producing compression of joint surfaces.[19]

Grades of Mobilization

As mentioned previously, two authors originally described graded mobilizations. Kaltenborn[10] defined three grades:

- Grade I ("loosening"): A low-level distraction force.
- Grade II ("tightening"): A force which takes up available joint play.

FIGURE 4-5 ● **FIVE GRADES OF MOBILIZATION DEFINED BY MAITLAND.**[7]

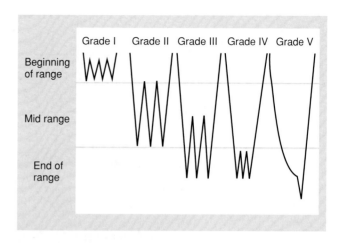

• Grade III ("stretching"): A force which stretches the tissue around the joint after Grade II has been applied.[8]

For clinical application, the Maitland[11] grades (with the addition of Grade 5 as defined by Saunders and Saunders[5]) are embraced in this Chapter. In essence, Maitland's grades are as follows (Fig. 4-5):

• Grade 1: A tiny amplitude movement near the beginning of the range.
• Grade 2: A large amplitude movement which carries well into the range (this motion can occupy any part of the range but does not reach the limit of the range).
• Grade 3: A large amplitude, but one which reaches to the limit of the range.
• Grade 4: A tiny amplitude movement at the limit of the available range—the end range.
• Grade 5: Thrusting movements performed beyond the limit of the available range—the end range.[5]

As Maitland[11] indicates, the "most important factor in achieving effective mobilization is learning to sense or feel movement." In addition, he states that no set rate exists at which to perform oscillations; however, a general guide would be two to three oscillations per second. Maitland[11] also suggested that oscillatory movements be applied for 20 or more seconds at a time. This is consistent with others who have indicated that after 30 seconds of mobilization, most of the desired effects have occurred.[20] Maitland[11] further points out that "learning to control the gentleness of Grade 1 is as important as learning to control the smoothness and rhythm of Grades 2 and 3, and all of these 'lower grades' should be used more often than Grade 4, for all joint dysfunction, both chronic and acute." In other words,

the use of Grades 1, 2, and 3 are as essential in increasing range of motion as the use of Grades 4 and 5.

Principles for Mobilization

A variety of principles/guidelines should be kept in mind when performing any mobilization technique:

1. The patient should be relaxed, and not exhibit muscle guarding.
2. The clinician should be in the appropriate position. This position is ideally a position that will allow the clinician to maximize his/her energy output for the entire length of the treatment.
3. The clinician's grasp should be firm, yet painless.[18]
4. One bone should be stabilized with clinician's hand, belt, wedge, or treatment table, and the other bone should be acted upon with the clinician's hand or belt.
5. When mobilizing the extremities, a Grade 1, traction force should be applied at all times.
6. Both the stabilization force and the mobilization force should be as close to the joint line as possible.
7. Since discomfort may cause muscle guarding, pain should be monitored and minimized during the treatment.
8. Only one joint should be mobilized at a time.

Extremities

Figures 4-6 to 4-25 present mobilization techniques of the upper and lower extremities. It should be noted that the techniques presented represent only a sampling of the mobilization techniques available.

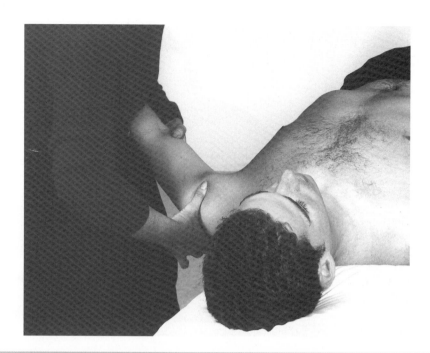

FIGURE 4-6 ● SHOULDER—INFERIOR GLIDE.

Purpose: Increase shoulder abduction and flexion.
Position: Patient lies supine, shoulder abducted to 45 degrees. Clinician stands on involved side. Stabilizing hand is placed under arm, holding at elbow. The mobilizing hand is placed at joint line distal to acromion.
Procedure: With the mobilizing hand, press humerus toward patient's feet.

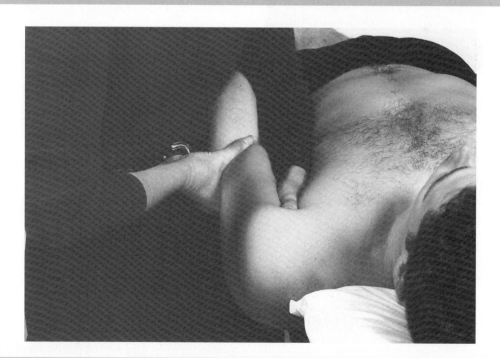

FIGURE 4-7 ● SHOULDER—INFERIOR GLIDE (LONG AXIS DISTRACTION).

Purpose: Increase shoulder abduction and flexion.
Position: Patient lies supine with arm at side. Clinician stands on involved side. Clinician places stabilizing hand in axilla area of patient, pressing into ribs and superior in an attempt to block at inferior surface of glenoid neck. The mobilizing hand grasps elbow.
Procedure: With mobilizing hand, slowly pull arm in inferior direction; while stabilizing with hand in axilla.

FIGURE 4-8 ● SHOULDER—INFERIOR GLIDE.

Purpose: Increase shoulder flexion and abduction.

Position: Patient lies supine with shoulder near edge of treatment table and flexed to 90 degrees. Clinician bends at hips, placing patient's elbow on top of clinician's shoulder. Clinician interlocks fingers; while cupping fingers over biceps, near joint line of shoulder.

Procedure: Keeping trunk (of clinician) stable, clinician pulls humerus inferior. Clinician's shoulder acts as fulcrum.

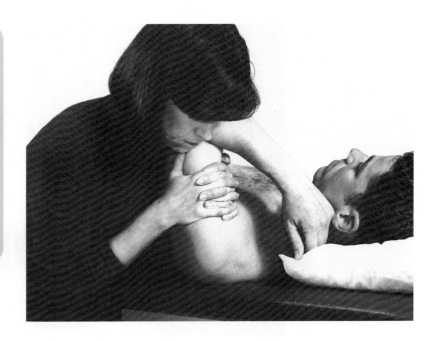

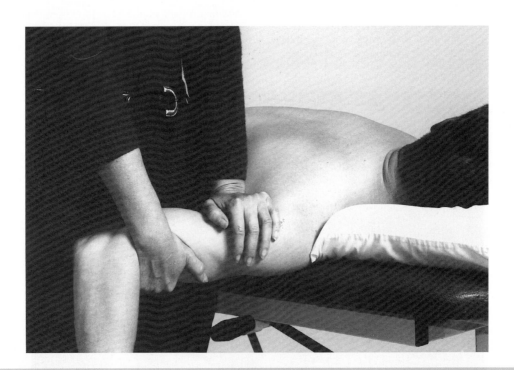

FIGURE 4-9 ● SHOULDER—ANTERIOR GLIDE.

Purpose: Increase shoulder external rotation and extension.

Position: Patient lies prone; shoulder placed at edge of treatment table and abducted to 90 degrees with elbow flexed to 90 degrees. Clinician stands on involved side. The mobilizing hand is placed over posterior shoulder, distal to joint line. Elbow of mobilizing hand is fully extended. Stabilizing hand cradles the biceps to hold the extremity.

Procedure: With the mobilizing hand, press anterior toward the floor; elbow kept extended.

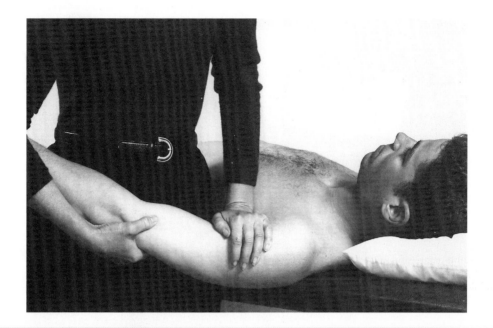

FIGURE 4-10 ● SHOULDER—POSTERIOR GLIDE.

Purpose: Increase shoulder internal rotation and flexion.
Position: Patient lies supine; shoulder placed at edge of treatment table and abducted to 45 degrees. Clinician stands on involved side. The mobilizing hand is placed over anterior shoulder, distal to joint line. Elbow of mobi-lizing hand is fully extended. Stabilizing hand cradles the triceps to hold the extremity.
Procedure: With the mobilizing hand, press posterior toward the floor; elbow kept extended.

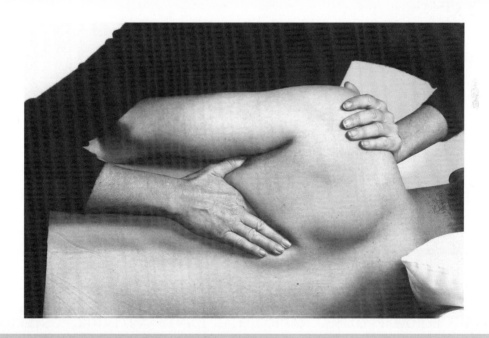

FIGURE 4-11 ● SCAPULAR MOBILIZATION.

Purpose: Increase scapular mobility (general).
Position: Patient lies side-lying with involved side up. Clinician stands at the side of treatment table with the patient facing him/her. Stabilizing hand is placed over anterior shoulder. The mobilizing hand is placed under inferior angle of scapula. Index finger of the mobilizing hand is placed along inferior medial aspect of scapula.
Procedure: As the stabilizing hand pushes shoulder posteriorly, the mobilizing hand moves under scapula (between scapula and ribs). Once this position is achieved, the mobilizing hand can perform protraction, retraction, upward rotation, and downward rotation of scapula.

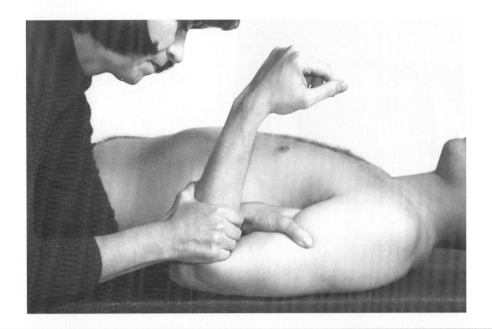

FIGURE 4-12 ● ELBOW (PROXIMAL RADIO-ULNAR JOINT) DISTRACTION.

Purpose: Increase elbow flexion or extension at the humeral-ulnar joint.
Position: Patient lies supine with elbow flexed. Clinician stands on involved side. Stabilizing hand holds humerus by gripping at biceps muscle. The mobilizing hand grips ulna just distal to joint.

Procedure: The mobilizing hand pulls the ulna distally (traction) and then attempts to flex (to increase flexion) or extend (to increase extension) the elbow.

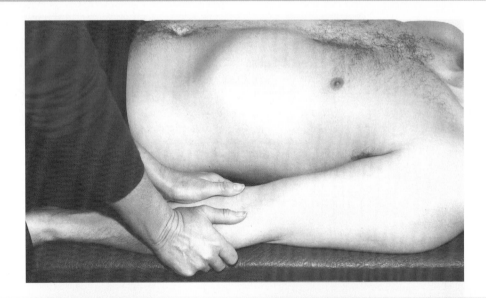

FIGURE 4-13 ● ELBOW (PROXIMAL RADIO-ULNAR JOINT)—ANTERIOR/POSTERIOR GLIDE.

Purpose: Anterior glide of radius increases supination and posterior glide increases pronation.
Position: Figure 4-13 illustrates technique to increase elbow pronation by performing a posterior glide. Patient lies in supine or sitting, with limb supinated on treatment table. Clinician stands on involved side. Stabilizing hand grasps distal end of ulna between clinician's thumb and index finger. The mobilizing hand grasps distal end of radius in the same manner.

Procedure: With the mobilizing hand, clinician presses radius toward the treatment table (posterior glide).
Note: To increase elbow supination by performing anterior glide of the radius, the position is the same—except patient's arm is pronated. The mobilizing hand presses radius toward the treatment table (anterior glide), thereby causing an increase in pronation (not pictured).

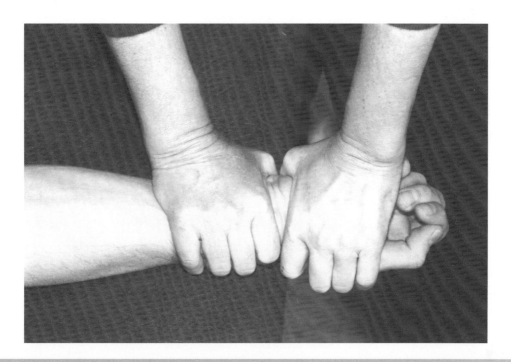

FIGURE 4-14 ● WRIST—ANTERIOR/POSTERIOR GLIDE.

Purpose: Posterior glide of carpel bones (as a group) increases wrist flexion and anterior glide of carpel bones (as a group) increases wrist extension.

Position: Figure 4-14 illustrates technique to increase wrist flexion by performing posterior glide. Patient sits in a chair with supinated limb resting at edge of treatment table. Clinician stands on involved side. Stabilizing hand grasps radius and ulna between thumb and index finger. The mobilizing hand grasps proximal row of carpel bones (as a group) between thumb and index finger.

Procedure: With the mobilizing hand, clinician presses proximal row of carpel bones (as a group) toward the floor (posterior glide).

Note: To increase wrist extension by performing an anterior glide of the distal row of the carpel bones (as a group), the position is the same—except patient's arm is pronated. The mobilizing hand presses proximal row of carpel bones (as a group) toward the floor (anterior glide), thereby causing an increase in extension (not pictured).

FIGURE 4-15 ● FINGER—ANTERIOR/POSTERIOR GLIDE.

Purpose: Anterior glide improves finger flexion and posterior glide improves finger extension.
Position: Patient is sitting with involved arm resting on treatment table. Clinician stands on involved side. Stabilizing hand grasps distal segment of metacarpal, above joint line, with thumb and index finger. The mobilizing hand grasps proximal end of proximal phalange, between thumb and index finger.

Procedure: Mobilizing hand pushes proximal phalange in anterior direction to increase finger flexion or pulls in posterior direction to increase finger extension.
Note: This technique may also be performed by stabilizing proximal phalange and mobilizing middle phalange in an anterior/posterior direction. This technique may also be done by stabilizing middle phalange and moving distal phalange in an anterior/posterior direction.

FIGURE 4-16 ● HIP—INFERIOR GLIDE; USE OF BELT.

Purpose: Increase hip abduction and flexion.
Position: Patient lies supine with hip flexed at 90 degrees and knee fully flexed. Clinician stands at foot of patient on involved side, facing patient's head. Mobilization belt is placed at proximal hip of patient and around pelvis of clinician. Both of clinician's hands are placed on patient's knee and act as a fulcrum (stabilization).
Procedure: Clinician maintains fulcrum/stabilization with hands and mobilizes patient's hip in an inferior direction (along the line of the patient's lower extremity; not laterally as is performed in Fig. 4-17), using pelvic movements and causing an inferior glide.

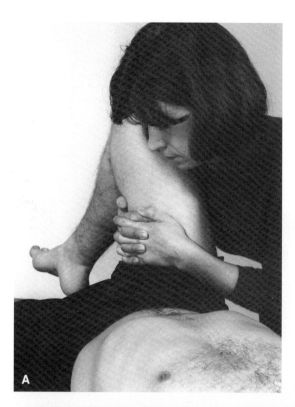 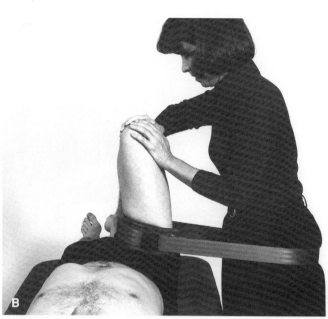

FIGURE 4-17 ● HIP—LATERAL GLIDE.

Purpose: Increase hip adduction; may also be utilized as a general glide for all hip motions.
Position: Patient lies supine with hip flexed at 90 degrees and knee fully flexed. Clinician stands on the side of involvement. Clinician's shoulder stabilizes against lateral femur, acting as a fulcrum. Clinician places interlocked fingers around the patient's proximal femur.
Procedure: Clinician stabilizes patient's thigh against his/her shoulder (providing a fulcrum) and pulls femur in a lateral distraction force. It is important for clinician not to move his/her trunk during the pulling on the femur with arms (Fig. 4-17A).

Note: An alternative procedure is the use of a mobilization belt, as illustrated in Fig. 4-17B. Patient lies supine with hip flexed at 90 degrees and knee fully flexed. Clinician stands at foot of patient on involved side. Mobilization belt is placed at proximal hip of patient and around pelvis of clinician. Both of clinician's hands are placed on patient's knee and act as a fulcrum (stabilization). Clinician maintains fulcrum/stabilization with hands and mobilizes patient's hip laterally (not along the line of the patient's lower extremity as was performed in Fig. 4-16), using pelvic movements and causing a lateral glide.

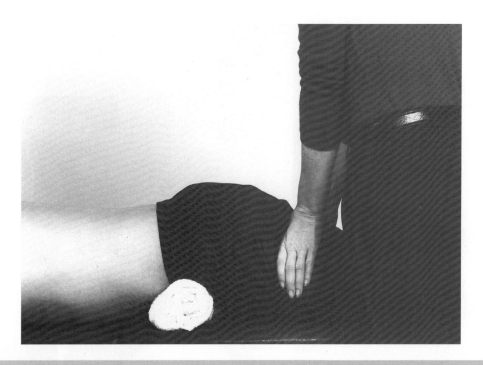

FIGURE 4-18 ● HIP—ANTERIOR GLIDE.

Purpose: Increase hip external rotation and extension.
Position: Patient lies prone with the knee flexed to 90 degrees. One towel roll is placed just proximal to the hip joint. Clinician stands on involved side. Clinician places both mobilizing hands at gluteal fold, which is just distal to joint line.
Procedure: The mobilizing hands press anterior toward the treatment table.

FIGURE 4-19 ● HIP—POSTERIOR GLIDE.

Purpose: Increase hip internal rotation and flexion.
Position: Patient lies supine with the hip flexed to 90 degrees and a towel roll placed just proximal to hip joint. Clinician stands on involved side. Clinician holds leg in 90 degrees of hip flexion with both hands.
Procedure: Using body weight, a downward force is applied by clinician pushing through the femur.

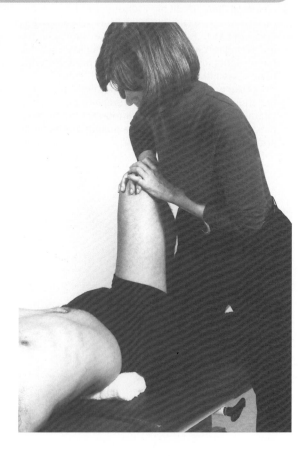

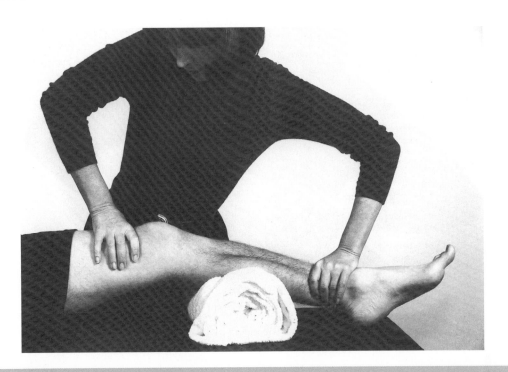

FIGURE 4-20 ● KNEE—ANTERIOR GLIDE OF TIBIA.

Purpose: Increase knee extension.

Position: Patient lies supine with towel roll under lower leg (towel roll must be placed distal to popliteal fossa). Clinician stands on same side as involved extremity and places stabilizing hand across medial and lateral malleoli of the ankle. The mobilizing hand is placed at distal end of femur, just proximal to knee joint.

Procedure: While clinician maintains foot firmly fixed against treatment table by pushing down with stabilizing hand on distal tibia across medial and lateral malleoli of ankle (causing the tibia to be stabilized in flexion, given the towel roll under the thigh), the mobilizing hand pushes the femur posteriorly.

Note: Pushing down on the femur, with the tibia stabilized, causes a posterior glide of the femur, which, in effect, results in an anterior glide of the tibia.

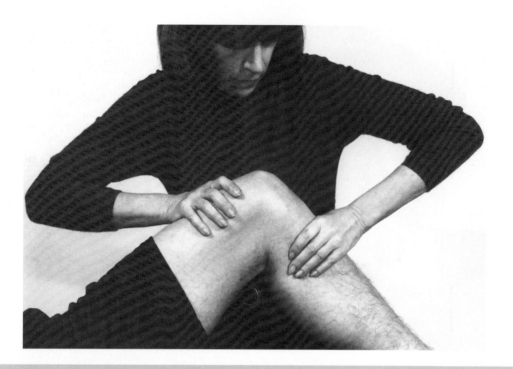

FIGURE 4-21 ● KNEE—POSTERIOR GLIDE.

Purpose: Increase knee flexion.
Position: Patient lies supine with involved knee flexed to 90 degrees. Clinician stands on same side as the involved extremity. Stabilizing hand is placed over distal end of femur. The mobilizing hand grasps tibia just below joint line.

Procedure: With stabilizing hand limiting abduction/adduction of the femur, the mobilizing hand provides a posteriorly directed force to tibia.

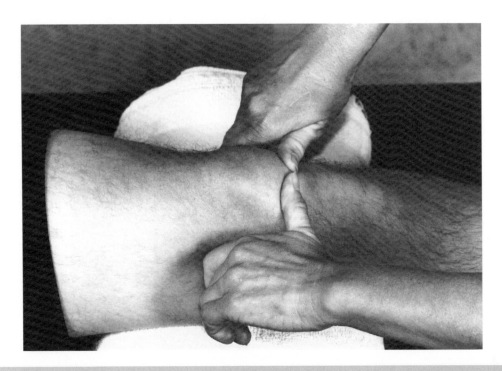

FIGURE 4-22 ● PATELLA—SUPERIOR/INFERIOR GLIDE.

Purpose: Superior glide increases knee extension and inferior glide increases knee flexion.

Position: Figure 4-22 illustrates technique to increase knee extension by performing superior glide. Patient lies supine with small towel roll under knee placing knee in slight flexion. Clinician sits or stands on involved side. Clinician places the mobilizing thumbs side by side on

inferior pole of the patella. Index fingers are placed on medial and lateral sides of patella.

Procedure: Thumbs press patella in superior direction.

Note: To increase knee flexion by performing inferior glide, position is the same—except clinician places thumbs side by side on superior pole of knee. Thumbs press patella in inferior direction, thereby causing an increase in flexion.

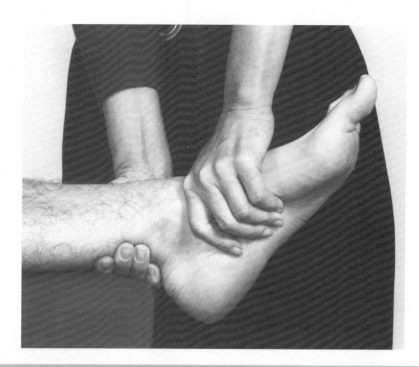

FIGURE 4-23 ● ANKLE—POSTERIOR GLIDE.

Purpose: Increase dorsiflexion.
Position: Patient lies supine with involved foot hanging off treatment table. Clinician stands at end of treatment table. Stabilizing hand grasps tibia and fibula at medial and lateral malleoli. The mobilizing hand grasps anterior surface of foot, just distal to joint line.

Procedure: With stabilizing hand limiting movement of tibia and fibula, the mobilizing hand presses the foot in posterior direction, relative to the malleolus.

FIGURE 4-24 ● ANKLE—ANTERIOR GLIDE.

Purpose: Increase plantarflexion.
Position: Patient lies prone with involved foot hanging off treatment table. Clinician stands at end of treatment table. Stabilizing hand grasps tibia and fibula at medial and lateral malleoli. The mobilizing hand grasps calcaneus, just distal to joint line.
Procedure: With stabilizing hand limiting movement of the tibia and fibula, the mobilizing hand presses foot in anterior direction, relative to the malleolus.

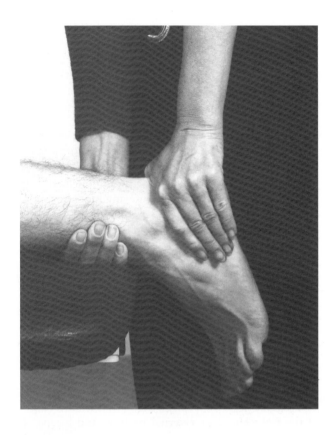

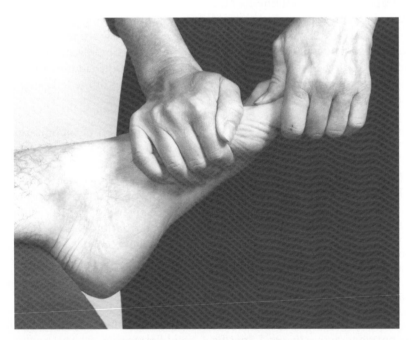

FIGURE 4-25 ● METATARSAL/PHALANGE MOBILIZATION

Purpose: Increase flexion and extension of toes.
Position: Patient lies supine with involved foot hanging off treatment table. Clinician stands at end of treatment table. Stabilizing hand grasps the head of the metatarsal between thumb and index finger. The mobilizing hand grasps proximal phalange between thumb and index finger.
Procedure: Mobilizing hand provides a distraction force while pressing the toe into flexion and extension.

Case Study 1

PATIENT INFORMATION

A 46-year-old male media technician presented to the clinic with the diagnosis of rotator cuff strain. He reported burning/nagging/clawing pain in the right posterior upper back, radiating to the shoulder, and sharp pain in the shoulder when removing his shirt overhead. Pain onset was insidious, of approximately 2 years duration, and symptoms seemed to be worsening. He rated his pain as varying between 0/10 and 7/10. Working at the computer, writing, reaching across his body, and weightlifting increased the pain. Symptoms decreased when he was not working. This client's goals were to learn the origin of the pain, change the cause of the pain, abolish the pain, and resume lifting weights.

Postural examination of the patient revealed downward rotation of the right scapula, forward head position, and excessive thoracic kyphosis. The range of motion was slightly limited in right internal rotation and extension. Muscle testing demonstrated 4/5 strength of the right shoulder external rotators and biceps, 4–/5 strength of the lower trapezius, and 4+/5 strength of the middle trapezius. Neurological testing was normal and symmetrical. Mobility tests revealed slight anterior laxity on the right, with posterior and inferior capsular mobility moderately restricted on the left. Spring testing of the thoracic spine demonstrated mild limitations at T4–T7. Palpation revealed moderate soft tissue restrictions of the pectorals and upper trapezius and a trigger point located in the right infraspinatus muscle belly.

 LINK TO GUIDE
TO PHYSICAL THERAPIST
PRACTICE

Pattern 4D of the *Guide to Physical Therapist Practice* relates to the diagnosis of this client. The pattern is entitled "Impaired joint mobility, motor function, muscle performance, and range of motion associated with capsular restriction." Included in the patient diagnostic group of this pattern are rotator cuff syndrome of shoulder and allied disorders. Anticipated goals include improved "joint integrity and mobility," and an increase in the "tolerance to positions and activities." Specific direct interventions include "joint mobilization."[4]

INTERVENTION

Initial goals of intervention were to improve the client's tolerance to work activities and to assist the client in returning to a weightlifting routine without exacerbation of symptoms. Patient was seen two times per week for the following intervention:

1. Soft tissue mobilization to the right upper trapezius, pectorals, and trigger point area of the infraspinatus muscle.
2. Mobilization:
   • shoulder inferior glides, Grades 3 to 4 (Fig. 4-6)
   • shoulder posterior glide, Grades 3 to 4 (Fig. 4-10)
3. Postural education (presented later in text in Chapter 15) and discussion of proper workstation set-up.

PROGRESSION

One Week After Initial Examination

One week later, the client described occasional 5/10 level pain but was able to abolish the symptoms with postural correction, which he was doing approximately 10 times per hour. In addition, the patient had modified his workstation as recommended and reported less incidence of pain while at work. Objectively, glenohumeral and thoracic mobility was improved.

Given this improvement, the goals of intervention were revised to further address strength limitations. Intervention consisted of the following exercises performed two times per week:

1. Continuation of mobilization to shoulder as previously described
2. Strengthening:
   • Proprioceptive neuromuscular facilitation (PNF) diagonals (D2 flexion; presented later in text in Chapter 8, Fig. 8-16) while maintaining scapular stabilization
3. Patient was provided with elastic tubing and instructed to continue daily program of PNF patterns at home.

Two Weeks After Initial Examination

After two weeks of intervention, the patient presented with improved thoracic alignment and improved strength: 4+/5 middle trapezius, external rotator, and bicep strength, and 4/5 lower trapezius strength. Although anterior capsular laxity remained, glenohumeral alignment was improved as posterior/inferior capsular mobility was approaching normal. The goals of intervention were to continue to improve strength. Intervention continued at a frequency of two times per week and consisted of following:

1. Continued mobilization to shoulder
2. Strengthening:
   - Multiple position (at side, at 45 degrees abduction, and at approximately 80 degrees abduction) external rotation exercises using elastic tubing (presented later in text in Chapter 7, Fig. 7-15)
   - Manually resisted scapular/glenohumeral stabilization (rhythmic stabilization) (presented later in text in Chapter 8, Fig. 8-23)
   - Continue with home exercise program as described previously.

Three Weeks After Initial Examination

After three weeks of intervention, the patient presented with 5–/5 strength throughout the shoulder complex. Posterior glenohumeral mobility was normal, whereas inferior mobility remained slightly restricted. The patient continued to utilize exercises during the workday to control symptoms and expressed a desire to return to weightlifting. Intervention consisted of the following:

1. Instruction on continuation of home exercise program
2. Instruction on appropriate weightlifting program (presented later in text in Chapter 6); emphasizing posterior upper back, shoulder bicep, and functional patterns.

OUTCOME

After three weeks of intervention, the patient was able to control his shoulder and upper back symptoms and had resumed prior activities. The patient had met all goals and was discharged to a home exercise program to be completed three times per week and a weightlifting program to be completed 2 to 3 times per week (2 to 3 sets per exercise).

Geriatric Perspectives

Older adults can benefit from appropriately applied mobilization to decrease pain and restore limited joint motion with a few considerations.

- In older adults, specific joint hypomobility may be related to decreased use and maintained joint position. Joint mobilization is appropriate if mobility is limited by capsular or ligamentous tightness in specific joint motions.
- Arthrokinematic and osteokinematic joint changes occur with aging and may limit the grade of mobilization to Grade 1, 2, or 3. For example, a decrease in water content in articular cartilage results in a decrease in tensile strength of the joint capsule, making use of Grade 4 or 5 questionable. In addition, changes in joints and soft tissue make the whole musculoskeletal system more susceptible to microtrauma.

- An increase in the diameter of Type II collagen fibers and an increase in cross-linking affect plastic deformation (theoretical result of Grade 3 and 4) resulting in potentiation of hypomobility.[1]
- Age-related capsular thickening may affect the capsular end feel and limit the indicators associated with a capsular lesion.
- Application of mobilization requires use of a firm, yet painless grasp. The clinician should be aware that a decrease in water content and elasticity of the skin also occurs with aging, making the skin more fragile to tears and to bruising. Positioning during the mobilization (especially prone positioning) may cause discomfort and muscle guarding in older adults.

1. Tallis RC, Fillit HM, Brocklehurst JC. *Brocklehurst's textbook of geriatric medicine and gerontology.* 5th ed. New York, NY: Churchill Livingstone; 1998;1132.

Pediatric Perspective

- The developing individual exhibits much greater mobility and flexibility than the adult.[1]
- The degree of mobility of joints varies widely in normal children.[2]
- Hypermobile joints (not due to injury) throughout the body result from ligamentous laxity and are common in infancy, less common in childhood, and relatively uncommon in adulthood.[2]
- Active range of motion and functional/play activities may suffice for return of normal joint mobility in the child. Make the activities fun!
- Epiphyseal plates in the pre-adolescent are vulnerable to shear and torsion stresses.[3] These plates are weaker than associated joint capsules and ligaments.[2] Although epiphyseal injuries usually are a result of trauma,[2] the possibility of injury to immature growth plates, particularly during growth spurts, implies the need to be cautious when using joint mobilization on children and pre-adolescents.[4]
- For children with Central Nervous System disorders such as Cerebral Palsy, joint contractures occur secondary to the immobilization that results from spasticity.[4] Proceed with caution when mobilizing in the presence of spasticity.

- Downs Syndrome is characterized by hypermobile joints secondary to ligament laxity. In the children with Downs or neurodevelopmental disability/delay who exhibit hypotonia and ligament laxity, joint mobilization is contraindicated.
- Children with Juvenile Rheumatoid Arthritis often develop joint contractures. These contractures should be treated early and aggressively to minimize secondary contractures in joints adjacent to the one with arthritis and subsequent functional deficits.[5]

1. Kendall FP, McCreary EK, Provance PG, et al. *Muscles: testing and function, with posture and pain.* 5th ed. Baltimore, MD: Williams & Wilkins, 2005.
2. Salter RB. *Textbook on disorders and injuries of the musculoskeletal system.* 3rd ed. Baltimore, MD: Williams & Wilkins, 1999.
3. Speer DP, Braun JK. The biomechanical basis of growth plate injuries. *Phys Sportsmed.* 1985;13;72–78.
4. Harris SR, Lundgren BD. Joint mobilization for children with central nervous system disorders: Indications and precautions. *Phys Ther.* 1991;71:890–895.
5. Wright FV, Smith E: Physical therapy management of the child and adolescent with juvenile rheumatoid arthritis. In: Walker JM, Helewa A. *Physical therapy in arthritis.* Philadelphia, PA: WB Saunders Co; 1996.

SUMMARY

- A variety of "schools of thought" regarding manual therapy were introduced. Specifically, this Chapter embraced the graded oscillations described by Maitland. Regarding the terms mobilization and manipulation, this Chapter subscribed to the definitions provided in the *Guide to Physical Therapist Practice*.
- A variety of reasons for the occurrence of an audible pop during the performance of a mobilization procedure were discussed. Given the lack of research, the author of this Chapter does not acknowledge the existence of the paraphysiologic space. Therefore, the therapeutic goal of mobilization is not an audible pop.
- The scientific basis for mobilization was discussed. First, mobilization has a biomechanical basis, which is based on the concept that in order for normal osteokinematic motion to occur, normal arthrokinematic motion must occur. The second basis is a neurophysiologic basis, with the primary point being that lower grades of mobilization can alleviate pain.

- Clinical indications for mobilization were provided. Specific mobilization techniques for some of the major articulation in the body were described.

References

1. Mennel JM. *The musculoskeletal system: differential diagnosis from symptoms and physical signs.* Gaithersburg, MD: Aspen Publishers; 1991.
2. Basmajian JV, Nyberg R. *Rational manual therapies.* Baltimore, MD: Williams & Wilkins; 1992.
3. Bourdillon JF, Day EA. *Spinal manipulation.* 5th ed. London: William Heinemann Medical Books; 1992.
4. American Physical Therapy Association. *Guide to physical therapist practice.* 2nd ed. Alexandria, VA: American Physical Therapy Association; 2003.
5. Saunders HD, Saunders R. *Evaluation, treatment and prevention of musculoskeletal disorders.* Vol. 1 Spine, 3rd ed. Bloomington, IN: Educational Opportunities; 1993.
6. Hertling D, Kessler RM. *Management of common musculoskeletal disorders.* 3rd ed. Philadelphia, PA: Lippincott-Raven Publishers; 1996.
7. Cyriax JH, Cyriax PJ. *Illustrated manual of orthopaedic medicine.* 3rd ed. London: Buttersworths Publishers; 1996.
8. Kaltenborn FM. *The spine: basic evaluation and mobilization techniques.* Minneapolis, MN: Orthopedic Physical Therapy Products; 1993.

9. Maitland GD. *Vertebral manipulation.* 7th ed. Boston, MA: Buttersworth Publishers; 2011.

10. Lehmkuhl LD, Smith LK. *Brunnstrom's clinical kinesiology.* 5th ed. Philadelphia, PA: F.A. Davis; 1996.

11. Maitland GD. *Peripheral manipulation.* 3rd ed. Boston, MA: Buttersworth Publishers; 1991.

12. Rothstein, JM. Manual therapy: a special issue and a special topic. *Phys Ther.* 1992;72:839–841.(Editor's note)

13. Tortora GJ. *Principles of human anatomy,* 11th ed. New York, NY: Harper and Row Publishers; 2008.

14. Cramer, GD. Evaluating the relationship among cavitation, zygapophyseal joint gapping, and spinal manipulation: an exploratory case series. *J Manipulative Physiol Ther.* 2011;34(1):2–14.

15. Greenman PE. *Principles of manual medicine,* 3rd ed. Baltimore, MD: Williams & Wilkins; 2003.

16. Norkin CC, Levangie PK. *Joint structure and function: a comprehensive analysis.* 5th ed. Philadelphia, PA: F.A. Davis Company; 2011.

17. Soderberg GL. *Kinesiology: application to pathological motion.* 2nd ed. Baltimore, MD: Williams and Wilkins; 1996.

18. Bogduk N, Twomey LT. *Clinical anatomy of the lumbar spine.* London: Churchhill Livingstone; 1991.

19. Edmond SL. *Manipulation & mobilization: extremity and spinal techniques.* 2nd ed. St. Louis, MO: Mosby; 2006.

20. Lee R, Evans J. Towards a better understanding of spinal posteroanterior mobilization. *Physiotherapy.* 1994;80:68–73.

PRACTICE TEST QUESTIONS

1. Which of the following statements **most accurately** summarize the APTA position statement and House of Delegates RC-3 (2011) regarding joint mobilization?

   A) PTAs will not have adequate entry-level preparation to perform joint mobilization.

   B) Neither APTA position statement nor House of Delegates will prohibit a PTA from performing joint mobilization.

   C) Joint mobilization is a complex skill that requires constant reassessment, and the PT will determine whether the PTA can safely perform this skill.

   D) Because many PTs and PTAs are not members of the national organization (APTA), these statements do not apply to physical therapy practice.

2. Which of the following examples will **most likely** be indications for joint mobilization?

   A) the 12-year-old has joint limitation in the ankle from habitual toe walking

   B) the 24-year-old has joint limitation in the ankle from habitually wearing high-heeled shoes

   C) the 48-year-old has joint limitation in the ankle due to a partially torn Achilles' tendon

   D) the 64-year-old has joint limitation in the ankle due to spasticity from a stroke (CVA)

3. Pain relief from joint mobilization techniques will **most likely** occur because

   A) high grades will break capsular adhesions.

   B) low grades will promote movement of synovial fluids.

   C) high grades will not rearrange collagen fibers in the capsule.

   D) low grades will not activate Type I or II mechanoreceptors.

4. When the concave joint surface is fixed, the convex surface moves. This motion is called

   A) joint play.

   B) sliding or gliding.

   C) arthrokinematics.

   D) osteokinematics.

5. Which of the following statement **accurately** summarizes the direction of the sliding or gliding that occurs in a joint surface?

   A) When the concave surface is fixed, the mobile convex surface moves in the same direction as the long bone.

   B) When the convex surface is fixed, the mobile concave surface moves in the same direction as the long bone.

   C) When the concave surface is fixed, the mobile concave surface does not move in the opposite direction as the long bone.

   D) When the convex surface is fixed, the mobile concave surface moves in the opposite direction as the long bone.

6. The PT is describing the mobilization that she is performing on the patient with a "frozen" shoulder in which there is tightness in the glenohumeral joint capsule. The PT states that the patient is always a bit "hyper" and has trouble relaxing. She finds that she has to position the patient in prone and allow the patient's arm to hang off the end of the table. She encourages gravity and momentum to pull the arm down and allow for a swinging motion in flexion, extension, and circumduction. She admits that the motions do not take the patient close to end range but that they do encourage relaxation. The PT is most likely performing which mobilization?

   A) Grade I
   B) Grade II
   C) Grade III
   D) Grade IV

7. The patient is experiencing capsular tightness and pain following knee surgery. The PT is working on increasing the patient's flexion. Which of the following statements best describes the technique used to mobilize this joint?

   A) mobilizing hand at the distal 1/3 of the tibia applying a traction and posteriorly directed force
   B) mobilizing hand at the distal 1/3 of the tibia applying a traction and anteriorly directed force
   C) mobilizing hand at the tibial plateau applying a traction and anteriorly directed force
   D) mobilizing hand at the tibial plateau applying a traction and posteriorly directed force

8. The patient has capsular tightness restricting wrist flexion following a Colles' fracture. The plan of care states "therapeutic exercise and modalities as indicated" toward the goals of improving functional mobility of the wrist. The PT has finished performing joint mobilization on the patient's distal radio-ulnar joint and noted an increase in passive range of motion (ROM). The PTA will

   A) work on joint mobilization for wrist extension and thumb opposition.
   B) work on active and light resisted ROM to maintain the passive ROM gains.
   C) apply ice and ultrasound to keep the capsule from developing acute inflammation.
   D) document the treatment completed by both the PT and the PTA

9. Which of the following statements is **false** when applying joint mobilization to a geriatric population?

   A) all grades of mobilization are safe for this patient population
   B) hand position and grip should be modified because of skin tears or bruising
   C) patient positioning in prone or side-lying may be difficult for the elderly
   D) changes in the joints and soft tissues may make limitations of passive ROM and joint pain common

10. Which of the following statements is true when applying joint mobilization to a younger, pediatric population?

   A) joint mobilization is indicated if the patient has spasticity
   B) joint mobilization is indicated in a patient with Down's syndrome
   C) joint mobilization may disrupt epiphyseal plates due to shear and torsion forces
   D) joint mobilization Grades 4 and 5 will be useful to reduce joint pain and stiffness

ANSWER KEY

1.	C	4.	C	7.	D	10.	C
2.	B	5.	B	8.	B		
3.	B	6.	B	9.	A		

5

Stretching Activities for Increasing Muscle Flexibility

William D. Bandy, PT, PhD, SCS, ATC

Objectives

Upon completion of this chapter, the reader will be able to:

- Define muscle flexibility and identify benefits of muscle flexibility.
- Identify autogenic and reciprocal inhibition and the neurophysiologic properties each uses for effectiveness.
- Identify and apply proper use of autogenic and reciprocal inhibition both together and separately in proprioceptive neuromuscular facilitation (PNF) within the established plan of care.
- Identify and apply appropriate clinical guidelines and indications for static, ballistic, and PNF stretching within the established plan of care.
- Apply common static stretching activities for the muscles of the upper and lower extremities and cervical and lumbar spine within the established plan of care.

Muscle flexibility has been defined as "the ability of a muscle to lengthen, allowing one joint (or more than one joint in a series) to move through a range of motion (ROM)."[1] Loss of flexibility is "a decrease in the ability of the muscle to deform,"[1] resulting in decreased ROM about a joint. Studies have documented the importance of muscle flexibility for normal muscle function and for the prevention of injury. Some of the proposed benefits of enhanced flexibility are reduced risk of injury[1-7] pain relief,[8] and improved athletic performance.[2-10]

The goal of a flexibility program is to improve the ROM at a given joint by altering the extensibility of the muscles that produce movement at that joint. Exercises that stretch these muscles over a period of time increase the ROM around the given joint. To increase flexibility, three types of stretching exercises have been described in the literature: ballistic stretching, PNF, and static stretching.

● SCIENTIFIC BASIS

Neurophysiologic Properties of Muscle

To effectively stretch a muscle, the physical therapist assistant (PTA) must understand the neurophysiologic properties of muscle that can affect its ability to gain increased flexibility. Two sensory organs in the muscle are defined (muscle spindle and Golgi tendon organ [GTO]), and two important neurophysiologic phenomena are described (autogenic inhibition and reciprocal inhibition) below.

Muscle Spindle

The muscle spindle is a specialized receptor consisting of unique muscle fibers, sensory endings, and motor endings that are located within muscles (Fig. 5-1). Inside the muscle spindle are specialized fibers called intrafusal muscle fibers, which are distinct from ordinary skeletal muscle fibers (extrafusal fibers).[10-12]

The sensory endings of the spindle respond to changes in the length of the muscle and the velocity at which the length changes. The ends of the intrafusal fibers connect to the extrafusal fibers, thus stretching the muscle that stretches the intrafusal fibers. Afferent sensory nerves arise from the intrafusal fibers. Type Ia afferent sensory nerves respond to quick and tonic stretch of the muscle, and type II nerves monitor tonic stretch.[10-12]

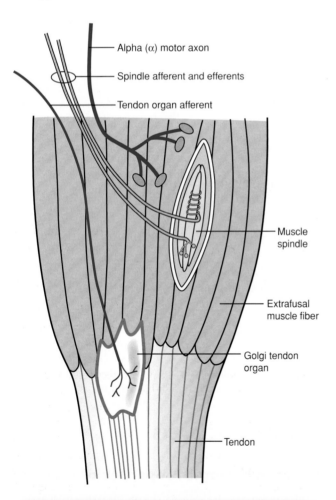

Alpha (α) motor axon

Spindle afferent and efferents

Tendon organ afferent

Muscle spindle

Extrafusal muscle fiber

Golgi tendon organ

Tendon

FIGURE 5-1 ● MUSCLE SPINDLE AND GOLGI TENDON ORGAN.

(Reprinted with permission from Kandel ER, Schwartz JH, Jessell TM. *Principles of neural science.* 3rd ed. New York, NY: Elsevier; 1991.)

When the muscle is stretched, the type Ia and II afferent sensory nerves of the intrafusal fibers of the muscle spindle are activated. This activation causes the muscle being stretched to contract, thereby resisting the stretch. For example, if a clinician applies a quick stretch to the hamstring muscles of a patient, the intrafusal muscle fibers within the muscle spindle react by sending impulses (via type Ia nerve fibers) to the spinal cord to inform the central nervous system (CNS) that the hamstring muscles are being stretched. Nerve impulses return from the CNS to the muscle (specifically to the extrafusal muscle fibers via α motor neurons) to contract the hamstring muscles reflexively, essentially resisting the attempt of the hamstring muscles to elongate.[10-12]

Golgi Tendon Organ

GTOs are encapsulated structures attached in series to the fibers of the tendons at the junction of extrafusal muscle fibers and tendons (Fig. 5-1). Within the capsule, sensory nerve afferent fibers (type Ib) are attached to small bundles of the tendon. The GTO is sensitive to slight changes in the tendon's tension and responds to added tension by both passive stretch of a muscle (especially at the lengthened range) and active muscle contraction.[10-12]

The role of the GTO is to prevent overactivity of the nerve fibers innervating the extrafusal muscle (α motor neurons). In other words, if the muscle is stretched for a prolonged period of time or if an isometric contraction occurs, the GTO fires (via type Ib afferent nerve fibers) and inhibits the tension in that same muscle, allowing the muscle to elongate. For example, if the hamstring muscles are stretched for 15 to 30 seconds in the lengthened range, tension is created in the tendon. The GTO responds to the tension via type Ib nerve fibers. These nerve fibers have the ability to override the impulses coming from the muscle spindle, allowing the hamstring muscles to relax reflexively. Therefore, the hamstring muscles relax and are allowed to elongate.[10-12]

Autogenic Inhibition

Stimulation of a muscle that causes its neurologic relaxation is called autogenic inhibition. Autogenic inhibition can occur when the GTO is activated. For example, a maximal isometric contraction of the hamstring muscles causes an increase in tension of the GTO. Impulses from the GTO protect the hamstring muscles by inhibiting α motor neuron activity, causing the muscles to relax.[10-12] Autogenic inhibition serves as the basis for the PNF stretching techniques discussed later in this chapter.

Reciprocal Inhibition

Reciprocal inhibition is an important neurologic mechanism that inhibits the antagonist muscle as the agonist muscle (the prime mover) moves a limb through the ROM. In any synergistic muscle group, a contraction of the agonist causes a reflexive relaxation of the antagonist muscle. For example, during active flexion of the hip, reciprocal inhibition relaxes the hamstring muscles. This relaxation ensures that the hip flexors are able to move through the ROM without being influenced by contracting hamstring muscles.[10-12] Reciprocal inhibition serves as the basis for a PNF stretching technique discussed later in this chapter.

Static Stretching

Definition

Static stretching is a method by which the muscle is slowly elongated to tolerance (a comfortable stretch, short of pain) and the position is held with the muscle in this greatest tolerated length. In this lengthened position, a mild tension should be felt in the muscle that is being stretched, and pain and discomfort should be avoided.[2,9,10]

A slow, prolonged stretch is used to reduce the reflex contraction from the muscle spindle. More specifically, if the static stretch is held long enough, any effect of the type Ia and II afferent fibers from the muscle spindle may be minimized. In addition, because the static stretch in the lengthened position places tension on the tendon, the GTO may be facilitated to protect the muscle being stretched. This facilitation of the GTO fires type Ib nerve fibers, which inhibit and relax the muscle being stretched (autogenic inhibition). Therefore, the combined neurologic effects that occur during the static stretch are minimizing the influence of the muscle spindle and facilitating the effect of the GTO. This will ultimately allow the muscle being stretched to elongate, increasing muscle flexibility.[11-13]

Most literature documenting the effectiveness of static stretching has been performed on muscles of the lower extremities; little research has been performed on the spine and upper extremities. Gajdosik[14] indicates that using a slow static stretch increases the flexibility of the hamstring muscles, Madding et al.[15] report gains in hip abduction ROM after passive stretching, and three studies by Bandy et al.[16,17] indicate that static stretching is effective for increasing flexibility of the hamstring muscles. More recently Nelson and Bandy,[18] Davis et al.,[19] LaRoche and Connolly,[20] and Fasen et al.[21] showed gains in hamstring flexibility following static stretch.

Duration

Recommendations for the optimum duration of holding the static stretch vary from as short as 15 seconds to as long as 60 seconds.[14-17] Unfortunately some authors have collected data before and after only one bout of stretching on 1 day and have not provided evidence for the most effective duration for stretching activities that take place for more than 1 day (e.g., weeks).

Bandy et al.[16,17] examined different durations of static stretching that were performed 5 days per week for 6 weeks. They examined the effects of hamstring muscle stretching on a relatively young sample across various durations, including comparing groups that stretched for 15, 30, and 60 seconds with a control group that did not stretch. The results indicated that 30 and 60 seconds of static stretching were more effective at increasing hamstring muscle flexibility than stretching for 15 seconds or not stretching at all. No difference was found between 30 and 60 seconds of stretching, indicating that the two durations had equal effect on flexibility. A 30-second static stretch was used by Nelson and Bandy[18] and Davis et al.[19] to compare different types of stretching activities, further adding to the evidence that 30 seconds is the optimal time to stretch a muscle.

Examining subjects older than age 65, Feland et al.[22] compared a control with groups who stretched the hamstring muscle for 15, 30, and 60 seconds for 10 weeks. Results indicated that the 60-second stretch produced the greatest gain in hamstring flexibility. The results of this study suggest that the most effective duration of stretch may be effected by age. Further studies are needed to clarify the effect of age on the most effective duration to maintain a static stretch for enhanced flexibility.

Effect of Stretching on Muscle Performance

Although most agree (as indicated in previous section in this chapter) that static stretch will increase length of the muscle and, thereby, decrease injury to shortened muscles, controversy exists in the literature when examining the effects of static stretch performed immediately prior to an activity.

In studies examining various performance activities such as lower-extremity power, maximal eccentric isokinetic quadriceps muscle torque and power at 60 and 180 degrees/second, concentric isokinetic quadriceps muscle torque and power at 60 and 300 degrees/second and running mechanics—studies reported that static stretching before performance does not affect torque or power[7,23-25] and may even increase performance.[7,25] In contrast, when measuring vertical jump, club head speed in golfers, concentric isokinetic knee extension and flexion peak torque at 60, 180, and 300 degrees/second; other studies reported a decrease in performance following static stretching.[26-29]

Ballistic Stretching

Definition

Ballistic stretching imposes repetitive bouncing or jerking movements on the muscles to be stretched.[1] An example of a ballistic stretch is the sitting toe touch. The individual sits on the ground with the legs straight out in front (long sitting) and reaches the hands forward as far down the legs as possible. Leaning forward by contracting the abdominal muscles, the individual quickly reaches toward the ankles (or, if possible, past the feet) and immediately returns to the original long-sitting position. This movement is repeated 10 to 15 times, with each bounce extending the arms a bit farther.

Although research indicates that ballistic stretching increases muscle,[20] some clinicians are concerned that the bouncing activity has the potential to cause injury, especially when a previous injury has occurred in the muscle. Theoretically, the quick, jerking ballistic motion can exceed the limits of muscle extensibility in an uncontrolled manner and result in injury.[6,8,30]

In addition, the quick bouncing of the muscle stretches the muscle spindle. As noted earlier, activation of the muscle spindle sends sensory impulses to the spinal cord via type Ia afferent nerves, informing the CNS that the muscle is being stretched. Impulses returning to the muscle via α motor neurons cause the muscle to contract, thereby resisting the stretch.[10-12] Concern exists that the facilitation of the muscle spindle that occurs during ballistic activities may cause microtrauma in the muscle because of the tension created when the muscle is stretched. Thus, ballistic stretching has generally fallen out of favor among most clinicians because of the possibility of injury caused by uncontrolled jerking and bouncing motions and because the activation of the afferent nerve fibers of the muscle spindle causes a contraction of the same muscle that is being stretched.[1,30]

Alternative Perspective

Zachazewski[1] questions whether static stretching has been overemphasized at the expense of ballistic stretching. He argues that the dynamic actions required for high-performance athletic movements require ballistic-type activities (Fig. 5-2). If used appropriately, ballistic stretching may play a vital role in the training of an athlete because so many athletic activities are ballistic in nature.

Zachazewski proposes a "progressive velocity flexibility program," in which the athlete is taken through a series of ballistic stretching activities (Fig. 5-3). The program varies the velocity (slow, fast) and ROM (end range, full range) of the ballistic stretch. He emphasizes that the individual must first perform static stretches. After an unspecified period of training using static stretches, the athletes progress from slow, controlled stretching at the end of the ROM to high-velocity ballistic stretching through the full ROM.

As indicated in Figure 5-3, after a period of performing static stretches, the next step in the progression is slow short end-range activities. This portion of the stretching program incorporates ballistic stretches in a slow, controlled manner with small oscillations at the end of the range. Once the athlete is comfortable with performing the slow oscillations, the program is progressed to slow full-range activities, which are slow ballistic stretches through a much greater range of the length of the muscle. As the program advances over weeks to months, the athlete performs a high-velocity ballistic stretch in a small ROM at the end of the ROM, called fast short end-range activities. Finally, a high-velocity ballistic stretch is performed by the

FIGURE 5-2 ● DYNAMIC ACTIVITIES SUCH AS GYMNASTICS INCORPORATE BALLISTIC STRETCHING.

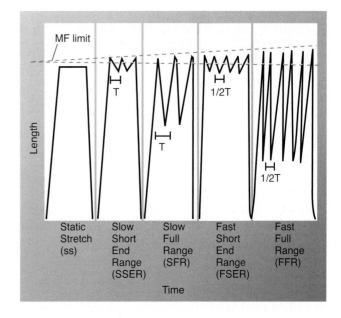

FIGURE 5-3 ● PROGRESSIVE VELOCITY FLEXIBILITY PROGRAM.

(Reprinted with permission from Zachazewski J. Flexibility for sports. In: Sanders B, ed. *Sports physical therapy*. Norwalk, CT: Appleton & Lange; 1990:201–238.)

athlete through the entire length of the muscle, called fast full-range activities.

Zachazewski emphasizes that two important concepts should be considered before incorporating ballistic activities into a stretching program. First, because sedentary individuals and most geriatric individuals do not frequently use high-velocity, dynamic activities in their daily lives, ballistic stretching may not be appropriate for them. Static stretching appears to be the appropriate means of increasing flexibility of muscle in the nonathletic population. Second, before beginning a ballistic stretching program, the athlete should be properly and extensively trained in static stretching. The proportion of ballistic to static stretching should then be gradually increased as the athletic level of conditioning progresses.

To date, no research has been performed on Zachazewski's progressive velocity flexibility program. Therefore, initiation of the program should be carefully monitored by the PTA to ensure that the athlete is not being overaggressive, creating pain in or damage to the muscle being stretched. In addition, given the aggressive nature of ballistic stretching, it is not appropriate for an injured muscle.

Proprioceptive Neuromuscular Facilitation

According to Knott and Voss,[31] PNF techniques are methods of "promoting or hastening the response of a neuromuscular mechanism through stimulation of the proprioceptor." On the basis of these concepts of influencing muscle response, the techniques of PNF can be used to strengthen[32,33] and increase flexibility[34-36] of muscle. This chapter focuses on the use of PNF to increase flexibility; Chapter 8 emphasizes the use of PNF to strengthen muscle.

Brief contraction before a brief static stretch of the muscle is the mainstay of the PNF techniques for increasing flexibility of the muscle. The terminology used to describe PNF stretching activities has varied widely, including the use of the following terms: contract–relax, hold–relax, slow reversal hold–relax, agonist contraction, contract–relax with agonist contraction, and hold–relax with agonist contraction. Furthermore, sometimes the same term is used for different PNF stretching techniques. For example, Etnyre and Lee[37] describe contract–relax as involving an isometric contraction, whereas the American Academy of Orthopaedic Surgeons[38] describes contract–relax as using a concentric contraction.

Part of the confusion in the terminology is that in their original description of PNF stretching techniques, Knott and Voss[31] specified diagonal patterns for performing the stretching activity. Today, most clinicians do not perform the techniques using the original diagonal patterns, rather they recommend moving in straight planes. PNF terminology cannot be transferred exactly from diagonal to straight-plane techniques. Thus, no consistency exists in the terminology used to describe PNF stretching techniques.

Three PNF stretching techniques will be defined in this chapter: autogenic inhibition, reciprocal inhibition, and combined.[39] The definitions presented are on the basis of a review of literature[37-42] and on clinical experience.

Autogenic Inhibition

1. The PTA passively moves the limb to be stretched to the end of the ROM. For example, if the hamstring muscles are to be stretched, the lower extremity (with knee extended) is passively flexed by the PTA to full hip flexion (Fig. 5-4).

FIGURE 5-4 ● **THE LOWER EXTREMITY IS PASSIVELY FLEXED BY THE PTA TO FULL HIP FLEXION.**

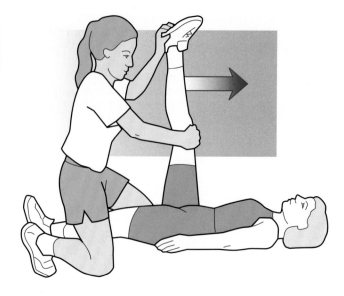

2. Once the end ROM of the muscle is attained, the patient applies a 10-second isometric force against the PTA, thereby contracting the muscle. For example, the patient contracts the hamstring muscles by extending the hip against the PTA (Fig. 5-5). The isometric contraction of the muscle being stretched (hamstring muscles) causes an increase in tension in that muscle, which stimulates the GTO. The GTO then causes a reflexive relaxation of the muscle (autogenic inhibition) before the muscle is moved to a new stretch position and passively stretched (next step).

3. After the isometric contraction, the patient is instructed to relax and the PTA moves the limb to a new stretch position beyond the original starting point. The patient's leg is then held in the new position for 10 to 15 seconds.

For example, the PTA passively and gently moves the leg into more hip flexion, maintaining the position for 10 to 15 seconds (Fig. 5-6).

4. Without the patient lowering the leg, the process (steps 2 and 3) may be repeated three to five times. After the last sequence is performed, the leg is lowered.

Reciprocal Inhibition

1. The PTA passively moves the limb to be stretched to the end of the ROM. For example, if the hamstring muscles are to be stretched, the lower extremity (with knee extended) is passively flexed by the PTA to full hip flexion (Fig. 5-4).

FIGURE 5-5 ● **WHEN THE PATIENT ISOMETRICALLY EXTENDS THE HIP AGAINST THE PTA, THE HAMSTRING MUSCLES ARE CONTRACTED.**

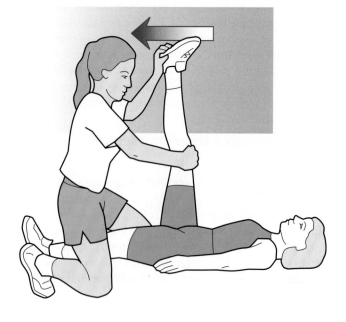

FIGURE 5-6 ● **THE PTA PASSIVELY AND GENTLY MOVES THE LEG INTO MORE HIP FLEXION.**

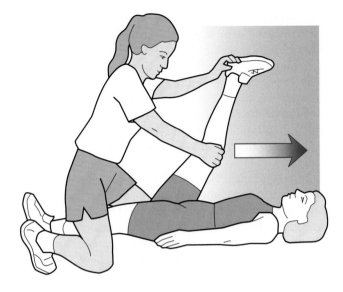

2. Once the end ROM is attained, the PTA asks the patient to attempt to perform a concentric contraction of the opposite muscle to the muscle being stretched, causing more of a stretch. For example, the patient is asked to actively flex the hip farther to increase the stretch of the hamstring muscles. This activity is similar to that shown in Figure 5-6, except the increase in hip flexion ROM is not obtained passively by the PTA pushing but is obtained actively by the patient contracting the hip flexors. As described earlier, in any synergistic muscle group, a contraction of the agonist (hip flexor) causes a reflexive relaxation of the antagonist muscle (hamstring), allowing the antagonist muscle to relax for a more effective stretch (reciprocal inhibition).

3. As the patient performs the concentric contraction, causing more of a stretch, the PTA takes up the slack into any ROM that was gained. Keeping the limb in the new stretch position, the PTA asks the patient to relax and holds the position for 10 to 15 seconds. For example, as the patient actively flexes the hip, the PTA maintains hands on the leg and moves with the leg into the hip flexion ROM that is gained and then holds the leg there for 10 to 15 seconds.

4. Without the patient lowering the leg, the process (steps 2 and 3) may be repeated three to five times. After the last sequence is performed, the leg is lowered.

Combination

1. The PTA passively moves the limb to be stretched to the end of the ROM. For example, if the hamstring muscles are to be stretched, the lower extremity (with knee extended) is passively flexed by the PTA to full hip flexion (Fig. 5-4).

2. Once the end ROM of the muscle is attained, the patient applies a 10-second isometric force against the PTA, thereby contracting the muscle to be stretched (autogenic inhibition). For example, the patient contracts the hamstrings by extending the hip against the PTA (Fig. 5-5).

3. After the isometric contraction of the muscle is performed, the PTA asks the patient to attempt to perform a concentric contraction of the opposite muscle, causing more of a stretch (reciprocal inhibition). For example, after the isometric contraction of the hamstring muscles, the patient is asked to actively flex the hip farther.

4. As the patient performs the concentric contraction, causing more of a stretch, the PTA takes up the slack into any ROM that was gained. Keeping the limb in the new stretch position, the PTA asks the patient to relax and holds the position for 10 to 15 seconds. For example, as the patient actively flexes the hip, the PTA maintains hands on the leg and moves with the leg into the hip flexion ROM that is gained and then holds the leg there for 10 to 15 seconds.

5. Without the patient lowering the leg, the process (steps 2 to 4) may be repeated three to five times. After the last sequence is performed, the leg is lowered.

Research has indicated that PNF stretching techniques are effective in increasing flexibility of muscle. To date, however, no consensus exists as to which single PNF technique is the most effective.[22,26,27]

● CLINICAL GUIDELINES

Although several investigations have studied the efficiency of one type of stretching over another, no absolute recommendation for the most appropriate type of stretching activity for increasing muscle flexibility has been made. Research indicates that ballistic stretching, PNF, and static stretching all increase flexibility of muscle.[1,2,19,30] But the greatest potential for trauma appears to be from ballistic stretching because of its jerking motions. In addition, even those who advocate ballistic stretching for advanced training recommend a solid base of static stretching before incorporating ballistic movements into a flexibility program.

Techniques for PNF require the most expertise of the three types of stretching and also require a second individual to perform the techniques. The need for an experienced practitioner makes PNF somewhat cumbersome. The easiest and most common method of stretching used to increase muscle flexibility appears to be static stretching. Therefore, the rest of this chapter emphasizes the static stretch.

Proper static stretching slowly elongates the muscles to a point at which a mild pull or tension is felt by the patient. This elongated position should be held for 30 seconds, during which time the patient should not feel any discomfort. If during the 30-second stretch the mild tension subsides, the patient should change his or her position to achieve a more aggressive stretch of the muscle and to feel a mild pull or tension (but no discomfort or pain). If during the stretch the tension grows in intensity and the patient feels discomfort or pain, he or she should be instructed to ease off the stretch into a more comfortable position while maintaining mild tension. Each stretching activity should be performed at least once per day.[15,16,18]

If possible, attempts should be made to integrate the stretching activity into the client's daily activities. Holding a stretch for 30 seconds can be boring. If the stretch can be performed at the office while talking on the phone, in the car while stopped at a stoplight, or at home while watching television, the patient is more likely to be compliant with the stretching program than if the movements must be performed in a specific place at a specific time. Obviously, not all the techniques presented in this chapter can be performed in all work environments, but the creative PTA can be a great asset to patients who complain that they do not have time to perform a stretching program.

Ideally, stretching to increase flexibility should be performed after a general warmup. The warmup may be a 3- to 5-minute repetitive activity such as walking, slow jogging, stationary bicycling, or active arm exercises. But inability or unwillingness to warm up should not preclude an individual from performing the stretching program. In fact, many stretching programs have failed because of this requirement to start with a warmup. If a warmup is not possible (for whatever reason), following the recommendation of performing the stretch to the point of mild tension should be strictly adhered to.[1,2]

If possible, the muscle to be stretched should be isolated, and the individual should be encouraged to focus on the muscle region that is pulling the body part into the stretch position. Isolating the muscle to be stretched is more effective than performing a general stretch that works two or three muscles (such as bending over and touching the toes). Generally a stretching technique is appropriate if the client feels a mild pull in the muscle that he or she is trying to stretch.

Finally, one point must be reiterated. As noted, the patient should feel only mild tension and no discomfort when stretching. In other words, the patient should not stretch to the point that pain is felt in the muscle or joint. If the patient stretches aggressively and into the painful ROM, the muscle will actually tighten. Aggressive stretching while the muscles are being contracted and tightened may lead to microscopic tears, which in turn may lead to the formation of nonelastic scar tissue. Such scar tissue will not adapt to the normal demands made on the muscle, leading to injury caused by the lack of blood supply and disturbed afferent input.

Stretching Summary—To Stretch or Not to Stretch

In reviewing the previous literature on stretching, the following facts can be stated: (1) Enhanced flexibility can lead to decrease in injury. (2) Stretching using 30-second duration has been shown to be efficient to increase muscle flexibility. (3) Mixed results are reported in the literature concerning the effect of stretching immediately prior to competition. The recommendation is to avoid stretching immediately before activities requiring explosive power. Given that most sports incorporate power, the recommendation is to avoid stretching before sporting activities. Again, if the goal is to enhance flexibility of an individual in order to treat impaired/tight muscles, the individual should be put on a stretching program at times other than immediately before competition.

● TECHNIQUES

As noted, most of the techniques described in this chapter focus on the static stretch. In addition, for each technique presented, the suggested duration of stretch is 30 seconds, unless otherwise noted.

Extremities

Figures 5-7 to 5-18 describe common static stretching activities for specific muscles of the lower extremities. Stretching techniques for the upper extremities are more

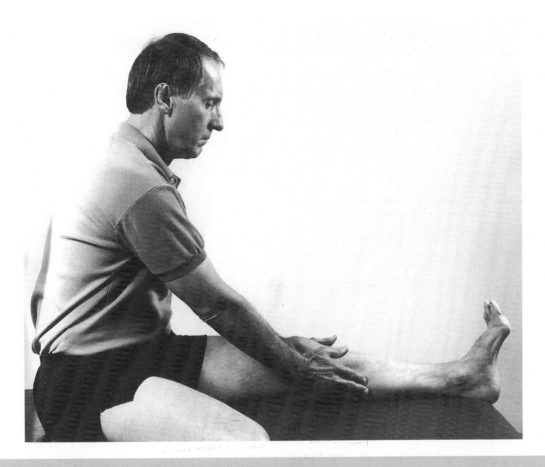

FIGURE 5-7 ● **SITTING HAMSTRING MUSCLE STRETCH.**

Purpose: Increase flexibility of hamstring muscles.
Position: Patient sitting with leg to be stretched straight out in front of body with knee fully extended.
Procedure: While maintaining the neutral position of the spine and flexing at the hips, the client reaches forward

with both hands as far as possible down the leg until a mild tension is felt in the posterior thigh. Patient should lean forward by bringing the chest forward. Flexion of the lumbar spine should be minimal.

general (i.e., not usually specific to any one muscle) and are presented in Figures 5-19 to 5-25.

Spine

When stretching the cervical region, specific muscles can be identified and worked. These static stretches are presented in Figures 5-26 to 5-28. Muscles of the lumbar spine are usually stretched in a general manner, similar to the upper extremities (i.e., the techniques are not specific to any one muscle group). Static stretching techniques for the lumbar spine are presented in Figures 5-29 to 5-32.

PNF Stretching Techniques

The procedures of PNF stretching can be used for most static stretching procedures identified in Figures 5-7 to 5-32 by having a PTA add a contraction of the stretched muscle at the end of the ROM before the static stretch. Three types of PNF techniques for stretching the hamstring muscles were described earlier in this chapter. Using those basic principles, the PTA should be able to transform most of the static stretching techniques into PNF stretching techniques.

FIGURE 5-8 ● STANDING HAMSTRING MUSCLE STRETCH.

Purpose: Increase flexibility of hamstring muscles.
Position: Patient standing erect with one foot on floor and pointing straight ahead with no rotation of the hip. The heel of the leg to be stretched is placed on an elevated surface with the knee fully extended, toes pointed to ceiling, and no rotation of the hip. The elevated surface should be high enough to cause a gentle stretch in the posterior thigh when the patient leans forward.
Note: It is vital that the foot position be maintained. If the weight-bearing foot is allowed to externally rotate, the hamstring muscle will not be effectively stretched.
Procedure: While maintaining a neutral position of the spine and flexion from the hips, the patient leans forward by bringing the chest forward until a mild tension is felt in the posterior thigh. Flexion of the lumbar spine should be minimal.

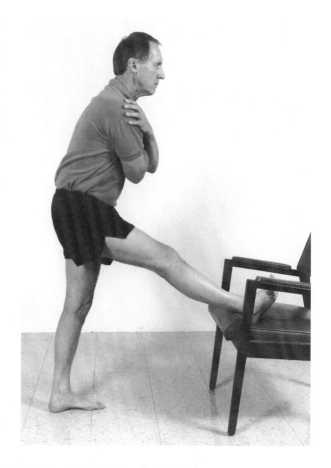

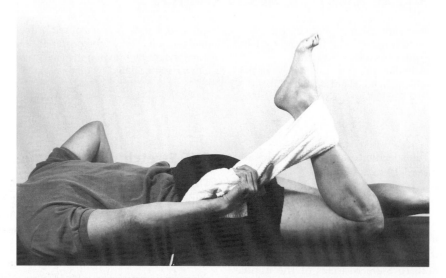

FIGURE 5-9 ● PRONE QUADRICEPS MUSCLE STRETCH.

Purpose: Increase flexibility of quadriceps muscles.
Position: Patient lying prone. Hips should be placed in neutral and not abducted.
Procedure: Patient reaches back with one hand, grasps the foot, and moves the heel toward the buttock. By pulling on the foot, the patient flexes the knee until a mild tension is felt in the anterior thigh.

Note: The figure demonstrates the use of a towel for a patient who cannot reach the foot owing to lack of flexibility in the quadriceps muscle. The patient pulls the towel, which is draped around the foot to flex the knee.

FIGURE 5-10 ● **STANDING QUADRICEPS MUSCLE STRETCH.**

Purpose: Increase flexibility of quadriceps muscles.
Position: Patient standing and holding on to chair for support, if necessary. Hip remains in neutral and not abducted or flexed.
Procedure: Patient reaches back with hand, grasps the foot, and moves the heel toward the buttock. By pulling on the foot, the patient flexes the knee until a mild tension is felt in the anterior thigh. It is important not to let the hip abduct or flex during the stretch.

FIGURE 5-11 ● **MODIFIED LOTUS POSITION.**

Purpose: Increase flexibility of adductor muscles.
Position: Patient sitting, bending knees, and placing soles of feet together while maintaining neutral position of the spine. The patient grasps both feet with hands.
Procedure: Patient slowly pulls self forward with hands and allows the knees to drop to the floor until a mild tension is felt in the groin. Patient bends forward from the hips, maintaining neutral position of the spine. For increased stretch, the patient can gently push the legs into more abduction by pushing down with the forearms.

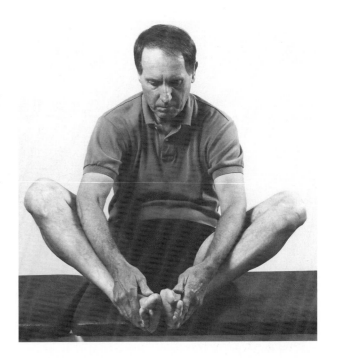

FIGURE 5-12 ● FORWARD STRADDLE.

Purpose: Increase flexibility of adductor muscles.
Position: Patient sitting with knees extended and legs fully spread into abduction.
Procedure: Maintaining neutral position of the spine, patient bends forward from the hips. While bending forward, the hands slide forward in front of the patient until a mild tension is felt in the groin bilaterally.
Note: The stretch can be modified by bending the trunk to the left or right and sliding the hands down the leg until a mild tension is felt in the groin unilaterally.

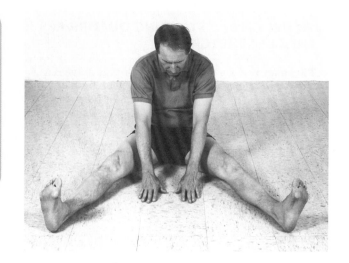

FIGURE 5-13 ● LUNGE.

Purpose: Increase flexibility of hip flexor muscles.
Position: Patient standing with one leg forward, similar to taking a giant step.
Procedure: Keeping a neutral spine, patient moves forward into the lunge position until the forward leg is directly over the ankle. The knee of the opposite leg should be resting on the floor. Patient should assume an upright position that allows a mild tension to be felt in the anterior hip of the trailing leg.

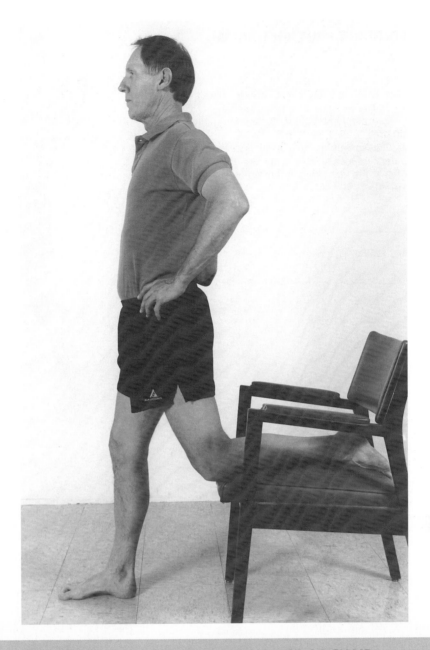

FIGURE 5-14 ● HIP FLEXOR STRETCH USING ASSISTANCE OF CHAIR.

Purpose: Increase flexibility of hip flexor muscles.
Position: Patient standing and holding on to chair for support, if necessary. One leg is firmly planted on the ground and the other leg is placed on chair behind patient.

Procedure: Standing upright, client carefully moves the leg on the ground forward by taking small hops. Once patient finds a position in which a mild tension is felt in the anterior hip of the non–weight-bearing leg, the position is maintained.

FIGURE 5-15 ● STANDING ILIOTIBIAL BAND STRETCH.

Purpose: Increase flexibility of iliotibial band.

Position: Patient standing approximately 3 feet away from wall and leaning on wall. Patient places one leg on the ground in front, leaving the other leg straight and behind. Patient internally rotates the hip of the back leg.

Procedure: Patient protrudes the hip of the leg that is back out to the side, as the shoulders are leaned in the opposite direction. Mild tension should be felt at the lateral hip and thigh.

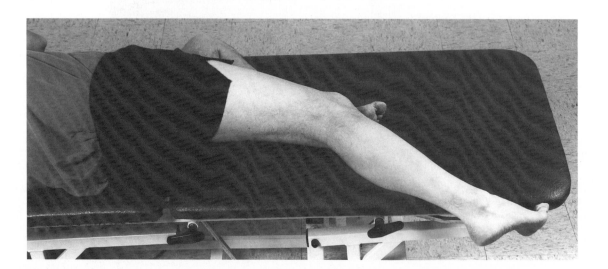

FIGURE 5-16 ● SIDE-LYING ILIOTIBIAL BAND STRETCH.

Purpose: Increase flexibility of iliotibial band.

Position: Patient lying on side. Lower extremity on support surface (iliotibial band not being stretched) flexed to 45-degree hip and knee flexion.

Procedure: Lower extremity to be stretched (iliotibial band not on support surface) is extended in line with trunk and allowed to passively adduct toward support surface. A mild tension should be felt in the lateral thigh.

FIGURE 5-17 ● GASTROCNEMIUS MUSCLE STRETCH.

Purpose: Increase flexibility of gastrocnemius muscle.
Position: Patient standing with feet shoulder width apart approximately 3 feet from wall with hips internally rotated (toes of feet pointed inward). Knees are extended.
Procedure: Patient leans forward on wall, providing support with forearms. While the patient is leaning forward, the pelvis should be held in and not protruded. The heels should not come off the floor. A mild tension should be felt in the calf area. If it is not felt, patient should stand farther away from wall before leaning forward. If discomfort or pain is felt, patient should move closer to wall before leaning forward.
Note: During the procedure, it is important to maintain the original internally rotated position of the hips and flexion of the knees.

FIGURE 5-18 ● SOLEUS MUSCLE STRETCH.

Purpose: Increase flexibility of soleus muscle.
Position: Patient standing with feet shoulder width apart approximately 2 feet from wall with hips internally rotated (toes of feet pointed inward). Knees should be flexed to 20 to 30 degrees.
Procedure: While maintaining flexed knees, client leans forward on wall, providing support with forearms. While the patient is leaning forward, the pelvis should be held in and not protruded. The heels should not come off the floor. A mild tension should be felt in the lower third of the posterior leg. If it is not felt, patient should stand farther away from wall before leaning forward. If discomfort or pain is felt, patient should move closer to wall before leaning forward.
Note: During the procedure, it is important to maintain the original internally rotated position of the hips and flexion of the knees.

FIGURE 5-19 ● PECTORAL STRETCH (WITH ASSISTANCE).

Purpose: Increase flexibility of pectoralis major muscle.
Position: Patient lying supine, grasping hands behind head.
Procedure: While keeping hands grasped behind head, patient relaxes the arms, allowing them to drop down to the support surface. A mild tension should be felt in the anterior shoulder bilaterally. To accentuate this stretch, the PTA applies a gentle force to the elbows bilaterally to push the elbows down toward the support surface. The force should be gentle, and the PTA must ensure that the patient feels mild tension in the anterior shoulder. The force should not cause pain or discomfort.

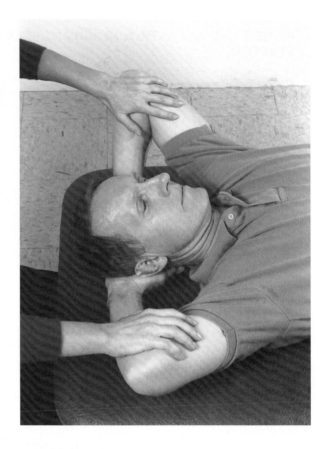

FIGURE 5-20 ● HORIZONTAL ADDUCTION STRETCH.

Purpose: Increase flexibility of muscles of the posterior rotator cuff.
Position: Patient sitting or standing. Patient horizontally adducts the shoulder across the chest, with the elbow kept relatively extended. Patient grasps the horizontally adducted shoulder proximal to the elbow.
Procedure: With the grasping hand, patient pulls the shoulder across the chest into more horizontal adduction until a mild tension is felt in the posterior aspect of the shoulder.

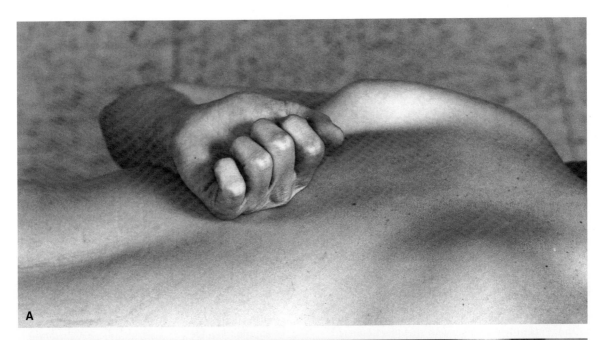

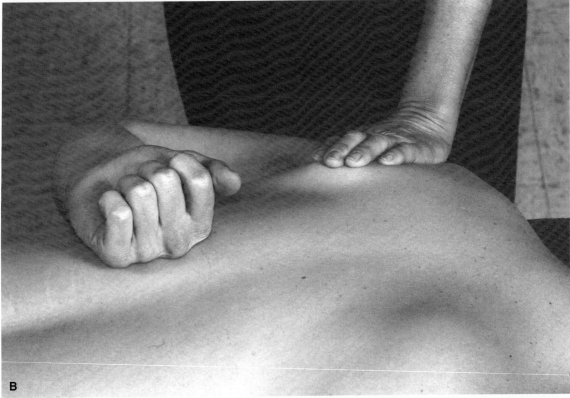

FIGURE 5-21 ● INTERNAL ROTATION STRETCH (WITH ASSISTANCE).

Purpose: Increase internal rotation flexibility.
Position: Patient lying prone with shoulders internally rotated by placing the hand of the shoulder to be stretched behind the back. In most cases, this position will cause winging of the scapula **(A).**
Procedure: PTA places one hand on patient's winging scapula and applies gentle pressure, pushing it anteriorly against the rib cage until a mild tension is felt by patient in the posterior shoulder **(B).**
Note: The amount of stretch felt by client can be increased or decreased by moving patient's hand farther up or down the spine, respectively.

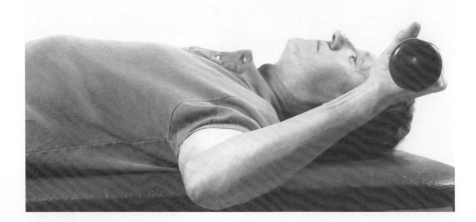

FIGURE 5-22 ● EXTERNAL ROTATION STRETCH.

Purpose: Increase external rotation flexibility.
Position: Patient lying supine with shoulder abducted 90 degrees, holding just the elbow over the edge of the support surface. Patient externally rotates the shoulder.
Procedure: Patient is given a weight to hold while maintaining the initial position. Patient should be encouraged to relax the shoulder muscles completely while grasping the weight, allowing the hand to move toward the floor (external rotation). PTA recommends the amount of weight that allows mild tension to be felt by patient in the anterior shoulder.
Note: The amount of shoulder abduction used for this stretch can be varied to stretch the shoulder for different functional activities, especially for athletes involved in overhead activities. Commonly used ranges of abduction in which external rotation stretch is applied are 45 degrees, 90 degrees, and 135 degrees.

FIGURE 5-23 ● TOWEL STRETCH FOR ROTATION.

Purpose: Increase flexibility of internal and external rotation.
Position: Patient sitting with feet shoulder width apart. For external rotation of the left shoulder, patient grasps towel in the left hand and throws the towel over the left shoulder (placing the left shoulder into external rotation), allowing the towel to hang down to the lumbar spine. Patient places the right arm behind the back and reaches up the spine to grasp towel.
Procedure: By gently pulling inferiorly on the towel with the right hand, patient increases the amount of external rotation in the left arm (which continues to grasp the towel at the shoulder). Patient pulls down with the right hand until a mild tension is felt in the anterior aspect of the left shoulder.
Note: The stretch can be reversed to an internal rotation stretch of the right shoulder by using the left arm to pull superiorly. The left hand grasping the towel from above (shoulder) pulls superiorly while the right hand maintains the grasp of the towel from below (lumbar spine), causing an increase in internal rotation of the right shoulder.

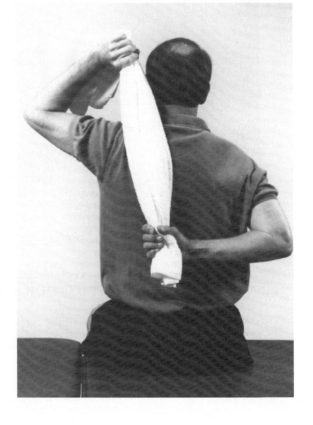

FIGURE 5-24 ● BICEPS BRACHII MUSCLE STRETCH (WITH ASSISTANCE).

Purpose: Increase flexibility of biceps brachii muscle.
Position: Patient standing upright with arms behind body and elbows fully extended. PTA standing behind the patient.
Procedure: Ensuring that both elbows maintain full extension and the forearms are maintained in neutral position, PTA grasps client's hands with own hands and gently pulls patient's upper extremity into shoulder extension. Patient's upper extremities are pulled into shoulder hyperextension until a gentle tension is felt in the anterior aspect of the upper arm.

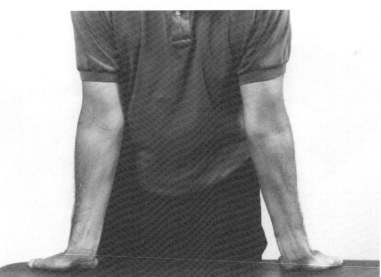

FIGURE 5-25 ● WRIST EXTENSION STRETCH.

Purpose: Increase wrist extension flexibility.
Position: Patient standing, facing waist-high support surface.
Procedure: Patient leans forward on waist-high surface, placing hands with palms down on surface, keeping the elbows fully extended. Patient then leans trunk forward over hands, ensuring that elbows are extended, causing hyperextension of wrists. Patient leans forward until a mild tension is felt on anterior aspect of forearms.
Note: This procedure can be modified to increase wrist flexion: (a) The dorsal surfaces of the hands are placed on the weight-bearing surface. (b) Patient leans slightly backward until a mild tension is felt in the posterior aspect of the forearms.

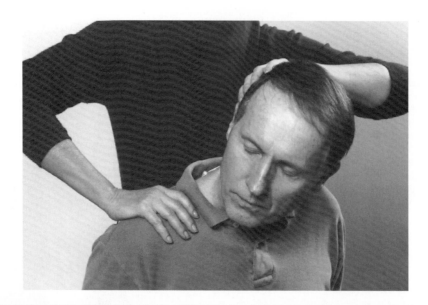

FIGURE 5-26 ● **TRAPEZIUS MUSCLE STRETCH (WITH ASSISTANCE).**

Purpose: Increase flexibility of trapezius muscle.
Position: Patient sitting in chair. PTA standing behind the patient and with one hand at the back of patient's head and the other on the shoulder of the side to be stretched.
Procedure: To stretch the right trapezius muscle, PTA uses the hand on the back of the head to gently push patient's head into flexion, left lateral flexion, and right rotation. The PTA's hand on the right shoulder gently depresses the shoulder to provide a counterforce to cervical movement. Gentle force should be applied by the clinician until a mild tension in the posterolateral aspect on the right side of the cervical spine is reported by patient.

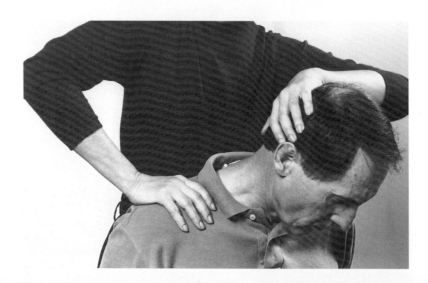

FIGURE 5-27 ● **LEVATOR SCAPULAE MUSCLE STRETCH (WITH ASSISTANCE).**

Purpose: Increase flexibility of levator scapulae muscle.
Position: Patient sitting in chair. PTA standing behind the patient with one hand at the back of the head and the other on the shoulder of the side to be stretched.
Procedure: To stretch the right levator scapulae muscle, PTA uses the hand on the back of the head to gently push the patient's head into flexion, left lateral flexion, and left rotation. PTA's hand on the right shoulder gently depresses the shoulder to provide a counterforce to cervical movement. PTA should apply gentle force until a mild tension in the posterolateral aspect on the right side of the cervical spine is reported by patient.

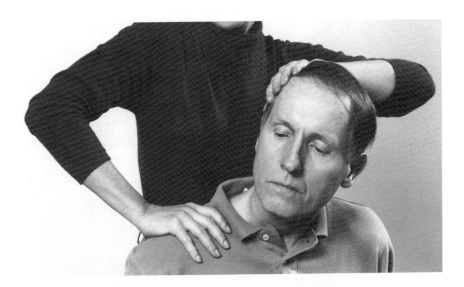

FIGURE 5-28 ● **SCALENES MUSCLE STRETCH (WITH ASSISTANCE).**

Purpose: Increase flexibility of scalene muscles.
Position: Patient sitting in chair. PTA standing behind the client with one hand on the back of the head and the other on the shoulder of the side to be stretched.
Procedure: To stretch the right scalene muscle, PTA uses the hand on the back of the head to gently push

the patient's head into left lateral flexion and right rotation (no flexion). PTA's hand on the right shoulder gently depresses the shoulder to provide a counterforce to cervical movement. PTA should apply gentle force until a mild tension in the anterolateral aspect on the right side of the cervical spine is reported by patient.

FIGURE 5-29 ● **PRONE PRESS-UP.**

Purpose: Increase extension flexibility of lumbar spine.
Position: Patient lying prone with hands under shoulders.
Procedure: Patient pushes down with hands, lifting the upper trunk. During the procedure, it is vital that the patient use muscles of the upper extremities and proximal stabilizers of the trunk. The lumbar spine must be relaxed. The pelvis should remain on the supporting

surface as much as possible. Once full extension of the lumbar spine is reached, patient pauses at that position for 1 to 2 seconds. This hyperextended position should not be maintained for more than 5 seconds. After the hold, patient lowers himself or herself, with control, to the starting position. The lumbar spine must be relaxed during the entire activity.

FIGURE 5-30 ● ROTATION IN SIDE-LYING.

Purpose: Increase rotation flexibility of lumbar spine.
Position: Patient lying on side with hips and knees flexed. The amount of hip and knee flexion depends on the goal. To increase flexibility of the lower thoracic and upper lumbar spine, the hips and knees should be maximally flexed. To increase flexibility of the lower lumbar spine, the hips and knees should be minimally flexed. A good method is to monitor where patient feels the stretch and adapt the flexion of the hips and knees accordingly.

Procedure: To increase right rotation of the lumbar spine, patient lies on the left side, keeping the left lower extremities on the support surface and rotating the shoulders to the right until a mild tension is felt in the lumbar spine. Patient holds this position from 1 to 2 seconds (cyclic movement) to 30 seconds (prolonged hold) before returning to starting position.

FIGURE 5-31 ● ROTATION IN SITTING.

Purpose: Increase rotation flexibility of lumbar spine.
Position: Patient sitting on support surface.
Procedure: To increase left rotation of the lumbar spine, patient rotates the shoulders to the left until mild tension is felt in the lumbar spine. To accentuate the stretch, patient can place fingers of both hands on the support surface lateral to the left hip. Neutral position of the spine should be maintained.

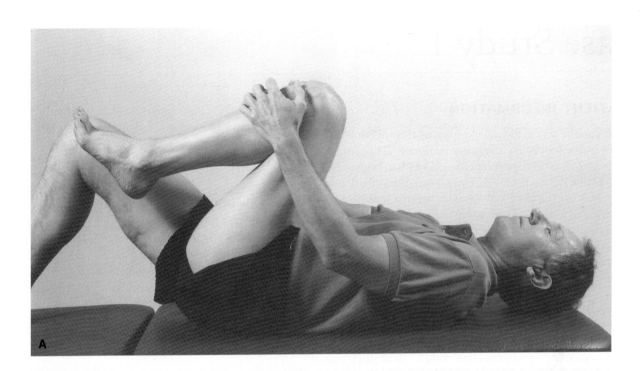

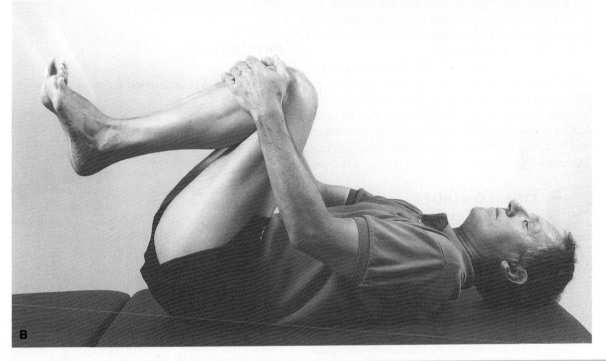

FIGURE 5-32 ● SINGLE AND DOUBLE KNEE TO CHEST.

Purpose: Increase flexion flexibility of lumbar spine.
Position: Patient lying supine with bilateral hips and knees flexed so the feet are positioned on the support surface.
Procedure: Patient flexes the hip of one leg, grasps the leg with both hands around the knee, and pulls the leg into more flexion until a mild tension is felt in the lumbar

spine. The stretching activity is then repeated with the other leg **(A).**
Note: For a more aggressive stretch, patient flexes both hips, grasps both legs with both hands around the knees, and pulls them into more flexion until a mild tension is felt in the lumbar spine **(B).**

Case Study 1

PATIENT INFORMATION

The patient was a 45-year-old man who complained of pain in the legs below the knees bilaterally. The patient indicated that for the previous 3 weeks he had been walking 1 mile 4 days per week. He indicated that his lower legs hurt all the time and the pain became worse when he tried to walk at a faster pace.

The examination by the physical therapist (PT) indicated pain with palpation to the anterolateral aspect of the length of the lower legs bilaterally. Passive plantarflexion ROM was full in both legs, but the patient complained of pain with overpressure at the end of range. Examination of muscle flexibility indicated tightness in the gastrocnemius and soleus muscles. More specifically, left and right passive dorsiflexion with the knee extended (gastrocnemius muscle flexibility) was 0 degrees. Left and right passive dorsiflexion with the knee flexed to 20 degrees (soleus muscle flexibility) was 7 degrees. All resisted movement of the muscles around the ankle was strong and painless.

The patient was diagnosed with inflammation and possible tendonitis of the tibialis anterior muscle, commonly referred to as shin splints. Although shin splints have many origins, it was hypothesized that the pain and inflammation in the lower legs of this patient were caused by a weak tibialis anterior muscle having to dorsiflex against the tight calf muscle in a repetitive fashion.

LINK TO GUIDE
TO PHYSICAL THERAPIST
PRACTICE

Pattern 4E of the *Guide to Physical Therapist Practice*[43] relates to the diagnosis of this patient. This pattern is described as "impaired joint mobility, motor function, muscle performance, and ROM associated with localized inflammation." Included in the patient diagnostic group of this pattern is tendonitis. The anticipated goals are increasing the quality and quantity of movement between and across body segments through stretching.

INTERVENTION

An initial goal of intervention was to decrease inflammation (pain). Since the patient was complaining of pain in the lower legs all the time and not just when walking or immediately after walking, he was instructed to stop all walking activities. Because of the severe nature of

the inflammation that caused the constant pain, it was thought that cessation of the walking was required. The patient reluctantly agreed.

The second goal was to begin to increase the flexibility of the calf muscles gradually in an attempt to decrease the amount of work being performed by the tibialis anterior muscle in pulling against the tight structures of the calf. The PT discussed the goals and plan of care with the PTA. The PT instructed the PTA to perform an autogenic inhibition stretching technique (Figs. 5-4 to 5-6) on the bilateral gastrocnemius muscles to attempt to increase length of the muscle. The PT also instructed the PTA to teach the patient a home program consisting of statically stretching the gastrocnemius muscle using a wall stretch (Fig. 5-17). The patient was also told to perform the exercise two times per day (morning and night), holding the stretch for 30 seconds as discussed in the plan of care by the PT.

PROGRESSION

One Week After Initial Examination

The patient stated that the pain in the lower leg was no longer constant and expressed a desire to begin to walk again. Examination indicated that the patient still had slight pain on palpation to the anterolateral aspect of bilateral lower legs but much less than the initial visit.

Reexamination by the PT indicated that passive dorsiflexion ROM measured with the knee extended (gastrocnemius flexibility) was 3 degrees (3-degree gain since initial examination). Passive dorsiflexion ROM measured with the knee flexed to 20 degrees (soleus flexibility) was 7 degrees (no change). Goals for intervention at this point were to continue to increase flexibility of the calf muscle and to strengthen the tibialis anterior muscle to assist the muscle in repetitive dorsiflexion during the swing phase and the deceleration of the foot after initial contact (heel strike), which occurs during walking.

Again, while in the clinic, following the original plan of care, the PTA performed autogenic inhibition stretching on the bilateral gastrocnemius muscles to attempt to increase length of the muscle. The PT instructed the PTA to progress the home program as follows:

1. Continue static stretching to the gastrocnemius muscle: 30 seconds two times per day.
2. Static stretching to the soleus muscle (Fig. 5-18): 30 seconds two times per day.

3. Isotonic strengthening of the dorsiflexors (Fig. 7-31) using elastic tubing: three sets of 12 repetitions one time per day.
4. Initiate a walking program: limited to a maximum of 0.25 mile three times per week. Ice the lower legs immediately after the walking session.

Two Weeks After Initial Examination

The patient returned to the clinic 2 weeks after the initial examination. The PT, however, was called away to see to another patient. The PTA began the treatment by taking subjective data and objective measurements. The patient indicated that he had no pain during walking. Palpation of the legs bilaterally indicated no pain. Passive dorsiflexion ROM measured with the knee extended (gastrocnemius flexibility) was 5 degrees (5-degree gain since initial examination). Passive dorsiflexion ROM measured with the knee flexed to 20 degrees (soleus flexibility) was 10 degrees (3-degree gain). Goals for the program were not changed because the PT was not available to reevaluate the patient (continue to increase flexibility of the calf muscle and strengthen the tibialis anterior muscle).

The PTA instructed the patient to continue the home exercise program already established. He was given permission by the PTA to begin walking 0.5 mile three times per week. If no problems occurred after 1 week of walking this distance, the patient was instructed to increase to 1 mile four times per week. He was encouraged to ice after the walking sessions and to return for reexamination and follow-up after 2 weeks.

Five Weeks After Initial Examination

The patient had been scheduled to return 4 weeks after initial examination, but he was unable to return until the fifth week. He complained of being out of shape during his initial walks but reported no discomfort to his lower legs during his weeks of walking 1 mile four times per week. Reexamination by the PT indicated that gastrocnemius flexibility was 10 degrees and soleus flexibility was 15 degrees. Palpation indicated that the lower legs remained pain free.

No treatment was provided. The patient was instructed to continue his training frequency. If no problems occurred with this walking activity, the patient was encouraged to increase his walking distance, if desired. In addition, he was instructed to continue stretching the gastrocnemius and soleus muscles one time per day for 30 seconds. The patient was discharged by the PT and instructed to return if any problems developed.

OUTCOME

The patient sought treatment for bilateral shin splints and presented with tight gastrocnemius and soleus muscles. After a 5-week intervention in which stretching the tight muscles was emphasized along with some strengthening activities, the patient returned to his walking pain-free.

SUMMARY: AN EFFECTIVE PT–PTA TEAM

This case study demonstrates an effective collaborative team effort as well as poor judgment and communication between the PT and the PTA. The PTA was able to follow the original plan of care provided by the PT for the first two visits. The PTA was able to treat the patient while in the clinic and instruct him on a home exercise program as requested by the PT. This teamwork allowed the PT to perform other duties while still being aware of the patient's status.

The poor judgment and communication becomes evident on the third visit. Two weeks after the initial examination the patient returned but was not reexamined by the PT. The PTA was able to collect the subjective data and take objective measurements; however, the PTA did not communicate the data to his supervising PT. The PTA did the correct thing by not changing the goals or the home program but used poor judgment by giving the patient permission to increase the walking distance and not return for 2 more weeks. This is not a decision that can be made by the PTA because it is a change to the plan of care. If proper communication was evident, the PTA would have reported the data to the supervising PT and a decision on a plan of care change would have been made by the PT.

Fortunately, upon the patient's return the symptoms decreased and the patient was able to be discharged. The poor judgment and communication did not cause any ill consequences for the patient; however, it probably initiated a lack of trust between the PT and the PTA.

Geriatric Perspectives

- The age-related effect of connective tissue stiffening is of particular importance for the older adult. A decrease in tissue water content, an increase in collagen bundling, and an increase in elastin crosslinks result in a decrease in the distensibility and tensile strength of muscles, fascia, tendons, skin, and bones. Consequently, ballistic stretching is particularly problematic. Static stretching may potentially be more effective for older adults if applied slowly and held for a slightly longer duration (30 to 60 seconds).[1]

- Modified dynamic flexibility, or functional flexibility, refers to an active type of stretching exercise involving movement of varying degrees and speeds to meet or enhance the ROM typically used during specific activities. It is an important consideration in initiating a stretching program for older adults.[2] Functional flexibility and ROM related to a minimum level of safe performance in activities of daily living have been defined through biomechanics research.[3]

- Stretch weakness is a theoretic phenomenon associated with muscle aging combined with disuse. Stretch weakness is thought to be the result of prolonged stretch applied beyond the physiologic resting length.[4] The phenomenon may be evidenced by altered muscle synergies (e.g., agonist–antagonist imbalances or agonist–antagonist cocontraction). Stretch weakness may also be related to pathologic age-related changes (e.g., postural malalignment and gait changes resulting from the disease process of degenerative joint disease and scoliosis). Stretch weakness should be addressed via a thorough examination of ROM and evaluation of muscle length before initiation of a flexibility or stretching program.

- Static stretching techniques are most effective if used in conjunction with active contraction. Reciprocal inhibition and autogenic inhibition stretching techniques further enhance the therapeutic benefits of static stretching by allowing the agonist to relax. However, the stretch weakness phenomenon may preclude effective use of these PNF techniques. In the presence of agonist stretch weakness, passive stretching of the antagonist is recommended.

- Cognitively impaired patients usually are not candidates for stretching programs because of problems relaxing the muscle to be lengthened.

- A warmup and mild stretching program may be useful in the management of chronic pain and loss of joint range associated with some musculoskeletal and neuromuscular diseases (e.g., arthritis and Parkinson's disease).

- The most effective stretching program should be based on the individual functional needs of the older individual. The primary outcome should be restoration or maintenance of physical independence.

1. Bandy WD, Irion JM, Briggler M. The effect of time and frequency of static stretching on flexibility of the hamstring muscles. *Phys Ther.* 1997;77:1090–1096.
2. Stevens K. A theoretical overview of stretching and flexibility. *Am Fitness.* 1998;16:30–37.
3. Young A. Exercise physiology in geriatric practice. *Acta Med Scand.* 1986;711(suppl):227–232.
4. Kauffman TL, Barr JO, Moran ML. *Geriatric rehabilitation manual.* New York, NY: Elsevier; 2007.

SUMMARY

- The ultimate goal of any stretching program is to increase the ability of the muscle to efficiently elongate through the necessary ROM. This chapter reviewed the three types of stretching activities most frequently referred to in the literature: static stretching, ballistic stretching, and PNF. Although extensive research has been performed on the effectiveness of these three stretching activities, no absolute recommendation can be made for the most appropriate method for increasing flexibility. All three stretching techniques will improve muscle flexibility.

- Static stretching is a technique in which a stationary position is held for a period of time while the muscle is in its elongated position. Static stretching may be the most desirable stretching technique for an individual in terms of results, time, and comfort because once the individual is properly trained, he or she can perform the technique independently.

- Ballistic stretching involves quick bobbing and jerking motions imposed on the muscle. Although some clinicians believe that ballistic stretching may have a role in an advanced stretching program of an athlete, this type of stretching poses the greatest potential for microtrauma to the muscle.

- Using a variety of types of muscle contractions to facilitate the sensory receptors to inhibit and relax the muscle being stretched, PNF has been documented to be an effective stretching technique. However, because PNF requires one-on-one intervention with a clinician, the time and expertise required to perform PNF appropriately make the stretching techniques somewhat cumbersome.

Pediatric Perspectives

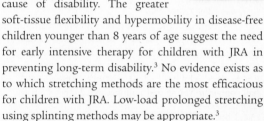

- The developing individual exhibits much greater mobility and flexibility than the mature individual.[1] Muscle inflexibility, when present, aggravates and predisposes children and adolescents to various overuse injuries, including traction apophysitis.[2] Flexibility deficits that may occur in children and adolescents can be effectively treated using common stretching techniques (as described in this chapter).

- Ballistic stretching may be the least appropriate stretching technique for children for the same reasons that it is not recommended for sedentary and geriatric individuals. In addition, ballistic stretching may put excessive strain on the apophyses and epiphyses of developing bone.

- Muscle stretching is imperative for treatment of juvenile rheumatoid arthritis (JRA). The shortening of muscle and tendon, and the resulting joint contractures, may become a major cause of disability. The greater soft-tissue flexibility and hypermobility in disease-free children younger than 8 years of age suggest the need for early intensive therapy for children with JRA in preventing long-term disability.[3] No evidence exists as to which stretching methods are the most efficacious for children with JRA. Low-load prolonged stretching using splinting methods may be appropriate.[3]

1. Kendall HO, Kendall FP, Boynton DA. *Posture and pain.* Melbourne, FL: Krieger; 1971.
2. Krivickus LS. Anatomical factors associated with overuse sports injuries. *Sports Med.* 1997;24:132–146.
3. Wright FV, Smith E. Physical therapy management of the child and adolescent with juvenile rheumatoid arthritis. In: Walker JM, Helewa A, eds. *Physical therapy in arthritis.* Philadelphia, PA: WB Saunders; 1996:211–244.

References

1. Zachazewski J. Flexibility for sports. In: Sanders B, ed. *Sports physical therapy.* Norwalk, CT: Appleton & Lange; 1990: 201–238.
2. Anderson B, Burke ER. Scientific, medical, and practical aspects of stretching. *Clin Sports Med.* 1991;10:63–86.
3. Jonagen S, Nemeth G, Griksson F. Hamstring injuries in sprinters: the role of concentric and eccentric hamstring muscle strength and flexibility. *Am J Sports Med.* 1994;22:262–266.
4. Worrell TW, Perrin DH, Gansneder B, et al. Comparison of isokinetic strength and flexibility measures between hamstring injured and non-injured athletes. *J Orthop Sports Phys Ther.* 1991;13:118–125.
5. Habertsman JP, VanBolhuis AI, Goeken LN. Sport stretching: effect on passive muscle stiffness of short hamstrings. *Arch Phys Med Rehabil.* 1996;77:658–692.
6. Hurtig DE, Henderson JM. Increasing hamstring flexibility decreases lower extremity overuse injuries in military basic trainees. *Am J Sports Med.* 1999;27:173–176.
7. Caplan N, Rogers, R, Parr MK, Hayes PR. The effect of proprioceptive neuromuscular facilitation and static stretch on muscle performance. *J Strength Cond Res.* 2009;23:1175–1180.
8. Henricson AS, Fredriksson K, Persson I, et al. The effect of heat and stretching on the range of hip motion. *J Orthop Sports Phys Ther.* 1984;6:110–115.
9. Worrell TW, Smith TL, Winegardner J. Effect of hamstring stretching on hamstring muscle performance. *J Orthop Sports Phys Ther.* 1994;20:154–159.
10. Hall CM, Brody LT. *Therapeutic exercise: moving toward function.* 3rd ed. Philadelphia, PA: Lippincott Williams & Wilkins; 2011:138–144.
11. Pearson K, Gordon J. Spinal reflexes. In: Kandel ER, Schwartz JH, eds. *Principles of neural science.* 4th ed. New York, NY: Elsevier; 2000:713–734.
12. Lundy-Ekman L. *Neuroscience: fundamentals for rehabilitation.* Philadelphia, PA: WB Saunders; 2002:102–106.
13. Waxman SG, deGroot J. *Correlative neuroanatomy.* New York, NY: McGraw Hill; 2002:58–61.
14. Gajdosik RL. Effects of static stretching on the maximal length and resistance to passive stretch of the hamstring muscles. *J Orthop Sports Phys Ther.* 1991;14:250–255.
15. Madding SW, Wong JG, Hallum A, et al. Effects of duration on passive stretching on hip abduction range of motion. *J Orthop Sports Phys Ther.* 1987;8:409–416.
16. Bandy WD, Irion J. The effect of time of static stretch on the flexibility of the hamstring muscles. *Phys Ther.* 1994;74: 845–850.
17. Bandy WD, Irion JM, Briggler M. The effect of time and frequency of static stretching on flexibility of the hamstring muscles. *Phys Ther.* 1997;77:1090–1096.
18. Nelson RT, Bandy WD. Eccentric training and static stretching improve hamstring flexibility of high school males. *J Athl Train.* 2004;39:31–35.
19. Davis DS, Ashby PE, McCale KL, et al. The effectiveness of 3 stretching techniques on hamstring flexibility using consistent stretching parameters. *J Strength Cond Res.* 2005;19:27–32.
20. LaRoche DP, Connolly DA. Effects of stretching on passive muscle tension and response to eccentric exercise. *Am J Sports Med.* 2006;34:1000–1007.
21. Fasen JM, O'Connor AM, Schwartz SL, et al. A randomized controlled trial of hamstring stretching: Comparison of four techniques. *J Strength Cond Res.* 2009;23:660–667.
22. Feland JB, Myrer JW, Schulthies SS, et al. The effect of duration of stretching of the hamstring muscle group for increasing range of motion in people aged 65 years or older. *Phys Ther.* 2001;81:1100–1117.
23. Cramer JT, Housh TJ, Johnson GO, et al. An acute bout of static stretching does not affect maximal eccentric isokinetic peak torque, the joint angle at peak torque, mean power,

electromyography, or mechanomyography. *J Orthop Sports Phys Ther.* 2007;37:130–139.

24. Egan AD, Cramer JT, Massey LL, et al. Acute effects of static stretching on peak torque and mean power output in National Collegiate Athletic Association Division I women's basketball players. *J Strength Cond Res.* 2006;20:778–782.

25. O'Connor DM, Crowe MJ, Spinks WL. Effects of static stretching on leg power during cycling. *J Sports Med Phys Fitness.* 2006;46:52–56.

26. Robbins JW, Scheuermann BW. Varying amounts of acute static stretching and its effect on vertical jump performance. *J Strength Cond Res.* 2008;22:781–786.

27. Holt BW, Lambourne K. The impact of different warm-up protocols on vertical jump performance in male collegiate athletes. *J Strength Cond Res.* 2008;22:226–229.

28. Gergley JC. Acute effects of passive static stretching during warm-up on driver clubhead speed, distance, accuracy, and consistent ball contact in young male competitive golfers. *J Strength Cond Res.* 2009;23:863–867.

29. Costa PB, Ryan ED, Herda TJ, et al. Effects of stretching on peak torque and the H:Q ratio. *Int J Sports Med.* 2009;20:60–65.

30. Sady SP, Wortman M, Blanke D. Flexibility training: ballistic, static or proprioceptive neuromuscular facilitation? *Arch Phys Med Rehabil.* 1982;63:261–263.

31. Knott M, Voss DE. *Proprioceptive neuromuscular facilitation: patterns and techniques.* New York, NY: Harper & Row; 1968.

32. Kofotolis N, Vrabas I, Vamvakoudis E, et al. Proprioceptive neuromuscular facilitation training induced alterations in muscle fibre type and cross sectional area. *Br J Sports Med.* 2005;39:1–4.

33. Kofotolis N, Kellis E. Effects of two 4-week proprioceptive neuromuscular facilitation programs on muscle endurance, flexibility, and functional performance in women with chronic low back pain. *Phys Ther* 2006;86:1001–1012.

34. Decicco PV, Fisher MM. The effects of proprioceptive neuromuscular facilitation stretching on shoulder range of motion in overhand athletes. *J Sports Med Phys Fitness.* 2005;45:183–187.

35. Feland J, Marin H. Effect of submaximal contraction intensity in contract-relax proprioceptive neuromuscular facilitation stretching. *Br J Sports Med.* 2004;38:1–2.

36. Rees SS, Murphy AJ, Watsford ML, et al. Effects of proprioceptive neuromuscular facilitation stretching on stiffness and force-producing characteristics of the ankle in active women. *J Strength Cond Res.* 2007;21:572–577.

37. Etnyre BR, Lee EJ. Chronic and acute flexibility of men and women using three different stretching techniques. *Res Q Exerc Sport.* 1988;59:222–228.

38. American Academy of Orthopaedic Surgeons. *Athletic training and sports medicine.* 2nd ed. Rosemont, IL: American Academy of Orthopaedic Surgeons; 1991.

39. Davies DS, Hagerman-Hose M, Midkiff M, et al. The effectiveness of 3 proprioceptive neuromuscular facilitation stretching techniques on the flexibility of the hamstring muscle group. *J Orthop Sports Phys Ther.* 2004;34:A33.

40. Allerheiligen WB. Exercise techniques: stretching and warm-up. In: Baechle TR, ed. *Essentials of strength training and conditioning.* 3rd ed. Champaign, IL: Human Kinetics; 2008:295–324.

41. Cornelius WL, Ebrahim K, Watson J, et al. The effects of cold application and modified PNF stretching techniques on hip flexibility in college males. *Res Q Exer Sport.* 1992;63:311–314.

42. Osternig LR, Robertson R, Troxel R, et al. Differential response to proprioceptive neuromuscular facilitation (PNF) stretch technique. *Med Sci Sports Exerc.* 1990;22:106–111.

43. American Physical Therapy Association. *Guide to physical therapist practice.* 2nd ed. Alexandria, VA; 2003.

PRACTICE TEST QUESTIONS

1. Sustained, low-intensity lengthening of muscle performed to increase ROM is called:

   A) Ballistic stretch
   B) Dynamic ROM
   C) PNF
   D) Static stretch

2. In normal circumstances, when the elbow flexes (biceps), the triceps relax. This is an example of a movement influenced by:

   A) Autogenic inhibition
   B) GTO
   C) Muscle spindle
   D) Reciprocal inhibition

3. The optimal time to hold a static stretch in a 67-year-old man is:

   A) 5 seconds
   B) 15 seconds
   C) 30 seconds
   D) 60 seconds

4. The plan of care provided by the PT for a hamstring strain includes treating a patient two times per week for hamstring stretching, straight leg raise prone, and prone hamstring curls. The first day you see the patient, the patient lacks 30 degrees of hamstring flexibility. (The patient is very tight.) Three days later, you observe that the patient now lacks 20 degrees of hamstring flexibility (an improvement of 10 degrees). Your appropriate course of action is to:

   A) Continue treatment. Continuing to work on increased flexibility is within the plan of care.
   B) Report the changes to the PT before initiating treatment.
   C) Discontinue treatment.
   D) Refer back to physician.

5. Based on the evidence, which of the following statements is MOST true concerning the use of static stretch?

   A) Caution should be used performing static stretch prior to competition because the literature is not clear of the effects on performance outcomes.
   B) Static stretch is not effective in the older population, as connective tissues become too stiff as people become older.
   C) Static stretch performed prior to competition has been shown unequivocally to improve performance outcomes.
   D) Static stretch should be performed immediately prior to competition for best performance outcomes.

6. What is the chief benefit of muscle flexibility?

   A) Normal function and prevention of injury
   B) Normal appearance and function
   C) Pain relief and normal appearance
   D) Enhanced athletic performance and appearance

7. When a muscle looses flexibility, the muscle is (has)

   A) showing limited ROM
   B) decreased ability to change its length
   C) demonstrating normal response to loading
   D) increased vasoelastic properties at the musculotendinous junction

8. The plan of care for the patient identifies stretching. The PTA will

   A) always select ballistic stretching
   B) always select static stretching
   C) always select PNF stretching
   D) match the stretching technique to the patient needs

9. Which of the following statements represents the relationship between the GTO and the muscle spindle?

   A) Both GTO and muscle spindle work together to resist muscle elongation.
   B) Both GTO and muscle spindle work together to permit muscle elongation.
   C) The GTO works to resist muscle elongation and the muscle spindle permits muscle elongation.
   D) The GTO works to permit muscle elongation and the muscle spindle resists muscle elongation.

10. When applying static stretching technique, the PTA will

    A) tell the patient that he is going to quickly elongate the muscle.
    B) tell the patient that the stretch will be painful but held for a short time.
    C) allow the muscle to be placed in its shortest resting length for a short time.
    D) allow the muscle to be elongated to its greatest tolerated length for a prolonged stretch.

11. The recommended technique for static stretching in a young patient is

    A) elongation held for anywhere between 15 and 60 seconds.
    B) elongation held for anywhere between 15 and 30 seconds.
    C) elongation held for anywhere between 30 and 60 seconds.
    D) no stretching is indicated because young people are naturally flexible enough.

12. When considering static stretching with an older person, the PTA will

    A) change the technique to ballistic stretching
    B) allow more "slack" in the muscle being stretched
    C) hold elongation for 15 to 30 seconds
    D) hold elongation for 60 seconds

13. Ballistic stretching has "fallen out of favor" among sports trainers and physical therapy professionals. Under what conditions might ballistic stretching be indicated?

    A) The recently injured athlete who participates in a high-velocity sport.
    B) The conditioned athlete who participates in a high-velocity sport following static stretching.
    C) The elderly individual who is relatively sedentary but wants to see quick results.
    D) The recently injured elderly individual who participates in a low-velocity sport.

14. When the plan of care indicates hamstring stretching, the PTA wants to use an autogenic stretching technique. She will

    A) elongate the hamstrings, ask the patient to contract the quadriceps for 10 to 15 seconds.
    B) elongate the quadriceps, ask the patient to contract the quadriceps for 10 to 15 seconds.
    C) elongate the hamstrings, ask the patient to contract the hamstrings for 10 to 15 seconds.
    D) elongate the quadriceps, ask the patient to contract the hamstrings for 10 to 15 seconds.

15. In each of the PNF stretching techniques, the PTA instructs the patient to "hold" a muscle contraction then the technique is repeated. Which of the statements below represents the recommended hold and repeat instructions?

    A) Hold 3 to 5 seconds, repeat 3 to 5 times
    B) Hold 3 to 5 seconds, repeat 10 to 15 times
    C) Hold 10 to 15 seconds, repeat 3 to 5 times
    D) Hold 10 to 15 seconds, repeat 10 to 15 times

16. The plan of care indicates that the patient needs increased length in the pectoral muscles bilaterally. The PTA positions the patient in a "corner stretch" position with the upper arms perpendicular to the chest, forearms resting on the walls and the patient facing into the corner. The PTA instructs the patient to lean into the corner, hold this position, then pinch the shoulder blades together for an isometric contraction of the rhomboid muscles. After this, the patient is instructed to relax and lean into the corner to a greater degree. The technique the patient is demonstrating is

    A) ballistic stretching
    B) static stretching
    C) autogenic inhibition
    D) reciprocal inhibition

17. The PNF technique that will demonstrate the most muscle length is

    A) the combined technique
    B) the autogenic inhibition technique
    C) the reciprocal inhibition technique
    D) there is no consensus about which single technique is best

18. The patient is ready to return to participation in soccer. She asks the PTA about when to stretch. The review of the literature recommends

    A) always stretch immediately before a game using static stretching technique.
    B) stretching should be done on warmed up muscles on practice days.
    C) holding a static stretch for no longer than 5 seconds.
    D) positions that combine many muscles to save time.

19. The patient is sitting in a chair, arms by his side and is gripping the seat of the chair with both hands. The patient tilts his left ear toward his left shoulder, allows his head to tip toward his chest, and rotates toward the left axilla. The PTA provides a downward counterforce on the patient's right shoulder. The muscle(s) being stretched is/are

    A) the scalene (bilateral)
    B) the right levator scapulae
    C) the left levator scapulae
    D) the right lower trapezius muscle

20. Which of the following statements is accurate regarding stretching and pediatric patients?

    A) Children are more active and do not need stretching.
    B) Ballistic stretching is the best technique to choose for young children.
    C) Parents will be the best source of information on which stretching is best for their child.
    D) Stretching techniques for children need slight modification on the basis of growing bones and greater soft-tissue elasticity.

ANSWER KEY:

1.	D	6.		11.	C	16.	D
2.	D	7.	B	12.	D	17.	D
3.	D	8.	D	13.	B	18.	B
4.	A	9.	D	14.	C	19.	B
5.	A	10.	D	15.	C	20.	D

Strength and Power

6

Principles of Resistance Training

Michael Sanders, EdD
Barbara Sanders, PT, PhD, SCS, FAPTA

Objectives

Upon completion of this chapter, the reader will be able to:

- Discuss the physiologic parameters of muscle training related to each of the following: muscle loss, metabolic rate, muscle mass, body composition, bone mineral density, glucose metabolism, gastrointestinal transit time, resting blood pressure, and blood lipid levels.

- Discuss the clinical adaptations of muscle training related to each of the following: muscle loss, metabolic rate, muscle mass, body composition, bone mineral density, glucose metabolism, gastrointestinal transit time, resting blood pressure, and blood lipid levels.

- Identify the roles of motor unit recruitment, cross-sectional area, and force velocity in regulation of muscle contraction.

- Identify the principle elements of exercise training and identify how each element of muscle training affects adaptation of the body.

- Identify symptoms of overtraining and discuss appropriate methods to alleviate overtraining.

- Define periodization and describe how periodization is used in exercise training programs.

The clinician frequently addresses the concept of training the motor learning and control systems to achieve functional transfer to muscular performance. Motor learning and control refers to how the nervous system controls coordinated movement in terms of the relative importance given to movement commands.

Motor learning and muscular performance must be studied as collective and integrative functions of the environment, individual, and task. Motor learning is concerned with the description and explanation of the changes in motor performance and motor control as a result of "training." The term motor learning, although commonly used, is a complicated word with many ramifications. Motor learning represents a continuum reflective of varying human abilities. Learning is directly dependent upon the individual, the skill to be performed, and the performance environment. Measurement of learning is a change in "motor behavior" with resultant performance increases. The next logical step is determining retention of this motor behavior which has implications for enhancement of muscular performance. Relearning refers to the period after injury to the central nervous system where, if possible, previously silent synapses become functional, injured axons recover, and collateral axons create alternatives to damaged connections.[1-6]

The changes in muscular performance as a result of "training" reflect a reorganization of the motor control system. This motor control response reflects an individual's reaction to training and the subsequent neurological response to selected stimuli.[1-3,5-7] This process of the selection of appropriate response is a result of the following:

1. Sequential reorganization of neurophysiologic parameters
2. Skill transference
3. Performers attention focus
4. Feedback (frequency, bandwidth, delay, concurrent, terminal)
5. Training/Practice/Treatment design structure

The emphasis of instruction for the practitioner working with the individuals in the initial stage of learning/relearning a motor skill should be on achieving an action goal. Clinically, this action goal results from a dynamic interplay between perception, cognition, and action systems. The beginner must be allowed the opportunity to explore various movement options to determine which movement characteristics provide them with greatest likelihood of success. Clinical implications for retraining a movement control indicate that it is essential to work on identifiable functional tasks rather than on movement patterns for movement sake alone. This task-oriented approach to clinical intervention assumes that the individual learns by actively attempting to solve problems inherent in a functional task rather than repetitively practicing normal patterns of movements.[1-3,7]

● TERMINOLOGY

Strength is defined as the maximal voluntary force that can be produced by the neuromuscular system, usually demonstrated by the ability to lift a maximal load one time, called the one-repetition maximum (1 RM). Increases in strength occur as a result of resistance training (defined as lifting heavy loads for a relatively few number of repetitions for all types of contractions) and involves a complex set of interactions: neurologic, muscular, and biomechanical.[8] The importance of a strong theoretic background

in strength and resistive training provides a common language, standardization of terminology, and practical applications of muscle-training theory. Research has demonstrated that many health and fitness benefits result from engaging in muscle training. Several authors[9,10] have provided copious data on the positive physiologic responses to training programs. The concepts discussed in the following sections provide an important background to the physiologic parameters and practical adaptations of muscle training.

Muscle performance is usually considered a function of strength; however, strength is only one of the three components of muscle performance: strength, power, endurance.

Muscle Strength

Muscle strength is the maximum force that a muscle or muscle group can exert during a contraction. Strength is assessed in terms of force, torque, work, and power. Force is that which causes change in an object's motion—mass × acceleration. Torque is the concept of rotational work compared with the idea of force as linear motion. Therefore, torque is the displacement around an axis at the rotational speed. Work is defined as force × distance or the product of the force exerted on an object and the distance the object moves in the direction of the force.

Power

Power is generally defined as the rate at which muscles work, meaning that muscles generate tension to do work and work is performed over a period of time. Therefore, power is the rate of performing muscle contractions over a distance for a specific amount of time. Power is a critical component of functional activities and is strength with the addition of speed. Power is defined as work/time or force × distance/time. Power is the product of the force exerted on an object and the speed of the object in the direction of the force. The concept of power is generally associated with high speeds of movement, and strength associated with slower speeds; both reflect the ability to exert force at a given speed. When exercise is performed dynamically against resistance over a specified time interval, power will increase. Strength is the ability to exert force at any given speed, and power is the mathematical product of force and velocity at whatever speed. Power increase by moving either a high load for a low number of repetitions or a low load over a high number of repetitions. Regardless, some functional movements require strength and others power.

Some authors descirbe the low-intensity exercise over a longer period of time aerobic power, and the high-intensity exercise over a short period of time anaerobic power. Aerobic power is also considered as endurance. The distinction can be made due to the difference between Type I and Type II muscle fibers. Type I are the tonic, slow-twitch fibers that can sustain a low level of muscle tension over time and thus are slow to fatigue. Type II are the phasic fast-twitch muscle fibers that can generate tension in a short period of time and then fatigue quickly.

Endurance

Muscle endurance is the ability of the muscle or muscle group to sustain contractions repeatedly or over a certain period of time.

Isometric Muscle Action

Isometric action is considered static and is produced when muscle tension is created without a change in muscle length. Static activity is used in therapeutic exercise and in functional activity. Trunk muscles provide a stable base for the movement of the upper and lower extremities and, thus, are functioning in a static or isometric action.

Isotonic Muscle Action

Isotonic activity is dynamic change in muscle length. A concentric muscle action occurs as the muscle shortens during activity. An eccentric muscle action occurs when the muscle lengthens during activity. Most functional activities require the use of both concentric action and eccentric action. To stand from sitting requires concentric action of the quadriceps muscle group and eccentric contraction of the hamstring muscle group. Eccentric muscle action can produce about 30% more force than concentric actions.[11] Concentric muscle actions take more energy to perform; however, the strength gains between the two types of exercises are similar. Eccentric muscle actions are an important aspect of functional movement, are energy efficient, and can develop the most tension of the various muscle actions. Delayed-onset muscle soreness (DOMS) occurs more often with eccentric exercise.[11]

Isokinetic Muscle Action

Isokinetic muscle action is dynamic activity involving movement. This movement is at a constant velocity throughout the muscle action. The resistance varies during the muscle action. Devices are preset to a constant velocity, which allows the movement to accommodate strength throughout the phase of movement. Isokinetic exercise is thought to provide an opportunity for maximal contraction throughout the movement.

● SCIENTIFIC BASIS

Anatomic Considerations of Muscle

Muscle Structure

A muscle is composed of many thousands of cells called muscle fibers. Each muscle fiber has a thin sheathlike covering of connective tissue called the endomysium. Individual muscle fibers are collected into bundles (fasciculi), which are covered with a thicker layer of loose connective tissue (perimysium). The perimysium sends connective tissue partitions (trabeculae) into the bundles to partially subdivide them. A number of fasciculi bundles make up the total belly of the muscle. The muscle belly is covered externally by a loose connective tissue (epimysium or deep fascia), which is continuous with the perimysium of the bundles. At the end of the muscle, the epimysium merges with the connective tissue material of the tendon (Fig. 6-1).[12,13]

Each single muscle fiber does not run through the entire length of the muscle or even through a fasciculus. A muscle fiber can begin in the periosteum and end in the muscle, begin in the tendon and end in the muscle, or begin in the muscle and end in the muscle. Because muscle fibers do not run the length of the whole muscle, the connective tissue sheaths—endomysium around the single fiber, perimysium around the fasciculus, and epimysium around the whole muscle—are necessary to transmit the force of muscle contraction from fiber to fiber to fasciculus and from fasciculus to fasciculus to the tendons, which act on the bones.[12,13]

Muscle Fiber Structure

Each individual muscle fiber is made up of threads of protein molecules called myofibrils, which are enclosed in a special membrane called the sarcolemma. Each myofibril contains smaller threads called myofilaments. These myofilaments are made up of protein molecules called actin (thin filaments) and myosin (thick filaments). The actin and myosin make up the contractile element of the muscle.[12,13] Detailed descriptions of skeletal muscle and muscle fiber, including the sliding filament theory, are available elsewhere.[13,14]

Regulation of Muscle Contraction

Motor Unit

The final pathway by which the nervous system can exert control over motor activity is the motor unit. The motor unit is the functional unit of skeletal muscle and consists of a single alpha motor neuron (with the body contained

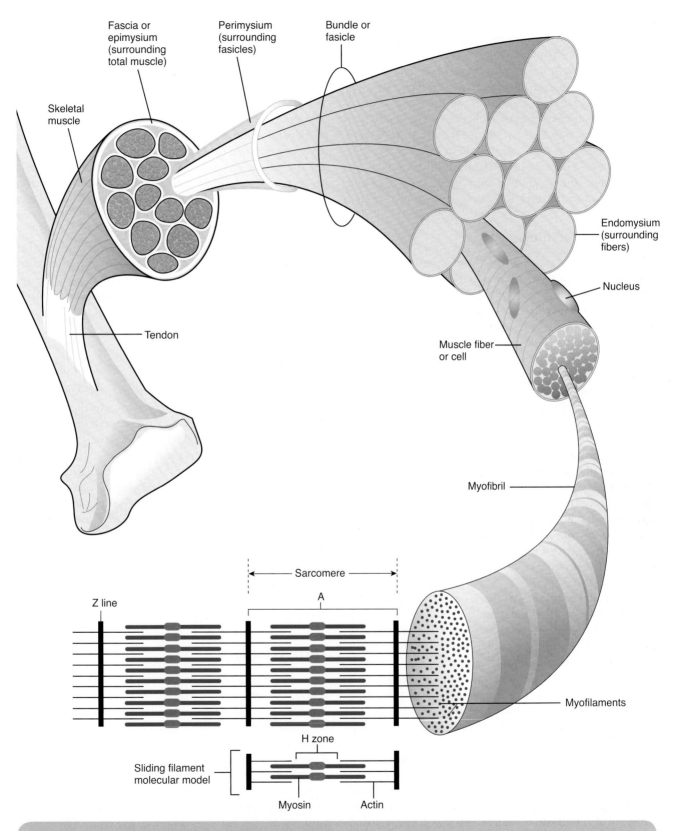

FIGURE 6-1 ● **THE STRUCTURE OF MUSCLE.**

in the anterior horn of the spinal cord), its axon and terminal branches, and all the individual muscle fibers supplied by the axon. The actual number of muscle fibers in a particular motor unit varies from 5 to >100. The muscles involved in the delicate movements of eyes have an innervation ratio (the total number of motor axons divided by the total number of muscle fibers in a muscle) of 1:4. Large postural muscles that do not require a fine degree of control have an innervation ratio as large as 1:150. It is important to note that the motor unit functions on an "all-or-none" principle; thus, all of the fibers within the unit contract and develop force at the same time.[13,15,16]

Motor Unit Recruitment

Motor units can cause an increase in muscle tension through two primary mechanisms. First, the strength of a muscle contraction is affected by the number of motor units recruited. Increased strength of contraction is primarily accomplished by summing the contractions of different numbers of muscle fibers at once. Because all the fibers making up a motor unit contract in unison and to their maximum (if they contract at all), variations in the strength of contractions partly depend on the number of motor units employed. This type of summation, in which different numbers of motor units are brought into play to produce gradations of strength, is called multiple motor unit summation. During this type of summation, only a few motor units are contracted simultaneously when a weak contraction is desired, and a great number of motor units are contracted at the same time when a strong contraction is desired. Should all the motor units contract at the same time, the contraction would be maximal. Therefore, the strength of a muscle contraction can be varied by changing the number of motor units contracting at the same time.[13,17]

Second, the strength of a muscle contraction is affected by the frequency of stimulation. When a muscle fiber is stimulated many times in succession with contractions that occur close enough together so that a new contraction starts before the previous one ends, each succeeding contraction adds to the force of the preceding one, increasing the overall strength of the contraction. This type of summation, in which gradations in strength are produced by variations in the frequency of stimulation of the fibers, is called wave summation. Wave summation is characterized by the production of a weak contraction when the fiber is stimulated only a few times per second and a strong contraction when the fiber is stimulated many times per second. A maximum contraction occurs when all the individual muscle twitches become fused into a smooth, continuous contraction called a tetanized contraction.[13,18]

During submaximal efforts, the force of a muscle contraction is obtained by using a combination of multiple motor unit summation and wave summation. The force of a submaximal muscle contraction is obtained by contracting the different motor units of a muscle a few at a time but in rapid succession so that the muscle tension is always of a tetanic nature rather than a twitching one. In a weak contraction, only one or two motor units contract at only two or three times per second, but the contractions are spread one after another among different motor units to achieve a tetanized state. Relatively smooth performances are achieved by low discharge rates of motor units firing asynchronously or out of phase so that when one group of muscles is contracting, another group is resting. When a stronger contraction is desired, a greater number of motor units is recruited simultaneously and fires more frequently. If the majority of the motor units are discharging together at maximal frequency, the force of the muscle will be greater and the motor units are said to be synchronous, or in phase.[13,18]

Cross-sectional Area

Research performed on muscle has shown that the larger is the physiologic cross-section of a muscle, the more tension is produced during a maximal contraction.[13,19] This relationship between the strength of a muscle contraction and the cross-sectional area is also influenced by anatomic factors such as fiber orientation of the muscle. The fibers of most pennate muscles are arranged obliquely to the angle of pull, in contrast to fusiform muscles in which the fibers are typically arranged parallel to a central tendon. Although fusiform muscle contracts through a greater range of motion than pennate muscle, the cross-sectional area of pennate muscle is usually much greater. As a result, pennate muscle fibers have a greater potential for generating more tension during muscle contraction than fusiform muscle fibers (Fig. 6-2).[13]

Force Velocity

The velocity at which a muscle contracts affects the amount of force a muscle can develop. For concentric contractions, muscular tension tends to decrease as the velocity of the shortening contraction increases; as the velocity of the contraction decreases, muscular tension increases. Conversely, during eccentric exercise, the maximal contractile force tends to increase with increasing velocity. It has been theorized that the high stretching force that takes place during lengthening contractions produces an optimal overlap between the actin and myosin filaments, allowing optimal crossbridge formation and increased muscle tension.[13]

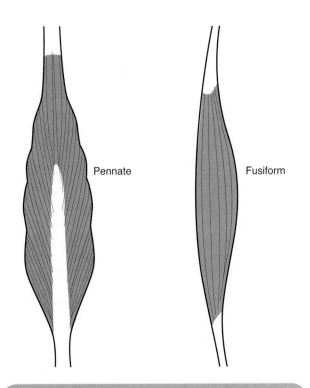

Pennate   Fusiform

FIGURE 6-2 ● FIBER ORIENTATION OF MUSCLE: PENNATE AND FUSIFORM.

Muscle Fiber Type

Human skeletal muscle comprises different percentages of fiber types. The percentage of fiber-type composition varies widely among muscles and among individuals.[20] Many classifications have been used to differentiate fiber types based on physiologic, histochemical, and biochemical properties.[21,22]

For many years, researchers used physiologic techniques to examine the contractile properties of muscle and the speed at which a fiber could produce peak tension. Two fiber types were identified: slow twitch (ST or Type I) and fast twitch (FT or Type II). Slow-twitch fibers develop less tension more slowly and are resistant to fatigue. Fast-twitch fibers develop high tension quickly but maintain that tension for only a short period of time. Whereas ST fibers are primarily used for long-term, low-intensity work (endurance training), FT fibers are primarily recruited during short-term, high-intensity work (resistance training).[19-22]

Recent research involving new staining techniques and electron microscopy has led to a classification system that defines three fiber types:[21,22] slow oxidative (or ST), fast oxidative glycolytic (or FT-fatigue resistant), and fast glycolytic (or FT-fast fatigable). Table 6-1 presents the structural and functional characteristics of these fibers.

Sliding Filament Theory of Muscle Contraction

Where the synaptic knobs of the neuron meet the muscle fibers is known as the neuromuscular junction. When an impulse reaches the neuromuscular junction, a transmitter called Acetycholine is realseased, which filters across the synaptic cleft (microscopic space between the synaptic knob and the motor end plate).[22] This causes depolarization of the motor end plate and puts the sliding filament theory of muscular contraction into action. In 1954 two groundbreaking papers describing the molecular basis of muscular contraction were published. These papers described the positions of two contractile proteins (myosin and actin) filaments at various stages of muscular contraction in muscle fibers and proposed how this interaction produced contrctile force. Huxley (1954) observed

TABLE 6-1	**Structural and Functional Characteristics of Muscle Fibers**		
CHARACTERISTIC	**SLOW OXIDATIVE**	**FAST OXIDATIVE GLYCOLYTIC**	**FAST GLYCOLYTIC**
Diameter	Small	Intermediate	Large
Muscle color	Red	Red	White
Capillary bed	Dense	Dense	Sparse
Myoglobin content	High	Intermediate	Low
Speed of contraction	Slow	Fast	Fast
Rate of fatigue	Slow	Intermediate	Fast
Motor unit size	Small	Intermediate to large	Large
Conduction velocity	Slow	Fast	Fast
Mitochondria	Numerous	Numerous	Few

the changes in sacromeres as muscle tissue shortened.[22,23] He observed that one zone of the repeated sacromere arrangement (A-band myosin) remained relatively constant length during contraction, whereas other regions of the sacromere shortened. Huxley noted that the I-band (Actin) changed its length along the sacromere. These observations led him to propose the "sliding filament theory," which states that the sliding of actin past myosin generates muscle tension and causes contraction. During contraction the actin is pulled toward the center of the sarcomere until the actin and myosin filaments are completely overlapped.

As mentioned previously, when the depolarization of the motor end plate occurs as a result of the action potential intiating the muscular contraction, the action potential must be suffucient to begin the contraction process. This "all-or-none phenomenon" applies to the contraction within the motor units. When a motor unit is activated, all the fibers within the unit contract at full force. The strength of the resultant muscular contraction depends upon the number of motor units recruited. Concomitant with the "all-or-none phenomenon" are muscle spindles which are sensory receptors within the belly of a muscle, which primarily detect the changes in the length of this muscle. They convey the length information to the central nervous system via sensory neurons. This information can be processed by the brain to determine the position of body parts. The responses of muscle spindles to the changes in length also play an important role in regulating the contraction of muscles by activating motor neurons via the stretch reflex to resist muscle stretch. Implications for motor learning and rehabilitation as the muscle spindles assist in motor coordination as well as providing dynamic stability to the joints. There are additional receptors (proprioceptors) located in tendons, ligaments, and joint capsules which provide information about body and limb position, direction, speed, resistance, and type of movement. This sensory information is integrated with other information in the brain to produce a desired response for the initiation and regulation of movement.[23]

Adaptation of Muscle in Response to Resistance Training

The increased ability of a muscle to generate increased force after resistance training is the result of two important changes: the adaptation of the muscle and the extent to which the motor unit can activate the muscle. Muscle adaptations include an increase in cross-sectional area, primarily caused by increase in size (hypertrophy) of the muscle fiber. This hypertrophy of the muscle fiber is caused by the increased synthesis of the myofibrillar proteins, actin and myosin.[24-26]

Improvement in the ability of the motor unit to activate the muscle after resistance training has been inferred on the basis of reports of increases in strength without changes in the cross-section of the muscle. The literature has referred to these "learned" changes in the nervous system as a result of strength training as "neural adaptation."[24,26] One common method for evaluating neural adaptation of muscle is to record the motor unit activity (via electromyography [EMG]) during a maximal voluntary contraction before and after resistance training. Motor unit activation (via increases in multiple motor unit summation and wave summation) during maximal contraction has been shown to increase after muscle training.[24]

Muscle Loss

Adults who do not strength train lose between 5 and 7 pounds of muscle every decade.[27] Immobilization leads to atrophy as well. Functional loss is greater than the loss of muscle mass.[28] Although endurance exercise improves cardiovascular fitness, it does not prevent the loss of muscle tissue. Only muscle training maintains muscle mass and strength throughout the mid-life years.

Metabolic Rate

Because muscle is active tissue, muscle loss is accompanied by a reduction in resting metabolism rate. Information from Keyes[29] and Evans and Rosenberg[27] indicates that the average adult experiences a 2% to 5% reduction in metabolic rate every decade of life. Regular muscle training prevents muscle loss and the accompanying decrease in resting metabolic rate.

In fact, research reveals that adding 3 pounds of muscle mass increases resting metabolic rate by 7% and daily calorie requirements by 15%.[29] At rest, 1 pound of muscle requires about 35 calories per day for tissue maintenance; during exercise, muscle energy use increases dramatically. Adults who replace muscle through sensible strength training use more calories all day long, thereby reducing the likelihood of fat accumulation.

Muscle Mass

Because most adults do not perform resistance training, they first need to replace the muscle tissue that has been lost through inactivity. Fleg and Lakaha[29] reported that a standard strength training program can increase total muscle area by 11.4%. This response is typical for the men who train at 80% of 1 RM 3 days per week. This increase may result from hypertrophy (increases in fiber size), hyperplasia (increases in fiber number), or a combination.[30,31]

Body Composition

Misner et al.[32] reported that after 8 weeks of training; the adults who were given a constant diet were able to lower their percent body fat. Weight training with low-repetition, progressive-load activity increased fat-free weight through increased muscular development.

Bone Mineral Density

The effects of progressive-resistance exercise are similar for muscle tissue and bone tissue. The same muscle training stimulates increases in the bone mineral density of the upper femur after 4 months of exercise.[9] Appropriate application of progressive-resistance exercise is the key to increasing bone mineral density and connective tissue strength. Support for this premise comes from several studies that compared bone mineral densities of athletes with those of nonathletes.[33-36] These studies suggest that exercise programs specifically designed to stimulate bone growth should consider specificity of loading, progressive overload, and variation. Exercises should involve many muscle groups, direct the force vectors through the axial skeleton, and allow larger loads to be used. For example, running may be a good stimulus for the femur but would not be effective for the wrist.[37,38]

Glucose Metabolism

Hurley[10] reported a 23% increase in glucose uptake after 4 months of resistance training. Because poor glucose metabolism is associated with Type 2 diabetes, improved glucose metabolism is an important benefit of regular-strength exercise. The rates of muscle glycogen use, muscle glucose uptake, and liver glucose output are directly related to the intensity and duration of exercise in combination with diet. Exercise programs alter skeletal muscle carbohydrate metabolism, enhancing insulin action and perhaps accounting for the benefits of exercise in insulin-resistant states.

Gastrointestinal Transit Time

A study by Koffler et al.[39] showed a 56% increase in gastrointestinal transit time after 3 months of resistance training. This increase is a significant finding because delayed gastrointestinal transit time is related to a higher risk of colon cancer.

Resting Blood Pressure

Resistance training alone has been shown to significantly reduce resting blood pressure.[40,41] One study revealed that strength plus aerobic exercise is effective for improving blood pressure readings.[40] After 2 months of combined exercise, participants' systolic blood pressures dropped by 5 mm Hg and their diastolic blood pressures by 3 mm Hg.

Blood Lipid Levels

Although the effects of resistance training on blood lipid levels need further research, at least two studies revealed improved profiles after several weeks of strength exercise. Note that improvements in blood lipid levels are similar for both endurance and strength exercise.[42,43]

Exercise Training Principles

Dosage

Exercise dosage can be modified in a multitude of ways. Generally, increasing the intensity or amount of weight is the first adjustment; however, many other changes can be made—increasing sets and repetitions, decreasing rest intervals, and increasing frequency. The parameters are all related and in total are considered the volume of exercise.

Mode

Mode is considered the method of exercise. Examples of methods of exercise include the use of free weights or rubber tubing.

Repetitions

Repetition is the number of times the exercise is repeated consistently. The number of repetitions is generally predetermined and makes up one set of exercise (e.g., 10 repetitions of a biceps curl).

Sets

Sets represent the performance of a particular exercise for a given number of consecutive repetitions, followed by a rest or a different exercise. For example, 10 repetitions of an exercise, followed by a 2-minute rest, followed by another 10 repetitions, would be considered two sets. Generally, most exercise programs include two to three sets of each exercise.

Duration

Duration is considered the number of sets or repetitions of a specific exercise session. The amount of rest between sets may also be considered duration.

Frequency

Frequency describes how often the exercises are performed. Frequency of exercise relates to the goal of the exercise program in consideration with the overall program.

Volume

Volume is the total number of repetitions performed during a training session multiplied by the resistance used.

Rest Intervals

The rest interval is another important variable. Generally, rest periods vary from 1 minute to 3 minutes depending on the purpose of the exercise program.

Overload

Within the human body, all cells possess the ability to adapt to external stimuli, and general adaptations occur continually. In addition to everyday adjustments, adaptation also occurs more specifically as a result of training. When an increased training load challenges an individual's current level of fitness, a response by the body occurs as an adaptation (such as an increase in muscle strength) to the stimulus of the training load. This increase in training load that leads to an adaptation in muscle is called overload. The initial response is fatigue and adaptation to the training load. Overload causes fatigue, and recovery and adaptation allow the body to overcompensate and reach a higher level of fitness.[24]

Intensity and Volume

The stress placed on the body in training, both physiologic and psychologic, is called the training load or stimulus. The training load is quantified as the intensity and volume of training, which are integrally related and cannot be separated. One depends on the other at all times.[44] Intensity and volume are defined in this section, and their use in a training model (periodization) is presented later in this chapter.

Intensity is the strength of the stimulus or concentration of work per unit of time, often thought of as the quality of effort. Examples of the quantification of intensity include endurance or speed expressed as a percent of maximum oxygen consumption, maximum heart rate speed (in meters per second), frequency of movement (stride rate per activity), strength (kilograms or pounds per lift), or jumping and throwing (height or distance per effort).

Also referred to as the extent of training, volume is the amount (quantity) of training performed or the sum of all repetitions or their duration. Examples of the quantification of volume include kilograms lifted, meters run (sprint training), kilometers or miles run (distance training), number of throws or jumps taken, number of sets and repetitions performed, or minutes or hours of training time.[44]

The beginner or the deconditioned individual should use small loads to avoid too much overload and possible injury. Care must be taken not to recommend too great a volume increase per training session, which can lead to excess fatigue, low efficiency of training, and increased risk of injury. Therefore, if the client requires more training but the volume of training per session is already adequate, the best alternative is to increase the number of training sessions per week, rather than increase the volume per training session. This concept relates to the idea of density of training, which is the number of units of work distributed per time period of training.[44] More information on intensity and volume will be presented later in this chapter.

Specificity

The concept of specificity is that the nature of the training load determines the training effect. To train most effectively, the method must be aimed specifically at developing the type of abilities that are dominant in a given sport. In other words, each type of exercise has its own specific training effect, which results in the specific adaptations to imposed demands principle. The load must be specific to the individual and to the activity for which he or she is training. As a corollary to the law of specificity, general training must always precede specific training.[44,45]

Cross-training

The principle of cross-training suggests that despite the idea of specificity of training, athletes may improve performance in one mode of exercise by training in another mode. Although cross-training occasionally provides some transfer effects, the effects are not as great as those that could be obtained by increasing the specific training by a similar amount.

For example, a factory worker may want to participate in an alternative training session that would continue to help increase her aerobic endurance, and she would like to pursue something different from walking to put variety in her exercise program. This walker may decide to use swimming as a cross-training technique to meet her goals. Although the worker may benefit from swimming, the cross-training activity will not increase her performance in walking as much as if she had spent the same time actually walking. In other words, the cross-training (swimming) of this individual may have increased her performance to a certain level; however, if she had spent the same amount of time and intensity walking (specific training), she would have realized even more gains.

Although cross-training benefits are sometimes observed, they are usually noted in physiologic measures and rarely in performance. Therefore, cross-training is an inefficient method for increasing performance capacity.[44]

Overtraining

A progressive increase in training stimulus is necessary for improvements in fitness levels. However, in attempts to achieve this increased level of fitness, an individual may not take sufficient time to fully recuperate after chronic bouts of training. Overtraining is thought to be caused by training loads that are too demanding on the individual's ability to adapt, resulting in fatigue, possible substitution patterns, and injury. Overtraining occurs when the body's adaptive mechanisms repetitively fail to cope with chronic training stress, resulting in performance deterioration instead of performance improvement.[46]

Overtraining may lead to physiologic and psychomotor depression, chronic fatigue, depressed appetite, weight loss, insomnia, decreased libido, increased blood pressure, and muscle soreness. In addition, other metabolic, hormonal, muscular, hypothalamic, and cardiovascular changes often accompany the overtrained state. Overtraining can be characterized by negative affective states such as anxiety, depression, anger, lack of self-confidence, and decreased vigor.[45]

Studies have used a variety of terminology to describe overtraining and its affiliated states. For example, Mackinnon and Hooper[47] describe the following progressive stages: staleness, overtraining, and burnout. Mackinnon and Hooper later suggested that overtraining can lead to staleness, but overtraining reflects a process and staleness represents an outcome or product. Despite the continuing debate of semantics, try to keep the terminology simple when speaking to an individual unfamiliar with the subject.

Not surprisingly, rest has been suggested to alleviate many of the symptoms caused by overtraining. After an intense training session, an individual typically recuperates within 24 hours. Other methods to help avoid staleness (which can be caused by overtraining) include mini break periods and occasional changes in routine; furthermore, the client may benefit if the pressure to perform is eased. Severe overtraining and staleness may require a long recovery period, which should be expected to be slow.[48]

Modifications to the workout may help prevent overtraining. Training should include stresses to the metabolic pathways and motor skills needed for the person's particular activity. All cross-training should be secondary. For example, an activity primarily requiring power or speed may compromise training for cardiovascular endurance.

Overtraining should not be considered as an absolute state. In actuality, overtraining and any of its related states should be viewed as a continuum: from optimally recuperated to extremely overtrained. It is conceivable that a person may be slightly overtrained yet still be able to achieve modest gains in performance. Obviously, the more desirable situation would be optimal recuperation and consequently greater gains.[48]

Precautions

The physical therapist (PT) should consider several precautions when developing a muscle-training program. For cardiovascular reasons, the client should not hold his breath during exertion (Valsalva maneuver). This maneuver can be avoided during muscle training by encouraging the client to breathe properly during exercise. Encourage him/her to count, talk, or breathe rhythmically during exercise. The individual can also be instructed to exhale during the lift and inhale during recovery.

Delayed onset muscle soreness (DOMS) is a phenomenon that has long been associated with increased physical exertion. This is thought to be the result of inflammation from muscle damage and a typical and acceptable response to exercise. However, this can be an indication of inappropriate stress and thus one should use caution to prevent DOMS by keeping exercise intensity at a level below the threshold of pain. DOMS is typically experienced by all individuals regardless of fitness level, and is a normal physiological response to increased exertion, and the introduction of unfamiliar physical activities. It is most common following exercises with a strong eccentric component. Delayed soreness usually peaks about 2 days after exercise and can last for up to 7 days. Muscle function deteriorates and muscle strength may be reduced for a week after intensive eccentric exercise. Moderate activity is advised during the recovery period in an effort to improve circulations and prevent stiffness. Due to the sensation of pain and discomfort, which can impair physical training and performance, prevention and treatment of DOMS is of concern to therapists.

● CLINICAL GUIDELINES

Training Programs

Training programs address all types of muscle action, including static and dynamic activities. More detailed information on isometric, isotonic, and isokinetic exercises (including suggestions for clinical use) is presented in Chapters 7 through 10.

The concept of open-kinetic chain (OKC) and closed-kinetic chain (CKC) exercises has received considerable attention in the scientific literature, particularly in terms of rehabilitation.[49,50] A CKC exercise is the one in which the distal segment is fixed and a force is transmitted directly through the foot or the hand in an action, such as a squat or a pushup. An OKC exercise is the one in which the distal segment is not fixed and the segment can move freely, such as leg extensions. The OKC and CKC exercises produce markedly different muscle recruitment and joint motions. Most human movements, such as walking and running, contain a combination of open- and closed-chain aspects.[50] The PT and physical therapist assistant (PTA) should address both CKC and OKC activities for the rehabilitation of an individual (Chapters 7 to 10).

Exercise Guidelines

To be successful, an exercise program must be effective, safe, and motivating to the participant. To be effective and to achieve physiologic benefits, an exercise routine must have the appropriate mode, duration, frequency, and intensity.

In addition to the training period, individuals should be instructed to include 5 to 10 minutes of warmup and cooldown exercises in their routines. Programs should be individually tailored to the needs and interests of participants. Any exercise routine that includes adequate warmup and cooldown periods, incorporates proper stretching exercises, and is designed to progress slowly in intensity is unlikely to result in injuries.

An exercise routine must have some motivational appeal if individuals are to adhere to the program long enough to achieve the desired results. A program with incremental, achievable goals and a mechanism to measure progress is likely to encourage participation. Perhaps of even greater importance is the ongoing examination of the participant's response to exercise, including monitoring for changes in balance, strength, and flexibility.

The American College of Sports Medicine[14] recommendations for resistance training exercise are presented in Table 6-2. Further recommendations for the warmup period are presented in Table 6-3.

TABLE 6-2 **American College of Sports Medicine Recommendations for Resistance-Training Exercise**

Perform a minimum of 8 to 10 exercises that train the major muscle groups

Workouts should not be too long; programs longer than 1 hour are associated with high dropout rates

Perform one set of 8 to 12 repetitions to the point of volitional fatigue

More sets may elicit slightly greater strength gains, but additional improvement is relatively small

Perform exercises at least 2 days per week

More frequent training may elicit slightly greater strength gains, but additional improvement is relatively small

Adhere closely to the specific exercise techniques

Perform exercises through the full range of motion (ROM)

Elderly trainees should perform exercises in the maximum ROM that does not elicit pain or discomfort

Perform exercises in a controlled manner

Maintain a normal breathing pattern

Exercise with a training partner when possible

A partner can provide feedback, assistance, and motivation

TABLE 6-3 **American College of Sports Medicine Recommendations for Warmup Exercises**

Perform 12 to 15 repetitions with no weight before the workout set, with 30 seconds to 4 minutes of rest before the workout set

A specific warmup is more effective for weight training than a general warmup. Example of a general warmup: jumping jacks

No warmup set is required for high-repetition exercises, which are not as intense and serve as a warmup in themselves. Example: 20–50 repetitions for abdominal training

Perform a second warmup if the muscles and joints involved may be more susceptible to injury. Example: squats and bench press may require a second warmup

---

Periodization—Advanced Resistance Training

Periodization is the gradual cycling of specificity, intensity, and volume of training to achieve optimal development of performance capacities; it consists of periodic changes of the objectives, tasks, and content of training. Periodization is a high-level concept, most commonly used in training athletes. Although used primarily with athletes, the concept of changing volume and intensity can be used for all clients. Periodization can be explained as the division of the exercise training period to meet specific objectives. The objectives make up a program for optimal improvement in performance and preparation for a definitive climax to a competitive season. The goals are met through systematic planning of all segments of the training year or season. Periodization prevents a plateau response from occurring during a prolonged training regimen by providing manipulation of the different variables and continual stimulation to the client in phases or cycles.[51,52]

The trend has been to increase both the intensity and the volume of training at all levels of development, making the proper manipulation of these two variables extremely important when avoiding overtraining and breakdown. Increases in both intensity and volume do not necessarily yield improved performances. To realize meaningful results while observing the law of specificity, exercises should be performed near the absolute intensity limit, only 55% to 60% of the total training time during a preparation period. The intensity is increased to 80% to 90% during a competitive period.

The level of achievement of the client determines the proportion and distribution of intensity and volume. For the beginner, progress is illustrated by a linear increase in intensity and volume; however, volume should take precedence. At the elite level, a linear increase will not yield desired results. At this level, sudden jumps in volume and

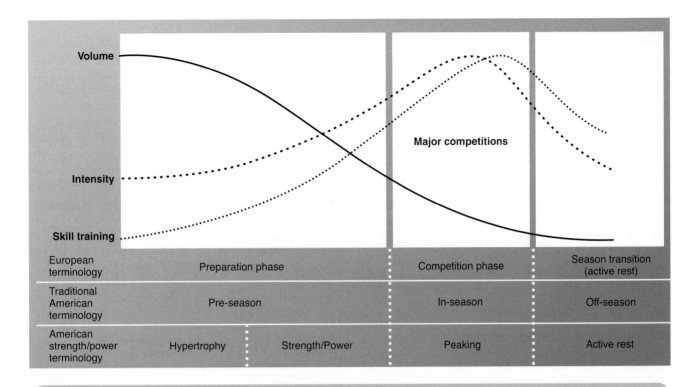

FIGURE 6-3 ● **PERIODIZATION TRAINING PHASES.**

intensity (load leaping) may be required to simulate further improvement. It is important to understand the relationship of volume and intensity to the major demands of the event. When speed and strength are the main demands, intensity must be emphasized to facilitate improvement; this is especially true during the competitive period of the season. When endurance is the main demand, volume represents the principal stimulus for progress.

Periodized training, in essence, is a training plan that changes the workout sessions at regular time intervals. Figure 6-3 presents the classic interaction of intensity and volume and how these variables can be manipulated to emphasize the different aspects of training by "phasing," or cycling the workouts. The following sections explain Figure 6-3 and present a suggested training program that uses periodization for high-performance athletes.[51,52]

Preparation Phase (Preseason)

Hypertrophy

The goal of the hypertrophy subphase is a major gain in strength to provide the foundation for obtaining power, muscular endurance, speed, and skill in later phases of the periodization cycle. This subphase encourages neuromuscular adaptation by using high repetitions of many exer-

cises (large volume) and therefore demanding maximal neuromuscular recruitment. The training should be performed three times per week. By applying the correct stress level to the muscles being trained and allowing adequate recuperation/regeneration time (2 to 3 minutes), maximum muscular hypertrophy can be achieved. Training parameters used in this phase are outlined in Table 6-4.

Strength/Power

During the strength/power subphase, muscle strength and power are the main training goals. The role of this subphase is to make the difficult transition from an emphasis on volume to an emphasis on intensity and skill. Power refers to the ability of the neuromuscular system to produce the greatest amount of force in the shortest amount of time. Specific power training needs to be incorporated to convert maximum strength gains into explosive, dynamic athletic skill. Careful planning can help enhance power output while maximum strength is maintained.

Several methods exist that can be used to improve power (e.g., free weights, plyometrics). These loads must be performed dynamically to create maximal acceleration. The number of repetitions depends on the training stimulus; the range is 6 to 20. The PT must be extremely selective when choosing the appropriate exercises for

TABLE 6-4	Principles of Periodization Training for Athletes

PREPARATION PHASE

Hypertrophy

Occurs during the early stages of off-season preparation

Goals are to develop a strength/endurance base for future, more intense training

Training begins with low-intensity skills at high volume

Repetitions are gradually decreased and resistance levels are gradually increased

Strength/Power

Intensity level is gradually increased to >70% of the athlete's one-repetition, maximum for five to eight repetitions

Volume of training is decreased and intensity is slowly increased; training for intensity and skill are increased and speed work intensifies to near competition pace

COMPLETION PHASE

Early Maintenance (early in season)

Goal is to maintain strength while gradually reducing total volume

Program becomes sport specific

Peaking (late in season)

Greater reduction of volume as maximum performance date or season nears

Reduction of load to ≤70%

May totally stop resistance training 3 to 5 days before peak competition

TRANSITION PHASE

Goal is to allow body to recover from rigors of competitive season

Resistance training is stopped to allow muscles, tendons, and ligaments to heal

Performing other activities (outside of lifting) is preferred over total rest; cross-training

power training. The program should consist of no more than two to four exercises. The rest interval should be 3 to 5 seconds. Training parameters used in this subphase of the preparation phase are outlined in Table 6-2.

Competition Phase (In Season, Peaking)

To avoid deleterious detraining effects during the competitive season, the athlete must continue to follow a sport-specific resistance-training program. The resistance-training aspect of the program, however, progresses to a minimum maintenance phase, whereas the training for specific skills needed to participate in the sport takes priority, increasing in intensity and progressing to a maximum phase. The specific program is based on the dominant physiologic demands of the sport (power or muscular endurance).

The sports-specific maintenance program is performed in conjunction with other tactical and technical skills. Therefore, the number of exercises must be kept low (two to three) and only two strength-training sessions should be performed each week. The length of the training sessions should be 20 to 30 minutes. The total number of sets performed is kept low, usually one to four, depending on whether power or muscular endurance is being trained. For power and maximum strength, two to four sets should be used. For muscle endurance, one to two sets of higher repetitions (10 to 15) should be performed and the rest intervals should be longer than normally suggested (Table 6-4).

Transition Phase (Off Season, Active Rest)

After a long competitive season, athletes are physiologically and psychologically fatigued. Athletes need to engage in an active rest period for at least 4 weeks. The transition phase bridges the gap between two annual training periodization cycles. During this phase athletes continue to train so they do not lose their overall fitness level. Training should occur two to three times per week at low intensity (40% to 50%). Stress is undesirable during this phase (Table 6-4).

● TECHNIQUES

Specific techniques for improving muscular strength are extensive, and no one universal approach has been established as being the best. The components of a resistive-training program include the amount of resistance, the number of repetitions, the number of sets, and the frequency of training. Regardless of the techniques used, the level of the participant must be examined and a satisfactory overload component planned. The amount of resistance and the number of repetitions must be sufficient to challenge the muscle to work at a higher intensity than normal.

Later chapters in this book build on the background presented here. There, the reader will find details, specific techniques and protocols, and case studies that pull all this information together, allowing for a more complete understanding of the effective and efficient management and intervention for the client.

Geriatric Perspectives

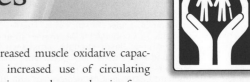

- The ability to generate an appropriate force of contraction appears to decline by 0.75% to 1.0% per year between the ages of 30 to 50 years, followed by a more accelerated decline in later years (15% per decade between 50 and 70 years; 30% loss between 70 and 80 years).[1,2] Maximum isometric force, contraction time, relaxation time, and fatigability demonstrate different degrees of age-related change.[3-5] The loss of muscle strength with aging is largely associated with the decrease in total muscle mass that is known to occur after age 30 (age of peak performance). This loss of total muscle mass is the result of a combination of physiologic phenomena, including specific decreases in the size and number of muscle fibers, changes in biochemical capacity and sensitivity, changes in soft tissue and fat, and a general loss of water content in connective tissue.[6]

- Age-related loss of muscle strength is not uniform across muscle groups and types. In general, muscle strength of the lower extremities declines faster than muscle strength of the upper extremities. Isometric strength (force generated against an unyielding resistance) is better maintained than dynamic strength (1 RM contraction). The disproportionate decline in muscle strength may be more related to disuse than to aging.[7]

- Functionally, the age-related loss of muscle strength results in a general slowing down of muscle contraction and fatigability, which affects the type and duration of muscle training. Training programs that use slow-velocity contractions, repeated low-level resistance, and contractions over a range (from small to large) improve the strength outcome. To avoid an increase in intrathoracic pressure, holding one's breath should be avoided when lifting weight.

- Males are more able to maintain muscle strength than females. However, when the ratio of lean muscle to fat, weight, and height differences are considered, the sex differences are less obvious.

- Based on a review of existing literature, Welle[8] recommended that the intensity of muscle training be kept at about 80% of maximum capacity, two to three sets of 8 to 12 repetitions for each exercise at this level of intensity with rest periods between sets. This regime should be repeated two to three times a week. As maximum capacity increases, the amount of resistance should be increased accordingly.

- Increased muscle oxidative capacity, increased use of circulating nutrients, and strength gains from 30% to 100% have been documented in older and frail adults after strength training.[8,9] Risk of late-onset muscle soreness may be increased in older adults secondary to the slowed reabsorption of lactates. In addition, certain medications may affect blood flow to the exercising muscle; therefore, a good history and screen are strongly advised before a muscle training program is initiated for older individuals. Unfortunately, no standardized screening protocol exists to identify which individuals should avoid muscle training. In the current medical system, routine screening using exercise testing equipment is not cost-effective. One option is to more closely screen the individuals with specific conditions, such as hypertension, using electrocardiogram and blood pressure monitoring during a weight-lifting stress test.[10]

- Endurance or fatigability of the aged muscle is much greater than in young muscles. Using an animal model, Brooks and Faulkner[11] reported a maximum sustained power of old muscles to 45% of the muscles in young mice. However, if muscle fatigue and endurance are examined relative to strength, older individuals were found to be comparable to younger individuals.[12]

- Resistance training does result in strength gains in older adults; however, the relationships of increased strength to improvement in physical performance and to the remediation of disabilities have not been clearly defined.[13]

- Resistive training has been tolerated well by older adults.[14] Judge[15] recommended a strengthening program using moderate velocities of movements with graded resistance, placing emphasis on the following muscle groups: gluteals, hamstrings, quadriceps, ankle dorsiflexors, finger flexors, biceps, triceps, and combined shoulder and elbow musculature.

- Strength training may have a beneficial effect on fall rates and health care in older adults.[16]

- High resistance weight training can lead to significant muscle strength gains and functional mobility in frail elderly.[17]

1. Era P, Lyyra AL, Viitasalo J, et al. Determinants of isometric muscle strength in men of different ages. *Eur J Appl Physiol.* 1992;64:84–91.
2. LaForest S, St-Pierre DMM, Cyr J, et al. Effects of age and regular exercise on muscle strength and endurance. *Eur J Appl Physiol.* 1990;60:104–111.

(Continued)

3. Brooks SV, Faulkner JA. Contractile properties of skeletal muscles from young, adult and aged mice. *J Physiol.* 1988;404:71–82.
4. Frontera WR, Hughes VA, Lutz KJ, et al. A cross-sectional study of muscle strength and mass in 45- to 78-yr-old men and women. *J Appl Physiol.* 1991;71:644–650.
5. Overend TJ, Cunningham DA, Kramer JF, et al. Knee extensor and knee flexor strength: cross-sectional area ratios in young and elderly men. *J Gerontol Med Sci.* 1992;47:M204–M210.
6. Gabbard C. *Life long motor development.* 5th ed. San Francisco, CA: Pearson Banjamin Cummings; 2008.
7. Spirduso WW, Francis KL, MacRae PG. *Physical dimensions of aging.* 2nd ed. Champaign, IL: Human Kinetics; 2005.
8. Welle S. Resistance training in older persons. *Clin Geriatr.* 1998;6:1–9.
9. Fiatarone MA, O'Neill EF, Ryan ND, et al. Exercise training and nutritional supplementation for physical frailty in very frail elderly people. *N Engl J Med.* 1994;330:1769–1775.
10. Evans WJ. Reversing sarcopenia: how weight training can build strength and vitality. *Geriatrics.* 1996;51:46–53.
11. Brooks SV, Faulkner JA. Skeletal muscle weakness in old age: underlying mechanisms. *Med Sci Sports Exerc.* 1994;26:432–439.
12. Lindström B, Lexell J, Gerdle B, et al. Skeletal muscle fatigue and endurance in young and old men and women. *J Gerontol Bio Sci.* 1997;52A:B59–B66.
13. McClure J. Understanding the relationship between strength and mobility in frail older persons: a review of the literature. *Top Geriatr Rehabil.* 1996;11:20–37.
14. Porter MM, Vandervoort AA. High intensity strength training for the older adult: a review. *Top Geriatr Rehabil.* 1995;10:61–74.
15. Judge JO. Resistance training. *Top Geriatr Rehabil.* 1993;8:38–50.
16. Buchner DM, Cress ME, Lateur BJ, et al. The effect of strength and endurance training on gait, balance, fall risk, and health services use in community-living older adults. *J Gerontol.* 1997;52A:218–224.
17. Fiatarone MA, Marks EC, Ryan ND, et al. High-intentsity strength training in nonagenarians, effects on skeletal muscle. *JAMA.* 1990;263:3029–3034.

Pediatric Perspectives

- Absolute muscular strength increases linearly with chronologic age from early childhood in both sexes until age 13 or 14 years. Total muscle mass increases more than 5 times in males and 3.5 times in females from childhood to adulthood. Increases in strength relate closely to increases in mass during growth throughout childhood.[1]
- During adolescence a significant acceleration occurs in the development of strength, most notably in boys. In boys, peak growth in muscle mass occurs both during and after peak weight gain, followed by gains in strength. In girls, peak strength development generally occurs before peak weight gain.[1,2]
- Weight training in children has been controversial because of concerns regarding potential injury and questionable efficacy in actual strength improvements, owing to low-circulating androgens.[3] In particular, experts have noted the potential for injuries (epiphyseal fractures, disc injuries, bony injuries to the low back) from heavy muscle overload in children. Therefore, moderate strength training is recommended; maximal resistance training should be avoided because of the sensitivity of joint structures, especially the epiphyses. In fact, most researchers agree that maximal lifts of any kind should be avoided in the prepubescent.[4,5]
- Recommendations from various sources regarding strength training of children are relatively consistent and include the following requirements:[1,2,4–7]
  - Close, trained supervision during training.
  - Employment of concentric muscle actions with high repetitions (8 to 12 repetitions; no less than 6 to 8) and relatively low resistance.
  - Adequate warmup before training.
  - Emphasis on proper form throughout exercise performance.
  - Inclusion of stretching.
- Furthermore, children should not be allowed to exercise to exhaustion. To avoid injury, it is essential that any strength-training equipment or machinery used during training be adjustable or adaptable to the proper size for children.[1]
- Available evidence indicates that with proper strength training, children can improve muscular strength without adverse effects on bone, muscle, or connective tissues.[4,6,7] Children of both sexes may realize increases in muscle strength as great as 40% as a result of resistance training.[4]
- Resistive training in prepubescents has been shown to increase strength without hypertrophy because hormone levels are not high enough to support hypertrophy.[8,9] Increases in strength that occur in these children as a result of strength training are hypothesized

to be the result of neural adaptation or increased coordination of muscle groups during exercise.[5,8,9]

- There are many proposed benefits of strength training in children, including increased strength and power, improved local muscular endurance, improved balance and proprioception, prevention of injury, positive influence on sport performance, and enhancement of body image.[6,8] Additionally, training with weights can be fun, safe, and appropriate for a child.[2,6]

Basic Guidelines for Resistance Exercise Progression in Children[a,b]

Age (years) Considerations

- ≤7 Years: Introduce child to basic exercises with little or no weight; develop the concept of a training session; teach exercise techniques; progress from body-weight calisthenics, partner exercises, and lightly resisted exercises; keep volume low.

- 8 to 10 Years: Gradually increase number of exercises; practice exercise technique in all lifts; start gradual progressive loading of exercises; keep exercises simple; gradually increase training volume; carefully monitor toleration to exercise stress.

- 11 to 13 Years: Teach all basic exercise techniques; continue progressive loading of each exercise; emphasize exercise techniques; introduce more advanced exercises with little or no resistance.

- 14 to 15 Year: Progress to more advanced youth programs in resistance exercise; add sport-specific components; emphasize exercise techniques; increase volume.

- 16 Years: Move child to entry-level adult programs after all background knowledge has been mastered and a basic level of training experience has been gained.

[a]If a child of any age has no previous experience, start the program at previous age level and move the child to more advanced levels as exercise toleration, skills, amount of training time, and understanding permit.

[b]Reprinted with permission from Thein L. The child and adolescent athlete. In: Zachezewski JE, Magee DJ, Quillen WS. Athletic injuries and rehabilitation. Philadelphia, PA: WB Saunders; 1996:933–956.

1. American College of Sports Medicine. *ACSM's guidelines for exercise testing and prescription*. 8th ed. Baltimore, MD: Williams & Wilkins; 2010.
2. American Academy of Pediatrics, Committee on Sports Medicine. Strength, training, weight and power lifting, and body building by children and adolescents. *Pediatrics*. 1990;86:801–803.
3. Campbell SK, Palisano RJ, Vander Linden DW. *Physical therapy for children*. Philadelphia, PA: Elsevier Saunders; 2006.
4. Sewall L, Michelli LJ. Strength training for children. *J Pediatr Orthop*. 1986;6:143–146.
5. Thein L. The child and adolescent athlete. In: Zachezewski JE, Magee DJ, Quillen WS. *Athletic injuries and rehabilitation*. Philadelphia, PA: WB Saunders; 1996:933–956.
6. Kraemer WJ, Fleck SJ. *Strength training for young athletes*. 2nd ed. Champaign, IL: Human Kinetics; 2004.
7. Rians CB, Weltman A, Janney C, et al. Strength training for prepubescent males: is it safe? *Am J Sports Med*. 1987;15:483–488.
8. Falkel JE, Cipriani DJ. Physiological principles of resistance training and rehabilitation. In: Zachezewski JE, Magee DJ, Quillen WS. *Athletic injuries and rehabilitation*. Philadelphia, PA: WB Saunders, 1996:206–226.
9. Sewall L, Micheli L. Strength training for children. *J Pediatric Orthopaedics*. 1986;6(2):143–146.

SUMMARY

- Individuals gain many health and fitness benefits from participation in a resistance-training program.
- Connective tissue, called the endomysium, serves as a cover for the single muscle fiber. Muscle fibers are bundled together into fasciculi, which are covered by perimysium. A number of fasciculus bundles make up the belly of the muscle, which is covered by the epimysium.
- The performance of muscle is affected by motor unit activation, cross-sectional area of the muscle, and the force–velocity relationship. Muscle is composed of different fiber types, including slow oxidative, fast glycolytic, and fast oxidative glycolytic. Training allows the muscle to generate more force, which is the result of increased muscle size and neural adaptation.
- Training principles that affect performance include overload, intensity and volume, specificity, cross-training, overtraining, and precautions. A wide variety of training programs lead to increased muscle strength. Such programs use, for example, isometric, isotonic, and isokinetic contractions; open- and closed-chain activities; and periodization. A complete understanding of the structures or resistance-training principles allows the PTA to guide a client in an effective and efficient muscle-training exercise program.

References

1. Magill RA. *Motor learning and control: concepts and applications.* 9th ed. New York, NY: McGraw-Hill; 2011.

2. Abernethy B, Hanrahan SJ. Kippers V, et al. *The biophysical foundations of human movement.* 2nd ed. Champaign, IL: Human Kinetics; 2005.

3. Schmidt R, Lee T. *Motor control and learning: a behavioral emphasis.* 4th ed. Champaign, IL: Human Kinetics; 2005.

4. Edgerton VR, Tillakaratne NJK, Bigbee AJ, et al. Plasticity of the spinal neural circuitry after injury. *Annu Rev Neurosci.* 2004;27:145–167.

5. Seger CA. The basal ganglia in human learning. *Neuroscientist.* 2006;12:285–290.

6. Ulrich BD, Reeve TG. Studies in motor behavior:75 years of research in motor development, learning, and control. *Res Q Exerc Sport.* 2005; 76(2):S62–S70.

7. Shumway-Cook A, Woollacott M. *Motor control: translating research into clinical practice.* 3rd ed. Philadelphia, PA: Lippincott Williams & Wilkins; 2007.

8. Vogel JA. Introduction to the symposium: physiological responses and adaptations to resistance exercise. *Med Sci Sports Exerc.* 1988;20:S131–S134.

9. Fleg HL, Lakaha EG. Role of muscle loss in the age-associated reduction in VO$_2$ max. *J Appl Physiol.* 1988;60:1147–1151.

10. Hurley B. Does strength training improve health status? *Strength Cond J.* 1994;16:7–13.

11. Wilmore JH, Costill DC, Kenny WL. *Physiology of sport and exercise.* 4th ed. Champaign, IL: Human Kinetics; 2008.

12. Lehmkuhl D. Local factors in muscle performance. *Phys Ther.* 1966;46:473–484.

13. Irion G. *Physiology: the basis of clinical practice.* Thorofare, NJ: Slack; 2000.

14. American College of Sports Medicine. *ACSM's guidelines for exercise testing and prescription.* 8th ed. Baltimore, MD: Williams & Wilkins; 2010.

15. Freund HJ. Motor unit and muscle activity in voluntary motor control. *Physiol Rev.* 1983;63:387–436.

16. English A, Wolf SL. The motor unit. Anatomy and physiology. *Phys Ther.* 1982;62:1763–1772.

17. Milner-Brown HS, Stein RB, Yemm R. The orderly recruitment of human motor units during voluntary isometric contractions. *J Physiol.* 1973;230:359–370.

18. Kukula CG, Clamann HP. Comparison of the recruitment and discharge properties of motor units in human brachial biceps and adductor pollicis during isometric contractions. *Brain Res.* 1981;219:45–55.

19. Young A, Stokes M, Round JM. The effect of high resistance training of the strength and cross-sectional area of the human quadriceps. *Eur J Clin Invest.* 1983;13:411–417.

20. Gollnick PD, Matoba H. The muscle fiber compositions of skeletal muscle as a predictor of athletic success. *Am J Sports Med.* 1984;12:212–217.

21. Peter JB, Barnard RJ, Edgerton VR, et al. Metabolic profiles of three fiber types of skeletal muscle. *Biochemistry.* 1972;11:2627–2633.

22. McArdle W, Katch F, Katch V. *Exercise physiology, energy, nutrition and human performance.* 5th ed. Philadelphia, PA: Lea and Febiger; 2001.

23. Marieb EN. *Human anatomy & physiology.* 6th ed. San Francisco, CA: Pearson Benjamin Cummings; 2004.

24. Sale DG. Neural adaptation to resistance training. *Med Sci Sports Exerc.* 1988;20:S135–S145.

25. Fleck SJ, Kraemer WJ. Resistance training: physiological responses and adaptations [Part 2 of 4]. *Phys Sportmed.* 1988;16:75–107.

26. Fleck SJ, Kraemer WJ. Resistance training: physiological response and adaptations [Part 3 of 4]. *Phys Sportmed.* 1988;16:108–124.

27. Evans W, Rosenberg I. *Biomarkers.* New York, NY: Simon & Schuster; 1992.

28. Kannus P, Jozsa L, Natri A, et al. Effects of training, immobilization and remobilization on tendons. *Scan J Med Sci Sports.* 1997;7:67–71.

29. Keyes A. Basal metabolism and age of adult men. *Metabolism.* 1973;22:579–582.

30. Antonio J, Gonyea WJ. Skeletal muscle fiber hyperplasia. *Med Sci Sports Exerc.* 1993;25:1333–1345.

31. MacDougall DJ. Hypertrophy or hyperplasia. In: Komi PV, ed. *Strength and power in sports.* 2nd ed. Oxford: Blackwell Scientific Publications; 2003.

32. Misner JE, Boileau RA, Massey BH, et al. Alterations in the body composition of adult men during selected physical training programs. *J Am Geriatr Soc.* 1974;22:33–37.

33. Dudley DA, Dyamil R. Incompatibility of endurance and strength modes of exercises [abstract]. *Med Sci Sports Exerc.* 1985:17:184.

34. Fiore CF, Corttini E, Fargetta C, et al. The effects of muscle-building exercise on forearm bone mineral content and osteoblast activity in drug free and anabolic steroids self administering young men. *Bone Miner.* 1991;13:77–83.

35. Granhead H, Johnson R, Hansson T. The loads on the lumbar spine during extreme weight lifting. *Spine.* 1987;12:146–149.

36. White MK, Martin RB, Yeater RA, et al. The effects of exercise on postmenopausal women. *Int Orthop.* 1984;7:209–214.

37. Lane N, Bevier W, Bouxsein M, et al. Effect of exercise intensity on bone mineral. *Med Sci Sports Exerc.* 1988;20:S51.

38. Duncan CS, Blimkie CJ, Cowell C, et al. Bone mineral density in adolescent female athletes: relationship to exercise type and muscle strength. *Med Sci Sports Exerc.* 2002;34:286–294.

39. Koffler K, Menkes A, Redmond A, et al. Strength training accelerates gastrointestinal transit in middle-aged and older men. *Med Sci Sports Exerc.* 1992;24:415–419.

40. Harris K, Holly R. Physiological response to circuit weight training in borderline hypertensive subjects. *Med Sci Sports Exerc.* 1987;19:246–252.

41. Fleck SJ. Cardiovascular adaptation to resistance training. *Med Sci Sports Exerc.* 1988;20:S146–S151.

42. Stone M, Blessing D, Byrd R, et al. Physiological effects of a short term resistive training program on middle aged untrained men. *Natl Strength Cond Assoc J.* 1982;4:16–20.

43. Hurley B, Hagberg J, Goldberg A, et al. Resistance training can reduce coronary risk factors without altering VO$_2$ max or percent body fat. *Med Sci Sports Exerc.* 1988;10:150–154.

44. Baechle TR, Earle RW. *Essentials of strength training and conditioning.* 3rd ed. Champaign, IL: Human Kinetics; 2008.

45. Kegerreis S. The construction and implementation of functional progression as a component of athletic rehabilitation. *J Orthop Sport Phys Ther.* 1983;5:14–19.

46. Fleck SJ, Kraemer WJ. *Designing resistance training programs.* 3rd ed. Champaign, IL: Human Kinetics; 2004.

47. Mackinnon LT, Hooper SL, Jones S, et al. Hormonal, immunological and hematological responses to intensified training in swimmers. *Med Sci Sports Exerc.* 1997;29:1637–1645.

48. Mackinnon LT, Hooper SL. Plasma glutamine and upper respiratory tract infection during intensified training in swimmers. *Med Sci Sports Exerc.* 1996;28:285–290.

49. Beynnon D, Johnson RJ. Anterior cruciate ligament injury rehabilitation in athletics. *Sports Med.* 1996;22:54–64.

50. Palmitier RA, Kai-Nan A, Scott SG, et al. Kinetic chain exercise in knee rehabilitation. *Sports Med.* 1991;11:402–413.

51. Bompa TO, Carrera MC. *Periodization training for sports.* 2nd ed. Toronto: Varitas; 2005.

52. Bompa TO. *Theory and Methodology of training: the key to athletic performance.* 3rd ed. Dubuque, IA: Kendall/Hunt; 1997.

PRACTICE TEST QUESTIONS

1. When learning a new skill or retraining a skill following an injury, the PTA will incorporate his/her knowledge of motor control theory into the therapeutic exercise program by:

   A) Encouraging motion for the sake of motion alone
   B) Working on functional tasks to assist patient learning
   C) Including multiple repetitions of normal movement patterns
   D) None of the above

2. Muscle performance is:

   A) Range of motion
   B) Strength
   C) Strength and power
   D) Strength, power, and endurance

3. It is important to understand the difference between torque and force when considering muscle strength because:

   A) Torque is mass times acceleration
   B) Torque represents strength applied in a straight line
   C) Motion at most joints is rotational, therefore muscle strength produces torque
   D) Torque can be measured with standard manual muscle testing techniques

4. Strength and power are needed to perform functional movements. Which of the following functional movements most accurately demonstrates power?

   A) Bending the elbow with a soft drink can in your hand
   B) Digging a ditch by shoveling sand with a small spade for 2 hours
   C) Lifting a heavy piece of luggage and putting it into the trunk of the car
   D) Slowly lowering your body weight down a single step without the use of a railing

5. An advantage of eccentric muscle contractions over concentric muscle contractions during therapeutic exercise is that with eccentric contractions

   A) There is an increased likelihood of DOMS
   B) There is a reduced energy requirement to perform
   C) There will be greater strength gains
   D) There will be 30% more force produced

6. Which of the statements below **most accurately** restates the overload principle?

   A) No pain, no gain
   B) You get what you train for
   C) In order to burn fat, you must exercise with anaerobic activity
   D) Warm up before exercise reduces chance of injury

7. When is muscle contraction is very weak, which of the following is **most likely** to have occurred?

   A) Few motor units have been activated and are stimulated only a few times per second
   B) Many motor units have been activated and are stimulated only a few times per second
   C) Many motor units have been activated and are stimulated many times per second
   D) Few motor units have been activated and are stimulated many times per second

8. The patient is performing a biceps curl during which smooth muscle action and submaximal effort is desirable through the entire range of motion. This pattern of motion is best described as:

   A) Titanic muscle contraction
   B) Asynchronous motor unit firing
   C) Synchronous motor unit firing
   D) Wave summation with maximum motor unit recruitment

9. Which of the following statements is the **most accurate** regarding muscle structure and function?

   A) Smaller diameter fusiform fibers will produce more tension on maximum muscle contractions than large diameter fusiform fibers
   B) When a muscle is contracting eccentrically, the speed of the contraction increases the force produced by the contraction
   C) When a muscle is contracting concentrically, in order to increase the muscle tension you must increase the speed of the contraction
   D) Small, intermediate and large diameter muscle fibers (slow oxidative, fast oxidative glycolic, and fast glycolic) will all have the same speeds of contraction

10. PTs and PTAs are frequently asked by their patients for advice on exercise. Which of the following statements reflect recommendations consistent with those from American College of Sports Medicine (ACSM)?

    A) For an untrained individual, more is better; the more resistance exercise you do, the stronger you will get
    B) Elderly individuals should perform high-weight and low-repetition resistance training in targeted short arcs of motion for maximum benefit
    C) Encourage Valsalva maneuvers while at the highest point of resistance and encourage "no pain, no gain" outlook to exercise (i.e., exercise is going to hurt in order to help you get better)
    D) None of these statements is consistent with ACSM recommendations

11. ACSM recommends that people should warm up prior to exercise. Which of the following statements accurately describes an ACSM-recommended warm up?

    A) Jumping jacks will only provide a general warm up; more specific muscle motions are needed to warm up prior to specific muscle resistance training
    B) Before beginning resisted quadriceps strengthening, 12 to 15 non-resisted knee extensions should be done followed by about 1 minute of rest
    C) When the risk of injury is high in a particular resisted exercise like bench presses and squats, you may need to perform a second warm up prior to that exercise
    D) All of the statements are ACSM recommendations for warm ups

12. Principles of periodization training are important. Which of the following statements **most accurately** describes these principles?

    A) Periodization training applies only to professional athletes and is not important to conditioned, active individuals who participate in marathons and triathlons
    B) The high-performance athlete needs to continue training during the off-season with cross-training followed by a gradual return to strength training and skill drills as the new season approaches
    C) Resistance training should continue at high volumes (i.e., high reps and high weights) at all times in order to maintain strength and prevent injury
    D) The athlete must be encouraged to engage in total rest during the off-season in order to prevent the over-training phenomenon

13. Which of the following statements is **not** accurate when applied to geriatric individuals and resistance training?

    A) Muscle weakness in lower extremities and in isotonic contractions in older persons is more a function of disuse than aging
    B) Strength gains in quadriceps, gluteals, hamstrings, and ankle dorsiflexors may be beneficial in fall prevention in the elderly population
    C) Resistance training can be safely done with elderly patients with appropriate grading of resistance, moderate velocities, and through full arcs of motion
    D) DOMS associated with delayed reabsorption of lactates will occur at the same rates and intensities in elderly persons as in younger persons

14. When considering resisted exercise training in prepubescent individuals, the PTA will:

    A) Recommend a program of maximal lifts to build maximum strength
    B) Recommend close supervision from an individual knowledgeable in strength and conditioning principles
    C) Recommend a program of low weights, low repetitions, and low frequency to focus on endurance
    D) Recommend a program of resistance program without stretching or warm-ups because young people do not need them

15. Muscle responds to resistance training program with increase in cross-sectional diameter of specific fibers and with neural adaptation. Which of the following statements accurately describes neural adaptation resulting from resistance training?

    A) A decrease in motor unit activity will be seen on EMG during a maximal voluntary contraction
    B) Multiple motor unit summation and wave summation will decrease following muscle training
    C) More motor units respond during a maximal voluntary muscle contraction following a program of resistance training
    D) None of the statements accurately describes neural adaptation following resistance training

16. Which of the following statements is **not** a benefit of muscle resistance training?

    A) Reduced gastrointestinal transit time
    B) Reduced blood lipid and glucose levels
    C) Reduced diastolic and systolic blood pressure
    D) Reduced losses of muscle mass and corresponding metabolic rate

17. The patient asks the PTA to recommend an exercise program that will be beneficial for maintaining a healthy body weight and reduce the likelihood of Type II diabetes. Assuming that the supervising PT plan of care (POC) includes wellness recommendations, the PTA will recommend:

    A) Aerobic training
    B) Anaerobic training
    C) Training for endurance and power
    D) Any combination of aerobic and anaerobic training

18. The dosage of a specific exercise will include:

    A) Amount of weight
    B) Amount of weight and number of repetitions and sets
    C) Amount of weight, number of repetitions and sets, and the rest intervals between sets
    D) Amount of weight, number of repetitions and sets, the rest intervals between sets, and how often the exercise is done

19. Which of the following examples represents an increased volume of exercise or an improved intensity of exercise?

    A) Keep the amount of weight and the sets the same but increase the number of repetitions
    B) Keep the amount of weight, the repetitions, and the sets the same but increase the frequency
    C) Keep the amount of weight, the repetitions, and the sets the same but decrease the rest between sets
    D) All of these statements represent an increase in the volume of exercise or improved intensity of exercise

20. The de-conditioned individual is interested in beginning an exercise program for the purpose of improving overall wellbeing. Which of the following statements is the **best recommendation** for how this person should progress the exercise program?

    A) Progression needs to be discussed with the supervising PT
    B) Increase the volume of training of each session before increasing the frequency of sessions
    C) Increase the frequency of training sessions before increasing the volume of each training session
    D) Do not increase or progress this person without specific direction from the referring physician

21. You and your coworkers are discussing the benefits of cross-training. Which of the following statements is an **inaccurate** statement about cross-training or its benefits?

    A) Cross-training is changing the mode of exercise and could help prevent overtraining
    B) Cross-training may improve physiologic measures such as resting heart rate and blood pressure
    C) Cross-training may improve sport-specific skill performance such as rebounding or dribbling
    D) Cross-training will not improve performance as much as specific training for the same amount of time

22. The enthusiastic athlete reports that although she has been exercising vigorously and daily, she is not making any performance improvements. She cannot increase her amount of weight and sets or repetitions. She is getting a bit short-tempered and anxious about this lack of progress. What might be happening and what should she do about it?

    A) This sounds like obsessive compulsive behavior requiring medication and counseling
    B) This sounds like overtraining and staleness and rest for 24 hours between exercise sessions may help
    C) This sounds like overtraining and burnout and an extended break from exercise may be the best action
    D) I need more information to accurately label what is happening and what to do about it

ANSWER KEY

1.	B	**7.**	A	**13.**	D	**19.**	D
2.	D	**8.**	B	**14.**	B	**20.**	C
3.	C	**9.**	B	**15.**	C	**21.**	C
4.	C	**10.**	D	**16.**	A	**22.**	B
5.	D	**11.**	D	**17.**	D		
6.	B	**12.**	B	**18.**	D		

Open-Chain–Resistance Training

William D. Bandy, PT, PhD, SCS, ATC

Objectives

Upon successful completion of this chapter, the reader will be able to:

- Define the three types of muscle contractions for open-chain–resistance training.
- Discuss concentric muscle contractions in delayed onset muscle soreness (DOMS).
- Discuss the role of eccentric muscle contractions in DOMS.
- Identify appropriate clinical guidelines concerning limitations, advantages, and precautions of isometric, isotonic, and isokinetic exercises.
- Discuss proper clinical technique for isometric, isotonic, and isokinetic exercises of the upper and lower extremities performed with and without clinician assistance.

Recent literature on the rehabilitation of selected pathologies has been documented in the areas of plyometrics, closed-kinetic–chain activities, and functional rehabilitation.[1] Although quite valuable for selected pathologies, these activities put tremendous stress on the joint structures and the surrounding muscles. If incorporated into the rehabilitation program too soon, tissue damage and delayed healing can occur. Proper progression to these more aggressive activities is of considerable importance. It has been recommended that "the neuromuscular system . . . be adequately trained to tolerate the imposed stress during functional tasks."[1] Adequate training includes the proper use of a comprehensive, progressive, open-chain resistance-training program.

An integral part of a progressive rehabilitation protocol is the proper implementation of an open-chain resistance-training program. The physical therapist (PT) is frequently responsible for designing, monitoring, and supervising a resistance-training program with the goal of increasing muscular strength. Appropriate use of open-chain–resistance training allows a safe progression to a more aggressive rehabilitation program.

Despite recent excitement about aggressive rehabilitation programs used in the advanced stages of healing, it is imperative that the PT and physical therapist assistant (PTA) remember the basic principles of open-chain–resistance training, including the three primary types of exercise: isometric, isotonic, and isokinetic (Table 7-1). This chapter presents a brief review of the adaptation of muscle to resistance training and emphasizes the appropriate use of each type of exercise in the clinical setting.

TABLE 7-1	Types of Muscle Contractions for Open-Chain–Resistance Training	
TYPE OF CONTRACTION	**ACTION POSSIBLE**	**EXAMPLE**
Isometric	Tension developed; no movement	Pushing against a fixed object (e.g., another person, another body part, a wall)
Isotonic	Concentric, eccentric	Using resistance (e.g., free weights, dumbbells, elastic tubing, cuff weights, pulleys)
Isokinetic	Concentric, eccentric	Using a dynamometer (e.g., Biodex, Cybex)

● SCIENTIFIC BASIS

Isometric Exercise

The term *isometric* means "same or constant" (*iso*) "length" (*metric*). In other words, a muscle that contracts isometrically is one in which tension is developed but no change occurs in the joint angle, and the change in muscle length is minimal. The joint angle does not change because the external resistance against which the muscle is working is equal to or greater than the tension developed by the muscle. In this case, no external movement occurs, but considerable tension develops in the muscle[2,3] (Fig. 7-1).

Gains in Strength

The rate of increase in strength after isometric training was first assessed as 5% per week by Hettinger and Muller[4] in 1953. Later, Muller[5] suggested that strength gains produced during isometric contractions depend on the state of training of the subjects involved in the research; weekly gains varied from 12% per week for individuals in a poor state of training to 2% per week for those in a high state of training. Strength gains after participating in a variety of other isometric training programs have been reported at 2% to 19% per week.[6,7]

Magnitude

The ideal magnitude of isometric contraction, measured in terms of percent maximal contraction, was first reported to be 67% (two-thirds), because loads above that had no additional effect.[4] Cotton[7] studied daily isometric exercise of the forearm flexors and found a significant increase in strength for groups exercising at 50%, 75%, and 100% maximal contraction but found no increase in strength in groups training at 25% of maximal. (Note: isometric exercises below 100% maximal effort are called submaximal isometrics.) In addition, he reported that the strength gains were similar in the groups using 50%, 75%, and 100% maximal contraction, supporting Hettinger and Muller.[4] In contrast, Walters et al.[6] noted that isometric training was most effective when each contraction was performed maximally. They found that one 15-second

FIGURE 7-1 ● ISOMETRIC CONTRACTION.

Muscle tension occurs in the biceps (*arrows*), but the forearm does not move.

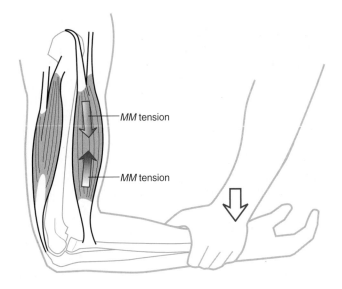

maximal isometric contraction daily produced significantly greater strength gains than the same exercise protocol at two-thirds maximal contraction.

Duration

The optimal duration of an isometric contraction necessary to produce strength gains has not been documented. The duration used in research on isometric training has varied from 3 to 100 seconds.[8,9] The majority of studies reviewed that report strength gains after isometric training used 6-second contractions; however, no investigation has compared this to any other duration.

Frequency

Liberson and Asa[10] compared one 6-second isometric contraction to twenty 6-second contractions daily. The exercise program incorporating 20 repetitions produced greater strength gains than the exercise program using just one repetition per session.

Specificity of Isometric Training

Although support exists for the use of isometric training, the literature regarding its correct use in rehabilitation is controversial. Some research indicates that isometric training performed at one angle results in strength gains only at the angle trained (angular specificity),[8] but other reports indicate that it also increases strength at adjacent angles.[11]

Bandy and Hanten[11] compared three experimental groups that isometrically trained the knee extensor muscles, each at a different angle of knee flexion (shortened, medium, lengthened) to a control group. They reported at least a 30-degree transfer of strength regardless of the length of the muscle and at least a 75-degree transfer of strength after exercise in the lengthened position. Results of this study have some interesting clinical implications concerning isometric exercise. If the goal is to provide general strength increases for rehabilitation from pathology or disuse but pain, effusion, or surgical constraints dictate the use of isometric exercise, an efficient way to increase strength throughout the entire range of motion (ROM) is to exercise the muscles in the lengthened position.

Isotonic Exercise

The term *isotonic* means "same or constant" (*iso*) "tension" (*tonic*). In other words, an isotonic exercise is ideally one that produces the same amount of tension while shortening to overcome a given resistance. In reality, an isotonic contraction is one in which the muscles contract while lifting a constant resistance, and the muscle tension varies somewhat over the full ROM owing to changes in muscle

length, the angle of pull as the bony lever is moved, and the horizontal distance from the resistance to the joint axis of movement (Fig. 7-2).[2,3]

The definition of isotonic exercise is further differentiated into concentric (shortening) and eccentric (lengthening) contractions, depending on the magnitude of the muscle force and the resistance applied. Concentric refers to a muscle contraction in which the internal force produced by the muscle exceeds the external force of the resistance, allowing the muscle to shorten and produce movement (Fig. 7-3). Eccentric refers to a muscle contraction in an already shortened muscle to which an external resistance greater than the internal muscle force is added, allowing the muscle to lengthen while continuing to maintain tension (Fig. 7-4).[2,3]

Length and Tension

Measurements of the tension created by stimulated muscle fiber show that isometric tension is maximal when the initial length of the muscle at the time of stimulation is stretched to about 20% beyond the normal resting length (defined as muscle fiber that is not stimulated and has no external forces acting on it). The strength of the active contractile component decreases as the muscle is shortened or lengthened from the optimal muscle length.

The sliding-filament theory was proposed to explain changes in tension as muscle length changes from the resting length. It suggests that the force developed by the active contractile component of the muscle is governed by the relative position of the actin and myosin filaments of each sarcomere. The most efficient length of muscle fiber is the slightly elongated position, when the crossbridges of the actin and myosin seem to couple most effectively and produce the greatest tension. During both lengthening and shortening of the muscle, effective coupling of the crossbridges cannot take place; thus the tension of the muscle contraction decreases.[12,13]

Biomechanical Advantage

The amount of force a muscle is able to generate during a contraction is influenced by the length of the moment arm. The moment arm of the muscle is defined as the perpendicular distance from the axis of motion to the line of action of the muscle. The amount of torque produced by the muscle is determined by multiplying the magnitude of the force of the muscle by the moment arm. The farther away from the joint axis the muscle inserts into the bone, the greater the moment arm and, therefore, the greater the force produced by the muscle contraction[12,13] (Fig. 7-5).

The amount of force produced by a muscle contraction is also determined by the angle at which the muscle inserts into the bone. A 90-degree angle of attachment is optimal

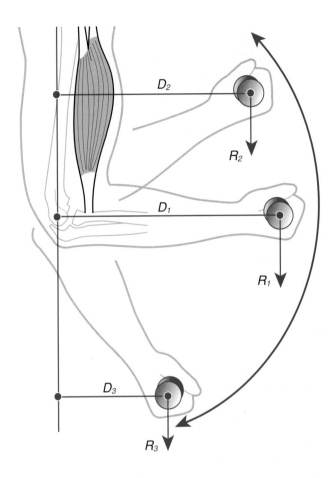

FIGURE 7-2 ● **VARIANCE OF MUSCLE TENSION DURING ISOTONIC CONTRACTION.**

Although the resistance (R) is constant, the actual muscle tension varies owing to the changing distance (D) from the resistance to the elbow axis of motion. Specifically, the distance (D_1) from the resistance (R_1) to the axis of motion at 90 degrees of elbow flexion is greater than the distance (D_2) from the resistance (R_2) to the axis of motion in which the elbow is more flexed and D_1 is greater than the distance (D_3) from the resistance (R_3) to the axis of motion in which the elbow is more extended.

for producing a purely rotational force. At angles of attachment greater or less than this optimum angle, the muscle will produce the same amount of force, but some of the rotational force will be lost to distraction or compression forces at the joint. Therefore, the muscle contraction will not be able to exert the same amount of torque.[13] Because of the influence of changing muscle length (length and tension) and the changing leverage of the muscle on the bone (biomechanical advantage), muscle tension during isotonic exercise is less than maximal through the full ROM. Therefore, the ability of the muscle to move a load throughout the ROM is limited by the weakest point in the range.

FIGURE 7-3 ● **CONCENTRIC CONTRACTION, OR SHORTENING OF MUSCLE AGAINST RESISTANCE.**

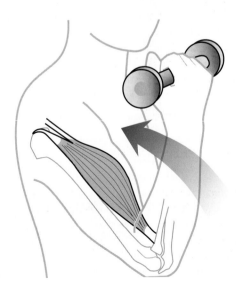

FIGURE 7-4 ● **ECCENTRIC CONTRACTION, OR LENGTHENING OF MUSCLE AGAINST RESISTANCE.**

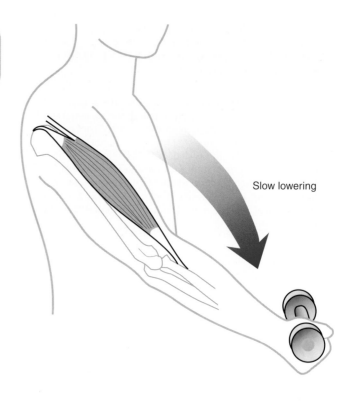

Slow lowering

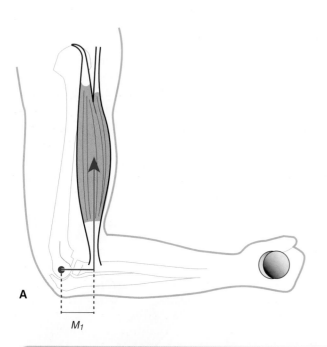

A

M_1

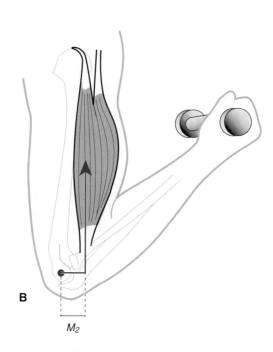

B

M_2

FIGURE 7-5 ● **BIOMECHANICAL ADVANTAGE.**

During elbow flexion, the perpendicular distance from the axis of motion to the angle of muscle insertion (moment arm, *M*) is greater in *panel A* (*M₁*) than in *panel B* (*M₂*), resulting in a larger biomechanical advantage and a greater potential to produce force in the 90-degree angle of insertion.

Eccentric Muscle Contractions

A muscle acting eccentrically responds to the application of an external force with increased tension during physical lengthening of the musculotendinous unit. Instead of the muscle performing work on the resistance, the resistance is said to perform work on the muscle during eccentric loading, a phenomenon referred to as negative work. Examples of the integral nature of eccentric muscle actions in the performance of functional activities are the tibialis anterior controlling foot descent from initial contact to foot-flat during gait, the posterior deltoid slowing the forward movement of the arm during the deceleration phase of throwing, the hamstrings acting as eccentric decelerators of the lower leg during the terminal portion of the swing phase of gait during running, and the eccentric control of forward bending of the trunk into gravity by the spinal extensors. These examples emphasize the importance of including eccentric exercise in resistance training.[14]

Delayed Onset Muscle Soreness

DOMS is a common occurrence after exercise. Postexercise soreness is more pronounced after eccentric than after concentric exercise. Symptoms associated with DOMS include dull, diffuse pain, stiffness, and tenderness to direct pressure. These symptoms may last up to 1 week, although most cases resolve in 72 hours. Symptom intensity generally peaks at 48 hours. Signs associated with eccentrically mediated DOMS include edema formation in muscle, loss of active ROM, and a decreased ability to produce force by the muscle for up to 1 week after intense exercise.[15,16]

Eccentric muscular contractions result in mechanical microtrauma to participating tissues, including direct myofibril and connective tissue damage. This finding has significant implications in the clinical use of resistance training. One important clinical consideration is DOMS because it poses a potential threat to unimpeded progression through a therapeutic exercise continuum. Inappropriate implementation of eccentric training may result in an inflammatory microtraumatic response, potentially compromising the patient's function and ability to participate maximally in therapeutic exercise until the inflammatory response subsides.

The deleterious effects of DOMS can be minimized by controlling the frequency of significant eccentric work performed by the patient. Given the recovery period of 3 to 7 days after eccentric exercise, it is proposed that individuals should perform maximal eccentric exercise no more than two times per week. Studies that incorporated four eccentric training sessions per week demonstrated either minimal strength gains (2.9%) or an actual decrease in force production. Allowing 3 days of recovery between sessions may allow tissue healing and repair to occur.[17,18]

Isokinetic Exercise

Isokinetic exercise involves muscle contractions in which the speed of movement is controlled mechanically so that the limb moves at a predetermined, constant velocity. Electromechanical machinery maintains the preselected speed of movement during activity; and once the limb is accelerated to that velocity, a sufficient amount of resistance is applied to prohibit the limb from accelerating beyond the target speed. This accommodating resistance varies as the muscle force varies as a result of changing muscle length and angle of pull, allowing for maximal dynamic loading of the muscles throughout the full ROM. Therefore, isokinetic exercise devices stimulate maximal contraction of the muscle throughout the complete ROM.[19] The use of isokinetic exercise in rehabilitation has received great attention because of its accommodating resistance and its ability to exercise at higher speeds of contraction, more closely mimicking functional speed. Isokinetic exercise can involve a dynamic shortening contraction of the muscle with the velocity of movement held constant (concentric isokinetic loading) or involve lengthening contractions at controlled angular velocities (eccentric isokinetic loading).

Although an interesting and exciting adjunct to the area of open-chain–resistance training, isokinetic exercise is not a panacea. No research to date has indicated that one type of exercise (isometric, isotonic, isokinetic) is better than another; instead, all forms of muscular activity are needed to provide the patient with an integrated and progressive resistance-training program.

Quantification

Modern isokinetic equipment contains computer-assisted dynamometers designed to provide the clinician or researcher with a plethora of quantitative information regarding muscle function. Before the design of isokinetic technology, such objective information was not easily obtainable. Among the most commonly used isokinetic parameters are peak torque, work, and power.[20]

Limitations

Isokinetic exercise is, of course, not without its limitations. Human muscle function is not characterized by a constant speed of movement but, rather, by a continuous interplay of acceleration and deceleration. Also, work is most often performed against a fixed (rather than accommodating) resistance. Functionally, muscle groups work together synergistically with particular activation patterns, which vary from task to task and are not simulated by isokinetic exercise. Therefore, isokinetic training does not simulate normal muscle function. An additional and considerable limitation in the clinical use of isokinetic exercise is the cost of the equipment, which, relative to other types of therapeutic exercise, may be prohibitive.

● CLINICAL GUIDELINES

Isometric Exercise

Generally, isometric exercises are used in the early stages of a rehabilitation program for an acute injury or immediately after surgery when open-chain–resistance exercises through full ROM are contraindicated because of pain, effusion, crepitus, or insufficient healing. An isometric program may be best until the condition has healed. The exercise program can then be progressed to the point at which the resistance training can occur through the full ROM.[2,3]

Some studies report that isometric contractions do not necessarily need to be maximally performed to achieve strength gains.[7] The use of submaximal isometric (below 100% maximal isometric contraction) training to increase strength may be important for a patient early in the rehabilitation program, when maximal contractions may be painful. Submaximal isometric contractions can be used to increase strength until the patient can be progressed to maximal contractions, as the condition and tolerance to pain allows.

As noted, no research defines the optimal duration for performing an isometric contraction, although some reports suggest that strength gains are achieved after isometric contractions of 6 to 10 seconds in duration, which is the current suggested duration. In addition, the literature[20] suggests multiple repetitions of the 6- to 10-second contractions with the muscle in the lengthened position. If no increase in symptoms occurs after the exercise sessions, the isometric program can probably be performed by the patient every day. If an increase in symptoms occurs or new problems arise, the isometric program should be performed on alternate days.

Isotonic Exercise

Isotonic exercise is probably the most common type of resistance training because of its ease of performance and low cost. Indications for isotonic exercise are when open-chain–resistance exercises through full ROM cause no pain, effusion, or crepitus. A number of isotonic programs have been proposed for incorporating the optimal amount of resistance and repetitions to produce maximal gains in muscular strength. These programs vary from the classic progressive resistance exercise (PRE) protocol using three sets of 10 repetitions (proposed by Delorme[21] in 1945) to an extremely aggressive program for advanced stages of rehabilitation using more weight and four to six repetitions (proposed by Stone and Kroll[22] in 1982). The Delorme System incorporates progression from light to

TABLE 7-2	Delorme's Progressive Resistance Exercise	
SET	**WEIGHT**[a]	**REPETITIONS**
1	50% of 10 RM	10
2	75% of 10 RM	10
3	100% of 10 RM	10

[a]10 RM, repetition maximum means maximum amount of weight that can be lifted 10 times. For example, if the maximum amount of weight that can lifted 10 times is 50 pounds, the first set is 25 pounds for 10 repetitions, the second set is 37.5 pounds for 10 repetitions, and the final set is 50 pounds for 10 repetitions.

heavy resistance, adding resistance with each set. There are many variations in the progression; however, the classic Delorme was 50% of 10 RM first set, 75% of 10 RM second set, and 100% of 10 RM for the third set. The Oxford system is the opposite of Delorme with progression from heavy to light and reverses the resistance levels.[23] The Daily Adjusted Progressive Resistance Exercise (DAPRE) technique was proposed to modify the Delorme and Oxford progressions as a more easily modified progression. DAPRE is used with both free weights and weight machines. The increases in weight are based on a 5 RM or 7 RM and is designed to take into account previous performance.[24] Tables 7-2 through 7-6 present suggested training protocols reported in the literature.[21-25]

Although each program in the tables has documentation showing that strength gains occur when overloading the muscle using that method, no literature exists indicating that any one of these programs is better than the others. In other words, no single combination of sets and repetitions has been documented to be the optimal resistance program for increasing strength for everyone. If the basic principles of overloading the muscle to a higher level than it is accustomed are understood (Chapter 6) and if continued adjustments are made to ensure that the overload principle is progressed as the individual accommodates to the given load, then a wide range of isotonic-resistance programs can be incorporated into the treatment of patients.

TABLE 7-3	The Daily Adjustable Progressive Resistance Exercise Technique	
SET	**WEIGHT**	**REPETITIONS**
1	50% of working weight	10
2	75% of working weight	6
3	Full working weight	Maximum[a]
4	Adjusted working weight[a]	Maximum[b]

[a]Used to determine the weight for the fourth set (see Table 7-4).
[b]Used to determine the weight for the third set of the next session (see Table 7-5).

TABLE 7-4 Guidelines for Determining Adjusted Working Weight for the Daily Adjustable Progressive Resistance Exercise Technique

NUMBER OF REPETITIONS PERFORMED FOR SET 3	ADJUSTED WORKING WEIGHT FOR SET 4
0–2	Decrease 5–10 pounds
3–4	Decrease 0–5 pounds
5–6	No change
7–10	Increase 5–10 pounds
≥11	Increase 10–15 pounds

TABLE 7-6 Aggressive Resistance-Training Program

SET	WEIGHT[a]	REPETITIONS
1	50% of 4 RM	8
2	80% of 4 RM	8
3	90% of 4 RM	6
4	95% of 4 RM	4
5	100% of 4 RM	4

[a]4 RM, repetition maximum means maximum amount of weight that can be lifted four times. For example, if the maximum amount of weight that can lifted four times is 100 pounds, the first set is 50 pounds for eight repetitions, the second set is 80 pounds for eight repetitions, the third set is 90 pounds for six repetitions, the fourth set is 95 pounds for four repetitions, and the fifth set is 100 pounds for four repetitions.

Caution should be used when progressing a patient through an isotonic-resistance program. Frequent examination of the patient is necessary to ensure that the exercise program does not lead to an increase in pain, crepitus, and swelling. Although many resistance-training programs have been shown to increase strength in normal individuals, using a relatively low number of repetitions with high resistance may cause problems in the patient with a musculoskeletal pathology. The critical factor in the success of an exercise program is to avoid causing swelling and discomfort, while having the patient work to his or her maximum of exercise tolerance. To this end, high repetitions and relatively low resistance should be used early in the isotonic phase of intervention. Two to three sets of 10 to 12 repetitions is recommended for the initial stages when using an isotonic protocol.

In addition, when using isotonic-exercise programs, the PTA must be aware of the healing constraints of the pathology and progress the patient along open-chain resistance-training programs in a way that is consistent with fibrous healing. To ensure safety, the patient should not be introduced to maximal stress immediately but be guided in a sequence of resistance exercises involving submaximal work. The proper progression should incorpo-

TABLE 7-5 Guidelines for Determining Full Working Weight for the Daily Adjustable Progressive Resistance Exercise Technique

NUMBER OF REPETITIONS PERFORMED FOR SET 4	FULL WORKING WEIGHT FOR SET 3 OF NEXT SESSION
0–2	Decrease 5–10 pounds
3–4	No change
5–6	Increase 5–10 pounds
7–10	Increase 5–15 pounds
≥11	Increase 10–20 pounds

rate limited ROM exercise first, progressing to full ROM while still using a submaximum workload, finally culminating in unrestricted ROM with maximum effort.

Isokinetic Exercise

The PT and the PTA must be aware of the unique advantages and limitations when considering the implementation of isokinetic exercise for optimizing outcomes of intervention. The clinical advantages of isokinetic exercise include the ability to control the velocity of movement of the exercising limb segment, the accommodating resistance that allows for maximal muscle loading throughout the ROM, and the quantitative nature of performance assessment afforded by computer interfacing. However, isokinetic training differs significantly from normal function in a number of ways, a deficiency that underscores the importance of integrating all means of open-chain–resistance training in rehabilitation.

When implementing isokinetic exercise, certain clinical considerations must be addressed. The clinician must select the speed at which the patient will be exercising the involved muscle, keeping in mind that the best approach is to have the individuals train at speeds as close as possible to those encountered functionally. One suggested protocol is to have the patient exercise across a variety of speeds (sometimes referred to as a velocity spectrum) such as eight repetitions at a relatively slow speed (e.g., 60 degrees/second), 10 repetitions at a moderate speed (e.g., 180 degrees/second), and 12 repetitions at a fast speed (e.g., 300 degrees/second).

The most appropriate ROM should be selected, factoring in soft-tissue healing constraints and the range in which pain occurs. If preferential recruitment of fast-twitch muscle fibers is desired, maximal isokinetic exercise should be considered, because the allowance for optimal recruitment of fast-twitch fibers through the full ROM.

Another protocol uses the concept of multiple angle isometrics. Isometrics are performed every 20 degrees through the patient's available ROM. Generally, the patient performs using the rule of 10- to 10-second contraction, 10-second rest, 10 repetitions, 10 sets, 10 angles.[26] While initially developed using isokinetic equipment, the concept can be carried into any resistance program. Isokinetic training should incorporate both concentric and eccentric exercise, if possible.

● TECHNIQUES

Isometric Exercises

Early in the resistance-training program, the patient may exercise by doing simple isometric exercises called

muscle sets, especially in the lower extremity. The most common of these muscle sets are gluteal sets, quadriceps sets, and hamstring sets. The gluteal set is performed by having the patient tighten the gluteal muscles by pinching the muscles of the buttocks together and holding in an isometric contraction for 6 to 10 seconds. The quadriceps set, most easily performed in supine, is performed by tightening the quadriceps muscle by straightening the knee and holding the contraction isometrically. The hamstring set is also most easily performed in supine by pushing the heel of the foot into the surface under the heel, thereby, causing an isometric hip extension activity.

The patient can be assisted by the PTA or, with imagination, can use his or her own body for resistance. Figures 7-6 to 7-10 depict a few isometric exercises that can be performed early in the intervention phase for a patient requiring initial strengthening activities.

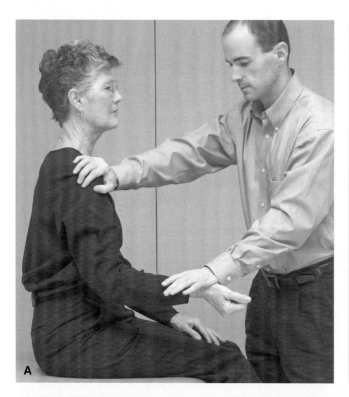
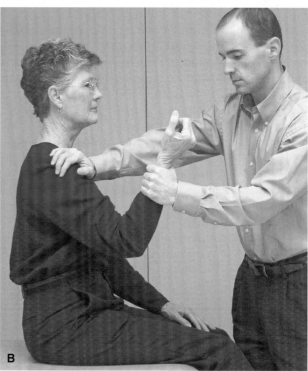

FIGURE 7-6 ● ISOMETRIC ELBOW FLEXION WITH PTA ASSISTANCE.

Purpose: Strengthening biceps muscle of the elbow in two parts of the ROM.
Position: Patient sitting with hips and knees flexed to 90 degrees. PTA places distal hand on client's wrist and proximal hand on client's shoulder. *Panel A,* exercise at

90 degrees of elbow flexion; *panel B,* exercise at 45 degrees of elbow flexion.
Procedure: Client flexes arm as the PTA provides isometric resistance to the movement with distal hand. Resistance should be held for 6 to 10 seconds per repetition.

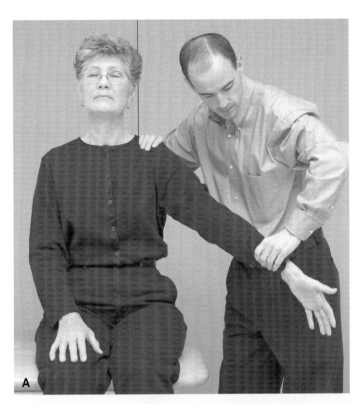

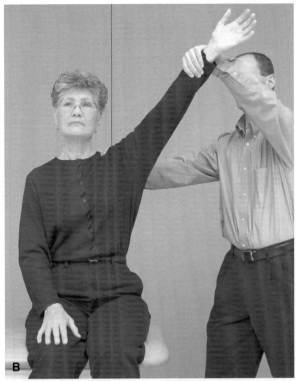

FIGURE 7-7 ● ISOMETRIC SHOULDER ABDUCTION IN THE PLANE OF THE SCAPULA WITH PTA ASSISTANCE.

Purpose: Strengthening abductor muscles of the shoulder in the plane of the scapula in two parts of the ROM.
Position: Patient sitting with hips and knees flexed to 90 degrees. PTA places distal hand on client's wrist and proximal hand on client's shoulder. *Panel A*, exercise at 45 degrees of shoulder abduction; *panel B*, exercise at 120 degrees of shoulder abduction. Shoulder is held in abduction in the plane of the scapula (30 degrees horizontally adducted from the frontal plane).
Procedure: Client abducts arm as PTA provides isometric resistance to the movement with distal hand. Resistance should be held for 6 to 10 seconds per repetition.

FIGURE 7-8 ● ISOMETRIC EXERCISE APPLIED IN THE EMPTY-CAN POSITION WITH PTA ASSISTANCE.

Purpose: Strengthening supraspinatus muscle of the shoulder.
Position: Patient sitting with hips and knees flexed to 90 degrees. PTA places distal hand on client's wrist and proximal hand on client's shoulder. Client holds arm in empty-can position of abduction, internal rotation, and slight forward horizontal adduction.
Procedure: Client abducts arm as the PTA provides isometric resistance to the movement with distal hand. Resistance should be held for 6 to 10 seconds per repetition.

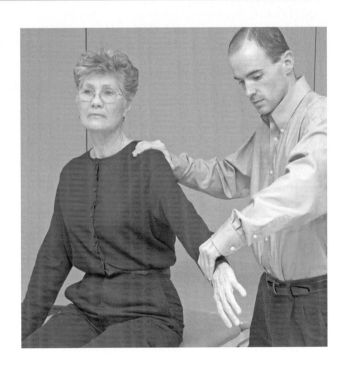

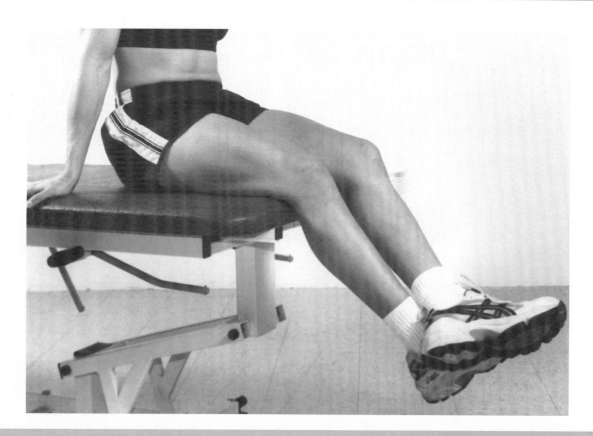

FIGURE 7-9 ● ISOMETRIC KNEE EXTENSION EXERCISE FOR INDEPENDENT HOME PROGRAM.

Purpose: Strengthening quadriceps muscles.
Position: Client sitting with both legs flexed to 45 degrees. The left leg placed on the anterior surface of the right leg.

Procedure: The client uses left leg to flex and provides isometric resistance against anterior surface of right leg. Right leg attempts to extend against resistance of left leg. Resistance should be held for 6 to 10 seconds per repetition.

FIGURE 7-10 ● ISOMETRIC ANKLE DORSIFLEXION EXERCISE FOR INDEPENDENT HOME PROGRAM.

Purpose: Strengthening tibialis anterior muscle of the ankle.
Position: Patient sitting with hip and knee flexed at 90 degrees. Client places right foot on anterior surface of left foot.
Procedure: The client uses right foot to plantarflex and provides resistance against anterior surface of left foot. Left foot attempts to dorsiflex against resistance of right foot. Resistance should be held for 6 to 10 seconds per repetition.

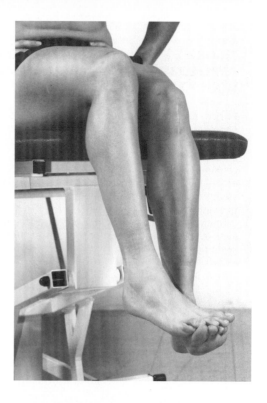

FIGURE 7-11 ● ISOTONIC EXERCISE APPLIED IN THE "EMPTY-CAN" POSITION WITH DUMBBELL.

Purpose: Strengthening supraspinatus muscle of the shoulder.
Position: Client standing with arm at side, internally rotated, and in the plane of the scapula (30 degrees horizontally adducted from the frontal plane) holding dumbbell.
Procedure: Client abducts arm (concentric), to less than 90 degrees in the plane of the scapula while maintaining upper extremity in internal rotation and elbow extended. It is important that arm stay below the horizontal and not be elevated above 90 degrees, to avoid impingement of the shoulder. Following a brief pause at 90 degree, shoulder is slowly lowered to original position (eccentric).

FIGURE 7-12 ● STABILIZATION WITH RECIPROCAL UPPER-EXTREMITY MOVEMENT.

Purpose: Stabilize spine; strengthen bilateral shoulder girdle.
Position: Client standing with trunk in neutral, stable position. Dumbbells may be used.
Procedure: Client alternately raises one extremity while lowering the other.

Isotonic Exercises

Isotonic exercise can be performed by using cuff weights, elastic tubing, dumbbells, and a variety of machines. In addition, the creative PTA will be able to work with the patient to develop resistive devices that do not cost as much as high-tech exercise equipment. Creative devices include purses or backpacks filled with soup cans or books (weighed on a home scale to check that the correct total weight is used). This chapter emphasizes economic and efficient techniques that can be used by the patient at home or in the office. Figures 7-11 to 7-34 present a wide range of isotonic exercises that can be effectively used for rehabilitation of upper- and lower-extremity dysfunction.

FIGURE 7-13 ● STABILIZATION WHILE STRENGTHENING UPPER TRAPEZIUS MUSCLES.

Purpose: Stabilize spine; strengthen upper trapezius muscles.
Position: Client standing with trunk in neutral, stable position. Dumbbells may be used.

Procedure: Client abducts both upper extremities simultaneously.

FIGURE 7-14 ● **ISOTONIC EXERCISE FOR SHOULDER EXTERNAL ROTATION WITH DUMBBELL.**

Purpose: Strengthening external rotator muscles of the rotator cuff of the shoulder (infraspinatus, teres minor).

Position: Client lying prone with upper arm (shoulder to elbow) stabilized on the table and the forearm (elbow to hand) hanging off the table holding dumbbell. Hand is allowed to hang from the table.

Procedure: Client externally rotates shoulder (concentric), pauses at end range of external rotation, and then slowly lowers arm back to original position (eccentric).

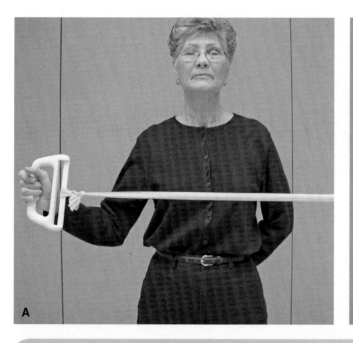

A

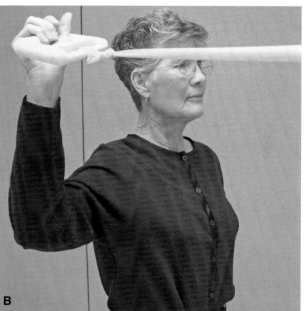

B

FIGURE 7-15 ● **ISOTONIC EXERCISE OF SHOULDER EXTERNAL ROTATION WITH ELASTIC TUBING.**

Purpose: Strengthening external rotator muscles of the rotator cuff of the shoulder (infraspinatus, teres minor) in two different positions of shoulder abduction.

Position: Client positions shoulder in a conservative position of adduction next to the body (*panel A*) or a more aggressive position of the shoulder in external rotation at 90 degrees of abduction (*panel B*). Client grasps elastic tubing.

Procedure: From an internally rotated position, client externally rotates shoulder against resistance of the elastic tubing (concentric), pauses at end range of external rotation. Then, slowly and with control, the client allows the arm to return to the starting position (eccentric).

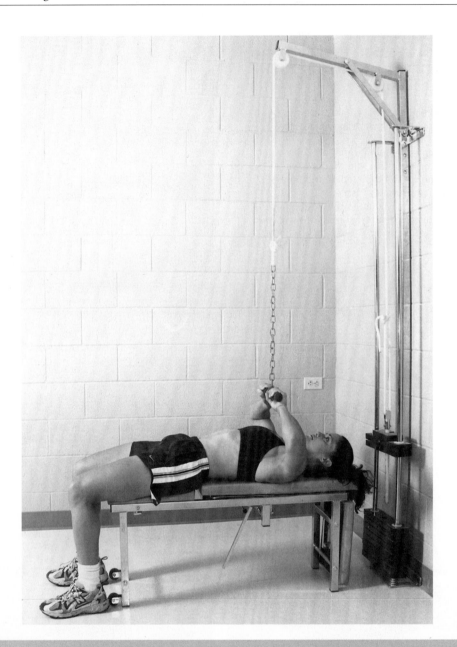

FIGURE 7-16 ● PULL TO CHEST.

Purpose: Stabilize spine; strengthen posterior shoulder girdle and scapular stabilizing musculature.
Position: Client lying supine with hips and knees flexed. Shoulders flexed to allow for grasping of pulley bar.

Procedure: Client pulls bar toward chest by flexing elbows, extending shoulders, and retracting scapulae.

FIGURE 7-17 ● PULL TO CHEST.

Purpose: Stabilize spine; strengthen biceps and scapular stabilizing musculature.

Position: Client sitting; hips and knees flexed to 90 degrees; feet firmly on floor. Upper extremities in 90 degrees of shoulder flexion to allow grasping of pulley bar.

Procedure: Client pulls bar toward chest by flexing elbows, extending shoulders, and retracting scapula.

FIGURE 7-18 ● PULL TO CHEST FROM ABOVE.

Purpose: Stabilize spine; strengthen teres major, latissimus dorsi, and scapular-stabilizing musculature.
Position: Client sitting; hips and knees flexed; feet firmly on floor. Upper extremities in about 150 degrees of shoulder flexion to allow grasping of pulley handle.

Procedure: Client pulls pulley handle toward chest by flexing elbows, extending shoulders, and retracting scapulae.

FIGURE 7-19 ● **BAR RAISE.**

Purpose: Stabilize spine; strengthen shoulder flexors, abductors, and external rotators.
Position: Client sitting; hips and knees flexed; feet firmly on floor. Arms at side with elbows flexed, grasping pulley bar.

Procedure: Client lifts pulley bar overhead by flexing shoulders.

A

B

FIGURE 7-20 ● STABILIZATION WHILE STRENGTHENING UPPER EXTREMITY.

Purpose: Stabilize spine; strengthen scapular retractors, shoulder flexors, abductors, and external rotators.
Position: Client sitting with hips and knees flexed; feet firmly on floor (*panel A*). Arms in position to allow for grasping of the contralateral pulley handles.

Procedure: Client lifts pulley handles overhead by elevating arms (*panel B*).

FIGURE 7-21 ● SHOULDER ABDUCTION.

Purpose: Stabilize spine; strengthen shoulder abductors.
Position: Client standing with arms at side, grasping pulley handle.

Procedure: Client abducts arm to shoulder height in plane of the scapula.

FIGURE 7-22 ● TRICEPS EXERCISE.

Purpose: Stabilize spine; strengthen elbow extensors and scapular stabilizers.

Position: Client standing; arms at side with elbows flexed to grasp pulley bar.

Procedure: Client extends elbows.

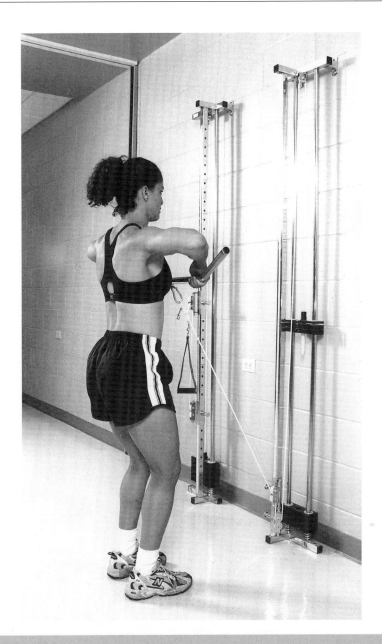

FIGURE 7-23 ● BAR PULL.

Purpose: Stabilize spine; strengthen scapular retractors and shoulder abductors.
Position: Client standing; knees slightly bent; arms in front of body to allow grasping of pulley bar.

Procedure: Client lifts pulley to chin by abducting shoulders and scapular retractors.

A   B

FIGURE 7-24 ● STABILIZATION WHILE PERFORMING DIAGONAL MOVEMENT PATTERNS.

Purpose: Stabilize spine; perform functional diagonal movement pattern.
Position: (*Panel A*) Client standing with feet staggered, weight on left leg, facing pulley. Client flexes, left side bends, and left rotates spine; allowing client to grasp pulley handle with both hands.

Procedure: (*Panel B*) Weight is transferred to right leg. Client extends, side bends right, and rotates the spine right while lifting pulley handle in diagonal pattern.

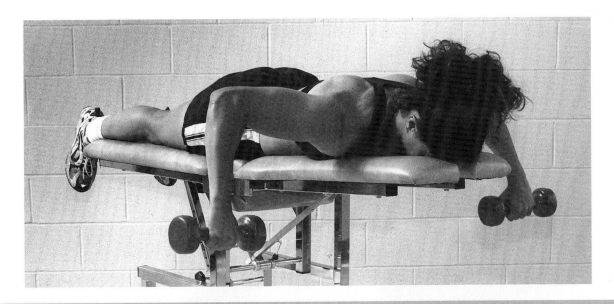

FIGURE 7-25 ● HORIZONTAL ADDUCTION.

Purpose: Strengthen trapezius and scapular-stabilizing musculature.

Position: Client lying prone on bench; arms hanging off edge of support surface. Dumbbells may be used.

Procedure: Client horizontally abducts arms and retracts scapulae.

FIGURE 7-26 ● ISOTONIC STRAIGHT LEG RAISE WITH CUFF WEIGHT.

Purpose: Strengthening hip flexors using straight-leg raise.

Position: Client lying supine with cuff weight strapped around ankle. Opposite leg may be flexed for comfort of client.

Procedure: Client raises leg (concentric), holds briefly in flexed position, and slowly lowers (eccentric) leg to starting position.

FIGURE 7-27 ● **ISOTONIC EXERCISE OF HIP ABDUCTION WITH CUFF WEIGHT.**

Purpose: Strengthening hip abductor muscles.
Position: Client lying on side with cuff weight strapped around ankle of leg closest to ceiling. Opposite leg may be flexed for comfort of client.

Procedure: Client raises leg (concentric), holds briefly in abducted position, and slowly lowers (eccentric) the leg to starting position.

FIGURE 7-28 ● **ISOTONIC EXERCISE FOR HIP EXTENSION WITH CUFF WEIGHT.**

Purpose: Strengthening hamstring muscles of the knee.
Position: Client lying prone with leg held over edge of plinth. Cuff weight strapped around ankle.

Procedure: Client slowly lowers leg to the floor (eccentric). After a brief pause, client lifts leg into hip extension (concentric).

FIGURE 7-29 ● ISOTONIC KNEE EXTENSION EXERCISE THROUGH LIMITED ROM WITH CUFF WEIGHT.

Purpose: Strengthening quadriceps muscles of the knee in a limited or protected ROM.

Position: Client lying supine with cuff weight strapped around ankle. A bolster or towel roll is placed under client's knee allowing a limited ROM (shown, 30 degrees of full extension).

Procedure: Client extends knee (concentric) through partial ROM (shown, 30 degrees to full extension). Once fully extended, client pauses briefly, holding knee in extended position, and then slowly lowers leg with control from full extension (eccentric).

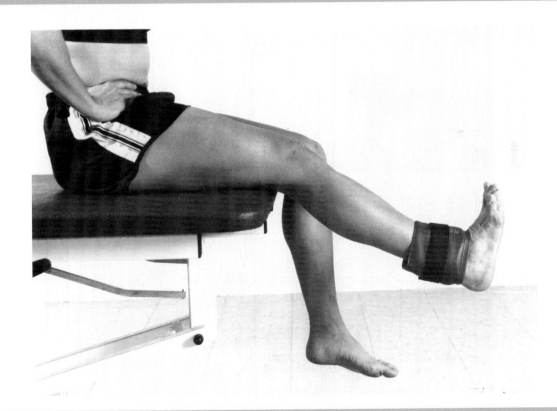

FIGURE 7-30 ● ISOTONIC KNEE EXTENSION EXERCISE THROUGH FULL ROM WITH CUFF WEIGHT.

Purpose: Strengthening quadriceps muscles of the knee in full ROM.

Position: Client sitting with cuff weight strapped around ankle.

Procedure: Client extends knee through the full ROM (concentric). Once fully extended, client pauses briefly holding knee in extended position, and then slowly lowers leg with control from full extension (eccentric).

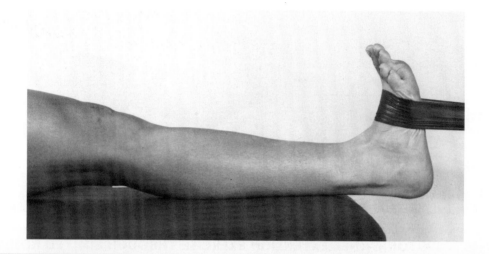

FIGURE 7-31 ● ISOTONIC EXERCISE OF ANKLE DORSIFLEXION WITH PTA ASSISTANCE AND ELASTIC TUBING.

Purpose: Strengthening tibialis anterior muscle.
Position: Client long sitting with one end of elastic across the dorsum of foot. PTA holds other end of elastic tubing.

Procedure: From the plantarflexed position, client dorsiflexes ankle (concentric), pauses at end range of dorsiflexion, and then slowly allows foot to return to starting position (eccentric).

FIGURE 7-32 ● KNEE FLEXOR MUSCLE STRENGTHENING.

Purpose: Strengthen knee flexor musculature.
Position: Client sitting on end of bench with ankle strapped to pulley.

Procedure: Client flexes knee against resistance of pulley.

FIGURE 7-33 ● KNEE EXTENSOR MUSCLE STRENGTHENING.

Purpose: Strengthen knee extensor musculature.
Position: Client sitting with knee flexed at end of bench with ankle strapped to pulley.

Procedure: Client extends knee against resistance of pulley.

FIGURE 7-34 ● UNLOADED MINI-SQUATS.

Purpose: Lower-extremity strengthening and stabilization training with reduced weight bearing.

Position: Client standing; holding overhead pulley bar at mid-torso; elbows extended.

Procedure: Keeping elbows extended, client performs mini-squat by flexing hips and knees and lowering body in direction of floor.

Isokinetic Exercise

Since the 1970s, no other mode of resistance training has received more attention among researchers and clinicians than has isokinetic exercise. To determine if isokinetic exercise is appropriate for a patient, the clinician must have a proper understanding of the scientific rationale underlying the method and the clinical rationale for its use. Figure 7-35 shows a common isokinetic dynamometer used in the treatment of patients today. The isokinetic dynamometer shown has the ability to exercise upper and lower extremities.

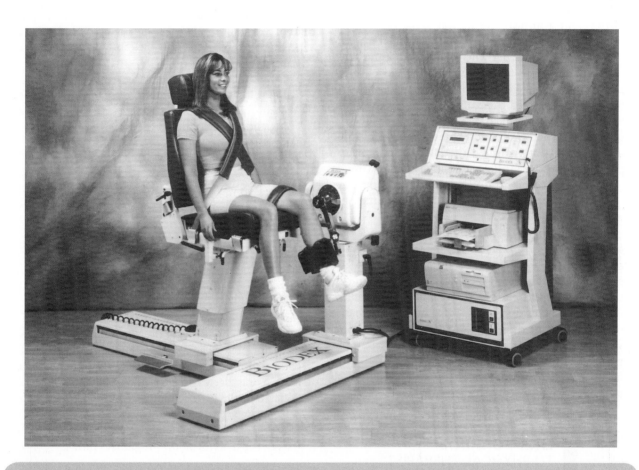

FIGURE 7-35 ● **ISOKINETIC EXERCISE FOR THE LOWER EXTREMITY WITH BIODEX DYNAMOMETER.**

Purpose: Isokinetic strengthening of knee extensors.
Position: Client sitting on chair of dynamometer with stabilization straps placed around chest, pelvis, and thigh. Lower part of leg (near ankle) is also stabilized to the isokinetic device.
Procedure: Client extends knee as fast and as hard as possible against accommodating resistance provided by device (concentric). At end of full knee extension, client immediately flexes knee as fast and as hard as possible against accommodating resistance (concentric contraction of reciprocal muscle) or client immediately resists lever arm as it pushes leg into flexion (eccentric contraction of the ipsilateral muscle).
Note: The exact nature of the type of contraction depends on how the isokinetic dynamometer is programmed. The example given here is but one of many options available with a computer-generated isokinetic dynamometer. (Courtesy Biodex Medical Systems, Shirley, NY.)

Case Study 1

PATIENT INFORMATION

A 21-year-old college football player (linebacker) presented to the clinic complaining of pain and weakness in the right arm near the cubital fossa. He described the injury as occurring in the third quarter of a football game 2 days earlier when he made an arm tackle of an opposing ball carrier. During the tackle, his right arm was forcibly horizontally abducted behind his back while he pulled the ball carrier to the ground by flexing his elbow. Immediately, he felt severe pain in his upper arm, which subsided to a dull pain after 5 minutes. The patient indicated that he was able to complete the game with minimal pain. The following day (1 day before coming into the clinic), he complained of upper arm pain and an inability to extend the elbow without pain.

Examination by the PT indicated acute inflammation, including pain and palpable heat at the anterior surface of the upper arm. In addition, swelling was present at the anterior aspect of the elbow joint. Passive ROM was full but painful at full elbow extension. Resisted elbow flexion was painful and weak (manual muscle testing grade 3/5); resisted shoulder flexion was strong (5/5) but with slight pain. All other examination procedures were pain free. On the basis of the examination, the patient was diagnosed with a strain to the biceps brachii muscle.

LINK TO GUIDE
TO PHYSICAL THERAPIST PRACTICE

Pattern 4D of the *Guide to Physical Therapist Practice*[27] relates to the diagnosis of this patient. The pattern is described as "impaired joint mobility, motor function, muscle performance, and ROM associated with connective tissue dysfunction." Included in this diagnostic group is muscle strain, and anticipated goals include increasing strength using resistive exercises (including concentric, dynamic/isotonic, eccentric, isokinetic, isometric).

INTERVENTION

The PT's initial goals of intervention were to decrease inflammation (swelling, pain), maintain full ROM, and diminish loss of strength during healing. The PT discussed the goals and the plan of care with the PTA.

The PTA, under the direction and supervision of the PT instructed the patient in a home program consisting of:

1. Ice before treatment.
2. Active flexion and extension ROM exercises to the elbow; 15 repetitions in the morning and in the evening (Fig. 3-18).
3. Isometric exercises to elbow flexors in two parts of the range (45 degrees and 90 degrees) using submaximal (pain-free) contractions: 20 repetitions in the morning and in the evening (Fig. 7-6).
4. Ice after treatment.
5. Return to clinic in 1 week.

The PTA was to report back to the supervising PT the ability of the patient to tolerate and perform the home exercise program.

PROGRESSION

One Week After Initial Examination

Upon reevaluation by the PT, the patient reported no pain with passive ROM of the elbow, decreased pain with resisted elbow flexion, no swelling at the elbow, and no pain with resisted shoulder flexion. Given that inflammation was decreased, the goals of intervention were updated by the PT to promote healing (influence proper collagen deposition, increase blood flow) and to increase strength of the biceps brachii. The PT instructed the PTA to progress the home program as follows:

1. Isotonic elbow flexion exercises using a 2-pound cuff weight: three sets of 12 repetitions twice a day.
2. Isotonic shoulder flexion exercise using a 5-pound weight: two sets of 12 repetitions twice a day (Fig. 7-12).
3. Ice after treatment.

Two Weeks After Initial Examination

The examination by the PT indicated no pain with any resisted movements but a slight loss of strength with elbow flexion (4+/5). The goals of intervention at this point were to aggressively strengthen the biceps brachii.

In the clinic, directed by the PT, the PTA exercised the patient isokinetically by performing eight repetitions of concentric elbow flexion and elbow extension at 60 degrees/second, 10 repetitions at 180 degrees/second, and 12 repetitions at 300 degrees/second. The program was repeated three times (three sets at each speed). The patient was able to perform these exercises without any pain or complaints of any kind. The PTA reported the exercise tolerance of the patient back to the PT and was instructed by the PT to apply ice to the patient following the exercise session. After the intervention session, the PTA, under the direction of the PT, instructed the patient to perform a daily home exercise program of three sets of 15 repetitions of isotonic elbow flexion using elastic tubing.

OUTCOME

Three weeks after the initial examination, the patient was pain free for all movements and the strength of elbow flexion on the right was equal to the left, as indicated by manual muscle testing (5/5). The patient was discharged from care by the PT with instructions to call or return if problems developed.

SUMMARY: AN EFFECTIVE PT–PTA TEAM

This case study demonstrates an effective collaborative effort between the PT and the PTA. The PTA is able to follow the instruction of the PT after their reexamination of the patient and perform isokinetic exercises with the patient and perform instruction to the patient of the home exercise program. The PT is aware of the patient's status and ability to advance the home exercise program due to the good communication between the PT and the PTA after the instruction. The PT expects that the PTA fully understands the interventions included in the clinic exercise and the home exercise program. The PT also expects that the PTA can instruct the patient independently reporting any adverse effects of the session. This type of working relationship allows the PT to be aware of the athlete's status but at the same time allows them to perform examinations on other patients in the clinic demonstrating effective and efficient teamwork while still providing quality care.

SUMMARY

- The three common modes of exercise (isometric, isotonic, isokinetic) were defined, and research was presented as a review of the exercise types and to enhance the understanding of their use in clinical intervention.
- Isometric exercises are used most commonly early in the rehabilitation program to avoid open-chain–resistance exercises through the full ROM, which may cause increased pain, effusion, or crepitus. Isometric exercises can also be used at various points in the ROM to enhance more effective strengthening at that part of the range and, therefore, can be used throughout the entire rehabilitation program, rather than only during the acute or inflammatory phase.
- Isotonic-resistance programs are common, and their effectiveness in increasing strength is well documented. Isotonic exercise should be performed both concentri-

cally and eccentrically for the most functional result. A potential disadvantage to isotonic exercise is that the actual tension developed varies as the muscle changes length and maximal resistance is not achieved throughout the full ROM.
- Isokinetic exercise is performed at a fixed speed against accommodating resistance. Electromechanical mechanisms vary the resistance to accommodate the fluctuations in muscle force owing to changing muscle length and angle of pull. Therefore, isokinetic exercise devices stimulate maximal contraction of the muscle throughout the complete ROM.
- The PT and the PTA must be aware of potential adverse responses of the patient to the open-chain resistance-training program (pain, crepitus, swelling) and of healing constraints that may affect the program. The specific program must be individualized to each patient.

Geriatric Perspectives

- Open-chain–resistance activities are appropriate for all age groups, even the oldest-old, with few modifications. These activities for senior adults may be exemplified by functional tasks, such as carrying a plate of food or a bag of groceries.
- Open-chain activities are associated with shearing forces across the joint. Of particular importance are the shearing forces that occur parallel to the tibiofemoral joint during open-chain activities. The use of such exercises with added resistance may be problematic after some surgeries, such as total knee replacement.
- Although open-chain–resistance training is not particularly functional, the training provides a means of isolating muscle groups. For example, quadriceps strength is known to decrease with aging. The strength loss has been associated with increased chair rise time and difficulty climbing stairs.
- With aging, the peak force generated during a single maximal contraction against a constant force (isometric strength) and the peak force generated as the muscle is shortening (concentric strength) decrease and the muscle fatigues more quickly.[1-3] Furthermore, the speed of the response to stimuli (reaction time and contraction response) slows progressively with aging.[3]
- In designing a training program that uses open-chain activities for older individuals, a taxonomy of exercise is the recommended choice. The progression should begin with holding muscle contractions (isometric), proceed to control during muscle lengthening (eccentric), and finally progress to a shortening contraction (concentric). Within each level of training, the amount of resistance, duration, and frequency may be progressed.
- Submaximal isometric training (up to 75% of the maximum amount of weight that can be lifted once) for 3 months has been shown to significantly increase strength and cross-sectional area of muscle in older individuals.[4] Use of techniques such as proprioceptive neuromuscular facilitation (PNF) and task-specific strengthening (Chapter 8) may improve functional carryover to open-chain–resistance training and thus may increase the effect performance.

1. Spirduso WW. *Physical dimensions of aging.* Champaign, IL: Human Kinetics, 1995.
2. Overend TJ, Cunningham DA, Kramer JF, et al. Knee extensor and knee flexor strength: cross-sectional area ratios in young and elderly men. *J Gerontol Med Sci* 1992;47:M204–M210.
3. Shephard RJ. *Aging, physical activity, and health.* Champaign, IL: Human Kinetics, 1997.
4. Pyka G, Lindenberger E, Charette S, Marcus R. Muscle strength and fiber adaptations to a year-long resistance training program in elderly men and women. *J Gerontol Med Sci* 1994;49:B22–B27.

Pediatric Perspectives

- Open-chain exercises are appropriate and often a first option for strengthening in children. Open-chain activities provide isolation of muscle groups and are simple to teach. These activities are common in many upper- and lower-extremity movements used by children, such as reaching, throwing, and kicking.
- It is common to use both open- and closed-kinetic–chain modes of exercise in a therapeutic exercise program designed for children. Both are used for improvement of overall strength and function. Open-chain training may be the superior activity in young children for some upper-extremity tasks because children may lack the proximal strength (scapular stabilizers) and alignment to safely support closed-kinetic–chain exercises. An example of this is the scapular prominence that diminishes with age.[1]
- The same concern applies to some lower-extremity and trunk movements, for which open-chain training may be superior to closed-chain. Very young children may lack the trunk strength needed to correctly perform some lower-extremity closed-kinetic–chain activities. An example of this is the sway back posture of toddlers and youth.[1]

1. Kendall FP, McCreary EK. Muscles: *testing and function.* 4th ed. Baltimore, MD: Williams & Wilkins, 1994.

References

1. Bandy WD. Functional rehabilitation of the athlete. *Orthop Phys Ther Clin North Am.* 1992;1:1–13.
2. Falkel J, Cipriani D. Physiological principles of resistance training and rehabilitation. In: Zachazewski J, Magee D, Quillen W, eds. *Athletic injuries and rehabilitation.* Philadelphia, PA: Saunders; 1996;206–228.
3. Arnheim D, Prentice W. *Principles of athletic training.* 8th ed. Baltimore, MD: Mosby Year Book; 1993;32–73.
4. Hettinger T, Muller EA. Muskelleisting and muskeltraining. *Arbeitphysiologic.* 1953;15:111–126 [Cited in Hislop HJ. Quantitative changes in human muscular strength during isometric exercise. *Phys Ther* 1963;43:21–38.]
5. Muller EA. Influence of training and of inactivity on muscle strength. *Arch Phys Med Rehabil.* 1970;51:449–462.
6. Walters L, Steward CC, LeClaire JF. Effort of short bouts of isometric and isotonic contractions on muscular strength and endurance. *Am J Phys Med.* 1960;39:131–141.
7. Cotton D. Relationship of duration of sustained voluntary isometric contraction to changes in endurance and strength. *Res Q* 1967;38:366–374.
8. Belka D. Comparison of dynamic, static, and combination training on dominant wrist flexor muscles. *Res Q.* 1966;49:245–250.
9. Knapik JA, Mawdsley RH, Ramos MU. Angular specificity and test mode specificity of isometric and isokinetic strength training. *J Orthop Sports Phys Ther.* 1983;5:58–65.
10. Liberson WT, Asa MM. Further studies on brief isometric exercises. *Arch Phys Med Rehabil.* 1959;40:330–333.
11. Bandy WD, Hanten WP. Changes in torque and electromyographic activity of the quadriceps femoris muscles following isometric training. *Phys Ther.* 1993;73:455–467.
12. Norkin CC, Levangie PK. *Joint structure and function: a comprehensive analysis.* 4th ed. Philadelphia, PA: Davis; 2005;92–124.
13. Soderberg G. *Kinesiology. Application to pathological motion.* 2nd ed. Baltimore, MD: Williams & Wilkins; 1997;29–57.
14. Albert M. *Eccentric muscle training in sports and orthopaedics.* New York, NY: Churchill Livingstone; 1991.
15. Smith LL. Acute inflammation: the underlying mechanism in delayed-onset muscle soreness? *Med Sci Sports Exerc.* 1991;23:542–551.
16. Stauber WT, Clarkson PM, Fritz VK, et al. Extracellular matrix disruption and pain after eccentric muscle action. *J Appl Physiol.* 1990;69:868–874.
17. Howell JN, Chelboun G, Conaster R. Muscle stiffness, strength loss, swelling and soreness following exercise-induced injury in humans. *J Physiol.* 1993;464:183–196.
18. Ebbling CB, Clarkson PM. Muscle adaptation prior to recovery following eccentric exercises. *Eur J Appl Physiol.* 1990;60:26–31.
19. American Academy of Orthopaedic Surgeons. *Athletic training and sports medicine.* 2nd ed. Park Ridge, IL: AAOS; 1991.
20. Bandy WD, Lovelace-Chandler V. Relationship of peak torque to peak work and peak power of the quadriceps and hamstrings muscles in a normal sample using an accommodating resistance measurement device. *Isok Exerc Sci.* 1991;1:87–91.
21. Delorme TL. Restoration of muscle power by heavy resistance exercise. *J Bone Joint Surg Am.* 1945;27:645–667.
22. Stone WJ, Kroll WA. *Sports conditioning and weight training: programs for athletic conditioning.* Boston: Allyn & Bacon; 1982.
23. Escamilla R, Wickham R. Exercise based conditioning and rehabilitation. In: Kolt GS, Snyder-Mackler L, eds. *Physical therapies in sport and exercise.* London: Churchill Livingstone; 2003.
24. Hall C, Brody LT. Functional approach to therapeutic exercise for physiologic impairments. In: Hall C, Brody LT, eds. *Therapeutic exercise.* 2nd ed. Philadelphia, PA: Lippincott, Williams, Wilkins; 2005.
25. Knight K. Knee rehabilitation by the daily adjustable progressive resistance exercise technique. *Am J Sports Med.* 1979;7:336–337.
26. Davies GJ. *A compendium of isokinetics in clinical usage.* 4th ed. Lacrose, WI: S & S Publishers; 1992.
27. American Physical Therapy Association. Guide to physical therapist practice. 2nd ed. Alexandria, VA: 2003.

PRACTICE TEST QUESTIONS

1. Open-chain exercises are

   A) those which the distal portion of the extremity moves freely in space.
   B) an important first step in a continuously progressive therapeutic exercise program.
   C) those which employ isometric, isotonic, or isokinetic exercise techniques.
   D) all of the above.

2. Isometric exercises will **NOT** be able to do which of the following

   A) develop muscle tension with no change in the joint angle.
   B) produce strength gains in poorly trained individuals to a greater extent than in more higher trained individuals.
   C) be able to produce strength gains at 25% of maximal contraction times one repetition per day.
   D) are ideally performed as one set of six repetitions, with each exercise held for 6 to 10 seconds

3. In older persons, it has been suggested that there is a particular sequence to progressing open-chain exercises. Which of the following statements accurately states the recommended sequence of exercises?

   A) Isometrics, resisted concentric, then eccentrics
   B) Eccentrics, isometrics, then resisted concentrics
   C) Concentric, eccentrics, then maximal isometrics
   D) Isometrics, eccentrics then concentrics

4. A major disadvantage of open-chain exercise is the

   A) isolation of the muscle trained
   B) shearing forces generated across the joint
   C) difficult to teach to an untrained individual
   D) gains do not lead to gains in functional abilities

5. In young children, the safest mode of exercise is

   A) closed-chain
   B) open-chain
   C) either closed- or open-chain
   D) maximum isometrics held for longer than 30 seconds

6. When a 5-pound weight held in the hand is lowered from a fully flexed position of the elbow to a fully extended position, the **most accurate** description of this exercise of the biceps is

A) open-chain, concentric muscle contraction
B) open-chain, eccentric muscle contraction
C) closed-chain, concentric muscle contraction
D) closed-chain, eccentric muscle contraction

7. The patient's forearm is supported on the table, with wrist and hand over the edge. The patient holds a mallet in her hand and will be pronating and supinating the forearm. The maximal moment arm with the weight occurs when the patient holds the mallet

A) by the head of the mallet
B) 2 to 4 inches below the mallet head
C) in the middle of the mallet handle
D) at the bottom of the mallet handle

8. DOMS is

A) least likely to occur after eccentric exercise.
B) pain described as pins and needles following a nerve root distribution.
C) not going to affect muscle performance.
D) at its peak approximately 2 days after exercise and may last up to a week.

9. The patient is performing a strengthening exercise program for the quadriceps muscles bilaterally. One of the ways to get the best results is

A) to exercise while DOMS is at its peak
B) to perform isokinetic exercise
C) to perform only submaximal isometrics
D) allow for sufficient recovery time between exercise sessions

10. Isokinetic exercise has the advantage of developing maximal muscle tension throughout the full ROM. The main disadvantage of isokinetic exercise is that

A) resistance is fixed.
B) functional activities are not usually performed at constant speed.
C) equipment limitations permit exercise set-ups for the lower extremities only.
D) shear forces cannot be minimized during isokinetic exercise.

11. The patient is recovering from total knee replacement surgery. The initial plan of care will call for exercises that do not overstress the new surgical incision but still work on muscle contractions to maintain strength. The best type of exercise at this point will be

A) isometrics
B) isokinetics in a restricted arc of motion
C) isotonics in a restricted arc of motion
D) isotonics in an unrestricted arc of motion

12. The patient is performing a PRE program for the hamstring muscles bilaterally. The patient begins the exercise with 10 pounds for 10 repetitions, then performs 15 pounds for 10 repetitions, and finishes with 20 pounds for 10 repetitions. The exercise program is following the

A) Oxford protocol
B) Delorme protocol
C) DAPRE protocol
D) alternating isometrics protocol

13. The chief advantage of the Oxford protocol over the other PRE protocols is

A) that the patient gets better results more quickly.
B) that the resistance level accommodates to patient fatigue.
C) that it is easiest to teach to the untrained patient.
D) that it is easiest to plan for the next exercise session.

14. The patient is a relatively sedentary individual. He is beginning an exercise program for strengthening. The **best** exercise recommendations are

A) the DAPRE program
B) the Oxford program
C) the Delorme program
D) any of the above with lower weight and higher repetitions

15. The patient is working with strengthening using the DAPRE protocol. In today's exercise session, the working weight is 20 pounds. In the final set with 20 pounds, the patient is only able to do six repetitions with good form and the final four repetitions show breaks in form. What will be the working weight for the next treatment session?

A) 20 pounds
B) 25 pounds
C) 27 pounds
D) 30 pounds

ANSWER KEY

1.	D	**5.**	B	**9.**	D	**13.**	B
2.	C	**6.**	B	**10.**	B	**14.**	D
3.	D	**7.**	D	**11.**	A	**15.**	B
4.	B	**8.**	D	**12.**	B		

Proprioceptive Neuromuscular Facilitation

Marcia H. Stalvey, PT, MS, NCS

Objectives

Upon completion of this chapter, the reader will be able to:

- Demonstrate an understanding of diagonal patterns used in proprioceptive neuromuscular facilitation (PNF).

- Demonstrate an understanding of the integrated roles of flexion/extension, unilateral/bilateral movement, and distal to proximal timing in PNF.

- Apply techniques for upper-extremity diagonal patterns including scapular patterns, unilateral upper-extremity patterns, bilateral symmetric upper-extremity patterns, and bilateral asymmetric trunk patterns with and without equipment within the established plan of care.

- Apply techniques for lower-extremity diagonal patterns including unilateral lower-extremity patterns and bilateral symmetric lower-extremity patterns with and without equipment within the established plan of care.

- Apply correctly proper PNF-strengthening techniques using slow reversals, repeated contractions, timing for emphasis, and agonist reversal within the established plan of care.

- Apply correctly proper PNF-stability techniques using alternating isometric contractions and rhythmic stabilization within the established plan of care.

PNF is a philosophy of treatment developed in the 1950s by Kabat[1,2] and expanded under the vision of physical therapists Knott and Voss.[3] The basic principles of PNF emphasize the need for maximal demands to achieve maximal potential. The strong segments are used to facilitate the weak; improvement in specific functional activities is always the goal. Traditionally used for individuals with neurologic diagnoses,[4,5] PNF has wide applications for the rehabilitation of individuals with musculoskel-etal dysfunctions. It is widely accepted that the central nervous system (CNS), through neural adaptation, plays a part in the strength gains beyond those attributable to increases in muscle hypertrophy.[6,7] PNF can be used effectively as part of an overall progressive rehabilitation program to hasten that neural adaptation through motor relearning, to improve strength and flexibility, and to promote a functional progression. This chapter focuses on the use of PNF to increase strength; Chapter 4 emphasizes the use of PNF to increase flexibility. The purposes of this chapter are to:

- Review the philosophy, principles, and neurophysiologic basis of PNF.
- Review and illustrate the more commonly used PNF diagonal patterns.
- Describe and illustrate applications of selected PNF techniques.
- Provide specific examples of the clinical application of PNF.

● SCIENTIFIC BASIS

PNF is one of the traditional neurophysiologic approaches to therapeutic exercise, based on the classic work of Sherrington[8] and a hierarchic concept of the nervous system.[1,2] We now know that motor control is far more complex than just a muscle spindle and "top-down" organization,[9,10] and the use of PNF for CNS deficits has been somewhat controversial in light of more contemporary models of motor control. However, the literature substantiates the basic principles of PNF and their application to a wide variety of diagnoses, including the injured athlete.[11-17] PNF is most commonly used to restore range of motion (ROM), decrease pain, increase strength and endurance, hasten motor learning, improve coordination, facilitate proximal stability, and begin functional progression.[11,12,16,18]

Kabat[1,2] based his concepts of facilitation on the neurophysiology of the muscle spindle, applying Sherrington's laws of reciprocal innervation and successive induction to a therapeutic exercise technique. Reciprocal innervation states that contraction of the agonist produces simultaneous relaxation (inhibition) of the antagonist.[10] Successive induction suggests that voluntary motion of one muscle can be facilitated by the action of another.[10] For example, contraction of the biceps (the agonist), followed by contraction of the triceps (antagonist) results in increased response of biceps (the agonist). Additional neurophysiologic rationale is provided when specific techniques and applications are described.

● CLINICAL GUIDELINES

One of the most easily and widely modified approaches to therapeutic exercise, PNF is readily applied to all stages of rehabilitation of the injured individual. In the acute stages of injury, isometric contractions, manual contacts, and an indirect approach are used to help guide and teach movements to the patient when swelling and pain interfere. PNF provides the physical therapist (PT) and the physical therapist assistant (PTA) with a means of manually grading an activity, giving precise feedback tailored to the patient's needs, activities, and the level of rehabilitation. Techniques

and patterns can be modified to avoid pain and to protect the integrity of a surgical procedure and/or joint. Ultimately, PNF patterns and techniques can be used to provide isometric, concentric, and eccentric strengthening using high-tech devices (e.g., pulleys, elastic bands, and isokinetic devices) and low-tech procedures (manual contact).

Diagonal Patterns

PNF is perhaps best known for the spiral and diagonal movement patterns identified by Kabat.[1,2] These patterns of synergistic muscle combinations offer a mechanical lever arm to therapeutic exercise because they combine all planes of movement, cross midline, and are similar to normal functional movement. A narrow groove of motion exists, delineated by the shoulder in the upper extremity and the hip in the lower extremity, in which maximum power is achieved. Optimally both the client and the PTA move in that groove. Each pattern has motion in flexion or extension, abduction or adduction, and external or internal rotation. The largest ROM occurs in flexion and extension, the least in rotation. However, Kabat considers rotation to be the most important factor in eliciting strength and endurance changes.

Definition

The patterns of movement can be named two different ways: either by diagonal 1 (D1) or diagonal 2 (D2) or more simply for the motion occurring at the proximal joint. For example, shoulder flexion–abduction–external rotation (D2 flexion) or hip extension–adduction–external rotation (D2 extension). In this chapter, the motion of the proximal joint will be emphasized when describing patterns; reference to D1 and D2 will be secondary.

Tables 8-1 and 8-2 describe the components of the two upper- and lower-extremity diagonals, each consisting of two antagonistic patterns. In the extremity patterns, certain combinations of motions occur together consistently. Rotation of the shoulder and forearm occur in the same direction: supination with external rotation and pronation with internal rotation. When the shoulder abducts, the hand and wrist extend; hand and wrist flexion occur with shoulder adduction. In the lower extremity, ankle dorsiflexion combines with hip flexion and plantarflexion with hip extension. Ankle eversion occurs with hip abduction; ankle inversion occurs with hip adduction. Internal hip rotation coincides with abduction motions; external rotation with adduction motions. Therefore, memorizing every component of the pattern is not necessary.

The intermediate joint (elbow, knee) may remain straight, flexed, or extended, depending on the function required. Varying the elbow position changes the muscle activity at the shoulder, in part because of the change in lever arm for the PTA.

TABLE 8-1	Upper-extremity Diagonal Patterns	
Scapula	Anterior elevation	Posterior elevation
Shoulder	Flexion Adduction External rotation	Flexion Abduction External rotation
Elbow	Varies	Varies
Forearm	Supination	Supination
Wrist	Radial flexion	Radial extension
Fingers	Flexion	Extension
	D1 FLEXION	**D2 FLEXION**
	SHOULDER	
	D2 EXTENSION	**D1 EXTENSION**
Scapula	Anterior depression	Posterior depression
Shoulder	Extension Adduction Internal rotation	Extension Abduction Internal rotation
Elbow	Varies	Varies
Forearm	Pronation	Pronation
Wrist	Ulnar flexion	Ulnar extension
Fingers	Flexion	Extension

Unilateral Versus Bilateral

Patterns may be performed unilaterally or bilaterally. Unilateral patterns focus on a specific motion of the joint. Bilateral patterns emphasize the proximal limb

TABLE 8-2	Lower-extremity Diagonal Patterns	
Pelvis	Anterior elevation	Posterior elevation
Hip	Flexion Adduction External rotation	Flexion Abduction Internal rotation
Knee	Varies	Varies
Ankle	Dorsiflexion	Dorsiflexion
Foot	Inversion	Eversion
Toes	Extension	Extension
	D1 FLEXION	**D2 FLEXION**
	HIP	
	D2 EXTENSION	**D1 EXTENSION**
Pelvis	Anterior depression	Posterior depression
Hip	Extension Adduction External rotation	Extension Abduction Internal rotation
Knee	Varies	Varies
Ankle	Plantarflexion	Plantarflexion
Foot	Inversion	Eversion
Toes	Flexion	Flexion

movement and the trunk by combining two extremities moving at the same time, either symmetrically (same diagonals, like the butterfly stroke), or asymmetrically (opposite diagonals, going toward the same side, as in throwing the hammer). Bilateral patterns permit the PTA to elicit overflow from a strong segment to facilitate weaker motions in the ipsilateral or contralateral extremity. Unilateral and bilateral patterns will be described in detail later in this chapter.

Normal Timing

The normal timing of the PNF patterns is distal to proximal, with the foot or hand leading the motion. For example, when performing a unilateral flexion adduction pattern (D1 flexion), the forearm and wrist supinate, flex first, and then hold while the shoulder flexes and adducts. Shoulder external rotation initiates simultaneously with the distal wrist motion and completes as the shoulder approaches end range. Even when the ankle or hand has adequate strength, the recruitment pattern may be faulty, particularly in a normally functioning or highly trained individual. Correct sequencing or normal timing can be facilitated by manually restraining the proximal segments until the distal component is activated. This normal timing promotes motor learning.

Basic Procedures

PNF uses specific proprioceptive and other sensory inputs to facilitate motor responses and motor learning. These inputs (or procedures) include tactile stimulation through the PTA's manual contacts or grip, resistance, stretch, irradiation (overflow), traction, approximation, verbal commands, and visual cues.[3,19,20]

Manual Contact

The PTA should touch only the surface of the area being facilitated. This manual contact gives the PTA a means of controlling the direction of motion and eliminating, correcting, or minimizing substitution. The contact also applies a demand (referred to as the appropriate resistance) and gives specific cutaneous and pressure stimulation. Usually one manual contact is placed distally and the other proximally to incorporate both distal movement and proximal stabilization of the musculature in the trunk, scapula, or pelvis. Precise placement depends on the relative strength of the patient.

Resistance

One of the hallmarks of PNF and the cornerstone of many of its techniques is resistance. Resistance is a means of guiding movement, securing maximal effort, and aiding motor relearning. Optimal resistance is defined as resistance that is graded appropriately for the intention of the movement. Simply put, maximal resistance is the most resistance that can be applied by the PTA and still result in a smooth, coordinated motion for a particular activity performed by the client. Therefore, it is essential not to over-resist the movements being facilitated and to allow the motion to occur.

If the task requires concentric or eccentric muscle contractions, the intention is either a shortening or a lengthening movement. Optimal resistance can change constantly throughout the ROM, depending on strength, joint stability, pain, and ability of the patient. Examples include eccentric resistance for the glenohumeral rotators and scapular stabilizers of the throwing athlete, and concentric control for the jumper or sprinter. The intention of isometric muscle work is not motion but rather postural stability. Resistance to isometric contractions is therefore built up gradually so that no motion occurs. PNF is especially suited for use with a functional injury because of the emphasis on varying the type and speed of control needed, especially eccentric control.[16]

Manually resisted diagonal patterns and selected techniques allow the PTA to closely monitor the patient, finely grade the feedback, and change the challenge of the activity to meet the individual's needs. Patterns can be incorporated into independent and home programs using pulleys, weights, rubber tubing, and equipment, which are particularly necessary for muscle strength greater than 4/5 (as tested via manual muscle test).

Quick Stretch

Quick stretch is one of the most powerful neurophysiologic tools available.[2,3,9,10] When followed by resistance, quick stretch facilitates the muscle stretched. The stretch reflex is elicited by a gentle, quick "nudge" or "tap" to the muscles under tension, either from a fully elongated starting position or superimposed on an active muscle contraction. Quick stretch is contraindicated with pain, fracture, or recent surgical procedure.[6,7]

Irradiation

Used together, quick stretch and resistance can result in irradiation (or overflow) from the stronger segments to the weaker. Overflow, as defined by Sherrington,[8] occurs at the level of the anterior horn cell and is the "spread of facilitation with increased effort." Typically, overflow proceeds into muscles that are synergistic to the prime mover or to the muscles needed to stabilize that motion. This facilitation is directly proportional to the amount of strength in the resisted muscle groups and the amount of resistance applied. Irradiation is the key to using a strong motion to reinforce a weaker motion,

such as facilitating ankle dorsiflexion through overflow from resistance applied to strong hip and knee flexion. Similarly, overflow may be used to promote proximal stabilization, such as strengthening trunk flexion through overflow from the resistance of strong bilateral lower-extremity flexion. Irradiation can be especially helpful in reestablishing early active motion when pain is a factor. Since the patterns of irradiation are only partly predictable, closely monitoring the results and modifying the resistance are essential for best results.

Traction and Approximation

Manual traction and approximation are powerful facilitatory techniques that must be carefully modified in patients with pain or instability and after surgery.[11,12,20] Both procedures are contraindicated when joint instability, pain, or a recent surgical procedure is present. Use of traction and approximation can be gradually and cautiously reinstated as motor control and structural stability improve.

Traction is an elongating vector force applied along the long axis of the limb, slightly separating the joint surfaces. Traction is generally used to promote isotonic movement in phasic muscle groups, such as with pulling or antigravity motions (e.g., breast stroke in swimming).

Approximation is a compressive force applied through the long axis of the trunk or limb that facilitates stabilization, extension, and tonic muscle responses, especially in the lower extremities and trunk. For example, heel strike in gait provides a type of quick approximation that is followed by sustained approximation as the body weight progresses over the foot and the extended hip. Closed-chain weight bearing on an aligned, extended arm facilitates scapular stabilization and control, in part, through the effects of approximation.

Verbal Commands

Verbal commands instruct the client what to do, when and how to perform a task, and how to correct a task.[19,20] These commands need to be simple, direct, and timed to coordinate the effort and motion. Softly spoken commands tend to be soothing and useful in the indirect approach with the patient with pain. Firm commands (louder) usually elicit stronger effort from the patient.

Visual Cues

Visual cues provide additional feedback for directional and postural control, assisting in the incorporation of appropriate head and trunk motions. Initially vision can be substituted for proprioceptive loss, but care must be exercised to avoid visual dependence.

General Treatment Design

In keeping with the PNF philosophy of using the strong to facilitate the weak, the PT first identifies the individual's strength, which is usually an extremity or quadrant that is pain free, strong, and demonstrates controlled and coordinated motion. Impairments in ROM, strength, and controlare noted next. Functional limitations, such as inability to jump without pain, are identified next; then specific goals are set.

The PTA must also understand the biomechanics of the specific functional movement pattern, the key muscle components, the types or range of muscle contractions, and the stage of motor control needed. Depending on the activity, upper-extremity demands may be for closed-chain movements (as in parallel bar work in gymnastics) or open-chain movements (as in throwing a baseball). Most activities, however, require both open- and closed-chain activities. The PT can then select appropriate PNF techniques and the corresponding PNF patterns to meet the functional goal.

Biomechanical considerations – such as the size of the base of support, the height of the center of gravity, the length of the lever arm, open- versus closed-chain activity, and the number of joints involved in the activity – can be varied to advance a therapeutic exercise program. PNF can also be effectively combined with the use of modalities, soft-tissue techniques, and mobilization. It is not necessary to do diagonal patterns to "do PNF," although the diagonal patterns are useful. Rather, the basic philosophy, principles, and techniques of PNF can be applied to functional activities to achieve a wide range of goals.

Clinical Application

Table 8-3 presents PNF diagonal pattern "helpers" that assist the PT and PTA in applying PNF patterns effectively. These helpers emphasize the PTA's body position and preparation of the client and remind the PTA of key cues for PNF principles.

For clarity, most of the patterns in this chapter are shown in supine. However, all of the PNF patterns and techniques may be applied in any posture and should not be limited to supine. The hip flexion–abduction pattern in side-lying emphasizes antigravity strengthening of the hip abductors. Lower-extremity patterns should be progressed so the patient is able to perform them in an upright position, often with a narrowed base of postural support. Upper-extremity patterns combined with weight bearing in standing facilitate stability and controlled mobility essential to the development of skilled motion.[21] Bilateral-extremity patterns can be used in sitting to facilitate trunk control. Performance of these patterns in a functional posture can help achieve more complex movements.

TABLE 8-3	Proprioceptive Neuromuscular Facilitation Diagonal Pattern Helpers
THE PTA'S POSITION	
Face the direction of motion	
Shoulders and pelvis face the line of movement	
Take up all the slack in all components of motion	
PATIENT'S POSITION	
Close to the PTA	
Starting position is one of optimal elongation	
MANUAL CONTACTS	
Combinations of proximal and distal	
QUICK STRETCH TO INITIATE	
Use body weight, not arm strength	
Nudge	
MOVE WITH THE PATIENT	
The PTA's center of gravity *must* move	
Distal component initiates motion	
WHEN PERFORMING REVERSALS	
Change distal manual contact first	

The diagonal movement patterns are similar to the motions used in activities of daily living as well as in sports. For example, kicking a soccer ball is similar to the lower-extremity flexion–adduction pattern (D1 flexion). Opening an overhead cabinet is a widened version of upper-extremity extension–abduction and internal rotation with the elbow flexing pattern (D1 extension). Holding a tennis racket overhead for a serve corresponds to the flexion-abduction of the upper-extremity pattern (D2 flexion); release, deceleration, and follow-through are similar to extension–adduction with internal rotation patterns (D2 extension).

Selected commonly used limb and trunk patterns are described in the following sections. It is beyond the scope of this chapter to detail all patterns and possible combinations. For further information on any other patterns or techniques, see the texts by Adler et al.[19] and Knott and Voss.[3]

Upper-extremity Diagonal Patterns

Scapular Patterns

Perhaps the most underused but most helpful of all the PNF patterns are the patterns for the scapula. Both stability and mobility of the scapulae are required if the upper extremity is to function normally and pain free. Most individuals presenting with shoulder dysfunction benefit from retraining of scapular stabilizers.[21] Scapular patterns can be initially performed in side-lying and progressed to sitting or standing. Similarly, activities can begin in a closed-chain context and move to an open-chain context as control improves.

There are four scapular patterns, two in each of the corresponding upper-extremity patterns. Scapular elevation patterns work with upper-extremity flexion, and scapular depression patterns with upper-extremity extension (Figs. 8-1 to 8-4).

Unilateral Upper-extremity Patterns

Unilateral upper-extremity patterns offer the PTA a long lever arm from which to facilitate the extremity and trunk (Table 8-1). When upper-extremity patterns are performed, care must be exercised in those individuals with anterior glenohumeral laxity or those who have just had surgery. Motions should not exceed 90-degree flexion, abduction, or rotation in early treatment to avoid stressing unstable structures. Similarly, weight bearing on an extended arm, in quadruped or modified plantigrade, should be closely monitored in individuals with posterior instability. The key concept is to start with the pattern that is strongest, most stable, or least painful (Figs. 8-5 to 8-8).

Bilateral Symmetric Upper-extremity Patterns

Any time two-extremity patterns are combined, the emphasis shifts to the trunk and proximal-extremity components. Symmetric patterns eliminate the trunk rotation component of the movement and, as such, are ideal for the patient who cannot tolerate much trunk rotation. In general, full ROM in distal motions is sacrificed to facilitate proximal control. Although any combination of patterns is possible, the more commonly used patterns are shown in Figures 8-9 to 8-11. Bilateral symmetric upper-extremity patterns are particularly easy and effective when performed with pulleys.

Bilateral Asymmetric Trunk Patterns

A strong trunk is essential for normal function and successful performance of many activities. Trunk patterns for PNF, including upper-extremity chops and lifts and bilateral symmetric lower-extremity patterns (described later in this chapter), can be used to strengthen trunk musculature or to irradiate into the neck, scapula, and extremities. Chops and lifts are bilateral asymmetric patterns that can be done in supine, sitting, prone, or any other position in the biomechanical progression that challenges the individual. Since they are asymmetric patterns, significant trunk rotation and crossing of midline occurs, which may need to be moderated for some individuals.

Chops are a combination of extension–abduction (D1 extension) in the lead arm and extension–adduction (D2 extension) in the grasping arm. Chops can also facilitate functional activities such as rolling or coming to sit (Fig. 8-12).

Lifts are a bilateral asymmetric pattern combining flexion–abduction (D2 flexion) in one arm with flexion-adduction (D1 flexion) in the other. Lifts are an effective tool for facilitating upper trunk extension and scapular stabilization at the end range (Fig. 8-13).

Lower-extremity Diagonal Patterns

Unilateral Lower-extremity Patterns

The two lower-extremity diagonals are shown in Table 8-2. As in the upper extremity, the intermediate joint (knee) may flex, extend, or stay straight. Again, the starting position for each pattern is at the end of the antagonistic pattern. Common patterns are presented in Figures 8-14 to 8-17.

Bilateral Symmetric Lower-extremity Patterns

Bilateral symmetric lower-extremity patterns involve the combination of both extremities working together. Holding the feet bilaterally while performing the bilateral pattern places the emphasis on the lower trunk moving on the upper trunk. These patterns emphasize irradiation from stronger to weaker segments or limbs. The patterns are usually initiated in sitting (Fig. 8-18), but can be performed in prone to facilitate knee flexion activities.

Bilateral lower-extremity patterns are not used as frequently for musculoskeletal dysfunction as are bilateral upper-extremity patterns and thus are not emphasized. For more information on bilateral patterns, see the texts by Adler et al.[19] and Knott and Voss.[3]

Progression and Integration with Equipment

All of the patterns described so far can be performed as part of an equipment-based program, most easily with a pulley. The patterns can be adapted to more elaborate isokinetic equipment, with the rotational components greatly reduced. Braces may be worn during the pulley program to limit range and protect stability of grafts as needed. Anything done with pulleys in the clinic can be performed with elastic tubing in the home. Examples of setups are shown in Figures 8-19 and 8-20.

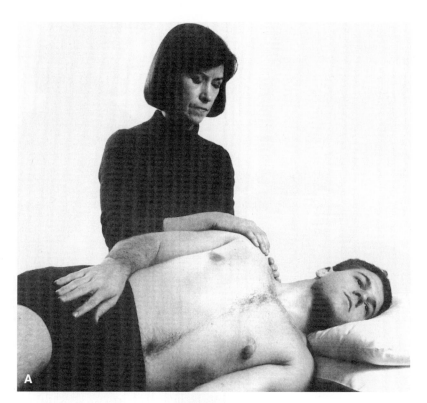

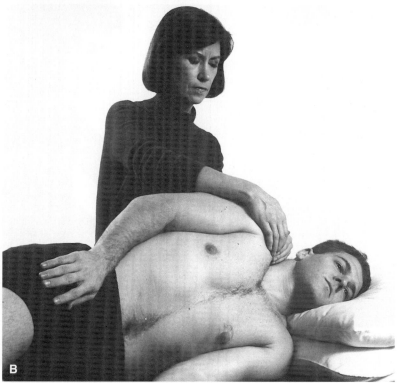

FIGURE 8-1 ● SCAPULAR ANTERIOR ELEVATION.

Purpose: Strengthening of levator scapula, serratus anterior, and scalene muscles in diagonal plane of the scapula.
Position: Client lying on side. The PTA standing behind client's hips in the line of motion, facing the client's head.

Both hands overlapping on the anterior glenohumeral joint and acromion **(A).**
Procedure: Client anteriorly elevates scapula against appropriate resistance. Movement is in a diagonal arc up toward client's nose **(B).**

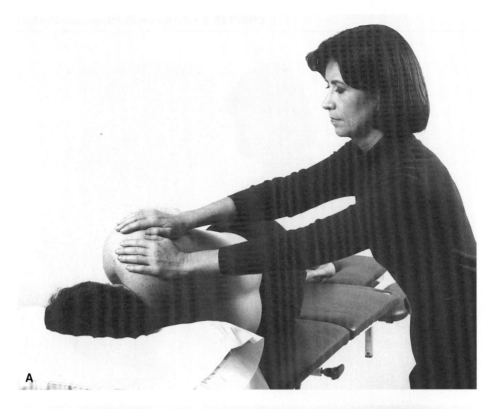

A

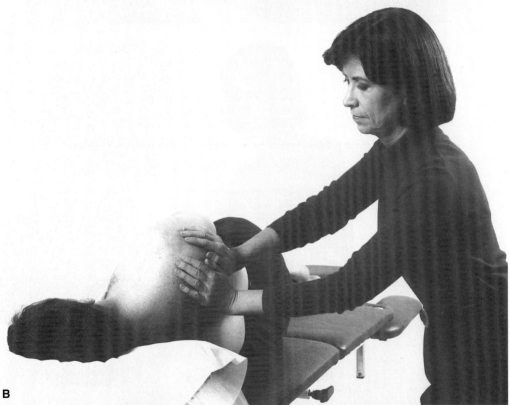

B

FIGURE 8-2 ● SCAPULAR POSTERIOR DEPRESSION.

Purpose: Strengthening of rhomboids and latissimus dorsi muscles in diagonal plane of the scapula.
Position: Client lying on side. The PTA standing behind the client's hips in the line of motion, facing the client's head. Both hands are flat-palmed on the middle to lower scapula, along the vertebral border **(A).**
Procedure: Movement is down to the ipsilateral ischial tuberosity **(B).**

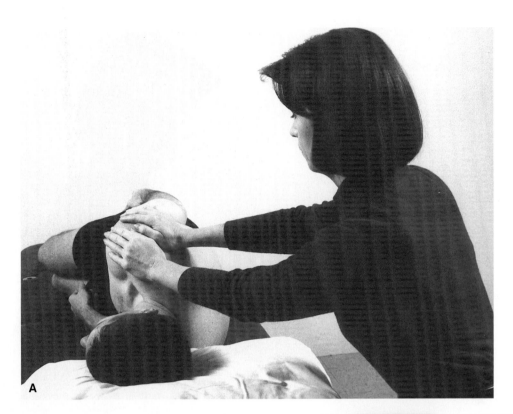

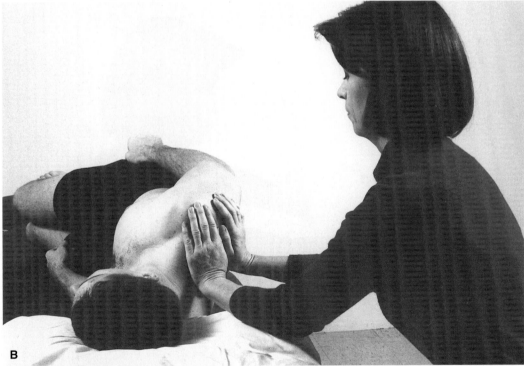

FIGURE 8-3 ● SCAPULAR POSTERIOR ELEVATION.

Purpose: Strengthening of trapezius and levator scapulae muscles in diagonal plane of the scapula.

Position: Client lying on side. The PTA standing at client's head, facing the hips. Manual contacts on the distal edge of the upper trapezius, close to the acromion **(A).**

Procedure: Movement is in an arc as the client shrugs up toward the ear **(B).**

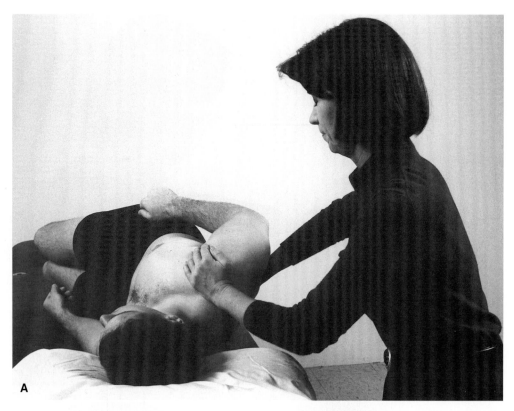

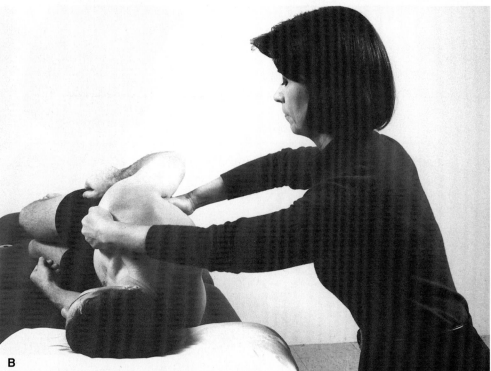

FIGURE 8-4 ● SCAPULAR ANTERIOR DEPRESSION.

Purpose: Strengthening of rhomboids and pectoralis minor and major muscles in diagonal plane of the scapula.
Position: Client lying on side. The PTA standing at client's head, facing the hips. Manual contacts on the pectoral muscle and coracoid process anteriorly and on the lateral border of the scapula posteriorly **(A).**
Procedure: Client pulls shoulder down toward umbilicus **(B).**

A

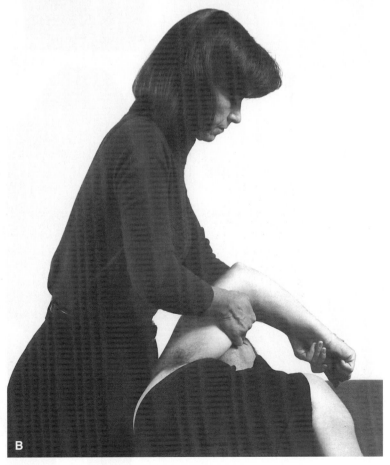

B

FIGURE 8-5 ● UPPER EXTREMITY: FLEXION–ADDUCTION–EXTERNAL ROTATION (D1 FLEXION).

Purpose: Strengthening, ROM, or control of shoulder flexion and adduction, scapular anterior elevation, and wrist flexion. Pattern of choice for initiating rotator-cuff activities because of reduced external rotation and abduction ROM components.

Position: Client lying supine. Begins with client's shoulder in slight extension with hand near hip. The PTA standing at client's elbow, facing feet. Distal manual contact on the palm provides most of the traction and rotatory control. Proximal contact can be on the biceps or onto the pectorals **(A).**

Procedure: Client told to "turn and squeeze my hand," then "pull up and across your nose." The PTA pivots toward client's head as the arm moves past. Ends with client's elbow crossing midline around the nose **(B).**

FIGURE 8-6 ● UPPER EXTREMITY: EXTENSION–ABDUCTION–INTERNAL ROTATION (D1 EXTENSION).

Purpose: Strengthening, ROM, or control of shoulder extension and abduction, scapular depression, internal rotation, and wrist extension.

Position: Client lying supine. The PTA standing at client's side near head. Client's arm flexed and adducted. Manual contacts on dorsal surface of the hand (distal) and on posterior surface of the humerus or scapula (proximal) **(A)**.

Procedure: Quick stretch, especially in the form of traction, applied simultaneously to the hand and shoulder. Client told to "pull wrist up and push your arm down to your side." As arm moves past the PTA, traction can be switched to approximation to increase proximal recruitment. Ends with wrist extended and arm at client's hip **(B)**.

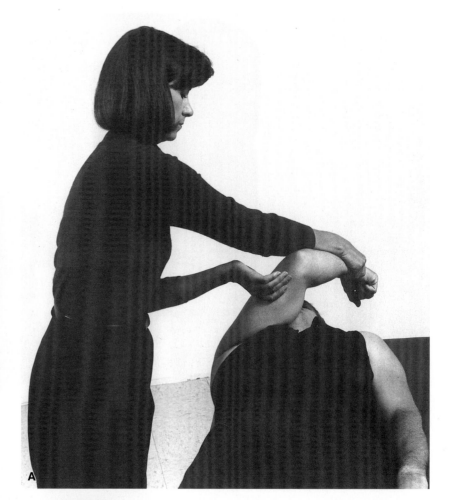

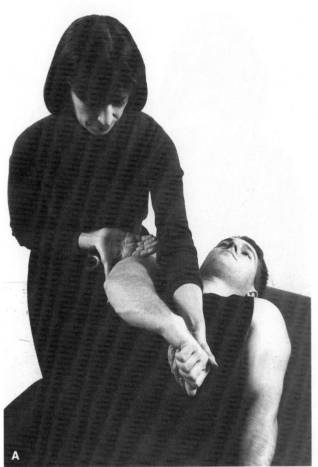 

FIGURE 8-7 ● UPPER EXTREMITY: FLEXION–ABDUCTION–EXTERNAL ROTATION (D2 FLEXION).

Purpose: Strengthening, ROM, or control of shoulder flexion and abduction, scapular anterior elevation, and wrist extension.

Position: Client lying supine. The PTA standing at client's shoulder facing client's feet with a wide base of support in the diagonal of movement. Client's extremity starts from across body, in an elongated, extended position, with elbow crossing the body near hip. Distal manual contact on dorsal hand; proximal contact either on proximal humerus or on scapula to emphasize shoulder and scapular motions **(A)**.

Procedure: The PTA takes limb to a fully elongated position, taking up all slack in the muscle groups, and gently applies quick stretch; client told to "pull wrist up and reach." Wrist completes extension before the other components **(B)**.

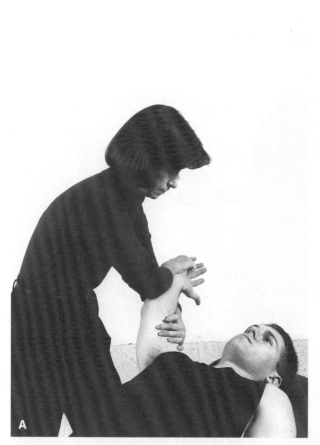
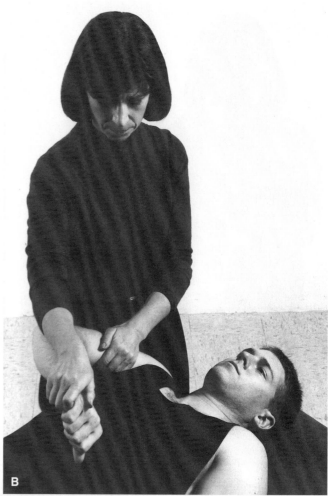

FIGURE 8-8 ● UPPER EXTREMITY: EXTENSION–ADDUCTION–INTERNAL ROTATION (D2 EXTENSION).

Purpose: Strengthening, ROM, or control of shoulder extension and adduction, scapular depression, and wrist flexion.
Position: Client lying supine. The PTA standing near the client's shoulder. Distal manual contact palm to palm with client **(A).** Proximal contact on pectoral muscles to emphasize recruitment of trunk and scapula or on proximal humerus.

Procedure: Elongation and quick stretch applied; client told to "squeeze and turn your wrist, then pull down and across." The PTA pivots slightly as the limb passes the PTA's center of gravity. Ends in shoulder extension, forearm in pronation, elbow across midline **(B).**

FIGURE 8-9 ● UPPER EXTREMITY: BILATERAL SYMMETRIC FLEXION–ABDUCTION.

Purpose: Strengthening of shoulder flexion, trunk extension, and control using two strong upper extremities.
Position: Client lying supine. The PTA standing at the client's head, arms crossed. Manual contacts on dorsum of wrists **(A)**.
Procedure: Client lifts both arms straight overhead against resistance **(B)**.

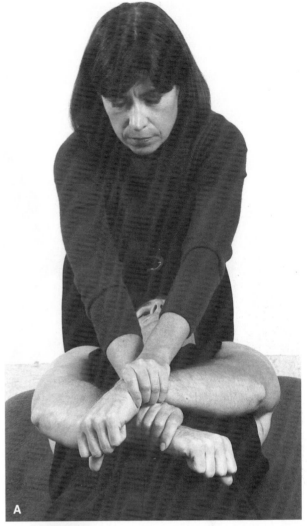

A

B

FIGURE 8-10 ● UPPER EXTREMITY: BILATERAL SYMMETRIC EXTENSION–ADDUCTION.

Purpose: Strengthening shoulder extension and adduction, upper trunk flexion, and control using two strong upper extremities.
Position: Client lying supine. Manual contacts at wrists **(A)**.
Procedure: Client told to "squeeze and pull down and across" **(B)**.

A   B

FIGURE 8-11 ● UPPER EXTREMITY: BILATERAL SYMMETRIC EXTENSION–ABDUCTION (WITH PULLEYS).

Purpose: Strengthening, ROM, or control of shoulder extension, trunk extension, and stabilization.

Position: Sitting in chair, client grasps pulley handles with arms crossed, in a position of shoulder adduction, flexion, and external rotation; wrists in flexion and radial deviation **(A)**.

Procedure: Client told to "straighten your wrists and pull your arms down to your sides" **(B)**.

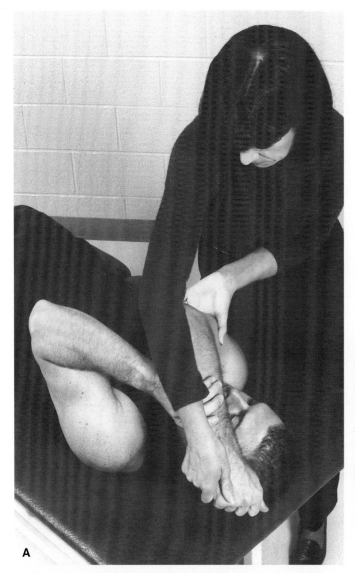

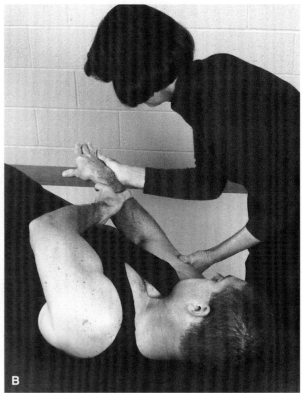

FIGURE 8-12 ● UPPER EXTREMITY: CHOPS.

Purpose: Strengthening of trunk flexion; overflow to extremity extensor musculature.

Position: Client lying supine. The PTA standing at the end of pattern so that client chops down to the PTA. Client grasping one arm at the wrist. Manual contacts placed distally on dorsal wrist and proximally on scapula or proximal humerus of the abducting (free, nongrasping) arm **(A).**

Procedure: Client told to "tuck your chin and chop down and across to your knees." Head and neck flex, following the leading straight (abducting) arm. Neck motions can be cued with verbal reminders or light, guiding resistance on the forehead. The PTA restrains arm motion until trunk musculature has been activated **(B).**

FIGURE 8-13 ● UPPER EXTREMITY: LIFTS.

Purpose: Facilitate trunk extension, rotation, and lateral bending toward the leading (abducting) arm.

Position: Client lying supine. The PTA standing at end of the pattern so client lifts up to the PTA. Lead, abducting arm straight; following limb grasping opposite forearm. Distal manual contact on dorsum of abducting arm; proximal contact on occiput to emphasize neck extension or on scapula **(A)**.

Procedure: Client told to "look up and lift your arms up to me" **(B)**.

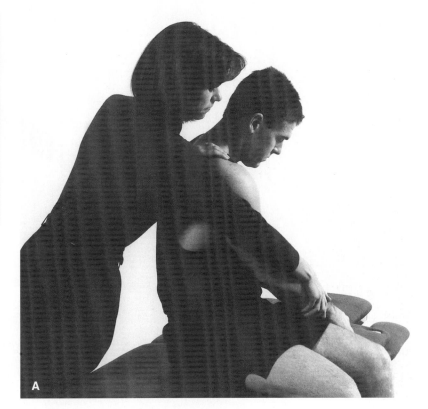

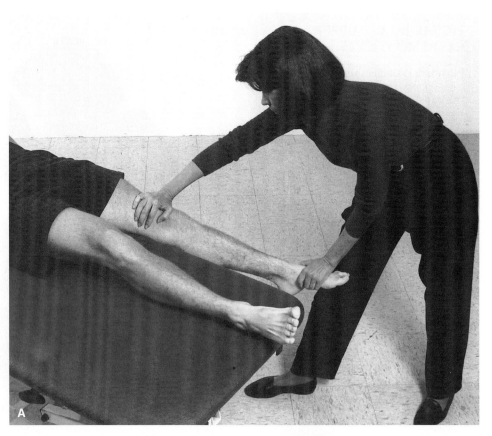

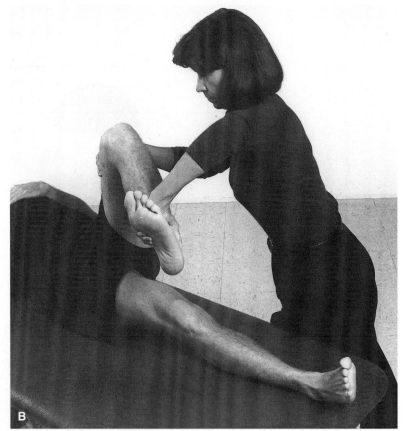

FIGURE 8-14 ● **LOWER EXTREMITY: FLEXION–ADDUCTION–EXTERNAL ROTATION (D1 FLEXION).**

Purpose: Strengthening, ROM, or control of hip flexion, abduction, external rotation, and ankle dorsiflexion and inversion.

Position: Client lying supine. Begins with the PTA moving limb into an elongated position of hip and knee extension (slightly off the plinth), internal rotation, and ankle plantarflexion with eversion. Manual contacts placed proximally on anterior distal femur and distally on dorsum of foot **(A)**.

Procedure: Corkscrew-like elongation given to entire pattern. Ankle dorsiflexion with inversion initiates motion and provides the PTA a handle for traction. As limb moves into flexion, knee and heel cross midline. Knee and ankle both must finish in line, at or slightly across midline **(B)**.

FIGURE 8-15 ● LOWER EXTREMITY: EXTENSION–ABDUCTION–INTERNAL ROTATION (D1 EXTENSION).

Purpose: Strengthening, ROM, or control of hip extension, abduction, internal rotation, and ankle plantarflexion and eversion.

Position: Client lying supine. The PTA standing with a wide base of support facing client in line of movement. Client's extremity in a position of hip and knee flexion, full dorsiflexion, and inversion; knee and heel at or slightly across midline. The PTA cupping ball of foot distally and providing proximal contact on hamstrings **(A).**

Procedure: Quick stretch applied simultaneously to hip, knee, and ankle as client told to "point your foot down and kick down and out to me." Ankle plantarflexion and eversion initiate motion, with full hip and knee extension concluding simultaneously **(B).**

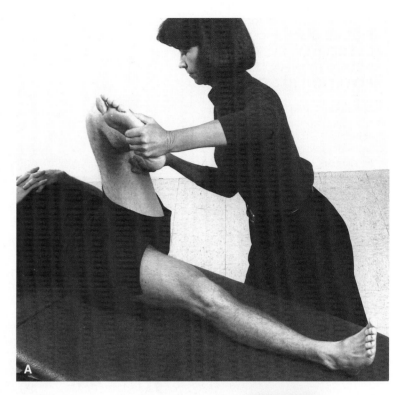

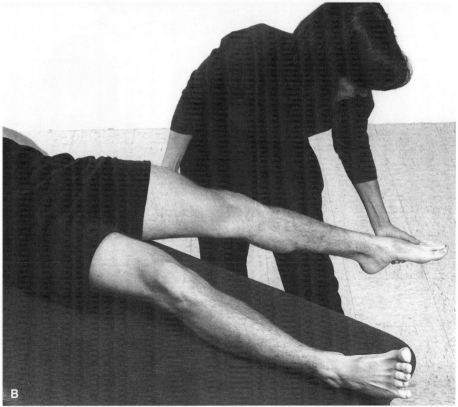

FIGURE 8-16 ● LOWER EXTREMITY: FLEXION–ABDUCTION–INTERNAL ROTATION (D2 FLEXION).

Purpose: Strengthening, ROM, or control of motion of hip flexion, abduction, internal rotation, and ankle dorsiflexion and eversion.
Position: Client lying supine. The PTA standing at client's hip, facing feet. Both legs positioned slightly away from the PTA so limb in question begins in an abducted, extended, and externally rotated position. Proximal manual contact on dorsum of foot; distal contact on anterior distal femur just above knee **(A).**
Procedure: Client told to "bring your toes up and out; swing your heel out to me." Ends with heel close to lateral buttock and hip and knee aligned with each other **(B).**

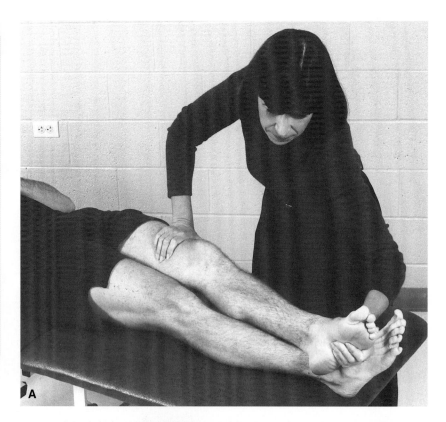

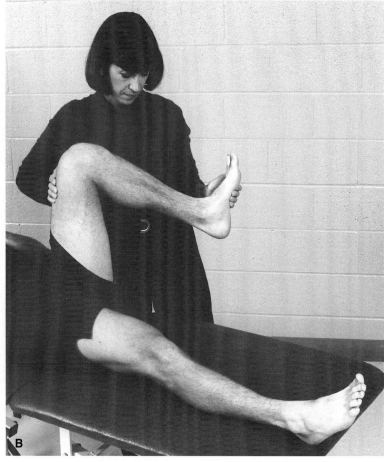

FIGURE 8-17 ● LOWER EXTREMITY: EXTENSION–ADDUCTION–EXTERNAL ROTATION (D2 EXTENSION).

Purpose: Strengthening, ROM, or control of hip extension, adduction, external rotation, and ankle plantarflexion and inversion.

Position: Client lying supine. The PTA standing in groove, facing client's feet. Manual contacts distally on instep of foot and proximally on medial femur **(A).**

Procedure: Distal motion must come in first, facilitated by quick stretch into flexion. Limb extends with knee finishing across midline **(B).** The PTA may elect to stand at end of pattern to better manually resist extension and adduction.

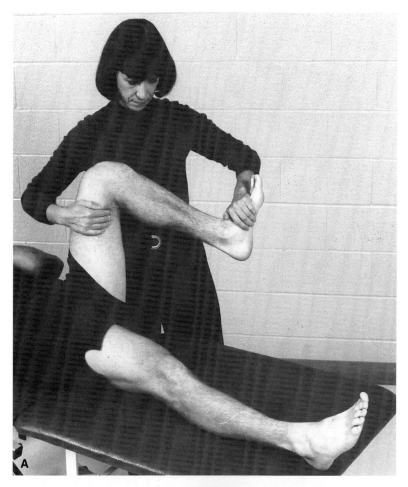

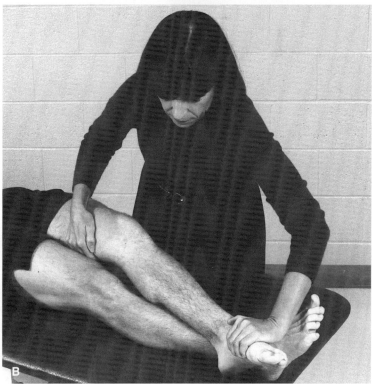

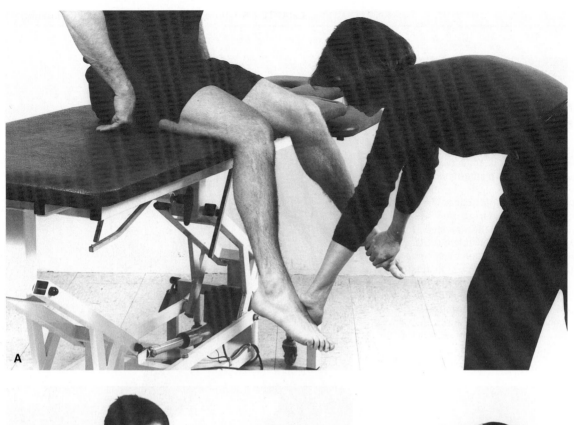

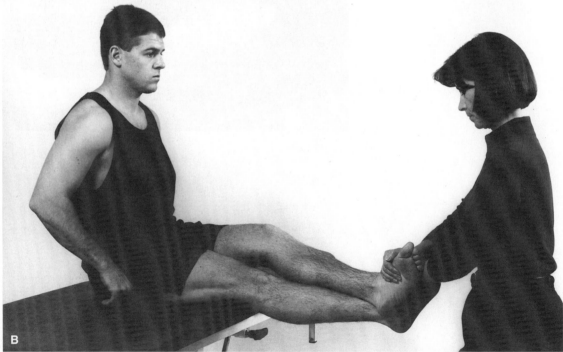

FIGURE 8-18 ● LOWER EXTREMITY: BILATERAL FLEXION WITH KNEE EXTENSION IN SITTING POSITION.

Purpose: Strengthening, ROM, or control of knee flexion and extension using advanced lower-extremity pattern in sitting.

Position: Client sitting with knees flexed and ankles plantarflexed. The PTA standing in front of client centered in middle of both grooves. Manual contacts at dorsal aspect of both feet **(A).**

Procedure: Quick stretch and traction into knee flexion and ankle plantarflexion initiates motion. Ankle dorsiflexion must occur first as client extends both knees. Client told to "lift your toes up and straighten your knees together" **(B).** At the end of ROM, the PTA switches manual contacts to balls of feet; gentle quick stretch into knee extension initiates motion as client plantarflexes ankle and flexes knees against appropriate resistance.

FIGURE 8-19 ● ELASTIC TUBING FOR LOWER EXTREMITY (D1 FLEXION).

Purpose: Strengthening, ROM, or control of flexion.

Position: Client standing, leg extended and in slight abduction while holding on to chair for balance. End of tubing is hooked around dorsum of flexing extremity **(A).**

Procedure: Client dorsiflexes ankle and flexes extremity up and across body, keeping knee straight **(B).** Eccentric control may be emphasized as client slowly returns extremity to start position against pull of tubing. Pattern simulates kicking a ball.

A

B

FIGURE 8-20 ● ELASTIC TUBING FOR UPPER EXTREMITY (D2 FLEXION).

Purpose: Strengthening, ROM, or control of flexion, adduction, and internal rotation in a functional standing position.
Position: Standing; client's extremity across body, grasping tubing with shoulder extended, adducted, and internally rotated; elbow pronated and wrist flexed.

Procedure: Client told to "pull wrist up and reach." Pattern simulates throwing a ball.

● TECHNIQUES

All of the PNF patterns and functional movement progressions can be combined with specific techniques to facilitate the stages of movement control: mobility, strength, stability, and skill.[20] The injured individual may require improvement at any or all of these stages. The goal is to combine facilitation, inhibition, strengthening, and relaxation with different types of muscle contractions to achieve specific functional goals. Table 8-4 shows the most common uses for the different techniques. Note that many of the techniques have multiple and overlapping functions.

Mobility Techniques

Often the first challenge for the injured patient is to appropriately contract the muscle(s) again. *Rhythmic initiation* can help overcome pain, anxiety, and decreased control and is an effective technique for assisting the initiation of motion. The patient is taken through the complete motion passively, then asked to gradually actively participate with the motion. Eventually, the individual is progressed into a slow reversal technique with the application of guiding and facilitating resistance.

TABLE 8-4	Summary of Proprioceptive Neuromuscular Facilitation Techniques
MOBILITY	
Reciprocal inhibition[a]	
Autogenic inhibition[a]	
Rhythmic initiation	
STRENGTHENING	
Slow reversals	
Repeated contractions	
Timing for emphasis	
Agonist reversal	
STABILITY	
Alternating isometrics	
Rhythmic stabilization	
SKILL	
Timing for emphasis	
Resisted progression	
ENDURANCE	
Slow reversals	
Agonist reversals	

[a]See Chapter 5.

Strengthening Techniques

Strengthening is the major focus of most rehabilitation programs. There are distinct advantages of PNF over the use of traditional weight training for strengthening. Manually resisted PNF patterns and activities allow the PTA to more precisely monitor and correct substitutions. The use of normal movement patterns, the emphasis on eccentric control and functional progression, and the ability to vary the speed are additional advantages of PNF over traditional progressive-resistive programs. Nelson et al.[16] noted better carryover to functional performance measures, including vertical leap and throwing distance, with PNF-strengthening activities than with traditional progressive-resistive–exercise programs. Furthermore, PNF patterns and principles can be applied to use with equipment. Specific PNF techniques, which can be used to facilitate strengthening, include slow reversals, repeated contractions, timing for emphasis, and agonist reversals.

Slow reversals of reciprocal movement are a high-use technique for applying resistance to increase strength and endurance, teach reversal of movement, and increase coordination. Both directions of a diagonal pattern are performed in a smooth, rhythmic fashion with changes of direction occurring without pause or relaxation. Generally slow reversals begin with the stronger pattern first to take advantage of the principle of successive induction. To eliminate lag time when switching directions, the PTA changes the distal manual contact first, provides a new quick stretch, and resists the motion into the opposite direction. The speed, ROM, and quickness of change of direction can be varied to emphasize specific portions of a range or control. Similarly, isometric and eccentric contractions can be superimposed anywhere in the range at any time. Isometric contractions at the weak point in the range have been shown to increase motor neuron recruitment and increase muscle spindle sensitivity, which may be important for enhancing postural stabilizers that may have been overstretched.

Slow reversals are particularly helpful for the patient who is beginning to work on timing and reversals of motion in preparation for sport-specific training, such as throwing or cutting motions. Reversals are rarely slow in daily activities or in sports. The speed of change and type of contraction can be altered constantly in the session to work on neuromuscular control. When focusing on control drills, verbal commands should be kept to a minimum, forcing the individual to rely on tactile and proprioceptive input alone.

Repeated contractions of the weak muscle help facilitate initiation of motion, enhance recruitment, increase active ROM and strength, and offset fatigue. To apply repeated contractions, the PTA fully elongates all the muscles in the pattern, then gives a quick nudge to stretch the muscle further. The patient is told to keep pulling as repeated stretches and resistance are applied, and the limb moves farther toward the end range. Since repeated contractions use quick stretch, their use is contraindicated with joint instability, pain, fracture, or recent surgical procedure.

Timing for emphasis, or *pivots,* blocks the normal timing of muscular contraction to focus on the recruitment, strength, or coordination of a specific muscle group, often in a particular portion of the range. To use this technique effectively, the client must have three things: (a) a strong, stabilizing muscle group; (b) a "handle" or segment onto which the clinician may hold; and (c) a pivot point, or the movement being emphasized. Commonly the distal or intermediate component is pivoted, but any motion is possible.

For example, consider the use of timing for emphasis for ankle dorsiflexors. Lower-extremity flexion against resistance is initiated against manual resistance. At the strongest part of the range, the patient performs an isometric hold of the entire pattern. The PTA applies quick stretch to the dorsiflexors, allowing movement of the dorsiflexors while holding the isometric contraction elsewhere. The pivot on the ankle is repeated two to three times. The activity is finished with quick stretch to the entire pattern to facilitate movement through the entire pattern. This activity can be used in an upright position or in a more functional posture.

The technique of *agonist reversal* is the use of eccentric muscle contractions within a pattern or resisted functional activity to enhance control and strength. The patient is told to keep pulling as the PTA takes the limb back (overpowering the patient) to the original starting position (causing an eccentric contraction). Since most high-skill activities have deceleration components, eccentric work is part of essential preparation for functional activities. A common example is the overhead worker who must control the deceleration of the arm to avoid excessive stress on supporting noncontractile structures. Agonist reversals can be particularly beneficial for treating tendonitis and patellar tracking disorders.

Stability Techniques

Stability includes both nonweight-bearing isometric muscle stability and dynamic postural activities while weight bearing in proper biomechanical alignment. Techniques frequently used to promote stability include alternating isometrics and rhythmic stabilization.

Alternating isometric contractions are the simplest of these techniques. The clinician provides isometric resistance to the patient in one direction (usually the stronger), telling the patient to "hold, don't let me move you." Resistance is gradually switched to the other direction by moving one hand at a time to the opposite side and telling the patient to switch and hold. No movement of the individual or of the joint should occur (Fig. 8-21).

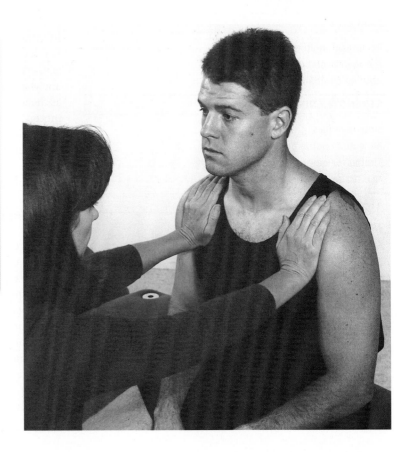

FIGURE 8-21 ● ALTERNATING ISOMETRICS TO TRUNK FLEXORS IN SITTING.

Purpose: Activation and strengthening of trunk flexors; overflow and facilitation of hip, knee, and ankle flexor muscles.
Position: Client sitting with no back support. The PTA sitting in front of client. Manual contacts with flat hand just inferior to bilateral clavicles.
Procedure: The PTA gradually applies resistance, matching client's effort, so there is little trunk movement. Overflow may result in active movement into hip, knee, and ankle flexor musculature as resistance is built up. Resistance is applied first to one side of trunk (anterior) and then to the other side (posterior).

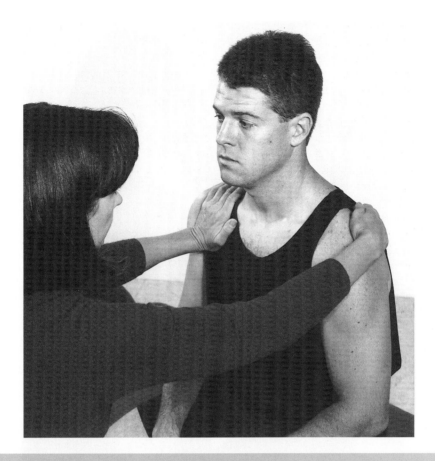

FIGURE 8-22 ● **RHYTHMIC STABILIZATION TO TRUNK.**

Purpose: Stabilization and control of trunk through cocontraction of musculature on both sides of trunk.
Position: Client sitting upright with no back support. The PTA sitting in front or behind client with hands on opposite aspects of trunk at inferior clavicle and mid-scapula.

Procedure: Client told to "hold" or "match me" against manual resistance, which attempts to rotate trunk. Resistance is built up slowly over 5 to 10 seconds, then held and gradually reduced. To change direction of rotary force, the PTA approximates through shoulders, gradually sliding manual contacts from anterior to posterior and vice versa.

Alternating isometric contractions progress to *rhythmic stabilization,* in which an isometric cocontraction for stability is generated around the joint or trunk. This is a bidirectional, rotational technique, with smooth cocontraction in all three planes occurring simultaneously. Manual contacts are placed on opposite sides of the limb or trunk (Figs. 8-22 and 8-23). Isometric rotational resistance is gradually built up, held, and then gradually switched to go the other direction. The key to accomplishing smooth change of direction is the use of approximation and the firm, maintained sliding input provided around the joint surface during the transition. The resistance can change directions as many times as is necessary. Most easily used to promote proximal trunk control, rhythmic stabilization can be applied to bilateral or even unilateral extremity patterns.

Skill

An individual performs various activities with consistent and proper timing, sequencing, speed, and coordinated control. PNF uses the techniques of resisted progression, normal timing, and timing for emphasis to promote skilled movement. In addition, the techniques of agonist reversals (eccentric contractions) and slow reversals can be used effectively to vary the muscular contractions required within a single exercise session, progressing from isometric to eccentric.

Timing for emphasis enhances the distal to proximal sequence of motions. Stronger, proximal motions are resisted and held back until the desired distal motion is elicited with quick stretch and resistance. The timing may first be enhanced in nonweight-bearing postures and then progressed to upright postures. Skilled performance of movement may also be facilitated by manual resistance, pulleys, or elastic tubing. Examples include resisted gait, braiding, or cutting motions.

FIGURE 8-23 ● RHYTHMIC STABILIZATION TO BILATERAL UPPER EXTREMITY.

Purpose: Promote cocontraction and stabilization about upper trunk and shoulders; relaxation and ROM.
Position: Client lying supine. The PTA standing at head of client. Generally started in mid-ROM or where control is best; may be progressed to other parts of ROM as intervention progresses. Manual contacts on opposite sides of wrist.

Procedure: Client told to "hold" or "match me" against manual resistance, which attempts to flex one arm up and extend the other. Resistance is gradually built up slowly over 5 to 10 seconds, then held and gradually reduced. To change direction of force, the PTA approximates through extended arms, gradually sliding manual contacts from anterior to posterior and vice versa.

Case Study 1

PATIENT INFORMATION

A 37-year-old female competitive recreational soccer player presented on referral from her orthopedist with a diagnosis of patellar tendonitis and patellofemoral dysfunction. She reported that the morning after the previous week's game she had pain in her left knee accompanied by mild swelling, difficulty ascending and descending stairs, and occasional buckling of the knee when trying to run. She could recall no specific incident or onset of the pain during the game. She also reported occasional crepitus and increased stiffness in the knee after sitting for long periods. She did report a previous medial collateral ligament injury to the same knee in college, which was treated conservatively with good success and return to unbraced competitive play. She was eager to return to her sport.

Examination by the PT revealed mild swelling on the inferior-lateral aspect of the patellar tendon region and tenderness to palpation at the inferior pole of the patella. The patellar position was slightly laterally and posteriorly tilted. The ROM at the knee was limited to 0 to 100 degrees owing to rectus femoris tightness. The hamstrings were tight bilaterally (0- to 70-degree straight-leg raise). Strength testing indicated left quadriceps strength at 3/5 with a 20-degree extensor lag; hamstrings were measured at 4/5. Recruitment of the left vastus medialis oblique (VMO) was poor. The strengths of all other muscles tested were 5/5. All ligamentous stability testing noted intact ligaments with no instability present. The examination confirmed the diagnosis made by the physician of patellar tendonitis and patellofemoral syndrome.

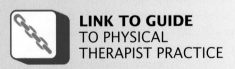

LINK TO GUIDE
TO PHYSICAL
THERAPIST PRACTICE

The patient's diagnosis is consistent with pattern 4E of the *Guide*:[22] "impaired joint mobility, motor function, muscle performance, and ROM associated with localized inflammation." Included in this diagnostic group is tendonitis, and direct intervention involves "strengthening using resistive exercises."

INTERVENTION

The PT's initial intervention was directed at reducing inflammation, regaining full ROM, reducing pain with activity, and independence in a home program. The PT instructed the PTA to perform the following treatment and report the patient's response to the treatment in the post-treatment session.

1. Ice the affected knee before treatment.
2. Manually resisted reciprocal inhibition stretching technique to the hamstrings bilaterally in supine (Figs. 5-4 to 5-6).
3. Bilateral lower-extremity extension (Fig. 8-18), combined with isometric holds and timing for emphasis at the end range of knee extension (to improve recruitment of VMO and achieve active terminal knee extension).
4. Patellar taping and biofeedback to assist patellar alignment during PNF.
5. Home program: hamstring stretching on an elevated surface using modified contract relax and isometric quad sets.
6. Ice at the end of treatment.

PROGRESSION

One Week After Initial Treatment

At the time of reexamination by the PT, the patient presented with pain-free knee flexion (0 to 115 degrees) with mild complaints of "catching" at the end of active full extension. The straight-leg raise increased to 0 to 85 degrees. Quad lag improved to 0 to 10 degrees. The patient reported continued difficulty ascending and descending stairs.

The PT directed the PTA to continue with clinic treatment of manually resisted PNF patterns, progressing to unilateral flexion–adduction pattern (D1 flexion) in supine (Fig. 8-14), using slow reversals to increase recruitment and delay fatigue. The PTA was also instructed by the PT to introduce standing activities, including alternating isometrics and rhythmic stabilization to quadriceps and hamstrings using manual resistance. The home program was progressed, under the direction of the PT, as follows:

1. Standing lower-extremity flexion–adduction with elastic tubing (Fig. 8-19).
2. Partial-range wall squats and slides with knees flexed to a maximum of 20 degrees; emphasis on isometric holds and eccentrics in the closed-chain position.
3. Continue hamstring stretching and patellar taping.
4. Ice after treatment.

Two Weeks After Initial Examination

After 2 weeks of intervention the PT's examination indicated full knee flexion and straight-leg range to 95 degrees. No active quadriceps lag was present, and the quadriceps strength tested at 4+/5. The patient reported that she was able to ascend stairs with minimal discomfort and had only mild discomfort with descent. The goal at this time was to continue to strengthen the VMO and begin progression to resistive exercise with increasing knee motion to prepare for kicking activities and return to play.

The PT instructed the PTA to continue with clinic treatment of unilateral flexion–adduction pattern with knee extending, using slow reversals and progressing to timing for emphasis on left knee extension, pivoting off the stronger right lower extremity. In addition, the patient performed standing resisted flexion with knee extension to simulate striking a soccer ball, first emphasizing standing on the involved limb and then striking with it.

The PTA, under the direction and supervision of the PT, progressed the home program to include jogging. If no pain occurred with jogging, the patient was instructed to begin cutting activities. She was told to continue with stretching, strengthening, and ice as needed.

OUTCOMES

Three weeks after initial intervention the patient called to cancel the next appointment. She reported resolution of pain and return to play without complication.

SUMMARY: AN EFFECTIVE PT–PTA TEAM

This case study demonstrates an effective and trusting relationship between the PT and the PTA. In this scenario the PTA must be knowledgeable of advanced treatment techniques regarding PNF patterns, neuromuscular reeducation, and patellar taping techniques. The PT expects the PTA to fully understand the treatment techniques and be able to reciprocate the plan of care requested by the PT. It is also expected that good communication exists between the PTA and supervising PT so that any adverse effects of the treatment are reported. This type of situation usually requires the PT and the PTA to have a long-time working relationship in which there is ongoing education and a good comfort level with the PTA's skills in advanced techniques.

Geriatric Perspectives

- The specific techniques of PNF, combining diagonal patterns with facilitatory stimuli (tactile contact, resistance, irradiation, approximation, verbal commands, and vision), make the approach useful for promoting strengthening, motor learning, and restoration of motor control in older adults with musculoskeletal and neuromuscular deficits. Research has demonstrated that older adults have decreased response to proprioceptive stimuli, especially if the movement is passive and with small changes in the joint angle.[1] Tactile contact and approximation may promote a better feel of the movement pattern for older adults.

- Detection of joint angular movement (the angular threshold) appears to improve with increasing magnitude and speed.[1] Use of PNF diagonals with verbal commands to increase awareness of joint angular movement is an effective intervention for decreasing the angular threshold and promoting motor learning.

- The synergistic recruitment of agonist–antagonist is an appropriate means of incorporating more functional-based strengthening in the rehabilitation for subacute and chronic joint problems. As outlined by Hertling and Kessler,[2] a gradual progression from isometric to eccentric to isotonic muscle strengthening is more likely to demonstrate functional carryover than is rote strengthening. Use of this progression is analogous to promoting stability (holding cocontraction), then grading the stability to allow muscle lengthening, and finally inhibiting the antagonist to allow selective contraction in agonist (controlled mobility). The goal is for the older adult to develop automatic controlled mobility during functional performance.

- Patterns and techniques of PNF are effective for improving isometric, eccentric, and isotonic control in movements requiring control at varied joint angles (small to large ranges). An example of such movement is coming from sit to stand and the control that is needed in flexion to extension of the hip and knee. D1 flexion and D2 extension diagonals combined with techniques such as alternating isometrics and rhythmic stabilization and progressing to agonist reversal and then to slow reversals and repeated contractions is suggested for assisting the older adult to gain skill in performance of synergistic movements.

• Resistance may be applied using dumbbells, cuff weights, rubber tubing, or items available in the home (cans of soup, bags of dried beans). As suggested for children, clear, precise verbal and written instruction may be necessary and helpful for promoting compliance and understanding in older adults.

1. Schultz AB, Ashton-Miller JA, Alexander NB. Biomechanics of mobility in older adults. In: Hazzard WR, Blass JP, Ettinger WH, et al, eds. *Principles of geriatric medicine and gerontology.* 5th ed. New York, NY: McGraw-Hill; 2003.
2. Hertling D. *Management of common musculoskeletal disorders: physical therapy principles and methods.* 4th ed. Philadelphia, PA: Lippincott-Raven; 2005.

Pediatric Perspectives

• The principles and patterns of PNF can be, and often are, incorporated into rehabilitation of children with both neuromuscular and musculoskeletal impairments and functional limitations. PNF diagonal patterns may be used during development and rehabilitation of athletic skills because these patterns are similar to the patterns used during sporting motions.

• Interventions of PNF closely parallel the normal sequence of motor behavior acquisition that occurs in children: proximal to distal, stability to mobility. Improvement in all types of motor ability depends on motor learning. Motor learning is enhanced through sensory inputs from multiple systems, including visual, verbal, tactile, and proprioceptive.[1]

• PNF techniques use multiple forms of sensory input. Remember that throughout childhood sensory systems are developing and do not demonstrate the same responses as in the adult. Children may not respond like adults in development or rehabilitation of motor ability.

• In younger children, expect less independence for performing complex motor patterns with multiple components (diagonal patterns). This may be due to attention span or memory and emotional maturity issues. More time may be needed for active-assisted or manual-resistance treatments for children than for adults. Children may have difficulty adapting an exercise to include tubing, weights, or pulleys. Instruction and feedback in several forms may be necessary (verbal, written, pictorial).

1. Horak FB. Assumptions underlying motor control for neurologic rehabilitation. In: Lister MJ, ed. *Contemporary management of motor control problems; proceedings of the II Step conference.* Alexandria, VA: Foundation for Physical Therapy; 1991:11–28.

SUMMARY

• PNF is a philosophy of treatment that uses normal diagonal movement patterns, variable resistance, and various specific techniques to meet the patient's goals. Basic principles of PNF include the use of specific manual contacts, resistance, and proprioceptive techniques. Optimal resistance is defined as the amount that challenges the patient while still allowing the desired smooth, coordinated movement.

• PNF diagonal patterns cross the midline, incorporating all planes of movement, and are similar to many sport-specific movements. Diagonal patterns should be modified according to the structural stability of the joint and extremity. Although primarily a manual technique, PNF patterns and principles are readily applied to the use of equipment for home programs and increased challenge.

• PNF includes methods to increase the ROM, teach the initiation of movement (rhythmic initiation), increase strength (slow reversals, repeated contractions, timing for emphasis), improve stability (agonist reversals, rhythmic stabilization), and improve skill (resisted progression, normal timing).

• Although an understanding of the philosophy, principles, and techniques of PNF can be gained by reading, skilled application to treatment is best achieved through supervised practice. To best use the information presented here, it is important to practice the techniques and receive feedback from a skilled PNF practitioner.

References

1. Kabat H. Central mechanisms for recovery of neuromuscular function. *Science.* 1950;112:23–24.
2. Kabat H. The role of central facilitation in restoration of motor function paralysis. *Arch Phys Med.* 1953;33:521–533.
3. Knott M, Voss DE. *Proprioceptive neuromuscular facilitation.* New York, NY: Harper & Row; 1968.
4. Trueblood PR, Walker JM, Gronley JK. Pelvic exercise and gait in hemiplegia. *Phys Ther.* 1989;69:32–40.
5. Wang RP. Effect of proprioceptive neuromuscular facilitation on the gait of athletes with hemiplegia of long and short duration. *Phys Ther.* 1994;74:1108–1115.
6. Sale DG. Neural adaptation to resistance training. *Med Sci Sports Exerc.* 1988;20(suppl):S135–S145.
7. Bandy WD, Dunleavy K. Adaptability of skeletal muscle: response to increased and decreased use. In: Zachazewski JE, Magee DJ, Quillen WS, eds. *Athletic injures and rehabilitation.* Philadelphia, PA: WB Saunders; 1996;55–91.
8. Sherrington C. *Integrative activity of the nervous system.* New Haven, CT: Yale University Press; 1960.
9. Loeb GE, Ghez C. The motor unit and muscle action. In: Kandel E, Schwartz JH, Jessel TM, eds. *Principles of neural science.* 4th ed. New York, NY: McGraw-Hill; 2000;674–694.
10. Pearson K, Gordon J. Spinal reflexes. In: Kandel E, Schwartz JH, Jessel TM, eds. *Principles of neural science.* 4th ed. New York, NY: McGraw-Hill Professional; 2000;713–736.
11. Engle R. Knee ligament rehabilitation. *Clin Manage.* 1990;10:36–39.
12. Engle RP, Canner GG. Proprioceptive neuromuscular facilitation (PNF) and modified procedure for anterior cruciate ligament (ACL) instability. *J Orthop Sports Phys Ther.* 1989;11:230–236.
13. Kofotolis N, Vrabas I, Vamvakoudis E, et al. Proprioceptive neuromuscular facilitation training induced alterations in muscle fibre type and cross sectional area. *Br J Sports Med.* 2005;39:1–4.
14. Kofotolis N, Kellis E. Effects of two 4-week proprioceptive neuromuscular facilitation programs on muscle endurance, flexibility, and functional performance in women with chronic low back pain. *Phys Ther.* 2006;86:1001–1012.
15. Moore MA, Kulkulka CG. Depression of Hoffman reflexes following voluntary contraction and implications for proprioceptive neuromuscular facilitation therapy. *Phys Ther.* 1991;71:321–329.
16. Nelson AG, Chambers RS, McGowan CM, et al. Proprioceptive neuromuscular facilitation versus weight training for enhancement of muscular strength and athletic performance. *J Orthop Sports Phys Ther.* 1986;7:250–253.
17. Roy MA, Sylvestre M, Katch FI, et al. Proprioceptive facilitation of muscle tension during unilateral and bilateral extension. *Int J Sports Med.* 1990;11:289–292.
18. Anderson MA, Foreman TL. Return to competition: functional rehabilitation. In: Zachazewski JE, Magee DJ, Quillen WS, eds. *Athletic injures and rehabilitation.* Philadelphia, PA: WB Saunders; 1996;229–261.
19. Adler SS, Beckers D, Buck M. *PNF in practice: an illustrated guide.* 3rd ed. London: Springer-Verlag; 2008.
20. Sullivan PE, Marcos PD. *Clinical decision making in therapeutic exercise.* 2nd ed. Norwalk, CT: Appleton & Lange; 2002.
21. Paine RM, Voight M. The role of the scapula. *J Orthop Sports Phys Ther.* 1993;18:386–391.
22. American Physical Therapy Association. *Guide to physical therapist practice.* 2nd ed. Alexandria, VA; 2003.

PRACTICE TEST QUESTIONS

1. PNF technique can be used with patients with various pathologies. PNF works because

   A) physiologically strong muscles facilitate movement in weak muscles.
   B) functional movements happen in patterns outside of cardinal planes of motion.
   C) maximal demand maximizes improvement potential.
   D) all of the above are reasons why PNF works.

2. When PNF techniques are applied to patients with orthopedic problems, these techniques will

   A) promote proximal stability.
   B) improve coordination of movements.
   C) restore ROM as a stretching protocol.
   D) all of the above are indications for PNF in an orthopedic population.

3. The plan of care states that the patient will benefit from techniques that will improve the patient's strength and control of scapular stabilizing musculature at the shoulder. The best hand position for this patient will be

   A) one hand on the scapula and one on the wrist.
   B) one hand on the wrist and one on the distal humerus.
   C) one hand on the scapula and one on the proximal humerus.
   D) one hand on the proximal humerus and one hand on the wrist.

4. PNF strengthening techniques will be beneficial for patients with weakness from orthopedic pathology or surgery. Both reciprocal inhibition and successive induction are thought to be the mechanisms for improvement. Which of the following statements **most accurately** describes successive induction?

    A) When contraction of the agonist causes relaxation of the agonist.
    B) When contraction of the agonist causes contraction in synergists and other muscles.
    C) When contraction of the agonist causes relaxation of the synergists.
    D) When contraction of the agonist causes relaxation of the antagonist.

5. Manual resistance is provided during PNF exercise for strengthening through the full ROM. The manual contacts will be used to do all of the following, *except*

    A) control the direction and minimizing substitution of motion.
    B) applies resistance and thus increases demand.
    C) stops the motions before the end of the range.
    D) provides proprioceptive stimulation.

6. The PNF diagonal "chop and lift" patterns can be applied

    A) with or without free weights
    B) with cable or plastic tubing resistance
    C) unilaterally or bilaterally
    D) all of the above

7. Alternating isometrics will be used to promote scapular stabilization of the right shoulder. The PTA will ask the patient to contract the scapular protractors, while the PTA will

    A) resist the scapular retractors
    B) resist the scapular protractors
    C) move the scapula into elevation
    D) move the scapula into depression

8. The PTA will use a combination of verbal commands and tactile cues to assure that the patient produces the movement and effort required of the D1 flexion pattern of the right upper extremity. If the PTA wants the patient to give more effort during shoulder flexion, the PTA will

    A) remove both hands from the patient's arm.
    B) explain in advance and stay silent during the performance.
    C) give simple, timed, direct verbal commands and slightly louder for stronger effort.
    D) do all of the above.

9. The elderly patient is having difficulty arising from a chair and will benefit from improved strength, coordination, and stability in the lower extremities. Which of the following statements is the **most appropriate** treatment program?

    A) PNF techniques are inappropriate for the elderly.
    B) Alternating isometrics and slow reversal hold techniques may.
    C) D1 and D2 upper-extremity patterns with mild manual resistance.
    D) Do only cardinal plane exercise using relatively high weight and low repetitions.

10. In considering PNF exercise with pediatric patients, the PTA will

    A) choose cardinal plane exercise instead.
    B) realize that PNF techniques mirror normal motor skills acquisition.
    C) rely on closed-chain activities in the upper extremities and open-chain in the lower extremities.
    D) choose progressive resistance exercise with high weight and low repetitions.

ANSWER KEY

1.	D	**3.**	C	**5.**	C	**7.**	B	**9.**	C
2.	D	**4.**	B	**6.**	D	**8.**	C	**10.**	B

Closed-Kinetic–Chain Exercise

Kevin E. Wilk, PT, DPT
Michael M. Reinold, PT, MS, DPT, ATC

Objectives

Upon successful completion of this chapter, the readers will be able to:

- Define closed-kinetic–chain (CKC) and open-kinetic–chain (OKC) exercises.
- Describe the benefits of CKC exercise.
- Identify and apply general, appropriate clinical guidelines, indications, and limitations of CKC exercise.
- Identify appropriate goals for CKC techniques for the glenohumeral and scapulohumeral joints and for the lower extremity.
- Apply appropriate CKC techniques for upper- and lower-extremity exercise within the established plan of care.

In this chapter, the physiologic rationale and clinical application for CKC exercises are discussed. In addition, specific exercise drills and their application to patients are presented.

● SCIENTIFIC BASIS

Terminology

In the past, there has been confusion concerning the clinical use of OKC and CKC exercises for rehabilitation. Questions regarding function and safety are frequently brought up when clinicians are deciding which type of exercise to incorporate into a rehabilitation program for a patient. The common assumption that CKC offers a safer, more functional approach to returning the patient to the premorbid level has helped CKC exercises gain popularity in sports medicine. Although incorporation of both OKC and CKC exercises in rehabilitation protocols may be beneficial to the injured patient, CKC exercises offer the patient a dynamic method for increasing neuromuscular joint stability using sport-specific drills. Unfortunately, many clinicians do not have a clear sense of the exact definitions of CKC and OKC exercises.

Originally, kinetic chain terminology was used to describe linkage analysis in mechanical engineering. In 1955, Steindler[1] suggested that the human body could be thought of as a chain consisting of the rigid overlapping segments of the limbs connected by a series of joints. He defined a kinetic chain as a combination of several successfully arranged joints constituting a complex motor unit. Furthermore, he observed that when a foot or hand meets considerable resistance, muscular recruitment and

TABLE 9-1	Open- and Closed-Kinetic–Chain Exercises for the Glenohumeral Joint	
PHASE	**CKC**	**OKC**
Acute	Isometric press-up, push-up, and strengthening; weight-bearing shift; axial compression against wall	
Subacute	Resisted wall circles and wall abduction/adduction; slide board; push-ups; PNF[a] slow reversals	Isotonic and isokinetic strengthening
Advanced	Push-ups on balance board; lateral step-ups; shuttle; walking; StairMaster; unilateral weight-bearing; plyometric push-ups	Isotonic and isokinetic strengthening; plyometrics; sport-specific training

[a]Proprioceptive neuromuscular facilitation.

joint motion are different from that observed when the foot or hand is free to move without restriction. Today, most individuals believe CKC exercise takes place when the terminal segment of an appendage is fixed, such as during a squat, leg press, or push-up exercise. Conversely, OKC exercise occurs when the terminal segment is free to move, such as during a seated knee extension exercise or biceps curl maneuver.

Others have defined the open- and closed-chain activities differently. Panariello[2] defined CKC activity of the extremity as an activity in which the foot or hand is in contact with the ground or a surface. He emphasized that the body weight must be supported for a CKC to exist.

Although the definitions of OKC and CKC are widely applied in sports medicine, there are numerous exercises and functional activities that do not fall within these concrete delineations. In addition, few exercises can be absolutely classified as an OKC or CKC. In fact, most exercises and functional activities, such as running and jumping, involve some combination of OKC and CKC succession. In addition, activities in which the distal segment is fixed on an object but the object is moving (e.g., skiing and ice skating) cannot be classified absolutely as CKC. Therefore, limited situations occur when a true CKC effect takes place. Most exercises fall somewhere between a truly fixed CKC and OKC exercise, especially those that involve the upper-extremity kinetic chain.

The conditions that apply to the lower extremity (such as weight-bearing forces) that create a CKC effect do not routinely occur in the upper extremity. However, because of the unique anatomic configuration of the glenohumeral joint, when the stabilizing muscles contract, a joint compression force is produced that stabilizes the joint, producing much the same effect as a CKC exercise for the lower extremity. Thus, the principles of CKC exercise as explained for the lower extremity may not apply for upper-extremity exercises.[2,3] Lephart and Henry[4] developed a scheme of OKC and CKC exercises for a clinical progression of drills for the shoulder that they termed a "functional classification system" (Tables 9-1 and 9-2).*

Physiologic Basis of CKC Activities

CKC exercises are often chosen over OKC exercises because the clinician wants to stress the joint in a weight-bearing position.[5] Weight-bearing exercises result in joint

*Tables 9-1 and 9-2 offer suggestions of OKC and CKC exercises as presented by Lephart and Henry[4] and supported by the authors of this chapter. The editors respectively disagree with the classification of isometric strengthening and proprioceptive neuromuscular facilitation (PNF) (slow reversals) as CKC activities and suggest that they are OKC exercises. But, as appropriately stated by the authors of this chapter, few exercises can be absolutely classified as open or closed, and disagreement will occur.

TABLE 9-2	Open- and Closed-Kinetic–Chain Exercises for the Scapulothoracic Joint	
PHASE	**CKC**	**OKC**
Acute	Isometric punches, strengthening, and press-ups	Isotonic strengthening
Subacute	Push-ups, military presses, press-ups	Isotonic and isokinetic strengthening; rowing; prone horizontal abduction (± external rotation)
Advanced	Neuromuscular control drills: rhythmic stabilization, circles, diagonal patterns	Progression of isotonic strengthening exercises

approximation, which produces stimulation of the articular receptors, whereas length tension changes excite tenomuscular receptors.[6] These mechanoreceptors provide the joint proprioceptive information, which is critical to the dynamic stability of the joint.

Reestablishment of proprioception is an important part of neuromuscular control of the joint. Proprioception arises from activation of afferent neurons located in the joint capsule, ligaments, and surrounding muscles. Muscle spindles and Golgi tendon organs (GTOs) detect change in length and tension of the muscle, respectively. In addition, ligaments and joint capsules contain pacinian corpuscles, Ruffini endings, and GTO-like mechanoreceptors. These mechanoreceptors respond to changes in joint position, velocity, and direction.[4,7]

The joint compression seen with weight-bearing facilitates muscular cocontractions of force couples, which provide a dynamic reflex stabilization.[8] Also, CKC exercises rely on the joint musculature to contract concentrically and eccentrically to generate joint mobility and stability farther along the kinetic chain.

Proprioceptive and muscular cocontraction training plays a complementary role in neuromuscular reeducation. Adequate intensity and timing of muscular force-couple interaction allows for maximum joint congruency and inherent joint stability. Mechanoreceptors within the static and dynamic structures are cooperatively responsible for the neuromuscular control of the joint when the joint is in a weight-bearing position.

In addition, CKC exercises may also be extremely beneficial in the neuromodulation of pain via the activation of type I and II mechanoreceptors. Therefore, when the client is experiencing significant pain and inflammation, the early initiation of low-level CKC exercises in the acute phase of rehabilitation may be warranted.

● CLINICAL GUIDELINES

CKC exercises are often initiated in early phases of rehabilitation to facilitate cocontraction of joint force couples. Often used as precursors to the more advanced demands of plyometric training (Chapter 10), CKC exercises prepare the joint's ability to establish adequate muscular cocontraction and neuromuscular control to prevent potential overuse injuries. In addition, several studies have provided evidence that CKC exercises are effective at increasing strength.[9-11]

Many clinicians base their rationale of choosing CKC exercises on the assumptions of increased safety and function. Obvious correlations exist between CKC squatting exercises and functional stopping and CKC step-up and step-down exercises to stair ambulation. Although some exceptions do occur in sports, such as a baseball pitcher's

need for OKC proprioceptive exercises, most injured athletes often require the benefits of proprioceptive and neuromuscular rehabilitation observed with CKC exercises.

Weight-bearing during CKC exercises provides joint compression through the summation of ground-reaction forces, long believed to result in increased neuromuscular control and, subsequently, increased joint stability. Dynamic joint stabilization is achieved by cocontraction of the muscles surrounding a joint; lack of this stability often leads to injuries. During sport-specific movements such as running, cutting, and landing from a jump, the athlete relies on muscular cocontraction and eccentric control to dissipate ground-reaction forces. Consequently, athletes with reduced cocontraction and strength imbalances have been shown to have an increase risk of knee ligament injuries.[12] The athlete becomes susceptible to injury when he or she cannot dynamically control the ground-reaction forces muscularly, which places excessive stress on other static tissue, such as ligaments.

For preparing a patient for competition when dynamic stability is vital to the prevention of injuries, CKC exercises may very well be the best option. But a limitation of CKC exercises is that, if specific muscle weakness is present, other agonistic muscles within the kinetic chain can generate forces to help compensate. In comparison, OKC exercise calls for a more isolated contraction of a muscle or muscle group and, therefore, may best be used for specific muscle strengthening. However, isolated open-chain exercise should be employed in combination with weight-bearing exercises.[13]

An integrated approach using both OKC and CKC exercise is recommended; although weight-bearing functional exercises are used in a rehabilitation program more often than isolated joint movements. Weight-bearing exercises are emphasized because such movements produce a greater stabilizing effect on the joint and may diminish ligament strain. Weight-bearing exercise also elicits muscular cocontractions and muscular recruitment in a manner that simulates functional activities. In turn, these activities stimulate mechanoreceptors throughout the kinetic chain. The importance of proprioception training in the rehabilitation program has been well established and cannot be overemphasized (see Chapters 11 and 12).

● TECHNIQUES

This section provides the physical therapist assistant (PTA) with specific CKC and plyometric drills, programs, and progressions for the upper[14] and lower[15] extremities.[16] We present examples of possible exercises that can be incorporated into the rehabilitation of an injured patient. The demands of each sport should be considered when choosing the most appropriate drills, because the program should be as patient and sport specific as possible.

Upper-extremity CKC Exercise

The clinical use of weight-bearing or axial compression exercises for the upper extremity is based on patient selection and the ultimate goal. The use of weight-bearing exercises for the upper extremity without careful consideration of the biomechanical forces imparted onto the glenohumeral and scapulothoracic joints is not recommended. For example, using push-ups against a wall or on the floor may increase instability in patients with multidirectional instability or posterior instability, because the humeral head translates posteriorly during these exercises, stressing the posterior capsule of the glenohumeral joint. A list of commonly used CKC exercises for the glenohumeral and scapulothoracic joints are presented in Tables 9-1 and 9-2. General guidelines for the progression of CKC exercises for the upper extremity can be found in Table 9-3.

Acute Phase

Glenohumeral Joint

In the acute rehabilitation phase of most glenohumeral joint pathologies (including post-glenohumeral-joint dislocations, subluxations, and rotator-cuff pathologies), the primary goal is to reestablish motion. However, equally as important is the reestablishment of dynamic glenohumeral joint stability and prevention of rotator-cuff shutdown. Weight-bearing exercises can be used to promote and enhance dynamic joint stability via the application of various techniques.[17] Often these weight-bearing techniques are employed with the hand fixed and no motion occurring; the resistance is applied either axially or rotationally. These exercises can be used early in the rehabilitation program, because motion is not occurring with heavy resistance, which may irritate the joint.

Therefore, immediately after glenohumeral joint subluxation or dislocation, the injured patient may perform exercises such as isometric press-up, isometric weight-bearing and weight shifts, and axial compression against a table or wall (Figs. 9-1 to 9-3). These movements produce both joint compression and joint approximation, which should enhance muscular cocontraction about the joint, producing dynamic stability.[17-19] In addition, these exercises may be extremely beneficial in the neuromodulation of pain if the patient is experiencing significant pain and inflammation. These activities are performed with the patient standing or kneeling, placing a proportionate amount of body weight through the hands as tolerated. The patient is instructed to shift his or her weight from side to side, forward to backward, and diagonally on and off of the affected side. These

TABLE 9-3 General Guidelines for Progression of CKC Exercises

Static stabilization	→ Dynamic stabilization
Stable surfaces	→ Unstable surfaces
Single plane movements	→ Multiplane movements
Straight planes	→ Diagonal planes
Wide base of support	→ Small base of support
No resistance	→ Resistance
Rhythmic stabilization	→ Resistance throughout ROM
Fundamental movements	→ Dynamic challenging movements
Bilateral support	→ Unilateral support
Consistent movements	→ Perturbation training

exercises may be progressed to using manual resistance rhythmic stabilization techniques that enhance the recruitment of the musculature involved in the force couples about the glenohumeral joint. These types of weight-bearing and shift exercises can be progressed by having the patient place his or her feet on a large therapeutic ball (Fig. 9-4) and then on a smaller ball; finally the patient places one hand on top of the other to increase the difficulty.

Hence, the PTA may manually resist the anterior and then posterior musculature via PNF rhythmic stabilization exercises to enhance stabilization of the joint, thereby increasing the efficiency of the musculature involved in the compression of the humeral head within the glenoid (Fig. 8-23). The muscles on both sides of the joint are referred to as muscular force couples.

Scapulothoracic Joint

Specific exercises can be used for the scapular musculature in much the same fashion as those described for the glenohumeral joint. In the early phases of rehabilitation for an upper-extremity injury, scapular musculature strengthening movements must be integrated into the program. In the acute phase, various movements are used to promote specific musculature activity. Exercises such as an isometric protraction or punching motion with resistance applied to the hand and lateral border of the scapula are excellent for promoting serratus anterior recruitment (Fig. 9-5). Isometric retractions of the scapular muscles may also be integrated into the program to recruit middle trapezius and rhomboid activity. Isometric press-ups can be employed to recruit a cocontraction of the glenohumeral joint and to elicit activity of the latissimus dorsi and teres major muscles (Fig. 9-3).

FIGURE 9-1 ● AXIAL COMPRESSION AGAINST TABLE OR WALL—BEGINNING PHASE.

Purpose: CKC exercise to strengthen the muscles of the glenohumeral joint.
Position: Client standing with feet away from wall and arms extended against wall.

Procedure: Using arms, clients lowers chest half the distance to wall, keeping hips in (do not allow hips to protrude). Client maintains position 3 to 5 seconds.

FIGURE 9-2 ● **ISOMETRIC PUSH-UP—BEGINNING PHASE.**

Purpose: CKC exercise to strengthen muscles of the glenohumeral joint.
Position: Client in push-up position; arms extended.

Procedure: Using arms, client lowers chest half the distance to ground, keeping hips in (do not allow hips to protrude). Client maintains position 3 to 5 seconds.

Subacute Phase

Glenohumeral Joint

In the subacute phase, resistance is applied to the distal segment but some motion is allowed. Examples of these exercises include resisted arm circles against the wall, resisted axial load side-to-side motions either against a wall or on a slide board (Fig. 15-20), and push-ups. In addition, a multitude of resisted quadruped exercises can be employed during the subacute rehabilitative phase, including manual proximal resistance to the shoulder and the pelvis. Resistance can be applied in different amounts to multiple positions in a rhythmic stabilization fashion. This form of exercise can also be progressed to a tripod of the involved extremity or even to a therapeutic ball (Figs. 15-13, 15-14, and 15–23).

By using weight-bearing exercises, the PTA attempts to enhance dynamic stability while the patient produces a superimposed movement pattern. This activity is a higher level of function than that performed in the acute phase and requires not only dynamic stabilization but also controlled mobility.

Scapulothoracic Joint

In the subacute phase, several CKC exercises, such as push-ups with a plus, military press, and press-ups, are recommended. These exercises are performed to recruit significant muscular activity of the muscles that stabilize the scapula.

Advanced Phase

Glenohumeral Joint

In the advanced phase, the weight-bearing exercises employed are usually high-demand movements that require a tremendous degree of dynamic stability. One example is a push-up with the hands placed on a ball, which produces axial load on the joint but keeps the distal

FIGURE 9-3 ● ISOMETRIC PRESS-UP—BEGINNING PHASE.

Purpose: CKC exercise to strengthen pectoralis major and latissimus dorsi muscles.

Position: Client sitting on edge of support surface; hands at sides on support surface.

Procedure: Client presses down with arms, lifting hips off support surface. Client maintains position 3 to 5 seconds.

FIGURE 9-4 • **AXIAL COMPRESSION USING THERAPEUTIC BALL—BEGINNING PHASE.**

Purpose: CKC exercise to strengthen muscles of the glenohumeral joint.
Position: Client in push-up position with feet on large therapeutic ball.

Procedure: Using arms, client lowers chest half the distance to ground, keeping hips in (do not allow hips to protrude). Client maintains position 3 to 5 seconds.

segment somewhat free to move (Fig. 9-6). This push-up may be performed on a balance board, on a balance system, or on a movable platform with feet elevated on a therapeutic ball. Other exercises include lateral step-ups using the hands and retrograde or lateral walking on the hands on a treadmill or stair stepper. In this last rehabilitative phase, the exercises are tremendously dynamic and require adequate strength to be carried out properly.

Scapulothoracic Joint

The exercises that may be included in the last, advanced phase of rehabilitation for the scapular musculature were already presented. In addition, a neuromuscular control exercise for the scapular muscles may be used (Fig. 9-7). In this exercise, the involved hand is placed on a table to fix the distal segment, which produces a greater magnitude of scapular activity. The individual is asked to slowly protract and retract and then elevate and depress the scapula to produce a circle or square movement. When these combined movement patterns are performed, tactile stimulus

in the form of manual resistance is imparted onto the scapula and then is removed once the athlete produces the motion. The goal of this exercise is to enhance neuromuscular control and isolate dynamic control of the scapular muscles.

Lower-extremity CKC Exercise

The rationale for the use of OKC and CKC exercises for lower-extremity rehabilitation is similar to that for upper-extremity rehabilitation. Just as not all OKC exercises produce an isolated muscle contraction, not all CKC exercises produce muscular cocontraction of the surrounding musculature. With this in mind, lower-extremity kinetic-chain exercises can be organized into three groups by the muscular activity produced: muscular cocontractions, isolated quadriceps contractions, and isolated hamstring contractions (Table 9-4). Using these categories, the physical therapist (PT) can prescribe exercises on the basis of the desired muscle recruitment pattern.

FIGURE 9-5 ● SCAPULAR PROTRACTION (PUNCHES)—BEGINNING PHASE.

Purpose: CKC exercise to strengthen the serratus anterior muscle.

Position: Client lying supine with shoulder flexed 90 degrees; elbow extended; hand in fist.

Procedure: PTA places one hand at fist and one hand at lateral border of scapula or on upper arm. The PTA isometrically resists client's attempt to punch (keeping elbow extended).

FIGURE 9-6 ● PUSH-UP WITH HANDS PLACED ON BALL—ADVANCED PHASE.

Purpose: CKC exercise to strengthen muscles of the scapulothoracic joint.
Position: Client in push-up position with hands on ball; arms extended.

Procedure: Using arms, client lowers chest half the distance to ball, keeping hips in (do not allow hips to protrude). Client maintains position 3 to 5 seconds.

FIGURE 9-7 ● NEUROMUSCULAR CONTROL EXERCISES—ADVANCED PHASE.

Purpose: CKC exercise to enhance neuromuscular control and isolate dynamic control of scapular muscles.
Position: Client side lying, with hand on support surface to fix distal segment.
Procedure: Client slowly protracts/retracts and elevates/depresses scapula (proximal segment) to produce a circular motion. PTA alternates between manual resistance and no resistance.

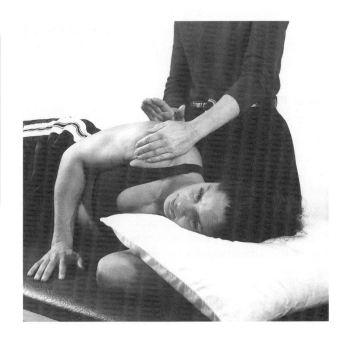

TABLE 9-4	Muscle Recruitment Patterns of Lower-extremity CKC Activities
CLASS	**EXERCISES**
Muscular cocontractions	Vertical squats (0–30 degrees)
	Lateral lunges with knee flexed to 30 degrees
	Slide board (including Fitter)
	Balance drills with knee flexed to 30 degrees
Quadriceps contractions	Wall squats
	Leg press (45–90 degrees)
	Lateral step-ups
Hamstring contractions	Retrograde stair machines
	Squats >45 degrees
	Front lunges onto box

CKC exercise can also be used to develop muscular endurance in the lower extremity. The stair stepper and bicycle are two beneficial and common machines used for developing increased muscular endurance capacity (see Chapter 13) in a CKC, whereas aquatic therapy (see Chapter 17) is extremely valuable for total body muscular conditioning. Numerous exercises involve the CKC and weight-bearing for the lower extremity. The PT must choose the exercises that are most functional and sport specific and must decide if cocontraction or isolated muscle action is indicated for each client. Finally, when particular structures are healing, exercises must be altered on the basis of clinical and biomechanical evidence to avoid stressing those tissues. The clinical guidelines suggested for the progression of the lower extremity are, in fact, the same as the clinical guidelines for upper-extremity progression and are presented in Table 9-3.

Acute Phase

CKC rehabilitation programs can begin in the acute phase. Early goals include reestablishment of motion, dynamic joint stability, and retardation of muscular atrophy (in particular the vastus medialis oblique). The acute phase begins with weight-bearing and shifting to provide axial compression and joint approximation, leading to the facilitation of muscular cocontraction and dynamic joint stabilization. Weight-shifting exercises are performed by having the patient stand with bilateral support and shift from side to side and forward to backward, independently controlling the amount of weight-bearing on the involved extremity. Standing mini-squats from 0 to 30 degrees also begin in this stage (Fig. 9-8). As the tissues

heal and the patient is able to perform the weight shifting and mini-squats without symptoms, lateral step-ups are initiated onto a step of low intensity; the height of the step controls the intensity of the exercise (Fig. 9-9). Also in the sagittal plane, forward lunges can be initiated if the PTA pays attention to the length and depth of the lunge (Fig. 9-10). Mini-squats are progressed near the end of the acute phase; the client may perform wall slides, if an isolated quadriceps contraction is indicated.

Subacute Phase

The subacute phase progresses the exercises performed in the acute phase. The squat is progressed to a range of 0 to 60 degrees or 75 degrees. The step-up and lunge are progressed to include lateral movements, and exercise-tubing resistance is used. The tubing can be applied from forward, backward, or either side to force the athlete to dynamically stabilize while the tubing produces a weight-shifting movement in the direction of application (see Chapter 12).

The initiation of cone drills can begin during the subacute phase. They can be performed forward and laterally and involve the athlete stepping over the cones with a high knee raise and landing with a slightly flexed knee to develop balance and control of joint movements of the hip, knee, and ankle (Fig. 9-11).

Uneven surfaces can also be integrated into the rehabilitation program at this point to increase the demands on the mechanoreceptors. Patients can begin by balancing on foam, then a gym mat, and eventually a wobble board (Fig. 11-18). As the patient progresses, dumbbells of different weights can be placed in each hand to offset the patient's center of gravity. The patient is then instructed to maintain balance while randomly extending and abducting the arms, which alter the center of gravity.

Advanced Phase

As the athlete progresses to the advanced phase of rehabilitation, increased dynamic stability and an adequate base of strength are necessary to perform the high-demand exercises. Squats and lunges can be performed on an uneven surface with and without manual perturbations to begin training the athlete to respond to quick, unexpected outside forces.

Cone drills can be progressed in intensity (increased speed without deterioration of technique) and duration. Medicine balls can be incorporated into the cone drills and the uneven surface drills. During these drills, the patient must perform the exercise as earlier described but must also catch and throw a ball without deterioration of technique (Fig. 9-12). Progressing to a medicine ball trains the patient to stabilize while loading and unloading external forces.

FIGURE 9-8 ● **STANDING MINI-SQUATS—BEGINNING PHASE.**

Purpose: CKC exercise to strengthen muscles of the lower extremity.
Position: Client standing; hands on support surface for balance control.
Procedure: Client performs small (mini) squat from 0 to 30 degrees of knee flexion.

FIGURE 9-9 ● **LATERAL STEP-UPS—BEGINNING PHASE.**

Purpose: CKC exercise to strengthen muscles of the lower extremity.
Position: Client standing with one foot on top of stool.
Procedure: Client slowly extends hip and knee of extremity on stool to lift body up on stool. Client then slowly lowers body to floor.

FIGURE 9-10 ● **LUNGES—BEGINNING PHASE.**

Purpose: CKC to strengthen muscles of the lower extremity.
Position: Client standing with feet together.

Procedure: Client takes a step forward, lowering body until forward knee flexes to 90 degrees. Client maintains position 1 to 2 seconds and then returns to starting position.

Functional equipment can be used to further progress the patient. Standing on a slide board develops lateral strength and stability and simulates motions that occur frequently in sports such as hockey (Fig. 11-19). Increase the challenge on the slide board by asking the patient to perform upper-extremity exercises while incorporating dynamic lower-extremity side-to-side activities to facilitate the development of balance and agility. The slide board can be used to train quadriceps, hamstring, and gastrocnemius muscular cocontraction.

FIGURE 9-11 ● CONE DRILLS—INTERMEDIATE PHASE.

Purpose: CKC exercise to develop balance and control the joint movements of hip, knee, and ankle.
Position: Client standing. Two to three cones lined up 6 to 8 inches apart.
Procedure: Using exaggerated high knees (hip flexion), client steps over cones.

FIGURE 9-12 ● CONE DRILLS WITH MEDICINE BALL THROWS—ADVANCED PHASE.

Purpose: CKC exercise to develop balance and control the joint movement of hip, knee, and ankle and to train client to stabilize lower extremity while loading and unloading external forces.
Position: Client standing. Two to three cones lined up 6 to 8 inches apart.
Procedure: Using exaggerated high knees (hip flexion), client steps over cones while catching and throwing a ball.

Case Study 1

PATIENT INFORMATION

The patient was a 13-year-old male soccer player who had been practicing and playing for 5 weeks during the fall season. He had "left foot/heel" pain for 1 week without having experienced a specific injury. The parent recalled the child sliding feet first into the goal upright several weeks earlier but could not recall if the patient hit with his left or right foot. The patient did not complain of foot problems after that incident and had been playing up until the previous week, when he stopped playing because of pain. The child was referred for examination and treatment and for advice concerning return to play.

The patient arrived for examination with a report of pain in the left heel when running during soccer games and in gym class at school; he reported minimal to no pain when walking. His goals were to return to playing soccer as soon as possible. The patient had been seen by the physician and was told to use heat and to wear an over-the-counter lace-up type ankle brace. Radiographs were negative for the left foot and ankle.

During the examination by the PT, the patient reported pain in the heel with bilateral toe raises and had decreased push off on the left foot with jogging. Attempts to run faster or to perform cutting activities were difficult because of heel pain. Palpation indicated tenderness at the superior third of the posterior calcaneus and no pain in the Achilles tendon and bursa. Range of motion (ROM) and strength were normal, except for pain when rising up on the toes. All ligament tests to the ankle were negative.

The patient was diagnosed with calcaneal apophysitis (Sever's disease). This condition is relatively common in active, growing children.

LINK TO GUIDE
TO PHYSICAL
THERAPIST PRACTICE

According to *the Guide*,[20] calcaneal apophysitis is classified as musculoskeletal pattern 4E. This pattern is described as "impaired joint mobility, motor function, muscle performance, and ROM associated with localized inflammation." Goals included coordinating care with the patient, parents, and volunteer soccer coach; reducing the disability associated with chronic irritation; enhancing physical function and sport participation; and improving sport-specific motor function and self-management of symptoms.

INTERVENTION

Apophysitis is caused by musculotendinous traction forces on the immature epiphysis. Initial goals were to decrease inflammation, increase strength, and maintain muscle length. The child was instructed to discontinue use of the ankle brace and to stop all activities (running) that caused pain. The PT discussed the goals and plan of care with the PTA as well as with the parents. The PTA was instructed to perform the following initial intervention consisting of the following program with return feedback to the supervising PT on patient tolerance and understanding of treatment plan.

1. Mild stretching to maintain length and motion of the gastrocnemius and soleus muscles (Figs. 5-17 and 5-18).
2. Bicycle to maintain cardiovascular conditioning and lower-extremity endurance (Fig. 13-5).
3. Ice for discomfort and irritation.

PROGRESSION

One Week After Initial Examination

One week after examination, the PT noted the patient's ability to raise up on his toes without pain. Goals at this point were updated to increase strength with more advanced, CKC activities. The PT discussed the updated goals with the PTA and instructed the PTA to progress the intervention as follows:

1. Elastic tubing strengthening to the calf muscles.
2. Toe raises and partial squats (Fig. 9-8).
3. Continue lower-extremity bicycling.
4. Lateral step-ups on 4 inch box (Fig. 9-9).
5. Pain-free lunges (Fig. 9-10).

Three Weeks After Initial Examination

At the 3-week follow-up, reexamination by the PT noted that the patient had no complaints of pain when rising up on his toes, walking, or jogging. Goals were to advance the program to include functional progression activities to prepare the patient for return to sport. Again after discussion with the PTA regarding the treatment plan, the patient was instructed on the following exercise progression by the PTA.

1. Lateral cone drills (Fig. 9-11).
2. Slide training for lateral movements (Fig. 11-19).
3. Low-velocity, low-vertical force plyometrics on two inch box (Fig. 10-15).

Four Weeks After Initial Examination

At the 4-week follow-up, the patient had no complaints of pain at any time during the day and no pain with any of the exercises. The PT's goals were to continue to advance the program to include functional progression activities to prepare the patient for ultimate return to sport. The PTA, under the direction of the PT, instructed the progression of functional activities as follows:

1. Progress vertical force plyometrics to 4-inch box.
2. Low-level agility jumping (Fig. 10-14).
3. Lower-extremity functional progression, including running, cutting, changing directions.

OUTCOME

The patient returned to soccer without difficulty after 5 weeks. Clinicians should remember that the epiphyses and apophyses in young athletes are at risk for overuse and injury. The patient's injury may have been sparked by the collision into the goal post, but it really was the result of microtraumatic or repetitive use. Immobilization is not necessary for healing; instead, the athlete should decrease participation in activities that aggravate the symptoms.

SUMMARY: AN EFFECTIVE PT–PTA TEAM

This case study demonstrates an effective collaborative effort and good communication between the PT and the PTA. The PTA is able to follow the instruction of the PT after their reexamination of the patient and advance the exercise program with the patient returning feedback to the supervising PT on patient tolerance and understanding. It is important in this scenario that the PT receives the feedback from the PTA due to the patient's young age. A clear understanding must exist on the patient's and parent's part of the treatment plan since increased activity that causes pain may aggravate symptoms. The PT expects that the PTA fully understands the interventions and is able to progress the patient under their direction. The PT also expects that the PTA can instruct the patient independently reporting any adverse effects of the session. This type of working relationship allows the PT to be aware of the patient's status, but at the same time allows them to perform examinations on other patients in the clinic demonstrating effective and efficient teamwork while still providing quality care.

SUMMARY

- CKC exercises take place when the terminal segment (hand or foot) of an extremity is fixed, or is weight-bearing with the ground or surface; such as performing a squat, leg press, or push-up exercise.
- CKC exercises are often chosen instead of OKC exercises because the stress that is desired in the weight-bearing portion of the extremity. Weight-bearing allows increases in joint stability and cocontraction of muscles surrounding the joint. CKC exercises are more functional than open chain exercises and frequently are what the patient needs during the performance of sport-specific movement.
- When designing a rehabilitation program for a patient, the PT should formulate an integrated program that uses both OKC and CKC exercises. Unique advantages exist to each form of exercises, and the PT should carefully consider these advantages when developing the program.
- The physiologic rationale and clinical application for CKC exercises are presented. Specific exercises that the PTA can perform and their appropriate application to patients are presented.

Geriatric Perspectives

- Functional assessment of older adults should include examination of specific CKC task performance requiring integration of dynamic multijoint motion and incorporating concentric, eccentric, and isometric muscle activity.[1] Examination of task performance in dynamic movements involves the whole individual and his or her interaction with the environmental aspects of the tasks (e.g., the height of steps or other surface). Functional tests to examine CKC control may include bilateral stance with knee flexion, unilateral stance with knee flexion, and bilateral and unilateral balance reactions and equilibrium responses when standing with eyes open and closed.[1]
- Older adults need to perform exercises directed toward gains in function and independence. Independent performance of activities of daily living (ADLs) require that the lower extremities function in closed-chain tasks.[1] Examples of such ADLs are dressing oneself and toileting.
- Strengthening programs should include both CKC and OKC (Chapter 6) exercises to maximize physical performance.[2] Closed-chain exercises emphasize control while the distal end is fixed, whereas open-chain exercises improve control when the distal end is free moving. A good example of such interaction between closed- and open-chain exercise is walking, in which the cyclic movement requires that the distal point of contact alternate between fixed and free.
- Since older adults are more prone to falls in challenging postural tasks, special attention should be given to the placement of the center of mass (Chapter 10) and the placement of the foot during CKC exercise. In addition, the exercise should be performed slowly with control and with external support, as needed for safety.

1. Scott KF. Closed kinetic chain assessment: rehabilitation of improved function in the older patient. *Top Geriatr Rehabil.* 1995;11:1–5.
2. Judge JO. Resistance training. *Top Geriatr Rehabil.* 1993;8:38–50.

Pediatric Perspectives

- In children, as in adults, the muscles of postural support must be strong enough to withstand the stresses of high levels of activity among children. When using CKC exercises, the training level and muscular conditioning base of the participant must be taken into account. For children who are essentially "untrained" and who lack basic muscular strength, endurance, and neuromuscular coordination, low-intensity CKC activities are a good place to begin to develop the muscles of postural support required for more strenuous exercise.[1,2]
- Concentric strengthening may be preferable as children develop mature muscles (see "Pediatric Perspectives" in Chapter 6) and bones. Therefore, good judgment must be used when prescribing CKC exercises to children as the intervention may have significant eccentric muscle actions, even at low levels, which can lead to muscle soreness and possible injury.
- For highly trained child athletes, CKC exercises may be a requisite for complete return to function. For example, a young female gymnast must be able to perform many complex CKC movements of both the upper and lower extremities. To complete a well-designed functional progression, sport-specific movements should be incorporated into the rehabilitation program via CKC exercises.[2]

1. Davies GJ, Heiderscheit BC, Manske R, Neitzel J. The scientific and clinical rationale for the integrated approach to open and closed kinetic chain rehabilitation. *Orthop Phys Ther Clinics North Amer.* 2000;9:247–267.
2. Straker JS, Stuhr PJ. Clinical application of closed kinetic chain exercises in the lower extremities. *Orthop Phys Ther Clinics North Amer.* 2000;9:185–207.

References

1. Steindler A. *Kinesiology of the human body under normal and pathological conditions.* Springfield, IL: Thomas; 1955.
2. Panariello RA. The closed kinetic chain in strength training. *Natl Strength Condition Assoc J.* 1991;13:29–33.
3. Dillman CJ, Murray TA, Hindermeister RA. Biomechanical differences of open and closed chain exercises with respect to the shoulder. *J Sport Rehabil.* 1994;3:228–238.
4. Lephart SM, Henry TJ. The physiological basis for open and closed kinetic chain rehabilitation for the upper extremity. *J Sport Rehabil.* 1996;5:71–87.
5. Heiderscheit BC, Rucinski TJ. Biomechanical and physiologic basis of closed kinetic chain exercises in the upper extremities. *Orthop Phys Ther Clinics North Amer.* 2000;9:209–229.
6. Clark FJ, Burgess PR. Slowly adapting receptors in cat knee joint. Can they signal joint angle? *J Neurophysiol.* 1975;38:1448–1463.
7. Lephart SM, Pincivero JR, Giraldo JL, et al. The role of proprioception in the management and rehabilitation of athletic injuries. *Am J Sports Med.* 1997;25:130–137.
8. Heller BM, Pincivero DM. The effects of ACL injury on lower extremity activation during closed kinetic chain exercise. *J Sports Med Phys Fitness.* 2003;43:180–188.
9. Lin DH, Lin YF, Chai HM, et al. Comparison of proprioceptive functions between computerized proprioception facilitation exercise and closed kinetic chain exercise in patients with knee osteoarthritis. *Clin Rheumatol.* 2007;26:520–528.
10. Prokopy MP, Ingersoll CD, Nordenschild E, et al. Closed-kinetic chain upper-body training; improves throwing performance of NCAA Division I softball players. *J Strength Cond Res.* 2008;22:1790–1798.
11. Voight M, Draovitch P. Plyometrics. In: Albert M, ed. *Eccentric muscle training in sports and orthopedics.* 2nd ed. New York, NY: Churchill Livingston; 1995;45–73.
12. Barratta R, Solomonow M, Zhou B. Muscular coactivation: the role of the antagonist musculature in maintaining knee stability. *Am J Sports Med.* 1998;16:113–122.
13. Davies GJ, Heiderscheit BC, Manske R, et al. The scientific and clinical rationale for the integrated approach to open and closed kinetic chain rehabilitation. *Orthop Phys Ther Clinics North Amer.* 2000;9:247–267.
14. Ellenbecker TS, Cappel K. Clinical application of closed kinetic chain exercises in the upper extremities. *Orthop Phys Ther Clinics North Amer.* 2000;9:231–245.
15. Straker JS, Stuhr PJ. Clinical application of closed kinetic chain exercises in the lower extremities. *Orthop Phys Ther Clinics North Amer.* 2000;9:185–207.
16. Hall CM, Brody LT. *Therapeutic Exercise moving toward function.* 2nd ed. Chapter 7: Philadelphia, PA: Lippincott Williams and Wilkins; 2011; 291–306
17. Wilk K, Arrigo C. Current concepts in the rehabilitation of the athletic shoulder. *J Orthop Sports Phys Ther.* 1993;18:364–378.
18. Davies G, Dickoff-Hoffman S. Neuromuscular testing and rehabilitation of the shoulder complex. *J Orthop Sports Phys Ther.* 1993; 18:449–458.
19. Wilk KE, Arrigo CA, Andrews JR. The stabilizing structures of the glenohumeral joint. *J Orthop Sports Phys Ther.* 1997;15:364–379.
20. American Physical Therapy Association. Guide to physical therapist practice, second edition. *Phys Ther.* 2001;81:1–768.

PRACTICE TEST QUESTIONS

1. There are different definitions of what factors constitute a CKC exercise. Which of the following statements is NOT a description or definition?

   A) The exercising extremity will use the body weight for resistance.
   B) The most distal segment of the exercising extremity is fixed in space.
   C) This type of exercise is more functional because the upper extremity normally acts in a CKC.
   D) This type of exercise is safer because the joint is stabilized by cocontractions of opposing muscle groups.

2. One of the chief advantages of CKC exercise versus OKC is that

   A) they are the safest exercises to consider for resistance training very young children.
   B) they represent most appropriate positions for functional activities in the upper extremity.
   C) they will not activate type I and type II mechanoreceptors which may increase pain.
   D) they will facilitate joint stability during sport-specific skill drills especially for the lower extremities.

3. Which one of the exercises described below is **NOT** a CKC exercise?

   A) Seated knee extension
   B) Mini-squat in quad dominate position
   C) Push-ups with a plus
   D) Lateral, forward, and backward lunges

4. Which of the following upper-extremity exercises are performed in CKC positions?

   A) Rolling a ball on the wall in progressively larger clockwise circles.
   B) Lateral slides with straight arms resting on the sliding surface.
   C) Plyometric wall push-ups.
   D) All of the above are CKC positions.

5. The patient is recovering from a strain to the rotator-cuff muscles of the right shoulder. There is mild instability and pain in the shoulder joint. The plan of care calls for CKC exercises for this patient. The patient can consistently perform the isometric press-ups without additional pain and with good form. Which of the following exercises are the next that the PTA should use with this patient?

    A) Active assisted ROM using a cane.
    B) Axial compression with patient moving side to side.
    C) Lateral step-ups and retrograde "walking" on the hands.
    D) Gravity resisted ROM in sagittal and frontal planes.

6. The elderly patient is experiencing an increased incidence of what she describes as tripping and almost falling. The plan of care calls for functional lower-extremity exercise with an emphasis on those exercises which promote cocontraction of the force couples in the pelvis, hips, and knees. Her CKC exercise program will begin with consistent movements and progress to movements with perturbations. Which of the following statements appropriately represents other correctly stated exercise progressions?

    A) From resisted to unresisted exercise
    B) From diagonal patterns to straight planes
    C) From wide base of support to narrow base of support
    D) From dynamic stabilization to static stabilization

7. The advantage(s) of CKC exercise with elderly patients is/are

    A) lower extremities function normally in CKC positions.
    B) specificity of training leads to gains in strength in CKC positions.
    C) gains in strength in the lower extremities translates to falls prevention and functional independence.
    D) all of the above are advantages.

8. The patient is working increased hamstring strength in CKC activities. He is able to perform exercises requiring cocontractions. Which of the following exercises will focus on hamstring contractions?

    A) Retrograde stair climbing
    B) One legged leg press in a 45 to 90 degrees arc of motion
    C) Lateral lunges with knee flexed to 30 degrees
    D) Lateral step-up exercises

9. Many clinical practices work with injured young athletes. What will the PTA do to keep the therapeutic exercise program safe and effective?

    A) Listen to feedback from parents and coaches when progressing the patient.
    B) Recommend immobilization and full rest with complaints of pain during activity.
    C) Understand the patient's pathology, understand the plan of care and provide continuous, accurate feedback to the supervising PT.
    D) Ask the supervising PT for continuous supervision and direction at each patient visit, especially those during which the patient's parents or coaches are present.

10. The patient is recovering from an injury to his right knee, during which articular cartilage has been torn. Weight-bearing and compressive forces must be minimized during this acute phase of recovery while the patients' strength must be maintained. The plan of care for this patient will most likely include

    A) active, passive and active assisted ROM with OKC exercise.
    B) axial loading in progressively increasing arcs of motion and increasing weight shifting.
    C) CKC skill drills with an emphasis on rapid deceleration and direction changing activities.
    D) none of the above are appropriate for the acute phase of healing.

ANSWER KEY

| 1. | C | 3. | A | 5. | B | 7. | D | 9. | C |
| 2. | D | 4. | D | 6. | C | 8. | A | 10. | A |

10

Plyometrics

Kevin E. Wilk, PT, DPT
Michael M. Reinold, PT, MS, DPT, ATC

Objectives

Upon successful completion of this chapter, the reader will be able to:

- Define plyometrics and identify the role of plyometrics in specificity training of athletes.
- Identify the neurophysiologic principles that are utilized for maximum force production in plyometrics.
- Identify three phases of plyometric exercise and the duration of each.
- Identify specific contraindications to performing upper- and lower-extremity plyometric exercise.
- Apply techniques appropriate for upper-extremity, trunk, and lower-extremity plyometric exercise programs within the established plan of care.

The concept of specificity of training is an important parameter in determining the proper exercise program. The imposed demands during training must mirror those incurred during competition, especially during the advanced phases of the rehabilitation process. In most advanced phases of rehabilitation, the essential element to enhance performance is the capacity of the muscle to exert maximal force output in a minimal amount of time. Most advanced skills depend on the ability of the muscle to generate force rapidly. To simulate the explosive strength needed in athletics, Verkhoshanski[1] advocated the shock method of training when he introduced the concept of plyometrics in Russia. During many athletic activities—such as playing tennis, throwing a ball, or jumping—the athlete performs a plyometric type of muscular contraction.

It should be noted that before initiation of a plyometric program, closed-kinetic–chain (CKC) drills are required. For example, generally CKC squats or CKC leg press exercises are performed before initiating plyometric jumping drills. Therefore, an integration of CKC (Chapter 9) and plyometric drills is imperative.

● SCIENTIFIC BASIS

Terminology

Although the term *plyometric* is relatively new, its basic concepts are well established. The roots of plyometric training can be traced to eastern Europe, where it was simply known as jump training or shock training.[1,2]

The word *plyometrics* originates from the Greek words *plythein* and *metric*. *Plyo* originates from the Greek word for "more," and *metric* literally means "to measure."[3] The term was first introduced in 1975 by American track coach Fred Wilt.[3]

The practical definition of plyometrics is a quick powerful movement involving a prestretching of the muscle, thereby activating the stretch–shortening cycle of the muscle. Therefore, one purpose of plyometric training is to increase the excitability of the neurologic receptors for improved reactivity of the neuromuscular system. Wilk and Voight[4] referred to this type of muscle training as muscular stretch–shortening exercise drills.

The literature demonstrates that since 1979, many authors have used variations of the Verkhoshanski methodology in an attempt to establish the best stretch–shortening or plyometric training techniques.[2,4-7] There appears to be agreement on the benefits of basic stretch–shortening principles, but controversy exists regarding an optimal training routine.[8,9] Historically, the chief proponents of the plyometrics training approach were in the area of track and field,[10] but authors have also discussed programs for baseball,[4,11] football,[12] and basketball.[13] Thus, it appears that plyometric training has become an accepted form of training and rehabilitation in many sports medicine areas.

Adaptation of plyometric stretch–shortening principles can be used to enhance the specificity of training for sports that require a maximum amount of muscular force in a minimum amount of time. All movements in competitive athletics involve a repeated series of stretch–shortening cycles.[7,8,10] For example, during the overhead throwing motion, an athlete externally rotates his arm during the cocking phase to produce a stretch on the powerful internal rotator/adductor muscle group. Once the stretch stimulus is completed (full external rotation is achieved), the athlete forcefully accelerates the arm forward into adduction and internal rotation during the acceleration and ball release phases of the throw. Thus the stretch (cocking phase) proceeds the shortening (acceleration, ball release) phases. When an athlete performs a vertical jump, such as to jump to catch a ball or shoot a basketball, she exhibits a stretch–shortening cycle. The athlete first squats or slightly lowers herself before jumping. By performing the squatting movement first, a stretch is generated on the plantarflexors, quadriceps, and gluteal muscles. This is the stretch phase of the jump. After the stretch phase is the shortening phase: an explosive push-off that allows the athlete to elevate. Therefore, whether throwing a ball, jumping rope, or swinging a golf club, all the movements involve a stretch–shortening cycle of the muscle.

Consequently, specific exercise drills should be developed to prepare athletes for activities specific to their sport. Plyometric exercise provides a translation from traditional strength training to the explosive movements of various sports. In this chapter, specific examples of plyometric exercise drills are presented for the upper and lower extremity.

Physiologic Basis of Plyometrics

Stretch–shortening exercises use the elastic and reactive properties of a muscle to generate maximum force production. In normal muscle function, the muscle is stretched before it contracts concentrically. This eccentric-concentric coupling (i.e., the stretch–shortening cycle) employs the stimulation of the body's proprioceptors to facilitate an increase in muscle recruitment over a minimum amount of time.

The proprioceptors of the body include the muscle spindle, the Golgi tendon organ (GTO), and the joint capsule/ligamentous mechanoreceptors.[14] Stimulation of these receptors can cause facilitation, inhibition, and modulation of agonist and antagonist muscles.[14,15] Both the muscle spindle and the GTO provide the proprioceptive basis for plyometric training.

The muscle spindle functions mainly as a stretch receptor (Fig. 10-1). The muscle spindle components that are primarily sensitive to changes in velocity are the nuclear bag intrafusal muscle fibers, which are innervated by type Ia phasic nerve fiber. The muscle spindle is provoked by a quick stretch, which reflexively produces a quick contraction of the agonistic and synergistic extrafusal muscle fibers (Fig. 10-2). The firing of the type Ia phasic nerve fibers is influenced by the rate of stretch; the faster and greater the stimulus, the greater the effect of the associated extrafusal fibers. This cycle occurs in 0.3 to 0.5 milliseconds and is mediated at the spinal cord level in the form of a monosynaptic reflex.[14]

The GTO, which is sensitive to tension, is located at the junction between the tendon and muscle both at the proximal and distal attachments. The unit is arranged in series with the extrafusal muscle fibers and, therefore, becomes activated with stretch. Unlike the muscle spindle, the GTO has an inhibitory effect on the muscle. Upon activation, impulses are sent to the spinal cord, causing an inhibition of the α-motor neurons of the contracting muscle and its synergists and thus limiting the force produced. It has been postulated that the GTO is a protective mechanism against overcontraction or stretch of the muscle. Since the GTO uses at least one interneuron in its synaptic cycle, inhibition requires more time than monosynaptic excitation by type Ia nerve fibers (Fig. 10-2).[14]

During concentric muscle contraction, the muscle spindle output is reduced because the muscle fibers are either shortening or attempting to shorten. During eccentric contraction, the muscle stretch reflex serves to generate more tension in the lengthening muscle.[16] When the muscle tension increases to a high or potentially harmful level, the GTO fires, generating a neural pattern that reduces the excitation of the muscle. Consequently, the

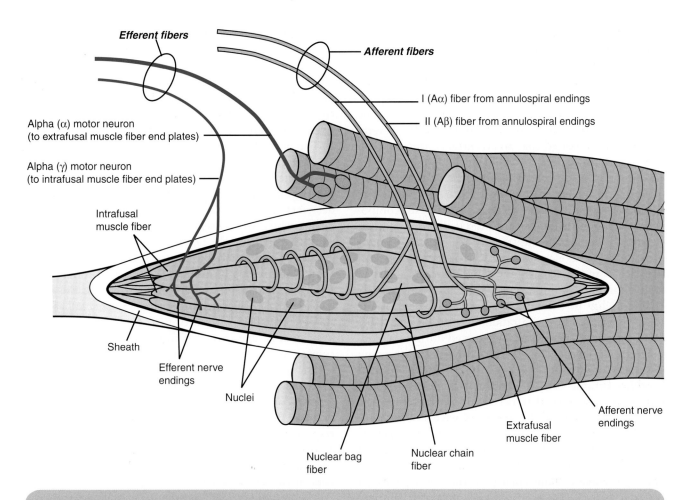

Efferent fibers

Afferent fibers

I (Aα) fiber from annulospiral endings

II (Aβ) fiber from annulospiral endings

Alpha (α) motor neuron
(to extrafusal muscle fiber end plates)

Alpha (γ) motor neuron
(to intrafusal muscle fiber end plates)

Intrafusal
muscle fiber

Sheath

Efferent nerve
endings

Nuclei

Nuclear bag
fiber

Nuclear chain
fiber

Extrafusal
muscle fiber

Afferent nerve
endings

FIGURE 10-1 ● **THE MUSCLE SPINDLE.**

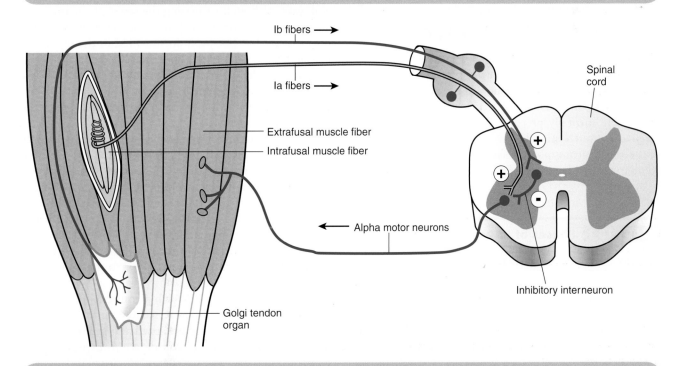

Ib fibers →

Ia fibers →

Spinal
cord

Extrafusal muscle fiber

Intrafusal muscle fiber

Alpha motor neurons

Inhibitory interneuron

Golgi tendon
organ

FIGURE 10-2 ● **PASSIVE STRETCH REFLEX.**

GTO receptors may act as a protective mechanism; but in a correctly carried out plyometric exercise, the reflex arc pathway incorporated with excitation of type Ia nerve fibers overshadows the influence of the GTO.

In addition to the neurophysiologic stimulus, the positive results of the stretch–shortening exercise can also be attributed to the recoil action of elastic tissues.[7,8,17] Several authors have reported that an eccentric contraction will significantly increase the force generated concentrically as a result of storage of elastic energy.[5,6,17,18] The mechanism for this increased concentric force is the ability of the muscle to use the force produced by the elastic component. During the loading of the muscle that occurs when stretching, the load is transferred to the elastic component and stored as elastic energy. The elastic elements can then deliver increased energy, which is recovered and used for the concentric contraction.[5,17]

The ability of the muscle to use the stored elastic energy is affected by the duration, magnitude, and velocity of stretch. Increased force generated during the concentric contraction is most effective when the preceding eccentric contraction is of short range and performed quickly, without delay.[5,18] The improved or increased muscle performance that occurs by prestretching the muscle is the result of the combined effects of both the storage of elastic energy and the myotatic reflex activation of the muscle.[5,18] The percentage of contribution from each component is not yet known. In addition, the degree of enhanced muscular performance depends on the time between the eccentric and concentric contractions.[8]

Phases of Stretch–Shortening Exercise

Three phases of the plyometric exercise have been described: the setting (stretch) or eccentric phase, the amortization phase, and the concentric (shortening) response phase (Table 10-1). The eccentric, or setting phase, begins when the athlete mentally prepares for the activity and ends when the stretch stimulus is initiated. The advantages of a correct setting phase include increasing the muscle spindle activity by stretching the muscle before activa-

tion and mentally biasing the α-motor neuron for optimal extrafusal muscle contraction.[19] The duration of the setting phase is determined by the degree of impulse desired for facilitation of the contraction. With too much or prolonged loading, the elapsed time from eccentric to concentric contraction will prevent optimal exploitation of the stretch–shortening myotatic reflex.[1,20]

The next phase of the stretch–shortening response is amortization. This phase begins as the eccentric contraction starts to wane and ends with the initiation of a concentric force. By definition, it is the electromechanical delay between the eccentric and concentric contractions, during which the muscle must switch from overcoming work to imparting the necessary amount of acceleration in the required direction.[2] Successful training using the stretch–shortening technique relies heavily on the rate of stretch rather than the length of the stretch. If the amortization phase is slow, elastic energy is wasted as heat and the stretch reflex is not activated. The more quickly the individual is able to switch from yielding work to overcoming work, the more powerful the response.

The final period of the stretch–shortening exercise is the concentric response phase. During this phase, the athlete concentrates on the effect of the exercise and prepares for initiation of the second repetition. The response phase is the summation of the setting and amortization phases. This stage is often referred to as the resultant or payoff phase, because of the enhanced concentric contraction.[2,9,21,22]

Theoretically, stretch–shortening exercise assists in the improvement of physiologic muscle performance in several ways. Although increasing the speed of the myotatic stretch–reflex response may increase performance, such information has not been documented in the literature. Research does exist to support the idea that the faster a muscle is loaded eccentrically, the greater the concentric force produced.[23] Eccentric loading places stress on the elastic components, thereby increasing the tension of the resultant rebound force.

A second possible mechanism for the increased force production involves the inhibitory effect of the GTO on force production. Since the GTO serves as a protective mechanism limiting the amount of force produced within a muscle, its stimulation threshold becomes the limiting factor. Desensitization of the GTO through a plyometric training program may be possible, which will raise the level of inhibition and ultimately allow increased force production with greater loads applied to the musculoskeletal system.

The last mechanism by which plyometric training may increase muscular performance centers on neuromuscular coordination. The ultimate speed of movement may be limited by neuromuscular coordination. Explosive plyometric training may improve neural efficiency and increase

TABLE 10-1	**Phases of Plyometric Exercises**
PHASE	**DESCRIPTION**
I	Eccentric: stretch or setting period
II	Amortization: time between eccentric and concentric phases
III	Concentric response: facilitated shortening contraction

neuromuscular performance. Using the prestretch response, the athlete may better coordinate the activities of the muscle groups. This enhanced neuromuscular coordination could lead to a greater net force production, even in the absence of morphologic change within the muscles themselves (referred to as neural adaptation).[2] In other words, the neurologic system may be enhanced, becoming more automatic.

The implementation of a stretch–shortening program begins with the development of an adequate strength and physical condition base. The development of a greater strength base leads to greater force generation owing to the increased cross-sectional area of both the muscle and the resultant elastic component. Therefore, to produce optimal strength gains and prevent overuse injuries, a structured strengthening program must be instituted before beginning plyometrics.

● CLINICAL GUIDELINES

Plyometric exercise trains the neuromuscular system by teaching the system to better accept and apply increased system loads. Using the stretch reflex helps improve the ability of the nervous system to react with maximum speed to the lengthening muscle. The improved stretch reflex allows muscle to contract concentrically with maximal force. Since the plyometric program attempts to modify and retrain the neuromuscular system, the exercise program should be designed with sport specificity in mind.

Plyometric exercises are common for lower-extremity rehabilitation,[24,25] but can also be incorporated into upper-extremity rehabilitation.[26-29] Athletes often use the upper extremity in an open-kinetic–chain fashion, e.g., when throwing, golfing, shooting a basketball, and performing a tennis stroke. However, some athletes do bear weight on their distal upper extremities, either to protect themselves from a fall or to perform specific sports endeavors (e.g., gymnasts, boxers, football players, and wrestlers). In addition, athletic endeavors such as swimming, throwing, cross-country skiing, and wheelchair propulsion all use principles of rapid opening and closing of the kinetic chain to propel the body or an object through space. Athletes involved in these sports use the upper extremity in much the same way as athletes use the lower extremities when jumping or running. Thus, the theories of enhanced neuromuscular control from plyometric drills can be applied to the upper extremities.

Plyometric exercises have the capacity to condition the upper and lower extremities while being sport specific. Developing intervention protocols that incorporate sport-specific drills not only potentiates the effect of the overall rehabilitation program but may lead to prevention of further athletic injuries.

Precautions

Contraindications to performing upper- and lower-extremity plyometric exercises include acute inflammation or pain, immediate postoperative pathology, and gross instabilities. The most significant contraindication to an intense stretch–shortening exercise program is for individuals who have not been involved in a weight-training program. Intense stretch–shortening exercise programs are intended to be advanced strengthening programs for the competitive athlete to enhance athletic performance and are not recommended for the recreational athlete. Athletes appear to exhibit the greatest gain from a well-designed plyometric program. The clinician should be aware of the adverse reactions secondary to this form of exercise, such as delayed-onset muscular soreness. In addition, it should be noted that this form of exercise should not be performed for an extended period of time, because of the large stresses that occur during exercise. More appropriately, stretch–shortening exercise is used during the first and second preparation phases of training, using the concept of periodization (see Chapter 6).

● TECHNIQUES

This section provides the physical therapist assistant (PTA) with specific plyometric drills, programs, and progressions for the upper and lower extremities. We present examples of possible exercises that can be incorporated into the rehabilitation of an injured patient. The demands of each sport should be considered when choosing the most appropriate drills, because the program should be as patient and sport specific as possible.

Upper-extremity Plyometric Drills

As noted, the implementation of the stretch–shortening program begins with the development of an adequate strength and physical condition base. A sample-upper extremity stretch–shortening exercise program is presented to illustrate its clinical applications. The program is organized into four groups: warm-up exercises, throwing movements, trunk exercises, and wall exercises (Table 10-2). General suggestions for progressing the program are presented in Table 10-3.

Warm-up

Warm-up exercises are designed to provide the body (especially the shoulder, arm, and trunk) an adequate

TABLE 10-2	Upper-extremity Plyometric Program
GROUP	**EXERCISES**
Warm-up	Trunk rotation with medicine ball
	Side bends
	Wood chops
	Push-ups
	Internal and external shoulder rotation with tubing (90-degree abduction)
Throwing movements	Two-hand chest pass
	Two-hand soccer throw
	Internal and external shoulder rotation with tubing (90-degree abduction; fast speed)
	One-hand baseball throw
Trunk exercises	Sit-ups with medicine ball
	Sit-ups with rotation
	Sit-ups with throws and rotation
Wall exercises	Two-hand overhead soccer throw
	Two-hand chest pass
	One-hand baseball throw (standing; kneeling)
	One-hand wall dribble
	Multiple jumps

physiologic preparation before beginning a plyometric program. An active warm-up should facilitate muscular performance by increasing blood flow, muscle and core temperatures, speed of contraction, oxygen use, and nervous system transmission. The first three warm-up exercises—trunk rotations (Fig. 10-3), trunk side bends, and wood chops (Fig. 10-4)—use a 9-pound medicine ball. Some

TABLE 10-3	General Guidelines for Progression of Lower-extremity Plyometric Activities

Two-hand drills → One-hand drills

Bilateral drills → Unilateral drills

Light Plyoball → Heavy Plyoball

Movements close to body → Movements away from body

Single-joint movements → Multiple-joint movements

Straight planes → Diagonal planes

Single planes → Multiple planes

Specific drills → Sport-specific drills

warm-up exercises are performed with exercise tubing and include internal and external rotation movements of the shoulder with the arm in 90 degrees of shoulder abduction and 90 degrees of elbow flexion to simulate the throwing position. Finally, push-ups with both hands on the ground can enhance the warm-up period. Patients should perform two to three sets of 10 repetitions each of these warm-up exercises before beginning the exercise session.

Throwing Movement

Throwing movement stretch–shortening exercises attempt to isolate the muscles and muscle groups necessary for throwing. These exercises are performed in combined movement patterns similar to the throwing motion. Beginning drills are throwing movement plyometrics using a 4-pound Plyoball (Integrated Functional Products, Dublin, CA). The first drill is a two-hand overhead soccer throw (Fig. 10-5), followed by a two-hand chest pass (Fig. 10-6). These exercises can be performed with a partner or with the use of a spring-loaded bounce-back device called the Plyoback (Integrated Functional Products).

In addition, several of the stretch–shortening drills require exercise tubing. The first movement involves stretch–shortening movement for the external rotators in which the athlete brings the tubing back into external rotation and holds that position for 2 seconds (Fig. 10-7). The patient then allows the external rotator musculature to release the isometric contraction, allowing the tubing to pull the arm into internal rotation. Thus the external rotators eccentrically control the movement. Once the arm reaches full internal rotation (horizontal), the external rotators contract concentrically to bring the tubing back into external rotation. This constitutes one stretch–shortening repetition.

Similar movements are performed for the internal rotators and for proprioceptive neuromuscular facilitation diagonal patterns, including D2 flexion and D2 extension of the upper extremity (see Figs. 8-7 and 8-8). The stretch–shortening technique can also be performed for the elbow flexors using exercise tubing.

Push-ups to enhance the strength of the serratus anterior, pectoralis major, deltoid, triceps, and biceps musculature can also be incorporated into the program. Push-ups can be advanced to a plyometric exercise by using the assistance of a PTA, performing push-ups against a wall (Fig. 10-8), and using a 6- to 8-inch box and the ground in a depth-jump-training manner (Fig. 10-9). Two to four sets of six to eight repetitions of all of these exercise drills are performed two to three times weekly.

Another group of exercises or drills uses a 2-pound medicine ball or Plyoball and a wall, which allows the patient the opportunity to perform plyometric medicine ball drills.

FIGURE 10-3 ● **TRUNK ROTATION.**

Purpose: Warm-up exercise for upper extremity before plyometric drills.
Position: Client standing, holding medicine ball in both hands in front with elbows extended.
Procedure: Client rotates trunk to right and to left keeping ball in front of body with elbows extended. It is important to pause at each extreme of rotation before rotating in opposite direction.

A   B

FIGURE 10-4 ● **WOOD CHOPS.**

Purpose: Warm-up exercise for upper extremity before plyometric drills.
Position: Client standing, holding medicine ball in both hands in front with elbows extended.

Procedure: Client forward bends, pauses at full trunk flexion (*panel A*), and then extends spine fully while raising ball overhead (*panel B*). It is important to pause at each extreme of flexion and extension.

FIGURE 10-5 ● TWO-HAND OVERHEAD SOCCER THROW.

Purpose: Plyometric drill to facilitate movement patterns similar to throwing motion.
Position: Client standing and holding medicine ball with both hands behind head.
Procedure: Client takes one step forward and throws ball with both hands.

FIGURE 10-6 ● TWO-HAND CHEST PASS.

Purpose: Plyometric drill to facilitate movement patterns similar to throwing motion.
Position: Client standing and holding medicine ball in both hands against chest.

Procedure: Client takes one step forward and extends elbows, throwing ball by pushing with both hands.

FIGURE 10-7 ● EXTERNAL ROTATION WITH ELASTIC TUBING—THROWING MOVEMENT.

Purpose: Plyometric drill to facilitate stretch–shortening activities for external rotator muscles.
Position: Client standing and facing elastic tubing, which is attached to the wall at eye level, shoulder in 90-degree abduction and neutral external and internal rotation. Client holding elastic tubing.
Procedure: Client pulls tubing back into external rotation (concentric contraction), holds Position for 2 seconds (isometric contraction), and then releases external rotator muscles to allow tubing to pull arm into internal rotation (eccentric contraction).

A

B

FIGURE 10-8 ● PLYOMETRIC PUSH-UPS ON WALL—ADVANCED PHASE.

Purpose: Plyometric drill to strengthen muscles of the glenohumeral and scapulothoracic joint.
Position: Client standing with feet 8 to 10 inches from wall with hands in push-up Position against wall. PTA standing behind client.

Procedure: Keeping feet in place, client pushes body from wall by extending arms (concentric contraction). PTA catches patient, and pushes patient back toward the wall (*panel A*). Patient catches body against wall with hands (eccentric contraction) (*panel B*) and immediately pushes away again (concentric contraction)

FIGURE 10-9 ● PLYOMETRIC PUSH-UPS WITH BOXES—ADVANCED PHASE.

Purpose: Plyometric drills to strengthen muscles of the glenohumeral and scapulothoracic joint.
Position: Client in push-up Position between two 6- to 8-inch high boxes (*panel A*).
Procedure: From the support surface, client pushes with arms hard enough to lift body from ground (concentric contraction) (*panel B*). When high enough off ground, client moves upper extremity slightly laterally and catches body with hands on boxes (eccentric contraction) (*panel C*). Client then pushes off boxes to lift body from boxes (concentric contraction) and catches body on support surface (eccentric contraction).

> ### FIGURE 10-10 ● ONE-HANDED PLYOMETRIC BASEBALL THROW ON WALL—THROWING MOVEMENT.
>
> **Purpose:** Plyometric drills to facilitate stretch–shortening activities for external rotator muscles.
> **Position:** Client standing directly in front of wall with shoulder in 90-degree abduction and full external rotation and elbow in 90-degree flexion. Client holding small medicine ball in one hand.
> **Procedure:** Client repeatedly internally rotates shoulder to throw (concentric exercise) ball against wall and catches ball as it returns from wall (eccentric contraction).

Using a 2-pound medicine ball, the patient can perform a one-handed plyometric baseball throw (Fig. 10-10). To further challenge the patient, exercises can be performed in the kneeling position to eliminate the use of the lower extremities and increase the demands on the trunk and upper extremities. A commonly used exercise drill is called wall dribbling. The patient quickly dribbles a 2-pound ball against a wall, making a half circle. This drill is usually performed for a specific time period, e.g., 30 to 120 seconds.

The purpose of the stretch–shortening throwing exercises is to provide the patient with advanced strengthening exercises that are more aggressive and at a higher exercise level than a simple isotonic dumbbell exercise program. A stretch–shortening programs can implemented only after the patient has undergone a strengthening program for an extended period of time and has a satisfactory clinical examination.

Trunk Exercises

Two groups of stretch–shortening drills for trunk strengthening purposes emphasize the abdominal and trunk extensor muscles. Exercises in this group include medicine ball sit-ups, sit-ups with rotation, and sit-ups with throws (Fig. 10-11). Trunk exercise drills are performed two to three times a week for three to four sets of six to eight repetitions. Performing trunk exercises is extremely important for the overhead athlete.

Lower-extremity Plyometric Drills

Implementation criteria of plyometric exercises for the lower extremity follow the same guidelines as those the upper extremity. Lower-extremity plyometric drills can be divided into four different categories: warm-up, jump drills, box drills, and depth jumps (Table 10-4). Sport-specific drills should always be chosen to enhance the rehabilitation of the injured athlete. The PTA should observe the techniques of jumping and should stress correct posture, minimum side to side and forward to backward deviations, landing with toe–heel motion, landing with slightly flexed knees, and instant preparation for subsequent jumps. As the patient progresses and the plyometric drills become more advanced, drills should concentrate

FIGURE 10-11 ● **SIT-UP WITH THROW—TRUNK.**

Purpose: Strengthen abdominal muscles.
Position: Client lying supine with knees flexed, holding medicine ball in both hands overhead.

Procedure: Client sits-up and simultaneously throws ball with overhead soccer throw.

TABLE 10-4	Lower-extremity Plyometric Program
GROUP	**EXERCISES**
Warm-up	Stretching of lower-extremity muscles
	Running
	Skipping
	Lateral side shuffles
	Backward running
	Carioca
Jump drills	Double-ankle hops
	Single-ankle hops
	Squat jumps
	Vertical jumps
	Tuck jumps
	180-degree jumps
	Agility jumps
Box drills	Front jumps
	Lateral jumps
	Multiple jumps
Depth jumps	Forward jumps
	Squat depth jumps

on developing strength and power. As the patient masters proper technique, the focus shifts to quality, distance, height, or speed of jumping, depending on the goals of the athlete.

Chu[30] suggested counting the number of foot contacts as a measure of frequency when using plyometrics for the lower extremity. A range of 60 to 100 foot touches per training session is considered appropriate for the beginner; 100 to 150, for the intermediate exerciser; and 150 to 200, for the advanced exerciser.

Warm-up

As with any plyometric training program, an adequate warm-up is essential to avoid overuse injuries. Warm-up begins with stretching the lower extremities, followed by light running. Running can be progressed to include skipping, lateral side shuffles, backward running, and carioca drills.

Jumps

Jump drills begin with basic hops in place on both extremities (double-ankle hop) using full ankle range of motion (ROM) for hopping momentum. This activity can be progressed to performing the exercise on one extremity (single-ankle hops). These exercises are of low intensity, and the client should focus on technique and amortization phase length. It is essential for the patient to develop the proper recoil from each jump to minimize the length of the amortization phase. Squat jumping involves dropping into a squat position before jumping with maximal extension of the lower extremities (Fig. 10-12). Tuck jumps begin with a slight squat; then the athlete brings both knees up to the chest and holds until extending to land in a vertical position (Fig. 10-13). The vertical and tuck jumps should focus on the production of power; they require a period of recovery between jumps.

The 180-degree jumps begin with a two-footed jump; the patient rotates 180 degrees in midair, holding the landing, and then reverses direction. Cones or tape on the floor can be used for multiple forward, lateral, diagonal, or zigzag jumps and hops on one or two limbs (called agility jumps) (Fig. 10-14). The patient is instructed to jump as quickly as possible to the cone or tape. One of the most important aspects of plyometric training is the landing after the jump. A soft landing is strongly encouraged, and the patient is told to land as light as a feather. The soft landing aids in controlling ground-reaction forces.

Box Jumps

Box jumps (aerobic benches can be used) begin with basic front and lateral box jumps (Fig. 10-15). The patient begins on level ground and jumps onto a box of prescribed height. To do box push-off drills, the patient faces a box and puts one foot on it. Then the patient extends the lower extremity that is on the box, achieving maximal height and landing on top of the box. The patient returns to the original position. The patient can alternate the lower extremities, working each one in turn. Lateral push-off drills can also be incorporated.

Multiple box jumps can be performed in the forward or lateral direction, with the athlete jumping up onto the box, down from the box, and then back up to another box (Fig. 10-16). In addition, turns can be added (Fig. 10-17). Box drills can be progressed from low intensity to high intensity by adjusting the height of the box. Furthermore, the individual can be progressed from performing the exercise on two legs to performing it on one extremity.

Depth Jumps

Box jumps are progressed to include depth jumps. Depth jumps from atop a box use the athlete's potential energy to vary the ground-reaction forces produced during landing. The simplest form of depth jumping involves the athlete stepping from the top of a box and landing flexed and holding the landing (Fig. 10-18). The patient should not jump from the box but rather step off the edge of the box so the exercise can be reliably reproduced at different prescribed heights.

Once the proper landing technique is learned and tolerated by the patient, depth jumps can be followed by a maximal vertical jump, recoiling as rapidly as possible after absorbing the impact. The patient recoils after landing and jumps up from landing as rapidly as possible to decrease the amortization phase. A squat depth jump begins with the patient stepping off a box and landing in a squat position, followed by a quick explosion out of the squat and again landing in a squat position. For added difficulty, the athlete can land on a second box.

Progression

Plyometric exercises for the lower extremity can be progressed by adding weight (using medicine balls), altering the height of box drills and depth jumps, and jumping from and landing on uneven surfaces. Each progression stresses the patient's force production, eccentric control of landing, and modulation of proprioceptive input. In addition, all plyometric exercises can be progressed by advancing the activity from two legs to one leg for a very aggressive plyometric exercise program.

FIGURE 10-12 ● SQUAT JUMPS.

Purpose: Plyometric drill to strengthen lower-extremity muscles.
Position: Client in squat Position.
Procedure: From squat Position (*panel A*), client jumps vertically as high as possible (concentric contraction) (*panel B*). Upon landing, client absorbs shock into squat (eccentric contraction). Repeat.

FIGURE 10-13 ● TUCK JUMPS.

Purpose: Plyometric drill to strengthen lower-extremity muscles.
Position: Client standing.
Procedure: Client jumps vertically as high as possible (concentric contraction). During jump, client brings both knees up to chest and holds briefly (accentuation of concentric contraction). Client absorbs shock on landing (eccentric contraction). Repeat.

FIGURE 10-14 ● AGILITY JUMPS.

Purpose: Plyometric drill to enhance agility.
Position: Client standing; tape on floor marks four quadrants.
Procedure: Client quickly jumps from one quadrant to the next quadrant, jumping as quickly as possible and landing lightly.

FIGURE 10-15 ● FRONT BOX JUMPS.

Purpose: Plyometric drills to facilitate stretch–shortening of lower-extremity muscles.
Position: Client standing and facing box.
Procedure: Facing box, client jumps up to land on box (concentric contraction). After landing (eccentric contraction), client immediately jumps from box back to floor (concentric contraction). Repeat.

FIGURE 10-16 ● MULTIPLE BOX JUMPS.

Purpose: Plyometric drills to facilitate stretch–shortening of lower-extremity muscles.
Position: Client standing between two boxes but not facing either box.
Procedure: Facing same direction during entire drill, client jumps laterally up to land on first box (concentric contraction). After landing (eccentric contraction), patient immediately jumps back to floor (concentric contraction). Patient lands on ground (eccentric contraction) and immediately jumps laterally to land on second box (concentric contraction), then immediately jumps back to the original Position (concentric contraction).

FIGURE 10-17 ● MULTIPLE BOX JUMPS WITH TURNS.

Purpose: Plyometric drills to facilitate stretch–shortening for lower-extremity muscles.

Position: Client standing between two boxes but not facing either box.

Procedure: Client jumps up and simultaneously turns to land on first box (concentric contraction). After landing (eccentric contraction), patient immediately jumps from box while turning in original direction (concentric contraction). Client lands on ground (eccentric contraction) and immediately jumps and simultaneously turns toward second box (concentric contraction). Client lands on second box (eccentric contraction), then immediately jumps from box and turns back to original Position (concentric contraction).

FIGURE 10-18 ● DEPTH JUMPS.

Purpose: Plyometric drills to facilitate stretch–shortening for lower-extremity muscles.

Position: Client standing on top of box.

Procedure: Client steps off edge of box (should not jump) (*panel A*) and sticks the landing in a squat Position (eccentric contraction) (*panel B*).

Note: The exercise can end in squat Position or client can jump up out of squat Position (concentric contraction). For added difficulty, client can jump (concentric contraction) and land on second box (eccentric contraction).

Case Study 1

PATIENT INFORMATION

The patient was an 18-year-old male who played high school football and ran track. He injured his knee during football practice while he was trying to block a lineman. He reported that his left knee was planted when he felt the knee pop and shift out of place. He stated that pain was immediate and he was unable to walk without limping.

The athlete presented to the clinic 1 day after injury. Examination by the physical therapist (PT) indicated an antalgic flexed knee gait and moderate joint effusion. He was able to perform a straight leg raise with 0-degree extension. Active ROM was 0 to 116 degrees and 0 to 146 degrees for the involved and noninjured knees, respectively. The Lachman's test was positive.

Examination was consistent with a diagnosis of sprain to the anterior cruciate ligament (ACL). The athlete was referred by the PT to an orthopedic surgeon, who recommended autogenous bone–patellar tendon–bone ACL reconstruction.

LINK TO GUIDE
TO PHYSICAL THERAPIST PRACTICE

According to the *Guide to Physical Therapist Practice*,[31] pattern 4D relates to the diagnosis of this patient. The pattern is described as "impaired joint mobility, motor function, muscle performance, and ROM associated with other connective tissue dysfunction" and includes sprains of the knee and leg. Direct intervention includes "strengthening and power, including plyometric," exercises and "neuromuscular education and reeducation."

INTERVENTION

One Week Postsurgery

One week after surgery, the athlete returned, demonstrating a slight antalgic gait without assistive devices. He reported using the continuous passive motion machine (CPM) machine on his ACL-reconstructed knee (see Fig. 3-33). Examination by the PT noted that he presented with moderate joint effusion; pain was rated at 1/5; ROM was 0 to 100 degrees and 0 to 142 degrees for the involved and noninvolved knees, respectively.

Initial goals by the PT included decreasing swelling, obtaining full passive knee extension, and obtaining

110 degrees of flexion. The PT instructed the PTA to instruct the patient on the intervention consisting of the following home exercise program:

1. Discontinue use of CPM.
2. Heel props: 10 minutes every hour (while lying supine, patient props prop heel up on towel roll and places weight over the anterior knee to promote increased extension).
3. Prone hangs with weight: 10 minutes every hour.
4. Wall slides and heel slides (Fig. 3-6): three times a day.

Two Weeks Postsurgery

At 2 weeks after surgery, upon reexamination by the PT, the athlete reported that his knee had improved daily and he worked on his home exercises daily. He presented with normal gait but still rated his pain at 1/5. A mild effusion was present. ROM was 0 to 126 degrees for the reconstructed knee.

The goals noted by the PT at this point were to maintain full extension, control swelling, increase flexion, and begin early strengthening. The PT discussed the goals and updated home exercise program with the PTA and asked them to instruct the patient on the following home exercise program:

1. Standing mini-squats from 0 to 30 degrees (Fig. 9-8).
2. Forward step-ups.
3. Stationary bicycle (Fig. 13-5).
4. Continue wall slides and prone hangs.

One Month Postsurgery

One month postsurgery, upon reexamination by the PT, the athlete stated that his knees continued to improve and he rated his reconstructed knee at 60%. He presented with normal gait, mild effusion, and no reports of pain. ROM was 0 to 135 degrees.

Goals were updated to achieve full flexion ROM and to progress to more advanced strengthening activities. After receiving instruction from the PT, the PTA instructed the patient on the following program and was to report back to the PT the patient's status and ability to perform the new exercise program.

1. Progress squat to a range of 0 to 60 degrees.
2. Progress step-up to include forward and lateral movements (Fig. 9-9).
3. Forward lunges (Fig. 9-10).
4. Initiation of balance activities (Figs. 11-11 and 11-12).
5. Continue bicycle.

Two Months Postsurgery

Examination by the PT at the 2-month follow-up indicated that ROM was equal bilaterally. The PT updated the home exercise program and instructed the PTA to instruct the patient on the following exercise program with a return status report after completion.

1. Continue bicycle
2. Continue closed-chain step-ups, mini-squats, and lunges.
3. Begin closed-chain cone drills (Fig. 9-11).
4. Begin calf raises.
5. Step machine (Fig. 13-7).
6. Open-chain hamstring curls with weight.

Three Months Postsurgery

At 3 months, the athlete reported that he continued to improve and feel stronger. He also reported no problem with the home exercise program. Isokinetic examination indicated that the left quadriceps strength was 70% of the right. The exercise program was revised by the PT and instructed by the PTA. The program consisted of the following:

1. Jogging
2. Plyometric program: warm-up exercises (jogging; hamstring, quadriceps, and gastrocnemius stretching; Figs. 5-7 to 5-10, 5-17), double-ankle jumps, and tuck jumps (Fig. 10-13).
3. Open-chain quadriceps strengthening (see Fig. 7-9).
4. Continue closed-chain exercise program.

Four Months Postsurgery

After 4 months, the patient was progressing well. The exercise program was revised by the PT and instructed by the PTA. The program consisted of the following:

1. Continue open-chain strengthening.
2. Continue plyometric program.
3. Single-ankle jumps
4. Box jumps (Figs. 10-15 to 10-17).
5. Continue jogging program.

Five Months Postsurgery

At the 5-month follow-up the patient reported no problems with any activities during the previous month. Functional testing performed by the PT, using a one-legged hop for distance and a one-legged vertical hop indicated no deficit in the injured knee. The PT goal for the patient at this point was to prepare the athlete to return to full activities and competition. The home exercise program was progressed by the PT to include running and agility drills with his football coach. In addition, the athlete was instructed to perform depth jumps two times per week (Fig. 10-18).

OUTCOME

Examination by the PT at the end of 6 months indicated no deficits in the left knee. The athlete was cleared to participate in all activities. He completed an uneventful season in football and track the following year.

SUMMARY: AN EFFECTIVE PT–PTA TEAM

This case study demonstrates an effective collaborative effort between the PT and the PTA that is conducive in a busy sport medicine clinic. The PTA is able to follow the instruction of the PT after their reexamination of the patient and perform the instruction to the patient of the home exercise program. The PT is aware of the patient's status and ability to advance the home exercise program due to the good communication between the PT and the PTA after the instruction. The PT expects that the PTA fully understands the interventions included in the home exercise program. The PT also expects that the PTA can instruct the patient independently reporting any adverse effects of the session. This type of working relationship allows the PT to be aware of the athlete's status but at the same time allows them to perform examinations on other patients in the clinic demonstrating effective and efficient teamwork while still providing quality care.

Geriatric Perspectives

- With the exception of the older athlete, plyometrics may not be the optimal choice for rehabilitation of the aged. Movements requiring quick power and rapid muscle reactivity should be used with caution because of age-related changes in muscle tissue.

S U M M A R Y

- Plyometric exercises are quick powerful movements involving a prestretching of the muscle, thereby, activating the stretch–shortening cycle of the muscle.
- The purpose of plyometric training is to increase the excitability of the neurologic receptors (stretch reflex) for improved reactivity of the neuromuscular system.

- The physiologic rationale and clinical application for plyometrics for the upper and lower extremity are presented. Specific exercises that the PTA can perform and their appropriate application to the patient are presented.
- Plyometrics are designed to provide a functional form of exercise just before the initiation of sport-specific training (Chapter 16). These exercises are an excellent form of training for the competitive athlete.

Pediatric Perspectives

- Plyometrics can be used to train children in fun, play-related movements such as hopscotch and bouncing activities. Use of plyometrics during rehabilitation is determined by the needs of the patient for his or her chosen activity. Children who are not competitive athletes may engage in many common activities that do not require aggressive plyometric training. Take into account the patient's age, experience, maturity, and attention span when considering use of plyometrics. Lack of sufficient attention span may contraindicate the use of plyometrics in rehabilitation of children.[1]
- Examples of low-intensity exercises that may be used are single-leg squats and jump/play activities. Use discretion and close supervision when requiring medium-intensity skills.[2] It is probably wise to avoid high-intensity and large vertical dimensions when using plyometrics with most children.

- It is common for children to lack coordination, which suggests the need to pay attention to proper technique during training. Ongoing supervision during plyometric programs used with children is essential. Be certain that children's performances are routinely evaluated and that youngsters are able to demonstrate mastery of a skill before given clearance to move to the next level of difficulty in a program.
- Plyometric training has been shown to increase bone mineral content, lower-extremity performance, and static balance in a group of 14-year-old girls.[3]

1. Chu D. Jumping into plyometrics. Champaign, IL: Leisure, 1992.
2. Albert M. Eccentric muscle training in sports and orthopedics. New York, NY: Churchill-Livingston, 1995.
3. Witzke KA, Snow CM. Effects of plyometric jump training on bone mass in adolescent girls. *Med Sci Sports Exerc.* 2000;32: 1051–1057.

References

1. Verkhoshanski Y. Depth jumping in the training of jumpers. *Track Technique*. 1983;51:1618–1619.
2. Voight M, Draovitch P. Plyometrics. In: Albert M, ed. *Eccentric muscle training in sports and orthopedics*. 2nd ed. New York, NY: Churchill Livingston; 1995;45–73.
3. Wilt F. Plyometrics, what it is and how it works. *Athl J*. 1975;55:76–90.
4. Wilk K, Voight M. Plyometrics for the shoulder complex. In: Andrews J, Wilk K, eds. *The athlete's shoulder*. 2nd ed. New York, NY: Elsevier Health Sciences; 2008;749–761.
5. Bosco C, Komi P. Potentiation of the mechanical behavior of the human skeletal muscle through prestretching. *Acta Physiol Scand*. 1979;106:467–472.
6. Bosco C, Tarkka J, Komi P. Effects of elastic energy and myoelectric potentiation of triceps surca during stretch-shortening cycle exercise. *Int J Sports Med*. 1982;2:137–141.
7. Cavagna G. Elastic bounce of the body. *J Appl Physiol*. 1970;29:29–82.
8. Cavagna G, Disman B, Margarai R. Positive work done by previously stretched muscle. *J Appl Physiol*. 1968;24:21–32.
9. Chu D. Plyometric exercise. *Natl Strength Condition Assoc J*. 1984;6:56–62.
10. Blattner S, Noble L. Relative effects of isokinetic and plyometric training on vertical jumping performance. *Res Q*. 1979;50:583–588.
11. Gambetta V, Odgers S, Coleman A, et al. The science, philosophy, and objectives of training and conditioning for baseball. In: Andrews J, Zarins B, Wilk K, eds. *Injuries in baseball*. Philadelphia, PA: Lippincott-Raven; 1998;533–536.
12. Arthur M, Bailey B. *Complete conditioning for football*. Champaign, IL: Human Kinetics; 1998;165–237.
13. Hewett T, Riccobene J, Lindenfelt T. The effect of neuromuscular training on the incidence of knee injury in female athletes: a prospective study. *Am J Sports Med*. 1999;27:699–706.
14. Pearson K, Gordon J. Spinal Reflexes. In: Kandel E, Schwartz JH, Jessell TM, eds. *Principles of neural science*. 4th ed. New York, NY: McGraw-Hill Professional; 2000;713–734.
15. Knott M, Voss D. *Proprioceptive neuromuscular facilitation*. New York, NY: Harper & Row; 1968.
16. Komi P, Buskirk E. Effects of eccentric and concentric muscle conditioning on tension and electrical activity of human muscle. *Ergonomics*. 1972;15:417–422.
17. Cavagna G, Saibene F, Margaria R. Effect of negative work on the amount of positive work performed by an isolated muscle. *J Appl Physiol*. 1965;20:157–160.
18. Assmussen E, Bonde-Peterson F. Storage of elastic energy in skeletal muscle in man. *Acta Physiol Scand*. 1974;91:385–392.
19. Eldred E. Functional implications of dynamic and static components of the spindle response to stretch. *Am J Phys Med*. 1967;46:129–140.
20. Komi P, Bosco C. Utilization of stored elastic energy in leg extensor muscles by men and women. *Med Sci Sports Exerc*. 1978;10:261–265.
21. Chu D. The language of plyometrics. *Natl Strength Condition Assoc J*. 1984;6:30–31.
22. Voight M. Stretch-strengthening: an introduction to plyometrics. *Orthop Phys Ther Clin North Am*. 1992;1:243–252.
23. Lundin P. A review of plyometric training. *Natl Strength Condition Assoc J*. 1985;7:65–70.
24. de Villarreal ES, Kellis E, Kraemer WJ, et al. Determining variables of plyometric training for improving vertical jump height performance: A meta-analysis. *J Strength Cond Res*. 2009;23:495–506.
25. McClenton LS, Brown LE, Coburn JW, et al. The effect of short-term VertiMax vs. depth jump training on vertical jump performance. *J Strength Cond Res*. 2008;22:321–325.
26. Davies GJ, Matheson JW. Shoulder plyometrics. *Sports Med Arthrosc Rev*. 2001;9:1–18.
27. Schulte-Edelmann JA, Davies GJ, Kernozek TW, et al. The effects of plyometric training of the posterior shoulder and elbow. *J Strength and Cond Res*. 2005;19:129–134.
28. Swanik KA, Lephart SM, Swanik CB, et al. The effects of shoulder plyometric training on proprioception and selected muscle performance characteristics. *J Shoulder Elbow Surg*. 2002;11:579–586.
29. Carter AB, Kaminski TW, Douex AT Jr., et al. Effects of high volume upper extremity plyometric training on throwing velocity and functional strength ratios of the shoulder rotators in collegiate baseball players. *J Strength Cond Red*. 2007;21:208–215.
30. Chu D. *Jumping into plyometrics*. Champaign, IL: Human Kinetics; 1992.
31. American Physical Therapy Association. Guide to physical therapist practice. 2nd ed. Alexandria, VA. *Phys Ther*. 2001;81:1–768.

PRACTICE TEST QUESTIONS

1. The patient is recovering from an MCL sprain of right knee, which happened during a recreational league game 8 weeks ago. The PT and the PTA are discussing the plan of care for this patient. At this time, the intervention plan must focus on skills return to participation. The PTA will focus on interventions including

   A) open-kinetic–chain and isometric exercise.
   B) CKC and short-term plyometric exercise.
   C) close kinetic chain and long-term plyometric exercise.
   D) modalities for inflammation and open-kinetic–chain exercise.

2. When an exercise is plyometic, it will NOT be used primarily to

   A) improve ROM and lower extremity weight shifting.
   B) develop explosive force during skill performance.
   C) include stretch and shortening phases common to skill drills.
   D) develop the highest amount of muscle force in the minimum amount of time.

3. The amount of force generated during plyometric exercise comes from

   A) prolonged time in the isometric phase.
   B) positioning muscle in relatively shortened position.
   C) prestretch which increases the excitability of the neuromuscular system.
   D) cocontraction of agonist and antagonist muscles for maximum joint compression.

4. Which mechanoreceptors provide the primary input during plyometric exercise?

   A) Joint mechanoreceptors
   B) Joint mechanoreceptors and GTO
   C) Joint mechanoreceptors and muscle spindle
   D) Muscle spindle and GTO

5. A basketball player performs a mini-squat prior to a vertical leap. What will the mini-squat do for the quadriceps and other knee extension synergistic muscles?

   A) Activates muscle memory to reproduce the skill.
   B) Activates the muscle spindle which will produce quick concentric contractions.
   C) Deactivates the GTO which will provide protection against injury.
   D) Releases stored elastic energy to the hamstrings and gastrocnemius–soleus muscle groups.

6. An upper-extremity plyometric activity is pitching. The setting phase is best described as

   A) the actual release of the ball from the pitcher's hand.
   B) the follow though which completes the release of kinetic energy.
   C) the "cocking" at the end of the wind-up motion of the arm which activates a prestretch.
   D) the reversal from eccentric to the start of concentric motion as the arm begins to move forward.

7. In plyometric overhead catching, the PTA tosses a weighted ball over the head of the patient. The patient catches the ball, but allows the ball to move along its trajectory, by allowing full shoulder flexion and elbow flexion. The patient then tosses the ball back as hard as possible to the therapist. The amortization phase in this activity is

   A) when the therapist tosses the ball.
   B) when the patient initially catches the ball and slowly follows it through its trajectory.
   C) when the patient finishes full shoulder flexion and elbow flexion and then begins to toss the ball back.
   D) when the patient tosses the ball back as hard as possible.

8. The "payoff" phase of the plyometric box jump is

   A) when the patient does a mini-squat on the raised platform in preparation for the jump down.
   B) when the patient jumps down and meets the ground.
   C) when the patient meets the ground and lowers slowly into a deep squat.
   D) when the patient explodes into a vertical jump with the goal of getting higher than the raised platform.

9. Research supports the conclusion that the faster a muscle is loaded eccentrically

   A) the greater the isometric force produced.
   B) the greater the concentric force produced.
   C) the greater the eccentric force produced.
   D) the greater the active ROM.

10. The role of the GTO in plyometric exercise is

    A) that it inhibits force production.
    B) that it can be desensitized in plyometric exercise.
    C) that it is a protective mechanism.
    D) all of the above.

11. Optimal indications for plyometric training are improved muscle performance

    A) for general strength and coordination.
    B) for improved ROM and reduced pain.
    C) for sport-specific or activity-specific plans of care.
    D) all of the above.

12. The patient has been reading about plyometric exercise as a way to improve her performance as a gymnast. She is currently in her post-season phase of training and she is working on aerobic conditioning and light weight training. She would like to begin plyometric training. The appropriate response to her request is

    A) plyometric exercise training is unsafe for this patient at any time.
    B) plyometric exercise training is safe for this patient because she has a high level of strength and fitness.
    C) plyometric exercise training is safe for this patient only during her off-season aerobic training program.
    D) plyometric exercise is unsafe for this patient during her off-season aerobic training program.

13. Contraindications to plyometric training include

A) pain and acute inflammation
B) long-term use during pre-season preparation
C) during immediate post-op phase
D) all of the above

14. The patient injured his knee while playing basketball with his son in their driveway. He has no significant past medical history, and describes his level of fitness as "weekend athlete." His initial pain and swelling has subsided. The plan of care now includes therapeutic exercise. What type of exercise is most appropriate for the patient at this time?

A) Isometric and open-kinetic–chain resistance
B) Open- and closed-kinetic–chain resistance
C) CKC and plyometrics
D) Balance training and plyometrics

15. To progress a box jump from a lower-level activity to a higher one, the PTA can

A) switch from box jumps to depth jumps.
B) use a single leg for landing versus landing on two legs.
C) do multiple box jumps in lateral direction.
D) all of the above.

16. The elderly patient is recovering from total hip replacement surgery. She is 4 months postsurgery and has been cleared by her surgeon to discontinue any assistive devices, discontinue hip precautions and resume all pre-operative activities. The patient enjoyed tennis and bicycling –two to three times per week before surgery. The patient has been successful with CKC resistance training. How might plyometric exercises fit in the patient's plan of care?

A) Plyometrics are unsafe for this patient.
B) Low-level, short-term plyometrics are safe.
C) High-level, short-term plyometrics are safe.
D) High-level, long-term plyometrics are safe.

17. Plyometric activities in a pediatric patient population can be safe and effective. The best example of plyometric exercise is

A) unsupervised, aggressive plyometric training.
B) close supervision of high-intensity and large vertical jumps.
C) fun, play-related movements such as skipping and bouncing.
D) all of the above.

ANSWER KEY

1. B	**4.** D	**7.** C	**10.** D	**13.** D	**16.** B
2. A	**5.** B	**8.** D	**11.** C	**14.** B	**17.** C
3. C	**6.** C	**9.** B	**12** B	**15** D	

Balance

11

Balance Training

Bridgett Wallace, PT, DPT

Objectives

Upon completion of this chapter, the reader will be able to:

- Describe the roles of base of support, limits of stability, and center of gravity in static and dynamic balance.
- Identify sensory systems vital to the maintenance of balance.
- Discuss appropriate clinical examination tools used to measure each sensory system input.
- Identify automatic postural reaction strategies.
- Discuss how and when each postural reaction strategy is used by the muscular system to prevent falls and maintain balance during locomotion.
- Apply proper techniques to improve ankle strategies, hip strategies, and stepping strategies within the established plan of care.

Balance is essential for individuals to move about their environments and successfully carry out daily activities. Although the definition of balance and its neural mechanisms have changed over the years, this chapter will focus on the systems theory.[1] The systems model focuses on a dynamic interplay among various systems by integrating both motor and sensory strategies to maintain static and dynamic balance. This integration is a complex process that depends on (a) sensory inputs, (b) sensorimotor integration by the central nervous system (CNS), and (c) postural responses.[2] Since about 1980 the literature has expanded on the systematic approach to postural stability for developing more clinical tests and a better understanding of balance. Specifically, this chapter focuses on much of the pioneering work by Nashner.[3,4] The information is presented from a systematic approach to balance that includes biomechanical factors, sensory organization, and coordination of postural movements (musculoskeletal components).

SCIENTIFIC BASIS

Biomechanical Components of Balance

Balance is the process of controlling the body's center of gravity over the support base or, more generally, within the limits of stability, whether stationary or moving. Balance can be divided into static and dynamic balance. Static balance refers to an individual's ability to maintain a stable anti-gravity position while at rest by maintaining the center of gravity within the available base of support.

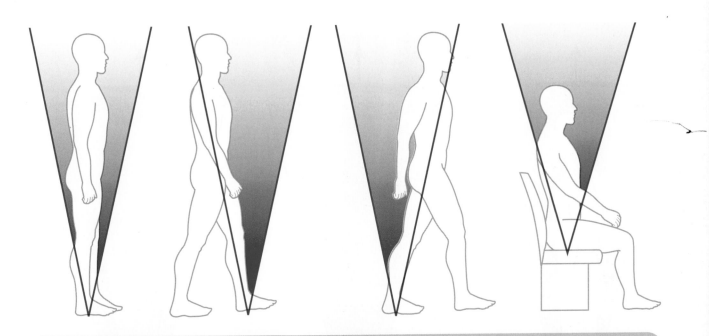

FIGURE 11-1 ● **BOUNDARIES OF THE LIMITS OF SUPPORT DURING STANDING, WALKING, AND SITTING.**

Dynamic balance involves automatic postural responses to the disruption of the center of gravity position.[1]

Base of Support

The base of support is defined as the area within the perimeter of the contact surface between the feet and the support surface.[4] In normal stance on a flat surface, the base of support is almost square. Although a tandem stance (standing with one foot in front of the other, heel touching toe) and walking extend the length of the person's support surface, the width is narrow. When the support base becomes smaller than the feet (tandem) or unstable, the base of support is decreased and the individual's stability is reduced.

Limits of Stability

To maintain balance in standing, the center of gravity must be kept upright within specific boundaries of space, referred to as limits of stability. Thus, limits of stability can be defined as the greatest distance a person can lean away from the base of support without changing that base.[5] Limits of stability allow individuals to overcome the destabilizing effect of gravity by performing small corrective sways in the anterior–posterior (AP) dimension, as well as laterally. The limits of stability for a normal adult who is standing upright is approximately 12 degrees AP and 16 degrees laterally.[3] These limits of stability are sometimes illustrated by a "cone of stability." If sway occurs outside the cone, a strategy must be used to restore balance. Figure 11-1 demonstrates the limits of stability boundaries during standing, walking, and sitting.[3]

Center of Gravity

The center of gravity is defined as the central point within the limits of stability area.[4] When a normal person stands upright, the center of gravity is centered over the base of support provided by the feet. A centralized center of gravity allows the individual's sway boundaries to be as large as the stability limits. On the other hand, a person with an abnormal center of gravity will not be as stable within the limits of stability. The relationships among the limits of stability, sway envelope, and center of gravity are shown in Figure 11-2.[3]

From a biomechanical standpoint, postural stability is the angular distance between the center of gravity and the limits of stability.[3] Therefore, a person's static postural alignment and the dynamic sway affect his or her stability.

Sensory Components of Balance

Balance requires accurate information from sensory input, effective processing by the CNS, and appropriate responses of motor control.[2] Therefore, imbalance can occur from neuropathy, involvement of the CNS, and decreased muscle strength. Proper examination of each component is critical for determining a client's underlying problem and the appropriate treatment plan.

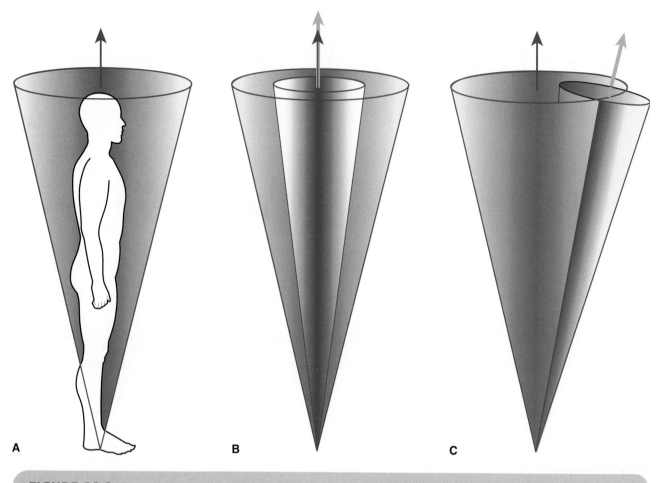

A

B

C

FIGURE 11-2 ●

A. Relationship among the limit of support, sway envelope, and center of gravity alignment. **B.** The center of gravity alignment centered within the limit of support.

C. An offset center of gravity (leaning forward) requires the individual to make an adjustment to maintain balance.

Sensory Organization

The CNS relies on information from three sensory systems: proprioception, visual, and vestibular. No single system provides all the information. Each system contributes a different yet important role in maintaining balance. The ability of the CNS to select, suppress, and combine appropriate inputs under changing environmental conditions is called "sensory organization."[6]

Proprioception inputs provide information about the orientation of the body and body parts relative to each other and the support surface. Information is received from joint and skin receptors, deep pressure, and muscle proprioception.[6,7] Proprioception cues are the dominant inputs for maintaining balance when the support surface is firm and fixed.[6,8] Visual inputs provide information to an individual about the physical surroundings relative to the position and movement of the head. Visual cues are

particularly important when proprioceptive inputs are unreliable.[6,9]

Vestibular inputs provide both sensory and motor functions to the individual. The sensory component of the vestibular system measures the angular velocity and linear acceleration of the head and detects the position of the head relative to gravity.[6] The motor component, however, uses motor pathways for postural control and coordinated movement. One mechanism within the vestibular motor system is the vestibulospinal reflex. The vestibulospinal reflex initiates a person's appropriate body movements to maintain an upright posture and to stabilize the head and trunk.[10,11] The vestibulo-ocular reflex, on the other hand, stabilizes vision during head and body movements, thus allowing for accurate dynamic vision.[6,10] Since the system has sensory and motor components, the vestibular system plays an important role in balance. This system is dominant

FIGURE 11-3 ● **THE SOT PERFORMED ON A SMART BALANCE MASTER, A TYPE OF COMPUTERIZED POSTUROGRAPHY. POSTURAL SWAY IS EXAMINED UNDER SIX INCREASINGLY CHALLENGING CONDITIONS ILLUSTRATED IN FIGURE 11-4.**

(Courtesy of Neurocom International, Inc., Clackamas, OR)

when a conflict exists between proprioceptive and visual cues and for postural stability during ambulation.[6,7]

Examination of Sensory Organization

These three sensory inputs (proprioceptive, visual, and vestibular) provide the individual with redundant information regarding orientation. This redundancy allows normal individuals to select, suppress, or combine the appropriate inputs to maintain balance under changing environmental conditions.[3] Nashner[3,4] pioneered technologic advances for examining appropriate sensory integration. One such advancement is known as computerized dynamic posturography, which examines sensory and motor components of the postural control system. The two protocols of this system are the sensory organization test (SOT), which isolates and compares the three sensory inputs, and the movement coordination test (MCT), discussed later in this chapter. A less sophisticated test for examining the sensory and motor components of balance is the clinical test of sensory interaction on balance (CTSIB).

Sensory Organization Test

The SOT protocol is used to examine the relative contributions of vision, vestibular, and proprioceptive inputs to the control of postural stability when conflicting sensory input occurs (Fig. 11-3). Postural sway can be examined under six increasingly challenging conditions (Fig. 11-4). Baseline sway is recorded with an individual quiet and standing with the eyes open. The reliance on vision is then examined by asking the patient to close the eyes. A significant increase in sway or loss of balance suggests an overreliance on visual input.[3,12]

Sensory integration is also examined when the surrounding visual field moves in concert with sway (sway-referenced vision), creating inaccurate visual input. The patient is then retested on a support surface that moves with sway (sway-referenced support), thereby reducing the quality and availability of proprioceptive input for sensory integration. With the eyes open, vision and vestibular input contribute to the postural responses. With the eyes closed, vestibular input is the primary source of information because proprioceptive input is altered. The most challenging condition includes sway-referenced vision and sway-referenced support surface.[3,12]

Clinical Test for Sensory Interaction and Balance

A less sophisticated tool for examining sensory organization is the CTSIB, also known as the "foam and dome."[10,12] The CTSIB requires the patient to maintain standing balance under six different conditions (Fig. 11-5). During the

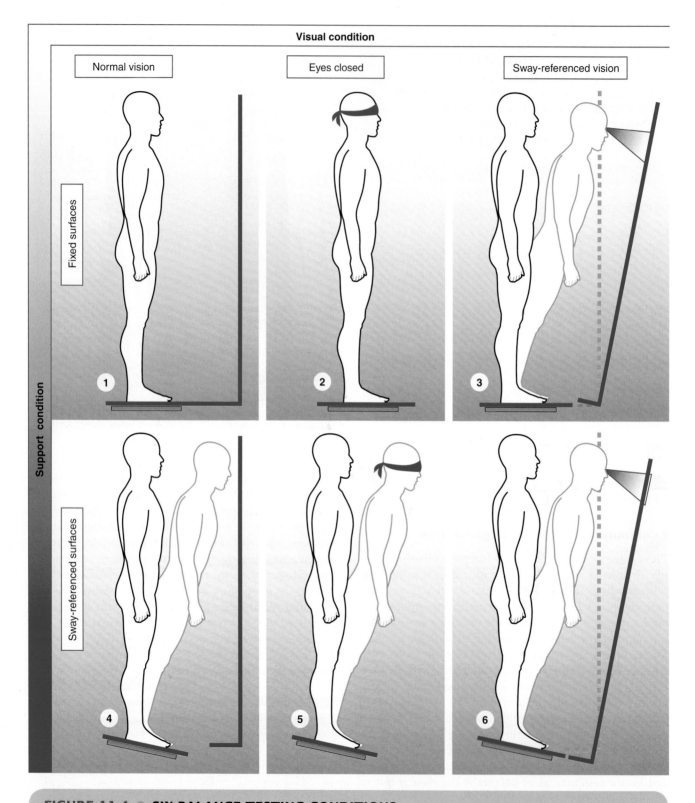

FIGURE 11-4 ● **SIX BALANCE TESTING CONDITIONS.**

(Courtesy of Neurocom International, Inc., Clackamas, OR)

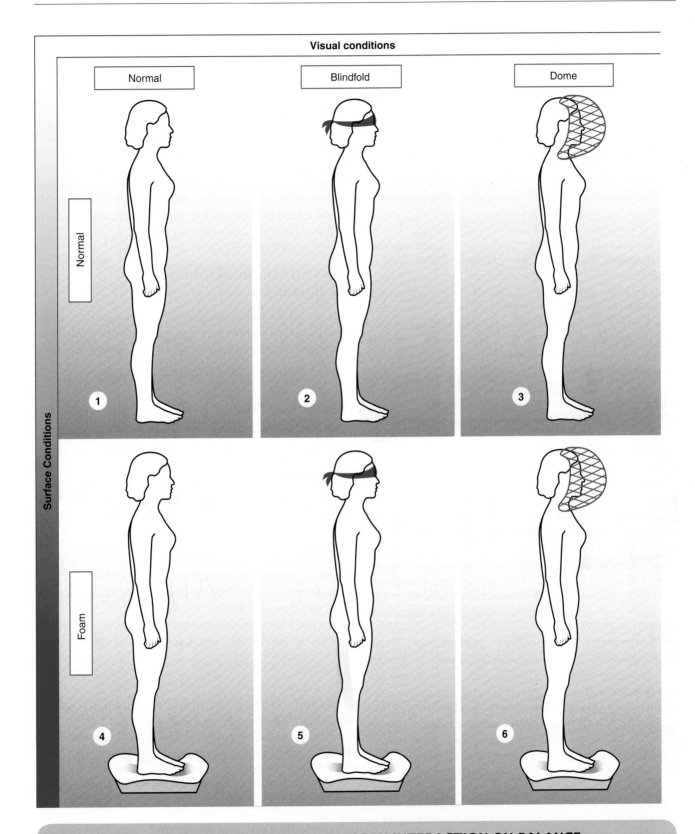

FIGURE 11-5 ● **THE CLINICAL TEST OF SENSORY INTERACTION ON BALANCE.**

(Courtesy of Neurocom International, Inc., Clackamas, OR)

first three conditions the individual stands on a firm surface for 30 seconds with eyes open, eyes closed, and while wearing a "dome" to produce inaccurate visual cues. The individual repeats these tasks while standing on a foam surface. The tester uses the first condition as a baseline for comparing sway under the other conditions.[10,12]

Less Sophisticated Balance Assessment Tools

There are additional less sophisticated tests for use as quick screen tools or preliminary clinical assessments. These are listed in Table 11-1.

The Romberg Test is a simple standing test. The client is instructed to stand with his or her feet parallel and together about shoulder width apart. The client is observed to see if balance is maintained for at least 30 seconds with eyes open; if not possible, the test is terminated. If completed, then the client is asked to close his or her eyes to see if balance can be maintained for 15 seconds or longer. Increased sway with eyes closed is normal; loss of balance is not. This quickly tests for balance when visual cues are removed.[12]

The one-limb stance test (OLST) tests balance on each leg by asking the client to cross the arms across the chest. While being timed, the client stands on one leg for as long as possible, switches legs, and again stands as long as possible while being timed. Recent evidence indicates that the OLST is a good measure of static postural control and a good predictor of fall risk with a sensitivity of 0.95 and a specificity of 0.58 using 30 seconds as the cut off.[13] In addition, this test may be helpful to determine if there is a symmetric issue with balance since 20% to 40% of gait time is spent on one leg.

The functional reach test was described by Duncan et al.[14] This test is easily used since the only equipment necessary is a wall with a yardstick attached. Once the yardstick is set up, the client is asked to stand parallel with the wall and extend the hand and arm with the shoulder at 90 degrees of flexion. The client is instructed to reach as far forward as possible without losing his or her balance. The measured distance is then recorded; after three trials the distance is averaged, and the opposite limb is measured using the same protocol.

The Berg Scale is a performance-based assessment of function. The test needs minimal equipment: an armchair, an armless chair, a stop watch, and a step. The patient is assessed in both static and dynamic balance activities while completing 14 functional tasks such as getting in and out of a chair, reaching forward, and picking up an object from the floor. The tasks are graded on a five-point scale with points awarded on the basis of time or distance. The Berg Scale looks at many different aspects of balance with established norm values, has both reliability and validity, and takes only 15 minutes to implement.[15–19]

The Tinetti Balance and Gait Tests are also easy to complete and correlate well with the Berg Scale ($r = 0.91$). This assessment tool has nine balance items and seven gait items. The Berg Scale also requires minimal equipment.[20]

The Timed Up and Go Test (TUG) is another easy tool to evaluate balance during mobility. The client is asked to stand and walk 3 meters, then turn around, return, and sit. The timed performance has good interrater and intrarater reliability ($r = 0.99$). The TUG requires minimum equipment and is easy to administer. Standards exist that indicate if the test takes less than 10 seconds, there are no mobility issues. More than 30 seconds indicates that there is limited mobility and assistance may be required.[21]

Musculoskeletal Components of Balance

Many muscles are involved in the coordination of postural stability. This section focuses on key muscle groups and joint actions involved in balance and automatic postural reactions.

Key Muscle Groups

Figure 11-6 shows the major muscle groups that control the body's center of gravity during standing.[4] Postural stability primarily depends on coordinated actions between the trunk and lower extremities. The motions around the hip, knee, and ankle include joint-specific muscle actions and indirect, inertial forces of neighboring joints.[2–4] Therefore, the anatomic classification of a muscle may differ from the functional classification. For example, the anatomic classification of the tibialis anterior muscle is dorsiflexion. In walking, however, the functional classification of the tibialis anterior is knee flexion, even though no insertion of this muscle occurs at the knee. As the ankle dorsiflexes, the lower leg begins to move forward during gait and inertia causes the thigh to lag behind, resulting in knee flexion.

By the same inertial interactions, the triceps surae muscle complex is defined as an ankle extensor (plantarflexion) and a knee flexor anatomically, but it functionally acts as a knee extensor in standing. The anatomic actions of the quadriceps muscle are hip flexion and knee extension, but it indirectly acts for ankle plantarflexion (extensors). The direct actions of the hamstring muscles are hip extension and knee flexion, but they have an indirect effect on ankle dorsiflexion (flexors).[3,4] These actions are summarized in Table 11-2.[3]

Automatic Postural Reactions

To maintain balance, the body must make continual adjustments. Most of what is currently known about postural control is based on stereotypical postural strategies

Good for Static Postural Control.

TABLE 11-1   **Balance Assessment Tools**

QUIET STANDING TESTS	EQUIPMENT NEEDED	TIME	CONSTRUCT MEASURED
Nudge test (sitting, standing)		<5 minutes	Automatic/anticipatory postural responses; ankle, hip, stepping strategies (standing)
Romberg	Stop watch	<5 minutes	Somatosensation, vestibular, motor strategies (ankle, hip, stepping)
Sharpened Romberg	Stop watch	<5 minutes	Somatosensation, vestibular, motor strategies
One-limb stance test	Stop watch	<5 minutes	Somatosensation, vestibular, motor strategies
ACTIVE STANDING TESTS	**EQUIPMENT NEEDED**	**TIME**	**CONSTRUCT MEASURED**
Functional reach	Yard stick	10 minutes	Screener tool; anticipatory postural response; limits of stability (forward)
Limits of stability (LOS)	Computerized forceplate	10 minutes	Movement strategies; actual vs. perceived LOS
SENSORY MANIPULATION TESTS	**EQUIPMENT NEEDED**	**TIME**	**CONSTRUCT MEASURED**
Clinical test of sensory interaction on balance (CTSIB)	Stop watch, T-foam, dome	30 minutes	Sensory strategies; ability to select appropriate input with sensory conflict
Modified CTSIB	Computerized forceplate OR modify above- eliminate conditions 3 and 6 (dome)	15–20 minutes	Sensory strategies
Functional Tests	Equipment Needed	Time	Construct Measured
Berg scale	Armchair, armless chair, stopwatch, yardstick, shoe, step	30 minutes	Static and dynamic balance abilities during functional tasks
Tinetti balance and gait tests (perform oriented mobility assess)	Armless chair	15 minutes	Screener for balance and mobility skills
Time up & go	Armchair, stop watch	10 minutes	Screener tool for balance during mobility tasks
Functional reach	Yardstick	10 minutes	Screener for active standing balance
Dynamic gait index	Stop watch, 2 cones, shoebox, 3–4 steps with handrail	30 minutes	Ability to modify gait in response to changing task demands
3-minute walk	Stop watch, 2 cones, shoebox, 3–4 steps with handrail	5 minutes	Endurance

FIGURE 11-6 ● KEY MUSCLE GROUPS THAT CONTROL THE CENTER OF GRAVITY WHEN AN INDIVIDUAL IS STANDING.

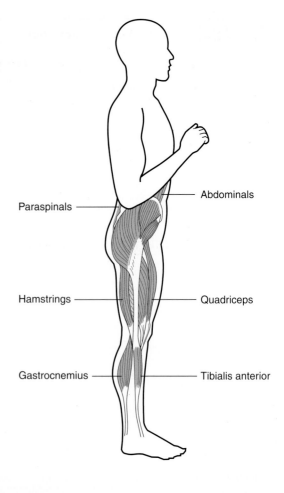

Paraspinals — Abdominals

Hamstrings — Quadriceps

Gastrocnemius — Tibialis anterior

activated in response to AP perturbation or displacement.[3,10] Horak and Nashner[22] described three primary strategies used for controlling AP sway: ankle, hip, and stepping (Figs. 11-7 to 11-9). These strategies adjust the body's center of gravity so that the body is maintained within the base of support, preventing the loss of balance or falling. Several factors determine which strategy is the most effective response to a postural challenge: speed and intensity of the displacing forces, characteristics of the support surface, and magnitude of the displacement of the center of mass.

The responses an individual makes during sudden perturbations are called automatic postural reactions.[4,22] These responses occur before voluntary movement and after reflexes yet are similar to both. Automatic postural movements are like reflexes because they respond quickly and are relatively similar among individuals. However, like voluntary movements, they primarily depend on coordination responses between the lower trunk and the leg muscles.[4,23]

These responses can be thought of as a class of functionally organized responses that activate muscles to

TABLE 11-2 Anatomic and Functional Classifications of Muscles Involved in Balance Movements

| JOINT | EXTENSION | | FLEXION | |
	ANATOMIC	FUNCTIONAL	ANATOMIC	FUNCTIONAL
Hip	Paraspinals	Paraspinals	Abdominal	Abdominal
	Hamstrings	Quadriceps	Quadriceps	Hamstrings
Knee	Quadriceps	Triceps Surae	Hamstrings, gastrocnemius	Tibialis muscle group anterior
Ankle	Gastrocnemius	Quadriceps	Tibialis anterior	Hamstrings

FIGURE 11-7 ● ANKLE STRATEGY.

Strategy used: Center of mass is repositioned after small, slow-speed pertubation.
Example: Posterior sway of the body is counteracted by tibialis anterior muscles pulling the body anteriorly.

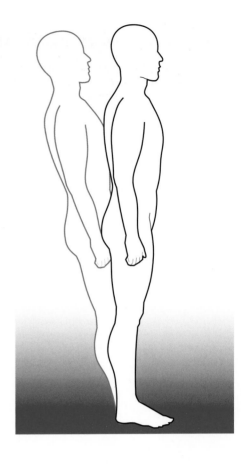

FIGURE 11-8 ● HIP STRATEGY.

Strategy used: Center of mass is repositioned using rapid, compensatory hip flexion or extension to redistribute body weight.
Example: Hip flexion and extension in response to standing on a bus that is rapidly accelerating.

ex. Bus accelerating

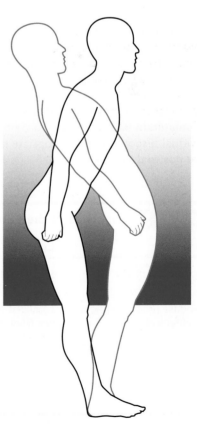

FIGURE 11-9 ● STEPPING STRATEGY.

Strategy used: Center of mass can only be repositioned by taking a step to enlarge the base of support. New postural control is then established.
Example: Stumbling on an unexpectedly uneven sidewalk.

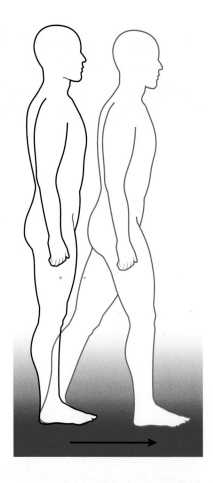

bring the body's center of mass into a state of equilibrium.[3] Each of the strategies has reflex, automatic, and volitional components that interact to match the response to the challenge. Table 11-3 compares reflexes, automatic postural responses, and voluntary movements.[4] To prevent a fall after a sudden perturbation or to maintain balance during locomotion, the healthy individual responds with appropriate muscular actions, called postural strategies.

Ankle Strategy

Small disturbances in the center of gravity can be compensated by motion at the ankle (Fig. 11-7). The ankle strategy repositions the center of mass after small displacements caused by slow-speed perturbations, which usually occur on a large, firm, supporting surface. The oscillations around the ankle joint with normal postural sway are an example of the ankle strategy. Anterior sway of the body is counteracted by gastrocnemius muscle activity, which

TABLE 11-3   Properties of the Three Movement Systems

PROPERTY	REFLEX	AUTOMATIC	VOLUNTARY
Mediating pathway	Spinal cord	Brainstem, subcortical	Brainstem, subcortical
Mode of activation	External stimulus	External stimulus	Self-stimulus
Response properties highly stereotypical	Localized to point of stimulus; trunk muscles; stereotypical	Coordinated among leg and but adaptable	Unlimited variety
Role in posture	Regulate muscle forces	Coordinate movements	Generate purposeful behaviors across joints
Onset time	Fixed at 35–40 milliseconds	Fixed at 85–95 milliseconds	Varies 150+ milliseconds

pulls the body posteriorly. Conversely, posterior sway of the body is counteracted by contraction of the anterior tibialis muscles, which pulls the body anteriorly.

Hip Strategy

If the disturbance in the center of gravity is too great to be counteracted by motion at the ankle, the patient will use a hip or stepping strategy to maintain the center of gravity within the base of support. The hip strategy uses a rapid compensatory hip flexion or extension to redistribute the body weight within the available base of support when the center of mass is near the edge of the sway envelope (Fig. 11-8). The hip strategy is usually employed in response to a moderate or large postural disturbance, especially on an uneven, narrow, or moving surface. For example, the hip strategy is often used while standing on a bus that is rapidly accelerating.

Stepping Strategy

When sudden, large-amplitude forces displace the center of mass beyond the limits of control, a step is used to enlarge the base of support and redefine a new sway envelope

(Fig. 11-9). New postural control can then be reestablished. An example of the stepping strategy is the uncoordinated step that often follows a stumble on an unexpectedly uneven sidewalk.

test where you let Pt. lean on you + let go

Examination of Automatic Postural Movements

Automatic postural movements can be analyzed at a range of velocities and directions using the MCT (Fig. 11-10). As noted, the MCT is the second protocol of computerized dynamic posturography. This test requires the patient to maintain standing balance as the support surface repeats various unexpected displacements. Testing includes changing magnitudes of forward and backward displacements as well as tilts of toes up and toes down.[2,3] Diener et al.[23] noted that automatic postural reactions in normal individuals were proportional to the size of the perturbation; hence, the forward and backward translations of the MCT vary in magnitude (small, medium, and large).

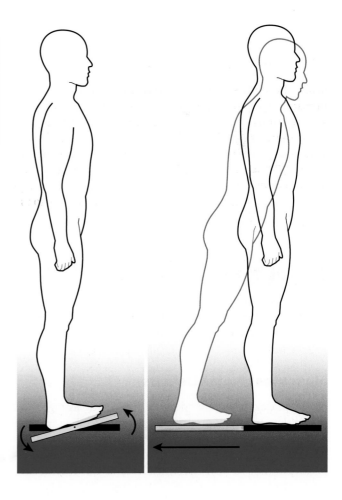

FIGURE 11-10 ● **THE MCT, A TYPE OF COMPUTERIZED POSTUROGRAPHY. TEST REQUIRES PATIENT TO MAINTAIN STANDING BALANCE AS SUPPORT SURFACE TILTS THE TOES UP AND DOWN AND DISPLACES PATIENT FORWARD AND BACKWARD.**

CLINICAL GUIDELINES

Biomechanical Deficits

When inputs are impaired, such as with inadequate range of motion (ROM) or weakness in the lower extremities, the postural control system receives distorted information. This inaccurate information can result in a malaligned center of gravity within the stability limits, which causes altered movement and increases the risk of falling. For example, if the center of gravity is offset to the left, just a small amount of sway in that direction (left) will cause the individual to exceed the limits of stability. Once this happens, the individual must step or use external support to prevent a fall.

Pain can decrease the patient's normal stability limits. If a patient has knee pain with full weight bearing, he or she compensates by leaning away from the affected side. Thus, the patient develops an offset center of gravity, and movement patterns are compromised.

Sensory Deficits

Lack of balance is usually multifactorial; however, examination for sensory organization provides valuable information. Once the deficit or deficits have been appropriately identified, the physical therapist (PT) can design a specific treatment plan to improve the impaired sensory system or can teach the patient compensatory strategies. For example, a patient with neuropathy has impaired proprioceptive cues but could compensate by using an assistive device and depending more on visual and vestibular cues.[1] Increasing the use of the remaining sensory systems is crucial for this patient. In contrast, a person who suffers from an inner-ear disorder may have impaired use of vestibular cues for balance.[1] Treatment should focus on decreasing the intact sensory systems (visual and proprioception), allowing the vestibular system to adapt.

Balance impairment with neurologic involvement can be much more complex. For example, the client may have impaired use of individual sensory systems (e.g., decreased proprioception and visual deficits) along with impaired central processing of the sensory organization mechanisms.[1,24] Treatment should focus on improving the use of individual sensory systems and teaching the client strategies to optimize sensory selection.

Musculoskeletal Deficits

Ankle strategies require adequate ROM and strength in the ankles and intact proprioception for the individual to adequately sense the support base. Muscle weakness and decreased ROM also limit the use of hip strategies, but proprioception input is not as critical.[7] However, more recent studies have shown that individuals who suffer from vestibular loss are unable to use hip strategies, although their ability to use ankle strategies is unaffected.[7,25]

Postural stability not only requires adequate strength and ROM from the musculoskeletal system but also the ability of the CNS to adequately generate these forces. For instance, abnormal muscle tone (hypertonicity and hypotonicity) may limit the individual's ability to recruit muscles required for balance. Impaired coordination of postural strategies can also be a problem. Deficits in these areas are seen with neurologic involvement such as stroke, head injury, and Parkinson's disease.[1,26]

Treatment of musculoskeletal problems includes strengthening and ROM exercises, techniques to correct abnormal tone (facilitation or inhibition), and various coordination activities to improve timing of postural reactions. The following section focuses on major points of clinical application for biomechanical, sensory, and musculoskeletal deficits.

TECHNIQUES

Biomechanical Factors

A malaligned center of gravity decreases one's limits of stability, compromising normal movement patterns. As noted, these biomechanical deficits can be a result of inadequate ROM, decreased strength, pain, swelling, and joint instability. Treatment includes appropriate modalities such as ice, heat, massage, ROM (Chapter 3), stretching (Chapter 4), and strengthening (Chapters 5 to 10) exercises are also used.

Sensory Organization Training

The postural control system depends on the demands of the individual's activity and the surroundings; therefore, treatment needs to be task and environmental specific. Sensory systems respond to environmental changes so exercises should focus on isolating, suppressing, and combining the different inputs under different conditions. To isolate a patient's proprioceptive inputs, visual cues must be removed (eyes closed) or destabilized. Visual inputs are destabilized when the patient moves his or her eyes and head together in a variety of planes (horizontal, vertical, diagonal), decreasing gaze stability. Prism glasses and moving visual fields are also used to produce inaccurate cues for orientation.[1] During all of these exercises the patient is asked to stand on a firm, stable surface to optimize proprioceptive inputs. This technique is particularly important for visually dependent patients.

To stimulate vestibular inputs, the patient's reliance on visual and somatosensory cues needs to be reduced simultaneously. The patient's level of function determines the difficulty of the task. For example, patient A may be able to decrease surface cues only by changing from her normal stance (feet apart and eyes open on a firm surface) to a stance with feet together and eyes closed on a firm surface. Patient B's exercises, on the other hand, may require him to stand on a foam surface with feet together and eyes closed. Regardless of the sensory deficit, activities should require the patient to maintain balance under progressively more difficult static and dynamic activities.[1,27]

Musculoskeletal Exercises

As discussed, sensory systems respond to environmental changes, whereas the musculoskeletal system responds more to task constraints. The goal of treatment is to optimize the patient's use of movement strategies for improving postural stability under changing conditions.

Static balance skills can be initiated once the individual is able to bear weight on the lower extremity. The general progression of static balance activities is to progress from bilateral to unilateral and from eyes open to eyes closed. The logical progression of balance training to destabilizing

proprioception is from a stable surface to an unstable surface, such as a mini-trampoline or balance board. As joint position changes, dynamic stabilization must occur for the patient to maintain control on the unstable surface.

The patients should initially perform the static balance activities while concentrating on the specific task (position sense and neuromuscular control) to facilitate and maximize sensory output. As the task becomes easier, activities to distract the patient's concentration (catching a ball or performing mental exercises) should be incorporated into the training program. These distraction activities help facilitate the conversion of conscious to unconscious motor programming.

Techniques to Improve Ankle Strategies

To improve ankle strategies, the patient should perform the exercises on a broad stable surface, concentrating on AP sway. The patient maintains slow, small sways while standing on a firm surface to minimize the use of hip strategies. Examples of activities that can be used to facilitate and improve ankle strategies are presented in Figures 11-11 to 11-14.

FIGURE 11-11 ● **ONE-FOOT STANDING BALANCE.**

Purpose: Facilitate and improve ankle strategies.
Position: Client standing with feet shoulder width apart on firm surface.
Procedure: Client lifts right leg off ground and establishes balance on left leg.

FIGURE 11-12 ● **ONE-FOOT STANDING BALANCE WITH HIP FLEXION.**

Purpose: Facilitate and improve ankle strategies.
Position: Client standing with feet shoulder width apart on firm surface.
Procedure: Client lifts right leg off ground and establishes balance on left leg. The client flexes right hip and knee.

FIGURE 11-13 ● **ONE-FOOT STANDING BALANCE USING WEIGHTS.**

Purpose: Facilitate and improve ankle strategies.
Position: Client standing with feet shoulder width apart on firm surface.
Procedure: Client lifts right leg off ground and establishes balance on left leg. Then client lifts lightweight dumbbell to horizontal position.

FIGURE 11-14 ● **ONE-FOOT STANDING BALANCE WHILE PLAYING CATCH—BEGINNING.**

Purpose: Facilitate and improve ankle strategies.
Position: Client standing with feet shoulder width apart on firm surface.
Procedure: Client lifts right leg off ground and establishes balance on left leg. PTA gently tosses ball to client, who catches it.
Note: Initially ball should be thrown near client's body.

Techniques to Improve Hip Strategies

Exercises to improve the use of hip strategies should be performed on unstable surfaces and at high-sway frequencies. These exercises exceed the capabilities of ankle strategies and usually result in movement and adjustments of the trunk. Figures 11-15 to 11-21 demonstrate exercises that can be used to improve hip strategies.

Techniques to Improve Stepping Strategies

Stepping strategies are used once the stability limits have been exceeded. Although stepping strategies are normal reactions for preventing falls, many patients avoid this pattern and prefer to reach for external support. Reaching for support is especially common in elderly patients, who are proprioceptive and hip dependent. Patients should practice step-ups (Fig. 11-22), step-downs (forward and lateral), and step-overs (also called carioca and braiding) (Fig. 11-23) to help with stepping strategies. To make the training more difficult, the patient can increase the speed at which the step-overs are performed.

A particularly helpful technique is the push and nudge. For example, the patient stands with feet together. The physical therapist assistant's (PTA's) hands are placed on the patient's shoulders, offering support. The patient maintains an upright posture and leans forward into the PTA's hands until the limit of stability is reached. The PTA—without warning—removes the support, forcing the patient to step to prevent a fall (Fig. 11-24). This exercise can be performed in all directions (anterior, posterior, and lateral).

FIGURE 11-15 ● ONE-FOOT STANDING BALANCE WITH FORWARD BENDING.

Purpose: Facilitate and improve hip strategies.
Position: Client standing with feet shoulder width apart on firm surface.
Procedure: Client lifts right foot off ground and establishes balance on left leg. Then client bends forward as far as possible while maintaining balance.
Note: Modifications include bending backward and to each side.

FIGURE 11-16 ● ONE-FOOT STANDING BALANCE WHILE PLAYING CATCH—ADVANCED.

Purpose: Facilitate and improve hip strategies.
Position: Client standing with feet shoulder width apart on firm surface.
Procedure: Client lifts right foot off ground and establishes balance on left leg. PTA throws ball to client, who catches it and throws it back to PTA. PTA gradually shifts direction and angle of ball toss so that client must reach away from body.
Note: Ball should be thrown so that patient must reach away from body.

FIGURE 11-17 ● **ONE-FOOT STANDING BALANCE ON MINI-TRAMPOLINE.**

Purpose: Facilitate and improve hip strategies.
Position: Client standing with feet shoulder width apart on mini-trampoline.
Procedure: Client lifts right foot off ground and establishes balance on left leg **(A)**.
Note: Activity can be progressed to a more difficult level by asking patient to catch and throw a ball while standing on one leg on mini-trampoline **(B)**.

A

B

FIGURE 11-18 ● **TWO-FOOT STANDING BALANCE ON ROCKER (BALANCE) BOARD.**

Purpose: Facilitate and improve hip strategies.
Position: Client standing with feet shoulder width apart on rocker board.
Procedure: Client establishes balance with both feet remaining on rocker board while attempting to keep all surfaces of board off ground.

FIGURE 11-19 ● **TWO-FOOT STANDING BALANCE ON SLIDING BOARD.**

Purpose: Facilitate and improve hip strategies.
Position: Client standing with feet shoulder width apart on sliding board.
Procedure: Client establishes balance with both feet remaining on sliding board while attempting to shift weight at hips to move sliding piece laterally back and forth on base.

FIGURE 11-20 ● **TWO-FOOT STANDING BALANCE IN SURFER POSITION ON FOAM ROLLER.**

Purpose: Facilitate and improve hip strategies.
Position: Client standing with feet shoulder width apart on foam roller.
Procedure: Client establishes and maintains balance with one foot in front of the other, assuming a surfer position.

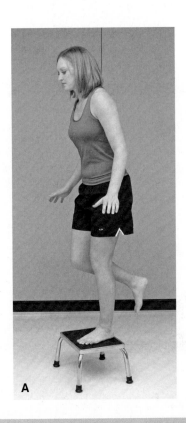

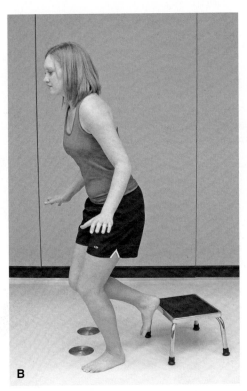

FIGURE 11-21 ● **ONE-FOOT HOP FROM STOOL.**

Purpose: Facilitate and improve hip strategies.
Position: Client standing on one foot on top of foot stool **(A).**

Procedure: Client establishes balance, hops down from stool, and maintains balance **(B).**

FIGURE 11-22 ● FORWARD STEP-UP ON STOOL.

Purpose: Facilitate and improve stepping strategies.
Position: Client standing with feet shoulder width apart facing step stool.
Procedure: Client maintains balance while stepping up onto stool with lead foot and then brings up trailing foot. Client reverses process, stepping down.

FIGURE 11-23 ● SLOW AND CONTROLLED STEP-OVERS.

Purpose: Facilitate and improve stepping strategies.
Position: Client standing with feet shoulder width apart on firm surface.
Procedure: Client crosses one leg over in front of the other and slowly steps in a controlled movement.
Note: This technique can be progressed to faster controlled movements.

FIGURE 11-24 ● PUSH AND NUDGE IN ANTERIOR DIRECTION.

Purpose: Facilitate and improve stepping strategies.

Position: Client standing with feet shoulder width apart on firm surface. PTA places hands on client's shoulders.

Procedure: Client leans forward into PTA's support as far as balance allows **(A).** PTA quickly removes support, forcing client to compensate by taking a step **(B).**

Note: PTA may change direction of support to posterior or lateral.

Case Study 1

PATIENT INFORMATION

The patient was a 43-year-old man who had left ankle pain and edema. The patient reported that he "twisted" his left ankle 2 days before the appointment while stepping off a ladder onto uneven ground. He complained of moderate lateral ankle pain and had been unable to walk without limping since his injury.

The PT evaluation revealed that the patient presented with localized swelling and pain over the lateral aspect of the ankle. The patient's strength with eversion and plantarflexion was 4/5, secondary to pain with resistance. He was particularly tender to palpation of the anterior talofibular ligament. All ankle laxity tests were negative. On the basis of these findings, the patient was diagnosed with a first-degree inversion ankle sprain.

LINKS TO GUIDE TO PHYSICAL THERAPIST PRACTICE

According to the *Guide to Physical Therapist Practice*,[28] pattern 4D relates to the diagnosis of this patient and the pattern is described as "impaired joint mobility, muscle performance, and ROM associated with connective tissue dysfunction" and includes ligamentous sprain. Tests and measures of this diagnosis include quantification of static and dynamic balance. Anticipated goals are improving balance through direct intervention using "balance and coordination training" and "posture awareness training."

INTERVENTION

The PT instructed the patient to use ice, wear a compression wrap, elevate the leg, and rest for the first 48 hours. The PT then asked the PTA to instruct the patient in the following home exercise program (in the morning and in the evening, as per instructions provided to the patient by the PTA).

1. Stretch the calf muscles, using a towel for assistance: three repetitions, each held for 20 seconds.
2. Ankle plantarflexion and dorsiflexion ROM and circumduction of the ankle: 20 repetitions (Fig. 3-8).
3. Pick up objects (e.g., marbles) one at time and place them in a container: 20 repetitions.

PROGRESSION

Two Weeks After Initial Examination

The patient reported that he was able to complete the home exercise program without pain and with minimal swelling. The patient's chief complaints were a mild limp when walking that worsened when he was fatigued and instability when walking on uneven surfaces. Further examination by the PT using computer-assisted technology showed decreased limits of stability (75% of normal to the left, including AP planes) and decreased weight bearing on the left in 60-degree to 90-degree squats.

The PTA continued treatment consisting of stretching, riding a bicycle (Fig. 13-5), walking on the treadmill (Fig. 13-8) in all directions (forward, backward, sidestepping), and using a rocker (balance) board (Fig. 11-18). The patient's home program was advanced according to the plan of care as follows:

1. Resistive ankle exercise with tubing in all directions (Fig. 7-31).
2. Continued stretching.
3. Step-ups and step-downs (Fig. 9-9).
4. Squats (Fig. 9-8).
5. Toe raises while standing.
6. Balance activities on balance and sliding boards (Figs. 11-18 and 11-19).

OUTCOMES

Four weeks after the initial examination the patient had no complaints of pain. His primary goal was to return to playing basketball on the weekends. Reexamination by the PT noted no significant swelling and strength of 5/5 (using manual muscle test). Computerized testing revealed a normal center of gravity and normal limits of stability. The patient was discharged from intervention. He was told to continue with his home exercise program, except the tubing exercises were discontinued and jogging and jump roping were added.

SUMMARY: AN EFFECTIVE: PT–PTA TEAM

This case study demonstrates an effective PT–PTA team for patient care. The PT utilized the PTA to perform the home exercise program and then continued treatment with the patient in the clinic. The PT intervened at the appropriate times to reexamine the patient. The PT also determined the timing on discharge and follow-up care. The PTA in this case study could have assisted the PT in predetermined screenings such as the computerized-assisted technology that was used to assess limits of stability and weight bearing. The PT chose not to use the PTA for this procedure after considering the specific knowledge, education, and skills of this PTA with this procedure. The PT must consider many factors when determining what should be delegated to the PTA.

Geriatric Perspectives

- Under circumstances of low-task demand, age-related changes in postural control (control of balance and coordination) are minimal through age 70. With advancing age, anatomic and physiologic changes occur in biomechanical capabilities that affect static and dynamic balance, such as decline in proprioceptive, vestibular, and visual responses; decrease in muscle mass; increase in postural sway; slowing of motor reaction time; and alterations in central control of balance.

- In addition, the sensing threshold for postural stimuli is affected by age, resulting in increased muscle onset latencies. Compared with younger adults, older adults require 10 to 30 milliseconds longer to volitionally develop the same levels of ankle torque or to begin to take a step to recover balance after a disturbance.[1]

- The visual system is a major contributor to balance, giving the older individual information on location in space and the environment. However, vision is affected by aging and may provide distorted or inaccurate information.[2] In addition, corrective lenses (e.g., bifocals) tend to blur images on the ground or in the distance.

- The number of vestibular neurons and the size of the nerve fibers decrease with aging.[3] With increasing age over 40, a slow reduction in the number of myelinated nerve fibers is evident. By age 70+, a loss of 40% to 50% may be noted compared with younger adults.[4]

- Synergist motor responses responsible for restoration of balance after a disturbance are also affected by aging, resulting in altered muscle activation sequences, agonist–antagonist stiffness (cocontraction), slowed postural responses, and use of disordered postural strategies.[5] In response to a small disturbance, older adults will generally use a hip strategy rather than an ankle strategy typically observed in young adults.

- Research has determined that restoration of balance is not a fixed reflexive response to disturbance but rather is a multifactorial event involving interaction of the body (musculoskeletal and neuromuscular), the magnitude of the disturbance, and the attentional demands placed on the older individual by the environment.[6-8]

- Older adults are at greater risk of experiencing an injurious fall requiring hospitalization. Norm values have been established for adults over 60 years of age.[9,10] Therefore, all examinations of adults over age 60 should include a balance screening (functional reach test[11]) and falls risk assessment (Elderly Fall Screening Test[12]).

1. Stelmach GE, Populin L, Muller F. Postural muscle onset and voluntary movement in the elderly. *Neurosci Lett.* 1990; 117:188–193.
2. Simoneau M, Teasdale N, Bourdin C, et al. Aging and postural control: postural perturbations caused by changing visual anchor. *J Am Geriatr Soc.* 1999;47:235–241.
3. Spirduso WW. Balance, posture, and locomotion. In: Spirduso WW, ed. *Physical dimensions of aging.* Champaign, IL: Human Kinetics; 1995:155–184.
4. Rees TS, Duckert LG, Carey JP. Auditory and vestibular dysfunction. In: Hazard WR, Blass JP, Ettinger WH, eds. *Principles of geriatric medicine and gerontology.* 4th ed. New York, NY: McGraw-Hill; 1998:617–632.
5. Woollacott MH. Changes in posture and voluntary control in the elderly: research findings and rehabilitation. *Top Geriatr Rehabil.* 1990;5:1–11.
6. Maylor EA, Wing AM. Age differences in postural stability are increased by additional cognitive demands. *J Gerontol Psychol Sci.* 1996;51B:P143–P154.
7. Shumway-Cook A, Woollacott MH. Attentional demands and postural control: the effect of sensory context. *J Gerontol Med Sci.* 2000;55A:M10–M16.
8. Brown L, Shumway-Cook A, Woollacott MH. Attentional demands and postural recovery: the effects of aging. *J Gerontol Med Sci.* 1999;54A:M165–M171.
9. Lusardi MM, Peliecchia GL, Schulman M. Functional performance in community living older adults. *Geriatr Phys Ther.* 2003;26:14–22.
10. Vereeck L, Wuyts F, Truijen S, et al. Clinical assessment of balance: normative data, and gender and age effects. *Intern J Audiol.* 2008;47:67–75.
11. Duncan PW, Weiner DK, Chandler J, et al. Functional reach: a new clinical measure of balance. *J Gerontol Med Sci.* 1990;45:M192–M197.
12. Cwikel JG, Fried AV, Biderman A, et al. Validation of a fall-risk screening test, the Elderly Fall Screening Test (EFST), for community-dwelling elderly. *Disabil Rehabil.* 1998;20:161–167.

SUMMARY

- Balance is a complex process of controlling the body's center of gravity over the base of support, whether the individual is stationary or moving. Balance requires accurate information from sensory input, effective processing by the CNS, and appropriate responses of motor control.

- The CNS relies on information from three sensory systems: proprioceptive, visual, and vestibular. Each system contributes a unique role in maintaining balance. The ability of the CNS to select, suppress, and combine these inputs is called sensory organization. Proprioceptive inputs are dominant when the surface is firm and fixed. Visual cues are particularly important when somatosensory inputs are unreliable (changing

Pediatric Perspectives

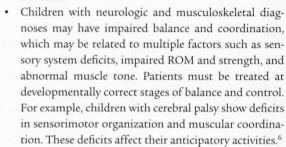

- Control of balance and coordination progresses throughout childhood. The concepts of balance, coordination, and postural control are closely interrelated. Much continued research is needed to understand the development and refinement of postural control in children as they acquire adult postural and movement skills.[1]
- Children begin to learn anticipatory postural strategies to coordinate posture and locomotion with the onset of voluntary sitting and crawling.[2] During perturbations of stance, 4- to 6-year-old children have greater and more variable responses than do younger children. It has been suggested that the difference may be the result of a period of transition, as visual sensory input becomes less important and other somatosensory information becomes more important in postural control and balance.[3] Children do not demonstrate adult values for muscle onset latencies for postural responses and control of movement until 10 to 15 years.[2]
- Childhood deficits in balance and postural stability may be related to deficits in the proprioceptive system, owing to incomplete development or injury. Balance and coordination in sports may be adversely affected by attention deficit hyperactivity disorder.[4] Chronic otitis media and effusion in the inner ear significantly affect balance and coordination skills in 4- to 6-year-old children. These skills improve after tympanostomy tube insertion.[5]
- Children with neurologic and musculoskeletal diagnoses may have impaired balance and coordination, which may be related to multiple factors such as sensory system deficits, impaired ROM and strength, and abnormal muscle tone. Patients must be treated at developmentally correct stages of balance and control. For example, children with cerebral palsy show deficits in sensorimotor organization and muscular coordination. These deficits affect their anticipatory activities.[6]

1. Horak FB. Assumptions underlying motor control for neurologic rehabilitation. In: Lister MJ, ed. *Contemporary management of motor control problems: proceedings of the II step conference.* Alexandria, VA: Foundation for Physical Therapy; 1991: 11–28.
2. Haas G, Diener HC, Rupp H, et al. Development of feedback and feedforward control of upright stance. *Dev Med Child Neurol.* 1989;31:481–488.
3. Shumway-Cook A, Woollacott M. The growth of stability: postural control from a developmental perspective. *J Motor Behav.* 1985;17:131–147.
4. Hickey G, Frider P. ADHD: CNS function and sports. *Sports Med.* 1999;27:11–21.
5. Hart MC, Nichols DS, Butler EM, et al. Childhood imbalance and chronic otitis media with effusion: effect of tympanostomy tube insertion on standardized tests of balance and locomotion. *Laryngoscope.* 1998;108:665–670.
6. Nashner LM, Shumway-Cook A, Marin O. Stance posture control in select groups of children with cerebral palsy: deficits in sensory organization and muscular coordination. *Exp Brain Res.* 1983;49:393–409.

surfaces). The vestibular system, on the other hand, is dominant when a conflict exists between somatosensory and visual cues; the vestibular system plays a major role in ambulation.

- Technologic advances in the examination of appropriate sensory organization provide valuable information of both sensory organization and motor control.
- The major muscle groups that control the center of gravity over the base of support include the paraspinals, abdominals, hamstrings, quadriceps, gastrocnemius, and tibialis anterior. Coordinated actions among muscles result in joint-specific movements and indirect, inertial forces on the neighboring joints. Therefore, the anatomic classification of a muscle may differ from its functional classification.
- The primary movement patterns for controlling balance include ankle, hip, and stepping strategies. The strategies vary in muscle recruitment, body movements, and joint axes. Inadequate ROM, decreased strength, pain, swelling, and joint instability can decrease the normal limits of stability. Dysfunction in any of these factors creates an offset center of gravity, compromising movement patterns.
- Treatment of musculoskeletal problems includes strengthening and ROM, techniques to effect abnormal tone, and several coordination activities to improve the timing of postural reactions.

References

1. Shumway-Cook A, McCollum G. Assessment and treatment of balance disorders. In: Montgomery PC, Connolly BH, eds. *Motor control and physical therapy.* Hixson, TN: Chattanooga Group, Inc; 1993;123–138.

2. Kauffman TL, Nashner LM, Allison LK. Balance is a critical parameter in orthopedic rehabilitation. *New Technol Phys Ther.* 1997;6:43–78.

3. Nashner LM. Sensory, neuromuscular, and biomechanical contributions to human balance. In: Duncan PW, ed. *Balance: proceedings of APTA forum.* Alexandria, VA: American Physical Therapy Association; 1990;33–38.

4. Nashner LM. Evaluation of postural stability, movement and control. In: Hasson S, ed. *Clinical exercise physiology.* St. Louis, MO: Mosby; 1994;199–234.

5. McCollum G, Leen T. Form and exploration of mechanical stability limits in erect stance. *J Motor Behav.* 1989;21:225–238.

6. Hobeika CP. Equilibrium and balance in the elderly. *Ear Nose Throat J.* 1999;78:558–566.

7. Horak FB, Shupert CL. Role of the vestibular system in postural control. In: Herdman SJ, ed. *Vestibular rehabilitation.* Philadelphia, PA: FA Davis Co; 1994;22–46.

8. Dietz V, Horstmann GA, Berger W. Significance of proprioceptive mechanisms in the regulation of stance. *Prog Brain Res.* 1989;80:419–423.

9. Dorman J, Fernie GR, Holliday PJ. Visual input: its importance in the control of postural sway. *Arch Phys Med Rehabil.* 1978;59:586–591.

10. Horak FB. Clinical measurement of postural control in adults. *Phys Ther.* 1987;67:1881–1885.

11. Hain TC, Hillman MA. Anatomy and physiology of the normal vestibular system. In: Herdma SJ, ed. *Vestibulare rehabilitation.* Philadelphia, PA: FA Davis Co; 1994;3–21.

12. Bohannon RW. Single limb stance times: A descriptive meta-analysis of data from individuals at least 60 years of age. *Top Geriatr Rehabil.* 2006;22(1):70–71.

13. Shumway-Cook A, Horak FB. Assessing the influence of sensory interaction on balance. *Phys Ther.* 1986;66:1548–1550.

14. Duncan PW, Weiner DK, Chandler J, et al. Functional reach: a new clinical measure of balance. *J Gerontol Med Sci.* 1990;45:M192–M197.

15. Berg K, Wood-Dauphinee S, Williams J, et al. Measuring balance in the elderly: preliminary development of an instrument. *Physiother Can.* 1989;41:304–311.

16. Berg K, Maki B, Williams J, et al. Clinical and laboratory measures of postural balance in an elderly population. *Arch Phys Med Rehabil.* 1992;73:1073–1080.

17. O'Sullivan S. Assessment of motor function. In: O'Sullivan S, Schmitz TJ, eds. *Physical rehabilitation, assessment and treatment.* Philadelphia, PA: FA Davis Co; 2001;208–209.

18. Lusardi MM, Peliecchia GL, Schulman M. Functional performance in community living older adults. *Geriatr Phys Ther.* 2003; 26:14–22.

19. Whitney S, Wrisley D, Furman J. Concurrent validity of the Berg Balance Scale and the Dynamic Gait Index in people with vestibular dysfunction. *Physiother Res Int.* 2003;8:178–186.

20. Tinetti M, Williams T, Mayewski R. A fall risk index for elderly patients based on number of chronic disabilities. *Am J Med.* 1986;80:429–434.

21. Podsiadlo D, Richardson S. The timed "Up & Go": a test of basic functional mobility for frail elderly persons. *J Am Geriatr Soc.* 1991; 39:142–148.

22. Horak FB, Nashner LM. Central programming of posture control: adaptation to altered support surface configurations. *J Neurophysiol.* 1986;55:1369–1381.

23. Diener HC, Horak FB, Nashner LM. Influence of stimulus parameters on human postural responses. *J Neurophysiol.* 1988;59:1888–1905.

24. DiFabio RP, Badke MB. Relationships of sensory organization to balance function in patients with hemiplegia. *Phys Ther.* 1990;70:543–548.

25. Horak FB, Diener HC, Nashner LM. Postural strategies associated with somatosensory and vestibular limits of stability. *Exp Brain Res.* 1992;82:167–171.

26. Badke MB, DiFabio RP. Balance deficits in patients with hemiplegia: considerations for assessment and treatment. In: Duncan PW, ed. *Balance: proceedings of the APTA forum.* Alexandria, VA: American Physical Therapy Association; 1990;130–137.

27. Shumway-Cook A, Horak FB. Rehabilitation strategies for patients with peripheral vestibular disorders. *Neurol Clin.* 1990;8: 441–457.

28. American Physical Therapy Association. *Guide to physical therapist practice.* 2nd ed. Alexandria, VA; 2003.

PRACTICE TEST QUESTIONS

1. The systems model of balance focuses on a dynamic interplay of static and dynamic responses to

    A) sensory inputs
    B) sensory motor integration
    C) postural responses
    D) all of the above

2. Balance, whether static or dynamic balance, is the

    A) maintenance of a stable anti-gravity position at rest
    B) automatic postural responses to any perturbations of the center of gravity
    C) ability to control the body's center of gravity within the limits of stability
    D) all of the above

3. Which of the following position represents the most narrow base of support?

    A) Tandem standing ~like tight rope
    B) Walking
    C) Running
    D) None of the above

4. What happens when the person leans beyond the limit of the cone of stability?

    A) Nothing will happen if the person is sitting
    B) A strategy must be utilized to bring the person back to within the cone of stability
    C) The base of support stays the same
    D) All of the above

5. In order to assess balance, the PT will examine

   A) muscle strength in postural control muscles
   B) ROM in joints of the lower quarter
   C) reflexes, proprioception, and vision
   D) all of the above

6. In order determine the effect of vision on the patient's balance, the PT will ask the patient to

   A) perform the balance test with eyes open
   B) stand on one leg on a spongy surface
   C) perform the balance test with eyes closed
   D) stand on both legs on a mobile surface

7. Many factors determine which recovery strategy is the most effective response to a postural challenge. One of these is the speed and intensity of the displacing force. A functional example of this is when a person is

   A) stepping down from a curb
   B) crossing a street on a timed crosswalk
   C) standing on a public transit bus that quickly stops and starts
   D) running on a grassy, uneven track

8. The Rhomberg test will do all of the following, *except*

   A) examine degree of postural sway
   B) examine degree of postural sway with eyes open and eyes closed
   C) show increased sway in an older person than in a younger person
   D) show increased sway with a narrow stance than a wide stance

9. All of the following are less sophisticated balance assessment tool, *except*

   A) the "foam and dome"
   B) the timed up and go
   C) the Tinetti balance and gait test
   D) the functional reach test

10. When there are sudden perturbations, the non-impaired individual responds with

   A) voluntary movements
   B) eccentric contractions
   C) automatic postural reactions
   D) reflex extension of cone of stability

11. The characteristics of the support surface will influence the balance recovery strategy or strategies used to counter a balance challenge. Which of the following statements organizes the surfaces from least to most challenging?

   A) Low knap carpet, half round dense foam with flat side down, spongy foam mat
   B) Half round dense foam with flat side down, spongy foam mat, low knap carpet
   C) Spongy foam mat, low knap carpet, half round dense foam with flat side down
   D) Low knap carpet, spongy foam mat, half round dense foam with flat side down

12. Which of the following represents a small displacement of the center of mass?

   A) A person performs a vertical box jump using 12-inch box (27 centimeters)
   B) A person walks forward one step, approximately 12 inches (27 centimeters)
   C) A woman is in her final trimester of pregnancy versus her normal posture
   D) A patient steps down from a 6-inch (15 centimeters) curb

13. The patient is riding on a train. He is walking from his seat to the dining car, when the train gradually slows to a smooth stop. The postural control strategy(ies) he will use is most likely

   A) stepping strategy
   B) hip strategy
   C) ankle strategy
   D) all of the above

14. The person standing on line in the grocery store is bumped from behind, displacing her body in an anterior direction. Which of the following accurately describes the strategy she will use?

   A) Gastrocnemius muscle contracts to pull the body anteriorly
   B) Gastrocnemius muscle contracts to pull the body posteriorly
   C) Tibialis anterior contracts to pull the body anteriorly
   D) Tibialis anterior contracts to pull the body posteriorly

15. A surfer attempts to remain standing on her surf board by keeping her feet still and sways from her pelvis and torso. The postural control strategy(ies) described is

A) stepping strategy
B) hip strategy
C) ankle strategy
D) none of the above

16. The patient is standing on a multi-axial, moving surface balance platform. The machine is set to allow slow and small amplitude movements. The patient with limited ankle strength and ROM will most likely NOT utilize which strategy(ies)?

A) Stepping strategy
B) Hip and ankle strategy
C) Hip and stepping strategy
D) Hip strategy

17. The patient has deficits in the vestibular system. Which of the following exercises will best stimulate this system?

A) Tandem walking in parallel bars with both hands on the bars
B) Tandem walking on a spongy foam surface with eyes closed
C) Walking on balance beam with loud music playing in the background
D) Backwards walking on firm floor with high knap carpet

18. Which of the following activities is appropriately sequenced from least difficult balance challenge to more difficult?

A) Tandem walking in parallel bars with eyes closed then eyes open
B) Standing on half round foam roller with round side down then with round side up
C) One legged bouncing on mini-trampoline with eyes open then eyes closed
D) Rapid direction changes in straight line walking in parallel bars then rapid direction changes allowing patient to touch bars

19. The patient needs to work on balance recovery strategies that focus on ankle strategies. Which of the following exercises will achieve this treatment plan?

A) Slowly bouncing on mini-trampoline
B) Tandem walking on half round foam roller with flat side down
C) Swaying forward and backward slowly on wobble board that permits small amplitude of motion
D) All of the above

20. Which of the following exercise descriptions correctly describes an exercise that begins with focusing on an ankle strategy and progresses to a hip or stepping strategy?

A) Slowly bouncing on mini-trampoline with both feet then single foot stance
B) Tandem walking on half round foam roller with flat side down backwards then forwards
C) Walking on balance beam with loud music playing in the background then asking the patient to catch a ball and throw it back to the therapist
D) Swaying forward and backward slowly on wobble board that permits a large amplitude of motion then progress to a wobble board that permits a small amplitude of motion

21. The elderly patient with balance problems are most likely to use which of the following strategies for recovery of balance?

A) Ankle and stepping strategies
B) Automatic and voluntary reaching and hip strategies
C) Stepping and hip strategies
D) Hip and ankle strategies

22. The patient is performing a braiding activity. In order to make this more challenging for the patient, the PTA will ask the patient to

A) perform carioca
B) increase the speed of the braiding
C) perform carioca to the right then the left
D) all of the above

23. When developing a plan of care for the elderly patient with a balance deficit, the elements of the plan of care will include

A) muscle strengthening and stretching
B) functional balance tests, quiet standing tests, and active standing tests as interventions
C) interventions designed to improve activation of stepping, hip, and ankle strategies
D) all of the above

24. The 6-year-old child is assessed as developmentally normal with bilaterally equal and normal ROM and strength. His mother reports that he has a problem with ear infections and has had two failed tube insertions. This child will most likely

A) have normal balance and coordination.
B) have normal intelligence and balance.
C) have normal coordination but impaired hearing.
D) have impaired balance and coordination.

ANSWER KEY

1.	D	**7.**	C	**13.**	C	**19.**	D
2.	D	**8.**	D	**14.**	B	**20.**	C
3.	A	**9.**	A	**15.**	B	**21.**	B
4.	B	**10.**	C	**16.**	D	**22.**	D
5.	D	**11.**	A	**17.**	B	**23.**	D
6.	C	**12.**	C	**18.**	C	**24.**	D

Suggestions for Groups 2015...

12

Reactive Neuromuscular Training

Michael L. Voight, PT, DHSc, OCS, SCS, ATC
William D. Bandy, PT, PhD, SCS, ATC

Objectives

Upon completion of this chapter, the reader will be able to:

- Define neuromuscular control.
- Identify four crucial elements involved in neuromuscular-control programs.
- Apply proper clinical techniques to a reactive neuromuscular-training program focusing on single-leg stance, uniplanar, and isometric activities within the established plan of care.
- Apply proper clinical techniques to a reactive neuromuscular-training program focusing on exercises that use controlled eccentric and concentric contractions through a full range of motion (ROM) within the established plan of care.
- Apply proper clinical techniques to a reactive neuromuscular-training program focusing on ballistic and impact activities within the established plan of care.

● SCIENTIFIC BASIS

Observing the coordinated and integrated movements of the triple jump, a dismount from the parallel bars, or dribbling a basketball around a screen for a jump shot, it is obvious that there must be something more to functional progression than breaking down skills step by step and hoping for skill integration. Some activities are complex movements requiring not only a variety of movements and positions but also smooth transition from one position or movement to another. In the competitive environment, the client does not routinely think about each of the basic movement patterns required to perform complex skills. As the client becomes more proficient in a given activity, the basic skills became second nature. In other words, the client is able to perform these activities at a subconscious level. Therefore, primitive skills in the exercise program are integrated from the conscious to the subconscious level.

A patient's ability to function at the subconscious level involves integration of incoming information from the environment, which involves neuromuscular control. To reestablish neuromuscular control after injury, the program must incorporate activities that entail balance, proprioception, coordination, power, and agility.[1-5] Neuromuscular control is the motor response to sensory information from the environment and is under the influence of four crucial elements: proprioception and kinesthetic awareness, functional motor patterns, dynamic joint stability, and reactive neuromuscular control.[6] Lower-extremity activities in the closed-kinetic chain facilitate proprioceptive and kinesthetic reeducation of the weight-bearing joints. Functional motor patterns are the heart and soul of exercises, beginning at the conscious level and progressing to the subconscious.

Reactive neuromuscular training is a specialized training program designed to reestablish neuromuscular control after injury. The program entails the shifting of the patient's center of gravity by pulling the upper body in a given direction over the fixed lower extremity. The patient is required to generate lower-extremity isometric contractions to offset this weight shift and, thereby, maintain stability of the lower extremity. These oscillating techniques of isometric stabilization to offset the shift in the center of gravity aid in the integration of visual, mechanoreceptors, and equilibrium reaction.

Reactive neuromuscular training is an example of a program designed to restore dynamic stability and enhance cognitive appreciation of the joint's position and movement of the joint after it is injured. The design and implementation of this type of training program are critical for restoring the synergy and synchrony of muscle-firing patterns required for dynamic stability and fine motor control, thereby restoring both functional stability about the joint and enhanced motor-control skills.[7-9]

The reactive neuromuscular-training program can be progressed from slow- to fast-speed activities, from low- to high-force activities, and from controlled to uncontrolled activities. Initially, these exercises should evoke a balance reaction or weight shift in the lower extremities and ultimately progress to a movement pattern.[7-10] Examples of specific reactive neuromuscular-training techniques are presented in this chapter.

● CLINICAL GUIDELINES

Reactive neuromuscular training can be as simple as static control with little or no visible movement or as complex as a dynamic plyometric response (Chapter 10) requiring explosive acceleration, deceleration, or change in direction. Early activities include single-leg stance, uniplanar activities in which the patient pulls on exercise tubing while maintaining balance, and isometric activities that include minimal joint motion. The patient can be progressed from isometric activities to exercises that used controlled concentric and eccentric contractions through a full ROM, such as the squat and lunge. Finally, ballistic and impact activities, such as resisted walking, running, and bounding, can be introduced in the advanced stages of rehabilitation.[7] (Note: the rest of this section provides examples of reactive neuromuscular training and are not inclusive of all exercises available.)

Single-leg Stance

The client should stand bearing full weight with equal distribution on the affected and unaffected lower extremity. Placing a 6- to 8-inch step stool under the unaffected lower extremity will cause a weight shift to the affected lower extremity, placing greater emphasis on the affected side. At the same time, the unaffected extremity can still assist with balance reactions (Fig. 12-1).

The exercise can be made more difficult by using an unstable surface, which will also increase the demands on the mechanoreceptor system. Single or multidirectional rocker devices or bolsters assist the progression to the next phase (Fig. 12-2).

Uniplanar Exercise

Exercise tubing can be used for uniplanar exercise, by pulling two pieces of tubing toward the body and returning the tubing to the start position in a smooth, rhythmical fashion with increasing speed. Changes in direction (anterior, posterior, medial, or lateral weight shifting) create specific planar demands. Each technique is given a name that is related to the weight shift produced by the applied tension. The body reacts to the weight shift with an equal and opposite stabilization response. *Therefore, the exercise is named for the cause and not the effect.*

During performance of these exercises, the patient should make little or no movement of the lower extremity. If movement is noted, resistance should be decreased to achieve the desired stability. Uniplanar activities are described in Figures 12-3 to 12-6.

Multiplanar Exercises

The basic exercise program can be progressed to multiplanar activity by combining the proprioceptive neuromuscular facilitation (PNF) diagonal patterns and chop and lift patterns of the upper extremities (Fig. 12-7). The patterns from the unaffected and affected sides cause a multiplanar stress that requires isometric stabilization. The client is forced to automatically integrate the isometric responses that were developed in the previous uniplanar exercises.

FIGURE 12-1 ● SINGLE-LEG STANCE ON STEP STOOL.

Purpose: Reflex stabilization, using static compression of the articular surfaces to facilitate isometric contraction of muscles of the lower extremity.
Position: Standing, feet shoulder's width apart (assume left side is involved extremity).
Procedure: Place uninvolved extremity on step stool, forcing greater weight shift to the involved side.

FIGURE 12-2 ● SINGLE-LEG STANCE ON UNSTABLE SURFACE.

Purpose: Reflex stabilization, using static compression of the articular surfaces to facilitate isometric contraction of muscles of the lower extremity.
Position: Standing on involved extremity (left) on bolster.
Procedure: Patient maintains balance while standing on bolster.

A

B

FIGURE 12-3 ● UNIPLANAR ANTERIOR WEIGHT SHIFT.

Purpose: Static stabilization, demonstrating stability required to achieve motor learning and control in a single plane of motion.
Position: Standing on involved extremity (left) facing the tubing.

Procedure: Patient holds tubing in both hands (*panel A*). Maintaining balance on involved extremity, patient pulls the tubing toward body in a smooth motion (*panel B*). This positioning causes a forward weight shift, which is stabilized with an isometric counter-force consisting of hip extension, knee extension, and ankle plantar flexion.

FIGURE 12-4 ● UNIPLANAR POSTERIOR WEIGHT SHIFT.

Purpose: Static stabilization, demonstrating stability required to achieve motor learning and control in a single plane of motion.

Position: Standing on involved extremity (left) with back to the tubing.

Procedure: Maintaining balance on involved extremity, patient moves tubing away from body in a smooth motion. This positioning causes a posterior weight shift, which is stabilized by an isometric counter-force consisting of hip flexion, knee flexion, and ankle dorsiflexion.

FIGURE 12-5 ● UNIPLANAR MEDIAL WEIGHT SHIFT.

Purpose: Static stabilization, demonstrating stability required to achieve motor learning and control in a single plane of motion.

Position: Standing on involved extremity (left) with uninvolved extremity closest to the tubing.

Procedure: Maintaining balance on involved extremity, patient pulls tubing with one hand in front of the body and other hand behind the body in a smooth motion. This positioning causes a medial weight shift, which is stabilized with an isometric counter-force consisting of hip adduction, knee cocontraction, and ankle inversion.

FIGURE 12-6 ● UNIPLANAR LATERAL WEIGHT SHIFT.

Purpose: Static stabilization, demonstrating stability required to achieve motor learning and control in a single plane of motion.
Position: Standing on involved extremity (left) with involved extremity closest to tubing.
Procedure: Maintaining balance on involved extremity, patient pulls tubing with one hand in front of the body and other hand behind the body in a smooth motion. The lateral shift is stabilized with an isometric counter-force consisting of hip abduction, knee cocontraction, and ankle eversion.

FIGURE 12-7 ● MULTIPLANAR PNF LIFT TECHNIQUE.

Purpose: Static stabilization, demonstrating stability required to achieve motor learning and control in multiple planes of motion.
Position: Standing on involved extremity (left).
Procedure: Maintaining balance on involved extremity, patient performs PNF lift technique.

Squat

The squat is used because it employs symmetrical movement of the lower extremities, which allows the affected lower extremity to benefit from the proprioceptive feedback from the unaffected lower extremity. A chair or bench can be used as a ROM block (range-limiting device) if necessary. The block may minimize fear and increase safety (Figs. 12-8 to 12-10).

Lunge

The lunge is more specific than the squat in that it simulates sports and normal activity. The exercise decreases the base of support while producing the need for independent disassociation. The ROM can be stressed to a slightly higher degree. If the client is asked to alternate the lunge from the right to the left leg, the clinician can easily compare the quality of the movement between the limbs (Figs. 12-11 to 12-13).

Resisted Walking

Resisted walking uses the same primary components used in gait training. The applied resistance of the tubing, however, allows a reactive response unavailable in non-resisted activities. The addition of resistance permits increased loading and brings about the need for improved balance and weight shift.

Resisted Running

Resisted running simply involves jogging or running in place with tubing attached to a belt around the waist. The physical therapist (PT) and physical therapist assistant (PTA) can analyze the jogging or running activity, because this is a stationary drill. The tubing resistance is applied in four different directions, which provides simulation of the different forces that the client will experience on return to full activity (Figs. 12-14 to 12-16).

FIGURE 12-8 ● **SQUAT: ANTERIOR WEIGHT SHIFT (ASSISTED).**

Purpose: Stimulation of dynamic postural response, facilitating concentric and eccentric contractions.
Position: Standing, facing tubing, with belt around waist and feet shoulder's width apart (assume involved side is left lower extremity).
Procedure: Patient squats to the height of the chair in a smooth, controlled motion, and then returns to standing. The anterior weight shift facilitates the descent phase of the squat; the hip flexors, knee flexors, and ankle dorsiflexors are load dynamically with eccentric contractions during the return to standing. This activity is great for retraining shock absorption activities that occur during landing.

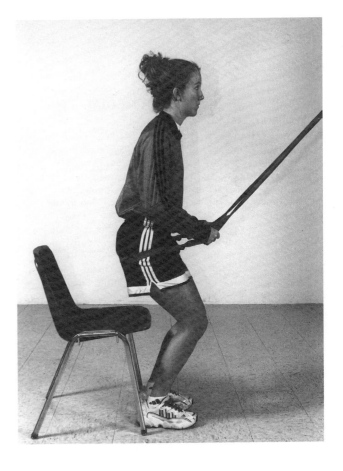

FIGURE 12-9 ● SQUAT: POSTERIOR WEIGHT SHIFT.

Purpose: Stimulation of dynamic postural response, facilitating concentric and eccentric contractions.
Position: Standing on involved extremity (left), facing away from tubing, with belt around waist and feet shoulder's width apart.
Procedure: Patient squats to the height of the chair in a smooth, controlled motion, and then returns to standing. This technique facilitates the accent phase of the squat; the hip extensors, knee extensors, and ankle plantar flexors are loaded dynamically with eccentric contractions during the return to sitting. The posterior weight shift is a great activity for learning the take-off position for sprinting and jumping.

FIGURE 12-10 ● SQUAT: MEDIAL WEIGHT SHIFT.

Purpose: Stimulation of dynamic postural response, facilitating concentric and eccentric contractions.
Position: Standing with uninvolved extremity closest to tubing, belt around waist, with feet shoulder's width apart (assume involved extremity is left lower extremity).
Procedure: Patient squats to the height of the chair in a smooth, controlled motion, and then returns to standing. This technique places less stress on the affected lower extremity and allows the patient to lean onto the unaffected lower extremity without incurring excessive stress or loading.
Note: The lateral weight-shift technique is not illustrated but it is the same as shown in Figure 14-10 except with the tubing pulling lateral (to the patient's left) instead of pulling medial (to patient's right as is shown in Fig. 12-10). This lateral weight-shift exercise will place a greater stress on the affected lower extremity, thereby demanding increased balance and control. The exercise simulates a single leg squat but adds balance and safety by allowing the unaffected extremity to remain on the ground.

FIGURE 12-11 ● LUNGE: ANTERIOR WEIGHT SHIFT.

Purpose: Stimulation of dynamic postural response, facilitating concentric and eccentric contractions.
Position: Standing, facing tubing, with feet shoulder's width apart (assume involved side is left lower extremity).
Procedure: Leading with involved extremity, patient lowers into lunge position in a smooth, controlled motion, and then returns to standing. This positioning will increase the eccentric loading on the quadriceps with deceleration on the downward movement. For the upward movement, the patient is asked to focus on hip extension, not knee extension.

FIGURE 12-12 ● LUNGE: POSTERIOR WEIGHT SHIFT.

Purpose: Stimulation of dynamic postural response, facilitating concentric and eccentric contractions.
Position: Standing, facing away from tubing, with feet shoulder's width apart (assume involved extremity is left lower extremity).
Procedure: Leading with involved extremity, patient lowers into lunge position in a smooth, controlled motion, and then returns to standing. When lowering self into lunge, patient must work against resistance because the tubing is stretched; when at the low point of lunge position, the patient is assisted back up by the tubing.

FIGURE 12-13 ● LUNGE: MEDIAL WEIGHT SHIFT.

Purpose: Stimulation of dynamic postural response, facilitating concentric and eccentric contractions.
Position: Standing with uninvolved extremity closest to tubing, with feet shoulder's width apart (assume involved extremity is left lower extremity).
Procedure: Leading with involved extremity, patient lowers into lunge position in a smooth, controlled motion, and then returns to standing. Medial weight shift causes the ankle inverters to fire in order to maintain the position, which may facilitate ankle stability.
Note: The lateral weight shift is not illustrated but is the same as shown in Figure 12-13 except with the tubing pulling lateral (to patient's left) instead of pulling medial (to patient's right as is shown in Fig. 12-13). The lunge with lateral weight shift is performed by positioning the patient with the affected lower extremity closest to the resistance. This lateral weight shift causes firing of the ankle evertors, which may be great for ankle stability.

FIGURE 12-14 ● STATIONARY RUN: ANTERIOR WEIGHT SHIFT.

Purpose: Stimulation of dynamic postural response, introducing impact and ballistic exercise and improving balance and weight shift.
Position: Standing, facing tubing, with feet shoulder's width apart (assume involved side is left lower extremity).
Procedure: Patient starts with light jogging in place and can progress to "butt kicks"; same distance from origin of tubing should be maintained. The anterior weight shift run is probably the most difficult technique to perform correctly and is, therefore, taught last. This technique simulates deceleration and eccentric loading of the knee extensors.

FIGURE 12-15 ● STATIONARY RUN: POSTERIOR WEIGHT SHIFT.

Purpose: Stimulation of dynamic postural response, introducing impact and ballistic exercise and improving balance and weight shift.

Position: Standing, facing away from tubing, with feet shoulder's width apart (assume involved extremity is left lower extremity).

Procedure: Patient starts with light jogging in place and can progress to running in place; same distance from origin of tubing should be maintained. The most advanced form of the posterior weight-shift run involves the exaggeration of the hip flexion called "high knees." This technique simulates the acceleration phase of jogging or running.

FIGURE 12-16 ● STATIONARY RUN: MEDIAL WEIGHT SHIFT.

Purpose: Stimulation of dynamic postural response, introducing impact and ballistic exercise and improving balance and weight shift.

Position: Standing with uninvolved extremity closest to tubing, with feet shoulder's width apart (assume involved extremity is left lower extremity).

Procedure: Patient starts with light jogging in place and can progress to running in place; same distance from origin of tubing should be maintained. This technique simulates the forces that the patient will experience when cutting or turning quickly away from the affected side. (e.g., the exercise will facilitate cutting left in a patient with a left lower-extremity problem.)

Note: The lateral weight-shift technique is not illustrated but it is the same as shown in Figure 12-10 except with the tubing pulling lateral (to the patient's left) instead of pulling medial (to patient's right as is shown in Fig. 12-16). This technique simulates the forces that the patient will experience when cutting or turning quickly towards the affected side. (e.g., this exercise will facilitate cutting right in a patient with a left lower-extremity problem.)

Resisted Bounding

Bounding is an exercise in which the client jumps off one foot and lands on the opposite foot, essentially jumping from one foot to the other. Bounding places greater emphasis on the lateral movements, and its progression follows the same weight-shifting sequence as the resisted running exercise. Side-to-side bounding in a lateral-resisted exercise promotes symmetrical balance and endurance required for progression to higher levels of strength and power applications. Before using the tubing, the client should learn the bounding activity by jumping over cones or other obstacles. The tubing can then be added to provide the secondary forces that cause anterior, posterior, medial, or lateral weight shifting (Figs. 12-17 to 12-19).

A

B

FIGURE 12-17 ● BOUNDING: ANTERIOR WEIGHT SHIFT.

Purpose: Stimulation of dynamic postural response, promoting balance and endurance in preparation for progression to higher-level lower-extremity exercise.
Position: Standing, facing tubing, with feet shoulder's width apart (assume involved extremity is left lower extremity).

Procedure: A. Patient takes off one foot, jumps over cones that are set at a prescribed distance, and **B.** lands on the opposite foot. The technique is then repeated in the opposite direction. This exercise will assist in teaching deceleration and lateral cutting movements.

FIGURE 12-18 ● BOUNDING: POSTERIOR WEIGHT SHIFT.

Purpose: Stimulation of dynamic postural response, promoting balance, and endurance in preparation for progression to higher-level lower-extremity exercise.
Position: Standing, facing away from tubing, with feet shoulder's width apart (assume involved extremity is left lower extremity).
Procedure: A. Patient takes off one foot, jumps over cones that are set at a prescribed distance, and **B.** lands on the opposite foot. The technique is then repeated in the opposite direction. This exercise will assist in teaching acceleration and lateral cutting movements.

FIGURE 12-19 ● BOUNDING: MEDIAL WEIGHT SHIFT.

Purpose: Stimulation of dynamic postural response, promoting balance and endurance in preparation for progression to higher-level lower-extremity exercise.
Position: Standing, with uninvolved extremity closest to tubing, with feet shoulder's width apart (assume involved side is left lower extremity).
Procedure: A. Patient takes off one foot, jumps over cones that are set at a prescribed distance, and **B.** lands on the opposite foot. The technique is then repeated in the opposite direction. The medial weight-shift bound is used as an assisted plyometric exercise because the impact on the involved extremity (left) is greatly lowered owing to the pull of the tubing.
Note: The lateral weight-shift technique is not illustrated but is the same as shown in Figure 12-19 except with the tubing pulling lateral (to the patient's left) instead of pulling medial (to patient's right as is shown in Fig. 12-19). This exercise is the most strenuous of the bounding activities since it actually accelerates the body weight onto the affected lower extremity. This shift to the affected extremity is, however, necessary so that the clinician can observe the ability of the affected limb to perform a quick direction change and controlled acceleration/deceleration.

Case Study 1

PATIENT INFORMATION

This case involved a 15-year-old high school female soccer player injured during an intra squad game 2 days prior to the examination. The athlete sustained contact just after completing a crossing pass and sustained a valgus stress to the knee. She felt immediate medial knee pain and was unable to continue participation. The athlete was able to bear minimal weight on the leg following the injury. No immediate swelling was noted, no pop was felt or heard, and no episodes of the knee locking or catching was experienced. She was seen in the emergency department the same date of the injury and was placed in a 30-degree immobilizer and issued crutches.

The athlete presented to the initial visit able to bear partial weight with the assistance of axillary crutches. Examination by the PT indicated that active ROM of the knee was 20 to 100 degrees of knee flexion which was limited by medial knee pain. Passive knee ROM was 5 to 105 degrees of flexion and was limited by hamstring spasm and medial knee pain. Volitional quadriceps recruitment with an isometric contraction was decreased via palpation, as compared to the opposite side.

Tenderness to palpation was noted at the mid one-third of the medial joint line. In the skeletally immature athlete, the distal femoral epiphysis can be injured in this same mechanism of injury in soccer players. Palpation of the distal femoral epiphysis, however, did not reveal any tenderness. Ligamentous examination for lateral, anterior, and posterior straight plane instability revealed no asymmetrical instability. Examination of anteromedial, anterolateral, and posterolateral instability likewise did not reveal asymmetrical instability. Approximately 5 millimeters of instability was noted with valgus stress at 30 degrees of flexion, an end point was present which was accompanied by pain (six on a 0 to 10 scale). The minimal instability was present at the joint line and not at the distal femoral epiphysis. On the basis of the examination and evaluation, the PT diagnosed the patient with a second-degree medial collateral ligament sprain.

LINKS TO GUIDE
TO PHYSICAL
THERAPIST PRACTICE

Utilizing the *Guide to Physical Therapist Practice*, this patient fell in musculoskeletal practice pattern 4E: "Impaired joint mobility, muscle performance, and ROM associated with ligament or other connective tissue disorders." Anticipated goals for this patient as they relate to functional progression include: increasing motor function; improved joint mobility; improved weight-bearing status; improved strength, power, and endurance; as well as protecting the injured body part and minimizing the risk of recurrent injury.[11]

INTERVENTION

Goals for the early stage of intervention were initiated by the PT which focused on minimizing the inflammatory process that accompanies healing. The patient was instructed to utilize crutches with toe touch weight bearing. She was also instructed in ice application to the medial knee after exercise and for 10 to 15 minutes every 4 hours when awake. The athlete was instructed in quadriceps isometrics (10-second contractions, 10 repetitions, ten times per day) (Fig. 7-9) and bent knee leg raising (Fig. 7-26) (three sets of 20 repetitions twice daily) while in the immobilizer. The immobilizer was to be removed four to five times a day and the athlete was to perform 90- to 40-degree open-chain, gravity-resisted knee extension (three sets of 20 repetitions). The patient belonged to a health club with access to an upper extremity ergometer and she was instructed in monitoring her pulse, given a maximum heart rate (205 beats/minute), and instructed to perform 20- to 30-minute workouts at 80% of her target heart rate (164 beats/minute). (For more details on exercise prescription, reader is referred to Chapter 13). The PT discussed the plan of care with the PTA to continue the plan of care that had been established. The PT asked the PTA to focus on decreasing flare-ups of inflammation and to progress the patient to return to sports.

PROGRESSION

One Week After Initial Examination

The PTA worked with the patient on exercises to promote full ROM. The PTA asked the PT if prone active assisted flexion exercises through the full ROM (three sets of 15 repetitions twice a day) could be added (Fig. 3-5). Obtaining approval, the PTA initiated the full ROM exercises. Also, isotonic strengthening of the hip musculature in all planes was initiated (Figs. 7-26 to 7-28). The athlete was allowed to begin full weight-bearing ambulation in the immobilizer. Bilateral support activities consisting of reactive neuromuscular training utilizing oscillating techniques for isometric stabilization were instituted in three sets of 1 minute in straight-plane anterior, medial, and lateral weight shifts (Figs. 12-3, 12-5, and 12-6).

Conditioning efforts on the upper-extremity ergometer continued but were modified to also address anaerobic needs. Efforts on the upper-extremity ergometer were expanded to encompass two 20-minute workouts with a 10- minute rest between sessions. During each 20-minute session on the ergometer, the athlete was instructed to perform 15- to 30-second "all out" sprints every 2 minutes per the PT directed plan of care. The patient was determined to be a candidate for a functional knee brace, a prescription was secured, and she was measured for a brace at this time.

Two Weeks After Initial Examination

At this point, prone active knee flexion was symmetrical and the athlete lacked less than five degrees of seated knee extension per goniometer measurements. Functional progression activities were progressed to straight plane bilateral non-support activities, which consisted of front to back line jumps (Fig. 10-14). Following the closed-chain activities, the athlete performed three sets of 15 repetitions of open-chain knee extension through the full ROM (Fig. 7-30).

Three Weeks After Initial Examination

The PTA consulted with the PT about progression of activities and sought clarification on expectations. The PTA continued with intervention after clarification from the PT. At this point, active and passive ROM of the knee was full and symmetrical. Functional progression activities in the brace were advanced to include elastic cord–resisted lateral stepping drills and stationary lateral bounding (Fig. 12-16). The lateral stepping drills were performed in the functional brace and were gradually increased to a distance of 8 feet after initial resistance of the cord was encountered. In-place stationary bounding began at a distance slightly greater than shoulder's width apart and was progressed to a distance of 3 feet. Both of these activities were performed for three sets of 1 minute and were increased to three sets of 2 minutes. Straight-plane, unilateral, non-support activities, and multiplane bilateral non-support drills were also added

per the PT-directed plan of care. Straight-plane, unilateral, non-support activities (excluding valgus loading) consisted of front to back lines hops for three sets of 15 seconds and were progressed to 1 minute.

The PTA spoke with the PT and discussed discharge. It is at this point the athlete returned to the soccer field for early sport-related activities per the PT. Ball-handling skills and outside touch passing and kicking were allowed in the brace. She was also allowed to begin a straight-plane jogging program on level surfaces to address aerobic and anaerobic conditioning (Table 16-3). Open-chain knee extension through the full ROM continued to be performed three times a week following closed-chain functional progression drills per home exercise program established by the PT and the PTA.

OUTCOMES

As part of the formal exercise program that the PT and the PTA established the athlete was now ready for more strenuous unilateral support and non-support activities to stress valgus loading. Multiplane unilateral non-support drills consisted of diagonal hopping (Table 16-7). Inside kicking, passing, and shooting were instituted at this point. Agility drills consisting of the figure eight and cutting progression were instituted (Table 16-8). As she completed the lateral power hop sequence, the athlete was allowed to return to competition 30 days following injury per the PT.

SUMMARY: AN EFFECTIVE PT–PTA TEAM

This case study demonstrates components of an effective working relationship of the PT and the PTA. The communication that was performed was effective and created efficient treatment of the patient. The PTA communicated needs of clarification of treatment expectations. Also, the PTA communicated possible discharge of the patient and then the PT made the decision on discharge on the basis of the information provided by the PTA. The PT and the PTA collaborated on developing the home exercise program. Collaboration of the home exercise program demonstrates the mutual respect of the PT and the PTA.

SUMMARY

- Reactive neuromuscular training is a program designed to restore balance, proprioception, dynamic stability, and enhance cognitive appreciation of the joints position and movement of the point after injury.
- Reactive neuromuscular training entails the shifting of the patient's center of gravity by pulling the upper body in a given direction over the fixed lower extremity. The patient is required to generate lower-extremity isometric contractions to offset this weight shift and, thereby, maintain stability of the lower extremity. These oscillating techniques of isometric stabilization to offset the shift in the center of gravity aid in the integration of visual, mechanoreceptors, and equilibrium reaction.
- The reactive neuromuscular-training program can be progressed from slow to fast activities, from low-force to high-force activities, and from controlled to uncontrolled activities. In addition, the shift on the center of gravity can occur in a single plane or in multiple planes.

References

1. Anderson MA, Foreman TL. Return to competition: functional progression. In: Zachezewski JE, Magee DJ, Quillen WS, eds. *Athletic injuries and rehabilitation*. Philadelphia, PA: Saunders; 1996: 229–261.
2. Sandler-Goldstein T. *Functional rehabilitation in orthopaedics*. Austin TX: Pro-Ed; 2005.
3. Tippett SR. Closed chain exercise. *Orthop Phys Ther Clin North Am*. 1992;1:253–268.
4. Bandy WD. Functional rehabilitation of the athlete. *Orthop Phys Ther Clin North Am*. 1992;1:269–282.
5. Rivera JE. Open versus closed chain rehabilitation of the lower extremity: a functional and biomechanical analysis. *J Sport Rehab*. 1994;3:154–167.
6. Swanik CB, Lephart SM, Giannantonio FP, et al. Reestablishing proprioception and neuromuscular control in the ACL-injured athlete. *J Sport Rehab*. 1997;6:182–206.
7. Voight ML, Cook G. Clinical application of closed kinetic chain exercise. *J Sport Rehab*. 1996;5:25–44.
8. Voight ML, Cook G. Lower extremity closed chain progression using reactive neuromuscular training. *J Orthop Sports Phys Ther*. 1997;25:69.
9. Cook G, Burton L, Fields K. Reactive neuromuscular training for the anterior cruciate ligament-deficient knee: A case report. *J Athl Train*. 1999;34:194–201.
10. Hewett TE, Paterno MV, Myer GD. Strategies for enhancing proprioception and neuromuscular control of the knee. *Clin Orthop Rel Res*. 2002;402:76–94.
11. American Physical Therapy Association. Guide to Physical Therapist Practice, 2nd ed. Alexandria, VA. 2003.

PRACTICE TEST QUESTIONS

1. What is the main goal of a reactive neuromuscular-training program?

   A) Stretching and strengthening
   B) Coordination and power
   C) Functional stability and motor control
   D) All the above

2. How is lower-extremity stability developed in reactive neuromuscular training?

   A) With weight bearing only
   B) With isometric cocontractions
   C) With activation of Golgi tendon organs
   D) With widening the base of support during weight bearing

3. Which of the following statements represent(s) the correct progression of reactive neuromuscular-training activities?

   A) Fast to slow speed activities
   B) High- to low-force activities
   C) Uncontrolled to controlled activities
   D) None of the above

4. The PTA is working with the patient on single-leg stance activities on his affected lower extremity. The patient is having difficulty with maintaining static, single-leg standing on a 4-inch bolster as demonstrated by the patient losing his balance and having to step off the bolster to prevent falling. What should the PTA do?

   A) Keep working on this activity until the patient can maintain static single-leg standing
   B) Change the surface from the bolster to the multi direction wobble board
   C) Change the surface to half round bolster with the flat side down
   D) Keep working on this activity but allow bilateral standing

5. The PTA is working with the patient who needs to work on static stability and prevention of weight shift to the medial side. The patient is standing on the affected right lower extremity. The resistance bands are held in both hands with

   A) the arms on the left and resistance pulling patient toward the left.
   B) the arms on the right and resistance pulling patient toward the right.
   C) the arms in front and the resistance pulling patient toward the front.
   D) the arms in front and the resistance pulling the patient toward the back.

6. The patient is adding a resisted PNF chop and lift to the single-leg stance activity to work on stability of the center of gravity over her fixed, affected lower extremity. The PTA knows that this exercise is done correctly when

   A) the patient needs to step down with her non-affected extremity.
   B) the patient is able to maintain single-limb stance through the entire lift and chop.
   C) the patient needs to step down with her non-affected extremity for the chop but not the lift.
   D) the patient is able to maintain single-limb stance for the lift but not the chop.

7. The elderly patient is recovering from a total hip replacement surgery. The patient is having difficulty controlling descent into a chair. Recalling that the patient still has hip flexion precautions, the PTA will choose which of the following activities?

   A) The arms in front and the resistance pulling the patient toward the back with single-limb stance on the affected side
   B) Single-limb stance on the affected side and patient performing a PNF chop and lift pattern with the resistance applied from the affected side

   C) Mini squats to height of a built up chair with bilateral stance and resistance at the patient's waist from the anterior direction
   D) Mini lunges from right leg to left leg with the resistance at the patient's waist from the posterior direction

8. Which of the following descriptions represents an ascending level of difficulty?

   A) Single-limb static standing to resisted bounding to multiplanar bilateral static standing
   B) Multiplanar bilateral standing to multiplanar unilateral standing to resisted squatting
   C) Resisted squatting to resisted walking to resisted lunges
   D) Resisted bounding to resisted lunges to resisted squatting

9. The patient is a soccer player recovering from a medial collateral ligament sprain. Reactive neuromuscular training is

   A) contra-indicated for this patient.
   B) appropriate only during the patient's off-season.
   C) safe during the initial acute phase of recovery.
   D) safe once the patient has functional strength, ROM and coordination.

10. Which of the following activities best represents one which can be described as high-force and uncontrolled reactive neuromuscular-training activities?

    A) Running and skipping without resistance
    B) Full squat with yellow (light) therapy tubing resistance
    C) Mini squat with blue (medium) therapy tubing resistance
    D) Running and bounding with yellow (light) therapy tubing resistance

ANSWER KEY

1.	C	4.	C	7.	C	9.	D
2.	B	5.	A	8.	B	10.	D
3.	C	6.	B				

Cardiopulmonary Applications

Principles of Aerobic Conditioning and Cardiac Rehabilitation

Dennis O'Connell, PT, PhD, FACSM
Janet Bezner, PT, PhD

Objectives

Upon completion of this chapter, the reader will be able to:

- Discuss the role of aerobic exercise and conditioning.
- Describe basic physiology of aerobic exercise.
- Discuss the evaluation procedures for exercise tolerance.
- Describe the components of exercise prescription.
- Discuss the breadth, scope, and purpose of cardiac rehabilitation.
- Describe the continuum of cardiac rehabilitation, including exercise programming and patient progression through cardiac rehabilitation.

PRINCIPLES OF AEROBIC CONDITIONING

The positive influence of exercise on general health and well-being has been hypothesized and studied with great interest by most of the world. Throughout Western history, dating back to and probably starting with Hippocrates (the father of preventative medicine), exercise has been recommended to improve health and physical function and to increase longevity.[1,2] Conversely, the notion that sedentary individuals tend to contract illness more readily than those who are active has been observed and documented since at least the 16th century.[2] In the 19th and 20th centuries these ideas led to the creation of physical education curricula; the study of exercise physiology as a science; and maturation of the literature regarding

exercise, including clarification of the many terms used to describe movement of the body.[2]

Caspersen et al[3] defined physical activity as any bodily movement produced by skeletal muscles that results in energy expenditure. Exercise is a type of physical activity that is planned, structured, repetitive, and purposely aimed at improving physical fitness. Physical fitness is a set of attributes that people have or achieve and includes components of health-related (cardiorespiratory endurance, body composition, muscular endurance, muscular strength, flexibility) and athletic-related skills.[3] Being physically fit, therefore, enables an individual to perform daily tasks without undue fatigue and with sufficient energy to enjoy leisure-time activities and to respond in an emergency situation, if one arises. A primary activity used to achieve physical fitness is cardiorespiratory endurance training, whereby one performs repetitive movements of

TABLE 13-1	Met Levels and Activities	
INTENSITY	**MET LEVEL**	**ACTIVITY**
Very Light Activity	1 MET	Resting, eating, writing
	2 METs	Very light calisthenics, easy driving (not stressful), light housework, functional walking (1–2.5 mph)
Light Activity	3 METS	Self – care – bathing, dressing
	4 METs	Gardening, ballroom dancing, golf, walking on level ground (4 mph)
Moderate Activity	5–6 METs	Shoveling snow, digging in garden, leisurely tennis, slow downhill skiing, walking on level ground (5 mph)
Heavy Activity	7–8 METs	Swimming, bicycling, cross country skiing, running, walking on level ground (5–6 mph)
Very Heavy Activity	9–10+ METs	Faster swimming, downhill skiing fast, walking uphill

large muscle groups fueled by an adequate response from the circulatory and respiratory systems to sustain physical activity and eliminate fatigue.[2] Cardiorespiratory endurance training is the ability of the whole body to sustain prolonged exercise.[4]

Another term for cardiorespiratory endurance training is aerobic training, indicating the role of oxygen in the performance of these types of activities. The highest rate of oxygen that the body can consume during maximal exercise is termed aerobic capacity.[4] Maximal oxygen uptake ($\dot{V}O_{2max}$) is considered the best measurement of aerobic capacity and, therefore, cardiorespiratory endurance and fitness.[4] Maximal or submaximal oxygen uptake when divided by 3.5 is expressed as a metabolic equivalent (MET). This shorthand version of exercise intensity is easy to use and explain to clients or patients (Table 13-1).

The literature contains convincing evidence that the regular performance of cardiorespiratory endurance activities reduces the risk of coronary heart disease and is associated with lower mortality rates in both older and younger adults.[2,5,6] Despite this evidence, recent surveys of exercise trends in the United States illustrate that approximately 15% of U.S. adults perform vigorous physical activity (three times per week for at least 20 minutes) during leisure time, 22% partake in sustained physical activity (five times per week for at least 30 minutes) of any intensity during leisure time, and 25% of adults perform no physical activity in leisure time.[2] Adolescents and young adults (ages 12 to 21) are similarly inactive and approximately 50% regularly participate in vigorous physical activity.[2]

Owing to the widespread prevalence of physical inactivity among the U.S. population, the U.S. Department of Health and Human Services (USDHHS) and U.S. Public Health Service created goals for exercise participation in the *Physical Activity Guidelines*[7] and *Healthy People 2010*[8] documents, respectively, aimed at improving the qual-

ity of and increasing the years of healthy life. The USD-HHS adult physical activity goals are time based and include 150 minutes per week of moderate activity or 75 minutes per week of vigorous activity or any combination thereof.[7] In addition, the American College of Sports Medicine (ACSM) and the American Heart Association (AHA) recommend that all healthy adults (18-65 years of age) should accumulate 30 minutes or more of moderate-intensity physical activity on five, and preferably all, days of the week.[2,9] Toward that end, clinicians have an opportunity to contribute to the overall well-being of the patients and clients served by prescribing meaningful exercise programs based on the most contemporary scientific evidence. The physical therapist assistant (PTA) can be instrumental in encouraging increased activity for their patients. It is also important to understand the role of cardiovascular fitness in overall health and well-being for the best outcomes of therapeutic exercise programs. The scientific basis of aerobic training is presented in this chapter, along with guidelines for prescribing and supervising aerobic exercise.

● SCIENTIFIC BASIS

Energy Sources Used During Aerobic Exercise

The performance of aerobic exercise requires readily available energy sources at the cellular level. Ingested food (composed of carbohydrate, fat, and protein) is converted to and stored in the cell as adenosine triphosphate (ATP), the body's basic energy source for cellular metabolism and the performance of muscular activity. Each energy source has a unique route, whereby ingested food is converted to ATP. ATP is produced by three methods, or metabolic pathways.[4] To base an exercise prescription on sound

scientific principles, understanding and differentiation of the fuel sources and metabolic pathways are paramount.

Fuel Sources

Carbohydrates (including sugars, starches, and fibers) are the preferred energy source for the body and are the only fuel capable of being used by the central nervous system (CNS). In addition, carbohydrate is the only fuel that can be used during anaerobic metabolism. Carbohydrates are converted to glucose and stored in muscle cells and the liver as glycogen; 1,200 to 2,000 kcal of energy can be stored in the body. Each gram of carbohydrate ingested produces approximately 4 kcal of energy.[4]

Fat can also be used as an energy source and forms the body's largest store of potential energy; the reserve is about 70,000 kcal in a lean adult.[4] Fat is generally stored as triglycerides. Before triglycerides can be used for energy, they must be broken down into free fatty acids (FFAs) and glycerol; FFAs are used to form ATP by aerobic oxidation. The process of triglyceride reduction (lipolysis) requires significant amounts of oxygen; thus, carbohydrate fuel sources are more efficient than fat fuel sources[10] and are preferred during high-intensity exercise. Each gram of fat produces 9 kcal of energy.

Protein is used as an energy source in cases of starvation or extreme energy depletion and provides 5% to 12% of the total energy needed to perform endurance exercise. It is not a preferred energy source under normal conditions.[4] Each gram of protein produces approximately 4 kcal of energy.

Metabolic Pathways

ATP–Phosphocreatine System

The first pathway for production of ATP is anaerobic, meaning that it does not require oxygen to function (although the pathway can occur in the presence of oxygen). This pathway is called the ATP–phosphocreatine (PCr, or creatine phosphate) system.[4] Phosphocreatine is a high-energy compound, like ATP, that replenishes ATP in a working muscle, extending the time to fatigue by 12 to 20 seconds.[10] Thus, energy released as a result of the breakdown of PCr is not used for cellular metabolism but to prevent the ATP level from falling. One molecule of ATP is produced per molecule of PCr. This simple energy system can produce 3 to 15 seconds of maximal muscular work[4] and requires an adequate recovery time, generally three times longer than the duration of the activity.

Glycolytic System

The production of ATP during longer bouts of activity requires the breakdown of food energy sources. In the glycolytic system, or during anaerobic glycolysis, ATP is produced through the breakdown of glucose obtained from the ingestion of carbohydrates or from the breakdown of glycogen stored in the liver. Anaerobic glycolysis, which also occurs without the presence of oxygen, is much more complex than the ATP–PCr pathway, requiring numerous enzymatic reactions to break down glucose and produce energy. The end product of glycolysis is pyruvic acid, which is converted to lactic acid in the absence of oxygen. The net energy production from each molecule of glucose used is two molecules of ATP, and each molecule of glycogen yields three molecules of ATP.

Although the energy yield from the glycolytic system is small, the combined energy production of the ATP–PCr and glycolytic pathways enables muscles to contract without a continuous oxygen supply, thus providing an energy source for the first part of high-intensity exercise until the respiratory and circulatory systems catch up to the sudden increased demands placed on them. Furthermore, the glycolytic system can provide energy for only a limited time because the end product of the pathway, lactic acid, accumulates in the muscles and inhibits further glycogen breakdown, eventually impeding muscle contraction.[4]

Oxidative System

The production of ATP from the breakdown of fuel sources in the presence of oxygen is termed aerobic oxidation, or cellular respiration. This process occurs in the mitochondria, which are the cellular organelles conveniently located next to myofibrils, the contractile elements of individual muscle fibers. The oxidative production of ATP involves several complex processes, including aerobic glycolysis, the Krebs cycle, and the electron transport chain.[4]

Carbohydrate, or glycogen, is broken down in aerobic glycolysis in a similar manner as the breakdown of carbohydrate in anaerobic glycolysis. But in the presence of oxygen, pyruvic acid is converted to acetyl coenzyme A, which can then enter the Krebs cycle, producing two molecules of ATP. The end result of the Krebs cycle is the production of carbon dioxide and hydrogen ions, which enter the electron transport chain, undergo a series of reactions, and produce ATP and water. The net ATP production from aerobic oxidation is 39 molecules of ATP from one molecule of glycogen, or 38 molecules of ATP from one molecule of glucose.[4]

Therefore, the presence of oxygen enables significantly more energy to be produced and results in the ability to perform longer periods of work without muscle contraction being impeded from the buildup of lactic acid. Figure 13-1 summarizes and compares the energy-production capabilities of the three metabolic pathways.[11]

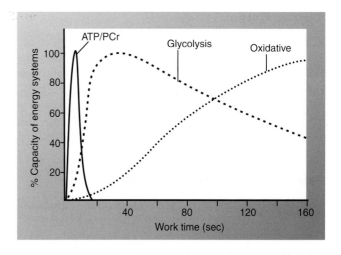

FIGURE 13-1 ● **ENERGY PRODUCTION CAPABILITIES OF THE THREE METABOLIC PATHWAYS.**

This figure depicts the actions and interactions of the ATP–phosphocreatine, glycolytic, and oxidative metabolic pathways. High-intensity, brief-duration exercise is fueled by the ATP–phosphocreatine pathway, whereas high-intensity, short duration exercise relies on the glycolytic pathway, both of which are anaerobic. The aerobic oxidative pathway provides energy for muscular contraction during prolonged exercise of low to moderate intensity.

Selection of Metabolic Pathway and Fuel Source During Exercise

High-intensity, brief-duration exercise (efforts of <15 seconds) generally relies on stored ATP in the muscle for energy and employs the ATP–PCr pathway. High-intensity, short-duration exercise (efforts of 1 to 2 minutes) relies on the anaerobic pathways, including the ATP–PCr and glycolysis systems for the provision of ATP. Both of these types of exercise use carbohydrate or glucose as a fuel source.[4]

Submaximal exercise efforts use carbohydrate, fat, and protein for energy. Low-intensity exercise (<50% of maximal oxygen consumption) performed for long durations uses both FFA and carbohydrate fuel sources within the aerobic oxidative pathway to produce ATP.[12] In the presence of an abundant supply of oxygen, as exercise duration increases or intensity decreases, the body uses more FFAs than carbohydrates for ATP production. During work loads of moderate to heavy intensity (>50% of maximal oxygen consumption), carbohydrates are used more than FFAs for ATP production. As the workload approaches maximal exercise capacity, the proportion of FFA oxidation decreases and that of carbohydrate oxidation increases. Above maximal levels, exercise is anaerobic and can be performed for only a short time.[12] As noted, protein participates as an energy source only in extremely deficient situations (starvation) and minimally during endurance exercise.[4]

To summarize, carbohydrate is the preferred fuel source for supplying the body with energy in the form of ATP during exercise. Exercise can occur anaerobically, via the ATP–PCr or anaerobic glycolysis pathways, or aerobically via the aerobic oxidative pathway. The oxidative pathway has the greatest ATP yield and enables exercise to continue for prolonged periods without the fatigue caused by lactic acid buildup. To support the aerobic needs of prolonged exercise, numerous changes occur in the cardiovascular and respiratory systems, which are discussed next.

Normal Responses to Acute Aerobic Exercise

Numerous cardiovascular and respiratory mechanisms aimed at delivering oxygen to the tissues contribute to the ability to sustain exercise aerobically. To examine an individual's response to exercise, it is important to understand the normal physiologic changes that occur as a result of physical activity. The following sections outline the changes expected during aerobic exercise and are considered normal responses.[4,11]

Heart Rate

Heart rate (HR) is measured in beats per minute (bpm). A linear relationship exists between HR and the intensity of exercise, indicating that as workload or intensity increases, HR increases proportionally. The magnitude of increase in HR is influenced by many factors, including age, fitness level, type of activity being performed, presence of disease, medications, blood volume, and environmental factors (e.g., temperature and humidity).[4]

Stroke Volume

The volume, or amount, of blood (measured in milliliters) ejected from the left ventricle per heart beat is termed the stroke volume (SV). In sedentary clients, as workload increases, SV increases linearly up to approximately 50% of aerobic capacity, after which it increases only slightly. Factors that influence the magnitude of change in SV include ventricular function, body position, and exercise intensity.[4]

Cardiac Output

The product of HR and SV is cardiac output ($\dot{Q}$), or the amount of blood (measured in liters) ejected from the left ventricle per minute. Cardiac output increases linearly with workload owing to the increases in HR and SV in response to increasing exercise intensity. Changes in $\dot{Q}$ depend on age, posture, body size, presence of disease, and level of physical conditioning.[4]

Arterial–Venous Oxygen Difference

The amount of oxygen extracted by the tissues from the blood represents the difference between arterial blood oxygen content and venous blood oxygen content and is referred to as the arterial–venous oxygen difference (a–vO_2; measured in milliliters per deciliter). As exercise intensity increases, a–vO_2 increases linearly, indicating that the tissues are extracting more oxygen from the blood, creating a decreasing venous oxygen content as exercise progresses.[4]

Blood Flow

The distribution of blood flow (measured in milliliters) to the body changes dramatically during acute exercise. At rest, 15% to 20% of the cardiac output goes to muscle but during exercise 80% to 85% is distributed to working muscle and shunted away from the viscera. During heavy exercise, or when the body starts to overheat, increased blood flow is delivered to the skin to conduct heat away from the body's core, leaving less blood for working muscles.[4]

Blood Pressure

The two components of blood pressure (BP)—systolic (SBP) and diastolic (DBP) (measured in millimeters of mercury)—respond differently during acute bouts of exercise. To facilitate blood and oxygen delivery to the tissues, SBP increases linearly with workload. Because DBP represents the pressure in the arteries when the heart is at rest, it changes little during aerobic exercise, regardless of intensity. A change in DBP from a resting value of <15 mm Hg is considered a normal response. Both SBP and DBP are higher during upper-extremity aerobic activity than during lower-extremity aerobic activity.[4]

Pulmonary Ventilation

The respiratory system responds to exercise by increasing the rate and depth of breathing to increase the amount of air exchanged (measured in liters) per minute. An immediate increase in rate and depth occurs in response to exercise and is thought to be facilitated by the nervous system and initiated by movement of the body. A second, more gradual, increase occurs in response to temperature and blood chemical changes as a result of the increased oxygen use by the tissues. Thus, both tidal volume (the amount of air moved in and out of the lungs during regular breathing) and respiratory rate increase in proportion to the intensity of exercise.[4]

Abnormal Responses to Aerobic Exercise

Individuals with suspected cardiovascular disease (CVD), or any other type of disease that may produce an abnormal response to exercise, should be appropriately screened and tested by a physician before the initiation of an exercise program (discussed in greater detail later in this chapter). Abnormal responses may also occur in individuals without known or documented disease. Routine monitoring of exercise response is important and can be used to evaluate the appropriateness of the exercise prescription and as an indication that further diagnostic testing is indicated. In general, responses that are inconsistent with the normal responses described previously are considered abnormal. Of the parameters described, HR and BP are most commonly examined during exercise. Examples of abnormal responses to aerobic exercise are the failure of the HR to rise in proportion to exercise intensity, the failure of the SBP to rise during exercise, a decrease in the SBP of 10 mm Hg during exercise, and an increase in the DBP of >115 mm Hg during exercise.[11] The PTA should be able to recognize other signs and symptoms of exercise intolerance, which are presented in Table 13-2.

Knowledge of the normal and abnormal physiologic and symptom responses to exercise will enable the PTA to prescribe and monitor exercise safely and confidently and to minimize the occurrence of untoward events during

---

TABLE 13-2 **Signs and Symptoms of Exercise Intolerance**

Angina: chest, left arm, jaw, back, or lower neck pain or pressure

Unusual or severe shortness of breath

Abnormal diaphoresis

Pallor, cyanosis, cold and clammy skin

Central nervous system symptoms: vertigo, ataxia, gait problems, or confusion

Leg cramps or intermittent claudication

Physical or verbal manifestations of severe fatigue or shortness of breath

---

Reprinted with permission from American College of Sports Medicine. *Resource manual for guidelines for exercise testing and prescription.* 3rd ed. Baltimore, MD: Williams & Wilkins; 1998.

exercise. Regular exposure to aerobic exercise results in changes to the cardiovascular and respiratory systems that can also be examined by monitoring basic physiologic variables during exercise.

Cardiovascular and Respiratory Adaptations to Aerobic Conditioning

The documented benefits of aerobic exercise are a result of the adaptations that occur in the oxygen-delivery system with the habitual performance of regular activity. These adaptations, considered chronic changes, enable more efficient performance of exercise and affect cardiorespiratory endurance and fitness level.

Cardiovascular Adaptations

Factors involving the heart that adapt in response to a regular exercise stimulus include heart size, HR, SV, and $\dot{Q}$. The weight and volume of the heart and the thickness and chamber size of the left ventricle increase with training. As a result, the heart pumps out more blood per beat (SV) and the force of each contraction are stronger. With training, the left ventricle is more completely filled during diastole, increasing SV (at rest as well as during submaximal and maximal exercise) and plasma blood volume.

Changes in the HR include a decreased resting rate and a decreased rate at submaximal exercise levels, indicating that the individual can perform the same amount of work with less effort after training. Maximal HR typically does not change as a result of training. The amount of time it takes for the HR to return to resting after exercise decreases as a result of training and is a useful indicator of progress toward better fitness. Since $\dot{Q}$ is the product of HR and SV ($\dot{Q} = HR \times SV$), no change occurs at rest or during submaximal exercise because HR decreases and SV increases. However, because of the increase in maximum SV, maximum $\dot{Q}$ increases considerably.[4,11]

Adaptations also occur to the vascular system, including blood volume, BP, and blood flow changes. Aerobic training increases overall blood volume, primarily because of an increase in plasma volume. The increase in blood plasma results from an increased release of hormones (antidiuretic and aldosterone) that promote water retention by the kidneys and an increase in the amount of plasma proteins (namely albumin). A small increase in the number of red blood cells may also contribute to the increase in blood volume. The net effect of greater blood volume is the delivery of more oxygen to the tissues.

Resting BP changes seen with training are most noteworthy in hypertensive or borderline hypertensive patients, in whom aerobic training can decrease both SBP and DBP by 12 mm Hg. During the performance of submaximal and maximal exercise, little change, if any, occurs in BP as a result of training. Several adaptations are responsible for the increase in blood flow to muscle in a trained individual, including greater capillarization in the trained muscles, greater opening of existing capillaries in trained muscles, and more efficient distribution of blood flow to active muscles.[4,11]

Respiratory Adaptations

The capacity of the respiratory system to deliver oxygen to the body typically surpasses the ability of the body to use oxygen; thus, the respiratory component of performance is not a limiting factor in the development of endurance. Nevertheless, adaptations in the respiratory system do occur in response to aerobic training. The amount of air in the lungs, represented by lung volume measures, is unchanged at rest and during submaximal exercise in trained individuals. However, tidal volume, the amount of air breathed in and out during normal respiration, increases during maximal exercise. Respiratory rate (RR) is lower at rest and during submaximal exercise and increases at maximal levels of exercise. The combined increase in tidal volume and RR during maximal exercise of trained individuals produces a substantial increase in pulmonary ventilation, or the movement of air into and out of the lungs.[4,11]

Pulmonary ventilation at rest is either unchanged or slightly reduced, and during submaximal exercise it is slightly reduced after training. The process of gas exchange in the alveoli, or pulmonary diffusion, is unchanged at rest and at submaximal exercise levels but increases during maximal exercise owing to the increased blood flow to the lungs and the increased ventilation, as noted. These two factors create a situation that enables more alveoli to participate in gas exchange and more oxygen perfuses into the arterial system during maximal exercise. Finally, a–vO$_2$ increases at maximal exercise in response to training as a result of increased oxygen distraction by the tissues and greater blood flow to the tissues, owing to more effective blood distribution.[4,11]

Aerobic Capacity Adaptations

The net effect of these cardiovascular and respiratory adaptations on aerobic capacity is an increase in $\dot{V}O_{2max}$ as a result of endurance training. When $\dot{V}O_2$ is measured in liters/min^{-1}, it is termed absolute $\dot{V}O_{2max}$; when it is in mL/kg/min, it is relative $\dot{V}O_{2max}$ because it is relative to body weight. A typical training program performed at 75% of $\dot{V}O_{2max}$ (described in a later section) three times per week at 30 minutes per session over the course of 6 months can improve $\dot{V}O_{2max}$ by 15% to 20% in a previously sedentary individual. Resting $\dot{V}O_{2max}$ is either unchanged or slightly increased after training, and submaximal $\dot{V}O_2$ is either unchanged or slightly reduced, representing more efficiency.[4]

Psychologic Benefits of Training

In addition to a myriad of cardiovascular, respiratory, and metabolic improvements that occur after aerobic training, psychologic benefits have been documented, although these effects are less well understood. An overall assessment of the literature indicates that depression, mood, anxiety, psychologic well-being, and perceptions of physical function and well-being improve in response to the performance of physical activity.[2,10] The finding that exercise can decrease symptoms of depression and anxiety is consistent with the fact that individuals who are inactive are more likely to have depressive symptoms than are active individuals. Improvements in depression and mood have been found in populations with and without clinically diagnosed psychologic impairment and in those with good psychologic health, although the literature is less conclusive in this specific area.

A number of factors have been postulated to explain the beneficial effects of aerobic training on psychologic function, including changes in neurotransmitter concentrations, body temperature, hormones, cardiorespiratory function, and metabolic processes as well as improvement in psychosocial factors such as social support, self-efficacy, and stress relief. Further research is needed to verify the potential contribution of changes in these factors to improvement in psychologic function.[2]

Despite the inability to explain why psychologic parameters improve in response to training, the effect on overall quality of life is positive.[13,14] This improvement in quality of life has been demonstrated in individuals with and without disease,[15-18] including patients with coronary heart disease who are obese[19] and elderly,[20] patients with chronic heart failure,[21] patients with low back injury,[22] and patients with multiple sclerosis,[23] and cancer.[24]

Health-Related and Skill-Related Benefits of Exercise

The observed improvement in quality of life in individuals who participate in regular exercise is achieved from quantities of exercise considered to produce health-related (vs skill-related) benefits. Regular exercise and/or physical activity results in significant changes in physical fitness level, as measured by cardiorespiratory endurance and body composition changes. Specific recommendations for skill-related changes usually include activities focusing on improving agility, coordination, balance, power, reaction time, and speed. Benefits from skill-related fitness can be accrued by physical therapy patients and athletes over a wide age range. Health-related benefits can be achieved through the performance of moderate-intensity, intermittent activity with a focus on the accumulated amount of activity performed.[9] Documented health-related benefits from the performance of regular exercise are presented in Table 13-3.[9,11]

TABLE 13-3 Health-related Benefits from Performance of Regular Exercise
Decreased fatigue
Improved performance in work- and sports-related activities
Improved blood lipid profile
Enhanced immune function
Improved glucose tolerance and insulin sensitivity
Improved body composition
Enhanced sense of well-being
Decreased risk of coronary artery disease, cancer of the colon and breast, hypertension, type 2 diabetes mellitus, osteoporosis, anxiety, and depression

From Pate RR, Pratt M, Blair SN, et al. Physical activity and public health. *JAMA*. 1995;273:402–407 and American College of Sports Medicine. *Resource manual for guidelines for exercise testing and prescription*. 3rd ed. Baltimore: Williams & Wilkins; 1998.

Although improvement in skill-related fitness level is a worthwhile goal and may result in health-related benefits, exercise to achieve health-related benefits appears to be most important for the average American, is easier for most people to incorporate into their lifestyle and thus provides a valuable exercise option.[25-28] The specific parameters necessary to achieve health-related benefits of aerobic exercise are presented later in this chapter.

● CLINICAL GUIDELINES

Screening and Supervision of Exercise

Screening

Most individuals, particularly young, healthy clients, can begin a light to moderate exercise program without a medical examination or further testing. However, it is prudent to recommend that before the initiation of an exercise program, all individuals be screened to ensure safety, minimize risks, maximize benefits, and optimize adherence.[11] Preparticipation screening can be self-guided or professionally guided and should include an examination of readiness to participate in exercise, health history (including coronary artery disease [CAD] risk factors), and health behaviors.[25] The ACSM[25] has created an algorithm to delineate who should be medically examined before participation in vigorous exercise (defined as intensity of more than 60% $\dot{V}O_{2max}$).

The ACSM[25] recommends that informed individuals complete the Physical Activity Readiness Questionnaire (PAR-Q)[10,25,29] (Fig. 13-2) and/or the AHA/ACSM Health/

Physical Activity Readiness
Questionnaire - PAR-Q
revised 1994

PAR-Q & YOU

(A Questionnaire for People Aged 15 to 69)

 Regular physical activity is fun and healthy, and increasingly more people are starting to become more active every day. Being more active is very safe for most people. However, some people should check with their doctor before they start becoming much more physically active.

If you are planning to become much more physically active that you are now, start by answering the seven questions in the box below. If you are between the ages of 15 and 69, the PAR-Q will tell you if you should check with your doctor before you start. If you are over 69 years of age, and you are not used to being very active, check with your doctor.

Common sense is your best guide when you answer these questions. Please read the questions carefully and answer each one honestly.

YES   NO

_____ _____ 1. Has your doctor ever said that you have a heart condition <u>and</u> that you should only do physical activity recommended by a doctor?

_____ _____ 2. Do you feel pain in your chest when you do physical activity?

_____ _____ 3. In the past month, have you had chest pain when you were not doing physical activity?

_____ _____ 4. Do you lose your balance because of dizziness or do you ever lose consciousness?

_____ _____ 5. Do you have a bone or joint problem that could be made worse by a change in your physical activity?

_____ _____ 6. Is your doctor currently prescribing drugs (for example, water pills) for blood pressure or heart condition?

_____ _____ 7. Do you know of *any other reason* why you should not do physical activity?

2 If you answered YES to any questions:

Talk to your doctor by phone or in person BEFORE you start becoming much more physicaly active or BEFORE you have a fitness appraisal. Tell your doctor about the PAR-Q and which questions you answered YES.

- You may be able to do any activity you want—as long as you start slowly and build up gradually. Or, you may need to restrict your activities to those which are safe for you. Talk with your doctor about the kinds of activities you wish to participate in and follow his/her advice.

- Find our which community programs are safe and helpful to you.

If you answered NO to all questions:

If you answered NO honestly to all PAR-Q questions, you can be reasonably sure that you can:

- start becoming much more physically active—begin slowly and build up gradually. This is the safest and easiest way to go.

- take part in a fitness appraisal—this is an excellent way to determine your basic fitness so that you can plan the best way for you to live actively.

Delay becoming much more active:

- if you are not feeling well because of temporary illness such as a cold or a fever—wait until your feel better; or

- if you are or may be pregnant—talk to your doctor before you start becoming more active.

3 Please note:

1. If your health changes so that you then answer YES to any of the above questions, tell your fitness or health professional. Ask whether you should change your physical activity plans.

2. Informed Use of the PAR-Q: The Canadian Society for Exercise Physiology, Health Canada, and their agents assume no liability for persons who undertake physical activity, and if in doubt after completing this questionnaire, consult your doctor prior to physical activity.

3. If the PAR-Q is being given to a person before he or she participates in a physical activity program or fitness appraisal, this section may be used for legal or administrative purposes.

I have read, understood and completed this questionnaire. Any questions I had were answered to my full satisfaction

Name _____

Signature _____   Date _____

Signature of Parent _____   Witness _____

or Guardian (for participants under the age of majority)

You are encouraged to copy the PAR-Q but only if you use the entire form.

©Canadian Society for Exercise Physiology   *Supported by HealthCanada*
Sociéte Canadienne de Physiologie de L'exercise   *Sante Canada*

FIGURE 13-2 ● THE PHYSICAL ACTIVITY READINESS QUESTIONNAIRE.

The Physical Activity Readiness Questionnaire (PAR-Q) can be used to screen individuals 15 to 69 years old prior to participation in a moderate intensity exercise program.

It was developed to identify those individuals for whom physical activity might be contraindicated or who need further medical evaluation prior to participation in exercise.

TABLE 13-4	**Definition of an Asymptomatic Individual**

No pain in the chest, neck, jaws, arms or other areas that suggest ischemia

No dyspnea (shortness of breath) at rest or with mild exertion

No dizziness or syncope (loss of consciousness)

No orthopnea (dyspnea at rest or while recumbent)

No ankle edema

No palpitations or tachycardia (unpleasant awareness of forceful or rapid beats)

No intermittent claudication (reproducible ischemic leg pain upon exertion)

No known heart murmur (due to faulty valve or other heart problem)

No unusual fatigue or shortness of breath with usual activities (secondary to cardiovascular, pulmonary, or metabolic disease)

Reprinted with permission from American College of Sports Medicine. *Guidelines for exercise testing and prescription.* 5th ed. Philadelphia, PA: Lippincott, Williams & Wilkins; 2006.

Fitness Facility Preparticipation Screening Questionnaire.[9] Clients who do not require further medical evaluation include asymptomatic (Table 13-4)[25] women under the age of 55 and men under the age of 45 who have fewer than two CAD risk factors. These coronary risk factors include male family history of CAD at <55 years, female family history of CAD at >65 years, current or recent smoker (quit in past 6 months), hypertension (≥140/≥90), dyslipidemia (low-density lipoprotein >130 mg/dL, high-density lipoprotein <40 mg/dL, total cholesterol >200 mg/dL), impaired fasting glucose (>100 mg/dL), obesity (body mass index [BMI] >30), and sedentary lifestyle.[25]

Asymptomatic, apparently healthy men and women who are at low risk for CAD may begin a moderate exercise training program (defined as intensity between 40% and 60% $\dot{V}O_{2max}$) and do not necessarily need a medical examination or require exercise supervision. Clients, who are at moderate or high risk of an untoward event during exercise, including those who answer yes to one of the seven questions on the PAR-Q, should seek direction from their physicians before beginning an exercise program.

The clinician should study the client's health history to identify known diseases and symptoms that might indicate the presence of disease and therefore require modification of the exercise prescription. Specific diseases and conditions that should be noted because of their association with CAD include cardiovascular and respiratory disease, diabetes, obesity, hypertension, and abnormal blood lipid levels.[11]

Also relevant from the client's history are the individual's health behaviors, typically included in the assessment of social habits.[25,30] Alcohol and drug use, cigarette smoking, diet content, current activity level, and eating disorders should be reviewed because these factors may affect exercise prescription. Other factors that may affect the exercise prescription are medications, personality/behavior, and pregnancy and breast-feeding status.[11]

Supervision

A thorough screening or medical examination is critical for determining which individuals may require supervision during exercise.[25] Apparently healthy individuals do not require supervision during the performance of aerobic exercise, but individuals with two or more risk factors for CAD or who have documented CAD should be supervised during exercise. Supervision is also recommended for clients with cardiorespiratory disease.[25]

Graded Exercise Testing

The development of an appropriate and useful exercise prescription for cardiorespiratory endurance depends on an accurate examination of $\dot{V}O_{2max}$, which is most commonly achieved through the performance of a graded exercise test (GXT). Exercise tests can be maximal, in which clients perform to their physiologic or symptom limit, or submaximal, in which an arbitrary stopping or limiting criterion is used.

Maximal Graded Exercise Tests

The most important characteristics of a maximal GXT are a variable or graded workload that increases gradually and a total test time of 8 to 12 minutes.[25] In addition, individuals undergoing maximal GXT testing are usually monitored with an electrocardiogram (ECG).

The direct measurement of $\dot{V}O_{2max}$ involves the analysis of expired gases, which requires special equipment and personnel and is costly and time consuming.[25] However, $\dot{V}O_2$ can be estimated from prediction equations after the client exercises to the point of volitional fatigue, or it can be estimated from submaximal tests. For most clinicians, maximal exercise testing is not feasible because of the special equipment required and the ECG monitoring, although it is the most accurate test of aerobic capacity. Furthermore, it is recommended that maximal GXT be reserved for research purposes, testing of patients with specific diseases, and evaluation of athletes.[11] Therefore, submaximal testing is most commonly used, especially for low-risk, apparently healthy individuals. Clinicians who wish to conduct maximal GXT are referred to resources provided by the ACSM.[11,25]

TABLE 13-5	**Assumptions for Using Submaximal Testing to Estimate $\dot{V}O_{2max}$**

Workloads used are reproducible

Heart rate (HR) is allowed to reach steady state at each stage of the test

Age-predicted maximum HR is predictable [206.9 − (0.67 × age)] ±3 beats·min⁻¹

A linear relationship exists between HR and oxygen uptake

Mechanical efficiency is the same for everyone ($\dot{V}O_2$ at a given work rate)

Data from American College of Sports Medicine. *Resource manual for guidelines for exercise testing and prescription.* 3rd ed. Baltimore: Williams & Wilkins; 1998; and American College of Sports Medicine. *Guidelines for exercise testing and prescription.* 8th ed. Philadelphia, PA: Lippincott Williams & Wilkins; 2010.

Submaximal Graded Exercise Tests

Submaximal exercise tests can be used to estimate $\dot{V}O_{2max}$ because of the linear relationship between HR and $\dot{V}O_2$ and between HR and workload.[11] That is, as workload or $\dot{V}O_2$ increases, HR increases in a linear, predictable fashion. Therefore, $\dot{V}O_{2max}$ can be estimated by plotting HR against workload for at least two exercise workloads and extrapolating to the age-predicted maximum HR [206 − (0.67 × age)].[25] The assumptions used for submaximal testing are presented in Table 13-5.

Failure to meet these assumptions fully, which is usually the case, results in errors in the predicted $\dot{V}O_{2max}$. Therefore, $\dot{V}O_{2max}$ measured by submaximal tests is less accurate than that measured by maximal tests. Submaximal tests are appropriately used to document change over time in response to aerobic training and, given the time and money saved, are clinically useful.

The ACSM[25] provides recommendations for physician supervision during GXT. For women under the age of 55 and men under the age of 45 with no risk factors or symptoms (as defined previously), physician supervision for maximal and submaximal testing is not deemed necessary. Older clients who have two or more risk factors but no symptoms or disease can undergo submaximal testing without physician supervision. Physician supervision during maximal testing is recommended for any individual with two or more risk factors of CAD. Finally, physician supervision is recommended for submaximal and maximal testing of clients with known cardiovascular, pulmonary, or metabolic disease. Therefore, physical therapists (PT) can safely perform submaximal testing of any aged client who is symptom or disease free (as defined by ACSM).[25]

Numerous testing protocols have been published and are available for submaximal exercise testing. Because of the requirement of reproducible workloads, treadmills, bicycle ergometers, and stepping protocols are most commonly used. Test selection should be based on safety concerns; staff familiarity with and knowledge of the testing protocol; equipment availability; and client goals, abilities, and conditions (such as orthopedic limitations).

Bicycle Ergometer

A common bicycle ergometer test is the Åstrand-Rhyming protocol.[25] This test involves a single 6-minute stage, and workload is based on gender and activity status:

Unconditioned females: 300 to 450 kg/min (50 to 75 W).

Conditioned females: 450 to 600 kg/min (75 to 120 W).

Unconditioned males: 300 to 600 kg/min (50 to 120 W).

Conditioned males: 600 to 900 kg/min (120 to 150 W).

Individuals pedal at 50 revolutions/min, and HR is measured during the fifth and sixth minutes. The two HR measures must be within five beats of each other, and the HR must be between 130 and 170 bpm for the test data to be useful. If the HR is <130 bpm, the resistance should be increased by 50 to 120 W and the test continued for another 6 minutes. The test may be terminated when the HR in the fifth and sixth minutes differs by no more than five beats and is between 125 and 170 bpm. The average of the two HRs obtained during the fifth and sixth minutes is calculated, and a nomogram is used to estimate $\dot{V}O_{2max}$.[25] The value determined from the nomogram is multiplied by a correction factor to account for the age of the client (Fig. 13-3; Table 13-6).

For example, an unconditioned 40-year-old woman performed the test at a resistance of 75 W (450 kg/min) and attained a HR in the fifth minute of 150 bpm and a HR in the sixth minute of 154 bpm. Thus, the average HR used in the nomogram (Fig. 13-3) is 152 bpm. To use the nomogram, place the left end of a straightedge along the line for women with a pulse rate of 152 bpm (left side of the figure). The right end of the straightedge is now lined up at the appropriate workload for this woman: 450 kg/min. The point at which the straightedge crosses the $\dot{V}O_{2max}$ line indicates the client's estimated $\dot{V}O_{2max}$: 2.0 L/min. The estimated $\dot{V}O_{2max}$ (2.0 L/min) is then corrected for age by multiplying by 0.83 (Table 13-5) to yield a $\dot{V}O_{2max}$ of 1.66 L/min for this client.

Treadmill

Submaximal treadmill tests are also used to estimate $\dot{V}O_{2max}$.[25] A single-stage submaximal treadmill test was developed for testing low-risk clients. The test involves

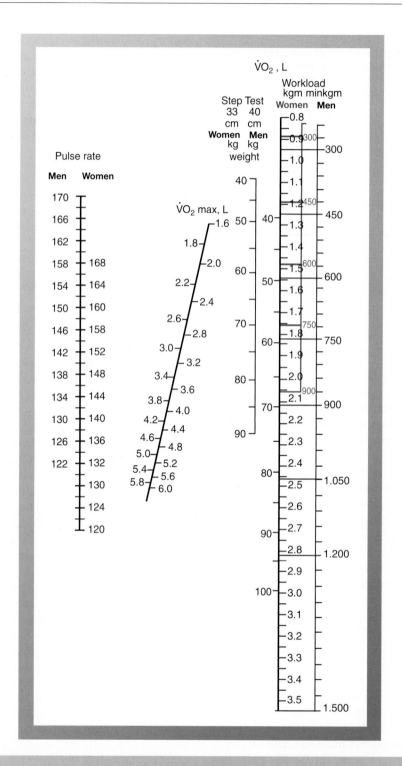

FIGURE 13-3 ● THE ÅSTRAND-RHYMING NOMOGRAM IS USED TO CALCULATE AEROBIC CAPACITY ($\dot{V}O_{2max}$) FROM PULSE RATE DURING SUBMAXIMAL WORK.

Knowledge of the pulse rate, sex, and work load of a client allows the clinician to determine absolute $\dot{V}O_{2max}$.

$\dot{V}O_{2max}$ values obtained from the nomogram should be adjusted for age by a correction factor (Table 13-5).

Reprinted with permission from American College of Sports Medicine. *Guidelines for exercise testing and prescription.* 5th ed. Philadelphia, PA: Lippincott Williams & Wilkins; 2006.

TABLE 13-6	**Correction Factor for Age for Åstrand-Rhyming Nomogram**
AGE	**CORRECTION FACTOR**
15	1.12
25	1.00
35	0.87
40	0.83
45	0.78
50	0.75
55	0.71
60	0.68
65	0.65

beginning with a comfortable walking pace between 2.0 and 4.5 miles per hour (mph) at 0% grade for a 2- to 4-minute warmup designed to increase the HR to within 50% to 75% of the age-predicted (220 − age) maximum HR, followed by 4 minutes at 5% grade at the same self-selected walking speed. HR is measured at the end of the 4-minute stage, and $\dot{V}O_{2max}$ is estimated using the following equation:

$$\dot{V}O_{2max} \text{ (mL/kg/min)} = 15.1 + (21.8 \times \text{speed [mph]})$$
$$\times (0.327 \times \text{HR [bpm]}) - (0.263 \times \text{speed} \times \text{age [years]})$$
$$+ (0.00504 \times \text{HR} \times \text{age}) + (5.98 \times \text{gender})$$

Gender is given a value of 0 for females and 1 for males.

Step

Step tests were developed to test large numbers of individuals expeditiously, and they represent another mode of submaximal exercise testing. Several protocols have been developed, but only one is presented here.[31] The Queens College Step Test requires a 16.25-inch step (similar to the height of a bleacher).[31,32] Individuals step up and down to a four-count rhythm:

Count 1: client places one foot on the step.

Count 2: client places the other foot on the step.

Count 3: the first foot is brought back to the ground.

Count 4: the second foot is brought down.

A metronome helps maintain the prescribed stepping beat. Females step for 3 minutes at a rate of 22 steps/min (88 beats/min), and males step for 3 minutes at a rate of 24 steps/min (96 beats/min). After 3 minutes of recovery, 15-second pulse is measured, starting 5 seconds into

recovery, while the client remains standing. The pulse rate obtained is converted to bpm by multiplying by four. This value is termed the recovery HR. The following equations are then used to estimate $\dot{V}O_{2max}$:

$$\text{Females: } \dot{V}O_{2max} \text{ (mL/kg/min)} = 65.81 - (0.1847 \\ - \text{recovery HR [bpm]})$$
$$\text{Males: } \dot{V}O_{2max} \text{ (mL/kg/min)} = 111.33 - (0.42 \\ \times \text{recovery HR [bpm]})$$

Field Tests

Field tests refer to exercise testing protocols that are derived from events performed outside, or "in the field." These tests are submaximal tests and, like the step test, are more practical for testing large groups of people. Field tests are appropriate when time and equipment are limited and for examining individuals over the age of 40. Although a variety of field tests exist, only the Cooper 12-minute test, 1-mile walk test and 6-minute walk test are presented.[25,33]

In the Cooper 12-minute test, individuals are instructed to cover the most distance possible in 12 minutes, preferably by running, although walking is acceptable. The distance covered in 12 minutes is recorded and $\dot{V}O_{2max}$ is estimated according to the following equation:

$$\dot{V}O_{2max} \text{ (mL/kg/min)} = 35.97 \times (\text{total miles run}) - 11.29$$

The 1-mile walk test is another option in the submaximal field test category.[33] Individuals walk 1-mile as fast as possible, without running. The average HR for the last 2 minutes of the walk is recorded by a HR monitor. If a HR monitor is not available, a 15-second pulse can be measured immediately after the test is completed. $\dot{V}O_{2max}$ is estimated from the following equation:

$$\dot{V}O_{2max} \text{ (mL/kg/min)} = 6.9652 + [0.0091 \times \text{wt (lbs)}] \\ - [0.0257 \times \text{age(yrs)}] + [0.5955 \times \text{gender } (0 = \text{ ; } 1 = {}^{TM})] \\ - [0.2240 \times \text{time (min)}] - [0.0115 \times \text{HR} \\ - \text{final minute (bpm)}]$$

The 6-Minute Walk

The 6-minute walk test is a very popular field test of aerobic fitness administered by PT. Patients walk as far and as fast as they can in a 6-minute period over an out-and-back hallway course. A 100-foot hallway is recommended although variations are permitted. Clients should be retested on the same course as course length and shape affects outcome. Rest stops are allowed but the timer continues until 6-minutes have elapsed. HR may be measured each minute if clients wear a HR monitor and blood pressure is measured before and immediately after the test. Predicted Peak VO_2 can be estimated in healthy

TABLE 13-7	Rating of Perceived Exertion
RATING	**DESCRIPTION**
6	
7	Very, very light
8	
9	Very light
12	
11	Fairly light
12	
13	Somewhat hard
14	
15	Hard
16	
17	Very hard
18	
19	Very, very hard
20	

Reprinted with permission from American College of Sports Medicine. *Guidelines for exercise testing and prescription.* 5th ed. Philadelphia, PA: Lippincott Williams & Wilkins; 2006.

TABLE 13-8	Guidelines for Cessation of an Exercise Test in a Typical Physical Therapy Clinic

Onset of angina or angina-like symptoms

Significant drop (20 mm Hg) in systolic blood pressure (SBP) or failure of SBP to rise with increase in exercise intensity

Excessive rise in SBP >260 mm Hg or diastolic BP >115 mm Hg

Signs of poor perfusion: lightheadedness, confusion, ataxia, pallor, cyanosis, nausea, cold or clammy skin

Failure of heart rate to increase with increased exercise intensity

Noticeable change in heart rhythm via palpation or auscultation

Client asks to stop

Physical or verbal manifestations of severe fatigue

Failure of the testing equipment

Based on information from the American College of Sports Medicine. *Guidelines for exercise testing and prescription.* 7th ed. Philadelphia, PA: Lippincott Williams & Wilkins; 2006.

50–70-year-old clients with the following equation. Peak $VO_2 = 20.05 + 0.019$ (maximal distance) $- 0.278$ (% fat).[25]

Monitoring

All clients should be closely monitored during exercise test performance. Vital signs should be examined before, during each stage or workload of the test, and after the test for 4 to 8 minutes of recovery.[11] In addition, a rating of perceived exertion (RPE) is commonly used to monitor exercise tolerance.[25,34] RPE refers to the "degree of heaviness and strain experienced in physical work as estimated according to a specific rating method"[34] and indicates overall perceived exertion. The Borg RPE Scale is shown in Table 13-7.[34] In addition, individuals should be monitored for signs and symptoms of exercise intolerance. The guidelines for stopping an exercise test are presented in Table 13-8.[25]

Summary—Graded Exercise Testing

Exercise testing serves several important functions. Maximal testing can be used to screen for the presence of CAD and to directly measure $\dot{V}O_{2max}$ in situations that require accuracy (research, athletic performance). Submaximal exercise testing is less accurate than maximal testing but is useful for establishing a baseline before initiating an exercise training program, for documenting improvement as a response to training, for motivating a client to adopt an exercise habit, and for formulating an exercise

prescription based on physiologic parameters specific to the client.

● TECHNIQUES: EXERCISE PRESCRIPTION

An individualized exercise prescription has five components: intensity, duration, frequency, mode, and progression of activity. When possible, the exercise prescription should be based on an objective examination of the client's response to exercise. A primary objective of an exercise prescription is to assist in the adoption of regular physical activity as a lifestyle habit; thus, the PT and PTA should take into consideration the behavioral characteristics, personal goals, and exercise preferences of the client.[25] Furthermore, the exercise prescription should function to improve physical fitness, reduce body fat, and improve cardiorespiratory endurance, depending on the specific goals of the individual. The PT and PTA should recognize that a thorough exercise prescription should include activities that address all elements of health-related physical fitness (cardiorespiratory endurance, body composition, muscular endurance, strength, and flexibility); however, this chapter focuses only on cardiorespiratory endurance.

Intensity

Exercise intensity indicates how much exercise should be performed or how hard the client should exercise and is typically prescribed on the basis of maximal HR (HR_{max}), $HR_{reserve}$, $\dot{V}O_{2max}$, or RPE. Prescribing exercise intensity using HR is considered the preferred method because of the correlation between HR and stress on the heart and because it is easy to monitor during exercise.[4] This is especially true with young healthy clients or individuals who are not taking medications that affect their HR. One method of prescribing exercise is to use a percentage of HR_{max}, either directly determined by a GXT or estimated on the basis of the age-predicted maximum HR [206.9 − (0.67 × age)]. The training range should be between 57% to 67% and 94% of HR_{max}.[25]

A second method for prescribing exercise involves the use of the $HR_{reserve}$, or the Karvonen formula:

$$HR_{reserve} = (HR_{max} - HR_{rest}) \times (\text{training range}) + HR_{rest}$$

Training range is a value between 0.30 to 0.45 and 0.85, selected by the PT.

The Karvonen method is preferable as percent HR values correspond directly to percent $\dot{V}O_{2max}$ values. If exercise is prescribed based on $\dot{V}O_{2max}$, 30% to 85% is also used as a training range. If RPE is the base, the prescribed exercise intensity is within the range of 11 to 15 (Table 13-7). The RPE is especially useful for prescribing intensity for individuals who are unable to take their pulse or when HR is altered because of the influence of medication. The use of RPE should be considered an adjunct to monitoring HR in all other individuals.[25]

Selection of an appropriate training range, as opposed to a specific training value, has been recommended to provide greater flexibility in the exercise prescription while ensuring that a training response will be achieved.[4] For example, a client who is starting out on an exercise program might be given a target HR at the lower end of the range (e.g., between 64% and 74% of HR_{max}), instead of being told to keep the target HR at 70% of HR_{max}. Health-related benefits can be realized at lower intensities, and thus lower intensities may be appropriate if the goal of exercise is to improve health instead of fitness.[25,35]

Duration

The length of time spent exercising is described by the component of duration. The optimal duration recommended for aerobic training is between 20 and 60 minutes per exercise session.[4,25] For individuals who are unable to perform 20 minutes of continuous exercise, discontinuous exercise can be prescribed. That is, several 5–10 minute bouts can be performed, for example, until the client can tolerate 20 to 30 minutes of continuous exercise. Duration can be progressed up to 60 minutes of continuous activity.[25]

Duration should also include warmup (5 to 15 minutes) and cooldown (5 to 12 minutes) activities in addition to the aerobic component. The warmup slowly increases the HR, respiratory rate, and perfusion of soft tissue. The warmup can include gentle stretching activities and low-intensity training using the mode selected for aerobic conditioning.[4] An appropriate cooldown can be accomplished by gradually reducing the intensity of the endurance activity and continuing beyond the duration of the training period at a low level. Stretching activities are also appropriate as part of the cooldown and enhance flexibility.

Frequency

A second time-related component of exercise prescription is frequency, or how often exercise should be performed. Historically, the optimal frequency for most individuals was three to five times per week; however, newer guidelines suggest a minimum frequency of five times per week.[4,25] Clients who are fairly fit should begin a program at three to four times per week and progress to five times. Individuals with low functional capacities can perform daily or twice-daily exercise because the total amount of exercise (considering intensity, duration, and frequency) is low.[25] These individuals can progress slowly towards performing 20-60 minutes of continuous exercise, five times per week.

The PT and PTA should consider the interaction of intensity, duration, and frequency for clients who are not capable of meeting the minimal criteria. These factors are also important for clients who exceed the suggested limits of exercise because of the increased risk for musculoskeletal injury as a result of overtraining.

Mode

The question of which activity to perform is addressed by the component of mode in the exercise prescription. Generally, the greatest improvement in aerobic capacity is achieved through rhythmic activities that involve large muscle groups, such as walking, running, hiking, cycling, rowing, and swimming.[25] A wide variety of activities can be prescribed to improve cardiorespiratory endurance, but it has been suggested that unfit individuals start out with activities that can be maintained at a constant intensity, such as cycling and treadmill walking. Once a basic level of fitness has been obtained, activities with variable intensity, such as team and individual sports and dancing, can be prescribed.[4,25]

Consideration should also be given to potential orthopedic stresses produced by the selected mode.[25] For example, an obese client might reap greater benefits and a decreased risk of injury with a nonweight-bearing activity (cycling, water aerobics) than with a weight-bearing activity (walking, running). Individuals are more likely to engage in activities they enjoy and have access to; fortunately, there is a wide variety of modes available to enhance compliance with the exercise prescription.

Figures 13-4 to 13-10 illustrate aerobic activities commonly performed on equipment that meet the criteria for

FIGURE 13-4 ● RECUMBENT BICYCLE.

Advantages: Seat is more comfortable than that of a traditional bicycle; back support provides a more upright spine posture; relatively quiet to operate; easy to monitor/measure vital signs during use; safer than a traditional bicycle due to a wider base of support and ease of mounting and dismounting.[12]

Disadvantages: Local muscle fatigue in the lower extremities may limit performance; difficult to elevate heart rate to target range due to the more supine position required on the recumbent bicycle compared with a traditional bicycle or other modes of upright exercise.

Fit: Seat position should be adjusted to allow 15 to 20 degrees of knee flexion when the lower extremity is in the most outstretched position on the pedal and the ankle is at 90 degrees of dorsiflexion. (Courtesy of Lifefitness, Franklin Park, IL)

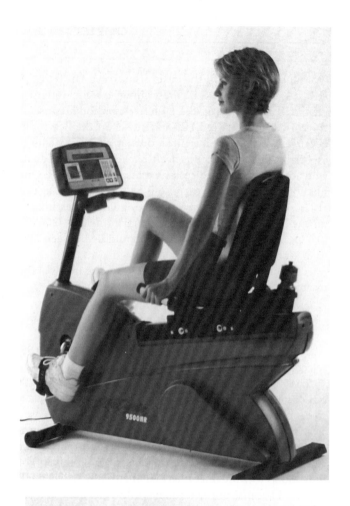

FIGURE 13-5 ● STATIONARY BICYCLE.

Advantages: Allows nonweight-bearing exercise, no impact. Relatively quiet to operate; easy to monitor/ measure vital signs during use; requires little time/ effort for habituation.

Disadvantages: Local muscle fatigue in the lower extremities may limit performance; difficult to elevate heart rate to target range due to muscle fatigue limitation; not all clients are familiar with or experienced with bicycling; no weight bearing achieved.

Fit: Seat position should be adjusted to allow 15 to 20 degrees of knee flexion when the foot is in the lowest position on the pedal and the ankle is in 90 degrees of dorsiflexion. (Courtesy of Lifefitness, Franklin Park, IL)

FIGURE 13-6 ● NU-STEP RECUMBENT STEPPER.

Advantages: Large seat provides a comfortable form of sitting activity; motion of stepping is familiar to most clients so habituation is minimal; provides low-impact form of activity; safer than a traditional stair climber due to a wider base of support and ease of mounting and dismounting; utilizes all four limbs so is considered a total body exercise, and clients can easily achieve target heart rate.

Disadvantages: No weight bearing achieved; may be difficult to measure vital signs due to involvement of upper extremities during exercise.

Fit: Seat should be adjusted to allow slight knee flexion when lower extremity is in most extended position. (Courtesy of Lalonde & Co, Ann Arbor, MI)

FIGURE 13-7 ● STAIR CLIMBER.

Advantages: The motion of stepping is familiar to most clients so habituation is minimal; provides weight bearing; provides a low-impact form of activity; occupies less space than most other types of equipment.

Disadvantages: May aggravate or cause knee problem due to stress on knee joints; posture on the equipment should be carefully scrutinized due to tendency for users to adopt poor postures and rely too much on upper extremities for support; somewhat difficult to mount; requires good balance. (Courtesy of Lifefitness, Franklin Park, IL)

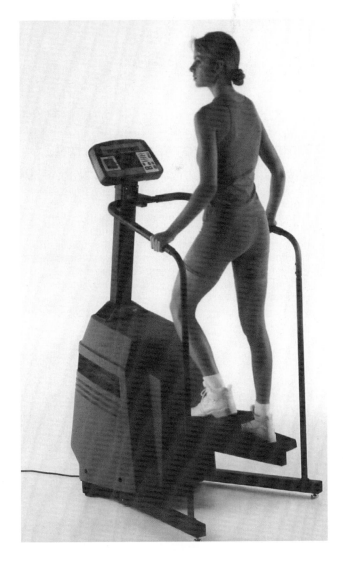

FIGURE 13-8 ● TREADMILL.

Advantages: Walking/running are familiar activities for most clients so habituation is minimal; provides weight bearing; uses large lower-extremity muscles that require less energy, enabling heart rate to be elevated and kept in target range without local muscle fatigue; easy to adjust intensity (speed and/or elevation).

Disadvantages: Weight-bearing exercise may be difficult for obese clients or for those with orthopedic limitations; requires a lot of space; expensive; difficult to monitor/measure vital signs when clients walk fast or run; tends to makes significant noise when in use (making it difficult to hear blood pressure). (Courtesy of Lifefitness, Franklin Park, IL)

FIGURE 13-9 ● TOTAL-BODY SYSTEM.

Advantages: Utilizes all four limbs so is considered a total-body exercise, and clients can easily achieve target heart rate; low impact.

Disadvantages: Requires greater coordination than other modes of activity so takes client longer to habituate; requires greater floor space than other pieces of equipment; difficult to monitor/measure vital signs due to involvement of upper extremities during exercise; difficult to mount/dismount. (Courtesy of Lifefitness, Franklin Park, IL)

FIGURE 13-10 ● **UPPER-BODY ERGOMETER.**

Advantages: Eliminates lower extremities for those with significant lower-extremity impairments, while providing a mechanism to perform aerobic exercise; easy to mount/dismount; relatively quiet to operate. **Disadvantages:** Local muscle fatigue limits performance; lower heart rates are achieved due to the use of smaller muscles; unfamiliar for most clients so requires greater habituation time; difficult to monitor/measure vital signs during activity. **Fit:** Seat should be adjusted to allow slight elbow flexion during maximum upper-extremity extension while back maintains contact with seat; seat height should be adjusted so that client shoulder height is even with axis of arm crank. (Courtesy of Henley Healthcare, Sugar Land, TX.)

appropriate exercise. These exercises involve large muscle groups; are appropriate for enhancing cardiovascular fitness if proper guidelines for intensity, duration, and frequency are followed; and can be used in a clinical setting. The purpose of each activity is to increase aerobic capacity. The client should be able to perform the exercise at a level based on previous activity and tolerance to stress. Compliance is enhanced if the client finds the exercise enjoyable. The procedure for each exercise is based on the intensity, duration, frequency, and progression that the PT prescribes for the client. The client is thus provided with an individualized exercise prescription and treatment plan for safely and efficiently increasing aerobic capacity.

Progression

The final component of the exercise prescription is progression, or how the program changes over time. An aerobic exercise program may progress through a series of stages: initiation, improvement, and maintenance.

Initial Stage

The initial stage is designed to enable the individual to slowly adapt to the exercise program and lasts 1 to 6 weeks.[12,25] The parameters of the prescription are set at low ranges so that exercise is prescribed at 30% to 60% of $HR_{reserve}$ or $\dot{V}O_{2max}$ (RPE of 11 to 12), duration is set between 15 and 30 minutes per session, and frequency is prescribed for three to four times per week on noncon-

secutive days. Individuals who are not experienced with exercise or who have lower aerobic capacities should begin at the low end of the ranges provided (e.g., 30% of $HR_{reserve}$, 15 minutes per session, three times per week). Clients who have experience with exercise or who have higher aerobic capacities can begin at the higher end of the ranges.

Improvement Stage

Progression to the improvement stage is recommended when the client can perform the exercise prescription independently at a frequency of five to six sessions per week for a duration of 30 to 40 minutes per session for 2 weeks without signs of musculoskeletal overuse or excessive fatigue.[11] Progression continues during the improvement stage but at a faster rate than in the initiation stage.[25] This stage lasts 4 to 8 months and involves increases in intensity to the higher ranges (50% to 85% $HR_{reserve}$ or $\dot{V}O_{2max}$) and consistent increases in duration to 20 to 30 minutes continuously.

Duration should be increased up to 20% per week until clients are able to complete 20 to 30 minutes of moderate- to vigorous-intensity exercise. Frequency can then be increased until a frequency goal is reached. Thereafter, intensity can be increased no more than 5% of $HR_{reserve}$ every sixth session.[25] Interval training in which one higher-intensity session per week is added or using extended higher-intensity work intervals are very helpful in gaining increases in aerobic capacity during this stage of training.[25]

Although these general guidelines are helpful, the client's objective and subjective training responses should most heavily influence training progression.[11] Signs and symptoms of inappropriately paced progression include inability to complete an exercise session, decreased interest in training, increased HR and RPE values at the same workload, and increased complaints of aches and pains.[36] Adjustments in the rate of progression should be made for the elderly and deconditioned because of their increased time required for adaptation.[25] Together, the initial and improvement stages may take up to 8 or 9 months and result in a 5% to 30% increase in aerobic capacity.[11,25]

Maintenance Stage

During the maintenance stage of training further improvement in aerobic capacity is minimal and the focus is on maintaining aerobic fitness above the 50th percentile.[25] Additionally, clients should be encouraged to diversify their exercise mode and begin to enjoy exercise as a lifetime habit.[11] It is important to realize that fitness level will decrease about 50% within 4 to 12 weeks if a maintenance program is not performed, indicating the importance of prescribing activities that are similar in energy cost to the activities performed during the improvement stage.

Activity diversification is, therefore, suggested to decrease boredom and increase enjoyment, decrease the potential for overuse injuries, add competition to the program, if desired, and explore new interests.[11,27] For example, a client who was new to exercise and began a training program with treadmill walking or with a cycling program, because of the ability to carefully control and monitor workload, could participate in water exercise or soccer during the maintenance stage. Additional physical activities can substitute for activities performed in the earlier stages so that the total training volume stays the same to maintain aerobic conditioning. Individuals training for competition, which usually occurs during the maintenance stage, can diversify training on noncompetition days to decrease overuse, rotate muscle groups to spread out stresses, and maintain cardiovascular fitness.[11]

It is also appropriate to review training goals, repeat exercise testing, and establish new goals during the maintenance stage so that the participant will be more likely to continue exercising as a regular habit. The documented success of programs designed to encourage the adoption of a regular exercise habit is similar to the success of changing other health-related behaviors, such as cessation of smoking and weight reduction. Approximately 50% of clients who initiate such health-related behaviors reach the maintenance stage.[37]

Compliance

Factors that best predict exercise dropout (or noncompliance) are related to the client, program, and other charac-

---

TABLE 13-9	Suggested Strategies for Enhancing Compliance with Exercise Prescriptions

Minimize musculoskeletal injuries by adhering to principles of exercise prescription

Encourage group participation or exercising with a partner

Emphasize variety of modes of activities and enjoyment in the program

Incorporate behavioral techniques and base prescription on theories of behavior change

Use periodic testing to document progress

Give immediate feedback to reinforce behavior changes

Recognize accomplishments

Invite client's partner to become involved and support training program

Ensure that exercise leaders are qualified and enthusiastic

Reprinted with permission from Franklin BA. Program factors that influence exercise adherence: practical adherence skills for the clinical staff. In: Dishman RK, ed. *Exercise adherence.* Champaign, IL: Human Kinetics; 1988:237–258.

---

teristics. Personal characteristics that predict dropout are smoking, sedentary leisure time, sedentary occupation, type A personality, blue-collar occupation, overweight or overfat, poor self-image, depression, anxiety, and a poor credit rating.[38] Program factors that predict dropout include inconvenient time or location, excessive costs, high intensity, lack of variety, solo participation, lack of positive feedback, inflexible goals, and poor leadership. Additional factors that have been identified to predict dropouts are lack of spouse support, inclement weather, excessive job travel, injury, medical problems, and job change or move. These factors in sum indicate that the PT and PTA should develop specific strategies to enhance compliance with the exercise prescription.[39] Table 13-9 lists some of these strategies.

The use of behavior change theories to enhance the adoption of exercise has recently received increased attention in the literature, specifically the application of the "stages of change" model.[28,38–41] The model posits that individuals cycle along a continuum of behavioral change from precontemplation (no intention to make a change) to contemplation (considering a change) to preparation (beginning to make changes) to action (actively engaging in the new behavior) to maintenance (sustaining the change over time).[41] Researchers have shown that pre-exercise identification of the client's stage can be used to target an intervention approach that will enhance movement toward maintenance.[41] Assessment of the stage is easily accomplished via a five-item questionnaire; one item represents each stage (Table 13-10).

TABLE 13-10	Questionnaire to Determine the Stage of Change of a Client
STAGE	**QUESTION**
Precontemplation	"I presently do not exercise and do not plan to start exercising in the next 6 months"
Contemplation	"I presently do not exercise, but I have been thinking about starting to exercise within the next 6 months"
Preparation	"I presently get some exercise but not regularly"
Action	"I presently exercise on a regular basis, but I have begun doing so only within the past 6 months"
Maintenance	"I presently exercise on a regular basis and have been doing so for longer than 6 months"

Reprinted with permission from Marcus BH, Simkin LR. The stages of exercise behavior. *J Sports Med Phys Fitness*. 1993;33:83–88.

Once the stage is identified, the intervention can be tailored to enhance compliance and movement toward maintenance. For example, an individual in the contem-

plation stage is not quite ready for an exercise prescription. Efforts in this stage should focus on providing information about the costs and benefits of exercise, strategies to increase activity within the present lifestyle, and the social benefits of activity. Clients in the preparation stage benefit most from a thorough examination and exercise prescription. Clients in the action or maintenance stage benefit from learning about strategies to prevent relapse, making exercise enjoyable, and diversifying the exercise prescription to include more variety. Given the difficulty most people encounter when changing health-related behaviors, it seems prudent to use documented behavior change theories when possible, such as the stages of change model.

Summary—Exercise Prescription

A scientifically based exercise prescription includes the elements of intensity, duration, frequency, mode, and progression. The program is individualized, based on objective data obtained from a thorough examination and on psychosocial factors unique to the client. Compliance with an exercise prescription is most likely achieved when the prescription meets the needs and goals of the individual and is based on recognized scientific principles and theoretic models.

Case Study 1

PATIENT INFORMATION

A 46-year-old woman presented with a right medial meniscus repair via arthroscopy 10 weeks ago. Review of history revealed hypercholesterolemia for 1 year and hysterectomy 4 years ago. The patient was currently taking 30 mg of atorvastatin (cholesterol-lowering medication) once a day. Initially, the patient was treated immediately after the surgery for knee rehabilitation; the knee pain had resolved, and she was discharged with all goals achieved. Now that her knee pain was resolved, her goals were to start exercising again for the purposes of decreasing cholesterol, staying healthy, and decreasing body weight (she would like to lose 20 pounds).

Health history examination revealed no family history of CAD, no smoking/alcohol/drug use, and no eating disorders. She was presently consuming a low-fat diet since her diagnosis of hypercholesterolemia. Physical examination by the PT revealed a height of 5 feet, 4 inches (1.65 meters), weight of 160 pounds (72.7 kg), BMI of 27 kg/m². Resting vital signs were HR of 86, BP

of 132/80, and RR of 16. Right knee had 0-degree extension, 120-degree flexion, 5/5 hamstrings, 4+/5 quadriceps, and hips and ankles within normal limits for range of motion (ROM) and strength bilaterally. Gait was without deviation. Pain was 0/10 except after significant walking/standing, which she rated as a 2/10. She had returned to work full time and was independent in activities of daily living. The patient completed the PAR-Q and answered "yes" to questions 5 and 6 (Fig. 13-2).

LINKS TO GUIDE TO PHYSICAL THERAPIST PRACTICE

The primary pattern from the *Guide to Physical Therapist Practice* that applies to this Patient is Pattern 4J: impaired joint mobility, motor function, muscle performance, and ROM associated with bony or soft tissue surgical procedures.[32] Meniscal repairs are included within this pattern, which lists aerobic endurance activities under specific direct interventions. A secondary pattern for this patient would be Pattern 6A: primary prevention/risk factor reduction for cardiopulmonary disorders; since this patient has hypercholesterolemia, a risk factor for CAD. Aerobic conditioning activities are also included as a specific direct intervention in Pattern 6A.

INTERVENTION

This patient returned under her previous prescription for knee rehabilitation. Due to the patient's age and sex, PAR-Q results, and presence of one (hypercholesterolemia) and possibly two (sedentary lifestyle) risk factors for CAD, the referring physician was contacted to discuss whether or not the patient required further medical screening prior to commencing an exercise program. After a discussion with the patient's primary care physician, it was determined that the patient should undergo a submaximal GXT with supervision and monitoring, followed by 1 week of supervised exercise training. If the patient was symptom free during the supervised exercise period, an independent exercise program would be prescribed.

Since the patient was 10 weeks after surgery and an unconditioned individual, the Åstrand-Rhyming bicycle ergometer submaximal GXT was selected and administered to the patient. She completed 6 minutes of exercise at a workload of 450 kg/min (as recommended for unconditioned women) with a resulting HR at both the fifth and sixth minute of 130 bpm. Using the nomogram in Figure 13-3 and plotting a line from a HR of 130 (for women) and a work load of 450 kg/min (for women), the line falls on a $\dot{V}O_{2max}$ estimate of 2.8 L/min. Using the correction factor for her age of 0.78 (Table 13-6), the adjusted $\dot{V}O_{2max}$ estimate for the patient was 2.2 L/min. Converting her absolute $\dot{V}O_{2max}$ to relative $\dot{V}O_{2max}$ {2.2 L/min × 1,000 mL/L −72.7 kg [weight of patient] = 30.3 mL/kg/min} resulted in a predicted relative $\dot{V}O_{2max}$ of 30.3 mL/kg/min. According to Table 13-11, which shows the normal $\dot{V}O_{2max}$ values by

TABLE 13-11 Normal Values of $\dot{V}O_{2max}$ (mL/kg/min) Uptake at Different Ages by Sex

AGE	MALE	FEMALE
20–29	43 (± 22)	36 (± 21)
30–39	42 (± 22)	34 (± 21)
40–49	40 (± 22)	32 (± 21)
50–59	36 (± 22)	29 (± 22)
60–69	33 (± 22)	27 (± 22)
70–79	29 (± 22)	27 (± 22)

Reprinted with permission from American College of Sports Medicine. *Resource manual for guidelines for exercise testing and prescription.* 3rd ed. Baltimore: Williams & Wilkins; 1998.

adjusted age and sex, the patient fell within the normal range (32 ± 21 mL/kg/min).

According to the stages of change model, this patient was in the preparation stage, indicating that she was ready to adopt a regular exercise habit and was ready for an exercise prescription for guidance. According to recent guidelines, a BMI of 27 kg/m² classified the patient as overweight (BMI <25 = normal, 25 to <30 = overweight, 30 or more = obese).[42] Given her overweight status and the patient's goals, a lower-intensity, longer-duration program was thought to be an appropriate prescription to decrease the risk of musculoskeletal injury and maximize weight loss. A recommended goal for weight loss was 1 to 2 pounds per week[12] through nutrition changes and exercise. Since she had already adopted a low-fat diet, the exercise program was thought to assist in her goal to lose weight.

Because she reported knee pain after walking, the exercise program was initially prescribed on the bicycle. The PT established a program to be progressed to walking as her knee and fitness level allowed and asked a PTA to assist with interventions. The initial prescription was as follows:

Intensity: Using the Karvonen equation and 40% to 60% as the beginning HR range, the following target HR range was calculated:

$$\text{Target HR at 40\% HR}_{reserve}$$
$$= ([\text{HR}_{max} − \text{HR}_{rest}] \times 0.4) + \text{HR}_{rest}$$
$$= ([174 − 86] \times 0.4) + 86 = 121 \text{ bpm}$$
$$\text{Target HR at 60\% HR}_{reserve}$$
$$= ([\text{HR}_{max} − \text{HR}_{rest}] \times 0.6) + \text{HR}_{rest}$$
$$= ([174 − 86] \times 0.6) + 86 = 139 \text{ bpm}$$

Training HR range was set at 121 to 139 bpm. Referring back to her submaximal GXT, the workload required to achieve the training HR range could be determined. The patient achieved a HR of 135 bpm at a workload of 450 kg/min of resistance on the bicycle ergometer. Therefore, initial workload was set at that level and the HR monitored to determine whether resistance should be increased or decreased. The RPE was also to be used to monitor intensity at an initial level of 12 to 13.

Duration: Following a warmup of 5 minutes of gentle ROM and stretching exercises and 5 minutes of no load on the bicycle, the patient was to pedal for 15 to 20 minutes, increasing 5 minutes per week to the goal of 30 to 40 minutes. The patient concluded the exercise training portion with 3 minutes of cooldown on the bike at no load and 5 to 10 minutes of stretching.

Frequency: The patient exercised three times per week the first week in the clinic where she could be supervised, progressing to five times per week, as tolerated.

Mode: Stationary bicycle ergometer (Fig. 13-5).

The initial goals of the program were to become independent in pulse taking and monitoring of exercise, perform the exercise prescription independently, and progress to exercising at 450 kg/min for 35 to 40 minutes four to five times per week by the fourth week. The PTA documented that the patient was independent in pulse taking and the home exercise program. The PTA also noted that the patient was able to perform aerobic conditioning with a perceived exertion of 11 and a HR of 110 bpm after 20 minutes on the stationary bicycle.

PROGRESSION

Three to Four Weeks After Initial Examination

The patient experienced no signs or symptoms of exercise intolerance during the first week of supervised exercise and was able to complete the exercise as prescribed. She was given a home program and returned for re-examination after the fourth week, at which time she was exercising on the bicycle at 450 kg/min for 35 minutes continuously four to five times per week. The program was modified by increasing the training HR range to 60% to 70% of $HR_{reserve}$, or 139 to 147 bpm (RPE = 13–14). This intensity required the patient to set a higher workload on the bicycle (500–600 kg/min). The duration was decreased to 20 minutes initially to offset the increase in intensity, and she was instructed to increase the duration by 5 minutes per week until she reached 40 minutes. The frequency was continued at three to five times per week. The PTA continued to work with the patient, noting an increase in duration to 40 minutes with the stationary bicycle.

Three Months After Initial Examination

The patient had successfully completed the training program on the bicycle over the previous 2 months and was currently exercising three to five times per week at 500 to 600 kg/min for 40 minutes. The PTA reported that the patient was spending approximately 1 hour exercising three to five times per week as a result of the aerobic training and wished to maintain the time frame. The PTA instructed the patient to add walking to her program now on alternate days to increase overall energy expenditure. The patient was told to use HR as a guide and to start out walking 20 minutes fast enough to elicit a HR in the training range of 139 to 147 bpm or RPE = 13 to 14. The patient was instructed to increase duration by no more than 5 minutes per week. The patient was scheduled for a return examination in 3 months, when a repeat GXT would be performed to examine progress.

Six Months After Initial Examination

At the 6-month re-examination the patient weighed 146 pounds (66.36 kg) and her resting HR was 78 bpm. She had been exercising 5 to 6 days per week, 3 days on the bicycle and 2 to 3 days walking. She was able to increase her target HR into the prescribed range by cycling at 600 kg/min and by walking as fast as she could. A follow-up submaximal test was performed at the 6-month re-examination. The Åstrand-Rhyming bicycle ergometer protocol was repeated. This time the patient completed 6 minutes of exercise at a workload of 600 kg/min with a resulting HR at both the fifth and sixth minutes of 138 bpm. Using the nomogram in Figure 13-3 and plotting a line from a HR of 138 (for women) and a work load of 600 kg/min (for women), the line falls on a $\dot{V}O_{2max}$ estimate of 3.0 L/min. Using the correction factor for her age of 0.78 (Table 13-5), the adjusted $\dot{V}O_{2max}$ estimate for the patient was 2.3 L/min. Converting her absolute $\dot{V}O_{2max}$ to relative $\dot{V}O_{2max}$ (2.3 L/min × 1,000 mL/L −66.36 kg [new weight of patient] = 35.2 mL/kg/min) resulted in a predicted relative $\dot{V}O_{2max}$ = 35.2 mL/kg/min. The patient's predicted $\dot{V}O_{2max}$ had increased approximately 15% over the 6-month training period and she had lost approximately 15 pounds.

OUTCOMES

The PTA worked with the patient to help her with strategies to reinforce the adoption of regular exercise. The patient revealed her intention to continue exercising regularly. She had established a relationship with a neighbor with whom she walked and she was satisfied using the stationary bicycle because it was at home and convenient. A new exercise prescription was given to the patient by the PT using an intensity of 70% to 80% $HR_{reserve}$ (145–155 bpm), which would require a resistance of between 600 and 750 kg/min on the bicycle ergometer. The patient had achieved the initial goals set, although she had lost 15 pounds instead of her goal to lose 20; but she was confident that with continued exercise she would lose another 5 pounds and maintain her weight at that level.

SUMMARY: AN EFFECTIVE PT–PTA TEAM

This case study demonstrates components of an effective working relationship of the PT and PTA. The documentation that was performed was effective and created effective communication of the treatment of the patient. The PTA should document any data collections that are done such as the RPE and HR. The PTA in this situation could have assisted the PT with the submaximal GXT testing and also gathered other critical information about the patient's cardiovascular fitness throughout treatment.

Estimates for the year 2002 (the last year for which estimates are available) were that more than 70 million Americans would have one or more forms of CVD.[43] Since 1900 (with the exception of 1918) CVD has been the leading cause of death in America.[43] In 2002 CVD accounted for 38.0% of all deaths in the United States.[43] Coronary heart disease (myocardial infarction, other acute ischemic coronary heart disease, angina pectoris, atherosclerotic CVD, and all other forms of heart disease) accounts for the majority of these deaths and is the single largest killer of American men and women.[43] Atherosclerotic disease is a progressive process in which lipids, macrophages, T lymphocytes, smooth muscle cells, extracellular matrix, and calcium accumulate in the intimal layer of arteries. This accumulation causes a thickening and narrowing of the vessel lumen.[44] Over time this process continues and the developing atheroma is covered by a fibrous cap. Eventually the atheroma can develop into an aneurysm, grow large enough to occlude the vessel or rupture and cause occlusion. This process can affect coronary, cerebral, peripheral vascular, aortic, renal, and other blood vessels.

PTAs treat patients with atherosclerotic disease everyday. It is extremely likely that the adult physical therapy patient, regardless of reason for referral, has atherosclerotic disease. While much attention is paid to the care of orthopedic and neurologic patients, greater attention must be paid to treating patients with atherosclerotic disease. As stated so eloquently by Falkel,[44] "no one ever died of a sprained ankle." The focus of this section is to present basic principles of cardiac rehabilitation. The PTA should be aware that the low-intensity exercise guidelines described below can and should be used for any patient for whom the risk of exercise is either uncertain or moderate to high.

In the United States in the early 1900s myocardial infarction patients were almost completely immobilized with bed rest for at least 6 to 8 weeks.[45] In fact, patients were prevented from climbing stairs for at least 1 year and most patients never returned to work or normal living.[45]

This trend continued until the 1940s when Levine encouraged patients to sit in a chair for 1 to 2 hours per day, beginning the first day after a myocardial infarction. By the mid-1960s and early 1970s pioneers such as Wenger, Hellerstein, Pifer, DeBusk, Acker, and Zohman studied and promoted early mobilization following myocardial infarction.[45] Their views were unique and completely opposite conventional medical practice. Because of their common sense, wisdom, and tenacity, as well as the eventual support of other organizations, (American Heart Association [AHA], American College of Sports Medicine [ACSM], and American Association of Cardiovascular and Pulmonary Rehabilitation [AACVPR]), the morbidity and mortality of many patients with cardiac diseases have been positively affected. These organizations have published guidelines for developing and maintaining safe and efficacious cardiac rehabilitation programs.[29,46,47] Unfortunately, representation from the American Physical Therapy Association is absent from the authorship of these authoritative texts and position papers.

● SCIENTIFIC BASIS

Two research groups[46,47] performed meta-analysis of randomized, controlled studies to determine if cardiac rehabilitation programming had a beneficial effect on the participants. These studies involved almost 9,000 patients. Most of the patients in these studies participated in supervised exercise training for 2 to 6 months followed by unsupervised exercise. Researchers reported that cardiac rehabilitation program participants died at a lower rate following cardiac rehabilitation than did nonparticipants. Although participant and nonparticipant groups suffered reinfarction at a similar rates, nonparticipants in cardiac rehabilitation were more likely to die from that event.[46,47] Therefore, a regular exercise program may play an important role in the survival of a person who has had an inf-

arction following cardiac rehabilitation. Although this phenomenon cannot be easily explained, enhanced survival may occur due to an enhanced electrical stability, reduced ventricular fibrillation, or reduced myocardial damage.

In addition, other submaximal exercise benefits of cardiac rehabilitation include a reduction in exercise HR, SBP, ischemic response, and rate–pressure product. Other benefits noted following cardiac rehabilitation include increases in the rate–pressure product at the onset of angina, peak oxygen consumption, quality of life, and exercise capacity.[49,50] Exercised patients have fewer cardiac events and hospital readmissions.[49] Significant reductions in risk factors also occur following comprehensive cardiac rehabilitation and include reductions in serum cholesterol, triglycerides, and low-density lipoprotein cholesterol, as well as increases in high-density lipoprotein cholesterol and significantly slower progression in coronary stenoses.[50,51] While comprehensive cardiac rehabilitation programs have been shown to benefit patients in the areas of smoking cessation, weight loss, resting BP and symptomology, more randomized, controlled research trials need to be conducted related to these important issues.[52]

Cardiac Rehabilitation Defined

The term cardiac rehabilitation refers to "coordinated, multifaceted interventions designed to optimize a cardiac patient's physical, psychological, and social functioning, in addition to stabilizing, slowing, or even reversing the progression of the underlying atherosclerotic processes, thereby reducing morbidity and mortality."[53] Thus, cardiac rehabilitation/secondary prevention programs currently include baseline patient assessments, nutritional counseling, aggressive risk factor management (i.e., lipids, hypertension, weight, diabetes, and smoking), psychosocial and vocational counseling, and physical activity counseling and exercise training. In addition, the appropriate use of cardioprotective drugs that have evidence-based efficacy for secondary prevention is included.[45]

Patients who participate in cardiac rehabilitation programs include individuals who have had a recently diagnosed myocardial infarction or stable angina pectoris or have undergone coronary artery bypass graft surgery or angina. Other patients include those who have undergone percutaneous coronary artery balloon angioplasty/stents, arthrotomy, or heart transplantation (or candidates). Patients who have stable heart failure, peripheral arterial disease with claudication, or other forms of heart disease may also participate. Patients who have undergone other cardiac surgical procedures such as valvular repair or replacement are obvious candidates for cardiac rehabilitation.

Although individuals with the aforementioned surgical repairs or pathologies are clearly in need of a formal, supervised cardiac rehabilitation program, insurance reimbursement varies. The cost of cardiac rehabilitation should be discussed with the patient and family and permission from their insurance company should be sought upon referral.

Provision of Cardiac Rehabilitation

Historically a number of types of professionals have been involved in providing cardiac rehabilitation services. One of the most important personnel is the medical director, who may be a cardiothoracic surgeon, cardiologist, internist, emergency physician, or other physician with a specific interest in cardiovascular patient outcomes. The medical director should set the stage for efficient enrollment into acute and outpatient cardiac rehabilitation programs. Efficient enrollment is accomplished by sharing program results with referring physicians and providing "check-off" order forms for entry to each phase of the cardiac rehabilitation program.

Physical therapy (PT and PTA) and nursing personnel are usually involved in providing direct patient care during the acute hospitalization of cardiac patients. Outpatient programming has most often been provided by exercise physiologists and nurses, although no reason exists as to why this care cannot be provided by the PT or PTA. Obviously, during outpatient rehabilitation life-support equipment (oxygen, cardiopulmonary resuscitation (CPR) equipment, or defibrillator) and personnel certified in advanced cardiac life support should be on hand. Current Medicare guidelines stipulate that cardiac rehabilitation programs may be provided in either the outpatient department of a hospital or a physician-directed clinic.[54] These guidelines state that a physician must be in the exercise program area and immediately available and accessible for an emergency at all times during which the exercise program is conducted. The guidelines do not require that a physician be physically present in the exercise room itself, provided that the physician is not too remote from the patient's exercise area to be considered immediately available and accessible.

Unfortunately, the primary reasons why cardiac rehabilitation is provided by nontherapists are historical, territorial, and often based upon remuneration. Exercise physiologists and nurses have often created successful cardiac rehabilitation programs, and there is not a valid reason to unseat these incumbents. Additionally, the PT was often busy treating neurologic or orthopedic patients and did not have time or expertise to treat the cardiac population. The increase in cardiac rehabilitation programs in the 1970s and 1980s corresponded with an increasing number of well-trained exercise physiologists and nurses who developed this niche practice. Interestingly, reimbursement for cardiac rehabilitation has declined over the past 20 years, as knowledge and desire to work with this population has increased among PTs and PTAs. Although well qualified to provide exercise for this population, many employers have a PT or PTA working with other types of patients for whom remuneration is greater. Contrary to typical practice, a PT or PTA could provide a traditional, 1-hour phase II cardiac rehabilitation session for four to five patients simultaneously and generate billing equal to that of a 60-minute evaluation of an orthopedic patient. Interestingly, as reimbursement continues to decline for cardiac rehabilitation and this form of therapy becomes more individualized, or moves to patients' homes, it may become more cost effective for this service to be provided by the PT and PTA, rather than unlicensed professionals who are unable to treat any other types of patients.

Historically registered dieticians, pharmacists, behaviorists, ministers, vocational counselors, and others have been active participants in the rehabilitation education process. Their participation has often declined and certainly varies from program to program due to time constraints, lack of reimbursement, and improved education obtained by cardiac rehabilitation providers.

Traditional and Emerging Models of Cardiac Rehabilitation

Early cardiac rehabilitation programs utilized a four-phase approach (phases I through IV). Phase I was an inpatient program that occurred within the coronary care unit or step-down units. This phase involved close observation via telemetry with one to three exercise sessions per day. Phase II was a 12-week clinically or electrocardiographically supervised program, immediately following hospital discharge. In the past phase III varied in length as well as in ECG surveillance and clinical supervision. Phase IV also varied in length, lacked ECG surveillance, and required only professional supervision.[25] Today phases III and IV have generally been melded into a maintenance program, in which moderate- to high-risk patients are encouraged to participate on a regular basis.

A current model involves only phase I and II cardiac rehabilitation. However, it has been suggested[25] that cardiac rehabilitation will likely progress to more of an individualized program of varying length and degree of ECG monitoring with reference to patient-specific vocational and recreational needs. This emerging model of cardiac rehabilitation is driven by new theories of risk stratification, exercise safety data, and reimbursement issues.[25] Current literature supports movement toward shortened outpatient programs[55,56] or home-based programs.[57]

● CLINICAL GUIDELINES

Cardiac Rehabilitation in the Cardiac Intensive Care Unit

Patients who have had a myocardial infarction or coronary artery bypass graft surgery or who have other heart-related problems will most likely receive cardiac rehabilitation in the cardiac intensive care unit (CICU). Based on a well-established set of criteria noted in Table 13-12, the

---

TABLE 13-12 Clinical Indications and Contraindications for Inpatient and Outpatient Cardiac Rehabilitation

Indications	*Contraindications*
Medically stable postmyocardial infarction	Unstable angina
Stable angina	Resting systolic blood pressure of >200 mm Hg or resting diastolic blood pressure of >110 mm Hg should be evaluated on a case by case basis
Coronary artery bypass graft surgery	
Percutaneous transluminal coronary angioplasty or other transcatheter procedure	Orthostatic blood pressure drop of >20 mm Hg with symptoms
Compensated congestive heart failure	Critical aortic stenosis (peak systolic pressure gradient of >50 mm Hg with aortic valve orifice area of <0.75 cm² in average-size adult)
Cardiomyopathy	
Heart or other organ transplantation	Acute systemic illness or fever
Other cardiac surgery including valvular and pacemaker insertion (including implantable cardioverter defibrillator)	Uncontrolled atrial or ventricular dysrhythmias
	Uncontrolled sinus tachycardia (>120 beats/min)
	Uncompensated congestive heart failure
Peripheral arterial disease	Third-degree atrioventricular block (without pacemaker)
High-risk cardiovascular disease ineligible for surgical intervention	Active pericarditis or myocarditis
Sudden cardiac death syndrome	Recent embolism
End-stage renal disease	Thrombophlebitis
	Resting ST segment displacement (>2 mm)
At risk for coronary artery disease with diagnoses of diabetes mellitus, dyslipidemia, hypertension, etc	Uncontrolled diabetes (elevated resting glucose of >200 mg/dL with ketones present)
Other patients who may benefit from structured exercise and/or patient education (based on physician referral and consensus of rehabilitation team)	Severe orthopedic conditions that would prohibit exercise
	Other metabolic conditions, such as acute thyroiditis, hypokalemia or hyperkalemia, hypovolemia, etc.

Reprinted with permission from American College of Sports Medicine. *Guidelines for exercise testing and prescription.* 7th ed. Philadelphia, PA: Lippincott Williams & Wilkins; 2006.

patient will have been referred to physical therapy and an evaluation will be completed by the responsible PT. The physician or PT indicates patient risk status for an untoward event during cardiac rehabilitation so that the PTA can safely treat and progress the patient. Specific risk stratification criteria for cardiac patients, which include exercise testing and nonexercise testing findings developed by the AACVPR, can be found in Table 13-13.[25] Most often exercise test findings are unavailable so the PT must conduct a careful chart review and evaluation.

Finally, the AHA risk stratification criteria provide recommendations for patient monitoring and patient supervision as well as for activity restriction.[25] The

supervision and ECG and BP monitoring guidelines as listed in the AHA guidelines and found in Table 13-14 are most helpful for safe outpatient programming. High-risk patients in the AACVPR criteria and class C patients in the AHA criteria should be exercised with caution.[25] Finally, patients classified as class D patients (AHA) should not participate in exercise conditioning programs.[25]

During the first 48 hours following cardiac surgery or myocardial infarction patients will stay in a critical care unit, CICU, or some other area which allows for close nursing and telemetric supervision.[29] Prior to the first and each subsequent treatment the PTA should

---

TABLE 13-13 American Association of Cardiovascular Pulmonary Rehabilitation Risk Stratification Criteria for Cardiac Patients

Lowest Risk

Characteristics of patients at lowest risk for exercise participation (all characteristics listed must be present for patients to remain at lowest risk)

Absence of complex ventricular dysrhythmias during exercise testing and recovery

Absence of angina or other significant symptoms (e.g., unusual shortness of breath, lightheadedness, or dizziness during exercise testing and recovery)

Presence of normal hemodynamics during exercise testing and recovery (i.e., appropriate increases and decreases in heart rate and systolic blood pressure with increasing workloads and recovery)

Functional capacity ≥7 metabolic equivalents (METs)

Nonexercise Testing Findings

Resting ejection fraction ≥50%

Uncomplicated myocardial infarction or revascularization procedure

Absence of complicated ventricular dysrhythmias at rest

Absence of congestive heart failure

Absence of signs or symptoms of postevent/postprocedure ischemia

Absence of clinical depression

Moderate Risk

Characteristics of patients at moderate risk for exercise participation (any one or combination of these findings places a patient at moderate risk)

Presence of angina or other significant symptoms (e.g., unusual shortness of breath, lightheadedness, or dizziness occurring only at high levels of exertion [≥7 METs]

Mild to moderate level of silent ischemia during exercise testing or recovery (ST-segment depression <2 mm from baseline)

Functional capacity <5 METs

Nonexercise Testing Findings

Resting ejection fraction = 40% to 49%

Highest Risk

Characteristics of patients at high risk for exercise participation (any one or combination of these findings places a patient at high risk)

Presence of complex ventricular dysrhythmias during exercise testing or recovery

Presence of angina or other significant symptoms (e.g., unusual shortness of breath, lightheadedness, or dizziness at low levels of exertion [<5 METs] or during recovery)

High level of silent ischemia (ST-segment depression ≥2 mm from baseline) during exercise testing or recovery

Presence of abnormal hemodynamics with exercise testing (i.e., chronotropic incompetence or flat or decreasing systolic blood pressure with increasing workloads) or recovery (i.e., severe postexercise hypotension)

Nonexercise Testing Findings

Resting ejection fraction <40%

History of cardiac arrest or sudden death

Complex dysrhythmias at rest

Complicated myocardial infarction or revascularization procedure

Presence of congestive heart failure

Presence of signs or symptoms of postevent/postprocedure ischemia

Presence of clinical depression

Reprinted with permission from American College of Sports Medicine. *Guidelines for exercise testing and prescription.* 7th ed. Philadelphia, PA: Lippincott Williams & Wilkins; 2006.

TABLE 13-14 American Heart Association Risk Stratification Criteria[a]

Class A: apparently healthy individuals

Includes the following individuals:

- Children, adolescents, men <45 years, and women <55 years who have no symptoms or known presence of heart disease or major coronary risk factors
- Men ≥45 years and women ≥55 years who have no symptoms or known presence of heart disease and with <2 major cardiovascular risk factors
- Men ≥45 years and women ≥55 years who have no symptoms or known presence of heart disease and with ≥2 major cardiovascular risk factors
- Activity guidelines: no restrictions other than basic guidelines
- Electrocardiogram (ECG) and blood pressure monitoring: not required
- Supervision required: none, although it is suggested that persons classified as class A-2 and particularly class A-3 undergo a medical examination and possibly a medically supervised exercise test before engaging in vigorous exercise

Class B: presence of known, stable cardiovascular disease with low risk for complications with vigorous exercise but slightly greater than for apparently healthy individuals

Includes individuals with any of the following diagnoses:
- Coronary artery disease (CAD) (myocardial infarction, coronary artery bypass graft, percutaneous transluminal coronary angioplasty, angina pectoris, abnormal exercise test, and abnormal coronary angiograms), but condition is stable and individual has the clinical characteristics outlined below
- Valvular heart disease, excluding severe valvular stenosis or regurgitation with the clinical characteristics outlined below
- Congenital heart disease; risk stratification should be guided by the 27th Bethesda Conference recommendations[a]
- Cardiomyopathy; ejection fraction ≤30%; includes stable patients with heart failure with any of the clinical characteristics as outlined below but not hypertrophic cardiomyopathy or recent myocarditis
- Exercise test abnormalities that do not meet the criteria outlined in class C

Clinical characteristics:
- New York Heart Association class 1 or 2
- Exercise capacity ≤6 metabolic equivalents (METs)
- No evidence of congestive heart failure
- No evidence of myocardial ischemia or angina at rest or on the exercise test at or below 6 METs
- Appropriate rise in systolic blood pressure during exercise
- Absence of sustained or nonsustained ventricular tachycardia at rest or with exercise
- Ability to satisfactorily self-monitor activity
- Activity guidelines: activity should be individualized, with exercise prescription by qualified individuals and approved by primary health care provider
- Supervision required: medical supervision during initial prescription session is beneficial
- Supervision by appropriately trained nonmedical personnel for other exercise sessions should occur until the individual understands how to monitor his or her activity

- Medical personnel should be trained and certified in advanced cardiac life support
- Nonmedical personnel should be trained and certified in basic life support (which includes cardiopulmonary resuscitation)
- ECG and blood pressure monitoring: useful during the early prescription phase of training, usually six to 12 sessions

Class C: those at moderate to high risk for cardiac complications during exercise and/or unable to self-regulate activity or understand recommended activity level

Includes individuals with any of the following diagnoses:
- CAD with the clinical characteristics outlined below
- Valvular heart disease, excluding severe valvular stenosis or regurgitation with the clinical characteristics outlined below
- Congenital heart disease; risk stratification should be guided by the 27th Bethesda Conference recommendations[a]
- Cardiomyopathy; ejection fraction ≤30%; includes stable patients with heart failure with any of the clinical characteristics as outlined below but not hypertrophic cardiomyopathy or recent myocarditis
- Complex ventricular arrhythmias not well controlled

Clinical characteristics:
- New York Heart Association class 3 or 4

Exercise test results:
- Exercise capacity <6 METs
- Angina or ischemic ST depression at workload <6 METs
- Fall in systolic blood pressure below resting levels with exercise
- Nonsustained ventricular tachycardia with exercise
- Previous episode of primary cardiac arrest (i.e., cardiac arrest that did not occur in the presence of acute myocardial infarction or during cardiac procedure)
- Medical problem that the physician believes may be life threatening
- Activity guidelines: activity should be individualized, with exercise prescription provided by qualified individuals and approved by primary health care provider
- Supervision: medical supervision during all exercise sessions until safety is established
- ECG and blood pressure monitoring: continuous during exercise sessions until safety is established, usually more than 12 sessions

Class D: unstable disease with activity restriction[b]

Includes individuals with:
- Unstable angina
- Severe and symptomatic valvular stenosis or regurgitation
- Congenital heart disease criteria for risk that would prohibit exercise conditioning should be guided by the 27th Bethesda Conference recommendations[a]
- Heart failure that is not compensated
- Uncontrolled arrhythmias
- Other medical conditions that could be aggravated by exercise
- Activity guidelines: no activity is recommended for conditioning purposes; attention should be directed to treating patient and restoring patient to class C or better; daily activities must be prescribed on the basis of individual assessment by patient's personal physician

[a]Fuster V, Gotto AM, Libby P, et al. 27th Bethesda Conference: matching the intensity of risk factor management with the hazard for coronary disease events. Task Force 1. Pathogenesis of coronary disease: the biologic role of risk factors. J Am Coll Cardiol. 1996;27:964–976.
[b]Exercise for conditioning not recommended.
Reprinted with permission from American College of Sports Medicine. Guidelines for exercise testing and prescription. 7th ed. Philadelphia, PA: Lippincott Williams & Wilkins; 2006.

TABLE 13-15 **Pretreatment Assessment for Inpatient Cardiac Rehabilitation**

The PT or PTA should check or recheck the patient chart for:
- Medical referral
- Physician's orders
- Hematology values, including: red blood cell count, hematocrit, hemoglobin, white blood cell count
- Medications (watch for nitrates, beta blockers, calcium channel blockers)
- Determining need for portable, supplemental oxygen
- Determining need for pushcart/wheelchair

The PTA should communicate with:
- Patient's nurse—is it safe to exercise patient?
- Telemetry technician—you will be treating patient
- PT or physician as needed
- Patient/family—discuss goals and agree on plan

At the bedside the PTA should:
- Question patient's recent activity tolerance/history
- Record resting heart rate (HR), blood pressure (BP), oxygen saturation, angina, dyspnea, arrhythmia
- Count resting respiratory rate
- Affix telemetry transmitter (if ambulation will occur)
- Affix finger-pulse oximeter/heart rate monitor
- Select mode on wrist chronograph

During activity the PTA should[a]

Monitor vital signs
- HR—if above threshold, decrease or stop activity
- Oxygen saturation—if below threshold, stop activity
- Diastolic BP ≥110 mm Hg → stop activity[a]

- Systolic BP decrease >10 mm Hg or does not increase → stop activity[a]
- Stop activity with equipment malfunction

Monitor patient for signs and symptoms of intolerance
- Dyspnea (2-3/4) → stop activity[b]
- Angina (3/4) → stop activity[b]
- Claudication (3/4) → stop activity[b]
- Ataxia, dizziness, or near syncope → stop activity
- Pallor or cyanosis → stop activity
- Rate of perceived exertion (≥13) → stop activity

Telemetry technician/nurse should monitor
- Significant ventricular or atrial dysrhythmias → stop activity[a]
- Second- or third-degree heart block → stop activity[a]
- Ischemic changes → stop activity[a]
- Record elapsed time, distance, and compute velocity

Following activity the PTA should:
- Return patient to bed or bedside chair
- Disconnect telemetry transmitter, and any portable devices (pulse oximeter, portable BP cuff, supplemental oxygen)
- Reconnect patient to bedside monitors
- Check with nursing/telemetry for electrocardiogram responses
- Record findings in the chart
- Personally notify nurse, PT, and/or physician of worrisome findings

[a]It is always appropriate to stop activity at patient's request.
[b]American College of Sports Medicine. *Guidelines for exercise testing and prescription.* 7th ed. Philadelphia, PA: Lippincott Williams & Wilkins; 2006.

check for physical therapy orders/hold and check the patient's chart. A sample check list can be found in Table 13-15. After chart review the PT will meet the patient and complete a brief evaluation. When appropriate, the PTA will be asked to treat and progress the patient. Patient activities are restricted to self-care, postural change, use of bedside commode, arm and leg ROM, and walking in the room.[25,29] These activities are equivalent to up to twice the resting energy expenditure level, or 2 METs.

From the intensive care units, patients are transferred to step-down units where their activity generally increases. Historically, the remainder of inpatient cardiac rehabilitation involves the aforementioned activities plus standing exercises and ambulation. Ambulation is added to in-bed exercises, and patients are progressed throughout the inpatient stay. An example of how a PTA might progress a patient through cardiac rehabilitation in the acute care environment can be found in Table 13-16. Traditionally, the patient progresses in half-MET intervals from session to session, or day to day, depending on patient tolerance.

Intensity is a particularly important component designed to limit the threat of an untoward event. The exercise programming components of an inpatient exercise program can be found in Table 13-17.[25] Typically, inpatient cardiac rehabilitation is provided once or twice per day by the physical therapy staff. In many instances, it is provided once daily by physical therapy with ambulation provided a second or more times by nursing. The ACSM has recently recommended that patients progress in cardiac rehabilitation from minimal assistance to independent ambulation in the cardiac unit.[25]

The patient's physiologic responses should be recorded regularly. An example of a recording form can be found in Table 13-18. Of course, the level of supervision, as well as the rate of progression, is still the responsibility of the PT. Patients are progressed as tolerated and should exercise below an intensity that generates symptoms. It is particularly important that the PTA develop an excellent working relationship with the referring physicians, cardiac nurses, and telemetry technicians. All personnel involved with caring for cardiac patients should be aware

TABLE 13-16 Sample Exercise Progression for Acute Myocardial Infarction Patient

STEP	EXERCISE ACTIVITY (3–5 REPETITIONS)	METABOLIC EQUIVALENTS
1	Active-assisted range of motion (ROM), bed at 45-degree angle Shoulder: abduction/adduction, flexion/extension, internal/external rotation Hip/knee: abduction/adduction, flexion/extension, internal/external rotation Foot circles completed every waking hour Use proper breathing techniques	1.0–1.5
2	Active ROM while sitting on bedside Shoulder, hip/knee as above Shoulder girdle: abduction/adduction Hip/leg: abduction/adduction	1.0–1.5
3	Active ROM while sitting on bedside All exercises as above Walk to tolerance, not more than 120 feet	1.5–2.0
4	Active ROM while standing Shoulder, scapula as above Hip/knee flexion/extension Walk to tolerance, not more than 200 feet	1.5–2.0
5	Active standing ROM with 1-pound wrist cuff weights Shoulder, scapula as above and arm circles Lateral side bends and trunk twists Walk to tolerance, not more than 300 feet	1.5–2.0
6	Active standing ROM with 1-pound wrist cuff weights Exercises as above Stairs: two passes without wrist weights	1.5–2.0
7	Active standing ROM with 1- or 2-pound wrist weight cuffs Exercises as above Five to 12 repetitions of slight squats Four-way body bends Walk to tolerance, not more than 400 feet Stairs: three passes without wrist weights	2.0–2.5
8	Active standing ROM with 1- or 2-pound wrist weight cuffs Exercises as above Walk to tolerance, not more than 500 feet Stairs: four passes without wrist weights	3.0

Reprinted with permission of Donald K. Shaw, PT, PhD, FAACVPR (personal communication).

TABLE 13-17 Recommendations for Inpatient Cardiac Rehabilitation Exercise Programming

Intensity

Rate of perceived exertion <13 (6–20 scale)

Post-myocardial infarction heart rate (HR): <120 beats/min (bpm) or HR_{rest} + 20 bpm

Postsurgery HR: HR_{rest} + 30 bpm

To tolerance if asymptomatic

Duration

Begin with intermittent bouts lasting 3 to 5 minutes, as tolerated

Rest periods can be slower walk or complete rest at patient's discretion; shorter than exercise bout duration; attempt to achieve 2:1 exercise/rest ratio

Frequency

Early mobilization: three to four times/day (days 1–3)

Later mobilization: two times/day (beginning on day 4) with increased duration of exercise bouts

Progression

When continuous exercise duration reaches 10–15 minutes, increase intensity as tolerated

Reprinted with permission from American College of Sports Medicine. *Guidelines for exercise testing and prescription.* 7th ed. Philadelphia: Lippincott Williams & Wilkins; 2006.

TABLE 13-18 **Sample Exercise Forms for Phase I and Sample Phase II Exercise Prescription[a,b]**

Phase I Exercise Flow Sheet

Patient name _____ Number _____

Starting date _____ Age _____ Diagnosis _____

Step/Date	Sess #	Before HR	BP	ECG	After HR	BP	RPE	ECG	Walk Time	Walk Distance	Signs/ Symptoms	Assistive Device

ECG Changes | | Signs and Symptoms | Assistive Devices

ECG Changes		Signs and Symptoms	Assistive Devices
0 = None	A = 1 noted	0 = None	C = Cane
1 = S-T changes	B = Rare	1 = Angina	QC = Quad cane
2 = preventricular contraction	C = 2–6 minutes	2 = Dizziness	PC = Push cart
3 = premature atrial contraction	D = Frequent	3 = Fatigue	W = Walker
4 = premature junctional complex	E = Bi, tri, or quadrigeminy	4 = Dyspnea	RW = Rolling walker
5 = other	F = Couplets	5 = Leg Cramps	W/C = Wheelchair
	G = Triplets or greater	6 = Pallor	O = Other
		7 = Shaky	
		8 = Nausea	
		9 = Cool, clammy	
		10 = Other	

Sample Phase II Exercise Prescription[c]

Patient Name _____ Number _____

Starting date _____ Age ____ Max METs _____ Max HR _____ Wt. ___

Week	Modalities	Settings	METs
	( ) Treadmill	_____	_____
	( ) Arm crank	_____	_____
	( ) Step bench	_____	_____
	( ) Leg cycle	_____	_____
	( ) Airdyne	_____	_____
	( ) legs only	_____	_____
	( ) arms only	_____	_____
	( ) Rowing	_____	_____
	( ) Wall weights	_____	_____

Target HR _____ Intensity _____

Signature _____ Date _____

[a]Reprinted with permission of Donald K. Shaw, PT, PhD, FAACVPR.
[b]Add lines as needed to provide a full record of inpatient rehabilitation.
[c]Typically reproduced multiple times (weeks) on a single form so clinician can view progression.
BP, blood pressure; ECG, electrocardiogram; HR, heart rate; METs, metabolic equivalents.

TABLE 13-19 Indications for Terminating Exercise

Absolute Indications

Drop in systolic blood pressure of >10 mm Hg from baseline[a] blood pressure despite an increase in workload, when accompanied by other evidence of ischemia

Moderately severe angina (defined as 3 on standard four-point scale)

Increasing nervous system symptoms (e.g., ataxia, dizziness, or near syncope)

Signs of poor perfusion (cyanosis or pallor)

Technical difficulties monitoring the electrocardiogram or systolic blood pressure

Subject's desire to stop

Sustained ventricular tachycardia

ST elevation (+1.0 mm) in leads without diagnostic Q-waves (other than V_1 or aVR)

Relative Indications

Drop in systolic blood pressure of >10 mm Hg from baseline[a] blood pressure despite an increase in workload, in the absence of other evidence of ischemia

ST or QRS changes such as excessive ST depression (>2 mm horizontal or downsloping ST-segment depression) or marked axis shift

Arrhythmias other than sustained ventricular tachycardia, including multifocal preventricular contractions, triplets of preventricular contractions, supraventricular tachycardia, heart block, or bradyarrhythmias

Fatigue, shortness of breath, wheezing, leg cramps, or claudication

Development of bundle-branch block or intraventricular conduction delay that cannot be distinguished from ventricular tachycardia

Increasing chest pain

Hypertensive response (systolic blood pressure >250 mm Hg and/or a diastolic blood pressure >115 mm Hg)

[a]Baseline refers to a measurement obtained immediately before the test and in the same posture as the test is being performed.
Reprinted with permission from American College of Sports Medicine. *Guidelines for exercise testing and prescription.* 7th ed. Philadelphia: Lippincott Williams & Wilkins; 2006.

of end points for therapy so that safe and efficacious rehabilitation is carried out. Reasons for termination can be found in Table 13-19.

A comprehensive cardiac rehabilitation program must also include education for the patient and family. Inpatient education (risk factor reduction, nutrition, smoking cessation, stress reduction, behavior modification, and exercise, etc.) is usually provided by a cardiac educator personally, via closed-circuit television, or via printed materials.[29]

Discharge Instructions

Patients can be discharged to a variety of locations including skilled nursing facilities or rehabilitation hospitals. Patients discharged to these locations are often frail and may have cardiac complications or comorbidities.[29] When well enough, many of these patients will be discharged to home and may participate in outpatient cardiac rehabilitation.

Optimally, patients are discharged from the acute care environment to home. A home program using inpatient exercise intensities should be created for each patient prior to discharge. Generally, most patients are encouraged to walk at home from the time they are discharged until they begin outpatient cardiac rehabilitation. A walking program is usually of very low intensity and duration, increasing in small increments with each session. All patients and their families should be educated in identifying abnormal cardiac signs and symptoms. Family members should receive instruction in CPR. All patients and families should be encouraged to become proponents of placing automated external defibrillators (AED) in all public and private businesses. Most cardiac deaths are due to an electrical disturbance within the heart. The AED is designed to detect abnormalities and provide a shock to correct these electrical disturbances. Additionally, patients should be given information about outpatient cardiac rehabilitation programs in their area.

Outpatient Cardiac Rehabilitation

Historically phase II cardiac rehabilitation has been a 12-week, three sessions per week program. Generally, most insurance carriers provide some level of support for patients who have had a myocardial infarction, coronary artery bypass graft surgery, or angina. Upon entry into a program the patient should undergo risk stratification (Tables 13-12 to 13-14) so that a safe exercise program can be designed. The length, exercise intensity, and monitoring requirements should be established by the medical director.[25,29] Staff in direct daily contact with the exercising patient typically includes a nurse and exercise professional (PT, PTA, or exercise physiologist). All of these professionals will be certified in CPR, and at least one will be certified in advanced cardiac life support. The clinician certified in advanced cardiac life support usually monitors a telemetry monitor and notes any and all abnormalities.

The outpatient cardiac rehabilitation environment most often offers a fun and reassuring place for the cardiac patient to exercise safely. Patients build a sense of camaraderie and increased self-confidence. In addition to an exercise component, strong emphasis should be placed on secondary prevention. As such, regular educational sessions should include topics such as managing hypertension, diabetes, dyslipidemia, and depression.[29] Additionally, topics such as smoking cessation, dietary modification/healthy eating, and establishing an active lifestyle should be emphasized.

From an exercise perspective, outpatient cardiac rehabilitation programs often consist of a circuit-training program in which arm and leg ergometers are alternately used. Patients should always participate in a 5- to 12-minute warm-up prior to and a 5- to 12-minute cooldown following their exercise session. Traditional exercise devices include treadmills, arm and leg cycle ergometers, rowing ergometers, and stair climbers. Exercise duration on each device may be as short as 3 to 5 minutes with a 3- to 5-minute rest between exercise bouts. Total cardiovascular stress may last 15 to 20 minutes during early sessions and may involve only two or three ergometers. In addition to these standard exercise modes, training modes may include water exercise, pool walking, walking with 6- to 13-pound backpack loads, brisk outdoor track walking, and noncompetitive games.[25] Each patient is provided with a specific exercise prescription that is updated weekly. Additionally, patients are required to record or have their immediate postexercise HR, RPE, and BP recorded. A sample phase II recording form can be found in Table 13-20. Additionally, signs and symptoms and any abnormal ECG responses are noted and recorded.

To obtain physiologic training effects, it is most important to provide exercise intensity above a minimal training threshold stimulus but below a threshold that causes symptoms. It is preferable that patients have a preliminary exercise test prior to outpatient rehabilitation. Subsequently, a minimum threshold of 45% of $\dot{V}O_{2reserve}$ (calculated similar Karvonen HR reserve formula) is an appropriate minimal stimulus.[25] Percentages for the $\dot{V}O_{2reserve}$ and $HR_{reserve}$ can be used interchangeably as HR and oxygen consumption are linearly related during aerobic exercise.

As presented earlier in this chapter, $\dot{V}O_{2reserve}$ and $HR_{reserve}$ require knowledge of maximal HR or oxygen consumption. While a low-level exercise test may be administered immediately prior to discharge from the CICU, a maximal symptom-limited GXT will not be administered until at least 14 days postinfarction.[29] Therefore, without GXT information, calculating exercise intensity from $\dot{V}O_{2reserve}$ or $HR_{reserve}$ is usually not possible early in the outpatient program. Subsequently, entry-level exercise intensity should be HR_{rest} + 20 bpm for patients with myocardial infarction and HR_{rest} + 30 bpm for surgical patients.[29] RPE ratings of 11 to 13 are often used for controlling exercise intensity; however, considerable variability exists in the HR associated with these levels.[58] Thus, it has been suggested that regardless of how exercise intensity is determined, patient signs and symptoms of intolerance should be considered.[59] Exercise intensity should be kept at a level of 12 bpm below symptom threshold.[29] Helpful methods of determining exercise intensity for phase I and II patients can be found in Table 13-21. Accurate HR monitors with lower- and upper-limit alarms may be very helpful for symptomatic exercisers. Initial exercise intensities that provide low intensity (2–3 METs) for the treadmill and cycle ergometer are 1 to 3 mph, 0% grade, and 120 to 300 kg/m/min, respectively, should provide appropriate stimulus for those who have not had a GXT.[25]

Patients who have had a GXT may be given more accurate exercise prescriptions based on a percentage of $\dot{V}O_{2reserve}$ and $HR_{reserve}$. In all cases, initial concern should be given to providing a safe intensity which progressively increases over time.[25] Patients may be given exercise that increases in intensity or duration but generally not both as they progress weekly.[25] For example, a patient might exercise at 40% to 50% of $\dot{V}O_{2reserve}$ for 2 consecutive weeks with total exercise minutes increasing from 12 to 20 minutes.[25] If the PTA chooses to increase intensity to 50% to 60% of $\dot{V}O_{2reserve}$ in the next week, then total exercise minutes could be cut to 15 to 25 minutes for that week.[25] The following week's duration might be increased. Subsequently, intensity could again be increased and duration could be decreased.[25] While most clinicians have patients progress in intensity and duration throughout the course of rehabilitation, successful outcomes have been noted in patients who have simply completed brisk walking programs[60,61] or have exercised at high intensities.[62,63]

Exercise intensity, frequency, and duration can all be manipulated over the course of outpatient rehabilitation so that over a 12- to 24-week time frame, patients are to expend more than 1,000 kcal/week. This rehabilitation be accomplished via a 300-kcal/day expenditure on program days and 200-kcal/day expenditure on nonprogram days.[25] Evidence exists to suggest that to maintain or demonstrate regression in coronary atherosclerotic lesions, one must expend 1,500 to 2,000 kcal/week.[64]

Outpatient vs Home Exercise Programs

Outpatient programs are clearly safe environments for medically complex patients and are beneficial to patients with compliance issues.[29] Indeed, organized outpatient programs offer educational benefits as well as group support, diverse exercise modalities, and professional supervision. Unfortunately, not all patients access outpatient programs secondary to cost, distance, or personal choice.

Low-risk patients can benefit equally from home or outpatient programs[25] and can be released to home

---

TABLE 13-20   **Phase II Daily Log Sheet**[a,b,c]

Name _____ Date _____

Session _____ Telemetry # _____ Wt. _____ THR _____ Intensity _____%

Have you had any health problems since your last exercise session?

Have you added or deleted any medications or changed the schedule or amount of medications you are taking since your last exercise session? Yes ___ No ___

If so, how? _____

Entrance BP _____ HR _____ Rhythm _____

Entrance time _____ Entrance blood sugar _____

Exercise data

Device	Duration	Workload	ECG Changes	Signs/Symptoms	Exercise HR	RPE	BP

Exit BP _____ HR _____ Rhythm _____

Exit time _____ Exit blood sugar _____

Comments:

Physical therapist _____ Registered nurse _____

Codes

ECG Changes		Signs and Symptoms	Modalities
0 = None	A = 1 noted	0 = None	T = Treadmill
1 = S-T changes	B = Rare	1 = Angina	B = Bicycle
2 = preventricular contraction	C = 2–6 minutes	2 = Dizziness	D = Air dyne
3 = premature atrial contraction	D = Frequent	3 = Fatigue	A = Arm crank
4 = premature junctional complex	E = Bi, tri, or quadrigeminy	4 = Dyspnea	R = Rowing
5 = Other	F = Couplets	5 = Leg cramps	S = Steps
	G = Triplets or greater	6 = Pallor	M = Monarch cycle
		7 = Shaky	W = Wall pulleys
		8 = Nausea	
		9 = Cool, clammy	
		10 = Other	

BP, blood pressure; ECG, electrocardiogram; HR, heart rate; METs, metabolic equivalents; RPE, rate of perceived exertion; THR, target heart rate.
[a]Reprinted with permission of Donald K. Shaw, PT, PhD, FAACVPR.
[b]Add lines as needed to provide a full record of inpatient rehabilitation.
[c]Typically reproduced multiple times (weeks) on a single form so clinician can view progression.
BP, blood pressure; ECG, electrocardiogram; HR, heart rate; METs, metabolic equivalents.

| TABLE 13-21 | Exercise Intensity for Selected Cardiac Patients |

CARDIAC POPULATION	INTENSITY[a]
Ischemia or angina	≥ 10 beats/min below symptoms (ischemic threshold)
Congestive heart failure	40% to 75% $\dot{V}O_{2max}$
Fixed-rate pacemaker	Training SBP = $(SBP_{max} - SBP_{rest})$ (50% to 80%) + SBP_{rest}
Rate-responsive pacemaker	50% to 85% of $HR_{reserve}$ + ≥ 10 beats/minute below symptoms
Antitachycardia pacemakers and implanted	10 beats/minute below threshold for defibrillation cardioverter defibrillators
Cardiac transplant	40% to 75% $\dot{V}O_{2peak}$, RPE 11–15, ventilatory threshold, dyspnea
Coronary artery bypass graft and percutaneous	HR_{rest} + 30 beats/minute transluminal coronary intervention
Myocardial infarction	HR_{rest} + 20 beats/minute

[a]Intensity may be increased as patient progresses. HR, heart rate; SBP, systolic blood pressure.
Reprinted with permission from American College of Sports Medicine. *Guidelines for exercise testing and prescription.* 8th ed. Philadelphia, PA: Lippincott Williams & Wilkins; 2010.

exercise after meeting certain requirements presented in Table 13-22. Moderate- and high-risk patients should be encouraged to remain in a supervised program as long as their condition warrants. Based on medical necessity, some patients may be encouraged to exercise only in a group setting for safety reasons. Finally, new technologies exist that allow transtelephonic monitoring, a two-way telephone conversation between exercise participant and exercise professional. This technology allows the real-time transmission of a home exercise patient's ECG to a central monitoring station. Therefore, regardless of where a patient is located in reference to an outpatient program

site, monitoring can occur. Data suggests that while slightly more complications are noted, fewer deaths occur during transtelephonic monitoring.[65]

| TABLE 13-22 | Guidelines for Progression from Supervised to Home Exercise |

Maximum metabolic equivalents

Measured ≥ 5; Estimated ≥ 7; or twice occupational demand

Stable/controlled baseline heart rate and blood pressure

Stable/absent cardiac symptoms

Systolic blood pressure increase with increasing workload, decreasing in recovery

Normal or unchanging electrocardiogram conduction response at peak exercise along with stable or benign dysrhythmias, and <1 mm ST-segment depression

Independent management of risk factor intervention and safe exercise participation

Adequate knowledge scores regarding disease process, abnormal signs/symptoms, medication use/side effects, and exercise topics

Reprinted with permission from American College of Sports Medicine. *Guidelines for exercise testing and prescription.* 7th ed. Philadelphia, PA: Lippincott Williams & Wilkins; 2006.

SUMMARY

- Significant evidence exists to support the recommendation that adults should participate in regular physical activity. Although recent evidence suggests that moderately intense activities provide important health-related benefits (including efforts to adopt a more active lifestyle), improvements in aerobic conditioning are achieved through careful examination of cardiorespiratory endurance capacity and exercise prescription. A method to generate safe and effective exercise prescriptions was presented.

- The primary energy sources used during aerobic exercise are carbohydrate and fat. High-intensity, brief-duration exercise relies on the ATP–PCr metabolic pathway; high-intensity, short-duration exercise relies on the ATP–PCr and anaerobic glycolysis pathways; and submaximal-intensity, long-duration exercise relies on the oxidative pathway.

- Normal responses to acute aerobic exercise include increased HR, SV, $\dot{Q}$, a–vO$_2$, SBP, and pulmonary ventilation in response to an increasing workload. The distribution of blood flow shifts to provide increased blood to the working muscles, and DBP changes little during acute exercise. Abnormal responses include signs and symptoms of exercise intolerance.

- Adaptations to chronic exercise include increased heart size, increased SV at rest, decreased resting and submaximal HR and RR, increased overall blood volume,

Geriatric Perspectives

- A thorough and systematic approach to prescribing an appropriate exercise session is essential if the intervention is to be effective. A detailed history of exercise, lifestyle, and barriers to exercise should be obtained. Christmas and Andersen[1] provided a helpful review of the benefits of exercise in older adults along with guidelines for prescription and recommendations for improving compliance.

- Research indicates that exercise capacity, as measured by $\dot{V}O_{2max}$, declines with aging. However, some disagreement exists concerning the amount of the decline, which is generally reported to be 0.5 to 1.0 mL/kg/min per year.

- Healthy older adults can tolerate endurance training at relatively intense levels (85% $HR_{reserve}$) without a significant increase in rates of injury. In addition, some studies have demonstrated health benefits for older adults involved in low- to moderate-intensity training (50% $HR_{reserve}$).[2]

- Maximal HR declines with age and exhibits a sex difference. However, the sex difference appears to be related to the greater percent of body fat in older women than in older men.[3] Although age is the single most important factor associated with a decline in maximal HR, other factors that affect exercise performance are mode of exercise, level of fitness, and motivation.[1,4] Maximal HR has been determined to be lower for bicycle ergometry and swimming than for the treadmill. Older individuals may hesitate to exert maximal effort owing to constraints related to poor muscle tone, cardiopulmonary disease, and musculoskeletal problems (e.g., arthritis).

- Various simple, objective measurements may help determine whether maximal effort was performed: patient appearance and breathing rate, Borg scale, age-predicted HR, and SBP.[5] The Borg scale uses a numeric indicator (on a scale of 0 to 10) and corresponding descriptor (very, very light to very, very hard) and has been found to correlate with the percentage of maximal HR during exercise. The ACSM and the AHA state that to promote and maintain health, older adults should perform moderate-intensity (5-6/10) aerobic activity for 30-minutes, five days per week or vigorous (7-8/10) intensity activity three days per week for 20-minutes.[6]

- Resting SBP may rise an average of 35 mm Hg over the adult lifespan and is thought to be associated with a loss of elasticity in the major blood vessels. Higher resting SBP is associated with higher peak BP during exercise.[7] Repeated resting systolic and diastolic values above 140 mm Hg and 90 mm Hg, respectively, constitute a medical diagnosis of hypertension. Hypertensive individuals should receive appropriate counseling and treatment from their personal physician.

- Normal responses to acute aerobic exercise may be altered by certain cardiovascular medications. For instance, nonselective beta blockers or calcium channel medications may decrease HR and alter metabolic response to acute exercise. Individuals taking these and similar antihypertensive medication should be supervised and instructed in exercise safety.[8]

- To safely conduct exercise testing in older adults with disabilities or balance precautions, Smith and Gilligan[9] proposed a modification of the step test. The modified chair-step test is performed while sitting and includes incremental stages to increase the cardiovascular demands.

1. Christmas C, Andersen RA. Exercise and older patients: guidelines for the clinician. *J Am Geriatr Soc.* 2000; 48:318–324.
2. Hazzard WR, Blass JP, Ettinger WH, et al. *Principles of geriatric medicine and gerontology.* 4th ed. New York, NY: McGraw-Hill; 1998.
3. Hollenberg M, Long HN, Turner D, et al. Treadmill exercise testing in an epidemiological study of elderly subjects. *J Gerontol Bio Sci.* 1998;53A:B259–B267.
4. Londeree BR, Moeschberger ML. Influence of age and other factors on maximal heart rate. *J Cardiac Rehabil.* 1984; 4: 44–49.
5. Froelicher VF. *Manual of exercise testing.* St. Louis, MO: Mosby – Year Book; 1994.
6. Nelson ME, Rejeski WH, Blair SN, et al. Recommendations from the American College of Sports Medicine and the American Heart Association. *Circulation.* 2007;116:1094–1105.
7. Shephard RJ. *Aging, physical activity, and health.* Champaign, IL: Human Kinetics; 1997.
8. Gordon NF, Duncan JJ. Effect of beta-blockers on exercise physiology: implications for exercise training. *Med Sci Sports Exerc.* 1991;23:668–676.
9. Smith EL, Gilligan C. Physical activity prescription for the older adult. *Physician Sportsmed.* 1983;11:91–121.

increased blood flow to the muscles, and increased $\dot{V}O_{2max}$. Psychologic benefits of training include improvements in depression, mood, anxiety, well-being, and perceptions of physical function.

- Specific guidelines were presented for the screening and supervision of GXT and exercise sessions based on age, sex, and the presence of risk factors for CAD. Submaximal GXT can be used to establish a baseline of aerobic fitness before participation in an aerobic training program and from which to establish an exercise prescription. Submaximal tests include bicycle ergometer tests, treadmill tests, and field tests.

- An individualized exercise prescription should include parameters for intensity, duration, frequency, and mode. Progression should include an initiation stage of 3 to 6 weeks, an improvement stage of 4 to 5 months, and a maintenance stage aimed at the adoption of a lifetime exercise habit.

- Within the cardiac rehabilitation section of this chapter, emphasis has been placed upon exercise prescription as it pertains to the patient with myocardial infarction and coronary artery bypass. Exercise intensities for patients with ischemia, congestive heart failure, pacemakers, and heart transplants were also presented.

Pediatric Perspectives

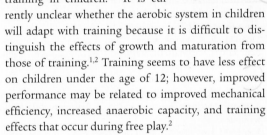

- Many physiologic differences in the cardiac, circulatory, and respiratory systems exist among the child, adolescent, and adult. In the child, as in the adult, HR and cardiac output increase as work intensity increases.[1] However, compared with the adult, the child's HR is higher and SV lower, and total cardiac output is somewhat lower at a given workload.[2]

- Children are less mechanically efficient than adults and therefore expend more energy than adults when performing the same activity at the same intensity.[1] Children demonstrate a higher a–vO_2 and increased blood flow to exercising muscle than adults. This suggests an improved oxygen delivery system in children that compensates for lower cardiac output.[1]

- Because of smaller body mass, children have lower absolute values for aerobic capacity.[2,3] Small children demonstrate lower SBP and DBP than adolescents, both of which are lower than the adult.[1,2] Boys have higher peak SBP than age-matched girls.[1]

- When exercising, children breathe more frequently (greater ventilatory equivalent) than adults at any level of oxygen uptake.[2]

- Special concern must be taken with children who exercise in hot environments. Children have a relatively poorer ability to dissipate heat during exercise than adults.[1,3] Children generate more metabolic heat per unit body size, have lower sweating rates, and slower onset of sweating related to rise in core temperature than do adults. From a practical standpoint, exercise levels should be reduced for children exposed to hot environments and additional time should be allowed for acclimatization compared with adults.[2]

- During weight-bearing exercise (running, walking, dance, and tumbling) the oxygen uptake of children is 12% to 30% higher than that of adults at a designated, submaximal pace.[2]

- Evidence exists that cardiac hypertrophy results from endurance training in children.[2,3] It is currently unclear whether the aerobic system in children will adapt with training because it is difficult to distinguish the effects of growth and maturation from those of training.[1,2] Training seems to have less effect on children under the age of 12; however, improved performance may be related to improved mechanical efficiency, increased anaerobic capacity, and training effects that occur during free play.[2]

- When initiating a program for children, be creative with fitness activities. Suggestions include fitness-based games and activities that are fun. As children age, progress to intramural and local league sports.[4]

- The ACSM guidelines for children in grades 3 and above recommend base training of 30 minutes of accumulated exercise throughout the day in segments of at least 12 minutes each, progressing to 60 to 120 minutes (accumulated) for athletic performance.[4] The Center for Disease Control suggests 60-minutes of daily physical activity which can be moderate (5-6/10) or vigorous (7-8/10).[5]

1. Thein LA. The child and adolescent athlete. In: Zachezewski JE, Magee DJ, Quillen WS, eds. *Athletic injuries and rehabilitation.* Philadelphia, PA: WB Saunders; 1996:933–958.
2. McArdle WD, Katch FI, Katch VL. *Exercise physiology: energy, nutrition, and human performance.* 5th ed. Baltimore, PA: Lippincott Williams & Wilkins; 2001.
3. Bar-Or R. *Pediatric sports medicine for the practitioner: from physiologic principles to clinical applications.* New York, NY: Springer-Verlag New York; 1983.
4. American College of Sports Medicine. *ACSM's guidelines for exercise testing and prescription.* 7th ed. Baltimore, MD: Lippincott Williams & Wilkins; 2006.
5. Physical Activity for Everyone. Centers for Disease Control. 2010. http://www.cdc.gov/physicalactivity/everyone/resources/index.html Accessed August 19, 2010.

References

1. Berryman JW. *Out of many, one. A history of the American College of Sports Medicine.* Champaign, IL: Human Kinetics; 1995.

2. U.S. Department of Health and Human Services. *Physical activity and health: a report of the surgeon general.* Atlanta, GA: Centers for Disease Control and Prevention; 1996.

3. Caspersen CJ, Powell KE, Christenson GM. Physical activity, exercise, and physical fitness: definitions and distinctions for health-related research. *Public Health Rep.* 1985;120:126–131.

4. Wilmore JH, Costill DL, Kenney WL. *Physiology of sport and exercise.* 3rd ed. Champaign, IL: Human Kinetics; 2007.

5. Blair SN, Kohl HW, Paffenbarger RS, et al. Physical fitness and all-cause mortality. *JAMA.* 1989;262:2395–2401.

6. Paffenbarger RS, Hyde RT, Wing AL. Physical activity and physical fitness as determinants of health and longevity. In: Bouchard C, Shephard RJ, Stephens T, eds. *Physical activity, fitness, and health: international proceedings and consensus statement.* Champaign, IL: Human Kinetics; 1994:33–48.

7. U.S. Department of Health and Human Services (USDHHS). *2008 Physical Activity Guidelines for Americans.* Washington, DC: USDHHS.

8. U.S. Department of Health and Human Services. *Healthy people 2010: understanding and improving health.* 2nd ed. McLean, VA: International Medical Publishing, Inc; 2001.

9. Haskell WL, Lee IM, Pate RR, et al. Physical activity and public health: updated recommendation for adults from the American College of Sports Medicine and the American Heart Association. *Med Sci Sports Exerc.* 2007;39:1423–1434.

10. McAuley E. Physical activity and psychosocial outcomes. In: Bouchard C, Shephard RJ, Stephens T, eds. *Physical activity, fitness, and health: international proceedings and consensus statement.* Champaign, IL: Human Kinetics; 1994:551–568.

11. American College of Sports Medicine. *Resource manual for guidelines for exercise testing and prescription.* 3rd ed. Baltimore, MD: Williams & Wilkins; 1998.

12. Berne RM, Levy MN. *Cardiovascular physiology.* 7th ed. St. Louis, MO: Mosby; 2001.

13. Caspersen CJ, Powell KE, Merritt RK. Measurement of health status and well-being. In: Bouchard C, Shephard RJ, Stephens T, eds. *Physical activity, fitness, and health: international proceedings and consensus statement.* Champaign, IL: Human Kinetics; 1994:180–202.

14. Rejeski WJ, Brawley LR, Shumaker SA. Physical activity and health-related quality of life. *Exerc Sport Sci Rev.* 1996;24:71–128.

15. McMurdo MET, Burnett L. Randomised controlled trial of exercise in the elderly. *Gerontology.* 1992;38:292–298.

16. Ruuskanen JM, Ruoppila I. Physical activity and psychological well-being among people aged 65 to 84 years. *Age Ageing.* 1995;24:292–296.

17. Woodruff SI, Conway TL. Impact of health and fitness-related behavior on quality of life. *Soc Ind Res.* 1992;25:391–405.

18. Norris R, Carroll D, Cochrane R. The effects of aerobic and anaerobic training on fitness, blood pressure, and psychological stress and well-being. *J Psychosom Res.* 1990;34:367–375.

19. Lavie CJ, Milani RV. Effects of cardiac rehabilitation, exercise training, and weight reduction on exercise capacity, coronary risk factors, behavioral characteristics, and quality of life in obese coronary patients. *Am J Cardiol.* 1997;79:397–401.

20. Lavie CJ, Milani RV. Effects of cardiac rehabilitation and exercise training programs in patients, 75 years of age. *Am J Cardiol.* 1996; 78:675–677.

21. Kavanagh T, Myers MG, Baigrie RS, et al. Quality of life and cardio-respiratory function in chronic heart failure: effects of 12 months aerobic training. *Heart.* 1996;76:42–49.

22. LeFort SM, Hannah TE. Return to work following an aquafitness and muscle strengthening program for the low back injured. *Arch Phys Med Rehabil.* 1994;75:1247–1255.

23. Petajan JH, Gappmaier E, White AT, et al. Impact of aerobic training on fitness and quality of life in multiple sclerosis. *Ann Neurol.* 1996;39:432–441.

24. Smith SL. Physical exercise as an oncology nursing intervention to enhance quality of life. *Oncol Nurs Forum.* 1996;23:771–778.

25. American College of Sports Medicine. *Guidelines for exercise testing and prescription.* 8th ed. Philadelphia, PA: Lippincott Williams & Wilkins; 2010.

26. Manson JE, Hu FB, Rich-Edwards JW, et al. A prospective study of walking as compared with vigorous exercise in the prevention of coronary heart disease in women. *N Engl J Med.* 1999;341:650–658.

27. Andersen RE, Wadden TA, Bartlett SJ, et al. Effects of lifestyle activity vs structured aerobic exercise in obese women. *JAMA.* 1999;281:335–340.

28. Dunn AL, Marcus BH, Kampert JB, et al. Comparison of lifestyle and structured interventions to increase physical activity and cardiorespiratory fitness. *JAMA.* 1999;281:327–334.

29. American Association of Cardiovascular and Pulmonary Rehabilitation. *Guidelines for cardiac rehabilitation and secondary prevention programs.* 4th ed. Champaign, IL: Human Kinetics; 2006.

30. American Physical Therapy Association. *Guide to physical therapist practice.* 2nd ed. Alexandria, VA: American Physical Therapy Association; 2003.

31. McArdle WD, Katch FI, Pechar GS, et al. Reliability and interrelationships between maximal oxygen intake, physical work capacity and step-test scores in college women. *Med Sci Sports Exerc.* 1972;4:182–186.

32. Maud PJ, Foster C. *Physiological assessment of human fitness.* 2nd ed. Champaign, IL: Human Kinetics; 2005.

33. Kline GM, Porcari JP, Hintermeister R, et al. Estimation of $\dot{V}O_{2max}$ from a one-mile track walk, gender, age, and body weight. *Med Sci Sports Exerc.* 1987;19:253–259.

34. Borg G. *Borg's perceived exertion and pain scales.* Champaign, IL: Human Kinetics; 1998.

35. American College of Sports Medicine. The recommended quantity and quality of exercise for developing and maintaining cardiorespiratory and muscular fitness in healthy adults. *Med Sci Sports Exerc.* 1990;22:265–274.

36. Lehmann M, Foster C, Keul J. Overtraining in endurance athletes: a brief review. *Med Sci Sports Exerc.* 1993;25:854–862.

37. Dishman RK. *Exercise adherence.* Champaign, IL: Human Kinetics; 1994.

38. Cardinal BJ. The stages of exercise scale and stages of exercise behavior in female adults. *J Sports Med Phys Fitness.* 1995;35:87–92.

39. Franklin BA. Program factors that influence exercise adherence: practical adherence skills for the clinical staff. In: Dishman RK, ed. *Exercise adherence.* Champaign, IL: Human Kinetics; 1988:237–258.

40. Marcus BH, Simkin LR. The stages of exercise behavior. *J Sports Med Phys Fitness.* 1993;33:83–88.

41. Marcus BH, Rakowski W, Rossi JS. Assessing motivational readiness and decision making for exercise. *Health Psychol.* 1992;11:257–261.

42. Wenger NK. Early ambulation after myocardial infarction: rationale, program components, and results. In: Wenger NK, Hellerstein HK, eds. *Rehabilitation of the coronary patient.* New York, NY: John Wiley and Sons; 1978:53–65.

43. Goodman CC, Boissonnault WG, Fuller KS. *Pathology implications for the physical therapist.* Philadelphia, PA: WB Saunders; 2003;367–476.

44. Falkel JE. No one ever died from a weak ankle. *J Orthop Sports Phys Ther.* 1996;24:55–56.

45. Leon AS, Franklin BA, Costa F, et al. Cardiac rehabilitation and secondary prevention of coronary heart disease. An American Heart Association scientific statement from the Council on Clinical Cardiology. *Circulation.* 2005;111:369–376.

46. Oldridge NB, Guyatt GH, Fischer ME, et al. Cardiac rehabilitation after myocardial infarction. Combined experience of randomized clinical trials. *JAMA.* 1988;260:945–950.

47. O'Conner GT, Burling JE, Yusuf S, et al. An overview of randomized trials of rehabilitation with exercise after myocardial infarction. *Circulation.* 1989;80:234–244.

48. American Heart Association. *Heart Disease and Stroke Statistics—2005 Update.* Dallas: American Heart Association; 2005.

49. Thompson PD, Buchner D, Piña IL, et al. Exercise and physical activity in the prevention and treatment of atherosclerotic cardiovascular disease. An American Heart Association scientific statement from the Council on Clinical Cardiology (Subcommittee on Exercise, Rehabilitation, and Prevention) and the Council on Nutrition, Physical Activity, and Metabolism (Subcommittee on Physical Activity). *Circulation.* 2003; 127:3129–3116.

50. Haskell WL, Alderman EL, Fair JM, et al. Effects of intensive multiple risk factor reduction on coronary atherosclerosis and clinical cardiac events in men and women with coronary artery disease. The Stanford Coronary Risk Intervention Project (SCRIP). *Circulation.* 1994;89:975–990.

51. Niebauer J, Hambrecht R, Velich T, et al. Attenuated progression of coronary artery disease after 6 years of multifactorial risk intervention. *Circulation.* 1997;96:2534–2541.

52. Wenger NK, Froelicher ES, Smith LK, et al. *Cardiac rehabilitation. Clinical practice guideline no. 17. AHCPR Publication No. 96-0672.* Rockville, MD: U.S. Department of Health and Human Services, Public Health Service, Agency for Health Care Policy and Research and the National Heart, Lung, and Blood Institute; 1995.

53. Taylor RS, Brown A, Ebrahim S, et al. Exercise-based rehabilitation for patients with coronary heart disease: systematic review and meta-analysis of randomized trials. *Am J Med.* 2004;116:682–697.

54. *Medicare national coverage determination manual for cardiac rehabilitation programs (20.20).* Publication no. 120-3. Manual section no. 20.12 Version no. 1. Effective date of this version August 1, 1989.

55. Lapier TK, Cleary KK, Steadman E, et al. An alternative model of outpatient cardiac rehabilitation program delivery. *Cardiopulm Phys Ther.* 2002;13:3–12.

56. Hevey D, Brown A, Cahill A, et al. Four-week multidisciplinary cardiac rehabilitation produces similar improvements in exercise capacity and quality of life to a 12-week program. *J Cardiopulm Rehabil.* 2003;23:17–21.

57. Grace SL, McDonald J, Fishman D, et al. Patient preferences for home-based versus hospital-based cardiac rehabilitation. *J Cardiopulm Rehabil.* 2005;25:24–29.

58. Joo KC, Brubaker PH, MacDongall AS, et al. Exercise prescription using heart rate plus 20 or perceived exertion in cardiac rehabilitation. *J Cardiopulm Rehabil.* 2004;24:178–186.

59. Dressendorfer RH, Smith JL, Amsterdam EA, et al. Reduction of submaximal exercise myocardial oxygen demand post-walk training program in coronary patients due to improved physical work efficiency. *Am Heart J.* 1982;123:358–362.

60. Franklin BA, Pamatmat A, Johnson S, et al. Metabolic cost of extremely slow walking in cardiac patients: implications for exercise testing and training. *Arch Phys Med Rehabil.* 1983;64:564–565.

61. Pollock ML, Miller HS Jr, Janeway R, et al. Effects of walking on body composition and cardiovascular function of middle-aged man. *J Appl Physiol.* 1971;30:126–130.

62. Swain DP, Franklin BA. Is there a threshold intensity for aerobic training in cardiac patients? *Med Sci Sports Exerc.* 2002;34:1271–1275.

63. Swain DP, Franklin BA. $\dot{V}O_{2reserve}$ and the minimal intensity for improving cardiorespiratory fitness. *Med Sci Sports Exerc.* 2002;34:152–157.

64. Hambrecht R, Niebauer J, Marburger C. Various intensities of leisure time physical activity in patients with coronary artery disease: effects on cardiorespiratory fitness and progression of coronary atherosclerotic lesions. *J Am Coll Cardiol.* 1993;22:468–477.

65. Sparks EK, Shaw DK, Jennings HS, et al. Cardiovascular complications of outpatient cardiac rehabilitation programs utilizing transtelephonic exercise monitoring. *Phys Ther.* 1998;9:3–6.

PRACTICE TEST QUESTIONS

1. Which of the following patients will most benefit from aerobic exercise and conditioning? The person who is

   A) Status post a total hip replacement surgery
   B) Recovering from a cerebrovascular accident
   C) In the post-participation phase of training
   D) Elderly and has a history of falls

2. Which of the following goals is most likely associated with an aerobic exercise and conditioning program? In 4–6 weeks, the patient will

   A) Demonstrate improved upper extremity strength by one full grade during MMT
   B) Be able to walk on treadmill at a 2% incline both forwards and backwards
   C) Perform all lower extremity dressing independently while following all THR precautions
   D) Be able to use light resistance on the UBE for 15–20 minutes at target HR 3 times per week

3. The patient goal that is most likely associated with aerobic exercise interventions is that the patient states

   A) "I need to lose weight and get my cholesterol under control"
   B) "I need to improve my strength and endurance"
   C) "I need to improve my flexibility and balance"
   D) "I need to quit smoking and breathe better"

4. What is required to break triglycerides down into free fatty acids and glycerol?

   A) Carbohydrates
   B) High intensity exercise
   C) Oxygen
   D) ATP

5. The patient is engaging in high intensity exercise. Which of the following statement most accurately describes what will occur?

A) The fuel to do this exercise will come from fat stores
B) Lactic acid will build up and ultimately impede muscle output
C) Energy stores from ATP–PCR and glycolytic pathways allow muscles limitless output
D) All of the above

6. Which of the following is the primary benefit of cellular respiration?

A) Produces lactic acid and slows muscle activity
B) Less ATP is produced than during anaerobic exercise
C) Will support short duration, high-intensity exercise
D) Oxygen enables more ATP to be produced and used for longer duration exercise

7. Which of the following energy sources is used for sub maximal exercise?

A) Carbohydrate sources
B) Protein sources
C) Fat sources
D) All of the above

8. In order to support aerobic needs of prolonged sub maximal exercise, changes in the cardiovascular system and the respiratory system occur. Which of the following statements accurately describes these changes?

A) Left ventricle size decreases are offset by increases in resting heart rate and blood volume
B) Left ventricle size increases along with blood volume; heart rate adjusts to increased workload
C) Tidal volume of air exchanged during maximal exercise is unchanged
D) Increased blood flow to the lungs during maximal exercise causes decreased rates of gas exchange in the alveoli

9. During an exercise tolerance test, prior to the prescription of aerobic exercise, the patient has a feeling of lightheadedness that goes away and increases in both heart rate and systolic blood pressure as the exercise gets more difficult. These signs and symptoms are

A) Abnormal and signal an emergency
B) Abnormal but the patient can exercise at a lesser intensity
C) Normal and signal that the patient can exercise until symptoms occur
D) Normal and signal that the test needs to be concluded

10. Cardiac risk factors are used to determine patient safety and the appropriate intensity and duration of exercise. Which of the following is NOT considered a cardiac risk factor?

A) Asymptomatic males aged 45 or younger
B) Asymptomatic females aged 65 or older
C) Family history of CAD in either males or females
D) Peripheral edema and diabetes in 38-year-old male

11. Submaximal graded exercise testing is used to determine exercise prescription because

A) They are safer than maximal graded exercise testing
B) EKG monitoring does not need to be done and treadmill or bicycle can be used
C) $\dot{V}O_{2max}$ can be estimated if you know the workload and the heart rate
D) All the above

12. How are field tests used in graded exercise testing?

A) Field tests summarize RCT evidence and guide clinical decision-making
B) Field tests can be used as sub-maximal graded exercise tests and are very practical
C) Field tests should only be done with specific laboratory equipment to analyze O_2 volume
D) Field tests will have too many uncontrolled variables because they are performed "in the field"

13. Which of the following factors best describes what the therapist will consider when developing an exercise prescription?

A) Tidal volume and percentage concentration of carbon dioxide during exercise
B) Rate of perceived exertion and total lung volume during exercise and at rest
C) Age of the patient and calculated intensity level or training range of the exercise
D) Duration of activity and rate of perceived exertion after exercise

14. The intensity of the exercise will be determined

A) By field test such as the 1 mile walk test
B) By the Kavonen formula
C) By subtracting the patients age from 220 and multiplying by a training level
D) Any of the above

15. Which of the following best describes how the aerobic exercise will typically be structured?

    A) Warm up, stretching, circuit training with cable weights, and cool down
    B) Stretching, vital signs, treadmill walking, and cool down
    C) Light activity to bring the pulse gradually up to training level, large muscle group exercise and gradual slow down until pulse gradually decreases
    D) Challenging large muscle group activity to quickly bring the pulse up to training level, variable large and small muscle group exercise, and cool down until resting heart rate is achieved

16. The patient has never exercised before and is unable to maintain the target heart rate for the ideal of 20 to 30 minutes. What should the PTA do in this situation?

    A) Ask the patient to return to his/her physician for a new exercise prescription
    B) Discuss decreasing the target heart rate to below 30% of calculated maximum with the supervising PT
    C) Discuss breaking up the large muscle group exercise into two – 10 to 12 minute sessions separated by 1–2 hours with the supervising PT
    D) Discuss need for discharge with the supervising PT because this patient is unable to benefit from aerobic exercise at this point

17. The patient has exercised prior to his heart attack. He is medically cleared to begin Phase II of cardiac rehabilitation in a monitored facility. The initial exercise prescription will likely be

    A) 50%–60% of calculated maximum HR at an 11–12 level of RPE for 20 to 30 minutes three times per week
    B) 40%–50% of calculated maximum HR at an 11–12 level of RPE for 15 to 20 minutes three times per week
    C) 50%–60% of calculated target HR at an 11–12 RPE for 20 to 30 mintues daily
    D) 40%–50% of calculated target HR at an 11–12 RPE for 15 to 20 minutes daily

18. The patient has been involved in Phase II of cardiac rehabilitation in a monitored facility for the past 6 weeks. The improvement he will demonstrate for the next 6-8 weeks of his program will likely demonstrate

    A) Ability to gradually increase the training level to 70%–80% of calculated maximum
    B) Ability to gradually increase the duration of the large muscle group activity to 30 minutes
    C) Decreased need for professionally performed EKG, HR, and BP monitoring
    D) All of the above

19. Under which of the following conditions will it be safest to progress the patient during the cardiac rehabilitation program?

    A) Drop in systolic blood pressure by 12 or more mm HG from the resting rate despite increased work load
    B) When the patient is able to report 11–12 RPE with a workload that causes heart rate to be 20 beats greater than the resting rate
    C) Progress the intensity level or duration but not both at the same time as long as the patient remains asymptomatic during and after exercise
    D) When the patient thinks it is okay to do so

20. The PTA is working with the patient in a cardiac rehabilitation program. The patient is currently walking no more than 200 feet and performing active ROM in standing with the both the upper extremities and lower extremities. This MET level of activity is

    A) 1.0–1.5
    B) 1.5–2.0
    C) 2.0–2.5
    D) 2.5–3.0

ANSWER KEY

1.	C	6.	D	11.	D	16.	C
2.	D	7.	D	12.	B	17.	A
3.	A	8.	B	13.	C	18.	D
4.	C	9.	C	14.	D	19.	C
5.	B	10.	A	15.	A	20.	B

14

Enhancement of Breathing and Pulmonary Function

Chris Russian, RRT-NPS, MEd
Barbara Sanders, PT, PhD, SCS, FAPTA

Objectives

Upon completion of this chapter, the reader will be able to:

- Describe the mechanics and regulation of breathing.
- Describe lung dysfunction problems.
- Describe pulmonary function testing.
- Integrate knowledge of pulmonary disorders in applying therapeutic exercise for a patient with pulmonary dysfunction within the plan of care.

This chapter will discuss a variety of methods to enhance breathing and pulmonary function. Physical therapists (PTs) and physical therapist assistants (PTAs) must be familiar with these interventions since many patients have respiratory complications. Depending on the situation, care of the patient with pulmonary dysfunction may involve only the PT/PTA team or may use a multidisciplinary approach and involve respiratory therapy, physical therapy, occupational therapy, and nursing. Coordinated teamwork is essential to provide the best care. The PTA can play an important role in assisting the patient with pulmonary dysfunction with posture, body mechanics, assisted gait, improved mobility, and breathing strategies. To do this, the PTA must have a basic understanding of equipment and principles of respiratory care.

● SCIENTIFIC BASIS

Lung dysfunction may result from a variety of problems and can manifest in a variety of ways. For example, lung volumes can decrease because of an inability to maintain functional residual capacity, or lung volumes can increase because of an inability to completely exhale. In addition, lung dysfunction due to respiratory muscle strength can impact the effectiveness of our natural airway clearance mechanism (i.e., deep breathing and coughing). By increasing the strength of the respiratory muscles a greater inspiratory effort with subsequent increase in chest wall excursion may occur. Equally, increasing the strength of these muscles may also increase the exhaled expulsion needed to clear the lungs of mucous.

As individuals increase their levels of work, the cellular demand for oxygen increases and the cardiopulmonary system needs to respond to meet this need. With respiratory system dysfunction, the cardiopulmonary system may not be able to respond during these times of increased demands for oxygen. Individuals with impaired respiratory systems may experience fatigue with only moderate exercise. When the diaphragm becomes fatigued, a larger portion of the work to breathe shifts to the accessory muscles.[1] Also, when oxygen demands from the respiratory muscles increase, then the supply to other large locomotor muscles could suffer. To effectively treat a patient with pulmonary dysfunction, an understanding of the anatomy of the respiratory system and the control of breathing is imperative.

Anatomy of the Respiratory System

The main function of the respiratory system is the movement of air into and out of the lungs. The muscles of respiration work to provide the necessary pressure changes to create air movement, and the trachea, bronchi, and bronchioles allow for the passage of air to the alveolar sacs.[2]

The lungs, which are located on either side of the thorax, are cone shaped and covered with the visceral pleura (Fig. 14-1). The right lung is slightly larger than the left and made up of the upper, middle, and lower lobes. The left lung consists of only the upper and lower lobes. The "substance" of the lungs, called parenchyma, is porous and spongy.[2]

Inspired air enters the body through the nose or mouth and is partially filtered, warmed, and humidified before entering the lungs. The air then travels past the larynx to the trachea. The trachea is considered the differentiating structure between the upper and lower airway. The trachea then divides into the right and left bronchi. Further division in the bronchi occurs until reaching the terminal bronchioles which are just proximal to the alveolar sacs, where the actual gas exchange occurs (Fig. 14-2).[2]

Muscles of Respiration

Numerous muscles are involved with the flow of air into and out of the lungs. The primary muscles creating air movement into the lungs consist of the diaphragm and the intercostals (Fig. 14-3). These muscles are involved whether the person is resting quietly or exercising. The diaphragm is a dome-shaped musculotendinous structure that sits between the thorax and the abdominal contents. The diaphragm originates from the costal margin,

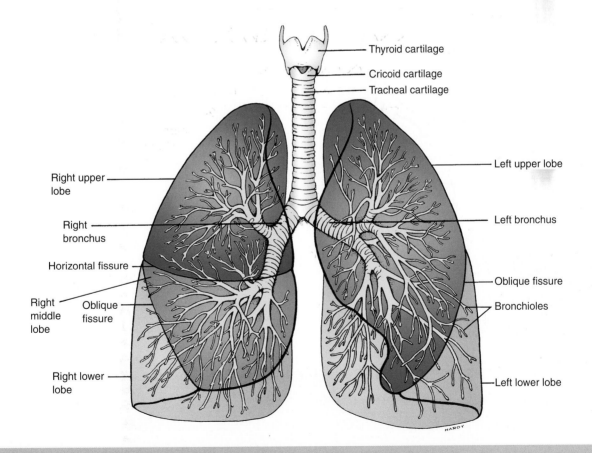

Right upper lobe
Right bronchus
Horizontal fissure
Right middle lobe
Oblique fissure
Right lower lobe

Thyroid cartilage
Cricoid cartilage
Tracheal cartilage

Left upper lobe
Left bronchus
Oblique fissure
Bronchioles
Left lower lobe

FIGURE 14-1 ● **THE LUNGS CONSIST OF FIVE LOBES.**

The right lung has three lobes (upper, middle, and lower); the left lung has two (upper and lower). (Reproduced with permission from Smeltzer SC, Bare BG. *Textbook* *of medical-surgical nursing.* 9th ed. Philadelphia, PA: Lippincott Williams & Wilkins; 2000)

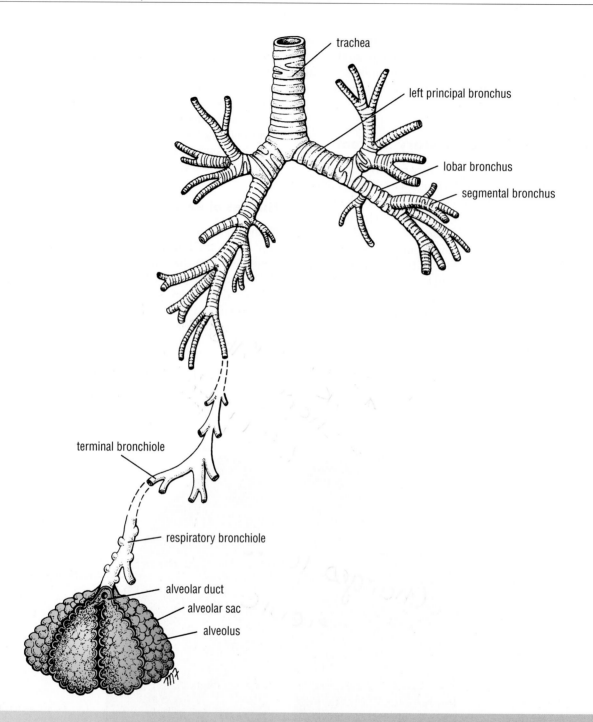

trachea

left principal bronchus

lobar bronchus

segmental bronchus

terminal bronchiole

respiratory bronchiole

alveolar duct

alveolar sac

alveolus

FIGURE 14-2 ● **THE PATH TAKEN BY INSPIRED AIR FROM TRACHEA TO ALVEOLI.**

(Reproduced with permission from Snell RS. *Clinical anatomy.* 7th ed. Philadelphia, PA: Lippincott Williams & Wilkins; 2003)

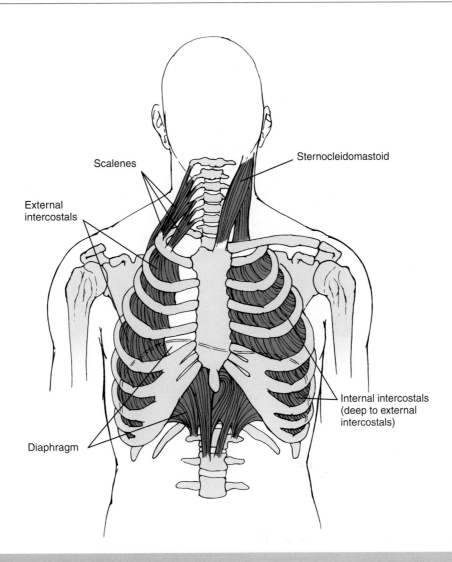

Scalenes

Sternocleidomastoid

External
intercostals

Internal intercostals
(deep to external
intercostals)

Diaphragm

FIGURE 14-3 ● MUSCLES OF RESPIRATION.

(Reproduced with permission from Premkumar K. *The massage connection: anatomy and physiology.*   2nd ed. Baltimore, MD: Lippincott Williams & Wilkins; 2004)

xiphoid process, and lumbar vertebrae.[3] The muscle fibers converge into a multi-leafed central tendon.[3] When the diaphragm contracts and the central tendon descends, this action increases the volume in the thoracic cavity and generates a negative pressure in the pleural space. The negative pressure in the pleural space is transmitted into the right and left lung and thus air is drawn into both lungs. The external intercostals help to raise the rib cage during inspiration, thus increasing the anteroposterior diameter of the chest wall. There is debate on the classification of the external intercostal muscles as primary or accessory muscles of inspiration. For this chapter, these muscles will be classed as primary muscles of inspiration.

Accessory Muscles of Inspiration

These muscles assist the primary muscles with inspiration. Their use during quiet restful breathing is almost nonexistent. When in respiratory distress, the human body will recruit the accessory muscles to increase the flow of air into the lungs. This practice of using accessory muscles is very noticeable and is considered a significant sign of increased effort and possibly impending respiratory failure. Accessory muscles include the pectoralis major, scalene, sternocleidomastoid, and trapezius muscles (Fig. 14-4). When recruited for inspiration, the sternocleidomastoids and pectoralis major muscles assist with elevation of the chest, which will increase the anterior–posterior diameter of the

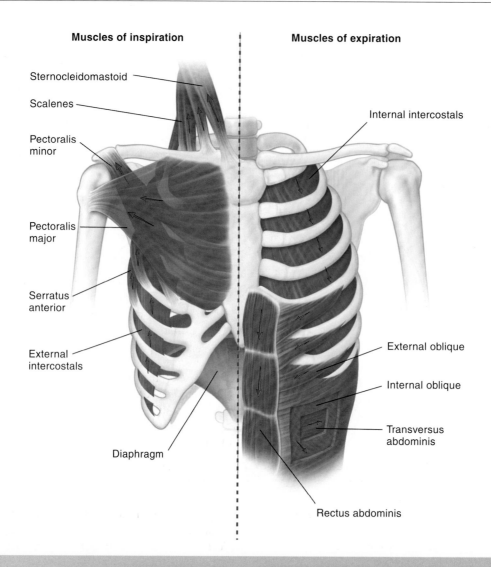

Muscles of inspiration	Muscles of expiration

Muscles of inspiration
- Sternocleidomastoid
- Scalenes
- Pectoralis minor
- Pectoralis major
- Serratus anterior
- External intercostals
- Diaphragm

Muscles of expiration
- Internal intercostals
- External oblique
- Internal oblique
- Transversus abdominis
- Rectus abdominis

FIGURE 14-4 ● **MUSCLES OF INSPIRATION AND EXPIRATION.**

(With permission from Premkumar K. *The massage connection: anatomy and physiology.* 2nd ed.   Baltimore, MD: Lippincott Williams & Wilkins; 2004)

thorax. The scalene muscles elevate the first and second rib, which assist with the decrease in intrapleural pressure. The trapezius muscles assist with elevation of the thorax, thus increasing the anterior–posterior diameter.

Accessory Muscles of Expiration

Under normal conditions, expiration is a passive process. The natural tendency of the lungs to recoil inward and the large volume of air expanding the lungs enhance the outward flow of gas. During times of increased activity expiration becomes an active process. Accessory muscles of expiration include the rectus abdominis, internal obliques, external obliques, and transverses abdominis

muscles (Fig. 14-4). The internal intercostal muscles pull the ribs down, opposite from the external intercostal muscles, thus decreasing the anterior–posterior diameter of the chest. In general, the function of the remaining accessory muscles is to compress the abdominal contents inward and upward, which pushes the diaphragm upward and forces air from the lungs.

Autonomic Control of Breathing

The body has a sophisticated system to control breathing that is constantly assessing and adapting to meet the physiologic demands of the body.[4] These demands change based on a number of reasons such as disease, drugs, age, exercise, sleep, etc.[5,6] Afferent signals relating to respiratory effort, arterial carbon dioxide pressure (Pa_{CO_2}), arterial oxygen pressure (Pa_{O_2}), work of breathing, and fatigue, arise with each breath and are sent to the brain for processing.[5,6] The respiratory sensors are located in the autonomic nervous system, which is made up of the sympathetic and parasympathetic nervous systems. These two systems consist of motor neurons controlling internal organs such as smooth muscle in the intestine, bladder, uterus, and lungs. Four groups of neural receptors carry respiratory information to the central nervous system: peripheral chemoreceptors, central chemoreceptors, intrapulmonary receptors, and chest wall and muscle mechanoreceptors.[5,6]

Peripheral Chemoreceptors

The carotid and aortic bodies make up the peripheral chemoreceptors. Carotid bodies are located on the right and left carotid arteries. The aortic bodies are located on the aortic arch and the right subclavian artery. The carotid bodies respond to changes in Pa_{O_2} and hydrogen ion (H^+) concentration.[5,6] The concentration of H^+ has a direct relationship with Pa_{CO_2} (e.g., an increase in Pa_{CO_2} causes an increase in H^+). When Pa_{O_2} decreases and/or H^+ concentration increases, the carotid bodies sense this change and send signals to the brain. This change causes an increase in the action of the diaphragm. The increased diaphragm activity results in an increase in tidal volume and thus minute volume, with a relatively minor change in respiratory rate.[6] An example of this carotid body response to hypoxia is observed when an individual travels to a higher altitude. Atmospheric pressure decreases as you ascend to a higher altitude. This reduction in atmospheric pressure causes a corresponding decrease in oxygen pressure. The reduction in oxygen pressure in the atmosphere causes a reduction in the amount of oxygen transported into the arterial blood. The carotid bodies sense these changes and increase ventilation as a way to compensate for the reduction in blood oxygen levels. An example of the carotid body response to an increase in H^+ is evident during high-intensity exercise. With high-intensity exercise, the body changes from an aerobic metabolism to an anaerobic metabolism and produces lactic acid as a waste product. The increase in lactic acid causes an increase in H^+, thus leading to an increase in ventilation. The aortic bodies play a similar but smaller role in the ventilatory response. These afferent receptors respond only to low levels of arterial oxygen.[5]

Central Chemoreceptors

The central chemoreceptors are believed to be located near the medulla oblongata[4,5] and are sensitive to changes in carbon dioxide and H^+ concentration.[5,6] When Pa_{CO_2} or H^+ concentration increases, the rate and depth of breathing also increases.[5] This is evident in patients who become severely dehydrated. As the body loses a greater amount of fluids, the H^+ concentration increases. This change is recognized by the central chemoreceptors and leads to an increase in ventilation. The increase in ventilation decreases Pa_{CO_2} and thus causes H^+ concentration to decrease to baseline levels. Similar problems can occur with diabetic conditions. Conversely, when Pa_{CO_2} and H^+ concentrations decrease, a corresponding decrease in ventilation will occur. An example of this sometimes occurs with patients on mechanical ventilation. If the ventilator rate and tidal volume are set to a level that hyperventilates the patient, then Pa_{CO_2} and H^+ concentration will decrease. This change in blood chemistry results in a depression of the patient's drive to breathe. The patient will, in effect, allow the ventilator to take complete control and will not initiate any breaths. A change in Pa_{CO_2} has a more dramatic effect on ventilation when acutely elevated versus when chronically elevated. When Pa_{CO_2} is chronically elevated, the kidneys will compensate by regenerating bicarbonate ions to help buffer the acidity level. This condition is evident in many chronic obstructive pulmonary disease (COPD) patients.

Intrapulmonary Receptors

As the name implies, the intrapulmonary receptors are located in the lungs and are innervated by cranial nerve X, also known as the vagus nerve. Pulmonary receptors consist of the stretch receptors (located in the airways) and juxtacapillary receptors (located in the lung parenchyma). These receptors respond to lung hyperinflation and to chemicals in the pulmonary vasculature[5,6] and are important for ventilatory control. These receptors will prolong inspiration during conditions of excessive lung deflation and will prolong expiration during conditions of excessive lung inflation.[7] The sigh, or yawn (called sigh breaths), that we experience periodically may be triggered by the pulmonary stretch receptors in an attempt to prevent atelectasis (collapsed lung).[7] Pulmonary stretch receptors also respond to the inhalation of irritant substances. As substances like cigarette smoke are inhaled, these receptors react in a variety of ways and may cause coughing, bronchoconstriction, and increased respiratory rate.[5] Parenchymal receptors (juxtacapillary receptors) are located in the alveolar walls and respond to changes in fluid movement associated with congestive heart failure.[5]

Chest Wall and Muscle Mechanoreceptors

Mechanoreceptors of the chest wall are sensors that respond to changes in length, tension, or movement, and are the same receptors present in muscles around the joints. Primary mechanoreceptors in the chest are muscle spindle endings and Golgi tendon organs of the respiratory muscles and joint proprioceptors (for more information on these receptors, refer to Chapters 4 and 9). Muscle spindles are responsible for reflex contraction of the skeletal muscles when these muscles are stretched. It is thought that these mechanoreceptors may work to increase ventilation during the early stages of exercise. Golgi tendon organs sense changes in the force of contraction of respiratory muscles and may help coordinate muscle contraction during quiet breathing or during breathing against increased loads.[4] Joint proprioceptors sense chest wall movement and may affect the timing of inspiration and expiration.[5,6] Afferent information generated by each of these mechanoreceptors includes muscle force, rate of muscle length, muscle metabolic state, airway pressure, and airway stretch.

● CLINICAL GUIDELINES

Before providing information on the specific intervention techniques that can be used by the PTA under the direction of the PT, important clinical background information needs to be provided on normal and abnormal breathing and the wide array of pulmonary function testing that is available. In addition, an understanding of the role of pulmonary rehabilitation and exercise training in the treatment of the patient with pulmonary dysfunction is important.

Breathing Patterns

The normal respiratory rate is between 12 and 20 breaths per minute for adults; children have a much faster rate that decreases as the child ages. Table 14-1 displays the normal expected respiratory rates up to 18 years of age. Apnea is a temporary halt in breathing. Tachypnea is rapid, shallow breathing that indicates respiratory distress. Bradypnea is considered respiration slower than 12 breaths per minute. Dyspnea describes shortness of breath or labored

TABLE 14-1   **Normal Respiratory Rates**

AGE	RESPIRATORY RATE RANGE FOR NORMAL HEALTH CHILDREN (10TH–90TH PERCENTILE)
Birth–1 year	30–60 b/min
1–4 years	30–50 b/min
4–8 years	25–30 b/min
8–18 years	15–25 b/min

Adapted from Fleming S, Thompson M, Stevens R, et al. Normal ranges of hear rate and respiratory rate in children from birth to 18 years of age: a systematic review of observational studies. *Lancet.* 2011;377:1011–1018. Doc:10.1016/S0130–6736(10)62226-X

breathing and is seen in numerous cardiopulmonary disorders. A quick descriptive check is to see how many words a patient can speak per breath (e.g., a ten-word dyspnea is not as bad as a two-word dyspnea).

Auscultation involves listening with a stethoscope to the sounds produced as air travels through the airways. In a quiet environment, the patient should be in a sitting position so that anterior, lateral, and posterior aspects of the chest can be auscultated. The patient should be instructed to breathe deeply through the mouth. There are three normal breath sounds: bronchial, bronchovesicular, and vesicular. Bronchial sounds are naturally produced within the large bronchi and, therefore, will be heard by placing the stethoscope over the manubrium and the sternum. Bronchial sounds are high pitched and are heard throughout inspiration and expiration with a pause between phases. Bronchovesicular sounds are naturally produced within the second and third generation airways and are best heard by placing the stethoscope between the scapula or above the clavicles. Bronchovesicular sounds are heard throughout inspiration and expiration but a pause is not detected between the two phases. Vesicular sounds are heard over the peripheral lung fields and, thus, are much softer in quality. Vesicular sounds are primarily heard during the inspiratory phase and the beginning of the expiratory phase. Breath sounds are quieter at the bases of the lung than at the apices. Adventitious, or abnormal lung sounds, occur when the normal sound is changed or when a normal sound is heard in an abnormal location. Three abnormal breath sounds associated with patient assessment are wheezes, rhonchi, and crackles. Wheezes are continuous, high-pitched whistling sounds produced by air moving through narrowed airways and are heard primarily during expiration. Rhonchi are continuous, low-pitched sounds produced by air moving past airways lined with mucus and are heard primarily during expiration. Crackles are discontinuous sounds produced by alveoli opening and are heard during inspiration. Skill is needed to determine the difference between normal and abnormal breath sounds. Abnormal breath sounds may be indicative of pathology, the depth of respiration, or the thickness of the chest wall.[2,5]

Pulmonary Function Testing

The purpose of this section is to introduce the PTA to the amount of data that can be obtained from spirometry testing, to which the PTA involved in the care of patients with respiratory conditions will be exposed and will observe. For more information as to how the values obtained by pulmonary function testing relate to patients who are normal or have obstructive or restrictive disease, the reader is referred to references from Ruppel[8] and the American Association for Respiratory Care.[9]

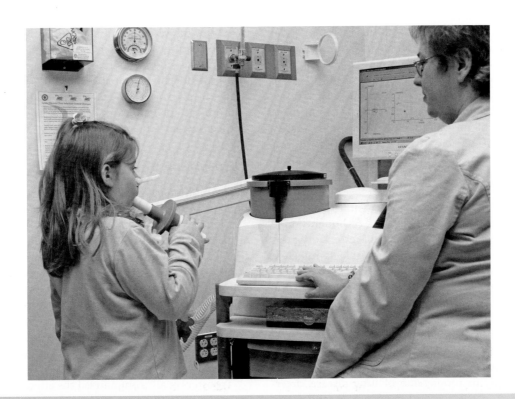

FIGURE 14-5 ● **COMPLETE PULMONARY FUNCTION TESTING PERFORMED BY SPIROMETER IN LABORATORY SETTING ON A 5-YEAR-OLD CHILD.**

Complete pulmonary function testing is usually performed in a laboratory setting on patients who are stable (Fig. 14-5). Pulmonary function testing can measure lung volumes, lung capacities, flow rates of air traveling through the large and small airways, and the diffusing capacity of the lung to inhaled gases.[8] The average lung can hold about 6 liters of air, which is referred to as the total lung capacity (Fig. 14-6). Of this total capacity, only a portion

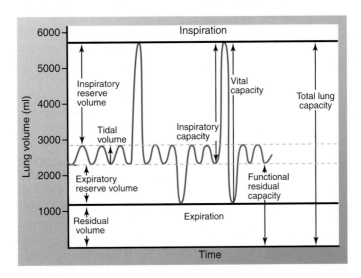

FIGURE 14-6 ● **LUNG VOLUMES AND CAPACITIES.**

(Reproduced with permission from Beckman CRB, Ling FW, Laube DW, et al. *Obstetrics and gynecology.* 4th ed. Baltimore, MD: Lippincott Williams & Wilkins; 2001)

of it is inhaled and exhaled during normal breathing (tidal volume [V_T]). Pulmonary function testing will allow four lung capacities and four lung volumes to be measured. The four lung volumes consist of V_T, inspiratory reserve volume (IRV), expiratory reserve volume (ERV), and residual volume (RV). Lung capacities consist of two or more lung volumes combined and include total lung capacity (TLC), inspiratory capacity (IC), vital capacity (VC), and function residual capacity (FRC). Further descriptions of the four lung capacities and four lung volumes are found in the glossary.

Simple spirometry may be performed at the bedside or outside of a formal laboratory setting.[9] Although simple bedside spirometry will not allow for all respiratory measurements to be made, the use of portable spirometers allows more patients to have access to spirometry testing. Regardless if the testing occurs at the bedside or in the laboratory, most pulmonary function tests require patient cooperation and excellent effort. Poor test effort leads to poor data and unusable information.

The purpose of spirometry is to detect the presence of lung disease or to assess pulmonary function status, determine the severity or progression of lung disease, determine the effect of therapy on lung function, and assess the risk of performing a surgical procedure on a patient.[10] Prior to the start of an exercise or rehabilitative program lung function should be assessed to allow the PT to determine if any change, or lack of change, occurred during the program.

The most common maneuver used during spirometry testing is the forced vital capacity (FVC). From this maneuver, the following data can be obtained: forced expiratory volume in one second (FEV_1), ratio of FEV_1 to FVC expressed as a percent (i.e., FEV_1/FVC% or FEV_1/FVC ratio), peak expiratory flow rate (PEFR), forced expiratory flow between 25% and 75% of FVC ($FEF_{25-75\%}$), and forced expiratory flow between 200 mL and 1,200 mL of the FVC ($FEF_{200-1200}$). These data provide evidence to determine if the patient has an obstructive lung disease (e.g., COPD, asthma, CF), a restrictive lung disease (e.g., scoliosis, quadriplegia, pulmonary fibrosis, morbid obesity), or a combination of obstructive and restrictive lung diseases.

The FVC, FEV_1, and the FEV_1/FVC ratio are incredibly important when assessing lung function results. A predicted value for each test is obtained by comparing the patient's height and the patient's age. Actual test results are then compared to the predicted results and thus a percent of predicted is determined. The reader is strongly encouraged to review the Ruppel[8] text to gain a broader understanding of pulmonary function testing and results. As a general rule, a reduced FVC, FEV_1, and FEV_1/FVC ratio are indicative of obstructive lung disease and a reduced FVC and normal FEV_1/FVC ratio are indicative of restrictive lung diseases.

At the completion of a testing session the PT will be able to identify the presence and degree of pulmonary impairment and have an understanding of the type of disease present. This information is vital to the PT for developing the plan of care to determine whether the PTA is an appropriate ancillary caregiver to assist in the treatment of the patient.

Pulmonary Rehabilitation

Every pulmonary rehabilitation program can involve implementing any intervention deemed necessary for program success. Some programs employ all interventions available, and others only provide two or three interventions. The duration of the programs is different as well. Some programs last 10, 12, 16, or even 24 weeks. In addition, the number of sessions for a given time period may range from 15 treatment sessions to up to 84 sessions. These variations (in number of interventions, duration, and number of sessions) make it difficult to truly assess, with statistical significance, which program is the most effective.

Troosters et al[10] summarized the effects of 12 different pulmonary rehabilitation programs. Using the 6-minute walking distance test to assess the benefit of their respective program, Troosters et al[10] found that patients in the program with the greatest number of sessions walked the longest distance in the 6-minute time period. Equally important, this program only implemented two interventions, exercise and education. Of importance, only three of the programs investigated demonstrated an improvement in walking distance above the level considered significant. (Note: A change in walking distance of >54 meters [about 175 feet] was considered to be clinically significant).[10-12]

Traditional pulmonary rehabilitation programs consist of an exercise-training regimen. A PT, PTA, respiratory therapist, registered nurse, and physician work with a patient on a treadmill or cycle machine. The goals are to measure the success of these programs and the improvement in health-related quality of life (HRQL).[13] The impact of a comprehensive rehabilitation programs (including breathing exercises, respiratory muscle training, education, psychosocial support, and exercise training) is continually being reviewed. To date, success of these pulmonary rehabilitation programs is rare. Toshima et al[14] is one of the few studies that reported improvements in exercise capacity, self-efficacy of walking, and shortness of breath from a comprehensive rehabilitation program.

Exercise Training

Most exercise training regimens for patients diagnosed with COPD involve treadmill walking, cycle ergometry, and arm ergometry. The benefits on lung function and

HRQL are less frequently examined. To date, these programs have shown improvements in arm and leg muscle function.[13] Because most of our daily activities involve the use of these muscles groups, the inclusion of exercise training into rehabilitation is warranted. Formal studies should be performed to determine if increasing strength and endurance of upper- and lower-extremity muscles can improve lung function and HRQL.

● TECHNIQUES

Whether performed in a pulmonary rehabilitation center, a hospital or a private clinic, several techniques are available for the PTA to assist the patient with pulmonary dysfunction. These intervention techniques will be classified into two categories: (a) breathing retraining and (b) airway clearance.

Breathing Retraining

Often times breathing exercises have been implemented to increase or decrease lung volume and to improve gas exchange.[15] Breathing retraining exercises have the potential to increase lung volume, decrease the amount of hyperinflation, improve gas exchange, improve pulmonary function, and increase exercise capacity.[15] For this chapter, breathing retraining will consist of inspiratory muscle training, expiratory muscle training, incentive spirometry, pursed-lip breathing, diaphragmatic breathing, active expiration, and relaxation breathing.

Inspiratory Muscle Training

Training of the respiratory muscles follows the same principle as training any skeletal muscle. If a load is placed on the diaphragm for a series of repetitions until fatigue and then it is allowed to recover, the strength of subsequent contractions should be greater after recovery. Most inspiratory muscle trainers progressively increase the resistance of breathing through a device. The resistance to breathing causes the diaphragm and accessory muscles of inspiration to work harder to fill the lungs with air. As the diaphragm becomes stronger, the ability to breathe at the lower resistance level becomes easier. At this point the level of resistance is increased to apply a new load on the inspiratory muscles. As the diaphragm becomes stronger, the time to fatigue during normal moderate activities should increase. The patient exercise tolerance should increase as well.

Numerous products exist, both in the United States and United Kingdom, that are labeled as inspiratory muscle trainers. These products range from those incredibly simple in design and operation to slightly more complex devices. Larson[16] examined inspiratory muscle training on COPD patients and demonstrated improvement in functional exercise capacity. A meta-analysis conducted by Lotters et al.[17] reported that inspiratory muscle training benefited patients with inspiratory muscle weakness. An assessment of lung function was not reported with either study. Other studies report little if any benefit from the use of inspiratory muscle training when compared with exercise training. The real benefit in inspiratory muscle training may lie in the strengthening of the respiratory muscles, thereby leading to an improvement in the length of time to fatigue and the sensation of dyspnea. Further studies are needed to determine the full benefits of inspiratory muscle training.

Expiratory Muscle Training

Expiratory muscle recruitment is thought to benefit the overall respiratory system. The effect the abdominal muscles have on expiration can be easily demonstrated in normal subjects. The flow rate of exhaled air is greatly increased when these muscles are contracted during the expiratory phase. The outcome of such a maneuver in patients with lung disease is questionable. Researchers have suggested that strengthening the expiratory muscles will reduce the end expiratory lung volume.[13,18] By reducing this volume at the end of expiration, the diaphragm is allowed to return to a more natural position.[18] Thus, the diaphragm lengthens and is able to provide a greater degree of contraction during inspiration.[13] Researchers have demonstrated that placing a load on the respiratory muscles will result in adaptive changes.[19] Such changes include increases in ventilatory capacity, greater control of duty cycle, and lengthening of the diaphragm.

Many patients with COPD digress to a condition of marked expiratory airflow limitation and lung hyperinflation, both of which can be measured by pulmonary function tests. Regardless, it has been speculated that recruiting the expiratory muscles will have little effect on the contraction ability of the diaphragm.[13]

Yan et al.[13] evaluated the force-generating ability of the diaphragm in patients with COPD. The researchers' findings indicated no significant change in the strength of the diaphragm due to active contraction of these muscles. However, the end expiratory lung volume was significantly less in the "active expiration" group versus the "passive expiration" group. These findings suggest that active expiration may reduce lung hyperinflation, thereby allowing lung volume to be able to return to normal or near-normal FRC levels. However, Weiner and McConnell[18] examined the use of expiratory muscle training in patients with COPD and reported that strength and endurance improved after the training program. Further investigation into the usefulness of expiratory muscle recruitment is needed.

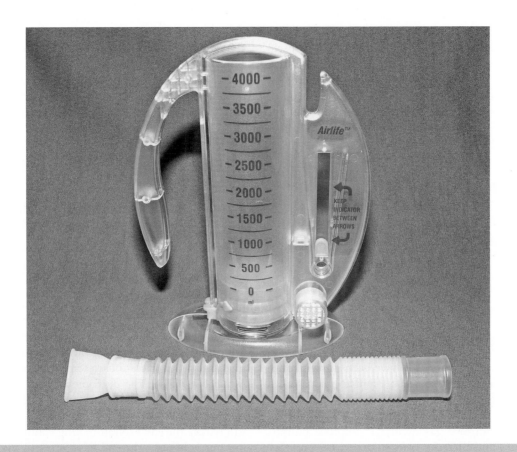

FIGURE 14-7 ● **THE INCENTIVE SPIROMETER DEVICE.**

Incentive Spirometry

Incentive spirometry (also known as sustained maximum inspiration) is a form of lung expansion therapy which is designed to simulate a sigh breath or yawn (Fig. 14-7). Indications for using an incentive spirometer are the presence of conditions predisposing the patient to develop pulmonary atelectasis, presence of atelectasis, and presence of a restrictive lung defect associated with quadriplegia and dysfunctional diaphragm.[20] The patient is instructed to inhale through a mouthpiece as slowly and deeply as possible followed by a 5- to 10-second breath hold (Fig. 14-8). Most incentive spirometry devices provide visual cues that guide the patient through the therapy session. As the patient inhales, a float will rise to the level of inspiratory volume. Incentive spirometry allows the patient to perform the therapy sessions unassisted once the initial training is completed. Instructions for the use of incentive spirometry are presented in Table 14-2.

Pursed-lip Breathing

Pursed-lip breathing is a technique used to ease the work of breathing and shortness of breath associated with acute exacerbations, increased anxiety, or exercise among individuals with obstructive lung disease. These individuals tend to have dynamic airway collapse associated with forced exhalation. When airways collapse prior to complete exhalation, air gets trapped inside alveoli. Over time accumulation of trapped air will lead to hyperinflated alveoli. The physiology of pursed-lip breathing involves exhaling against a fixed resistance provided by pursed or puckered lips. Breathing against resistance creates back-pressure inside the airways and increases the time associated with exhalation. This back-pressure helps stabilize bronchiolar airways that are prone to collapse during exhalation. Pursed-lip breathing helps reduce the amount of dynamic hyperinflation associated with acute attacks or periods of exercise. Using pursed lips is one of the easiest ways to control the breathing pattern and extend the expiratory phase.

The resistance to exhaled gas which occurs during pursed-lip breathing causes a change in the pattern of recruitment of the respiratory muscles. Pursed-lip breathing appears to influence accessory muscle recruitment during the inspiratory and expiratory phases. The intercostal muscles and abdominal muscles increase in function, thus

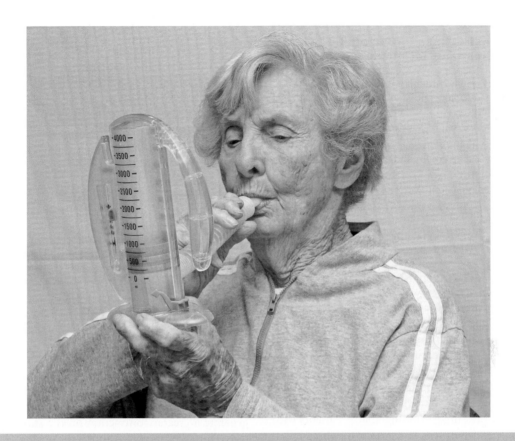

FIGURE 14-8 ● **PATIENT UTILIZING INCENTIVE SPIROMETER.**

TABLE 14-2 **Instructions for Use of Incentive Spirometry**

1. Start with the selector on hole 1.
2. Sit in a comfortable position, hold spirometer level, and place mouthpiece in your mouth.
3. Breathing through your mouth only, inhale and exhale through the spirometer. Nose clips should be worn to ensure mouth breathing only.
4. Inhale as deeply and forcefully as possible, followed by a 5- to 10-second hold. Exhale normally. Proper training requires you to work hard but not to the point at which it is exhausting.

During the first week limit the training to 10 to 15 minutes a day. Gradually increase your training time to 20 to 30 minutes per session, or train for two 15-minute sessions per day. Try to train at least three to five times per week. When you can easily tolerate 30 minutes at a setting (or 15 minutes if training twice per day) three times per week, proceed to the next highest resistance setting. Once the resistance has increased, start over at the 10- to 15-minute duration and gradually increase the duration.

---

leading to improved ventilation and relieving the diaphragm of some of the work of breathing. This increased work of the accessory muscles seems to protect the diaphragm from fatigue. Breslin[5] demonstrated an increase in arterial oxygen saturation levels in COPD patients using pursed-lip breathing. Bianchi and Gigliotti[21] demonstrated that pursed-lip breathing also decreased the duty cycle in patients suffering from COPD. Duty cycle is correlated with dyspnea, and when the duty cycle increases so does the feeling of dyspnea. See Table 14-3 for instructions for the pursed-lip breathing technique.

Diaphragmatic Breathing Exercises

Diaphragmatic breathing has been thought to improve gas distribution at higher lung volumes and decrease the energy costs of ventilation.[15] Much like incentive spirometry, diaphragmatic breathing can increase intrathoracic lung volume.[4] This technique also includes the pursed-lip breathing technique during the exhalation maneuver. Sinderby et al.[22] demonstrated that diaphragmatic pressure increases to a point and then plateaus shortly after onset

TABLE 14-3	**Instructions for Pursed-lip Breathing Technique**

Step 1: Breathe in slowly through your nose or mouth. You do not need to take a full inspiration. A normal inhalation for about 2 seconds is enough.

Step 2: Pucker or purse your lips as if attempting to whistle.

Step 3: Exhale slowly through your lips for about 4 seconds. The puckered lips should provide resistance to exhalation.

Step 4: Repeat the inhalation.

Note: It may be helpful to count to yourself when breathing. Breathe in, one, two. Breathe out, one, two, three, four. It is very important that your breathing is slow and that exhalation is prolonged for at least 4 seconds.

of exercise in patients diagnosed with moderately severe COPD. Therefore, the diaphragm is unable to increase pressure throughout the entire exercise session. The researchers theorized that this plateau in pressure may be due to the hyperinflation associated with COPD during exercise. When the diaphragm flattens as a result of hyperinflation, the muscle shortens. This shortening of the muscle fibers results in a decrease in the strength of each contraction and, thus reduces the pressure-generating ability. Patients with hyperinflation will demonstrate a degree of diaphragm flattening and thus lose contractibility of this muscle. Dysfunction of the diaphragm generally causes an additional load on other respiratory muscles.[22,23] See Table 14-4 for instructions on the diaphragmatic breathing technique (Fig. 14-9).

Active Expiration

Active expiration is another breathing technique believed to reduce the dynamic hyperinflation of the lung. This technique is similar to diaphragmatic breathing but only involves contraction of the abdominal muscles during exhalation. When the muscles contract during exhalation,

TABLE 14-4	**Instructions for Diaphragmatic Breathing Technique**

1. Lie down in bed with a pillow under your head and a pillow under your knees.
2. Place one hand on your stomach and another hand on your chest.
3. Inhale slowly through your nose. Only the hand on your stomach should rise, the hand on your chest should remain as still as possible.
4. Exhale slowly through pursed lips. To assist with exhalation, you should actively contract your abdominal muscles.
5. Repeat the process for 5 to 10 minutes two to three times per day.

FIGURE 14-9 ● **DIAPHRAGMATIC BREATHING.**

(Reproduced with permission from Smelzter SC, Bare BG. *Textbook of medical-surgical nursing.* 9th ed. Philadelphia, PA: Lippincott Williams & Wilkins; 2000)

the diaphragm is more likely to return to a normal curved position. When the diaphragm is curved upward at end exhalation, versus flattened with hyperinflation, it is able to generate a greater contraction on the subsequent inspiration. Thus, V_T is increased and the breathing pattern is more stable. The change in diaphragm position also increases the strength of diaphragmatic contraction, as demonstrated by measuring maximum inspiratory pressures (MIP) in patients with COPD and in healthy subjects.[18] Weiner et al.[18] demonstrated that both groups increased their MIP following active expiration training. This increase in strength may also be attributed to the increased work the diaphragm incurs during the repeated active contractions. See Table 14-5 for instructions on the active expiration technique.

Relaxation Breathing

Hyperinflation of the lungs during an asthmatic attack is believed to be due to narrowed airways and worsened by subsequent hyperventilation during the attack. With relaxation breathing, the goal is to reduce the respiratory rate and increase the V_T.[24] This type of breathing exercise is commonly practiced with alternative therapies such as yoga. The patients are instructed to relax their shoulders and take slow deep breaths through the nose or mouth. When the patient relaxes during the breathing process and breathes slowly, the respiratory muscles will also relax. This muscular relaxation helps reduce the hyperinflation that occurs during asthma attacks. This therapy has also been proven to benefit patients with COPD during an acute exacerbation. The relaxation technique has been shown to reduce respiratory rate, dyspnea scores, and anxiety associated with acute changes in condition.[24] As

---

TABLE 14-5 **Instructions on Active Expiration Technique**

Step 1: Sit upright without the use of the arms for support.

Step 2: Breathe in slowly through the nose or mouth.

Step 3: Breathe out slowly with active abdominal contraction. It may be helpful to place a hand on the abdomen just below the xiphoid process to assist with abdominal contraction.

Step 4: Repeat step one.

Note: Sitting in front of a mirror is sometimes helpful for proper technique.

respiratory rate decreases, the time to fatigue for the respiratory muscles may be increased.

Airway Clearance

Airway clearance is an integral part of lung performance. Mucus accumulation in the lungs can result from a number of possibilities. Conditions such as high spinal cord injury can interfere with the ability to cough. Cystic fibrosis can increase the thickness of the mucus molecule and increase the amount of mucus secreted. Airway disease such as asthma and chronic bronchitis can interfere with the caliber of the airways, thus preventing the mobilization and expulsion of secretions. (Note: for more information on asthma, refer to the box.) Regardless of the cause, a person must be able to inhale an adequate volume of air into the lungs, contract the diaphragm, and compress the thorax to generate the amount of flow needed to shear mucus from the walls of the airways. Airway clearance therapies and modalities can increase the rate and quantity of mucus movement from the lungs and thus improve lung function. For this chapter, the following airway clearance therapies will be described: positive expiratory therapy (PEP), high-frequency chest-wall compression (HFCWC), chest physical therapy (CPT), and forced expiratory techniques (FETs).

Positive Expiratory Therapy

PEP therapy is indicated for patients who have COPDs (asthma, cystic fibrosis, bronchitis, bronchiectasis), pneumonia, atelectasis, non-productive cough, and for postoperative patients. Clinical benefits of PEP therapy include reversal or prevention of atelectasis, enhanced air movement, increased lung function, expectoration of secretions, expansion of air distribution in the lungs, and improved gas exchange.

Acapella Device

One type of PEP therapy is the Acapella device (DHD Healthcare, Wampsville, NY). The Acapella is a handheld

Asthma

- Asthma is a chronic inflammatory condition of the airways manifest by narrowing of the airways.[1]
- Asthma is a widespread condition affecting 5% to 10% of the U.S. population.[2]
- Asthma is most prevalent in individuals under 25 years.[3]
- Asthma beginning before age 35 is considered allergic or extrinsic. Attacks are provoked by contact with an allergen.[4]
- Exercise-induced asthma (EIA) occurs in school children as well as in athletes. EIA generally results from changes in environmental temperature or humidity.[5]
- Asthma occurring in those over age 35 is considered to be nonallergic or intrinsic asthma and is generally concurrent with chronic bronchitis.[1]
- Mild cases—no treatment. Severe cases—life threatening.
- Management includes maintenance of adequate arterial oxygen saturation, relief of airway obstruction, and reduction of airway inflammation; thus, prescriptions for bronchodilators, corticosteroids, and supplemental oxygen are often necessary.[6]
- Physical therapy management—education, optimizing physical endurance and exercise capacity, optimizing general muscle strength, reducing work of breathing, and designing lifelong programs.

1. Frownfelter D, Dean E. *Cardiovascular and pulmonary physical therapy.* 4th ed. St. Louis, MO: Mosby Elsevier; 2006.
2. Bowler RP. Oxidative stress in the pathogenesis of asthma. *Curr Allergy Asthma Rep.* 2004;4:116–122.
3. Kamp DW. Idiopathic pulmonary fibrosis; the inflammatory hypothesis revisited. *Chest.* 2004;12:1187–1189.
4. Tarlo SM, Boulet L, Cartier A, et al. Canadian Thoracic Society guidelines for occupational asthma. *Can Respir J.* 1998; 5:289–300.
5. Storms WW. Review of exercise-induced asthma. *Med Sci Sports Exerc.* 2003;35:1464–1470.
6. Rodrigo G, Rodrigo C, Hall J. Acute asthma in adults: a review. *Chest.* 2004;125:1081–1102.

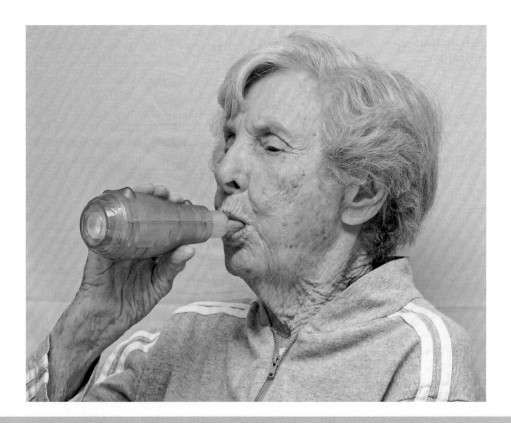

FIGURE 14-10 ● **PATIENT UTILIZING THE ACAPELLA DEVICE.**

device that should be used by patients who are oriented and compliant and have a desire to positively affect their rehabilitation (Fig. 14-10). The Acapella device involves active exhalation, which produces an oscillatory effect that vibrates the walls of the airway and aids in the removal of secretions. Exhaled air is forced through an opening that is occasionally blocked by a pivoting cone and produces the vibratory effect. This effect generates a positive expiratory pressure in the airways that helps reduce the collapsibility of the airway and assists in increasing air flow to the small airways. The oscillation frequency range is from 0 to 30 Hz and can be adjusted by the dial found on the Acapella device; the resistance to the opening is also adjustable. Increased frequencies cause increases in resistance. Instructions for using the Acapella device are presented in Table 14-6.

The Flutter Valve

The Flutter valve (Axcan Pharma, Birmingham, AL) is another type of PEP therapy device. The Flutter valve is similar to the Acapella device in that they both use positive expiratory pressures and use oscillations to help remove secretions and increase air flow to underaerated portions of the lungs. The Flutter valve is a handheld plastic device that looks similar to a pipe (Fig. 14-11). It has a mouth-

piece connected to a plastic tube, and the other end holds a metal ball in a plastic cone covered with a cap. When the patient exhales into the device, the steel ball repeated seats and unseats in the cone. This creates the oscillatory effect that vibrates the airway and allows air to get behind the secretions, moving them to larger airways and thus making secretions easier to cough up. The oscillations also allow air to get into the small airways that may have collapsed due to retained secretions. The oscillations only occur on exhalation. The frequency created by the oscillations range

---

TABLE 14-6 **Acapella Device**

- Instruct patient to inhale through the devise, breathing a larger than normal tidal volume.
- Instruct patient to exhale through the device, not forcefully but over 2 to 3 seconds.
- If the patient cannot exhale for 2 to 3 seconds, increase resistance.
- Instruct patient to take 10 to 20 positive expiratory breaths, followed by two to three effective coughs.
- Patient should be able to expectorate secretions.
- Goal of treatment is a duration of 10 to 20 minutes.
- Treatment should occur two to four times daily.
- Nebulizer can be attached if bronchodilating medications are indicated.

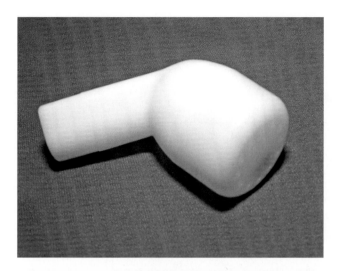

FIGURE 14-11 ● **THE FLUTTER VALVE.**

TABLE 14-7 | **Flutter Valve**

Stage one
- Instruct patient to inhale slowly to 3/4 of a full breath.
- Instruct patient to hold for 2 to 3 seconds.
- Place Flutter valve in mouth and create tight seal.
- Instruct patient to actively exhale with medium, steady-rate exhalation.
- Position of the Flutter valve should be at appropriate level so that vibrations can be felt on both the patient's back and chest.
- Instruct patient to complete five to ten breaths and refrain from coughing.

Stage two
- Instruct patient to inhale maximally, hold for 2 to 3 seconds, and then perform forceful exhalation (to assist movement of secretion).
- Instruct patient to cough two to five times.
- Entire sequence can be repeated two to three times, if necessary.
- Each treatment session should last 10 to 15 minutes, repeated two to four times daily.

from 6 to 20 Hz. When the device is held parallel to the ground, the frequency is 15 Hz; if the Flutter valve is tilted slightly upward, the frequency increases (Fig. 14-12); and if the Flutter valve is tilted slightly down, the frequency decreases. The indications and benefits of this device are the same as the Acapella and any other PEP therapy.

Flutter valve therapy consists of two distinct stages. In stage one, the focus is on loosening retained secretions. Stage two focuses on extracting the secretions. Table 14-7 presents instructions for both stages. (Note: The Flutter

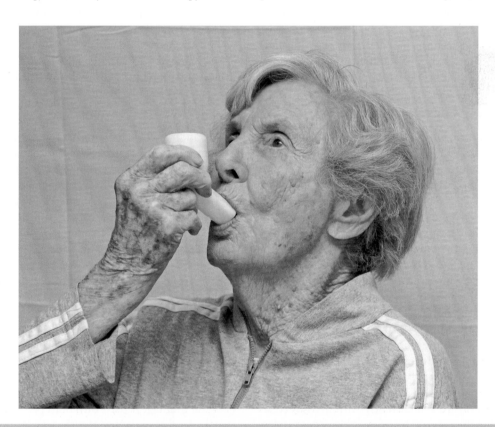

FIGURE 14-12 ● **PATIENT UTILIZING THE FLUTTER VALVE.**

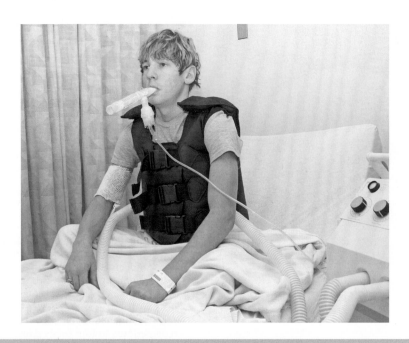

FIGURE 14-13 ● **PATIENT WITH CYSTIC FIBROSIS WEARING ABI VEST WHILE CONCURRENTLY UNDERGOING AEROSOL TREATMENT.**

valve should be held at the appropriate level desired by the therapist and patient. The best angle can be found by placing one hand on the patient's back and one on the patient's chest and feeling the vibrations at each angle of tilt of the Flutter valve. The optimal angle is when the most vibrations are felt on the back and the chest.)

High Frequency Chest Wall Oscillation

Current HFCWC involves external vibration or oscillation of the chest using a vest and air–pulse pressure generator. The inflation pressure and the vibratory air-pulses are created within the air–pulse generator. The patient secures the vest loosely around the thorax while it is deflated. Once inflated, the vest should fit snugly against the thorax. The patient can adjust the vest inflation pressure or squeeze, as well as the vibration frequency, by manipulating the controls on the pressure generator. The vibrations are created by intermittent interruption of airflow within the air–pulse pressure generator. The vibrations are transmitted into the vest and through the patient's chest wall with further transmission into the lungs. Both internal and external application of vibration has been shown to increase pulmonary airflow[25] and HFCWO has demonstrated a positive impact on mucus excretion.[26] The therapy may be performed while the patient sits upright and may be performed concurrently with aerosol treatments. Arguably the greatest benefit of this system is that the patient can perform the therapy without caregiver assistance. Two systems are in use today: The Vest (Hill

Rom, Inc., St. Paul, MN) (Fig. 14-13) and SmartVest (Electromed, New Prague, MN). The reader is encouraged to visit both manufacturer websites for further information related to these two devices. Although these devices have efficacy research to support their use, no one study has proven superiority of one device over the other.

Chest Physical Therapy

CPT is indicated for patients who need improved ventilation, mobilization of secretions, re-expansion of collapsed portions of lungs, and prevention of atelectasis.[27] CPT consists of percussion or vibration in addition to postural drainage. Percussion is performed by cupping the hands and striking the chest wall over the affected areas to mobilize secretions (Fig. 14-14A). A distinctive "gallop" sound is produced when percussion is performed correctly. Percussion should not be performed on the spine, below the diaphragm, or on the sternum of patients. For infants a rubber cup-shaped device is used due to the fragility of the infants chest wall. The vibration technique can be performed using an electric percussor or vibrating device. Vibration may also be performed by placing one hand over the other hand over the affected lung area (Figs. 14-14B and C). The therapist then executes a vibratory action using the hands and arms during the patient's exhalation. Postural drainage is used with both percussion and vibration and helps maximize the therapy by positioning the patient to drain specific affected lobes. Postural drainage incorporates the effects of gravity to drain mucus toward

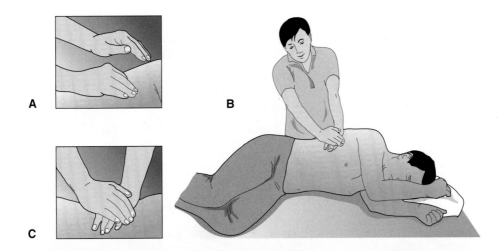

FIGURE 14-14 ● PERCUSSION AND VIBRATION.

A. Proper hand positioning for percussion.
B. Proper technique for vibration.
C. Proper hand position for vibration.

(Reproduced with permission from Nettina SM. *The Lippincott manual of nursing practice.* 7th ed. Philadelphia, PA: Lippincott Williams & Wilkins; 2001)

the central airways. Once in the larger, central airways the patient's cough effort can exert a more productive effect. See Table 14-8 for instructions on postural drainage positions with some of the positions illustrated in Figure 14-15.

Forced Expiratory Technique

The normal cough mechanism involves a maximal inspiratory effort followed by a maximal, explosive expiration. However, for many patients with spinal cord dysfunction, muscle dysfunction, airway instability, or pain associated with coughing, a full explosive cough effort is not possible. The FET (aka: controlled cough, huff cough, directed cough) involves a series of mini-coughs with an open glottis from a mid to low lung volume. The patient is instructed to inspire slowly and deeply followed by a rapid huff exhalation. With huff coughing, the airways are less likely to experience the dynamic collapse that typically occurs with a full explosive cough.[28] Following each series of mini-coughs the patient is encouraged to relax and focus on breathing control. The technique may be repeated several times in a row until mucus clearance occurs.

No studies have unequivocally proven that one form of therapy is best for all patients. Therefore, it is important for the PTA to have knowledge of a variety of therapeutic options. Another important therapy not addressed in this chapter pertains to the benefits of regular exercise. Literature supports the pulmonary benefits of exercise and specifically the effects of exercise on mucus clearance. Excersie programs can simultaneously incorporate the use of many of the airway clearance therapies addressed in this chapter.

TABLE 14-8	Postural Drainage Positions

The proper position for postural drainage for the each lobe is as follows:
• Upper lobes, apical segments: patient sits upright, and percussion is performed above the clavicle and next to the neck.
• Upper lobes, posterior segments: patient sits in high-Fowler's position with upper torso resting on a pillow; percussion is performed on the scapula next to the spine.
• Left upper lobe, superior and inferiro lingula segments, patient lays in Trendelenburg position on the right side, leaning 45 degrees back, percussion performed one hand below the left clavicle.
• Right middle lobe, lateral and medial segments: patient lays in Trendelenburg position on the left side leaning 45 degrees to the back; percussion performed one hand below the right clavicle for the medial segment and one hand below the right clavicle and to the side for the lateral segment.
• Right and left lower lobes, posterior basal segments: patient lays prone in Trendelenburg position; percussion is performed below the scapula.
• Right and left lower lobes, anterior segments: patient lays in Trendelenburg supine position, and percussion is performed two hands below clavicle.
• Left lower lobe, anterior–medial basal segment: patient lays supine with bed flat or in Trendelenburg position, percussion done two hands below the clavicles.
• Right lower lobe, lateral basal segment: patient lays on left side in Trendelenburg position, rotated 45 degrees to the front; percussion is performed below the scapula and to the side.
• Left lower lobe, lateral basal segment (not pictured): patient lays on right side in Trendelenburg position, rotated 45 degrees to the front; percussion is performed below the scapula and to the side.

Upper lobes apical segments

Upper lobes posterior segments

Left lingula

Right middle lobe

Right lower lobe lateral segment

Lower lobes posterior segments

Lower lobes anterior segments

FIGURE 14-15 ● POSITION FOR POSTURAL DRAINAGE.

(Reproduced with permission from Nettina SM. *The Lippincott manual of nursing practice.* 7th ed.   Philadelphia, PA: Lippincott Williams & Wilkins; 2001)

Case Study 1

PATIENT INFORMATION

An 18-year-old man diagnosed with cystic fibrosis at 1 year presented to the outpatient clinic for routine spirometry and chest radiography. His vital signs were as follows: heart rate 89 beats/min; respiratory rate 15 breaths/min; oxygen saturation level 93% while breathing room air; blood pressure 130/85; breath sounds were diminished air movement throughout the upper and lower lobes bilaterally with expiratory wheezes on the right side greater than the left side. Patient stated that he had been a little short of breath while doing routine activities and had shortened his exercise routine recently due to dyspnea. The radiologist reported that the chest x-ray revealed a patchy density in the right upper and middle lobes consistent with possible pneumonia and also noted that the patient had flattening of the right and left hemidiaphragms consistent with hyperinflated lungs.

The pulmonary function test data showed the following: $FEV_1/FVC = 65\%$ of predicted; $FEV_1 = 70\%$ of predicted. The patient stated that he had been coughing up more mucus than he normally does in the past few days. His current regimen of therapy was bronchodilator treatments as needed, postural drainage and percussion therapy two times per day, inhaled steroids twice per day, and treadmill brisk walking for 10 minutes in the morning (down from 20 minutes in the morning). The patient was on a high-energy and high-fat diet due to his condition.

LINK TO GUIDE TO PHYSICAL THERAPIST PRACTICE

The patient's diagnosis was consistent with pattern 6C of the *Guide to Physical Therapist Practice*[29] "impaired ventilation, respiration/gas exchange, and aerobic capacity/endurance associated with airway/clearance dysfunction." Included in this diagnostic group is "cystic fibrosis, pneumocytosis, pneumonia, bronchitis, asthma, pleurisy and other respiratory-related diseases" and direct intervention involves "breathing strategies, positioning activities, and conditioning exercises."

INTERVENTION

The initial intervention was directed at increasing airway clearance and encouraging deep breathing, with instructions for pursed-lip breathing and use of a bronchodilator. The PT instructed the PTA to perform the following treatment and report the patient's response to the treatment at a post-treatment review session:

1. Perform postural drainage and percussion with emphasis on education of patient for correct positioning (Figs. 14-14 and 14-15).

2. Review with patient correct use of Flutter device for positive expiratory pressure for airway stability and vibration of secretion mobilization (Fig. 14-12 and Table 14-7).
3. Review deep breathing techniques and diaphragmatic breathing during rest (Fig. 14-9).
4. Instruct patient in pursed-lip breathing technique for use during periods of distress (Table 14-3).
5. Instruct patient to maintain home program of percussion and postural drainage but increase to three times per day, use of the inhaler, and treadmill walking at 10 minutes per session.

PROGRESSION

One Week After Initial Treatment

At the time of re-examination by the PT the patient presented with improved breath sounds and less congestion and reported feeling better. The PT directed the PTA to review the current home program with the patient, monitor him on the treadmill walking for 12 to 15 minutes, and instruct him in exercise progression for the treadmill.

Two Weeks After Initial Examination

After 2 weeks of intervention the PT's examination indicated normal breath sounds, no reports of dyspnea, and increased endurance during activities of daily living. The PT instructed the PTA to review the home program, set the patient up with a final appointment and schedule a repeat pulmonary function test.

OUTCOMES

Three weeks after initial intervention the patient was re-evaluated by the PT and cleared for continued home management of his lung disease.

SUMMARY: AN EFFECTIVE PT–PTA TEAM

This case study demonstrates an effective relationship between the PT and PTA. The PT trusts the PTA in management of the appropriate techniques for the patient's improvement. The PTA must be knowledgeable of treatment techniques for breathing/lung sounds, exertion assessments or scales, airway clearance, breathing management, and aerobic conditioning. Good communication between the PT and PTA necessitates documentation and reporting of patient response to treatment including any unexpected responses. The working relationship between this team provided the patient with quality care and a successful outcome of intervention.

Geriatric Perspectives

- Age-related changes in the respiratory system do affect the efficiency of breathing. However, aging is a heterogenic process in that individuals age at varied rates and therefore will exhibit different levels of change. Age-related changes[1,2] include:
- Structural changes in lung tissue
- Changes in volume of air moved through the lungs
- Diminished or altered exchange of gases—oxygen and carbon dioxide
- Altered inspiration and expiration mechanics
- The lung of the older adult has an increase in the physiologic dead space as a result of a decrease in lung elasticity or compliance. The volume of air remaining in the lung following a maximal expiration is increased, which ultimately affects the total capacity of the lung to exchange air.[1,3]
- Inspiratory reserve volume and expiratory reserve volume remain fairly constant with aging, while the residual capacity increases. The overall result is a decrease in the forced vital capacity.[4] Functionally, the change in FVC means that the older adult has less inspiratory and expiratory reserve to support the added demands of activity and exercise.
- Exercise studies with elderly subjects have demonstrated that cardiovascular factors (heart rate, for example) rarely limit exercise performance; rather, the older individual is constrained by pulmonary factors like depth of rate of breathing or threshold for maximal oxygen uptake ($\dot{V}O_{2max}$).[5] Stathokostas et al.[6] reported that over a 10-year period in a sample of 62 healthy, ambulatory, independent men and women $\dot{V}O_{2max}$ declined 14% in the men and 7% in the women.

- Important age-related changes impacting respiratory function are related to decreases in the elastic recoil and increases in chest wall stiffness. The changes are associated with age-related postural changes, stiffening of intercostal cartilage, as well as rib and vertebral joint arthritis.[1] A decrease in diaphragmatic strength, although not in diaphragmatic mass, also occurs with aging, but it is not known if the strength loss is related to the structural changes.
- Expiratory and inspiratory muscle strength changes in the fifth decade have been implicated in a decreased ability to produce a forceful cough to effectively clear secretions.[7,8]

1. Spirduso WW, Francis KL, MacRae PG. *Physical dimensions of aging.* 2nd ed. Champaign, IL: Human Kinetics; 2005.
2. Kauffman TL, Barr JO, Moran ML. *Geriatric rehabilitation manual.* 2nd ed. New York, NY: Elsevier Health Sciences; 2007.
3. Hazzard WR, Blass JP, Halter JB, et al. *Principles of geriatric medicine and gerontology.* 5th ed. New York, NY: McGraw-Hill; 2003.
4. Pride NB. Ageing and changes in lung mechanics. *Eur Respir J.* 2005;26:563–565.
5. Paterson DH, Cunningham DA, Koval JJ, et al. Aerobic fitness in a population of independently living men and women aged 55–86 years. *Med Sci Sports Exerc.* 1999;31:1813–1820.
6. Stathokostas L, Jacob-Johnson S, Petrella RJ, et al. Longitudinal changes in aerobic power in older men and women. *J Appl Physiol.* 2004;97:781–789.
7. Kim J, Sapienza CM. Implications of expiratory muscle strength training for rehabilitation of the elderly: tutorial. *J Rehabil Res Dev.* 2005;42:211–224.
8. Shaker R, Ren J, Bardan E, et al. Pharyngoglottal closure reflex: characterization in healthy young, elderly and dysphagic patients with predeglutitive aspiration. *Gerontology.* 2003;49:12–20.

SUMMARY

- Matching the best option for breathing enhancement with the appropriate patient is very important. Therapies that are ineffective for some patients might work extremely well for others.
- Every therapy session should be tailored to fit the individual. Compliance with the therapy is another important issue. When patients miss therapy, the results will also be missed. Stressing adherence to the assigned schedule will produce the maximum amount of benefits and lung improvement is very important.
- Equally important is the proper technique with the therapy. Therapeutic devices should be used in accor-

dance with healthcare practitioner directions and manufacturer instructions.
- This chapter did not introduce every therapeutic option available to enhance pulmonary function. A myriad of devices and breathing techniques exist and may be of benefit to patients. The reason for inclusion of the information in this chapter was based on available research. The devices and breathing techniques presented have been shown to be successful with patients.
- If the patient reports a reduction in dyspnea or an improvement in walking distance or activities of daily living, then the therapeutic regimen produced a positive outcome.

Pediatric Perspectives

- A misconception exists that respiratory and chronic pulmonary diseases are primarily adult issues.[1]
- Children with asthma miss 10.1 million more days of school than their peers without asthma.[2]
- Children with a central nervous system disorder such as cerebral palsy are at high risk for pulmonary/respiratory problems.[3]
- A child's airway size and poor mechanical advantage predisposes him/her to increased likelihood of, and generally, more severe respiratory illness than adults.[1]
- The child has a higher metabolic rate than the adult, requiring increased consumption of oxygen, increased heat loss, and increased water loss secondary to a faster respiratory rate.
- Three general categories of interventions are common in children: (a) removal of secretions, (b) breathing exercises and retraining, and (c) physical reconditioning. Depending on the area of the country in which the PTA practices, respiratory therapists may be doing more of the removal of secretions with overlap occurring between respiratory therapy and physical therapy relative to breathing exercises and retraining, and physical therapy being responsible for physical reconditioning.
- Breathing exercises may incorporate "child-friendly" games and activities such as blowing a feather across the table, blowing to keep a feather up in the air, blowing bubbles, blowing a pinwheel, etc.
- The most commonly known childhood diseases with pulmonary complications are cystic fibrosis and asthma.
- Studies performing aerobic conditioning activities in children with asthma reported improved aerobic capacity and increased general health.[4,5]
- Results are mixed with aerobic conditioning in children with cystic fibrosis, depending on the severity of the disease and if the child has concurrent infection.[6,7]
- Oxygen saturation in children with cystic fibrosis who require hospitalization should be monitored during aerobic activity with the use of a pulse oximeter. Readings should be done every 15 minutes for patients whose baseline saturation is 93% to 96% and more frequently if below 93%. If the oxygen saturation drops below 90% and does not return with a short rest (2 to 3 minutes), supplemental oxygen should be given until the saturation returns to 93%.[8]
- Improved upper-body strength, aerobic capacity, and independence in activities of daily living have been reported in adolescents with cystic fibrosis who underwent a combination of strengthening and aerobic exercises.[7,9]

1. Tecklin JS. Pulmonary disorders in infants and children and their physical therapy management. In: Tecklin JS, ed. *Pediatric physical therapy*. 4th ed. Philadelphia, PA: Lippincott Williams & Wilkins; 2007.
2. Taylor WP, Newacheck PW. Impact of childhood asthma on health. *Pediatrics*. 1992;90:657–662.
3. Carlson SJ, Ramsey C. Assistive technology. In: Campbell SK, Palisano RJ, Vander Linden DW, ed. *Physical therapy for children*. 3rd ed. Philadelphia, PA: Elsevier Saunders; 2006.
4. Counil FP, Varray A, Matecki S, et al. Training of aerobic and anaerobic fitness in children with asthma. *J Pediatr.* 2003;142:179–184.
5. Matsumoto I, Araki H, Tsuda K, et al. Effects of swimming training on aerobic capacity and exercise induced bronchoconstriction in children with bronchial asthma. *Thorax.* 1999;54:196–201.
6. Orenstein DM, Franklin BA, Doershuk CF, et al. Exercise conditioning and cardiorespiratory fitness in cystic fibrosis. *Chest.* 1981;80:392–398.
7. Orenstein DM, Hovell MF, Mulvihill M, et al. Strength versus aerobic training in children with cystic fibrosis: a randomized controlled trial. *Chest.* 2004;126:1204–1214.
8. Arkansas Children's Hospital. *Cystic fibrosis clinical pathway*. Little Rock, AR: Arkansas Children's Hospital; 2006.
9. de Jong W, Grevink RG, Roorda RJ, et al. Effect of a home exercise training program in patients with cystic fibrosis. *Chest.* 1994;105:463–468.

References

1. Scherer TA. Respiratory muscle endurance training in chronic obstructive pulmonary disease: impact on exercise capacity, dyspnea, and quality of life. *Am J Respir Crit Care Med.* 2000;162:1709–1714.
2. Wolfson MR, Shaffer TH. Respiratory physiology: structure, function, and integrative responses to intervention with special emphasis on the ventilatory pump. In: Irwin S, Tecklin T, eds. *Cardiopulmonary physical therapy: a guide to practice*. 4th ed. St. Louis, MO: Mosby; 2004;39–81.
3. Man WD. Postprandial effects on twitch transdiaphragmatic pressure. *Eur Respir J.* 2002;20:577–580.
4. Gubaidullin RR, Butrov AV. Relationship between transdiaphragmatic pressure and oxygen consumption in patients with intestinal obstruction. *Crit Care.* 2002;6:6.
5. Breslin H. The pattern of respiratory muscle recruitment during pursed-lip breathing. *Chest.* 1992;101:75–78.
6. Cherniack NS, Pack AI. Control of ventilation. In: Fishman AP, ed. *Fishman's pulmonary diseases and disorders*. 4th ed. New York, NY: McGraw-Hill; 2008;161–172.

7. Caruana-Montaldo B, Gleeson K, Zwillich CW. The control of breathing in clinical practice. *Chest.* 2000;117:205–225.
8. Ruppel GE. *Manual of pulmonary function testing.* 9th ed. St. Louis, MO: Mosby; 2009.
9. American Association for Respiratory Care. Clinical practice guidelines: spirometry. *Respir Care.* 1996;41:629–636.
10. Troosters T. Pulmonary rehabilitation in chronic obstructive pulmonary disease. *Am J Respir Crit Care Med.* 2005;172:19–38.
11. Decramer M. Treatment of chronic respiratory failure: lung volume reduction surgery versus rehabilitation. *Eur Respir J Suppl.* 2003;22:47s–57s.
12. Solway S, Brooks D, Lacasse Y, et al. A qualitative systematic overview of the measurement properties of functional walk tests used in the cardiorespiratory domain. *Chest.* 2001;119:256–270.
13. Yan S, Sinderby C, Bielen P, et al. Expiratory muscle pressure and breathing mechanics in chronic obstructive pulmonary disease. *Eur Respir J.* 2000;16:684–690.
14. Toshima MC, Kaplan RM, Ries AL. Experimental evaluation of rehabilitation in chronic obstructive pulmonary disease: short-term effects on exercise endurance and health status. *Health Psychol.* 1990;9:237–252.
15. Levenson CR. Breathing exercises. In: Zadai C, ed. *Pulmonary management in physical therapy.* New York, NY: Churchill Livingstone; 1992.
16. Larson JL. Inspiratory muscle training with a pressure threshold breathing device in patients with chronic obstructive pulmonary disease. *Am Rev Respir Dis.* 1988;138:689–696.
17. Lotters F, van Tol B, Kwakkel G, et al. Effects of controlled inspiratory muscle training in patients with COPD: A meta-analysis. *Eur Respir J.* 2002;20:570–576.
18. Weiner P, McConnell A. Respiratory muscle training in chronic obstructive pulmonary disease: inspiratory, expiratory, or both? *Curr Opin Pulm Med.* 2005;11:140–144.
19. Sheel WA. Respiratory muscle training in healthy individuals: physiological rationale and implications for exercise performance. *Sports Med.* 2002;32:567–581.
20. American Association for Respiratory Care. Clinical practice guideline. Incentive spirometry. *Respir Care.* 1991;36:1402–1405.
21. Bianchi R, Gigliotti F. Chest wall kinematics and breathlessness during pursed-lip breathing in patients with COPD. *Chest.* 2004;125:459–465.
22. Sinderby C, Spahija J, Beck J, et al. Diaphragm activation during exercise in chronic obstructive pulmonary disease. *Am J Respir Crit Care Med.* 2001;163:1637–1641.
23. Babcock MA. Effects of respiratory muscle unloading on exercise-induced diaphragm fatigue. *J Appl Physiol.* 2001;93:201–206.
24. Gosselink R. Controlled breathing and dyspnea in patients with chronic obstructive pulmonary disease (COPD). *J Rehabil Res Dev.* 2003;40:25–34.
25. McCarren B, Alison JA. Physiological effects of vibration in subjects with cystic fibrosis. *Eur Respir J.* 2006;27:1204–1209.
26. Varekojis SM, Douce FH, Flucke RL, et al. A comparison of the therapeutic effectiveness of and preference for postural drainage and percussion, intrapulmonary percussive ventilation, and high-frequency chest wall compression in hospitalized cystic fibrosis patients. *Respir Care.* 2003;48:24–28.
27. Frownfelter D, Dean E. *Cardiovascular and pulmonary physical therapy.* 4th ed. St. Louis, MO: Mosby Elsevier; 2006;326–328.
28. Fink JB. Positive pressure techniques for airway clearance. *Respir Care.* 2002;47:786–796.
29. American Physical Therapy Association. *Guide to physical therapist practice.* 2nd ed. Alexandria, VA: 2003.

PRACTICE TEST QUESTIONS

1. What will happen if the oxygen demands to muscles of respiration increase?

   A) Improved efficiency of the accessory muscles of respiration
   B) Reduced oxygen available to the skeletal muscles
   C) Increased oxygen available to the heart
   D) No significant changes in strength or endurance

2. Which of the following muscles is NOT a muscle of respiration?

   A) Diaphragm and intercostals
   B) Pectoralis major and scalenes
   C) Trapezius and latissimus dorsi
   D) Sternocleidomastoid and rectus abdominis

3. What mechanisms trigger inhalation?

   A) The carotid bodies will respond to changes in arterial oxygen pressure
   B) The carotid bodies will respond to changes in hydrogen ion concentration

   C) Efferent signals from the brain will trigger muscle action of the diaphragm
   D) All of the above

4. When a person is engaged in high intensity exercise, their respiration rate will increase. What mechanism causes this to occur?

   A) Increased lactic acid and hydrogen ion concentrations signal the carotid bodies
   B) Lactic acid decreases and hydrogen ion concentrations signal an increase in tidal volume
   C) Increases in lactic acid and decreases in hydrogen ion concentrations signal an decrease in tidal volume
   D) Arterial oxygen pressure increases and triggers an increase in functional expiratory volume

5. Decreases in Paco$_2$ and H$^+$, will

    A) Trigger a decrease in respiratory rate
    B) Trigger a decrease in lactic acid production
    C) Trigger aerobic exercise mechanisms
    D) Cause the diaphragm to increase contractions

6. Coughing occurs when irritants are inhaled. What mechanisms will trigger a cough?

    A) Pulmonary stretch receptors are activated
    B) Bronchoconstriction occurs
    C) Parenchymal receptors are triggered by fluid around the alveoli
    D) All of the above

7. The patient is recovering from pneumonia and is still having low endurance, seen as fatigue during ADLs. On auscultation, there is decreased breath sounds in the basilar lobes bilaterally and presence of fluid seen on x-ray. The patient has a weak cough that is also tiring for him and does not produce any sputum. The plan of care will likely include

    A) Daily aerobic exercise to THR and expiratory muscle retraining
    B) Postural drainage in sitting and semi reclining and inspiratory muscle retraining
    C) Postural drainage in supine and Trendelenberg and "huff" coughing
    D) None of the above as the patient is too acutely ill to benefit from PT

8. The patient has a spinal cord injury which is a complete lesion at the T-7 level as a result of a gunshot wound. The patient is recovering and is currently in the acute inpatient rehabilitation facility. Among all the other goals for improving physical performance, the PT has identified improving lung volumes. The PTA will use which of the following techniques to assist the patient to achieve this goal?

    A) PEP with acapella or flutter valve device
    B) Incentive spirometry and diaphragmatic breathing exercise
    C) Relaxation breathing training and pursed lip breathing exercise
    D) All of the above will be indicated

9. The patient has changes in lung volume seen as decrease in forceful inspiration. The physical therapy goal is to improve inspiration and the plan of care calls for breathing retraining. The PTA will **NOT**

    A) Focus on expiration
    B) Use incentive spirometry
    C) Use inspiratory muscle retraining
    D) Instruct the patient in postures to stretch tight chest muscles

10. A device used to provide positive expiratory pressures will be indicated

    A) When chest PT is also indicated
    B) For patients with obstructive pulmonary conditions
    C) With patients who have asthma
    D) All of the above

11. Total lung capacity is

    A) Approximately 6 liters in adults
    B) Measured with complete pulmonary function testing
    C) FRC + IRV + tidal volume

12. Which of the following statements is **NOT** accurate when considering respiration in an older person?

    A) Both inspiratory and expiratory reserve volumes remain constant with aging
    B) Residual volume decreases with aging as lung tissue becomes less compliant
    C) VC decreases with aging and this explains why the elderly person may fatigue with exercise
    D) Lung tissue may change which may result in a decreased ability to exchange O$_2$ and CO$_2$

13. Which of the following statements is NOT accurate when considering respiration in a young person?

    A) Respiratory diseases in children are not as severe as these same diseases in adults
    B) Upper extremity exercise and breathing pattern training resemble fun and games
    C) The most prevalent pediatric respiratory problems are asthma and cystic fibrosis
    D) A child's increased respiratory rate results in higher need for O$_2$ and evaporation of water

ANSWER KEY

| 1. | B | 3. | D | 5. | A | 7. | C | 9. | A | 11. | A | 13. | A |
| 2. | C | 4. | A | 6. | D | 8. | B | 10. | D | 12. | B | | |

Functional Progression in Therapeutic Exercise

15

Functional Progression for the Spine

Ginny Keely, PT, MS, OCS, FAAOMPT
Eric K. Robertson, PT, DPT, OCS, FAAOMPT

Objectives

Upon completion of this chapter, the reader will be able to:

- Identify the dynamic and static structures responsible for postural equilibrium.

- Identify appropriate goals for a spinal stabilization program based on principles of position, progression, and functional loss.

- Apply appropriate postural correction techniques and maintenance methods to clinical practice within the established plan of care.

- Apply proper observation skills and education techniques concerning body mechanics to clinical practice within the established plan of care.

- Apply appropriate spinal stabilization techniques using proper initiation principles with and without therapeutic equipment to clinical practice within the established plan of care.

An estimated 5.6% of the US population, or approximately 10 million people, have back pain at any one point in time.[1] The direct and indirect costs of low back pain costs in the United States as of 2005 were estimated to be close to $86 billion and equivalent to the costs for all cancer treatment. Low back pain is second only to the common cold as reason that people seek healthcare.[2] Thus, all practitioners must gain a reasonable arsenal of intervention skills aimed at getting the patient back to work or play.

Treating the spine can be an ominous task for the novice physical therapist (PT) and physical therapist assistant (PTA). The spine, with its intricacies, might intimidate one who is looking for a black and white picture that dictates specific intervention. In fact, upward of 80% of low back pain has no specific cause and is referred to as "nonspecific low back pain."[3] In the face of such uncertainty about a cause of low back pain, a clinician could become bewildered as to the direction to take. Fortunately, by following several sound principles of intervention, the clinician can help most individuals with low back pain. This chapter gives the PTA a framework in which to treat individuals with low back pain and injuries to the spine and to help get patients back to their maximum level of function.

● SCIENTIFIC BASIS

The Epidemiology of Low Back Pain

Non-specific Nature of Low Back Pain

For many years, health providers and scientists struggled to reach a consensus as to the cause of low back pain, and various theories have predominated. Muscles, nerves, bony degeneration, and the intervertebral disc have all been pinpointed as the leading cause of low back pain at one point or another. In the 21st century, scientists have now reached consensus, although not one that was expected. The scientific consensus is that for the majority of low back pain, no specific cause can be determined.[3] That is to say, it is impossible, and quite likely unnecessary, to distinguish between the many possible pain generators in the low back. This concept is not so much a case of "throwing in the towel" as an acknowledgment of the complex nature of low back pain, including the significant role of biopsychosocial factors and each individual's perception of pain. Scientists have described as much as 85% to 90% of low back pain as non-specific in nature.[4] In these instances, determining the exact cause is not critical, and treating the patient through educational interventions and treatments shown to be most likely to help based on historical information and information gathered during physical examination is the proper approach. The remaining 10% to 15% of low back pain can be categorized as either low back pain with radiculopathy, low back pain related to spinal stenosis, or low back pain related to some other cause. Since most of the low back pain is non-specific, this chapter will focus on interventions appropriate for non-specific low back pain.

Although the cause of low back pain is elusive and complex, particular patterns of information related to biomechanics, posture, and muscle function have been gleaned over time and are useful in understanding how different common interventions can affect and improve low back pain.

Biomechanical Considerations

The spine is actually just a series of joints, but it is the intimate relationships among the joints that give the spine its variety of special qualities. The spine's anterior–posterior curves enable it to sustain compressive loads ten times greater than if the column were straight. The hydraulic nature of the intervertebral discs permits controlled movement while forces are transferred vertically to the trabecular system of the adjacent vertebral bodies. The synovial facet joints guide motion in multiple planes, permitting the human body to move freely in three dimensions.

Together, the vertebral bodies, discs, facet joints, supportive ligaments, and muscles combine to create an extremely dynamic structural system.[5]

Posture

To function in a world with strong gravitational forces, the body has adapted by integrating elegant architectural and dynamic supportive designs, allowing for relatively effortless upright positioning. This design, however, is challenged by the 21st-century lifestyle. Most people of the developed world—regardless of age, have lived a life full of sitting, flexed postures, and too little activity and movement. Good posture "is a state of musculoskeletal balance that protects the supporting structures of the body against injury or progressive deformity."[6] This musculoskeletal balance is important at rest and with the dynamic activity of the body in motion.

To achieve balance, one must consider both the dynamic and static structures responsible for postural equilibrium. Muscles provide dynamic counterforces to moments of extension and flexion caused by gravitational torque at joints, and they require an intact nervous system to provide sensorimotor feedback.[7] The static osseous and ligamentous structures provide passive tension at joints and support for weight bearing in the upright posture, although some degree of nervous system input also arises from mechanoreceptors in the ligaments and joint capsules. At equilibrium, the line of gravity falls near or through the axes of rotation of the joints, and compression forces are optimally distributed over weight-bearing surfaces.[8] Gravitational forces are then balanced by counter torque generated either by passive structures or by small sustained contractions in postural support muscles.[8] When the center of mass moves, the line of gravity falls at some distance away from the joint axes, often approaching the limits of the base of support. A need then exists for increased counter torque to balance gravitational forces and maintain upright posture.[8]

When considering spinal alignment and the interplay of static and dynamic structures, the PTA should note the influence of the lower biomechanical chain. Structural or functional faults may contribute to a less than optimal foundation on which the spine must function. Structural alignment issues include limb length difference and bony alignment of the femur, and functional problems include postural and muscle length or strength imbalances in the core muscles or in the lower extremities.

Structural Malalignment

Although little evidence exists to support a correlation between postural alignment and low back pain, abnormal structural alignment can contribute to muscle imbalances and movement dysfunction and should be addressed as part of a treatment plan for low back pain. Limb length differences may lead to spinal asymmetry by effectively lowering the pelvis on one side and elevating the other. For example, if a patient has a short left extremity, the pelvis will drop on the left, carrying the spine with it. Hence, the spine may tend to side bend to the left. As the individual seeks optical righting, a compensatory curve of the lumbar spine may occur back to the right and a classic s-shaped scoliotic curve has occured. If an over-correction is achieved, yet another compensatory curve back to the left may be noted in the thoracic spine. This positioning asymmetry leads to abnormal forces through the spine. The concave side of a frontal plane spinal curve has increased facet weight bearing and narrowing of the intervertebral foramen, and the intervertebral disc is at risk for injury. In addition, the muscles on the convex side of the curve tend to lengthen and become weaker, whereas the muscles on the concave side tend to shorten.

Lower-extremity positional faults that result in altered pelvic positioning can also impact the lumbar spine. If the pelvis is positioned in an anterior tilt, the lumbar spine is brought into a greater lordosis. An accentuated anterior tilt increases forces on the posterior elements of the spine, such as the facet joints, putting these structures at risk for injury. Conversely, if the pelvis is tilted posteriorly, the lumbar spine may lose normal lordosis. This position of relative kyphosis may put the anterior structures at risk for injury, especially the disc. With the loss of lordosis, the annular structure of the intervertebral disc is stressed posteriorly and may lead to annular incompetence and possibly an inability for the annulus to adequately control the nucleus.[9,10]

Similarly, knee posture may also affect stress in the spine. With faulty knee alignment in the frontal plane, the hip tends to compensate in both the transverse and frontal planes. Genu valgum, or "knock-kneed," posture effectively shortens the limb on that side and, as such, the pelvis will move inferiorly in the frontal plane, resulting in an observable uneven position of the iliac crests. Compensatory femoral rotation may also occur which could indirectly increase or decrease the amount of anterior pelvic tilt. Owing to effects on pelvic position, genu recurvatum (knee hyperextension) may also promote a shearing compensation in the upper lumbar spine. The spine transitions from an excessive lordosis caused by an excessive anterior pelvic tilt and adopts a position of flexion (kyphosis) to bring the body into anterior–posterior balance.[9]

Neuromuscular Control

Functional muscle imbalance, or limitations in the neuromuscular control systems, can result in a less than

optimal foundation upon which movement in the body occurs. The musculoskeletal system can be likened to a balanced system of guy wires or springs attached to a structural foundation (and coordinated with a supercomputer) (Fig. 15-1). The overall length of the supportive guy wires affects the balance of the structural foundation. In addition, the extensibility, or quality of overall length of the supportive guy wire, affects the balance within the system. Finally, the efficiency of the communication between these guy wires and the brain ultimately determines the quality of control and movement possible.

Janda and Jull[11] described a condition they called "pelvic crossed syndrome" which they purported may affect the balance of the muscles surrounding the joints of the lower extremity. Although this syndrome is more useful as a theoretical construct than as a guide for treatment, this syndrome is helpful to explore a way to examine the possible relationships between structures of the spine and lower-extremity kinetic chain. For example, if the pelvis is in a position of anterior tilt, the muscular system may develop compensatory qualities. In this posture the hip flexors and spinal extensors are placed in a relaxed position and may adaptively shorten. Conversely, the gluteal and abdominal muscles are in a lengthened position, subjecting these muscles to elongation. The pelvic crossed syndrome then, is this dual finding of tight hip flexors and spinal extensors with lengthened hip extensors and abdominals.

Although the term "pelvic crossed syndrome" has fallen out of popular use, most patients with low back pain do present with weak hip extensors, weak abdominal muscles, and shortened hip flexors. Due to important length-tension relationships, both overly shortened and overly elongated muscles will be weak Chronic stretch of muscles may neurologically inhibit the active components, making the muscle less capable of force generation.[12,13] Similarly, the chronically shortened muscles may lose passive elasticity and undergo changes in motor unit composition, becoming increasingly stiff.[12,13] Because of these factors, it is a difficult task to overcome the postural tendencies commonly seen in patients with low back pain.[11]

Optimal positioning and control of the musculature around the pelvis is important for postural reasons and because the iliopsoas, tensor fascia lata, quadriceps, hamstrings, gluteus maximus, hip rotators, abductors, and adductors play a crucial role in the ability of the pelvis to appropriately transmit ground reaction forces.[7] Table 15-1 lists the primary muscles involved in postural assessment and stability of the spine and pelvis.

Body Mechanics

Proper body mechanics are considered crucial both for control of symptoms and for prevention of future episodes

> **FIGURE 15-1** ● **SPRINGS DEMONSTRATE A MECHANICAL MODEL OF LUMBOPELVIC STABILITY.**

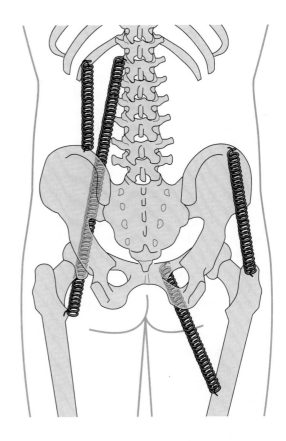

TABLE 15-1 **Postural Muscles Prone to Loss of Flexibility or Weakness**

MUSCLES PRONE TO TIGHTNESS	MUSCLES PRONE TO WEAKNESS
Erector spinae	Rectus abdominus
Quadratus lumborum	Serratus anterior
Iliopsoas	Gluteus maximus, medius, and minimus
Tensor fascia lata	Lower trapezius
Piriformis	Vastus medialis and lateralis
Rectus femoris	Short cervical flexors
Hamstrings	Extensors of upper limb
Gastrocsoleus	Tibialis anterior
Pectoralis major	
Upper trapezius	
Levator scapula	
Sternocleidomastoid	
Scalenes	

Adapted from Janda V, Jull G. Muscles and motor control. In: Twomey LT, Taylor JT, eds. *Physical therapy of the low back. Clinics in physical therapy series*. 3rd ed. New York, NY: Churchill Livingstone; 2000:253–278.

of back pain. However, no one definition of proper body mechanics is accepted, which can lead to confusion in patient management. Over time, different schools of thought have predominated in terms of the optimal position of the spine for lifting. Some have advocated a posterior tilt of the spine, while others suggested an anterior tilt was preferred. The consensus now is that end ranges of spinal motion should be avoided and that a balanced neutral position which optimizes passive and elastic tension in the body tissues that support the spine should be utilized. This neutral spine position encourages people to maintain their normal spinal curves during functional tasks.

The appropriate (proper) body mechanics can greatly influence the musculoskeletal environment in which functional tasks are performed, leading to improper stresses in the spine.[14] Achieving good body mechanics is not only a product of good neuromuscular control, but also of the inherent strength and flexibility required to achieve efficient postures. Consider the potential effect of shortened hamstring muscles. Chronically shortened hamstrings limit the ability of the pelvis to maintain its relatively neutral alignment in standing because of the effect of the muscles at their attachments on the ischial tuberosities. The hamstrings exert a force upon the ischial tuberosities, causing the pelvis to tilt posteriorly. This posterior pelvic tilt can reduce lumbar lordosis and alter the forces upon the spine and intervertebral discs.

A similar phenomenon occurs in the upper extremity with overhead reaching. A stiff or short latissimus dorsi muscle (extending from the thoracolumbar spine. to the intertubercular groove of the humerus) can limit the ability of the humerus to move upward, resulting in a compensation of increased thoracolumbar extension to allow for a greater range of overhead reach. Specific to low back pain, often the deep stabilizer muscles such as transverse abdominus and the lumbar multifidus are neurogenically inhibited in patients with back pain. This functional weakness can result in a reduced ability to maintain the spine in a neutral posture during functional tasks. In this instance, the faulty body mechanics do not arise from static properties of the muscles, but the dynamic neurologic control of the support structures of the body.

As noted earlier, the body functions most efficiently when in a state of postural equilibrium. To achieve this balance, the patient needs both the knowledge of safe joint position and the necessary muscular strength flexibility and control to maintain musculoskeletal balance.

Spinal Stabilization

The idea of spinal stabilization evolved because of the belief that to recover and maintain health, patients with low back pain must exercise.[15] Such functional exercise techniques emphasize neuromuscular reeducation and apply a combination of principles derived from neurodevelopmental techniques, proprioceptive neuromuscular facilitation (PNF), and basic body mechanics into traditional therapeutic exercise. The goal of spinal stabilization, or core stabilization exercises, is to promote the optimal function and control of the muscles that stabilize the spine in hopes of reducing the load on passive structures and, thereby, reducing low back pain.[16]

The actual pathoanatomy of back pain is poorly understood and multiple potential pain generators exist. As referenced earlier, in the case of non-specific low back pain, the anatomic structure at fault is often not a critical factor in treatment.[4] The crucial matter is to determine the activities and postures in which the patient is unable to tolerate stresses. The concept of stability of the spine actually considers a combination of the osseoligamentous system, muscle system, and neural control system.[17] Therefore, the basis of functional stabilization training is to provide the patient with movement awareness, knowledge of safe postures, and functional strength and coordination that promote optimal spine function. Table 15-2 presents the expectations and goals that should be considered when developing an individualized stabilization program.[18]

TABLE 15-2	**Expectation and Goals of a Spinal Stabilization Program**

Patients complain less and become more functional with exercise intervention.

The neurologic influences of muscles and joints are inseparable; thus, the PTA must be concerned with the neuromotor system and not treat muscles and joints in isolation.

Regardless of anatomic involvement or stage of recovery, all patients with low back pain can engage in a training program.

Patients are trained to improve physical capacity; to facilitate more functional movement; and to prevent, control, or eliminate symptoms.

Training should include increasing flexibility, strength, endurance, and coordination.

Reprinted with permission from Biondi, B. Lumbar functional stabilization program. In: Goldstein TS, ed. *Functional rehabilitation in orthopedics*. Gaithersburg, MD: Aspen; 1995:133–142.

Many PTs use some form of therapeutic exercise in the treatment of low back problems. However, the type of exercise and the emphasis in training are poorly standardized. Despite this lack of standardization in exercise selection, what is known from research investigations is that exercise programs, regardless of the specific components, facilitate management of spinal symptoms.[19-25] O'Sullivan et al.[26] demonstrated a significant decrease in pain and disability immediately, 3 months, 6 months, and 30 months after initiation of an exercise intervention. In a retrospective study, Saal and Saal[23] found that a high percentage of patients with objective radiculopathy had successful outcomes with stabilization training, even when surgery had previously been recommended. Nelson et al.[22] demonstrated that a large number of patients for whom surgery was recommended had successful outcomes in the short term by performing aggressive strengthening exercises. Hicks et al.[26] developed a clinical prediction rule that helped identify those individuals with low back pain who are most likely to benefit from spinal stabilization training. Although exercise and core stabilization has been shown to be beneficial, various training programs have been used and one best-accepted approach to spinal stabilization does not exist. In a study by Childs et al.,[27] individuals who performed traditional sit-up training improved in similar fashion to those who performed specific core stabilization exercises. Thus, although the best approach has not been determined, applying several motor control and strong foundational principles to a program of spinal stabilization exercise is likely to result in good outcomes for patients with low back pain.[28]

The exercise format for stabilization emphasizes both strength and endurance, as well as addressing neuromuscular control and activation of the core muscles. The ability to control movements in the spine has a basic strength requirement; however, because postural muscles must have endurance, the strengthening exercises should include a component of endurance.[14,29] Consider the evidence that shows that patients with back pain have selective wasting of the type 1 (slow-oxidative) muscle fibers.[30] The loss of type 1 fibers renders the muscles less equipped for endurance activities.[7] This information provides further incentive to address endurance as much as strength.

Therefore, the PT needs to identify the muscles on which to focus when initiating any type of therapeutic exercise regime. Research suggests that the core stabilizers are not the larger, external muscles—such as the rectus abdominus and external oblique muscles—but rather the inner, deep muscles, such as the lumbar multifidus, the transversus abdominus, and to some extent, the internal oblique muscles. The multifidus muscles are important for reducing shear forces in the lumbar spine,[23,24] and evidence supports the ability of the lumbar extensor muscles, even at low levels of activity, to increase lumbar posteroanterior stiffness.[14,31,32]

Through ultrasonographic imaging, Hides et al.[33] identified selective ipsilateral multifidus muscle wasting at the level of spinal injury. Although they identified selective wasting of type 2 (fast-twitch) fibers, they also found an internal structural change of the type 1 fibers, described as "moth eaten" in appearance.[34] This selective wasting of muscle appears to have long-lasting implications for recovery. Again, emphasis in training of the type 1 fibers is warranted. The multifidus atrophy in that study developed acutely and continued for at least 10 weeks, even when pain-free status has been achieved, with or without exercise intervention.[35] However, in the experimental group who received exercise therapy, multifidus size was restored. On follow-up, individuals in the exercise group had a significantly lower recurrence rate of pain than those in the control group, supporting the concept of selective training of the lumbar multifidus muscles.[17]

The transversus abdominus muscle is also a critical muscle in the stabilization of the lumbar spine. In fact, support by the transversus abdominus is considered by some to be the most important of the abdominal muscles. Its action seems to be independent of the other abdominal muscles and is most closely tied to the function of the diaphragm and pelvic floor muscles and intimately related to the thoracolumbar fascia. The transversus abdominus, with some contribution from the internal oblique muscle, assists in increased intraabdominal pressure. Its normal action, along with the action of deep fibers of the lumbar multifidus muscles, may function to form a deep internal corset. This pattern of motor control is disrupted in

patients with low back pain.[17] However, some researchers suggest that to consider one group of muscles as more important that others in the core is a mistake. The reality is that all of the deep and more superficial muscles work in concert in a complex neuromotor symphony to create both mobility and stability. To that end, core stabilization should address all the muscles of the "core."

Given that stabilization, as an exercise intervention, is meant to both condition the muscles and address motor programming, the obvious question is whether motor programs can really be changed. One concept to emphasize is that stabilization training in general works the core stabilizers in their natural fashion—not as prime movers but as primary stabilizers. The limbs are providing the resistance, and the core muscles respond to the postural challenge. In healthy individuals, the stabilizers act in a feed-forward manner; the trunk muscles precede the limb muscles in order of motor recruitment.[36] In other words, the trunk muscles "turn on" in preparation for the limb movement. Conversely, in the population of people with low back pain, the firing of the abdominal muscles is delayed, often occurring after the limb movement.[37]

Recent findings support the idea that skill training can indeed change the motor-firing pattern of abdominal muscle activity in response to limb movement.[17,38] In addition, some researchers have demonstrated that it is possible to alter movement patterns and muscle recruitment patterns by training individuals in spinal stabilization techniques.[39,40]

Finally, in addition to working the core stabilizers, conditioning of the major postural muscles is encouraged. These muscles include the gluteals, erector spinae, latissimus dorsi, and lower-extremity muscles. The clinician should include upper-extremity exercises as an adjunct because spinal stresses increase as upper-extremity loads are maneuvered.

● TREATMENT PRINCIPLES— CLINICAL PRACTICE GUIDELINES

The American College of Physicians and The American Pain Society (ACP–APS) have developed clinical practice guidelines to help guide clinicians treating low back pain.[4] These guidelines are helpful to consider when one is treating patients with low back pain, as clinical practice guidelines serve as the highest form of evidence available to guide treatment decisions. The ACP–APS guidelines issue the following recommendations for the conservative management of low back pain:[4]

1. Back pain should be considered as one of three broad categories: non-specific low back pain, back pain associated with radiculopathy or spinal stenosis, or back pain from

some other cause (medical, referred, malignant, etc.). In addition, consideration should be paid to psychosocial risk factors which increase the risk for the development of chronic pain. These risk include, but are not limited to, high fear about pain, catastrophizing, avoidance of activities, or work-related injuries.

2. Diagnostic imaging of low back pain should be minimized, as a poor correlation exists between imaging findings and most low back pain.

3. Diagnostic imaging should be reserved for those patients with severe, progressive neurologic signs and symptoms, which may suggest a condition that could be ameliorated by surgery.

4. Clinicians should educate patients with evidence-based information about low back pain, including advice to stay active, the expected course of low back pain, and ways to self-manage their low back pain.

5. Clinicians should assess baseline pain and functional status and restrict the use of narcotic analgesics like morphine, opting instead for first-line medications like acetaminophen or ibuprofen. (Obviously, this guideline pertains to those providers with the legal ability to prescribe medications, which does not include PT's or PTA's, however consideration of this guideline in patient education is warranted.)

The last part of the ACP–APS guidelines lists those interventions with research to support their use, include spinal manipulation performed by a PT, exercise therapy, and various other interdisciplinary interventions like yoga, acupuncture, and cognitive behavioral therapy.

These guidelines are not intended solely for the physical therapy community and careful attention to their key elements is indicated for all clinicians. Patient education, the advice to stay active, and a focus on enabling patients to manage their pain as independently as possible will lead to good outcomes.

Clinical practice guidelines can give only a broad overview of how to treat low back pain. A more detailed look at specific interventions is certainly warranted and will be covered in the next section.

Posture

Despite lack of clear evidence correlating poor posture to low back pain, addressing posture can be an important aspect of treating spinal injuries and low back pain. By examining an individual's posture, the clinician can begin to collect a list of impairments that might include tightness in certain muscles and weakness in others.

As a product of daily activity, posture is something inherently difficult to adjust, but it can certainly be accomplished. One should note, however, that simply addressing posture through manual cues or verbal reminders to the patient is of limited effectiveness. True postural correction comes from regaining tissue extensibility and strength where needed, in combination with patient education and awareness activities. Often, an infusion of aerobic exercise can be of added benefit when attempting to restore posture, as the overall fitness provided by aerobic activities will also improve the ability of the postural support muscles to perform their function.

Like any intervention, when considering postural correction, the clinician needs to be aware of how to objectively measure posture so as to be able to demonstrate the effectiveness of the intervention. Measuring posture is a difficult task. Traditionally, biomechanists have used photographs with a plumb line demonstrating the line of gravity. By comparing the patient's posture to normal standards for plumb line locations, one can gain a sense (or even an actual measurement!) of how significant the postural deformities are. Still others rely on more qualitative descriptors with posture, and might notate a patient as having severe forward head posture and mild rounded shoulders. Although less objective, this technique is a common manner by which posture is described in the clinic. As a final note, the clinician should take care to observe posture from both the frontal and sagittal planes.

Body Mechanics

Although body mechanics are dynamic while posture appears static, each is truly an extension of the other. When the body moves through space, gravitational forces impart moments of force that vary in direction and intensity. The body must constantly adapt to these forces, but the uninformed individual is not aware of potentially efficient and safe positions in which to best handle the external forces. Therefore, it is imperative to observe the patient in functional movements, scrutinizing the mechanics of the movement to identify inefficient and potentially unsafe maneuvers.

Functional testing need not be complicated. Simple observation of normal activities can be quite valuable. This examination can begin as soon as the patient stands from the seated position. Notice the position of the body over the legs. Observe whether the individual uses momentum or pushes from the upper extremities to attain the standing position. Is the pelvis in an extreme position as it moves forward over the lower extremities? Is there unnecessary internal rotation torque of the femurs, with accompanying pronation of the subtalar or midtarsal joints? Is the thoracic spine in a compromised position of end-range kyphosis during the movement to standing? Any of these compensatory movements indicate decreased ability to withstand the forces of gravity for that particular maneuver. Look for similar compensatory behaviors in all functional tests, including partial squatting, unilateral balance, lifting an item from the floor, reaching forward or overhead, pushing or pulling, and the prone leg lift for multifidus stability.

Frequently body mechanics are compromised by the patient's lack of understanding of safe functional performance and by a physical limitation that makes proper performance impossible. Comprehensive intervention to address body mechanics should include treatment of the body's structural limitations, as well as a strong emphasis on patient education to help restore good mechanics and take advantage of the gains in body structures achieved in therapy. The PTA should watch for such compensations and seek to address the physical as well as the functional limitations.

Spinal Stabilization

If the goal of spinal stability exercises is to improve the protective stabilizing ability of the spinal muscles, it is imperative that the exercise load not overtax the muscles. If the muscles are fatigued, this may create compensation and potential inhibition of the targeted muscles. Initially, the spinal stabilization program begins with the learning of an isolated contraction of the targeted muscle, which enhances the patient's proprioceptive abilities needed for the progression of exercise. Light resistance with isolated contraction follows, with gradual progression to functional and weight-bearing activities. Although limb movement alone imposes the initial challenge to the muscle, resistance to the limbs follows as the patient progresses. In the early phases, it is important for the patient to perform slow movements because the proximal stabilizing muscles may weaken or become inhibited when exposed to ballistic limb movement.[41]

Stabilization exercise is encouraged for all ages from young to very old. Adolescents have been successfully treated with these techniques, and it is well established that exercise in the aging population has numerous health benefits.[42] Remember to monitor risk factors in older adults when teaching them an exercise program.

Neutral Spine Position

The neutral spine concept is the position in which the spine functions most efficiently; it is usually within a range that is asymptomatic or least symptomatic for the patient.[15] This position varies among individuals and pathologies. Exercising at the end of range of motion (ROM) in either direction is not recommended.[14]

When given the opportunity to identify the least painful position, most people will indicate a relatively neutral position. This position is roughly achieved when the spine is resting and the patient is in the hook-lying position. When the hips are flexed to approximately 60 degrees, as

naturally occurs in hook-lying, the lumbar spine tends to adopt a position that is closest to the mid-range. Therefore, the hook-lying position is a good one for initiating the patient's discovery of the neutral position.

The patient's least painful position may be one of relative flexion of the lumbar spine, corresponding to a posterior pelvic tilt (called a flexion bias). Alternatively, some patients are most comfortable in a position of relative extension of the lumbar spine, with an anteriorly tilted pelvis, which indicates an extension bias.[18] Although these biases may change as the pathology changes, the PTA should always be aware of a patient's flexion or extension bias when implementing an exercise prescription.

Examination by the Physical Therapist

A thorough examination by the PT is always an important aspect of stabilization training and exercise prescription. As indicated, muscle imbalances may limit appropriate performance of certain exercises, and these imbalances must be dealt with before advancing the program. Compensatory movements during exercise may indicate a physiologic condition that warrants further investigation. The PT should always pay close attention to pain response and to compensatory movements that may occur with activity. Pain during safe exercise often differs from the symptoms for which the patient sought treatment. Often the muscle action will trigger different but benign symptoms related to muscle activity and not to pathology. The PTA should be alert to these symptoms to communicate the patient's status to the supervising PT.

When the PT embarks on a stability program, some objective measures regarding the stabilizing function of the multifidus muscles must occur. The recommended testing procedure for segmental multifidus testing is shown in Figure 15-2. The lumbar spine is flexed up to the level of the involved segment; an attempted lateral displacement of the femurs will be poorly resisted in the presence of weak multifidus. This pressure should be light.

The multifidus muscles primarily function as contralateral rotators; however, because the forces are applied through the pelvis, the side on which the pressure is applied is the side providing the resistance. In other words, if the pressure is applied to the femur on the left side (with the force directed toward the right), the left multifidus is being tested (Fig. 15-2). Since the multifidus muscles are inhibited at the level of spinal injury,[3] it is helpful to track the function of the multifidus using this testing procedure.

An alternate method of multifidus testing is a screening procedure recommended by Richardson et al.[17] This test relies on palpation and comparison of the contractions on each side. With the patient in the prone position, the PT palpates adjacent to the spinous process and tells the patient, "gently swell out your muscles under

FIGURE 15-2 ● **SEGMENTAL MULTIFIDUS MUSCLE TESTING.**

Purpose: Examine core stability of the segmental lumbar muscles.
Position: Patient lying supine. Physical therapist (PT) palpating intersegmentally to flex the lower trunk up, isolating to the desired level.

Procedure: PT gives gentle, gradual lateral pressure to distal femurs, creating a rotational force through the lumbar spine. PT compares side to side and segments above and below, observing for weakness, as demonstrated by lack of resistance to the rotational force.

my fingers without moving your spine or pelvis." The PT assesses the ability of the muscles to perform this action. This technique can also be used as a training tool for isolated multifidus contraction.[17]

Another objective measurement that helps document recovery is the assessment of weight-bearing symmetry. Using two scales side by side, observe the load distribution on examination and on reexamination. As the spine gains stability, weight distribution should be increasingly symmetric, providing that no other biomechanical factors are interfering with the balance of load.

Training Progression

The practitioner should consider the following basic principles when beginning a training progression: (a) monitor the effects of weight bearing, (b) use stable before unstable postures, (c) use simple motions before combined movements, and (d) integrate gross motions before isolated,

fine motor patterns. The patient's tolerance to weight bearing or load bearing should be kept in mind when prescribing exercise because some movements inherently involve more gravitational forces than others. An exercise in supine naturally decreases the gravitational stresses, whereas a loaded upright activity could exacerbate a condition in a patient with load sensitivities. The supine position also naturally provides more external stability than does the quadruped, kneeling, or upright position. Simple movements should be mastered before progressing to motions that require stability in diagonal planes, which challenge the body in three planes of motion. Lastly, the patient should be competent in mass body movements before the PTA superimposes isolated movements. For example, the action of rising from the seated position is less challenging than rising from the seated position and simultaneously reaching for the phone.

To teach stabilization concepts to a patient, begin by helping the patient produce and explore lumbopelvic movement in the sagittal plane (anterior–posterior direction), which is best done in the supine position. Then ask the patient to identify the position in which symptoms are reduced or absent. This position constitutes the spinal neutral position. If the patient is asymptomatic within a range of movement, then he or she is free to identify the position in which a neutral lumbar lordotic curve is achieved, balancing the stresses upon the spine. Most patients are able to find spinal neutral with minimal cues, although maintaining that position through functional movement can prove quite difficult. After the patient achieves the muscle control required to maintain the neutral spine position, the patient to perform simple movements, gradually progressing to advanced, functional actions.

Individuals will progress at different rates. The easiest way to help the patient maintain the neutral ROM is to assist him or her with the use of external support, referred to as passive prepositioning. For example, the neutral position for a patient with a flexion bias is to be adequately supported in a supine position with the hips and knees in the 90/90 position, which encourages lumbar flexion. In contrast, the neutral position for a patient with an extension bias may be achieved with passive support to the spine in extension. The PTA may place a towel roll under the lumbar spine for support or simply ask the patient to allow the lower extremities to lie flat, which tilts the pelvis anteriorly and extends the lumbar spine. Exercising in this supported position assists the patient in maintaining a safe position for the spine.

Active prepositioning refers to the next level of stabilization in which the patient uses muscular contraction to maintain a safe, stable posture for exercise. After exploring lumbopelvic motion and identifying the neutral spine position, the patient actively contracts the deep stabilizers to maintain the neutral position. When the patient can achieve adequate active contraction, the PTA can begin to focus on challenging the stabilizing musculature. The patient should begin with slow, controlled limb movement, while the PTA looks for any sign of subtle compensation. One common error is for the patient and PTA to get stuck in this phase of active cocontraction in preparation for movement. It is important that the patient does not move while the spine is locked in isometric holding but rather progresses to the next phase, dynamic stabilization.

In the dynamic stabilization phase, the muscles (via proprioceptive properties) protect the spine from unwanted motions. Muscles are not precontracted to protect the spine from undesired movement, but the muscles are on call, so to speak, and are recruited as needed to control spinal movements within the safe range. This phase also requires that the individual has the ability to freely transition from use of agonist and antagonist stabilizing musculature.

Summary: Spinal Stabilization

Movement with stability is the ultimate goal of stabilization training. The patient should develop freedom of movement, without rigid spinal-holding patterns, and should function more efficiently during all activities. This improved movement is accomplished through enhanced proprioceptive abilities, strength, postural endurance, and balanced, efficient motor programming.

● TECHNIQUES

Posture

Making changes in posture is often difficult and frustrating for both the patient and the PTA. It seems that even if the patient's posture can be corrected, he or she drifts back into the old dysfunctional position as soon as appropriate posture is no longer the focus of concentration. Therefore, in addition to educating the patient on posture in a proprioceptive manner, adjuncts should be used to help reinforce proper posture throughout the day. The objective is to offer some useful postural correction and education techniques and then to suggest adjuncts to assist the patient in maintaining the postural changes. Of course this postural awareness will only be effective when combined with the appropriate stretching, strengthening, and aerobic exercise program. Various methods exist to help improve postural awareness.

To begin to correct faulty posture, the use of verbal and physical cues is recommended. Begin from the foundation and move superiorly. Use of a plumb line helps when the patient is initially learning to look for postural deviations.[5] If the knees are locked into hyperextension, ask the patient to soften them. If the pelvis is anteriorly tilted, provide manual cues while asking the patient to tuck the tail under. For example, to encourage inferior movement of the sacrum, the PTA places a finger of one hand on the sacrum and taps or presses lightly in an inferior direction while a finger or the hand is placed on the midline of the abdomen inferior to the umbilicus and skin-drags the anterior abdomen in a superior direction. If the pelvis is posteriorly tilted, the PTA can reverse the same manual cues and ask the patient to tip the pelvis forward as though it were a bucket and he or she were trying to pour water out of the front of it.

For a patient with a rounded, forward shoulder posture, addressing the upper trunk will alter the faulty posture inferiorly. Place a finger on the upper sternum, and tap it gently, asking the patient to breathe while lifting the sternum up and forward slightly and then to exhale without allowing the chest to drop (Fig. 15-3). Besides offering the cervical spine relief from the often-associated forward

FIGURE 15-3 ● TECHNIQUE FOR CORRECTING FAULTY POSTURE.

Purpose: To correct a rounded, forward-shoulder posture.
Position: Patient standing. Physical therapist assistant (PTA) standing to side.
Procedure: PTA places a finger on patient's upper sternum and taps it gently, asking patient to breathe while lifting the sternum up and forward slightly and then to exhale without allowing chest to drop.

head posture, this technique has the added benefit of promoting abdominal breathing.

Although a temporary solution, simple taping is a powerful tool for postural education. Both in the lumbar and thoracic spine, posterior taping offers a primitive but effective form of biofeedback. The tape pulls when the patient moves into a flexed posture. To tape the lumbar spine, begin in the standing or prone position. Ask the patient to produce and explore lumbopelvic movement, coming to rest in the neutral position. Then apply (a) horizontal anchor strips at the thoracolumbar junction and the sacrum, (b) diagonal strips to form an X across the low back (Fig. 15-4), (c) a few longitudinal strips from anchor to anchor, and (d) a couple of horizontal closing strips. Thoracic taping can be applied in a similar manner, emphasizing the direction of desired support. Athletic tape usually works well for these techniques but usually quickly loosens. Fortunately, taping does not take long to make an impact. As soon as the patient sits in the car, the learning is intensified. Other more adhesive types of tape are available, and they may be used to maintain postural feedback over a longer period of time. However, the PT must be aware of any potential skin allergies that may preclude leaving the tape on for more than a few hours.

Additional methods for promoting maintenance of corrected posture include techniques that periodically remind the patient to self-correct. Setting a watch to beep every 30 minutes or so is an easy method. Patients who work at a computer may use an alarm program that sounds every 30 minutes; besides serving as a reminder of postural correction, it may encourage the patient to stand up and perform 1 minute of stretching exercises.

Body Mechanics

Before moving on to techniques of body mechanics education, the importance of the lower extremities must be discussed. One of the most frustrating aspects of training body mechanics is the fact that lower-extremity strength can be the limiting factor in one's ability to move efficiently and safely through daily activities. The most basic of body mechanics education is the use of proper lifting techniques. When lifting from the floor, the individual must achieve a position that is close to the floor, which requires strong lower extremities that can safely lower and raise the body. Therefore, lower-extremity strength is as fundamental to spinal care as is spinal strength.

FIGURE 15-4 ● **LUMBAR SPINE TAPING TO PROVIDE FEEDBACK.**

Purpose: To provide primitive postural feedback.
Position: Patient standing in neutral lumbopelvic position.
Procedure: PTA applies horizontal anchor strips at the thoracolumbar junction and sacrum, diagonal strips in an X across the low back, a few longitudinal strips from anchor to anchor, and a couple of horizontal closing strips.

By following a few basic ergonomic principles, workers can protect themselves on the job (Table 15-3). Patient education in these basic concepts will provide guidance for a lifetime of active prevention of workplace injury or exacerbation of symptoms.

When possible, videotape the patient performing on the job or videotape simulated job or sports activities. Review the tape in slow motion, looking for subtle movement faults of which the patient may be unaware. When dealing with a work or sports environment, it is important for the PTA to understand the necessary activities. The PT or PTA assistant can seek out educational videos on the sport or job or can obtain the assistance of a reputable teaching professional, work manager, or coach to gain knowledge in basic techniques. This information, combined with professional knowledge on biomechanics and rehabilitation, provides a wealth of intervention potential for the patient in question and for future patients.

Obstacle course training is a powerful way to assist the patient in problem solving while focusing on maintaining

TABLE 15-3 **Summary of Basic Ergonomic Principles**

Keep frequently used materials close to avoid reaching.

Position work at elbow height for sitting and standing.

Place heavier objects lower and lighter objects higher.

Keep loads close to the body

Push loads instead of pulling whenever possible.

Maintain neutral posture.

Eliminate excessive repetition.

Minimize fatigue by avoiding static loads and grips, taking breaks, and rotating stressful jobs.

Use adjustable workstations and chairs; change postures frequently.

Provide clearance and access so that proper movements are possible.

Create a comfortable environment with adequate lighting and temperature.

Eliminate vibration.

a functional, neutral posture. Varying the environment in which an individual is performing a task is known to improve overall learning. Therefore, setting up a simple obstacle course in the clinic is an inexpensive and valuable tool for effective training and can provide objective measures in the form of time to completion. Examples of tasks that can be used are pushing a weighted cart, pulling a vacuum cleaner, lifting cuff weights from the floor to an overhead shelf, placing a child seat into the back of a car, bending over to scrub the bathtub, leaning over the sink to simulate brushing the teeth, moving wet clothes from a washer to dryer, and sitting in an office chair and reaching to answer the phone or use the computer.

Spinal Stabilization

Initiation of Training

Prior to the initiation of spinal stabilization exercises, a word about aerobic exercise is warranted. Before any exercise routine is started, the body's tissues should be prepared and the PT should try to optimize the healing environment.[7] For the patient with lumbar pathology, the exercise preparation technique of choice to maximize the healing environment is aerobic activity. In fact, aerobic exercise itself has been shown to have positive effects on low back pain.[43] This activity may be performed in numerous postures, and the PT should consider the patient's specific characteristics and positional bias when choosing an aerobic modality. Giving consideration to the patient's specific concerns, the PT may recommend walking, bicycling, using a ski machine, or supine bicycling. Occasionally the patient is not ready for aerobic exercise; in this case therapeutic modalities may be used to prepare the tissue for intervention.

The aerobic activity in the initial phases of stabilization training should be specifically for warm-up purposes and should not be overly aggressive. Fast, or ballistic, movements of the extremities can be detrimental to the training of the core stabilizers and should be reserved for those individuals who have demonstrated proper stabilization techniques in early-phase activities.

The PT begins stabilization training by providing the patient a relatively easy position in which to produce and explore lumbopelvic motion (this is usually the hook-lying position). One good method to begin to improve kinesthetic awareness of the spine and pelvis is to perform an activity known as the pelvic clock. In this activity, the PT asks the patient to envision the face of a clock on his or her abdomen, with 12:00 at the belly button and 6:00 at the pubic bone. The PT then asks the patient to alternately tilt the pelvis so that 12:00 rocks toward the floor and then 6:00 rocks toward the floor. The PTA then instructs the patient to move back and forth from the

12:00 to 6:00 positions gently, slowly, and with awareness ten times each direction. The patient then identifies the point within that range that is most comfortable and that balances the forces felt in the spine. Since this point is the most comfortable spot, training is focused on teaching the patient how to stay near that point during the functional activities of daily life. As noted, this position is referred to as the spinal neutral and should be emphasized and maintained for all movements performed during spinal stabilization activities.

When progressing a patient to a new exercise, the PTA should always ensure proprioceptive accuracy before embarking. Again, the initial phase of stabilization training should include isolated stabilizing muscle contractions followed by challenge to the stabilizing musculature via limb movement, with eventual progression to functional activities for neuromotor retraining (dynamic stabilization). Each new exercise should be initiated with the patient first exploring the lumbopelvic motion in the novel position, safely and accurately identifying the neutral spine position. As a side note, the pelvic rocking performed to find spinal neutral has the added benefit of providing input to the type 2 mechanoreceptors[44] and thus reducing pain.

As the patient demonstrates awareness of the neutral or functional position, the PTA begins to train the isolated transversus abdominus contraction. The PTA asks the patient to place a finger or two just medial to the anterior-superior iliac spine (ASIS) and lightly press into the tissue. Then the patient is told to draw the abdominal muscles inward and upward, without altering the spinal position, and to feel a simultaneous tensing in the pelvic floor muscles. An alternate position for transversus contraction is in quadruped next to a mirror.[17] As the transversus contraction is achieved, the abdomen draws upward, narrowing the waist. With either technique, the idea is to isolate contraction and avoid overexertion, which tends to recruit all of the abdominal muscles.

A great tool for assisting the patient in awareness of abdominal contraction is a biofeedback instrument. Biofeedback can consist of electromyographic or pressure feedback devices. Simple, single-channel electromyographic devices can give the patient auditory and visual feedback regarding electrical activity in the targeted muscles. If choosing this adjunct, the PTA should remember to document the parameters during each session in which the device is used to obtain additional objective information. Usually, if needed at all, electromyography will be necessary for only a few visits. Recommended placement for electrodes is just inferior and medial to the ASIS.[45] Pressure biofeedback devices are a less-expensive, yet still effective mechanism to provide feedback to patients about their ability to maintain a neutral spine posture. These devices can be placed under a patient's back in hook lying and loss or gain of the lumbar lordosis will change the amount of pressure on the device up or down respectively. By working to stabilize the pressure in the device as the limbs are moved, patients can become skilled at maintaining neutral spinal position with various loads upon the spine.

Phase I: Basic

If the patient understands the concepts of selective muscle contraction and the neutral spine position, the next aspect of training is to challenge the muscle's ability to maintain postural control while subject to perturbation. This challenge is accomplished via subtle movement of the upper and lower extremities. Again, emphasize slow, controlled movement with awareness. Parameters used during phase I are presented in Table 15-4.

The main thing to remember during phase I is that protocols are not used; instead, the PTA is encouraged to use his or her imagination to best facilitate the patient's learning. The usual approach is to follow a developmental sequence path, beginning with supine exercises (including bridging) and progressing to prone, quadruped, kneeling, and standing exercises. This framework may be adapted to specific patient situations, and some postures may need to be avoided according to patient tolerance and abilities. For example, if a patient has particularly tight rectus femoris muscles but the positional bias for intervention is flexion, the bridging posture may be too difficult, owing to the anatomic limitations. These important data are obtained from physical examination and through careful observation of the patient while he or she is performing the exercises.

In addition, it must be emphasized that the neutral position of the spine should be maintained during all activities. If the patient performs an activity and the neutral position cannot be maintained, then the exercise has been progressed too quickly or the patient is fatigued and appropriate adjustments should be made.

TABLE 15-4	**Phase I (Basic) Stabilization Training**

GOALS

Improve proprioceptive awareness.
Increase strength, flexibility, and coordination.
Become proficient in basic body mechanics.
Promote independence in exercise.
Decrease symptoms.

EXERCISES

Short lever arms
Minimal, if any, weights
Stable, supported postures

Supine Activities

Supine exercises typically begin with simple, supported, upper-extremity movement. This movement may be performed bilaterally for balanced abdominal recruitment or unilaterally for asymmetric recruitment that challenges the spine in the transverse plane (rotation). The patient should be asked to lift the arms overhead first without abdominal contraction because the lumbar spine will usually extend slightly and the patient will become aware that movement of the upper extremities can influence the spine (Fig. 15-5).

To progress from upper-extremity movement, ask the patient to attempt to lift one lower extremity slightly and then lower it before attempting to lift the other. The tendency is for the patient to get a rotational shift in the pelvis and lumbar spine during the transition from one side to the other. The patient can easily feel this motion by gently placing their fingertips on each ASIS. If this rotation occurs, the PTA should emphasize that maintaining a level pelvis during the transition will promote depth in the contraction of the core stabilizers (Fig. 15-6).

One method used to facilitate deep stabilizer recruitment is to ask the patient to imagine that gum is stuck on the bottom of one shoe. As the patient tries to lift the foot, he or she imagines the gum pulling strongly back down. After the foot has been lifted just a few inches, the patient imagines that the foot is being pulled back down and should permit the foot to slowly return to the support surface. Supine exercises can be progressed by having the patient lift one leg and the contralateral arm simultaneously. This activity is sometimes referred to as the dying bug exercise (Fig. 15-7).

Another technique to facilitate deep stabilizer recruitment is manual resistance. The PTA applies gentle resistance to the limbs, either supported or unsupported, to facilitate irradiation of contraction from the stronger muscles to the targeted, deeper muscles.[45]

The initial stabilization experience for the patient is more of a learning session than an exercise session. The PTA should remember this when providing directions for the home exercise program. The patient should be instructed to take time to practice the movements instead of being told to do specific sets of repetitions. The patient should also be advised to practice in a quiet environment that is conducive to concentration. This initial training is probably the most important aspect of the overall success of the stabilization program. If the patient becomes sloppy with movements early on, neither pain reduction nor improvement in functional performance will be likely.

To increase the challenge to the stabilizing muscles in supine, exercises can be advanced so that the limbs are no longer providing support. Advancement of exercise should include the addition of ankle and hand weights or exercise

FIGURE 15-5 ● UNILATERAL UPPER-EXTREMITY LIFT IN SUPINE.

Purpose: Facilitate proprioceptive awareness of abdominal contractions associated with upper-extremity movement.
Position: Patient lying supine in neutral lumbopelvic position.

Procedure: Patient lifts one arm overhead, noting forces that occur in lumbar spine. Patient counteracts forces with abdominal contraction, maintaining a still lumbopelvic spine.

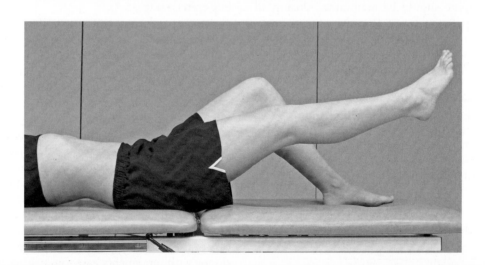

FIGURE 15-6 ● UNILATERAL LOWER-EXTREMITY LIFT IN SUPINE.

Purpose: Facilitate proprioceptive awareness of abdominal contractions associated with lower-extremity movement.
Position: Patient lying supine in neutral lumbopelvic position.

Procedure: Patient lifts one limb slightly and then lowers it while counteracting forces with abdominal contraction and maintaining a still lumbopelvic spine.

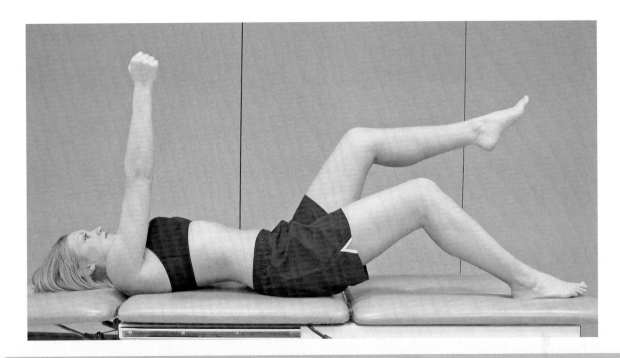

FIGURE 15-7 ● DYING BUG EXERCISE IN SUPINE.

Purpose: Facilitate proprioceptive awareness of spinal stress with limb movement and strengthen abdominal stabilizers.
Position: Patient lying supine in neutral lumbopelvic position.

Procedure: Patient raises right arm and left leg and then left arm and right leg (similar to a supine running motion).
Note: Emphasis should be placed on control before speed. Resistance is optional. Neutral position of spine should be maintained.

tubing for further challenge. As the patient improves in the ability to maintain a stable trunk with these exercises, both the duration and the speed of the activity should be increased.

Exercising supine can include bridging activities, which can be challenging, especially when progressing to single lower-extremity support. Bridging exercises challenge the core stabilizers and require strong gluteal contraction. All motions should be performed slowly at first, with speed increasing as the patient's abilities increase. As with all exercises, it is possible to add weights, tubing, or manual resistance to increase the level of difficulty (Figs. 15-8 and 15-9). When the patient has experience in firing the core stabilizers, sit-ups can be added (Figs. 15-10 and 15-11).

Prone Activities

Prone exercises are excellent for strengthening the lumbar extensors and gluteal muscles, and they provide a direct challenge to the anterior stabilizing muscles to hold the pelvis from posterior tilting. The PTA should watch for sequence of contraction, emphasizing the stabilizing muscle contraction before any gluteal activity. If gluteals are

recruited first, prevention of extension moment through the low back is impossible. If the patient has a flexion bias or has difficulty with prone positioning, use of pillows for abdominal support is recommended. Again, to progress the exercises, use upper- and lower-extremity lifts to challenge the core stabilizers (Figs. 15-12 and 15-13).

Quadruped exercises offer less external support than supine and prone exercises (Figs. 15-14 and 15-15). Therefore, these activities are usually started after the more supported postures. The patient's hands should be placed directly below the shoulders and the knees below the hips. Ask the patient to grip a towel or hand weight if he or she has difficulty with the wrist extension position in quadruped. Care should be given to the thoracic spine, making sure that the scapulae are stable and that thoracic kyphosis is relatively neutral. The tendency is for the thoracic spine to arch into flexion. Patients often attempt to lift the leg high during lower-extremity extension, resulting in lumbar extension. Keeping the foot low along the support surface will usually eliminate lumbar extension and may improve contraction of the stabilizing multifidus. Feedback to the patient can be achieved by placing a light rod or bar on the patient's lumbar spine and requesting that

FIGURE 15-8 ● BRIDGE POSITION.

Purpose: Facilitate proprioception and isolate stabilizing muscles and hip extensors.
Position: Patient hook-lying.
Procedure: Patient elevates hips while maintaining lumbopelvic neutral position.

Note: Patient raises hips only as high as proper form can be maintained. Resistance is optional.

FIGURE 15-9 ● UNILATERAL LOWER-EXTREMITY LIFT IN BRIDGE POSITION.

Purpose: Progress the bridging exercise to emphasize rotational stability and balance.
Position: Patient lying in bridge position in lumbopelvic neutral position.

Procedure: Patient extends one leg while maintaining neutral pelvis.
Note: Requires solid contraction of the gluteals. Resistance is optional.

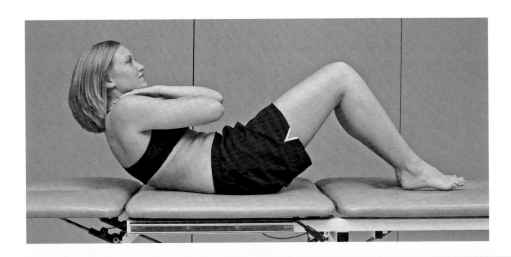

FIGURE 15-10 ● PARTIAL SIT-UP.

Purpose: Strengthen abdominal stabilizers.
Position: Patient lying supine in hook-lying position with arms folded across chest.

Procedure: Patient lifts shoulders from the support surface.

FIGURE 15-11 ● ABDOMINAL MUSCLE STRENGTHENING.

Purpose: Strengthen abdominal musculature.
Position: Patient lying supine on incline bench with knees flexed and feet firmly on floor; hands clasped in front of body.

Procedure: Patient gradually lifts head and trunk off bench until spine is flexed.

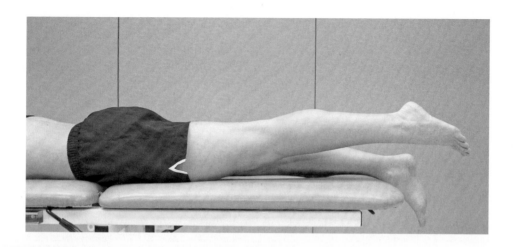

FIGURE 15-12 ● UNILATERAL HIP EXTENSION IN PRONE.

Purpose: Facilitate proprioception while attempting limb movement in a new position.
Position: Patient lying prone with arms overhead or by side.
Procedure: Patient barely lifts leg, focusing on gluteal contraction and avoiding lumbar rotation.

Note: PTA or patient may palpate anterior–superior iliac spine to observe for excessive anterior pelvic tilting or rotation through pelvis. Resistance is optional.

he or she work to balance it as the exercise is performed. Another common error is excessive lateral weight shift toward the supporting lower extremity. To reduce this tendency, the PTA can position the patient next to a wall, effectively blocking a weight shift.

Kneeling and Standing Activities

To continue the developmental progression, the patient is advanced to kneeling, a position of less stability and potentially greater challenge than the quadruped posi-

tion. Simple alternate shoulder flexion, with or without weights, can be a great exercise to begin functional stabilization of the spine (Figs. 15-16 and 15-17).

Although it is a more challenging position for stability, standing should be addressed early. As soon as the patient understands the neutral position, the PTA should begin to teach basic body mechanics. Include supine to sit, sit to stand, forward bending, and basic lifting as soon as possible. Lunges while maintaining the neutral position of the spine are excellent. Such activities can be used as a part of a home exercise program. The program should continue

FIGURE 15-13 ● BILATERAL UPPER- AND LOWER-EXTREMITY LIFT IN PRONE.

Purpose: Provide endurance strengthening of stabilizing muscles of trunk while facilitating proprioceptive awareness.
Position: Patient lying prone in Superman position.

Procedure: Patient barely lifts all four extremities off support surface.
Note: May be performed with static holds or limbs can be moved in various patterns. Resistance is optional.

FIGURE 15-14 ● **UNILATERAL LOWER-EXTREMITY LIFT IN QUADRUPED.**

Purpose: Facilitate proprioception while attempting limb movement in a new position.

Position: Patient kneeling in quadruped, with hands directly beneath shoulders and knees directly below the hips.

Procedure: Patient produces and explores lumbopelvic motion and locks in neutral position. Patient extends one hip so foot just clears support surface (to avoid unnecessary lumbar extension).

Note: Resistance is optional.

FIGURE 15-15 ● **OPPOSITE UPPER- AND LOWER-EXTREMITY LIFT IN QUADRUPED.**

Purpose: Provide endurance and strengthening of stabilizing muscles of trunk while facilitating proprioceptive awareness.

Position: Patient kneeling in quadruped with hands directly beneath shoulders and knees directly below hips.

Procedure: Patient starts in neutral position, extends one hip, and flexes opposite shoulder while maintaining neutral cervical positioning.

Note: Resistance is optional.

FIGURE 15-16 ● KNEELING UPPER-EXTREMITY LIFT.

Purpose: Facilitate proprioception while attempting limb movement in a new position. Strengthens shoulder girdle and trunk-stabilizing muscles.
Position: Patient kneeling tall in neutral lumbopelvic position.

Procedure: Patient lifts one arm overhead, only as high as possible without losing form. Patient alternates arms.
Note: Resistance is optional.

to be refined to maximize the inclusion of functional activities as the patient is progressed to more advanced training.

Phase II: Advanced

Table 15-5 summarizes the goals and exercises of phase II, the advanced program. In addition to adding weights and increasing the lever arm for any of the aforementioned exercises, training a patient for return to dynamic activity requires dynamic exercises. Use of unstable surfaces is recommended to add challenge and reality to the dynamic spinal stabilization training program. An unstable surface can range from a foam floor mat to single-leg support on a foam roll. PTAs can also use wall pulleys, ankle platforms, balance boards, slider boards (Figs. 15-18 to 15-27), and the therapeutic ball.

Any one exercise may be performed for 2 to 5 minutes to address true learning and endurance. Although thousands of repetitions are required to create a new habit, learning retention can be promoted by varying the environment of an activity and changing the order in which activities are performed.[41] Therefore, it is recommended that activities be rotated in and out of an exercise routine. Feedback to the patient should be monitored. Initial training requires quite a bit of immediate verbal and manual cuing, but

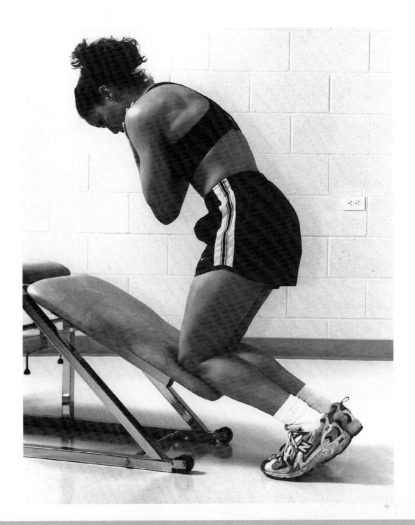

FIGURE 15-17 ● **BACK MUSCLE STRENGTHENING IN KNEELING.**

Purpose: Strengthen back extensor musculature.
Position: Patient kneeling on incline bench, toes on floor. Hips and spine in flexed position. Hands hold shoulders.

Procedure: Patient extends spine to neutral position, lifting body from bench.

TABLE 15-5 **Phase II (Advanced) Stabilization Training**

GOALS

Train for endurance.

Focus on specific coordination training.

Achieve controlled and safe functioning in combined axes.

EXERCISES

Longer lever arms.

Less stable surfaces.

Transitional and functional movement patterns and postures.

Move around combined axes.

Increased speed, repetition, and weights for functional endurance training.

the PTA's assistance should quickly diminish so that the patient concentrates on providing self-feedback. The PTA should then provide feedback after the patient completes a particular bout of activity.[46,47]

The use of a patient journal or flow sheet is recommended to track and encourage compliance. The more the patient feels responsibility for the rehabilitation plan, the more successful the outcome. Again, the goal is for the patient to learn new motor skills; lots of practice is necessary for new movement patterns to become second nature.

Special Consideration: Therapeutic Ball

Among the wide variety of activities and props that can be used to add challenge to a dynamic spinal stabilization program, the therapeutic ball has become popular. This

FIGURE 15-18 ● UPPER-EXTREMITY EXERCISE IN SUPINE WITH WEIGHTS (PROPRIOCEPTIVE NEUROMUSCULAR FACILITATION PATTERN).

Purpose: Strengthen stabilizing musculature in stable, functional pattern.
Position: Patient hook-lying in neutral lumbopelvic position.

Procedure: Patient performs upper-extremity diagonal patterns against resistance. Patient maintains neutral spine position.

FIGURE 15-19 ● UPPER-EXTREMITY EXERCISE IN QUADRUPED WITH WEIGHTS (PROPRIOCEPTIVE NEUROMUSCULAR FACILITATION PATTERN).

Purpose: Strengthen stabilizing musculature in stable, functional pattern.
Position: Patient kneeling in quadruped in neutral lumbo-pelvic position.

Procedure: Patient performs upper-extremity diagonal patterns against resistance. Patient maintains neutral spine position.

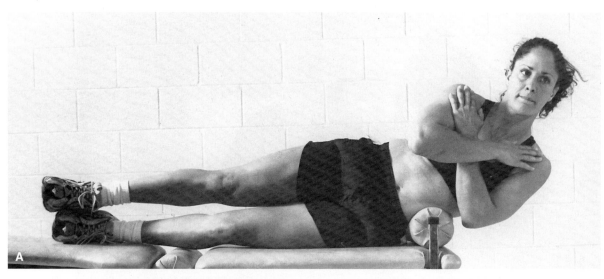

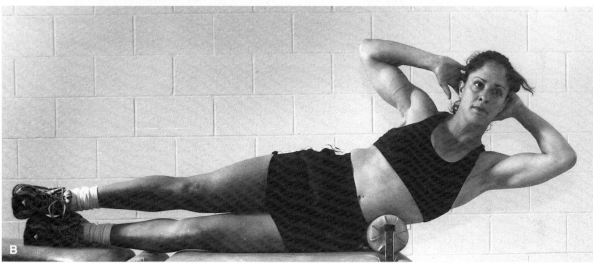

FIGURE 15-20 ● SIDE BENDING.

Purpose: Strengthens abdominal muscles, back muscles, and hip abductors.
Position: Patient lying on side on adjustable bench with trunk in 15-degree decline; hands can be placed on shoulders **(A)** or behind head **(B;** increases difficulty). To make exercise easier, lower extremities can be secured at ankles. Roll at trunk determines axis of movement. Spine is bent to left side.
Procedure: Patient actively bends to right side.

FIGURE 15-21 ● USE OF FOAM ROLLER IN QUADRUPED.

Purpose: Challenge trunk stability on unstable surfaces.
Position: Patient kneeling in quadruped with hands and knees on foam rollers.

Procedure: Patient maintains lumbopelvic control.
Note: To increase the muscular and proprioceptive challenge, patient flexes arms or extends hips and knees.

FIGURE 15-22 ● USE OF BALANCE BOARD IN PRONE.

Purpose: Challenge trunk stability on unstable surfaces.
Position: Patient lying in push-up position in neutral lumbopelvic position with hands on balance board.

Procedure: Patient shifts weight side to side, front to back, or in diagonals or may perform push-up activity. Patient maintains neutral spine position.

FIGURE 15-23 ● **USE OF SLIDING BOARD IN PRONE.**

Purpose: Challenge trunk stability on unstable surfaces.
Position: Patient lying in push-up position in neutral lumbopelvic position with hands on sliding board.

Procedure: Patient shifts weight side to side or performs push-up activity. Patient maintains neutral spine position.

section reviews a spinal stabilization program that uses the therapeutic ball to treat individuals with spinal dysfunction. Such a program promotes activity patterns that use appropriate muscles working in a coordinated fashion; the goal is returning the individual to pain-free movement.

As for other techniques of spinal stabilization, two points must be emphasized. First, it is important that the therapeutic ball activities do not cause or increase spinal pain. Second, the PTA must carefully monitor the quality of the patient's movement to ensure that the neutral position is maintained during all activities. Finding and

maintaining the neutral (functional) position of the spine enables the patient to perform the exercises without pain and allows the patient to move the arms and legs with less fatigue.

Therapeutic ball exercises can be performed in the supine and prone positions. From the supine position, bridging (and modifications of bridging) are emphasized (Figs. 15-28 and 15-29). Prone exercises include activities in which the upper extremity, lower extremity, and both extremities can be used to challenge the muscles required to stabilize the spine in the neutral position (Figs. 15-30 to 15-34).

FIGURE 15-24 ● TRUNK ROTATION WITH WALL PULLEYS.

Purpose: Actively increase extension, side bending, and rotation of spine while strengthening spinal extensor and rotator musculature.
Position: Patient sitting with hips and knees flexed to 90 degrees, feet firmly on floor. Spine flexed, side bent left and rotated left, allowing patient to grasp pulley handle with both hands. Placement of roll determines axis of rotation **(A)**.
Procedure: Patient turns head and cervical spine to right and extends trunk while rotating to right; arms raised overhead **(B)**.

A

B

FIGURE 15-25 ● TRUNK ROTATION WITH WALL PULLEYS.

Purpose: Actively increase flexion, side bending, and rotation of spine while strengthening abdominal musculature.

Position: Patient sitting with hips and knees flexed to 90 degrees, feet firmly on floor. Spine extended and rotated left, allowing patient to grasp pulley handle with both hands **(A)**.

Procedure: Patient actively turns head and cervical spine right; then flexes, side bends, and rotates spine right as pulley handle is pulled toward floor **(B)**.

FIGURE 15-26 ● **ADVANCED SIT-UP.**

Purpose: Strengthen abdominal stabilizers.
Position: Patient lying supine with legs extended and arms folded across chest.

Procedure: At the same time the patient lifts shoulders from support surface (as in partial sit-up), the patient lifts the extended legs to 60 to 70 degrees hip flexion.

FIGURE 15-27 ● **ABDOMINAL MUSCLE STRENGTHENING.**

Purpose: Strengthen abdominal musculature.
Position: Patient lying supine on incline bench with hips and knees held in extended position.

Procedure: Patient lifts pelvis and bilateral lower extremities off bench.

FIGURE 15-28 ● USE OF THERAPEUTIC BALL IN BRIDGING.

Purpose: Challenge stabilizing musculature on unstable surface and in a position that requires endurance and strength of gluteals.
Position: Patient lying supine with head, neck, and upper thoracic spine supported on therapeutic ball.

Procedure: Patient elevates hips to maintain upper thoracic position on ball. Patient elevates hips while maintaining lumbopelvic neutral position.
Note: Patient raises hips only as form can be maintained.

FIGURE 15-29 ● UNILATERAL LOWER-EXTREMITY LIFT ON THERAPEUTIC BALL IN BRIDGE POSITION.

Purpose: Challenge stabilizing musculature on unstable surface and in a position that requires endurance and strength of gluteals.
Position: Patient lying in bridge position in lumbopelvic neutral with hips elevated.

Procedure: Patient lifts one foot off support surface while maintaining lumbopelvic neutral and solidly contracting gluteals **(A)**.
Note: To increase difficulty, patient extends one leg while maintaining lumbopelvic neutral **(B)**.

FIGURE 15-30 ● UPPER- AND LOWER-EXTREMITY LIFT OVER THERAPEUTIC BALL.

Purpose: Challenge spinal stability, emphasizing spinal extensor muscles.

Position: Patient lying in prone over therapeutic ball with body horizontal or shoulders higher than hips. Patient in neutral lumbopelvic and cervical spine position.

Procedure: Patient lifts arms, legs, or opposite arm and leg.

Note: Resistance is optional. More hip flexion encourages lumbar flexion; more hip extension encourages lumbar extension.

FIGURE 15-31 ● BILATERAL LOWER-EXTREMITY LIFT OVER THERAPEUTIC BALL.

Purpose: Challenge spinal stability, emphasizing spinal extensor muscles.

Position: Patient lying in push-up position with therapeutic ball under hips. Patient in neutral lumbopelvic and cervical spine position.

Procedure: Patient maintains neutral spine position.

Note: Clinician may provide manual resistance at trunk or legs to increase challenge.

FIGURE 15-32 ● SCAPULAR RETRACTION WITH KNEES FLEXED ON THERAPEUTIC BALL.

Purpose: Strengthen upper back and shoulder girdle muscles.
Position: Patient kneeling in quadruped with therapeutic ball under hips and knees on floor.
Procedure: Patient flexes shoulders overhead in Superman position and holds position.

Note: To decrease challenge, patient holds hands behind back. To increase challenge, patient performs upper-extremity movements (swimming, reciprocal flexion/extension). Resistance is optional.

FIGURE 15-33 ● SCAPULAR RETRACTION WITH KNEES EXTENDED ON THERAPEUTIC BALL.

Purpose: Strengthen upper back and shoulder girdle muscles.
Position: Patient kneeling in quadruped with therapeutic ball under hips and knees on floor.
Procedure: Patient extends hips and knees, keeping ball under hips. Patient flexes shoulders overhead in Superman position and holds position.

Note: To increase challenge, patient performs upper-extremity movements (swimming, reciprocal flexion/extension). Resistance is optional.

FIGURE 15-34 ● **GLUTEAL-ABDOMINAL HOLD WITH THERAPEUTIC BALL.**

Purpose: Strengthen upper back and shoulder girdle muscles.
Position: Patient in quadruped with therapeutic ball under shin or ankles (depending on desired level of challenge).

Procedure: Patient holds position or shifts weight bearing forward and backward and side to side. Patient maintains neutral spine position.

Case Study 1

PATIENT INFORMATION

A 22-year-old female college student presented to the clinic with the diagnosis of L4-L5 disc injury. She reported right low back and right lower-extremity pain with a duration of 2 weeks. The patient described the pain as dull and achy, with numbness in the right calf. She rated her pain as 3/10, with the worst being 5/10. The patient believed her pain was the result of an increase in frequency and duration of sitting over the previous 4 months. Her medical history was significant for microscopic discectomy at L5-S1 4 years earlier. She reported that her calf numbness had been present since the surgery. Her symptoms were worse with sitting, bending, and hamstring stretching and better with distraction. The patient's goals were to lift weights, jog, and swing a golf club without pain.

Examination by the PT revealed positive neural tension signs in the right lower extremity and decrease in both active and passive segmental stability at L4-L5. Repeated movement testing revealed centralization with standing extension and peripheralization with standing flexion. The patient was found to have decreased lumbar lordosis and significant forward head posture. The

piriformis and gluteus medius muscles on the right demonstrated moderate soft-tissue restriction. The right Achilles reflex was absent, and decreased sensation was present in the distribution of S1. The patient reported that these findings were related to the previous injury and surgery. She had decreased flexibility of the hamstrings bilaterally, and a positive straight-leg-raising (SLR) test at 50 degrees on the right. Lower abdominals and L4-L5 multifidus stability tests demonstrated 3+/5 strength. Findings indicated sciatic nerve inflammation and annular incompetency at the level of L4-L5.

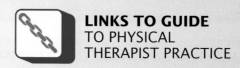

LINKS TO GUIDE
TO PHYSICAL
THERAPIST PRACTICE

Pattern 4F of the *Guide to Physical Therapist Practice*[6] relates to the diagnosis of this patient. This pattern is described as "impaired joint mobility, motor function, muscle performance, ROM, or reflex integrity secondary to spinal disorders." Included in the patient diagnostic group of this pattern are nerve root disorders. Anticipated goals include an increase in the "ability to perform physical tasks," using verbal instruction, demonstration, and modeling for teaching, and an increase in the ability to "perform physical tasks related to work and leisure activities," using aerobic endurance activities, balance and coordination training, posture awareness training, strengthening, and stretching.

INTERVENTION

Initial goals of intervention were to educate the patient on the neutral spine and appropriate body mechanics and improve neural tension signs. The PT discussed the initial goals with the PTA and instructed the PTA to treat the patient as follows:

1. Pain-free stretching of the hamstrings (Fig. 4-7) and piriformis.
2. Instruct the patient on proprioceptive neutral posture in the unloaded supine position.
3. Instruct on proper body mechanics of supine to sit and straight-back bending (as bending forward to brush teeth).

PROGRESSION

One Week After Initial Examination

Examination by the PT 1 week after the initial examination indicated that the patient was able to control her leg symptoms with an extension-biased posture. Her SLR had improved to 75 degrees bilaterally, and a faint Achilles reflex was present on the right. Abdominal and multifidus strength were graded as 4/5.

Given this improvement, the goals of intervention were revised by the PT to address active segmental stability. The PT discussed the patient's progress and revised goals with the PTA. The PT asked the PTA to perform the following intervention:

1. Use of lumbar taping for biofeedback for extension-biased posturing (Fig. 15-4).
2. Stretches: hamstrings, piriformis.
3. Initiation of supine and prone active prepositioning stabilization activities (Figs. 15-5, 15-6, and 15-12).

Two Weeks After Initial Examination

After 2 weeks of intervention, upon reexamination by the PT, the patient presented with normal abdominal and multifidus strength, a negative SLR test, and positive neural tension signs. She continued to avoid sitting because it aggravated the symptoms. The goals of intervention were advanced by the PT to improve neural

tension signs and increase sitting tolerance. The PT discussed the patient's progress with the PTA and revised the patient's goals. The PT reviewed the following intervention with the PTA. Communication between the PT and the PTA indicated that there was a proper level of understanding of the additional interventions. The PTA, following the revised plan of care, instructed the patient on the following:

1. Treadmill walking focused on maintaining stability of lumbopelvic spine (Fig. 12-8).
2. Continued stretching.
3. Increase stabilization activities: supine activities using resistance for upper (Fig. 15-18) and lower extremities; dying bug exercise (Fig. 15-7).

Three Weeks After Initial Examination

After 3 weeks of intervention, upon reexamination by the PT, the patient presented with negative neural signs. She continued to avoid sitting because it aggravated the symptoms. The goals of intervention were to improve sitting tolerance and begin dynamic stabilization activities. The PT discussed the reexamination with the PTA and asked the PTA to instruct the patient on the intervention consisting of the following:

1. Treadmill jogging focused on maintaining stability of lumbopelvic spine.
2. Continued stretching.
3. Increase stabilization activities: upright lunge (Fig. 8-10) and push/pull weighted cart.

Four Weeks After Initial Examination

Examination by the PT at the 4-week follow-up indicated that the patient presented with normal objective findings. The goals of intervention were to progress dynamic stabilization activities, including running 2 miles without onset of lower-extremity pain, and to initiate a gym weightlifting program. Upon discussing the examination findings and intervention with the PT, the PTA instructed the patient on the following:

1. Recumbent bicycling focused on maintaining stability of lumbopelvic spine and continued treadmill work: combined total up to 60 minutes (Fig. 12-4).
2. Increase stabilization activities: resisted baseball swing using elastic band and throwing a ball.
3. Gym weightlifting program: leg press, hamstring curls, lunges, pull-ups, dips, and PNF with elastic band (Fig. 7-20).

OUTCOMES

After 5 weeks of intervention, upon reexamination by the PT, the patient was able to control her leg and back symptoms and had resumed prior activities. She had met all goals and was discharged by the PT to a home stabilization program to be completed three times per week. All exercises were to be performed to fatigue, and a gym program was to be completed two or three times per week.

SUMMARY: AN EFFECTIVE PT–PTA TEAM

This case study demonstrates an effective and trusting working relationship between the PT and the PTA. Since the plan of care is to only see the patient once a week, it is necessary for the PT to reexamine the patient at each return visit to assess change in status and progress the patient's program. The PT is then able to discuss and effectively communicate the findings with the PTA and request that the PTA instruct the patient on the progression of the intervention. It is imperative that the PT is comfortable with the skills and level of understanding of the PTA. The intervention requested by the PT requires advanced training by the PTA; therefore, good communication and a trusting working relationship is a must. In this scenario the PT is able to examine other patients while the PTA is instructing this patient on the intervention; however, the PT remains available if problems or questions occur, providing a safe and effective environment.

Case Study 2

PATIENT INFORMATION

The patient was a 33-year-old carpenter complaining of low back pain radiating into the left buttock. The patient reported that three to four times per day he felt numbness and tingling in the back of his left leg. Ten days ago he was working under a house in a crawl space with a 5-foot ceiling. At one point he had difficulty standing fully erect and walked home in a stooped posture. The next day the pain in his back and buttock was worse, and he was unable to stand fully erect and has been unable to work since.

Examination by the PT indicated a patient who walked in with a flexed posture and sat slumped. A diagram of the patient's pain pattern showed that the patient indicated pain across the low back and into the left buttock. The patient had no complaints of sensation changes at the time of initial examination. When asked to perform flexion in standing, the patient indicated pain across the low back and left buttock. When repeating the flexion, the patient reported the pain increased in his buttock and moved into his thigh. The patient reported the same occurrence when lying supine and bringing the knees to the chest and repeating this movement. Extension in the standing position caused pain in the low back and buttock. Repeating this activity caused increased pain in the low back but alleviated the buttock pain. The same results occurred with performing extension in prone (prone press-up) and repeating the movement. Results

of a neurologic screening (which included testing of sensation, reflexes, and muscle strength) were negative.

The examination revealed flexion activities causing an increase in distal symptoms and extension activities decreasing the distal symptoms. On the basis of the examination and evaluation, the PT diagnosed the patient as having a posterolateral disc protrusion.

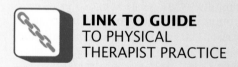

LINK TO GUIDE
TO PHYSICAL
THERAPIST PRACTICE

Utilizing the *Guide to Physical Therapist Practice*, this patient fell in musculoskeletal practice pattern 4F: "impaired joint mobility, motor function, muscle performance, ROM, or reflex integrity secondary to spinal disorder." Anticipated goals for this patient include "ability to perform physical tasks" is improved and "performance levels in employment activities" are improved.[6]

INTERVENTION

Goals set by the PT were to reduce the disc protrusion. The patient was educated as to the cause of the problem and to avoid any activities involving trunk flexion. The patient was provided a lumbar roll and instructed in proper sitting posture with the assistance of the roll. The patient was instructed in the proper procedure for performing a prone press-up (Fig. 5-29) and instructed to perform five press-ups every waking hour. The patient was warned that the home exercise program may result in an increase in low back pain and pain across the shoulders as the press-up was not an activity to which the patient was accustomed. The PT introduced the patient to the PTA, and the patient was set up to receive treatment by the PT three times per week for 2 weeks, at which time the patient was scheduled with the PT for reevaluation and progression of the plan of care. The PTA was instructed to monitor the patient's appropriate performance of the prone press-ups, to progress the patient's home exercise program over the 2 weeks from hourly press-ups to press-ups three times per day, and to inform the PT if the patient's distal symptoms increased.

PROGRESSION

One Week After Initial Examination

During the first week after the initial examination by the PT the PTA worked with the patient in the performance of appropriate press-ups. Upon return for the first return visit, the patient was walking more erect. He reported that his low back pain had increased, he had a slight increase in muscle pain in the posterior shoulders and triceps, and the pain in the buttock was more intermittent. The PTA assured the patient that these changes were positive. The pain in the low back was due to his lack of flexibility, the pain in the shoulders was due to using muscles he was not used to using, and the fact that the buttock pain was more intermittent and not as frequent was a sign of improvement. In observing the patient performing the prone press-up, the PTA corrected the fact that the patient was not allowing his paraspinal muscles in the lumbar spine to completely relax at the point that the patient fully extended his arms. The PTA then observed the patient performing the press-up correctly ten times. The PTA instructed the patient to perform the prone press-up five times every 2 hours.

Upon return at the second visit during the first week after the initial examination, the patient reported that the low back pain had decreased and he had not had buttock pain for an entire day. The PTA observed the press-up, which the patient performed correctly ten times. The PTA reviewed the precautions to any flexion activity and the proper use of the lumbar roll when sitting. The PTA instructed the patient to perform the press-up five times every 3 hours.

Upon return at the third visit during the first week after the initial examination, the patient reported that he had no pain in the buttock or low back. The PTA instructed the patient to perform the prone press-ups ten times three times per day. In addition, the PTA made an appointment for the patient to see the PT, thereby moving up that PT appointment 1 week because the patient had made significant improvement, had reduced the posterior disc protrusion, and needed to have his plan of care progressed by the PT.

Two Weeks After Initial Examination

Examination by the PT indicated that the patient had made significant progress and was pain free with the activities he was allowed to do (flexion was not allowed). The PT changed the plan of care to recover function. The PT instructed the PTA to see the patient two times per week for 1 week to begin a series of exercises to recover function—progressing from knees to chest activities to flexion in standing. Exercise sessions were to always end with the prone press-up. Then the PTA was to see the patient one time per week for 2 weeks, at which point the patient would see the PT for reevaluation. The PTA was to inform the PT if the patient's pain returned. The PTA instructed the patient in the following home exercise program and to return in 3 days:

1. Double knee to chest (Fig. 5-32B): ten times three times per day.
2. Prone press-up: ten times three times per day. (Press-ups should always be performed after the knees to chest.)

Upon return to the clinic 3 days later, the patient reported no problems with the exercise program and no change in status. The PTA progressed his exercise program to the following:

1. Standing, bend over and touch the toes: ten times three times per day.
2. Rotation in sitting (Fig. 5-31): ten times to the right and left three times per day.
3. Prone press-up: ten times three times per day. (Press-ups should always be performed as the last activity.)

Three Weeks After Initial Examination

The patient returned and reported no problems. The PTA progressed his exercise program to the following:

1. Standing, bend over, touch the toes, and pick up a 2-pound object: ten times three times per day.
2. Rotation in sitting: ten times to the right and left three times per day.
3. Prone press-up: ten times three times per day. (Press-ups should always be performed as the last activity.)

Four Weeks After Initial Examination

Examination by the PT indicated that the patient was pain free with all activities. The PT discontinued the flexion and rotation activities from the home exercise program and instructed the patient on the importance of continuing the prone press-up exercises. In addition, the patient was instructed to use the press-up if the pain returned. The PT added unilateral hip extension in prone (Fig. 15-12) and bridging exercises (Figs. 15-8 and 15-9) to the home exercise program to increase the strength of the core musculature. The PT also instructed the patient as to how to slowly begin to return to work.

OUTCOMES

Four weeks after the initial examination the patient had no back pain and no pain radiating into the buttock. The patient was now ready to slowly return to work, realizing that he should attempt to avoid prolonged trunk flexion activities. If his job required trunk flexion, the patient was instructed to interrupt this flexed posture frequently by placing his hands on his hips and extending five to ten times.

SUMMARY: AN EFFECTIVE PT–PTA TEAM

This case study demonstrates components of an effective working relationship of the PT and the PTA. The PT set the original plan of care for the PTA to take at least 2 weeks to reduce the posterior disc protrusion. However, the PTA realized that the patient was improving quickly and would not need the full 2 weeks. The PTA correctly notified the PT that the patient was pain free after only 1 week of treatment by the PTA, and the PT progressed the patient's plan of care.

Geriatric Perspectives

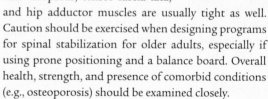

- The ability to maintain an erect posture during static and dynamic movement requires a complex coordination of systems: central nervous, motor, somatosensory, and biomechanical. In healthy old age, the ability to maintain an upright posture and alignment remains intact. The classic flexed posture depicted by the media is largely the result of a combination of age-related changes and neurologic and musculoskeletal disorders.[1]

- Spinal flexibility does change with aging and may decrease as much as 50% compared with younger adults.[2] Spinal flexibility is an essential component of typical movement and therefore may affect biomechanical performance of functional tasks.[3] With advancing age, altered neuromuscular control, decreased muscle strength, and degenerative joint changes will result in a tendency to stand with slightly flexed hips and knees, rounded shoulders, forward head, increased kyphosis, and decreased lumbar lordosis. These postural changes affect flexibility in extension and axial rotation and may limit the ability to take a deep breath.[4]

- Postural reeducation, flexibility, and spinal stabilization exercises may result in tremendous functional gains for most older adults. In sedentary older adults, the trunk flexors are more prone to weakness and tightness whereas trunk extensors are more prone to stretch weakness. Iliopsoas, tensor fascia lata, and hip adductor muscles are usually tight as well. Caution should be exercised when designing programs for spinal stabilization for older adults, especially if using prone positioning and a balance board. Overall health, strength, and presence of comorbid conditions (e.g., osteoporosis) should be examined closely.

- Activities using the therapeutic ball may be problematic and may require adaptations for safety. Use of a foam roll or square of foam on the floor may be a better choice. To further improve safety, the training may take place within parallel bars or within reach of a stabilizing surface or person.

1. Pathy MSJ. Neurologic signs of old age. In: Tallis RC, Fillit HM, Brocklehurst JC, eds. *Brocklehurst's textbook of geriatric medicine and gerontology.* 6th ed. London: Churchill Livingstone; 2003.
2. Schenkman M, Shipp KM, Chandler JM, et al. Relationships between mobility of axial structures and physical performance. *Phys Ther.* 1996;76:276–285.
3. Bergstrom G, Anainsson A, Bjelle A, et al. Functional consequences of joint impairment. *Scand J Rehabil Med.* 1985; 17:183–190.
4. Goldstein TS. *Geriatric orthopaedics.* Gaithersburg, MD: Aspen; 1999.

Pediatric Perspectives

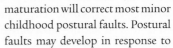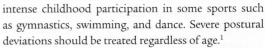

- Age affects posture and movement throughout the lifespan. Children are not expected to conform to adult standards for posture and movement, primarily because the developing child has much greater flexibility and mobility than the adult.[1] The child is developing muscular, vestibular, visual, and other systems during growth and maturation. Children, therefore, cannot be expected to have the same motor programs as adults.

- The literature fails to describe the exact sequence of postural response development in children. Variations in descriptions are likely due to children using multiple postural control strategies as their sensory and motor systems develop.[2] Very young children commonly have immature and unsteady control of posture and gait. Postural abilities needed to control balance and lower-extremity musculature are not attained until 5 or 6 years.[3] By 7 to 10 years children demonstrate similar eyes-closed postural sway to adults.[2]

- Most postural deviations in the growing child are developmental and related to age. Such deviations usually improve without treatment as a part of neuromuscular development. Examples include protruding abdomen posture, varus/valgus lower-extremity alignment, and flat feet.[1] A young child is not likely to have habitual postural faults and could be harmed by corrective measures that are not needed. Rather, development and maturation will correct most minor childhood postural faults. Postural faults may develop in response to intense childhood participation in some sports such as gymnastics, swimming, and dance. Severe postural deviations should be treated regardless of age.[1]

- Scheuermann's kyphosis can occur in the adolescent,[4] which can mistakenly be attributed to poor posture; caution is required. Radiologic studies confirm this diagnosis.

- In infants, the posterior (extensor) muscle group of the trunk develops first, making an imbalance between trunk extensors and flexors. The abdominals are relatively much stronger in adults than in children.[1] Therefore, although trunk stabilization exercises are appropriate for all age groups, young children may have difficulty with mastery of stabilization exercises owing to incomplete strength development of the abdominals.

1. Kendall FP, McCreary EK, Provance PG. *Muscles: testing and function.* 5th ed. Baltimore, MD: Lippincott Williams & Wilkins; 2005.
2. Campbell SK. *Pediatric physical therapy.* Philadelphia, PA: Elsevier Saunders; 2006.
3. Breniere Y, Bril B. Development of postural control of gravity forces in children during the first 5 years of walking. *Exp Brain Res.* 1998;121:255–262.
4. Salter RB. *Textbook of disorders and injuries of the musculoskeletal system.* 3rd ed. Baltimore, MD: Lippincott Williams & Wilkins; 1999.

SUMMARY

- Intervention for the individual with low back pain can be challenging. If a painful problem is caused or perpetuated by a movement disorder, the PTA needs to focus on correcting the faulty movement pattern. A thorough examination will assist the PT in choosing appropriate intervention strategies that can facilitate more efficient, comfortable function. The PT and PTA should remember to:
  - Observe the patient in functional tasks.
  - Examine how the patient is responding to gravitational forces.
  - Evaluate the lower biomechanical chain for deficits that may lead to increased spinal stresses.
  - Educate the patient in static posture before progressing to dynamic activities.

- Emphasize kinesthetic awareness before progressing the patient to higher-level exercises.
- Train the patient in supported positions before progressing to more challenging, unsupported conditions.
- Use tactile and verbal cues to facilitate the desired movements and muscle contractions.
- Notice that the neutral spinal position varies among individuals and may change as the pathology changes.
- Focus on the deep core stabilizers: the multifidus, transversus abdominus, and internal obliques.
- Include the whole body in the training regimen as treatment progresses.
- Exercise postural muscles with endurance-training principles.

- Monitor the patient's responses to weight bearing, movement, and static postures; modify exercises as needed.
- Watch for subtle compensatory movements during training.
- Incorporate functional tasks in training, either mimicking an activity in the clinic or conducting treatment sessions in the actual environment in question.
- Include flexibility, strength, endurance, functional movement reeducation, and coordination in the complete training package.

- The PTA should understand that the ultimate goal is to facilitate function. Thus, the PTA should help the patient focus on active participation in the recovery process because this form of intervention is geared toward reduction of symptoms and prevention of reinjury. It is not a quick fix but a lifelong learning process.

- The current level of quality research in this area gives the PT and PTA scientific evidence to support a program of developing motor control and muscle function for rehabilitation of low back injuries. In this process, the patient should develop freedom of movement, without rigid spinal holding patterns. Efficiency in functional movements should be enhanced through improved proprioceptive abilities, strength, postural endurance, and balanced and efficient motor programming.

References

1. Loney PL, Stratford PW. The prevalence of low back pain in adults: a methodological review of the literature. *Phys Ther.* 1999;79:384–396.
2. Martin BI, Deyo RL, Mirza SK, et al. Expenditures and health status among adults with back and neck problems. *JAMA.* 2008;299:656–664.
3. van Tulder MW, Assendelft WJ, Koes BW, et al. Spinal radiographic findings and nonspecific low back pain. A systematic review of observational studies. *Spine.* 1997;22:427–434.
4. Chou R, Qaseem A, Snow V, et al. Diagnosis and treatment of low back pain: A joint clinical practice guideline from the American College of Physicians and the American Pain Society. *Ann Intern Med.* 2007;147:478–491.
5. Kapandji IA. *The physiology of the joints.* Vol. 3 Edinburgh: Churchill Livingstone; 2008.
6. American Physical Therapy Association. *Guide to physical therapist practice.* 2nd ed. Alexandria, VA; 2003.
7. Porterfield J, DeRosa C. *Mechanical low back pain: perspectives in functional anatomy.* 2nd ed. Philadelphia, PA: WB Saunders; 1998.
8. Kendall FP, McCreary EK, Provance PG, et al. *Muscles: testing and function with posture and pain.* 5th ed. Baltimore, MD: Lippincott Williams & Wilkins; 2005.
9. Riegger-Krug C, Keysor JJ. Skeletal malalignments of lower quarter: correlated and compensatory motions and postures. *J Orthop Sports Phys Ther.* 1996;23:164–170.
10. Levine D, Whittle MW. The effects of pelvic movement on lumbar lordosis in the standing position. *J Orthop Sports Phys Ther.* 1996;24:130–135.
11. Janda V, Jull G. Muscles and motor control. In: Twomey LT, Taylor JT, eds. *Physical therapy of the low back.* Clinics in physical therapy series. 3rd ed. New York, NY: Churchill Livingstone; 2000:253–278.
12. Cholewicki J, McGill SM. Mechanical stability of the in vivo lumbar spine: implications for injury and low back pain. *Clin Biomech.* 1996;11:1–15.
13. Johansson H, Sjolander P, Sojka P. A sensory role for the cruciate ligaments. *Clin Orthop Relat Res.* 1991;268:161–178.
14. McGill SM. Low back exercises: evidence for improving exercise regimes. *Phys Ther.* 1998;78:754–765.
15. Morgan D. Concepts in functional training and postural stabilization for the low back injured. *Top Acute Care Trauma Rehabil.* 1988;2:8–17.
16. Hodges PW, Richardson CA. Inefficient muscular stabilization of the lumbar spine associated with low back pain: A motor control evaluation of transversus abdominis. *Spine.* 1996;21:2640–2650.
17. Richardson C, Jull G, Hodges P, et al. *Therapeutic exercise for spinal segmental stabilization in low back pain.* London: Churchill Livingstone; 1999.
18. Biondi B. Lumbar functional stabilization program. In: Goldstein TS, ed. *Functional rehabilitation in orthopedics.* Austin, TX: Pro-ed; 2005:133–142.
19. DiFabio RP. Efficacy of comprehensive rehabilitation programs and back school for patients with low back pain: a meta-analysis. *Phys Ther.* 1995;75:865–878.
20. Frost H, Klaber J, Moffett JA, et al. Randomized controlled trial for evaluation of a fitness program for patients with chronic low back pain. *BMJ.* 1995;310:151–154.
21. Frost H, Lamb SE, Klaber J, et al. A fitness program for patients with chronic low back pain: 2-year follow-up of a randomized controlled trial. *Pain.* 1998;75:273–279.
22. Nelson BW, Carpenter DM, Dreisinger TE, et al. Can spinal surgery be prevented by aggressive strengthening exercises? A prospective study of cervical and lumbar patients. *Arch Phys Med Rehabil.* 1999;80:20–25.
23. Saal JA, Saal JS. Nonoperative treatment of herniated lumbar intervertebral disc with radiculopathy. *Spine.* 1989;14:431–437.
24. Saal JA. Dynamic muscular stabilization in the nonoperative treatment of lumbar pain syndromes. *Orthop Rev.* 1990;19:691–700.
25. Weber D, Woodall WR. Spondylogenic disorders in gymnasts. *J Orthop Sports Phys Ther.* 1991;14:6–13.
26. Hicks G, Fritz J, Delitto A, McGill S. Preliminary development of a clinical prediction rule for determining which patients with low back pain will respond to a stabilization exercise program. *Arch Phys Med Rehabil.* 2005;86:1753–1762.
27. Childs JD, Teyhen DS, Casey PR, et al. Effects of traditional sit-up training versus core stabilization exercises on short-term musculoskeletal injuries in US army soldiers: A cluster randomized trial. *Phys Ther.* 2010 90:1404–1412.
28. Macedo LG, Maher CG, Latimer J, et al. Motor control exercises for persistent nonspecific low back pain: a systematic review. *Phys Ther.* 2009;89:9–25.
29. Lee HWM. Progressive muscles synergy and synchronization in movement patterns: an approach to the treatment of dynamic lumbar instability. *J Man Manipulative Ther.* 1994;2:133–142.
30. Mannion AF, Weber BR, Dvorak J, et al. Fiber type characteristics of the lumbar paraspinal muscles in normal healthy subjects and in patients with low back pain. *J Orthop Res.* 1997;15:881–887.
31. Cholewicki J, Panjabi MN, Khachatryan A. Stabilizing function of trunk flexor-extensor muscles around a neutral spine posture. *Spine.* 1997;22:2207–2212.

32. Shirley D, Lee M, Ellis E. The relationship between submaximal activity of the lumbar extensor muscles and lumbar posteroanterior stiffness. *Phys Ther.* 1999;79:278–285.

33. Hides JA, Stokes MJ, Saide M, et al. Evidence of lumbar multifidus muscle wasting ipsilateral to symptoms in patients with acute/subacute low back pain. *Spine.* 1994;19:165–172.

34. Hides JA, Richardson CA, Jull GA. Multifidus muscle recovery is not automatic after resolution of acute, first-episode low back pain. *Spine.* 1996;21:2763–2769.

35. Indahl A, Kaigle AM, Reikeras O, et al. Interaction between the porcine lumbar intervertebral disc, zygapophyseal joints, and paraspinal muscles. *Spine.* 1997;22:2834–2840.

36. Hodges PW, Richardson CA. Contraction of the abdominal muscles associated with movement of the lower limb. *Phys Ther.* 1997;77:132–142.

37. Hodges PW, Richardson CA. Inefficient muscular stabilization of the lumbar spine associated with low back pain: a motor control evaluation of transversus abdominus. *Spine.* 1996;21:2640–2650.

38. O'Sullivan PB, Twomey LT, Allison GT, et al. Specific stabilizing exercise in the treatment of chronic low back pain with a clinical and radiological diagnosis of lumbar segmental instability. Paper presented at the 10th biennial conference of the Manipulative Physiotherapists Association of Australia, St. Kilda, Melbourne, 1997. (Cited in Richardson C, Jull G, Hodges P, et al. *Therapeutic exercise for spinal segmental stabilization in low back pain.* London: Churchill Livingstone; 1999.)

39. Elia DS, Bohannon RW, Cameron D, et al. Dynamic pelvic stabilization during hip flexion: a comparison study. *J Orthop Sports Phys Ther.* 1996;24:30–36.

40. O'Sullivan PB, Twomey LT, Allison GT. Altered abdominal muscle recruitment in patients with chronic back pain following a specific exercise intervention. *J Orthop Sports Phys Ther.* 1998;27:114–124.

41. Umphred DA. *Neurological rehabilitation.* 5th ed. St. Louis, MO: Mosby; 2006.

42. Menard D, Stanish WD. The aging athlete. *Am J Sports Med.* 1991;17:187–196.

43. Nutter P. Aerobic exercise in the treatment and prevention of low back pain. *Occup Med.* 1988;3:137–145.

44. Wyke BD. Neurological aspects of low back pain. In: Jayson MIV, ed. *The lumbar spine and back pain.* 4th ed. New York, NY: Churchill Livingstone; 1992:189–256.

45. Barnett J, Zaharoff A. Surface EMJ in dynamic lumbar stabilization training. Unpublished manuscript, 2000.

46. Voss DE, Ionta MK, Myers BJ. *Proprioceptive neuromuscular facilitation: Patterns and techniques.* 3rd ed. Philadelphia, PA: Harper & Row; 1985.

47. Frank JS, Earl M. Coordination of posture and movement. *Phys Ther.* 1990;70:855–863.

PRACTICE TEST QUESTIONS

1. The phrase "musculoskeletal balance that protects supporting structures of the body against injury and progressive deformity" best describes

   A) 21st-century posture
   B) functional posture
   C) good posture
   D) posture

2. Postural balance relies on both static and dynamic structures. The importance of the dynamic structures can be summarized as

   A) nervous and mechanoreceptors in ligaments and joint capsules provides feedback on the body's position in space.
   B) bone and ligaments provide tension on the joint structures in upright, weight-bearing postures.
   C) contractile tissues provide counterforces to the moments of flexion and extension caused by gravity.
   D) all of the above summarize dynamic structures' impact on postural balance.

3. Some structural alignment problems that can negatively influence posture are

   A) well fitting and supporting shoes
   B) even length and torque in the femur observed bilaterally
   C) functional length and strength in the gastrocnemius and soleus muscles
   D) tight hamstrings and weak abdominal muscles

4. The patient has a leg-length discrepancy. The right leg is approximately half inch (1 cm) shorter than the left. The resulting posture is

   A) pelvis on the right will be low, spine will sidebend to the right
   B) pelvis on the right will be high, spine will sidebend to the right
   C) pelvis on the right will be low, spine will sidebend to the left
   D) pelvis on the right will be high, spine will sidebend to the left

5. A C-shaped spinal curve seen in the frontal plane will lead to abnormal forces through the spine. Which of the following statements does **NOT** accurate describe what will occur with this asymmetry?

   A) The concave side of the curve has adaptive shortening of the erector spinae muscles.
   B) The concave side of the curve has decreased compression on the intervertebral disc.
   C) The convex side of the curve has increased size of intervertebral foramen.
   D) The convex side of the curve has decreased facet weight bearing.

6. The patient has genu recurvatum along with postural asymmetry. What functional muscle imbalances are likely to be observed?

    A) Tight hip flexors and erector spinae
    B) Tight hip extensors and erector spinae
    C) Tight hip flexors and weak abdominals
    D) Tight hip extensors and weak erector spinae

7. Which of the following phrases does **NOT** accurately represent the relationship between tightness and weakness in postural muscles?

    A) Tightness in quadratus lumborum, weakness in rectus abdominus
    B) Tightness in the piriformis, weakness in tensor fascia lata
    C) Tightness in the gastrocnemius and soleus, weakness in tibialis anterior
    D) Tightness in the levator scapulae and weakness in serratus anterior

8. Chronically shortened hamstrings will

    A) not interfere with pelvic positioning
    B) likely lead to a posterior pelvic tilt in standing
    C) likely lead to an anterior pelvic tilt in standing
    D) cause a leg-length discrepancy in supine

9. The recommended posture for the lumbar spine during lifting is

    A) universally agreed upon by all sources
    B) increased lumbar extension to maximize the compressive forces anteriorly
    C) increased lumbar flexion to maximize the compressive forces posteriorly
    D) neutral spine encouraging cocontractions and stability

10. Spinal stabilization exercise will encourage

    A) core stability and anteriorly directed compressive forces
    B) abdominal muscle strength and posteriorly directed compressive forces
    C) core stability and compressive forces focused on the inert structures of the spine
    D) hip extensor muscle strength and neutrally directed compressive forces

11. A spinal stabilization exercise program will focus on

    A) strength of weakened muscles such as rectus abdominus and gluteus maximus
    B) endurance in static postural control muscles
    C) neuromuscular activation and control
    D) all of the above

12. The abdominal muscles will provide stabilization for both the abdomen and the lumbar spine. The key abdominal muscle is

    A) rectus abdominus
    B) transverse abdominus
    C) internal oblique
    D) external oblique

13. The key kinesthetic concept necessary in a spinal stabilization program is

    A) mobility and stability
    B) proximal stability preceding distal mobility and functional activity training
    C) distal stability preceding proximal mobility and skill training
    D) mobility and skill training

14. The patient needs postural correction. Once the posture has been corrected, downward pressure is placed on the patient's shoulders. The patient should report

    A) increased symptoms
    B) mildly increased symptoms
    C) decreased symptoms
    D) no change in symptoms

15. The patient has a posterior pelvic tilt. In order to provide appropriate cues to correct this, the PTA will ask the patient

    A) to round their shoulders forward
    B) to relax the abdominal muscles and tip the pelvis forward
    C) to shift their weight onto the balls of their feet
    D) to tuck the sacrum down and underneath their spine

16. A typical postural fault is the combination of rounded shoulders and forward head. To correct this fault, the PTA will

    A) lightly apply pressure on the sternum
    B) ask the patient to lift the sternum up and forward
    C) ask the patient to take a deep inhalation
    D) do all of the above

17. The patient moves his pelvis through various degrees of anterior and posterior tilt until he find the position that is the most comfortable. This position is called

A) pelvic clock
B) spinal neutral
C) kinesthetic training
D) lumbar stabilization

18. In order to exercise the transversus abdominus, the PTA will instruct the patient to

A) perform an abdominal crunch
B) forcefully exhale as much air as possible
C) draw the abdominal muscles inward and upward without changing the spinal position
D) slowly lower both legs from the 90-degree position onto the mat without changing the spinal position

19. The appropriate sequence for phase I spinal stabilization is best represented by which of the following statements?

A) Aerobic exercise followed by open-kinetic–chain motions
B) Maintaining spinal neutral while performing closed-kinetic–chain motions
C) Beginning in supine, moving to prone, then quadruped, then half kneeling, then standing
D) Maintaining spinal neutral while moving the extremities and altering positions to be more challenging

20. Posture changes with normal aging. Which of the following will not represent a normal change in posture with aging?

A) Forward head and rounded shoulders may limit the ability to take a deep breath
B) Spinal flexibility may decrease as much as 50% compared to that off a younger person
C) Altered strength and flexibility will cause knee hyperextension and hip extension
D) Altered neuromotor control systems and musculoskeletal pathology may cause postural changes

ANSWER KEY

1.	C	**6.**	A	**11.**	D	**16.**	D
2.	C	**7.**	B	**12.**	B	**17.**	B
3.	D	**8.**	B	**13.**	B	**18.**	C
4.	A	**9.**	D	**14.**	C	**19.**	D
5.	B	**10.**	C	**15.**	B	**20.**	C

Functional Progression for the Extremities

Steven R. Tippett, PT, PhD, SCS, ATC
Michael L. Voight, PT, DHSc, OCS, SCS, ATC
Kevin E. Wilk, PT, DPT

Objectives

Upon successful completion of this chapter, the reader will be able to:

- Define the SAID principle appropriately as it relates to a functional progression program.
- Identify both physical and psychological patient benefits of a functional progression program.
- Apply appropriate techniques including aerobic sequences, sprint sequences, jump–hop sequences, and cutting sequences for a lower-extremity functional progression rehabilitation program within the established plan of care.
- Identify appropriate clinical guidelines for upper-extremity functional progression concerning criterion based on intervention and its related phases.
- Identify the classification system for the effect of pain on athletic performance within a functional progression program.

Rehabilitating injured individuals so they can resume pre-injury activity levels is both a science and an art. Intervention to regain preinjury function must begin promptly after injury and proceed until the patient is once again performing at the highest possible level. Therapeutic measures must be incorporated that sufficiently prepare the healing tissue for the inherent demands of a given activity; but just as important, these interventions must take place at the appropriate time during the healing process. A rehabilitation program that does not adequately address the function of the injured tissue will result in inadequate physiologic loading, minimizing the readiness of the tissue to return to activity. Therapeutic intervention too late or too early in the rehabilitation program may predispose the patient to reinjury.

Functional progression is a planned sequence of activities designed to progressively stress the injured patient in a controlled environment to return the patient to as high a level of activity (competition) as possible without reinjury.[1] Functional progression depends on the specific work and leisure activities in which the individual participates or wants to participate. On the basis of the demands imposed, the physical therapist (PT) must design a rehabilitation program that stimulates and replicates functional activities that are tailored to the patient's goals. If the program does not result in the unrestricted return to participation in work and leisure activities, it cannot be considered complete or successful.

The PT routinely establishes treatment goals, which are addressed during the formal rehabilitation program. The goals are directed at pain, swelling, loss of muscle strength, and loss of joint range of motion (ROM). Simply satisfying these clinical goals does not ensure that the patient is ready to return to work or athletic competition. Reducing pain and swelling and increasing strength and ROM must be accompanied by specific activities that are interjected in the treatment program in a safe and timely manner.[2] After satisfying the clinical goals and before being released from the formal treatment program, the patient must be challenged in specific activities to help ensure his or her readiness for work or competition. This challenge is where the functional progression program comes into play. The physical therapist assistant (PTA) can play an integral part in this functional progression program.

To reach the ultimate goal, the patient is advanced along a continuum of functional skills, trying more advanced activities as each set of exercises is mastered. The PT and the PTA must carefully monitor the patient's tolerance to the new, more aggressive exercises to ensure a safe return to work or leisure activities.

● SCIENTIFIC BASIS

Whether the treatment is conservative or surgical, intervention plays a vital role in achieving a successful outcome. The process must be sequential and progressive in nature, with the ultimate goal of a rapid return to pain-free function. A reliable functional progression program is based on six basic principles, presented in Table 16-1.

The patient's goal is usually to return to participating in unrestricted, symptom-free competitive or recreational

TABLE 16-1 Six Principles of a Reliable Functional Progression Program
• Successful treatment is based on a team approach; the physician, patient, physical therapist, and physical therapist assistant work together toward a common goal.
• The effects of immobilization must be minimized; early motion and strengthening are preferred whenever possible.
• Healing tissue should never be overstressed.
• The patient must fulfill specific objective criteria before progressing to the next rehabilitative stage.
• The rehabilitation program must be based on sound, current clinical, and scientific research.
• The rehabilitation program must be individualized to the patient's specific work- and leisure-related activities.

activity. Patients with upper-extremity dysfunction generally want to participate in a wide range of pain-free activities including working overhead, painting, combing one's hair, and throwing a ball. Patients with lower-extremity impairment want to be able to run, cut, and jump with no pain or discomfort. The rehabilitative program must be designed to progress the patient to the ultimate level of desired function. The functional approach to treatment suggests that patients with extremity dysfunction must exhibit dynamic joint stability before any functional sport-type movement can be safely and effectively initiated. For example, because the function of the rotator-cuff and biceps brachii is to stabilize the humeral head within the glenoid, rehabilitation of these muscles must be emphasized early in the rehabilitative program to enable dynamic motion to occur at the glenohumeral joint without complications.

In addition, the concept of proximal stability for distal mobility must be addressed. For example, for overhead sport movements to occur without complications, proximal stability should be accomplished via the scapulothoracic joint, thereby enabling the arm to move effectively through space. The running and cutting athlete requires proximal stability via back extensors and abdominal muscles stabilizing the pelvis. Last, the rehabilitation program should be progressive, and isometric stability should be accomplished before attempting isotonic (concentric and eccentric) strengthening (Chapters 6 and 7).

Specific Adaptations to Imposed Demand

Stress to healing tissue must be activity-specific and must be applied in a timely manner. This is the point at which the art of functional progression enters the picture. The specific adaptations to imposed demands (SAID) principle governs the type of stress that must be applied to the healing injury.[3] To maximize the efficacy of the functional progression program, activities must mirror the demands that will be placed on the patient once the patient returns to work or competition. An intimate knowledge of the activity and, more important, the specific duties required of the patient in a given environment are necessary prerequisites for a successful program.

Obviously, a football player has different physical demands than a baseball player, an ice skater has different demands than a hockey player, and a soccer player has different demands than a wrestler. When prescribing and administering a functional progression program for any of these patients, a good working knowledge of the specific activity is an absolute prerequisite. The same can be said for prescribing and advancing the functional progression program for any athlete involved in any sporting activity. It is the duty of the PT to understand the specifics of a sport well enough to confidently prescribe the functional progression program. It is also important for the PTA to understand the specifics of the sports well enough to supervise the functional progression program that is delegated to them. If the PTA does not possess this knowledge, it is incumbent on the clinician to identify and secure the resources that will provide this information. Often, the athlete or coach is a valuable resource when formulating the functional progression program.

Taking this notion one step further, the PT and the PTA must also possess a thorough understanding of the athlete's specific roles in a given sport. For example, in football the demands on an offensive lineman are different from those on a defensive back; thus the functional progression program for each of these football players must address the individual demands. The lineman must be able to assume a down position and is involved with run blocking, pass blocking, and double-team blocking on the line of scrimmage. On the other hand, the defensive back generally engages in action away from the line of scrimmage and is involved with back pedaling, cutting, jumping, and sprinting. It is clear why the clinician must seek a depth of knowledge regarding the sport-specific responsibilities of the patient.

According to the SAID principle, for the functional progression program to be complete, stress on the healing tissue must reflect the demands of a given activity. The physical demands on the patient must be analyzed globally, broken down by level of difficulty, then progressed according to the patient's tolerance. Physical demands consist of the gross fundamental movements required for a given task as well as specific tissue function. Examples of fundamental movements include stationary positions, such as standing, squatting, and kneeling. Stationary efforts may entail open-chain or closed-chain activities and may take place with both feet on the ground (bilateral support activities) or with only one weight-bearing lower extremity (unilateral support activities). Functional requirements also include dynamic body segment movements, such as jumping (bilateral nonsupport) and hopping (unilateral nonsupport), and may involve straight-plane or multiple-plane activities.

Examples of tissue function are the role of the ligament as a primary or secondary stabilizer; the role of the muscle in providing dynamic restraint to the injured joint as a prime mover, synergist, or antagonist; and the role of the injured muscle as primarily generating concentric, eccentric, or isometric contractions. Activity-specific static and dynamic ROM along with flexibility demands must also be taken into consideration when designing the functional progression program. Finally, for activities to be functional in terms of energy requirements (anaerobic or aerobic), the duration of the drills must be sport-specific.

Benefits of Functional Progression

The functional progression program provides benefits to many individuals involved in the rehabilitation program. Of course, the program provides discernible physical benefits for the patient, but it also provides less tangible psychological benefits for the injured individual. A well-devised and efficiently implemented program is also rewarding for the rehabilitation professional and others interested in the care of the patient (coach, parent, employer, etc.).

Physical Benefits for the Patient

The functional progression program promotes optimal healing of the injured tissue and maximum postinjury performance, which occur only when the program is exactly as its name implies, functional. Loading tissue in a controlled fashion promotes tissue healing. Applying loads in a graduated fashion according to the specific demands of the healing tissue promotes organization of collagen.

For example, after a first-degree proximal hamstring strain in a softball player, active-assisted hip flexion and knee extension to regain ROM and isometric, isotonic, or isokinetic hip extension and knee flexion to regain strength are certainly appropriate interventions for addressing the patient's impairment. Without focusing on deceleration activities of the hip and knee via eccentric muscle contraction in the closed-kinetic–chain, however, specific tissue function will not be dealt with. Without stressing a return to running in the functional progression, the athlete risks reinjury the first time the athlete is required to run in a competitive situation. Stressing the healing hamstring muscles according to functional demands in the sporting activity facilitates optimal healing. Functional demands in this case means two joint eccentric muscle contractions for lower-extremity deceleration.

Functional progression also assists in maximizing postinjury performance. By progressing through functional skills during the rehabilitation program, the patient should be fully prepared to resume full participation. An ideal functional progression program is one in which the patient has had the opportunity to complete all activities required for the activity before actually returning to the competitive environment. For a softball player with a hamstring strain, the return to a running program should entail not only straight ahead sprinting but also base running and positional running requirements. After progressing through the sport-specific running sequence, the patient should be ready to resume all competitive softball running requirements.

Psychological Benefits for the Patient

Functional progression can also assist in minimizing the mental and emotional stress of being injured. The rehabilitation professional depends on information from the patient when designing an effective program, making the client an active participant in the client's own rehabilitation program. During the functional progression program, the patient is given physical tasks to accomplish. By becoming an active, involved participant and realizing genuine progress at each step, the client regains some of the control that was lost as a result of being injured. Functional progression also enhances the patient's self-confidence. As progress is achieved through the functional progression program, the patient is provided with a sense of accomplishment. As these accomplishments build on one another, the patient becomes more confident in specific physical abilities, which in turn provide a foundation for more difficult activities in the functional progression program.

During the rehabilitation process, patients who demonstrate positive psychological factors such as positive self-talk, goal setting, and mental imagery, attained desired rehabilitation goals more quickly than patients who do not demonstrate those factors.[4] Adherence to a rehabilitation program has been linked not only with the effectiveness of the program but also with social support, goal and task mastery orientation, self-motivation, high pain tolerance, and the ability to adapt to scheduling and environmental conditions.[5] Goal setting and goal accomplishment are common themes to successful programs. A functional progression program is made up of a series of physical tasks for the patient to conquer, and each step in the program is a goal for the patient to attain. The PT and the PTA should work with the client to set realistic goals and prescribe a functional progression program to satisfy these goals. As the patient meets each goal, his or her self-confidence is advanced. As final functional progression activities take place in a group setting, a sense of once again belonging is a positive psychological benefit for the patient.

● CLINICAL GUIDELINES—LOWER EXTREMITY

Before initiating weight-bearing activities in the lower-extremity functional progression program, certain prerequisites must be met, including control of swelling and pain, adequate ROM and flexibility to perform the desired activities, adequate strength to perform the desired activities, and sufficiently healed tissue that can tolerate the stress of the desired activities. Care should also be taken to ensure sufficient proximal (spine and pelvis) strength, ROM, and flexibility. Soft-tissue healing time constraints depend on the severity of injury. The rehabilitation professional should have a thorough knowledge of the status of the injury and how healing is progressing. Indications

that activities may be overzealous and exceeding healing time constraints include increases swelling, pain, abnormal gait, substitution in movement, loss or plateau in ROM or strength, and documented increase in laxity of a healing ligament.

The challenge of returning a patient safely to competition in the shortest time possible is made inherently more difficult because of the very nature of therapeutic exercise. As indicated, inadequate stress to healing tissue results in poor preparation for the return to activity. On the other hand, too much stress is also counterproductive. Dye's[6] "envelope of function" is an excellent way to conceptualize the advancement of the functional progression program. Dye[6] described the envelope of function as the "range of load that can be applied across an individual joint in a given period of time without supraphysiologic overload or structural failure." Activity can be described in terms of applied loads and frequency of loading. High-loading activities can be performed for only a short amount of time before exceeding the envelope of function. Low-loading activities can be performed for a longer time; however, a finite frequency for lighter loading also exists before exceeding the envelope.

A practical example of the envelope of function is the progression from bilateral nonsupport activities (jumping) to unilateral nonsupport activities (hopping) for a patient with an anterior cruciate ligament injury. As the patient progresses from jumping to hopping, the load increases; thus to avoid exceeding the envelope, the total duration of exercise should be decreased appropriately. Overuse injuries can be prevented by scheduling periods of reduced activity during a buildup in activities. As noted, the signs of excessive loading are an increase in swelling or pain, a loss in ROM or strength, and an increase in laxity of the healing ligament. One problem is that the health-care professional does not know that the therapeutic activities are too aggressive until after the signs of excessive loading are seen. So how does the rehabilitation professional progress the program? When does the program need to be slowed down? Perhaps the best answer to these critical questions lies in the staging of overuse injury.

Healthy tissue is in dynamic balance: Bone is constantly being deposited and reabsorbed, collagen is synthesized and undergoes catabolism, and injured soft tissue undergoes degeneration and regeneration. When these processes are in equilibrium, all is well. When bone resorption exceeds deposition or when soft-tissue degeneration exceeds regeneration, normal equilibrium is disrupted. One of the symptoms of musculoskeletal disequilibrium is pain. Several authors have classified overuse injuries into stages based on pain before, during, and after activity.[7,8] In these staging systems, pain gradually increases to the point at which performance is negatively affected. As a general guideline, activities

TABLE 16-2	Classification System for the Effect of Pain on Athletic Performance[a]	
LEVEL	**DESCRIPTION OF PAIN**	**SPORTS ACTIVITY**
1	No pain	Normal
2	Pain only with extreme exertion	Normal
3	Pain with extreme exertion 1–2 hours after activity	Normal or slightly decreased
4	Pain during and after any vigorous activity	Somewhat decreased
5	Pain during activity that forces termination	Markedly decreased
6	Pain during daily activities	Unable to perform

[a]Reprinted with permission from Fyfe I, Stanish WD. The use of eccentric training and stretching in the treatment and prevention of tendon injuries. *Clin Sports Med.* 1992;11:601–624.

that do not cause pain during exertion and activities that cause pain for less than 2 hours after exertion are allowed. Pain during activity that negatively affects performance, pain that persists for more than 2 hours after activity, pain that affects activities of daily living, and pain at night indicate that activity restriction is required (Table 16-2).

For example, consider a grade 1 hamstring strain in a softball player. Three-quarter-speed sprinting from a stationary start was noted to cause minimal discomfort after the workout; the discomfort subsided in less than 30 minutes after termination of activity. Full-speed sprinting from a stationary start caused no pain during the activity but did cause localized pain in the proximal posterior thigh for 6 hours after the workout. On the basis of the athlete's response to full-speed sprinting, the PT and the PTA determined that the activities were too aggressive and that the speeds needed to be decreased.

The PTA should now have a good understanding of the basics of the functional progression process. Each program must be individualized on the basis of the injury and the demands placed on the patient. The following sequences and case studies will provide a better understanding of the depth that must be considered when prescribing a functional progression program. The case studies also introduce the concept of specific tissue loading. These studies are intended to provide a template for clinician reference and are not intended to be prescriptive or all inclusive. The ideal functional program is one developed by the PTA working with the PT in conjunction with the individual athlete in a specific setting.

• TECHNIQUES—LOWER EXTREMITY

This section presents some of the more common functional progression activities used to train patients. As indicated, the key to an efficient and successful functional progression program is in the careful progression of easier tasks followed by more difficult tasks. Therefore, this section emphasizes suggestions for the progression of a number of activities referred to as "sequences." Note that the patient does not necessarily perform each sequence independently of other sequences. Several types of sequences may overlap. For example, in one exercise session, the athlete may be sprinting full speed forward in a straight plane but performing cutting activities at only half speed. Furthermore, not every sequence presented is used for all athletes. The extent to which each sequence is emphasized depends on the sport and the specific position the client plays within the sport.

Aerobic Sequence

Initially establishing a sufficient aerobic base (Chapter 13) in the functional progression program is valuable for allowing the client to demonstrate an ability to tolerate the additional stress of running. A solid aerobic base is suggested before the program is progressed to short duration, sprinting, and jumping activities.

Jogging 20 steps and walking 20 steps for a total of 20 minutes at a very slow pace is the initial stage for returning the client to aerobic activity. The client can then be progressed to jogging 4 to 5 minutes and walking 2 to 3 minutes for a total treatment time of 20 to 40 minutes at a slow pace or at the client's tolerance. Caution should be used if running around any curves or corners. Suggested frequency of the initial program is three times per week.

The jogging program can be progressed as shown in Table 16-3, which outlines a jogging program for an individual who wants to develop an aerobic base. If the client is a distance runner, the client can be further progressed to a program similar to that presented in Tables 16-4 and 16-5. The programs in these tables are examples only; each program must be individualized according to the client's response to treatment.

Sprint Sequence: Straight-plane Activity

Once jogging and running are painless and gait deviations absent, the sprint sequence should be initiated. The client may continue the aerobic program when the sprint sequence is added to the functional progression program. Straight-ahead sprinting is progressed from half speed to three-quarter speed, and finally to full speed. Once the

TABLE 16-3 **Jogging Program**

DAY 1	DAY 2	DAY 3	DAY 4	DAY 5	DAY 6	DAY 7
0.5-mile jog on track; jog straights and walk curves	0.5-mile jog on track; jog straights and walk curves	0.5-mile jog on track; jog straights and walk curves	0.5-mile jog on track; jog straights and walk curves	0.5-mile jog on track; jog straights and walk curves	Off	0.5-mile jog on track; jog straights and walk curves
DAY 8	**DAY 9**	**DAY 10**	**DAY 11**	**DAY 12**	**DAY 13**	**DAY 14**
1.5-mile jog on track	1.5-mile jog on track	2-mile jog on track	2-mile jog on track	Off	2-mile jog on track	3-mile jog on track
DAY 15	**DAY 16**	**DAY 17**	**DAY 18**	**DAY 19**	**DAY 20**	**DAY 21**
3-mile jog on track	3-mile jog on track	2-mile jog on track	4-mile jog on track	4-mile jog on track	Off	Regular team conditioning

TABLE 16-4 **Running Progression for Distance Runner (Every Other Day)**

DAY 1	DAY 2	DAY 3	DAY 4	DAY 5	DAY 6	DAY 7
2 miles	Off	2.5 miles	Off	3.0 miles	Off	3.5 miles
DAY 8	**DAY 9**	**DAY 10**	**DAY 11**	**DAY 12**	**DAY 13**	**DAY 14**
Off	4.0 miles	Off	4.5 miles	Off	5.0 miles	Off

TABLE 16-5 **Running Progression (Daily)**

DAY 1	DAY 2	DAY 3	DAY 4	DAY 5	DAY 6	DAY 7
5 miles	2 miles	5 miles	2.5 miles	5 miles	3 miles	Off
DAY 8	**DAY 9**	**DAY 10**	**DAY 11**	**DAY 12**	**DAY 13**	**DAY 14**
5 miles	3.5 miles	5 miles	4 miles	5 miles	4.5 miles	Off
DAY 15	**DAY 16**	**DAY 17**	**DAY 18**	**DAY 19**	**DAY 20**	**DAY 21**
5 miles	5 miles	5 miles	Off	5 miles	6 miles	5 miles
DAY 22	**DAY 23**	**DAY 24**	**DAY 25**	**DAY 26**	**DAY 27**	**DAY 28**
6 miles	5 miles	6 miles	5 miles	5 miles	6 miles	7 miles

TABLE 16-6	Sprint Sequence Using Straight-plane Activities

- Sprint at half speed
- Sprint at three-quarter speed; backward sprint at half speed
- Sprint at full speed; backward sprint at three-quarter speed; lateral sprint at half speed
- Backward sprint at full speed; Lateral sprint at three-quarter speed
- Lateral sprint at full speed

client is able to tolerate straight-ahead sprints at three-quarter speed, half-speed backward sprints are added. The client is eventually progressed to full-speed backward sprints (Table 16-6).

When the client is able to tolerate three-quarter-speed backward sprinting, half-speed lateral sprints (also called carioca, braiding, or cross-overs) are added. When the client can perform the three sprints (forward, backward, and lateral) at full speed, then other activities can be added such as high stepping or, for a basketball player, dribbling a ball while sprinting. These drills are limited only by the ingenuity of the PT and the PTA.

Jump–Hop Sequence

Functional progression activities for the lower-extremity progress from simple to complex, from bilateral activities (jumps) to unilateral activities (hops), from activities with the feet on the ground (support) to activities in which the feet leave the ground (nonsupport), from slow speeds to faster speeds, and from straight-plane activities to multiple-plane activities. Specific activities and a suggested order of progression are found in Table 16-7.

Cutting Sequence: Multiple-plane Activity

Of primary importance to the functional progression of most athletes is the cutting sequence.[9] The cutting sequence begins with figure-eight running and progresses to actual cutting activities in which the athlete plants the foot and accelerates in a different direction. Gentle figure-eight running can be initiated using a distance of about 40 yard and running at half speed. For example, initially the full length of a basketball court could be used, and the athlete could change directions by running long, easy curves (Fig. 16-1). The speed of running at this distance is then increased to three-quarter and finally to full speed. Once full-speed figure-eights can be performed at this distance, the distance is decreased to about 20 yard, so the figure-eights are smaller and the maneuvering area is tighter; the athlete begins at half speed. For example, the figure-eight would now be performed on only half of a basketball court (Fig. 16-1). The athlete is again progressed to three-quarter and then to full speed. The

TABLE 16-7	Jump–Hop Sequence	
LOADING	**ACTIVITY**	**INTENSITY/FREQUENCY**
Bilateral support	Leg press Mini-squat	3 sets for 3 seconds; increase by 30 seconds until 2-minute duration is reached
Unilateral support	One-leg press One-leg mini-squat	3 set for 30 seconds; increase by 15 seconds until 1-minute duration is reached
Straight plane, bilateral, nonsupport	Front-to-back jumps Side-to-side jumps Vertical jumps Horizontal jumps	Multiple sets at sport-specific duration of at least 30 seconds
Straight plane, unilateral, nonsupport	Front-to-back hops Side-to-side hops Lateral stepping Lunges Vertical hops Horizontal hops	Multiple sets at sport-specific duration of at least 30 seconds
Multiple plane, bilateral, nonsupport	Diagonal jumps V jumps 5-dot drill	Multiple sets at sport-specific duration of at least 30 seconds
Multiple plane, unilateral, nonsupport	Diagonal hops V hops 5-dot drill	Multiple sets at sport-specific duration of at least 30 seconds

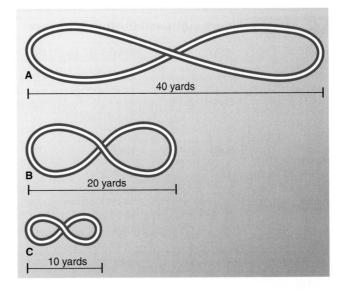

FIGURE 16-1 ● RUNNING FIGURE-EIGHTS IN A PROGRESSIVELY SMALLER MANEUVERING AREA.

sequence is repeated at about 10 yard. For example, the figure-eight would now be performed between the baseline and the free throw line (Fig. 16-1). Of course, this progression could be performed in other settings besides a basketball court.

Running figure-eights can then be replaced by cutting drills in which the athlete is first asked to jog to a given spot, plant the involved extremity, and cut toward the uninvolved side. If required, the athlete may need to perform cuts at 45, 60, and finally 90 degrees (Fig. 16-2). The speeds at which the athlete approaches the spot at which the extremity is planted is progressively increased.

After full-speed 90-degree cutting is achieved without difficulty, speeds are again decreased and the athlete begins the same cutting sequence on verbal or visual command, which more closely simulates the environment to which the individual is attempting to return. Running to a predetermined point before cutting allows the athlete to plan the movement in advance; this preparation is not available in actual practice or game conditions. Table 16-8 presents an example of a figure-eight and cutting sequence. This sample functional progression program must be individualized to the client, on the basis of the client's response to the activity.

FIGURE 16-2 ● PROGRESSION FOR CUTTING ACTIVITIES IN WHICH THE CUTS BECOME SHARPER AND THUS MORE DIFFICULT. 1, 45-DEGREE CUT; 2, 60-DEGREE CUT; 3, 90-DEGREE CUT.

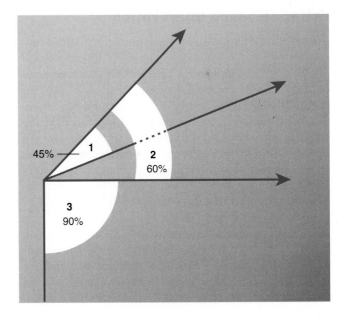

TABLE 16-8	Figure-eight and Cutting Sequence[a]					
DAY 1	**DAY 2**	**DAY 3**	**DAY 4**	**DAY 5**	**DAY 6**	**DAY 7**
40-yard figure-eights at a jog	40-yard figure-eights at a half-speed sprint	40-yard figure-eights at a half-speed sprint	40-yard figure-eights at a full-speed sprint	20-yard figure-eights at a half-speed sprint	20-yard figure-eights at a full-speed sprint	10-yard figure-eights at a half-speed sprint
DAY 8	**DAY 9**	**DAY 10**	**DAY 11**	**DAY 12**	**DAY 13**	**DAY 14**
10-yard figure-eights at a full-speed sprint	Off	45-degree straight cuts at set location at a half-speed sprint	45-degree straight cuts at set location at a full-speed sprint	45-degree straight cuts on command at a full-speed sprint	Off	60-degree straight cuts at set location at a half-speed sprint
DAY 15	**DAY 16**	**DAY 17**	**DAY 18**	**DAY 19**	**DAY 20**	**DAY 21**
60-degree straight cuts at set location at a full-speed sprint	60-degree straight cuts on command at a full-speed sprint	Off	90-degree straight cuts at a set location at a half-speed sprint	90-degree straight cuts at a set location at a full-speed sprint	90-degree straight cuts on command at a full-speed sprint	Off

[a]Perform 2 sets of 10 repetitions.

● CLINICAL GUIDELINES—UPPER EXTREMITY

This section introduces a criterion-based program for progressing the patient with upper-extremity dysfunction. All patients are best served by a program that incorporates the principles of both a functional progression and a criterion-based program.

Criterion-based Intervention

The key to a criterion-based program is the interdependent, four-phased rehabilitative approach, linked to various exercises, that guides the patient through a sequential progression of functional activities.[2] For each phase of the rehabilitation program, the PT establishes objective and functional criteria that are used to guide the patient's advancement and ensure the appropriate rate of progression. This type of program requires the patient to fulfill minimal objective criteria before attempting more advanced levels of exercise and function. This basic rehabilitative approach can be adapted for a wide variety of surgical and nonsurgical conditions.

By ensuring strict adherence to the fulfillment of the predetermined objective criteria before advancing the patient to the next phase, the PT is able to individualize the pace of the program based on the patient's age, injury, affected tissue type, activity level, sport or position, and surgical procedure. It is imperative to remember that the specific exercises, positions, and progression used depend on the extent of the injury, type of surgical procedure performed, healing constraints, and tissues stressed during rehabilitation. This section provides an overview of a multiphased, criterion-based rehabilitation program for the patient with upper-extremity dysfunction. This type of program can be easily delegated to a PTA and adapted to various situations as long as strict adherence to the fulfillment of the criteria before advancing the patient is maintained.

The Phases

Phase I: Immediate Motion Phase

The three primary goals for the initial rehabilitative phase are to reestablish nonpainful ROM, to retard muscular atrophy, and to decrease pain and inflammation. It is imperative to reestablish "normal" motion. Immediately after any upper-extremity injury or surgery, motion is allowed in a safe, protected, and relatively nonpainful arc. This motion helps minimize or eliminate the potentially deleterious effects of immobilization, which include articular cartilage degeneration and muscular atrophy.[10-12] In addition, early motion assists in aligning healing collagen fibers along appropriate stress patterns, thereby avoiding adverse collagen tissue formation.[11] Active-assistive ROM exercises are used to accomplish immediate early motion activities (see Chapter 3).

Immediate motion exercises are beneficial in decreasing the client's perception of pain. By allowing controlled movement, type 1 and 2 joint mechanoreceptors are stimulated, which presynaptically inhibit pain fiber transmission at the spinal cord level. Therefore, by allowing immediate motion, patients feel better and achieve control of the extremity sooner.

Functional decrease in the strength of musculature secondary to pain and swelling is common after injury or surgery. Frequently, the pain patients experience with ROM exercises occurs secondary to poor strength. Pain-free, submaximal isometric muscular contractions performed at multiple angles are used initially[7] (Chapter 7). Each isometric contraction should be held for 6 to 8 seconds and progressed from one or two sets of 10 to 15 repetitions to four or five sets of 10 to 15 repetitions, as tolerated. These exercises should be performed two to three times daily in conjunction with the active-assisted ROM exercises previously described.

After incorporation of submaximal isometrics, the exercise program should be progressed to short-arc isotonic activities. In addition, closed-chain, weight-bearing exercises are added during phase I to facilitate cocontractions of the muscles of the upper extremity (Chapter 9).

Before progressing to phase II, specific objective criteria must be exhibited by the patient on physical examination. The criteria are full, nonpainful passive ROM; minimal, palpable tenderness and pain; and good strength (4/5 on a manual muscle test).

Phase II: Intermediate Phase

The goals of the second rehabilitative phase are to improve muscular strength, endurance, and neuromuscular control. During this phase, strengthening exercises are advanced to isotonic and isokinetic activities (Chapter 7). The exercises incorporated during the first portion of the phase are low-weight, submaximal isotonic contractions. Usually, the program is advanced in 1- to 2-pound intervals, working up to five sets of 10 repetitions for each exercise using 5 to 10 pounds of resistance.[13,14]

Submaximal isokinetic exercises can be initiated as the patient progresses during this rehabilitative phase (Chapter 7). Isokinetic exercise allows for high-speed, high-energy activities, beginning in a relatively safe and stable position.

Single-plane, submaximal isotonic and isokinetic strengthening exercises should be combined with multiple-plane diagonal pattern activities using synergic movements, such as proprioceptive neuromuscular facilitation (PNF) exercises (Chapter 8). The exercise progression thus moves from basic concepts and exercises to more complex and difficult levels of physical activity. The PT and the PTA should incorporate PNF patterns in a range of positions (e.g., side lying, seated, standing, and supine) to vary the neuromuscular input and maximally challenge the ability of the dynamic stabilizers to control the upper-extremity muscles.

To progress from phase II to phase III, the patient must exhibit full, nonpainful active ROM, no pain or palpable tenderness on clinical examination, and at least 70% of the strength of the contralateral uninjured extremity. The client must exhibit these specific criteria before any attempt at performing the phase III exercise drills are done. The drills, activities, and exercises used in the advanced rehabilitative phase require greater strength, power, and endurance and prepare the patient for return to strenuous, unrestricted activities.

Phase III: Advanced Strengthening Phase

Phase III exercises are considered dynamic strengthening exercises and drills. The goals of this phase are to increase strength, power, and muscular endurance; improve neuromuscular control; and prepare the patient for a gradual, controlled return to functional activities. These exercises include high-speed, high-energy strengthening drills; eccentric muscular contractions; diagonal movements in functional positions; isotonic dumbbell movements; resistive exercise tubing movements with concentric and eccentric contractions; isokinetic exercises; and plyometric activities.

Plyometric drills provide the patient with a functional progression to unrestricted, sport-specific movements such as throwing, swinging, and catching. These dynamic, high-energy exercises prepare the upper-extremity musculature for the microtraumatic stresses experienced during most sports activities (see Chapter 10).

The patient must meet the following four specific criteria to progress to the final phase of rehabilitation: full, nonpainful active, and passive ROM; no pain or palpable tenderness on clinical examination; satisfactory muscular strength, power, and endurance based on functional demands; and satisfactory clinical examination.

Phase IV: Return to Activity

Phase IV is a transitional phase directed toward returning the patient to unrestricted, symptom-free athletic activity. During this phase, the patient is encouraged to continue specific exercises to address any remaining strength deficits and to improve upper-extremity muscular strength as it relates to the functional demands of the sport. In addition, the patient begins a progressive and gradual return to athletics, using a controlled program that specifically meets the patient's individual needs.

The purpose of an interval sports program is to progressively and systematically increase the demands placed

TABLE 16-9 Phase I Interval Throwing Program

45-FOOT THROWING DISTANCE

Step 1: 50 throws with 15-minute rest[a]
Step 2: 75 throws with 20-minute rest[b]

60-FOOT THROWING DISTANCE

Step 3: 50 throws with 15-minute rest[a]
Step 4: 75 throws with 20-minute rest[b]

90-FOOT THROWING DISTANCE

Step 5: 50 throws with 15-minute rest[a]
Step 6: 75 throws with 20-minute rest[b]

120-FOOT THROWING DISTANCE

Step 7: 50 throws with 15-minute rest[a]
Step 8: 75 throws with 20-minute rest[b]

150-FOOT THROWING DISTANCE

Step 9: 50 throws with 15-minute rest[a]
Step 10: 75 throws with 20-minute rest[b]

180-FOOT THROWING DISTANCE

Step 11: 50 throws with 15-minute rest[a]
Step 12: 75 throws with 20-minute rest[b]
Following step 12, begin throwing off mound or return to respective position

[a]Part A consists of (1) warm-up throwing, (2) 25 throws at distance, (3) 15-minute rest, (4) warm-up throwing, and (5) 25 throws at distance.
[b]Part B consists of (1) warm-up throwing, (2) 25 throws at distance, (3) 10-minute rest, (4) warm-up throwing, (5) 25 throws at distance, (6) 10-minute rest, (7) warm-up throwing, and (8) 25 throws at distance.

TABLE 16-10 Phase II Interval Throwing Program[a]

STAGE 1 (FASTBALL ONLY)

Step 1: 15 throws off mound at 50% speed
Step 2: 30 throws off mound at 50% speed
Step 3: 45 throws off mound at 50% speed
Step 4: 60 throws off mound at 50% speed
Step 5: 30 throws off mound at 75% speed
Step 6: 30 throws off mound at 75% speed; 45 throws off mound at 50% speed
Step 7: 45 throws off mound at 75% speed; 15 throws off mound at 50% speed
Step 8: 60 throws off mound at 75% speed

STAGE 2 (FASTBALL ONLY)

Step 9: 45 throws off mound at 75% speed; 15 throws in batting practice
Step 10: 45 throws off mound at 75% speed; 30 throws in batting practice
Step 11: 45 throws off mound at 75% speed; 45 throws in batting practice

STAGE 3 (VARIETY OF PITCHES)

Step 12: 30 fastballs off mound at 75% speed; 15 breaking balls off mound at 50% speed; 45 to 60 fastballs in batting practice
Step 13: 30 fastballs off mound at 75% speed; 30 breaking balls at 75% speed; 30 throws in batting practice
Step 14: 30 fastballs off mound at 75% speed; 60 to 90 breaking balls in batting practice at 25% speed
Step 15: Simulated game, progressing by 15 throws per workout

[a]All throwing off the mound should be done in the presence of the pitching coach, who should stress proper throwing mechanics. The use of a speed gun may help pitcher control intensity.

on the upper extremity while the athlete performs a sport-specific activity.[15,16] A progressive program can be adapted for any functional athletic rehabilitation program. Tables 16-9 to 16-12 provide examples of interval programs for throwers, golfers, and tennis players. The interval programs presented in the tables are intended to be used as guidelines; the PT should make modifications based on the individual response of the patient.

TABLE 16-11	Interval Golf Program		
WEEK	**MONDAY**	**WEDNESDAY**	**FRIDAY**
1	Stretch 10 putts 10 chips 5-minute rest 15 chips Use ice	Stretch 15 putts 15 chips 5-minute rest 25 chips Use ice	Stretch 20 putts 20 chips 5-minute rest 20 putts 20 chips 5-minute rest 10 chips 10 short irons Use ice
2	Stretch 20 chips 10 short irons 5-minute rest 10 short irons Use ice	Stretch 20 chips 15 short irons 10-minute rest 15 chips Use ice	Stretch 15 short irons 10 medium irons 10-minute rest 15 chips Use ice
3	Stretch 15 short irons 15 medium irons 10-minute rest 5 long irons 15 short irons 15 medium irons 10-minute rest 20 chips Use ice	Stretch 15 short irons 10 medium irons 10 long irons 10-minute rest 10 short irons 10 medium irons 5 long irons 5 woods Use ice	Stretch 15 short irons 10 medium irons 10 long irons 10-minute rest 10 short irons 10 medium irons 10 long irons 10 woods Use ice
4	Stretch 15 short irons 10 medium irons 10 long irons 10 drives 15-minute rest Repeat Use ice	Stretch Play 9 holes Use ice	Stretch Play 9 holes Use ice
5	Stretch Play 9 holes Use ice	Stretch Play 9 holes Use ice	Stretch Play 18 holes Use ice

Putts, putter; *chips*, pitching wedge; *short irons*, W, 9, 8; *medium irons*, 7, 6, 5; *long irons*, 4, 3, 2; *woods*, 3, 5; *drives*, driver.

TABLE 16-12	Interval Tennis Program		
WEEK	**MONDAY**	**WEDNESDAY**	**FRIDAY**
1	12 FH 8 BH 10-minute rest 13 FH 7 BH Use ice	15 FH 8 BH 10-minute rest 15 FH 7 BH Use ice	15 FH 10 BH 10-minute rest 15 FH 10 BH Use ice
2	25 FH 15 BH 10-minute rest 25 FH 15 BH Use Ice	30 FH 20 BH 10-minute rest 30 FH 20 BH Use Ice	30 FH 25 BH 10-minute rest 30 FH 15 BH 10 OH Use Ice
3	30 FH 25 BH 10 OH 10-minute rest 30 FH 25 BH Use ice	30 FH 25 BH 15 OH 10-minute rest 30 FH 25 BH 15 OH Use ice	30 FH 30 BH 10-minute rest 30 FH 15 OH 10-min rest 30 FH 30 BH 15 OH Use ice
4	30 FH 30 BH 10 OH 10-minute rest Play 3 games 10 FH 10 BH 5 OH Use ice	30 FH 30 BH 10 OH 10-minute rest Play set 10 FH 10 BH 5 OH Use ice	30 FH 30 BH 10 OH 10-minute rest Play 1.5 sets 10 FH 10 BH 10 OH Use ice

FH, forehand ground stroke; BH, backhand ground stroke; OH, overhead shot.

Case Study 1

PATIENT INFORMATION

Initial examination of a 23-year-old collegiate volleyball player indicated complaints of right shoulder pain and popping when serving and hitting. The athlete stated that she played through the pain and had not cut down on practice or competition. She indicated that the volleyball season was over and her goals were to play and practice the next season pain-free.

The patient's history indicated a previous surgery 1 year ago (arthroscopic capsular shift of anterior and inferior glenohumeral ligaments secondary to impingement) to the same shoulder. She was unable to remember any rehabilitation following surgery. In addition, she reported a shoulder injection secondary to pain "about 2 months age," which relieved her symptoms for 1 week.

Examination of the right shoulder by the PT indicated a painful arc during active shoulder abduction and severe pain during passive overpressure of shoulder flexion and internal rotation (positive impingement signs). Resisted movement of the shoulder caused pain during abduction and external rotation, and weakness of these same muscles (3/5). Palpation indicated pain at the anterior portion of the greater tuberosity and "slight discomfort" at the bicipital groove. Tests for shoulder instability were negative. ROM of the right shoulder was equal to that of the left.

Diagnosis was consistent with shoulder impingement. Examination also suggested involvement of the rotator-cuff muscles, specifically the supraspinatus muscle.

LINK TO GUIDE
TO PHYSICAL
THERAPIST PRACTICE

Utilizing the *Guide to Physical Therapist Practice*,[17] this patient falls in musculoskeletal practice pattern 4E (Impaired joint mobility, muscle performance, and ROM associated with ligament or other connective tissue disorders). Anticipated goals for this patient as they relate to functional progression include: increasing motor function; improved joint mobility; improved weight-bearing status; improved strength, power, and endurance; as well as protecting the injured body part and minimizing the risk of recurrent injury.

INTERVENTION

Given the irritability of the athlete's shoulder, initial goals at this stage were to decrease pain and inflamma-tion, maintain ROM with pain-free intervention, and initiate gentle strengthening activities (analogous to phase I in the shoulder section of this chapter). The athlete was instructed to discontinue all overhead activities. Given that the volleyball season was complete, these directions were met with no resistance. The PT discussed the plan of care with the athlete and the PTA. The athlete was to be seen three times a week in the clinic, with treatment consisting of the following:

1. Ice before treatment
2. Codman's exercise
3. Active assistive abduction, internal and external rotation in pain-free range (Figs. 3-10 and 3-14)
4. Isometric external rotation and abduction, performed with athlete's arm at the side
5. Isometric elbow flexion in two parts of the ROM (Fig. 7-6)
6. Ice following treatment

The PT asked the PTA to instruct the patient on the above exercises. The PTA was also asked to instruct the athlete on a home exercise program consisting of the following:

1. Codman's exercise
2. Wall walking; within pain-free ROM – standing near a wall, walk the fingers up the wall, thereby, causing elevation of the shoulder
3. Ice after treatment for 10 to 15 minutes

PROGRESSION

Two Weeks After Initial Examination

Initial plan of care was to have the athlete perform the exercises just described for 1 week and progress to more strenuous activities. The PTA following the plan of care by the PT and maintaining pain-free intervention reported to the PT that, although the athlete had improved, she still had significant pain and inflammation. The PT instructed the PTA not to change the program. The difficulty in decreasing the inflammation was attributed to the fact that the athlete had played through pain for over 2 months, causing a severe inflammatory process, which required 2 weeks to subside.

Examination by the PT 2 weeks after the initial examination indicated strength of the abductors were equal bilaterally, but external rotators on the right were still weak (4/5). The athlete could actively abduct through full ROM with no pain, and no painful arc was present. The athlete still complained of pain with overpressure into full flexion and internal rotation, but the pain was not as severe as the initial examination. Goals were advanced to increase strength of the muscles surrounding the shoulder (progression to phase II, as described in the shoulder section of this chapter). The patient continued to be seen in the clinic three times per week. The PT asked the PTA to progress the exercise program to the following:

1. Abduction, 0 to 90 degrees, in the plane of the scapula, with shoulder held in internal rotation using dumbbells (Fig. 7-11)
2. Internal and external rotation with the upper arm held against body (stable position) using elastic band (Fig. 7-15)
3. Axial compression against table and isometric push-ups (Figs. 9-1 and 9-2)
4. Biceps curls using dumbbells
5. Ice following treatment for 15 to 20 minutes
6. Patient was instructed to add isometric internal and external rotation exercise to the previous home exercise program.
7. The intervention previously described was performed for 2 weeks.

INTERVENTION

Four Weeks After Initial Examination

Examination by the PT after 4 weeks of intervention indicated ROM of the right shoulder equal to left; no pain on overpressure into full flexion and internal rotation (negative impingement sign). Isokinetic examination indicated a 50% deficit in the shoulder external rotators of the right as compared to the left.

Goals at this time were to increase muscular strength in preparation for a gradual return to functional activities (progress to phase III of the shoulder section of this chapter). The PT discussed the new goals with the PTA. The PT instructed the PTA to continue the same exercises as previously described and to progress as tolerated by increasing the amount of weight used for each exercise. The PT also asked the PTA to add internal and external rotation using the elastic band and to progress by moving the upper arm (previously held close to body) into 45 degrees abduction as well as add the following exercises to the three day per week program:

1. D₂ upper-extremity PNF pattern with manual resistance (Figs. 8-9 and 8-10)

2. Resisted axial load side to side on sliding board (Fig. 11-19)
3. Initiation of a 1-mile jogging program (Table 16-3)

Six Weeks After Initial Examination

Isokinetic examination by the PT following 6 weeks of intervention indicated a 25% deficit in external rotation. At this time, the plan of care was updated by the PT. The patient was now ready for a functional progression program (phase IV). The PT asked the PTA to instruct the athlete on three day a week activities consisting of the following:

1. Internal and external rotation using elastic band in 90 degrees of shoulder abduction (Fig. 7-15)
2. Jogging 1 mile
3. Balance activities (Figs. 11-16, 11-17, 11-19, and 11-20)
4. Push-up activities (Figs. 9-1 and 9-2)
5. Overhead throwing of a volleyball (standing on two feet and progressing to one foot)
6. Serving volleyball over net at half intensity; but not hitting ball inside baseline

Eight Weeks after Initial Examination

Patient reported no pain with activities of previous week. The PTA reported the progress to the PT and the program was progressed as follows:

1. Continuation of jogging, balance, push-ups, and elastic band activities (two times per week)
2. Serving inside base line; progressing to three-quarter and full intensity (three times per week)
3. Outside hitting drills with coach (two times per week)

OUTCOME

Ten weeks after initial examination, the athlete participated in supervised off-season volleyball practice, with no return of symptoms and was discharged from formal intervention. The athlete was able to participate in full season the next year with no complaints or return of symptoms.

SUMMARY: AN EFFECTIVE PT–PTA TEAM

This case study demonstrated an effective collaborative effort between the PT and the PTA that is conducive in a busy outpatient orthopedic clinic. The PTA was able to follow the plan of care originally provided by the PT and treat the athlete three times a week under the supervision of the PT. The PTA reported any change in the athlete's status to the PT, as needed. The PT then updated the plan of care and progressed the exercise program in accordance to the reexamination and the status reports from the PTA. The PT expected that the PTA fully understood the interventions that the PT was requesting and that the PTA could treat and instruct the athlete independently, reporting any adverse effects of the intervention session. This type of working relationship allowed the PT to be aware of the athlete's status, but at the same time allowed the PT to perform examinations on other patients in the clinic, demonstrating effective and efficient teamwork, while still providing quality care.

Case Study 2

PATIENT INFORMATION

This case involves a 20-year-old college female cross country runner with proximal lower left leg pain for 1 week. The athlete was currently 2 weeks into the fall season and had been running 3 to 4 miles daily during the summer. Training consisted of two a day practices of running 4 miles in the morning before school and 6 miles after school. The pain just below her left knee started as a dull ache after practice (3 on a 0 to 10 scale) last week and at the time of the appointment was much worse (8 on a 0 to 10 scale) with any weight-bearing activity. The patient did not remember a traumatic episode to trigger the pain, denied sensory changes, and for the last two nights had noted night pain. As per the coach's instructions, the mileage of the twice a day workouts was decreased to 2 miles in the morning and 4 miles after school. Physical examination by the PT revealed a painful gait with no assistive device. Active ROM of both knees was normal. Passive hamstring flexibility was −20 degrees from neutral bilaterally with the hips flexed to 90 degrees. Bilateral calf flexibility was +5 of dorsiflexion bilaterally. Ober test was negative. Thomas test was positive at −5 degrees from neutral bilaterally. Rear foot to lower leg alignment was normal, forefoot to rear foot relationship revealed approximately 8 degrees of forefoot varus. The athlete also demonstrated a dorsally mobile first ray, and exhibited a slight amount of femoral anteversion. Ligamentous examination of the knee and a patellofemoral joint examination were unremarkable. The athlete was referred to the physician who subsequently ordered a bone scan. Results of the bone scan were positive for a proximal tibial stress fracture.

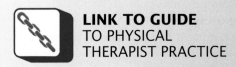

LINK TO GUIDE
TO PHYSICAL THERAPIST PRACTICE

Utilizing the *Guide to Physical Therapist Practice*,[17] this patient falls in musculoskeletal practice pattern 4H: "Impaired joint mobility, muscle performance, and ROM associated with fracture." The short-term and long-term goals based on the "Guide" for this patient as they relate to functional progression include: reducing the risk of secondary impairment; improve motor function; improve ventilation, respiration, and circulation; decrease loading of the involved body part; protect the healing injury; improve weight-bearing status; and improve sense of well being.

INTERVENTION

At the initial visit, the athlete was instructed by the PT in non–weight-bearing gait utilizing axillary crutches. The athlete was instructed to maintain cardiovascular fitness using an upper-extremity ergometer (Fig. 13-10) and was instructed to perform daily active ROM of the knee and ankle joints (Figs. 3-5 and 3-8). The PT then discussed the patient with the PTA and delegated the patient to the PTA. The interventions that the PT wanted the PTA to focus on were reducing the risk of secondary impairment; improve motor function through functional ambulation; improve ventilation, respiration through the use of cardiovascular activities on land, decrease loading of the involved body part through the use of aquatic environment; protect the healing injury through education; and improve weight-bearing status by progressing to partial weight bearing and then full weight bearing per patient tolerance.

PROGRESSION

Three Weeks After Initial Examination

The PTA worked with the athlete and allowed her to bear partial weight using the axillary crutches. Over the course of the next 2 weeks the athlete was to gradually resume full weight bearing with the axillary crutches. During this time, cardiovascular conditioning efforts intensified to include swimming and pool running (Fig. 17-27). Instead of traditional swimming strokes, initial efforts emphasized pool running as the athlete was not an avid swimmer. The patient performed the cardiovascular workouts supervised by the PTA in the deep end of the pool wearing a vest to minimize weight bearing. Four weeks after the stress fracture diagnosis, the athlete was performing 30 minutes of pool running. The PTA communicated to the PT on the progression of the patient.

Four Weeks After Initial Examination

At this point in time, the athlete was allowed to bear weight to tolerance on the affected lower extremity. Between week 4 and week 5, the athlete utilized one crutch for ambulation and between week 5 and week 6, transitioned to full weight bearing without an assistive device. Cardiovascular conditioning was now permitted on a stationary bicycle (Fig. 13-5). The athlete rode the bicycle initially for 20 minutes every other day between week 4 and 5. The days the athlete was not exercising on the bicycle, conditioning efforts continued in the pool. Over the course of a week, the athlete gradually increased the conditioning time on the bike to a total of 30 minutes. The PT communicated to the PTA to begin transition back to formal running. The athlete began a conditioning program on the stationary bike based upon mileage versus total time and started a running program in which the PTA educated the patient on how to properly progress the program.

Six Weeks After Initial Examination

At 6 weeks, the patient was allowed to resume running distances up to one-quarter of the distance she completed before the injury. The initial return to running program was performed every other day and took place on the track to utilize a level running surface. The PT fabricated a soft, full length insert that was utilized in the shoe to aid in shock absorption. Initial distance covered 2 miles, with the athlete alternating a quarter mile walk followed by running a quarter mile. Distance was increased a half mile every other workout (Table 16-4).

OUTCOME

The athlete performed heel cord (Figs. 5-17 and 5-18) and hamstring (Figs. 5-7 and 5-8) stretching prior to and following her workouts as instructed by the physical therapist assistant. The patient progressed without incident to the point where the patient was able to run 5 miles every other day. When these every other day workouts were tolerated, the patient was allowed to resume daily running (Table 16-5) and intervention was discontinued by the PT.

SUMMARY: AN EFFECTIVE PT–PTA TEAM

This case study demonstrated effective communication of the PT and the PTA that is appropriate for good patient care. The PT should discuss the plan of care initially and expect that the PTA will continue to communicate ongoing progress with the treatment. The PT will make the determination if the PTA has the knowledge and experience to work with this type of patient and the interventions that are expected. The PT will also determine as necessary if ongoing reassessment is needed for updating the plan of care. In this case study the PT did not need to reassess the patient at each visit and expected that the PTA would follow the plan of care and communicate as needed. The PT must intervene as appropriate to make corrections and changes to the plan of care and interventions. In this case study the PT intervened where appropriate to make changes that were the PT's responsibility.

Case Study 3

PATIENT INFORMATION

A 12-year-old United States Gymnastics Association elite level gymnast presented with left upper-extremity pain and dysfunction related to an injury sustained 3 days before her appointment. While working on a bar routine the athlete missed a catch (after a release move) with the right upper extremity and was left hanging/swinging by the left upper extremity on the higher bar. She lost her grasp and fell to the mat onto her buttocks. The athlete was able to continue practicing that day, but the next morning she woke up with significant medial scapular pain and general upper-extremity pain. Her mother initiated an orthopedic examination, which occurred a day later.

The athlete was referred by the orthopedist for intervention the next day (3 days after injury) wearing a sling, having had radiographs that cleared her for a fracture. The orthopedist diagnosis was "shoulder strain." Examination by the PT on initial visit indicated the following chief complaints:

1. Sharp aching pain (5/10) in the posterior medial scapula and glenohumeral joint.
2. Muscle pull feeling (3/10) with pain into the left side of the neck and entire left upper extremity.
3. Stiffness of entire left upper extremity with attempts at activities of daily living (dressing, grooming).

Patient was very tender to palpation to the rhomboids, levator scapulae, all parts of the trapezius, and posterior rotator-cuff muscles, and mildly tender to palpation in teres major and pectoralis major and minor muscles. Examination indicated multiple trigger points in the upper trapezius and medial scapular region.

Examination of active ROM of the left shoulder indicated: flexion –95 degrees, abduction –85 degrees, external rotation –70 degrees, and internal rotation –60 degrees. All ROM was limited by pain in the scapular region. Cervical ROM was within normal limits in all motions, except right that sidebending was decreased and the patient complained of pain in left upper trapezius muscle during the motion. Manual muscle test indicated the following:

External rotation: 3/5, pain

Internal rotation: 4/5, no pain

Middle trapezius: 3/5, pain

Lower trapezius: 2/5, pain

Serratus anterior: 3/5, pain

The elbow, wrist, hand, and cervical musculature were full strength (5/5) and pain-free. In addition, all special tests for laxity and impingement were negative.

This patient demonstrated strain of the left scapular and posterior rotator-cuff musculature, due to a traction type injury. The patient did not demonstrate increased laxity in the injured (left) shoulder as compared to the uninjured (right).

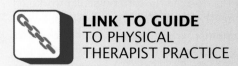

LINK TO GUIDE
TO PHYSICAL
THERAPIST PRACTICE

Utilizing the *Guide to Physical Therapist Practice,*[17] this patient was classified into musculoskeletal practice pattern 4E, "Impaired joint mobility, muscle performance, and ROM associated with ligament or other connective tissue disorders." Short and long-term goals for this patient as they relate to functional progression and return to sport are that care is coordinated between patient, family, coach, and any other medical professionals; chronic/prolonged disability is prevented; performance levels in activities of daily living, recreation, school, and sport are improved; risk of reoccurrence of same or related condition is reduced; risk of secondary impairments is reduced (neck dysfunction); and the patient will return to high level competitive gymnastics within 3 to 4 months.

INTERVENTION

The PT established a plan of care according to the previously mentioned goals to minimize the inflammatory response caused by the injury and initiate gentle ROM activities (phase I activities as described in the shoulder section of this chapter). Intervention included the following:

- Instruction in active assistive ROM with support for the left upper extremity offered by the right upper extremity.
- Low level weight bearing through bilateral upper extremities with medial lateral shifting and anterior/posterior shifting in standing at plinth.
- Isometric exercises for shoulder abduction in the plane of the scapula (Fig. 7-7).
- Active ROM for scapular pro/retraction, ab/adduction (Fig. 3-13), elevation, and depression.

- Removal from sling for activities of daily living at waist to chest level, avoiding abnormal scapular mechanics for overhead work.
- Manual therapy for trigger point treatment.
- Scapular PNF patterns using mild manual resistance (Figs. 8-1 to 8-4).
- Use of an exercise bicycle for maintenance of cardiovascular conditioning (Fig. 13-5).
- Ice applied to the posterior scapula for pain management.

The PT asked the PTA to initiate the interventions listed with the focus on minimizing the inflammatory response.

PROGRESSION

Two Weeks After Initial Examination

The PTA continued with the PT directed intervention and asks the PT to reassess the patient which has regained normal ROM, but still presented with general weakness to the muscles of the shoulder. The PT changed the goals to increase strength (progress to phase II of the criterion-based program described in the shoulder section of this chapter). Intervention changed to include:

- Isotonic external rotation (Fig. 7-14)
- Supine "punches" for serratus anterior (Fig. 9-5)
- Isolated internal/external rotation using elastic tubing; arm close to side (Fig. 7-15)
- PNF diagonals with manual resistance (Figs. 8-5 to 8-8)
- Continued closed-kinetic–chain push-ups; standing with upper extremities against the wall, 90 degrees on the wall (Fig. 9-1)
- Begin dance routines.
- Continue exercise bicycle.

The PT communicated to the PTA the interventions and explained the expectations of the plan of care.

Four Weeks After Initial Examination

The PTA continued to work with the patient which demonstrated normal active ROM with excellent scapular control. The PTA performed a manual muscle test of rotators and scapular stabilizers which were all 4+/5 to 5/5. No trigger points or tenderness to palpation. Goals established by the PT at this stage were to continue to increase strength (progression to phase II of the shoulder section in this chapter), while progressively increasing her gymnastic activities. Interventions performed by the PTA included the following:

- Progressive increased isotonic, in more elevated positions (90 to 90) for external rotation and internal rotation (Fig. 7-15b)
- PNF diagonals progressing to standing with elastic tubing (Fig. 8-20)
- Closed-kinetic–chain training in the push up position (Fig. 9-2)
- Initiate quadruped program; stress neutral position of the spine (Figs. 15-15 and 15-16)
- Flexibility training to the quadriceps muscles and scapular stabilizers.

Six Weeks After Initial Examination

The PTA reported to the PT that the patient showed no signs of adverse effects of the training program for the previous 2 weeks. In fact, the patient indicated a desire to do more. The goals, as established by the PT previously, at this point were to monitor the functional progression program to full participation (phase IV of the shoulder section of this chapter). The patient was progressed to the following activities:

- Progression to quadruped program, as indicated in Chapter 15 (Figs. 15-20 and 15-22)
- Initiation of plyometric upper-extremity program using push-ups (Figs. 10-8 and 10-9)
- Progression to low level upper-extremity closed-chain tumbling activities (cartwheels, etc.)
- Swinging from the upper extremity (chin ups, swinging from the upper bar); progress to light release and catch skills of low velocity and distance.
- Begin return to sport progression for other activities including running, jumping, and specific lower-extremity landing tasks (Figs. 10-12 to 10-18, Table 16-7)

OUTCOME

At 8 weeks post injury, the PT and the PTA accompanied the patient to the gym to monitor a minimal supervised workout. Supervised, gradual return to full activity followed over the next 4 weeks. Close communication by the PT with parents and coach helped with successful return to sport in this case. Caution was used and more time may have been taken in the return of this young athlete compared to the intervention of an adult. But it was important to be sure that this young athlete had excellent return of strength and endurance of musculature before returning to sport. At 12 weeks, the athlete was released from physical therapy by the PT and allowed full gymnastic activities.

SUMMARY: AN EFFECTIVE PT–PTA TEAM

This case study demonstrated components of an effective working relationship of the PT and the PTA. The communication that was performed was effective and created efficient treatment of the patient. The one area that was problematic with regards to communication was the addition of an intervention (flexibility training to the quadriceps muscles and scapular stabilizers) by the PTA at 4 weeks of initial examination without consulting with the PT. The PT must be kept informed of any change to the plan of care. The PTA should have recommended to the PT these interventions and then the PT could have made the decision to add this or not. The patient in this case study would probably not benefit from flexibility training due to her gymnastics background and due to the nature of her injury. Strengthening and stabilization of these two muscle groups would be more important at this stage of healing.

Case Study 4

PATIENT INFORMATION

The patient was a 64-year-old mildly obese college professor who presented complaining of motor dysfunction, pain, and weakness associated with right knee arthroscopic surgery 8 weeks prior to appointment. The patient related a history of right ankle sprain occurring approximately 2 months ago when he stepped in a hole in his yard. The patient described right calf soreness lasting for several days which the patient self-treated by walking on his treadmill for 20 to 30 minutes per day. About a week following the ankle sprain, the patient reported slipping while walking on the treadmill resulting in a twist and forward fall onto his right knee. The patient indicated feeling a sharp pain just medial to the joint line, which remained constant for 2 weeks, and minimal swelling. The orthopedic surgeon's report described a right arthroscopic surgery with removal of loose body and abrasion chondroplasty of right medial condyle. The associated primary pathology was indicated to be osteochondral fracture of the right medial femoral condyle. Patient had been medically cleared to be full weight bearing and to begin rehabilitative therapy. During the 8 weeks postsurgery, the patient had been performing a daily self-designed home exercise regime consisting of 20 to 25 minutes on stationary bicycle daily, 10 minutes in whirlpool bath, 20 to 25 repetitions of knee flexion to extension in sitting with free weights of varied poundage (heaviest 10 pounds), and 10 minutes on treadmill at slow speed and no incline.

Observationally, the patient appeared short of breath and flushed from the 500-yard walk into the building. The patient walked without an assistive device but with a pronounced left weight shift and right limp. The examination of the patient's knee performed by the PT indicated minimal joint swelling and calor. The arthroscopic entry portals were healed with little scarring. Palpation tenderness was reported along the medial right joint line and superior to the patella. Active ROM of the knee was 140 degrees of flexion and −20 degrees extension. Passive ROM was painful toward end range of flexion with soft end-feel. The patient could be passively moved to −5 degrees of full extension with no indication of pain. Left knee showed no limitations related to active or passive ROM.

Resisted right knee flexion was fairly strong (4/5 using a prone manual muscle test); resisted knee extension was weak (3/5 using a sitting manual muscle test) with mild suprapatellar pain. Left knee was considered strong with 5/5 on all resisted manual muscle tests. Balance testing revealed a probable proprioceptive deficit in single limb stance on either extremity and diminished postural responses to disturbances. The patient opted to utilize a compensatory hip strategy to recover balance when nudged in standing (Fig. 11-24).

Gait analysis indicated a decreased step length on the right, limited knee flexion to extension excursion during swing, shortened stance phase on right with slight knee flexion at midstance, and decreased anterior to posterior oscillations of the pelvis. The resulting appearance was of a shuffling step on right with limited floor clearance and a hip hiking circumduction motion to advance extremity.

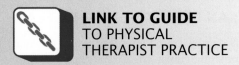

LINK TO GUIDE
TO PHYSICAL
THERAPIST PRACTICE

Pattern 4J of the *Guide to Physical Therapist Practice*[17] describes the present diagnosis of this patient. The pattern describes the specific patient/client diagnostic group as "Impaired joint mobility, motor function, muscle performance, and ROM associated with bony or soft-tissue surgical procedures." Abrasion arthroplasty and bony debridement is included in this diagnostic category. On the basis of the examination by the physical therapist and using the terminology of the *Guide*, the patient was diagnosed more specifically with joint instability associated with impaired muscle performance and motor function related to right knee arthroplasty and removal of loose bodies. The plan of care for this patient emphasized the following:

- Coordination of care and instruction with patient to develop a home program that would be acceptable and safe (given his past history of self-treatment).
- Therapeutic exercise to improve aerobic capacity, motor control, and strength.
- Gait training to improve safety and efficiency of performance.

INTERVENTION

Initially, the goal of intervention was to decrease pain and associated inflammation, increase pain-free range of right knee in flexion, and increase flexion to extension excursion during swing phase of gait. The patient was instructed to discontinue all of the self-designed home exercises (a decision was made that all of the exercises were stressing the suprapatellar soft tissue, resulting in inflammation and pain). In collaboration with the patient, the PT developed a home program and asked the PTA to instruct the patient on the following program:

- Ice before and after treatment and at regular intervals during the day for 15 minutes each application.
- Stretching exercises with emphasis on knee flexion (prone using towel to apply *gentle* pressure toward flexion) (Fig. 5-9).
- Isotonic exercises using 2 pounds. weight in supine for short arc quads (Fig. 7-29) and heel slides in pain-free range (Fig. 3-6).
- Straight-leg raises in the supine position (Fig. 7-26).
- Bridging with forward and backward weight shift (Fig. 15-8).

- Instructed to begin walking 0.5 mile at slow pace using indoor track and awareness of weight shift, foot placement, and knee flexion and extension.

PROGRESSION

One Week After Initial Examination

Examination by the PT 1 week after the initial examination indicated that the patient reported minimal pain with walking and with knee flexion. However, the patient continued to demonstrate a limp on the right that became more pronounced with increased pace of walking. The patient was measured for a leg length discrepancy and was found to have approximately a one-inch difference in the right and left, with the right being longer. Given this information, a recommendation was made by the PT that the patient consult with his physician to be fitted with an appropriate custom heel lift to correct the discrepancy.

The PT instructed the PTA to have the patient continue with the home program for 2 more weeks with emphasis on restoration of flexion range and strengthening. The PT instructed the PTA to increase the weight to 3 pounds in non–weight-bearing gravity-controlled positions (Fig. 7-29). The patient was instructed by the PT to return in 2 weeks.

Three Weeks After Initial Examination

The patient returned with a 0.5-inch heel lift added on the left to correct for leg length difference. During examination by the PT the patient reported no pain in the right knee at end range (range increased to 155 degrees with soft tissue of thigh stopping movement) full ROM for knee extension. Resisted right knee flexion graded 4/5 on manual muscle test. Gait analysis revealed a more typical pattern of right knee excursion, and limp was diminished. The patient walked with weight more distributed side to side. The patient continued to have limited pelvic mobility during gait. This limited movement was judged to be an age-related learned pattern and potentially could be an indicator of limited trunk mobility and would be addressed by including diagonal patterns in the home program. The balance limitations were improved but were noted with disturbance, especially when displaced toward the right. The home program was modified by the PT with patient input. The PT discussed the plan of care with the PTA and asked the PTA to instruct the patient on the following home exercise program and ensure proper technique and safety.

- Increased poundage on free weights to 5 pounds and 10 repetitions of three sets per day.

- Walking 1 mile at usual pace (he tended to walk very fast normally), increasing 0.25 mile per week up to maximum of 3 miles three times a week on varied surfaces—grass, sidewalk, dirt.
- Treadmill walking only if weather or time did not permit outdoor or track walking (Fig. 13-8).
- Quick stops/starts and turning during walking.
- Lunges with right foot forward and then with left foot forward (Fig. 9-10)
- Mini squats to a semi-squat position, only if pain-free, 5 repetitions twice a day (Fig. 9-8)
- Reaching forward and sideways within limits of stability while standing on foam cushion on floor (limits of stability are defined in Chapter 11).
- Continue ice as needed.
- Instructed to use pain as guide for progression "if it is painful, BACK OFF the exercise."

OUTCOME

Patient was discharged from intervention by the PT. Precautionary information was provided on self-treatment without input from a trained professional.

SUMMARY: AN EFFECTIVE PT–PTA TEAM

This case study demonstrated an effective and efficient working relationship between the PT and the PTA. Since the primary source of rehabilitation is a home exercise program, the PT needed to examine the patient at each return visit to assess change in status and progress the patient's program. The PT discussed the findings with the PTA and requested that the PTA treat the patient independently by instructing the patient on progression of the home program. It was expected by the PT that the PTA understood what is requested for the patient and could make sure that the patient could perform the home exercises with proper technique and a full understanding of the expectations of completing the home exercise program. This working relationship between the PT and the PTA allowed the PT to examine other patients while having confidence that the patient is being properly instructed and supervised.

SUMMARY

- No rehabilitation program is complete without a well-devised and thoroughly carried out functional progression program. This chapter provided the scientific basis of a functional progression program. The basic premise of the program is the need to address specific function.
- Functional progression is defined as a series of sport-specific, basic movement patterns that are graduated according to the difficulty of the skill and the client's tolerance. An intimate knowledge of the sport and, more important, the specific duties required of the athlete in his or her chosen sport are prerequisites for a successful functional progression program.
- Each program must be individualized, on the basis of the injury and the demands placed on the client. The ideal functional program is developed by the PT working with the PTA in conjunction with the individual and is based on the specific setting.

Pediatric Perspectives

- Functional progression should be the culmination of a complete, well-designed rehabilitation process for children, just as for adults. This progression provides the necessary link from treatment of impairments to functional return to activities of daily living or sport.
- Functional progression is particularly important in the return to sport of a child athlete. The program should provide rehabilitation by using various progressive tasks related to specific sport movements or skills.
- Functional progression relates conceptually to muscular training, closed-kinetic–chain and plyometric activities, and reactive neuromuscular training (see "Pediatric Perspectives" in Chapters 7, 9, and 10).

References

1. Keggereis S, Malone T, McCarroll J. Functional progression: an aid to athletic rehabilitation. *Phys Sports Med.* 1984;12:67–71.
2. Tippett SR. Sports rehabilitation concepts. In: Sanders B, ed. *Sports physical therapy.* Norwalk, CT: Appleton & Lange; 1990:9–14.
3. Kegerreis S. The construction and implementation of functional progression as a component of athletic rehabilitation. *J Orthop Sport Phys Ther.* 1983;5:14–19.
4. Ievleva L, Orlick T. Mental links to enhanced healing. *Sport Psychol.* 1991;5:25–40.
5. Duda JL, Smart AE, Tappe MK. Predictors of adherence in the rehabilitation of athletic injuries: an application of personal investment theory. *J Sport Exerc Psychol.* 1989;11:265–275.
6. Dye SF. The knee as a biologic transmission with an envelope of function: a theory. *Clin Orthop.* 1996;323:10–18.
7. O'Connor FG, Sobel JR, Nirschl RP. Five-step treatment for overuse injuries. *Phys Sportsmed.* 1992;20:128–142.
8. Fyfe I, Stanish WD. The use of eccentric training and stretching in the treatment and prevention of tendon injuries. *Clin Sports Med.* 1992;11:601–624.
9. Besier TF, Lloyd DG, Cochrane JL, et al: External loading of the knee joint during running and cutting maneuvers. *Med Sci Sports Exerc.* 2001;33:1168–1175.
10. Arrigo CA, Wilk KE. Shoulder exercises: Criteria based approach to rehabilitation. In: Kelly MJ, Clark WA, eds. *Orthopaedic therapy of the shoulder.* 2nd ed. Philadelphia, PA: Lippincott; 1995:337–361.
11. Akeson WH, Woo SLY, Amiel D. The connective tissue response to immobility: biomechanical changes in periarticular connective tissue of the immobilized rabbit knee. *Clin Orthop.* 1973;93:356–362.
12. Dehne E, Tory R. Treatment of joint injuries by immediate mobilization, based upon the spinal adaption concept. *Clin Orthop.* 1971;77:218–232.
13. Wilk KE, Arrigo CA. An integrated approach to upper extremity exercises. *Orthop Phys Ther Clin North Am.* 1992;1:337–360.
14. Wilk KE, Arrigo CA. Current concepts in the rehabilitation of the athletic shoulder. *J Orthop Sports Phys Ther.* 1993;18:365–378.
15. Wilk WE, Reinold MM, Olsen AC. Interval sport program for the shoulder. In: Wilk KE, Andrews JR, eds. *The athlete's shoulder.* 2nd ed. New York, NY: Elsevier Health Sciences; 2008:799–803.
16. Khan AM, Guillet MA, Fanton GS. Volleyball rehabilitation and training tips. *Sports Med Arthroscopy Rev.* 2001;9:137–146.
17. American Physical Therapy Association. *Guide to Physical Therapist Practice.* 2nd ed. 2003.

PRACTICE TEST QUESTIONS

1. A functional progression program

   A) is unnecessary, as patients will automatically do more as they feel better.
   B) will guarantee positive results as the patient moves from the acute phase into wellness.
   C) includes recommendations for how to progress open and closed-kinetic-chain activities.
   D) includes guidelines for challenging the patient in activities needed for return to sport or vocation.

2. A hallmark of the functional progression program is a gradual increase in the level of challenge presented to the patient. Activities are sequential and progressive. The physiologic principle upon which the program is based on

   A) "no pain, no gain"
   B) neural plasticity
   C) SAID
   D) reversibility principle

3. After an injury, the treatment plan will focus on which element(s)?

   A) Pain management and functional mobility
   B) Dynamic joint stability in open-kinetic-chain
   C) Proximal stability to permit distal mobility as in closed-kinetic-chain
   D) All of the above

4. In order to design an appropriate functional progression program, the PT and the PTA will

   A) gain a working knowledge of the patient's functional requirements
   B) analyze the patient's functional requirements to specify movement patterns
   C) understand what tissues are stressed during required functional movements
   D) all of the above

5. The patient benefits of a functional progression program will **NOT** include

   A) optimal tissue healing
   B) vocational retraining
   C) minimizing postinjury emotional stress
   D) maximizing postinjury performance

6. As the patient engages in a functional progression program, there may be times when signs and symptoms will exacerbate as the patient engages in more challenging activities. How will the PT and the PTA interpret these findings?

   A) This is normal and no pain means no gain
   B) Increased activity always carries with it the risk of reinjury
   C) Description of pain (intensity, duration, what caused it, etc.) will determine progression
   D) All of the above

7. The patient reports that following yesterday's activity session, she experienced pain only during the extremes of exertion. What will be the likely effect on her athletic performance?

   A) She will be unable to perform
   B) Her performance will be drastically decreased
   C) Her performance will be slightly decreased
   D) Her performance will be normal

8. The patient is a soccer player recovering from an ACL repair. He describes his sport activity as involving lots of running, rapid changes in directions, and controlling the soccer ball with his feet. The sequence of functional progression program (s) will be

   A) begin aerobic and sprint sequences at the same time
   B) begin aerobic and sprint sequences, then add the jump–hop and cutting sequences
   C) begin with aerobic sequence and when signs and symptoms are minimal, begin sprinting
   D) to discharge the patient and return him to his coach for resuming normal training activities

9. The patient is a basketball player who is recovering from a severely sprained ankle. She is now ready for beginning the sprint sequence. Sprinting is performed at different speeds and directions. Which of the following will represent the conclusion (or final step) in the sprinting progression?

   A) Full speed and straight ahead
   B) Full speed ahead, and half speed backward
   C) Full speeds ahead and backwards, half speed lateral
   D) None of the above is the final

10. Once the patient is able to perform the figure-of-eight running in the smallest pattern, the first cutting drill will be to run up to a predetermined point and "cut" to

    A) 10 degrees
    B) 45 degrees
    C) 60 degrees
    D) 90 degrees

11. A criterion-based intervention plan for functional progression will

    A) make sure that the program continues to be progressed
    B) identify the objective performance needed by the patient
    C) ensure that objective and functional criteria determine when to progress the patient
    D) be used only for the upper-extremity rehabilitation program

12. Following a sprain to the lateral collateral ligaments of the pitching elbow, the patient now has full active and pain-free ROM. MMT reveals that the injured elbow flexion and extension are now in the 4/5 range. On the basis of these criteria, what phase is the patient ready to begin?

    A) Phase I
    B) Phase II
    C) Phase III
    D) Phase IV

ANSWER KEY

1.	D	4.	D	7.	D	10.	B
2.	C	5.	B	8.	C	11.	C
3.	D	6.	C	9.	D	12.	C

Unique Applications of Therapeutic Exercise

Aquatic Therapy

Jean M. Irion, PT, EdD, SCS, ATC
Marti Biondi, PT

Objectives

Upon completion of this chapter, the reader will be able to:

- Discuss the physical properties of water and their effects on the human body with respect to static and dynamic motion.

- Discuss the influence of each of the fluid dynamic properties on the performance of therapeutic exercise in the water.

- Discuss the indications and contraindications to aquatic therapy, taking into consideration appropriate precautions and exercise parameters.

- Utilize the properties of water to plan and implement an efficient treatment progression for common physical impairments and functional deficits.

- At the onset of aquatic therapy, plan how to most efficiently integrate or reintroduce land skills.

Water affords a particularly unique medium in which a therapist can accomplish specific tasks earlier in the rehabilitation process than can be attempted on land. In addition, various functional skills such as sit to stand, static and dynamic balance, reintegration of the gait sequence and sports-specific training can be initiated in the water when is may be difficult or impractical to begin them on land. Before considering aquatic therapy, however, it is absolutely imperative that the therapist consider how most efficiently to return to land-based, functional tasks. The therapist must have an essential understanding of (1) the physical components of immersion and what effects these components have on various systems of the body; (2) the use of aquatic activity and equipment to effectively achieve therapy goals; (3) the limitations of aquatic therapy and how a

patient transitions to land; and (4) who is appropriate for aquatic intervention, when in the continuum of care this occurs, and how to return to land-based, functional activity.

Historical documentation of the use of water as a healing medium can be traced as far back as 2400 BCE in the Proto-Indian culture. However, the original use of water as a healing medium solely by immersion does not coincide with the current use and perception of aquatic therapy. It was not until the latter part of the 1890s that aquatic rehabilitation progressed from a passive intervention to a treatment method requiring active patient participation.[1] This chapter provides an overview of the use of aquatic therapy for treatment of clients with musculoskeletal dysfunction of the spine or extremities. A discussion of the physical properties and fluid dynamics of water provides the scientific basis that substantiates the use of aquatics for rehabilitation. In addition, this chapter addresses the physical implications of immersion on specific body systems and the consequence of such changes on medically unstable individuals. Clinical guidelines and specific therapeutic techniques, including the appropriate use of therapeutic aquatic equipment, are provided as well. The chapter concludes with a case study demonstrating the physical properties, fluid dynamics, and therapeutic techniques presented in this chapter.

● SCIENTIFIC BASIS

Physical Properties of Water

Several physical properties of water are introduced in this section; these must be considered when determining whether a patient is appropriate for water therapy. One must then calculate how best to implement these hydrodynamic principles in a logical progression to ensure the best patient outcomes. Lastly, although the inclusion of water therapy is based on the properties of water, the entire treatment process must include land-based protocols; the end result of therapy is return to function.

Relative Density (Specific Gravity)

The relative density, or specific gravity, of a substance is the ratio of the density of a given substance to the density of water.[2] The "substance" referred to in the definition of specific gravity is a human body or the extremity of a human body. Pure water has a specific gravity of 1.0. Generally, the human body with air in the lungs has a specific gravity of 0.974, slightly less than the specific gravity of water.[3-5] A person's body or extremity that has a specific gravity of less than 1.0 has a tendency to float; a person's body that has a specific gravity of more than 1.0 has a tendency to sink. The average male body has a greater density than the average female body. The differences in specific gravity between the sexes can be accounted for by the differences in the percentage of lean body mass to fat content.

Lean body mass is made up of bone, muscle, connective tissue, and organs and has a relative density close to 1.1.[6] Fat mass includes both essential body fat plus any excess fat and has a relative density of about 0.9.[6] Therefore, an individual with a relatively high proportion of lean body mass has a density that exceeds 1.0 and, thus, has a tendency to sink. In contrast, a person who has a greater overall fat mass has a body density of less than 1.0 and has a tendency to float.

The specific gravity of the client needs to be taken into consideration when placing him or her in an aquatic medium. The physical therapist assistant (PTA) must determine whether the client is a "sinker" or a "floater" so that safety will not be compromised during treatment with respect to the choice of water depth or equipment usage. The specific gravity must also be taken into consideration when choosing which flotation devices are needed to optimize therapeutic treatment in the water. Safety is compromised if the PTA places a client who has minimal swimming skills and a tendency to sink in the deep end of a pool to perform an exercise without an appropriate flotation device. Furthermore, such a client will expend excess energy just to maintain the body in a safe position instead of maximizing the use of the water for therapeutic purposes.

Likewise, placing a flotation device on a client who is already buoyant may place that individual at significant risk since the client cannot maintain a vertical position in the water due to the propensity to float. The working position for appropriate therapeutic intervention is negated and patient safety is compromised. Therefore, a patient's physical composition is important to consider before deciding on treatment position or equipment usage when planning aquatic interventions.

Buoyancy

For the PTA using aquatics for therapeutic intervention, understanding the concept of buoyancy is important. The Archimedes principle states that when a body is fully or partially immersed in a fluid at rest, the body experiences an upward thrust equal to the weight of the fluid displaced.[3,6] Buoyancy is defined as the upward thrust acting in the opposite direction of gravity and is related to the specific gravity of an immersed object.[2] Therefore, an individual with a specific gravity of 0.97 reaches floating equilibrium when 97% of the body is immersed.[1] Stated another way, a person or extremity with a specific gravity of less than 1.0 will have a tendency to float because the upward thrust exerted by the water is greater than the weight of the fluid displaced by the person. This concept demonstrates another important clinical aspect of treatment—the depth of the water. On the basis of the buoyancy and displacement, one must consider treatment depths for specific diagnoses, since, if displacement is not sufficient—meaning the treatment area is too shallow—not enough water will be displaced for the individual to benefits from buoyancy. Likewise, if the water is too deep—aside from the safety implications—the individual may not be able to control body position sufficiently to effect appropriate movement.

Buoyancy must also be considered as a force that can assist, resist, or support the movement of a person or an extremity in the water. Figure 17-1 illustrates the concept of buoyancy as a force on a lever arm (the extremity) at various angles of movement of the hip into abduction in the water. The following definitions clarify the concept of buoyancy as a force on an extremity moving in the water[3,6]:

- Moment of force: the turning effect of the force about a point.

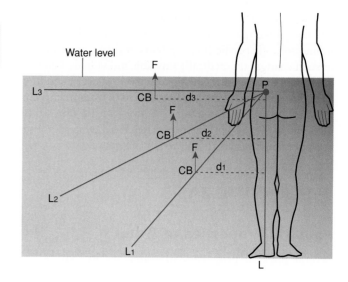

FIGURE 17-1 ● **EFFECT OF BUOYANCY INCREASING WITH INCREASED HIP ABDUCTION.**

- Moment of buoyancy: $F \times d$; F is the force of buoyancy, and d is the perpendicular distance from a vertical line through P to the center of buoyancy (P is the point about which the turning-effect buoyancy is exerted).
- Center of buoyancy (CB): center of gravity of the displaced liquid.

As the leg moves further into hip abduction toward the surface of the water (shown in Figure 17-1 as L_1, L_2, and L_3), the distance between P and CB (shown in the figure as d_1, d_2, and d_3) becomes greater. The longer the distance, the greater the turning effect, or moment of force, on the limb. Therefore, as the limb moves closer to the surface of

the water and toward a horizontal position, the effect of buoyancy becomes greater. Buoyancy has extensive treatment implications, not the least of which is that as one moves a buoyant piece of equipment closer to the surface, it becomes harder to control—therefore much harder to stabilize the trunk.

The effect of buoyancy on the movement of an extremity is also affected by the length of the extremity and the presence of a buoyancy device at the end of the extremity. The effect of buoyancy by changing the length of the lever arm is shown in Figure 17-2 by the movement of the hip into abduction with the knee flexed to 90 degrees. In this example, shortening the length of the lever arm

FIGURE 17-2 ● **THE EFFECT OF LEVER ARM LENGTH ON BUOYANCY, USING HIP ABDUCTION IN A 90 DEGREE FLEXED POSITION AS AN EXAMPLE.**

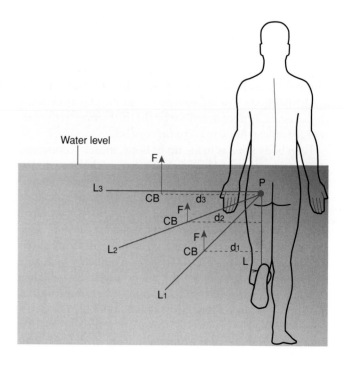

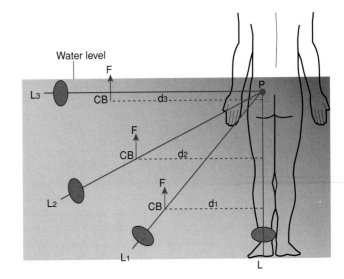

FIGURE 17-3 ● **THE EFFECT OF BUOYANCY IS ALTERED BY THE ADDITION OF A FLOTATION DEVICE (*CLOSED OVALS*) AT THE END OF THE EXTREMITY.**

by shortening the limb length brings the *CB* closer to *P*, which in turn shortens the distance between *CB* and *P*. Therefore, the force of buoyancy is less.

The effect of adding a buoyancy device to the end of an extremity being moved in the water is demonstrated in Figure 17-3. If a buoyancy device is placed on the ankle while the client performs hip abduction, the *CB* moves distally, thereby increasing the distance from *P*. Thus, the effect of buoyancy on the movement of that limb is increased.

Buoyancy Assisted Movements

The examples of hip abduction exercises described in Figures 17-1 to 17-3 are buoyancy assisted movements; the extremity is moving from a vertical position in the water to a horizontal position, parallel with the water surface (Fig. 17-4). For exercises that use buoyancy to assist movement, the clinician should use great caution when altering the length of the lever arm of an extremity or when adding a flotation device to the end of an extremity. If

FIGURE 17-4 ● **BUOYANCY ASSIST HIP ABDUCTION.**

Purpose: To improve hip abduction range of motion or initiate active-assistive strengthening of hip abductors.
Position: Client standing in waist-deep or deeper water with lower extremity adducted beside contralateral limb. Contralateral limb firmly planted on bottom of pool.
Procedure: Client actively initiates hip abduction movement, allowing buoyancy to passively or actively assist movement of hip to fully abducted position.

the patient does not have the volitional control to stop or slow the movement, any prescribed restriction in range of motion (ROM) could be exceeded. A shorter lever arm can efficiently demonstrate a patient's skill at controlling a movement. A shorter lever arm also indicates that additional force can be tolerated, as would be the situation with an extended extremity or bouyancy equipment placed at the most distal point on the extremity. Caution is essential whenever buoyancy equipment is used, particularly in situations where patient ROM is restricted by the individual's condition.

Buoyancy assisted movement can be used for isometric muscle contractions at various angles through an arc of movement by just holding the motion at a specific point in the range. For the patient to perform a buoyancy assisted movement in which he or she is actively contracting, the patient must control the movement by both eccentric and concentric muscle contractions. For example, if the patient is concentrically performing shoulder abduction while standing vertically in a pool, the shoulder adductors are acting eccentrically to control the speed of the shoulder movement into abduction.

Buoyancy Resisted and Supported Movements

Buoyancy can provide resistance or support to movements in the water. Buoyancy resisted motion is defined as the movement of an extremity from a starting horizontal position (parallel to the water surface) going deeper into the water to a vertical position which is opposite the force of buoyancy. An example of a buoyancy resisted movement is shoulder adduction performed from a starting position of 90-degree abduction moving toward shoulder adduction (a vertical position in the water) (Fig. 17-5). The force of buoyancy in these resisted movements is greater when the limb is closer to the surface of the water, decreasing as the movement approaches a more vertical position.

Buoyancy supported movements are performed when an extremity is parallel to the force of buoyancy or attenuates horizontal and then moves in this plane. For example, when a patient places an extremity at the surface of the water and then attempts to move into a position parallel to the water surface, buoyancy is used to assist the motion. This movement pattern is equated to gravity-eliminated motion performed on land. Thus, one can increase the intensity of an exercise in water just by altering its position relative to the surface of the water.

Joint Loading

Buoyancy also plays a significant role in progressing one's weight-bearing status in the water. Such progression performed in water is more comfortable, safer, and more easily quantifiable than any technique used for clinically determining weight-bearing status on land. Suspended vertical activities in the deep end of the pool allow exercises to be performed without weight bearing and with minimal effects of gravity on the body. These movements, however, mimic functional movements on land, thus allowing rehabilitation to start much sooner and more safely. Harrison

FIGURE 17-5 ● BUOYANCY RESIST SHOULDER ADDUCTION.

Purpose: To improve strength of shoulder adductor muscles.
Position: Client standing in shoulder-deep water with both lower extremities firmly planted on bottom of pool. One upper extremity starts in approximately 90 degrees of shoulder abduction.
Procedure: Client actively moves abducted extremity away from the water surface to shoulder adducted position, stopping when extremity contacts side of body.

et al[7,8] investigated quantification of the percentage of weight bearing for immersion levels at C7, the xiphoid process, and the anterior superior iliac spine (ASIS) in a standing position and during ambulation. The subjects were able-bodied men and women with no abnormalities in gait. The weight-bearing status for men was slightly higher at a given water level than for the female counterparts due to the increased percentage of lean body mass.

The results of the studies of Harrison et al.[7,8] provide a safe range of weight-bearing status for the three water levels. Standing activities in water to C7 (neck deep) is 8% to 10% weight bearing for women and men, to the xiphoid process is 28% for women and 35% for men, and to the ASIS is 47% for women and 54% for men. Ambulation at a slow pace revealed the following ranges of safe weight bearing for men and women: in water to C7, up to 25% weight-bearing status; to the xiphoid process, 25% to 50%; and to the ASIS, 50% to 75%. Significantly increasing the intensity of the activity—for example, from slow walking to running—drastically increases the weight-bearing percentage. Therefore, if a patient is given 50% weight bearing, having them water walk quickly at the level of the anterior superior iliac spine (ASIS), effectively disregards the restriction, placing the patient at increased risk for injury.

Clinically, the use of the decreased joint-loading environment of the water allows for earlier, safer, and more functional rehabilitation. Clients with pathologies that are exacerbated by gravitational forces on land are prime candidates for early aquatic intervention. Conditions which benefit from reduced compressive force include degenerative disc disease; facet joint pathologies; partial discectomies; spinal fusions; compression fractures of the spine from trauma or osteoporosis; degenerative joint disease of the spine or extremities such as osteoarthritis, stress fractures, and joint replacements; iliosacral and sacroiliac dysfunctions; early open or closed reduction fractures of the pelvis and lower extremity; hip labral repairs and meniscal repairs, as well as other surgical interventions for which lengthy weight-bearing restrictions are imposed.

In summary, buoyancy has a beneficial therapeutic effect when it off-sets the downward thrust of gravitational force by:

1. Decreasing the compression force through axial and lower-extremity joints;
2. Decreasing joint stress
3. Decreasing the activity of anti-gravity muscles through the upward thrust.

Hydrostatic Pressure (Pascal's Law)

Pascal's law states that at any given depth, the pressure from a liquid is exerted equally on all surfaces of the immersed object.[2] Hydrostatic pressure is also directly proportional to the depth of immersion of the body part below surface level. Water exerts a pressure of 22.4 mm Hg/foot of water depth.[4,9] If an individual is immersed vertically in water at a depth of 4 feet, the hydrostatic pressure at his or her feet is 88.9 mm Hg, roughly four times greater than the hydrostatic pressure at the surface of the water. The implications of this additional pressure are far reaching and of particular importance for those patients who incur swelling of the lower extremities.

Pressure exerted at the feet of a patient who is standing vertically in water is slightly higher than the diastolic blood pressure, aiding in the resolution of edema in an injured part.[4,9] In addition, the hydrostatic pressure at a 4-foot depth more than doubles the pressure of the standard elastic bandage.[10] Thus, peripheral edema occurring in the foot or ankle can be decreased due to hydrostatic pressure.

Several studies comparing cardiovascular responses to vertical aerobic exercise on land with an equivalent level of vertical exercise in water have identified hydrostatic pressure as one of the primary contributing factors for the differences noted.[11-15] The cardiovascular system appears to work more efficiently in water and, therefore, has a significant effect on the exercise parameters used in aerobic water exercise compared with land. This modification in parameters is discussed later in this chapter.

Since hydrostatic pressure exerts an equal force at a given level of water depth, the water provides a safe, supportive, and forgiving environment in which to start early balance and proprioceptive training. Compression on all submerged surfaces of the body by hydrostatic pressure also activates peripheral sensory nerve endings for early proprioceptive input to the trunk and extremities.

Lastly, hydrostatic pressure seems to assist with a parasympathetic bias that occurs with immersion. In a study performed by a team at Washington State University, immersion in thermoneutral temperatures lowered sympathetic powers and increased vagal influence.[2] Clinically, these changes account for the decreased muscle spasming that frequently occurs with muscle and painful joint conditions. Therefore, immersion is a useful tool when trying to retrain appropriate muscle sequences of functional activities.[16]

Viscosity, Cohesion, Adhesion, and Surface Tension

The combined properties of viscosity, cohesion, adhesion, and surface tension serve as a source of resistance for movement in water. All liquids share a property known as viscosity, which refers to the magnitude of internal friction among individual molecules in a liquid.[9] Viscosity can be considered as a fluid's thickness and accounts for the resistance one encounters when moving through water. Since the water molecules adhere to the surface of a moving object, increased resistance occurs in the direction of the motion. Likewise, viscosity is a time-dependent property of a liquid and is described as distance over time. The faster an object moves through a liquid, the greater the viscosity and therefore the greater the resistance to movement.[9]

Cohesion is the force of attraction among molecules within the same substance, such as the attraction of one water molecule to another adjacent water molecule. Adhesion is the force of attraction among molecules of two different types of matter such as air and water at the air–water interface or water and glass molecules at the water–glass container interface. Surface tension is a force created by the cohesive and adhesive properties of the water molecules at the air–water interface. Surface tension acts as a resistance for movement in the water (e.g., when an extremity moves from the water to the air and vice versa).[7] Consider a water molecule between two pieces of glass. Although the pieces of glass are very difficult to pull apart, one piece of glass is relatively easy to slide off of the other. This concept demonstrates surface tension between the water–glass molecules. In addition, when looking at water in a glass, the water at the very surface usually is not horizontal, but rather in an arc; demonstrating the tension between water molecules.

All four of these properties are well-used in rehabilitation as they provide a graded progression of resistance. Modifications in speed of movement, size of the moving surface area, and whether or not the movement requires breaking the water surface allow for changes in an exercise's intensity. Documentation of the increased tolerance to the viscosity and cohesive and adhesive properties is readily done by indicating the speed of movement, length of time the activity is performed, and extent of the body's surface area involved in the exercise. In addition, these four properties have a tendency to slow down movements from the pace at which they are normally performed on land, enabling a client to practice movement in a more controlled environment. Slower movements allow the therapist an opportunity to observe movements more readily; in contrast, frequently for a skill to be performed correctly on land, a specific speed is required. The actual muscle requirements of a skill such as walking in water are drastically different than that on land. Although water is an excellent medium to introduce a specific activity, the actual neurologic program must be fine-tuned on land.

Refraction

Refraction causes the bending of light rays as they pass from a more dense to a less dense medium and vice versa.[4,6] In aquatic therapy, refraction occurs when light rays pass from air to water. Consideration of this property is important when attempting to correct movements while viewing them from above the water surface. In addition, when viewing movements that are occurring underwater, when the therapist is in the pool, are likewise distorted. Taking into account these alterations in view may require the therapist to utilize tactile cueing to ensure that corrections are accurate. An experienced aquatic therapist begins to compensate for the property of refraction and is able to correct the perception of body position before correcting the actual position of the client.

Fluid Dynamic Properties of Water

Understanding the fluid dynamics of water allows a therapist to take full advantage of the properties of water when effecting appropriate treatment. Although considerations such as streamlined versus turbulent flow, wakes, eddies, and drag force appear foreign to the world of therapy; these terms, in fact, set aquatic exercises apart from the same movement sequences performed on land. Following is an introduction to these dynamic movements of water, which when used accurately afford maximum resistance at one point in the movement and immediately change intensity just by nature to the flow of the water.

Streamlined Versus Turbulent Water Flow

Streamlined, or laminar, flow of water is defined as a steady, continuous flow of water molecules in one direction in which the molecules are all traveling parallel to each other.[6] Once the flow of water reaches a critical velocity level, the water molecules begin to move in an irregular fashion, causing rotary movements of the molecules (known as eddies) and creating a turbulent water flow.[6] The frictional resistance to movement of an object or body provided by both a streamlined and a turbulent water flow increases with increased velocity of the object's movement. The resistance to movement into a turbulent flow of water is considerably greater than that of streamlined flow. In a streamline flow, resistance is directly proportional to velocity, whereas resistance is proportional to the square of the velocity in turbulent flow.[6]

When using a therapy pool with turbulent flow that can be adjusted for a specific movement, the therapist should be aware that minimally increasing the velocity of the turbulence drastically increases the intensity of the exercise. Thus, to effect appropriate resistance, the patient must be able work against this resistance with accurate movement patterns and posture. The advantages to using a pool with adjustable turbulence are (1) the turbulence is quantifiable; (2) less resistance equipment is needed since turbulence can be set for the task at hand; and (3) balance and coordination can be addressed without drastically altering movements or equipment.

Eddies, Wakes, and Drag Force

Movement of a body or object in water causes turbulent flow of water around and behind the object or body; these irregular patterns of water movement are known as eddy currents.[6] In addition, a pressure gradient is formed by moving a body or object through water. Pressure is increased in front of the object and decreased behind the object. The wake is an area of reduced pressure created behind a person or object moving in the water. Within the wake, eddy currents begin to form as the turbulent flow of water going around the body or object begins to flow into the lower pressure area. Flow of water into the wake also creates a drag force on the body. Drag force is the tendency for a person or object to be pulled back into the wake. As the velocity of the body or object increases, the drag force increases, creating a greater resistance to movement.[6]

Several clinical implications need to be considered when applying the concepts of eddies, wakes, and drag force to the rehabilitation process. Since the wake is an area of reduced pressure in the water, the clinician should maximize its use in gait training. Patients with compromised balance who are severely deconditioned or have significantly decreased lower-extremity strength would benefit from walking in the therapist's wake. The client should face the therapist who is walking backward slowly; sufficient wake is temporarily generated to allow the client to walk forward with decreased resistance. This technique decreases the effort associated with walking and provides the therapist an opportunity for hands-on assistance if necessary.[6] Many clients, when placed in chest deep water, have a tendency to lean forward from the trunk to overcome drag force. The therapist must realize that increasing a patient's speed may also effectively make it impossible to maintain a vertical position when walking. While verbal or visual cues may assist the client in realizing such aberrant posture, ultimately the therapist is responsible for recognizing that the speed and the depth of ambulation may, in fact, be the culprit. Neutral spine positions are necessary to effect appropriate posture and biomechanics when walking. Caution must likewise be taken when directing a client to change direction in the water as turbulence will be working against such change in movement. A great deal of balance and coordination is needed to maintain an upright position against these obstacles.

Streamlined Versus Turbulent Movement

Turbulent flow can be created by movement of an object through water. A streamlined object has a narrow surface area that moves through the water, demonstrated by the water paddle shown in Figure 17-6. A streamlined object disturbs the water less than an unstreamlined object. In contrast, an unstreamlined object has a broad surface area that moves through the water, demonstrated by the hydrotone bell (aquatic exercise equipment) shown in Figure 17-7. Movement of an unstreamlined object in the water causes greater water disturbance, displacement and thus greater resistance. Increasing the intensity of an exercise by changing from streamlined to a bulky piece of equipment demonstrates a progression that can be easily documented by indicating the equipment change.

A patient can alter the streamlined nature of the body by altering his or her position or the position of a body part, thus changing the resistance provided by the water. When a patient walks sideways, a narrower, streamlined surface of the body is in contact with the water. When a patient walks forward, a broader, unstreamlined surface of the body is in contact with the water, which significantly increases the water resistance to advancement. To create even more resistance, the clinician can have the patient hold a piece of unstreamlined equipment, such as a kickboard, in front of the body while walking forward in the water (Fig. 17-8).

Altering the position of an extremity as it moves through the water to alter the resistance provided is another means of changing the intensity of an exercise. When the shoulder is in abduction with the forearm supinated, it is more streamlined than when the shoulder is in abduction with the forearm in a neutral position. Adding a pair of aqua gloves can create a more turbulent surface, increasing the intensity of the exercise (Fig. 17-9). Caution must be taken when adding a piece of equipment to an exercise or changing the body position from streamlined to unstreamlined, as this change may place increased force through proximal joints. A relatively small change in the streamline nature of an exercise can significantly change the overall resistance level of an exercise, thus placing other structures including the trunk at increased risk.

A thorough knowledge and understanding of the fluid dynamic properties of water is vital if a physical therapist (PT) chooses to incorporate aquatic intervention into a client's plan of care. Simply applying the principles of therapeutic intervention used on land to the aquatic environment does not provide maximal use of aquatic interventions and may not provide the patient adequate or efficient treatment on land. In addition, a lack of knowledge regarding the properties of water and how these properties impact the human body upon immersion may compromise the safety of the client.

● THE EFFECTS OF IMMERSION ON VARIOUS SYSTEMS OF THE BODY

The physiologic changes associated with immersion drastically effect various systems of the body with serious implications for both the healthy and the compromised

FIGURE 17-6 ● MOVEMENT OF STREAMLINED EXERCISE PADDLE.

Purpose: To increase resistance to movement of an extremity through water by using a piece of equipment.
Position: Client standing in shoulder-deep water with both feet planted firmly on bottom of pool. Client holding onto a water paddle with one upper extremity, which is in a fully adducted, elbow extended, forearm supinated position. Paddle oriented so narrowest surface (streamlined) will be moved through water.
Procedure: Client performs shoulder abduction to 90 degrees, maintaining arm position while moving streamlined water paddle through water.

individual. The following discussion attempts to summarize these physical changes that occur just with immersion, not with additional motion that accompanies treatment.

Circulatory System

As discussed previously, hydrostatic pressure exerts pressure on the immersed body, enhancing venous return, and forcing blood back to the chest from the extremities. This process creates increased blood volume in both the great vessels of the lungs and the heart.[9,16] Cardiac blood volume increases 27% to 30%, thereby increasing stroke volume[16,17] and effectively improving cardiac efficiency.[16] While stroke volume increases, heart rate may decrease

or stay the same, thus improving cardiac output. Lastly, blood pressure's response with immersion appears to be temperature-based: warm water causes a drop in both systolic and diastolic pressure, whereas cooler water has an opposite effect.[16]

Pulmonary blood flow is drastically increased due to the shift of blood to the vessels of the lungs. Thus, the work of breathing is increased due to both this shift in blood volume and the compression of the chest wall by the water.[16,17] Both the redistribution of blood and the increased airway resistance brought about by immersion challenges the inspiratory musculature.[17] The patient with pulmonary muscle weakness, such as that accompanying many chronic diseases, may be compromised in this environment.[17]

FIGURE 17-7 ● MOVEMENT OF UNSTREAMLINED EXERCISE BELL.

Purpose: To increase resistance to movement of an extremity through water by using a piece of equipment.
Position: Client standing in shoulder-deep water with both feet planted firmly on bottom of pool. Client holding onto bell with one upper extremity, which is in a fully adducted, elbow extended, forearm supinated position. Bell oriented so broadest surface (unstreamlined) will be moved through water.
Procedure: Client performs shoulder abduction to 90 degrees, maintaining arm position while moving unstreamlined bell through water.

FIGURE 17-8 ● FORWARD WALKING WITH KICKBOARD.

Purpose: To increase resistance to forward movement provided by water, increasing intensity of walking program.
Position: Client standing in chest- to shoulder-deep water holding kickboard parallel to front of trunk between waist and chest height.
Procedure: Keeping kickboard under water, client walks forward at a pace that allows client to feel water resistance while safely maintaining upright position.

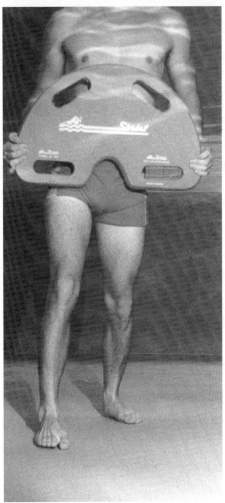

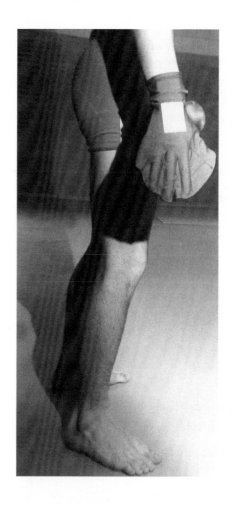

FIGURE 17-9 ● SHOULDER ABDUCTION WITH AQUA GLOVE.

Purpose: To increase resistance to movement of an extremity through water by maintaining an unstream-lined body position and using a piece of unstreamlined equipment.
Position: Client standing in shoulder-deep water with both feet planted firmly on bottom of pool. Client wearing one or two aqua gloves with upper extremity in fully adducted, elbow extended, forearm neutral, fingers abducted position.
Procedure: Client performs shoulder abduction to 90 degrees, maintaining arm and hand position while moving unstreamlined gloved hand through water.

Renal System

Immersion has multiple effects on the renal system, the most notable of which is an immediate increase of blood flow to the kidneys. This increased blood flow causes increased urinary output and a significant increase in both potassium and sodium excretion.[17] Thus, it becomes important for those immersed for long periods to replenish these fluid volumes.[17]

Musculoskeletal System

Aquatic therapy can bring multiple benefits to the musculoskeletal system. First, resting muscle blood flow is enhanced with immersion, increasing oxygen to the muscles and potentially improving the healing of muscle injuries.[16,17] In addition, aquatic exercise has been demonstrated to improve strength, range of motion, and muscle endurance when used appropriately for various diagnoses and clients.[18-20]

Nervous System

Studies have shown that warm water immersion has significant effect on the autonomic nervous system by reducing sympathetic activity and increasing parasympathetic activity.[16,17] The implication for therapists is that this parasympathetic bias may have a positive influence on both mood and on pain responses to therapy.

● CLINICAL GUIDELINES

Indications

The previous sections emphasized both the physical properties of water and the application of such properties to achieve appropriate treatment interventions. The therapist must understand the effectiveness of aquatic treatment for specific diagnoses, consider the physical implications of immersion on the body's systems, and

TABLE 17-1	Indications for Aquatic Intervention: Impairments and Functional Limitations

Decreased range of motion

Pain with movement or functional activity on land

Balance, proprioception, and/or coordination deficits

Decreased strength

Cardiovascular compromise or deconditioned status

Weight-bearing restrictions on land

Peripheral edema in extremity

Gait deviations not easily corrected on land

Lack of progress with traditional land-based program

Difficulty with heat dissipation during exercise on land

Exacerbation of symptoms with land exercise

Poor movement patterns not easily correctable on land

TABLE 17-2	Benefits of Aquatic Intervention

Initiation of rehabilitation sooner than on land in many instances

Positive psychological benefit of being able to do more in water than on land

Assist in edema control

Relaxed environment owing to warm water

Initiation of controlled active movements earlier than on land

Less pain with movement than on land

Initiation of dynamic functional movement patterns earlier than on land

Good carryover to movement patterns on land

Good environment for proprioceptive and sensory input

Forgiving environment for balance and coordination training

Options available for gradual increase of exercise intensity

Gait deviations and poor movement patterns more easily detected than on land

Easier progression of weight-bearing status than on land

Ability to completely de-weight the spine and extremity joints

Better heat dissipation and heat tolerance in below thermoneutral water temperature than on land

Enhanced cardiovascular function in below thermoneutral water temperature than on land

integrate the aquatic intervention with land-based function. The therapist must be able to justify—oftentimes to third-party payers—which specific impairments will benefit from the explicit properties of water (Table 17-1). Prior to the onset of aquatic therapy with each patient, the therapist should consider these three questions:

1. What does the aquatic medium provide better for this patient than the convention land treatment environment?
2. What can this patient perform more effectively on land than in the water at this time in the rehabilitation process?
3. How and at what point in this patient's continuum of care is it efficacious to transition back to land-based intervention?

Benefits of aquatic intervention as part of a rehabilitation program are listed in Table 17-2.

Patient History

Aquatic therapy, more than land-based therapy, requires a thorough patient history. The PT must always review background information on a client before initiating any therapeutic intervention. The aquatic environment presents a greater risk management environment than a comparable land-based environment. Gathering important background information assists the clinician in providing a more risk-free environment for both the client and the clinician. The background information provides specific data that can assist the clinician in developing a plan of care that includes safe entry and exit techniques; determining safe exercise parameters; and appropriately

supervising the client. Table 17-3 provides a list of important information the PT should gather during history taking and before initiating an aquatic intervention.

Contraindications and Precautions

Several authors have composed lists of contraindications and precautions for aquatic therapy for various patient populations.[3,6,17,21,22] The contraindications and precautions most applicable to a client base with musculoskeletal and neuromuscular dysfunctions are given in Tables 17-4 and 17-5. Each facility, however, must develop and modify such contraindications and precautions based on the types of patients served; the safety features of the facility; and the expertise of the aquatic therapy staff. In addition, awareness of state and local health department safety codes can facilitate the maintenance of a healthy practice environment by minimizing risks. Lastly, having a working knowledge of the facility staff who may come to assistance with emergencies can ensure that the highest safety standards are employed. It is the responsibility of the therapist to provide the patient with a safe environment, thus, knowledge of all of a facility's safety features and of its staff is the minimum standard of operation.

TABLE 17-3	**History on Client**

Contraindications to aquatic intervention

Safety needs and precautions of patient

Medical status and medical history

Current medications

Prior involvement in land or aquatic therapy intervention

Transferability on land

Use of assistive device on land

Weight-bearing status on land

Work, leisure, and exercise activity status before injury

Need for use of protective brace or splint during aquatic intervention

Comfort level in water

Ability to swim

Joints or structures affected

Precautions for allowable range of motion (ROM)

Pain level baseline

Psychological status

Available active and passive ROM at affected joints

Functional limitations

Other important objective impairment information

Level of healing of surgical incision

Static and dynamic balance capabilities

Sensory status

Impairments and functional limitations determined from land-based program

Goals of aquatic intervention

Safe Exercise Parameters

Water temperature, in conjunction with depth of water, body composition, and intensity of exercise, drastically impacts the aquatic intervention. Water temperatures

TABLE 17-4	**Contraindications to Aquatic Intervention**

Excessive fear of water

Fever or high temperature

Untreated infectious disease

Open wound

Contagious skin disease

Surgical incision with sutures or staples in place

Partial opening of surgical incision

Serious cardiac conditions that cause cardiac compromise

Uncontrolled seizure disorder

TABLE 17-5	**Precautions to Aquatic Intervention**

Seizure disorder controlled well with medications

Recently healed surgical incision

Absent or impaired peripheral sensation

Diabetes

Postural hypotension

Significant balance or vestibular disorder

Respiratory dysfunction

Colostomy

Difficulty with bowel or bladder control

Tracheostomy tube

Fear of water

Compromised vision without corrective lenses

Compromised cardiac or respiratory system (poor endurance or asthma)

above and below thermoneutral temperature (31°C to 33°C; 88°F to 90.5°F) significantly change cardiovascular responses to exercise compared with an equal intensity and type of exercise on land. Heart rate during head out of water, light- to moderate-intensity cycling or walking/jogging in thermoneutral temperature water is not significantly different from that for the same intensity exercise performed on land. In contrast, heart rate is usually 10 beats per minute (bpm) lower for moderately heavy, strenuous, and maximal exercise in water below thermoneutral temperature.[23]

As water temperature increases above the thermoneutral level, heart rate, overall cardiovascular demands, and core body temperature can increase to potentially unsafe levels.[23,24] Evaporation of sweat is the primary means of cooling the body temperature in air, whereas conduction and convection are the primary means of heat gain or loss by the body in water. Since water is a good heat conductor, when temperatures are lower than thermoneutral, heat is removed from the immersed body. Heat exchange in water is greater than in air because heat conductance in water is approximately 25 times greater than on land.[23] Therefore, clients should avoid exercising at moderate to high intensities in a warm-water pool to lessen or eliminate the chances of heat illness, particularly when immersed to chest level and above.

When water temperature is less than 31°C (88°F), heart rate decreases by as much as 17 to 20 bpm and stroke volume increases during moderate- to high-intensity, vertical, deep-water exercise.[11-15,23] It is speculated that immersion in cool water causes peripheral vasoconstriction so the body can maintain core body temperature. This vasoconstriction augments central blood volume, which, in turn, increases cardiac preload. This increase in blood volume within the chest cavity—both the blood vessels of the lungs and the heart itself—provides a strong stimulus via the baroreceptors to decrease heart rate.[11-15,23,25] The cardiovascular changes seen during deep-water vertical exercise are attributed to hydrostatic pressure and a more efficient cardiovascular system during exercise in cooler water. These changes are also attributed to the decreased demand on the cardiovascular system to dissipate the heat produced from exercise. Generally higher-intensity aerobic exercise is recommended at water temperatures between 26°C and 28°C (78.8°F and 82.4°F).[26]

The rating of perceived exertion (RPE) scoring system for intensity of exercise, originally developed by Borg, has been used successfully by many practitioners to accurately determine level of exercise intensity in water.[26] Wilder and Brennan[15] modified the Borg scale for water-running exercise programs. The specifics of the five-point Brennan scale are discussed later in this chapter.

Water depth affects heart rate. Heart rate is generally 8 to 11 bpm lower in chest-deep water during an aerobic shallow-water vertical exercise session compared with an equal intensity of exercise on land.[23] In addition, body composition affects a person's exercise response while immersed in water at different temperatures. Sheldahl et al.[27] investigated the effect of water-immersed cycling on obese and lean women at 20°C, 24°C, and 28°C (68°F, 75.2°F, and 82.4°F). Lean women exhibited a fall in rectal core temperature during cycling at 20°C and 24°C, whereas obese women had no change. In addition, energy expenditure was greater in the lean women at the two lower water temperatures because of shivering. Shivering is the mechanism that increases kinetic energy—or heat—to attempt to maintain the core temperature.[27]

In summary, several factors regarding the client and diagnosis, the water temperature, and the planned exercises must all be considered when determining exercise intensity levels. Water temperatures at or above the thermoneutral level are used primarily for lower-intensity exercises such as ROM; flexibility; relaxation and pain control; low-level balance, coordination, and proprioceptive training; gait training; specific low-intensity functional training; and beginning level core- and trunk-strengthening exercises. In contrast, water temperatures below thermoneutral should be used for cardiovascular endurance training, higher intensity local muscle endurance and strengthening, plyometrics training, cross-training, interval training, and some sport- or work-specific functional training. In addition, the target heart rate for aquatic exercise should be modified to 8 to 10 beats less than same exercise as a land workout. However, when working with an elite athlete whose sport requires an improved cardiovascular training effect from the aquatic aerobic component, use the land-based training heart rate to attain improved VO$_2$.[17,23]

Organization of Treatment Session

Although an aquatic treatment session for a client with musculoskeletal dysfunction usually lasts 30 to 60 minutes, depending on fitness level and comorbidities the initial session may be much shorter. At this first session, the patient should be familiarized with the physical make-up of the pool including pool entrance/exit, depth markers, railings, gradient or steps, and location of dressing rooms and of water fountains. Additionally, be prepared to spend time acclimating the client to those features specific to this facility. The therapist must understand that clients are usually unfamiliar with the aquatic environment and possibly equally self-conscious. Lastly, the evaluating therapist may have provided written information regarding the client's familiarity with aquatic therapy, but take the time to review the following:

1. Patient's reasons for being involved with aquatic therapy;
2. Intended outcomes with respect to aquatic intervention for this client's diagnosis;
3. When transition back to land will be considered in the course of therapy;
4. Pool availability for pre- or post-session practice of aquatic exercises independently by the patient (if available).

The general organization of a treatment program can be modified to emphasize work in one or more aspects of an aquatic program based on the patient's impairments, functional limitations, and goals. For example, during the early phases of an aquatic therapy intervention for a patient with adhesive capsulitis of the shoulder, more emphasis may be placed on manual therapy techniques to the glenohumeral joint and the scapulothoracic articulation, in addition to ROM and flexibility exercises; less emphasis may be placed on strengthening at the shoulder. The extra time spent on ROM and flexibility alters the organization and time spent on the various components of a treatment session.

Integration with Land Activities and Return to Functional Land Rehabilitation

Today's healthcare environment Emphasizes justification of the need for a particular intervention. This emphasis is especially true for aquatic therapy, particularly when the patient's primary functional activities are not conducted in a water environment. A definite link needs to be established early between aquatic intervention and improvement in functional activities or skills on land. The plan of care chosen by the clinician—whether that intervention is performed solely in water, solely on land, or land and water in combination—needs to relate directly to the achievement of functional land goals.

The decision to include aquatic intervention in a plan of care for a client begins at the time of initial examination when impairments or functional limitations are determined. The clinician must justify the need for aquatic intervention, which can be achieved by showing that a treatment program using specific physical and hydrodynamic properties of water is more effective and will achieve the patient's goals quicker than a similar land-based program. Documentation of the reasons for aquatic intervention, instead of or in conjunction with land intervention, is begun at the same time the clinician develops the plan and rationale for the specific regimen. The clinician should emphasize how the properties of water can be used to achieve land skills. At the time of this initial evaluation, the therapist should establish for the client the reason(s) for aquatic intervention and equally important, educate the client as to the specific of transition to land.

In treating patients with musculoskeletal dysfunction, the clinician generally chooses one of the following three options when deciding if it is appropriate to include aquatic therapy as part of the program: wet to dry transition, dry to wet transition, and wet only.[28]

Wet to dry transition is defined as a treatment intervention that begins in an aquatic environment and eventually transfers to a land-based intervention. This option is recommended for clients who are not able to tolerate axial and compressive forces on joint structures in a land-based program and for whom these forces are contraindicated because of a specific injury, illness, or surgical intervention.[28]

Dry to wet transition is indicated for clients for whom an attempt at land-based intervention exacerbates the condition.[28] Such a client is transferred to an aquatic intervention after having begun a land-based program. Gradual progression back to a land-based program is indicated once the client is able to tolerate land-based exercise protocols.

A *wet-only program* is recommended for clients who have a complete inability to tolerate a land-based treatment program or who prefer aquatic therapy. Patients with pathologies such as rheumatoid arthritis, osteoarthritis, fibromyalgia, spinal stenosis, significant degenerative disc disease, and chronic pain syndromes fit well into the wet-only option. Upon discharge from intervention services, a maintenance program of wet-only exercise is often the only option these clients have for continued, regular exercise. Third-party payers are often reticent to reimburse for such intervention, arguing that the value to the land environment is limited. Thus, whenever such intervention is considered, the therapist should attempt to work on land-based functional skills at some point during the therapy time.

A fourth option is a combined wet and dry program (discussed in more detail later in this chapter). Clients who need to function on land but because of their pathology cannot tolerate the rigors of a land-only intervention program prefer this option. Patients who are not progressing as quickly as anticipated in a land-only program benefit from a combined intervention, which allows the clinician to capitalize on the water's physical properties to enhance the therapy and to decrease the daily stresses on the client's affected structures. By alternating between land and water therapeutic interventions, the clinician combines the best of both aquatic and land environments and provides the client with several options for a continued home program after discharge.

In addition, clients who require variety and stimulation to adhere to an intervention program may benefit from the combined wet and dry option. Clients with long-term musculoskeletal or neuromusculoskeletal dysfunction who require years of intervention to increase function, maintain function, or prevent deterioration of function do well with this option. Understandably, these patients can become bored with a land-only program, and the clinician is challenged at every treatment session to keep these clients motivated so that functional goals in the school and home environments can be achieved in a timely manner. PTs treating clients with chronic dysfunctions report better results when using a combined land and water intervention.

The PT must reexamine the patient on a regular basis to justify the continued use of aquatic therapy beyond the initial treatment session(s). The use of aquatic intervention cannot be stagnant in nature, and its effectiveness in achieving desired functional land goals must be documented for each patient.

● TECHNIQUES

Aquatic therapeutic techniques that are used to address common physical impairments and functional deficits are presented in this section. Some techniques use aquatic exercise equipment to support the trunk in a vertical or horizontal position, support an extremity in an appropriate position, add resistance to increase the intensity of an exercise, or add turbulence to increase the intensity of an exercise.

Flexibility and Range of Motion

Chapter 3 presents information on ROM. Aquatic intervention is a great supplement to those techniques. Warm water, with its buoyancy property, provides an excellent medium for enhancing and improving flexibility and ROM in the spine and extremities.[29] Immersion in warm water promotes relaxation and increases tissue temperature, enhancing the extensibility of the musculotendinous and soft tissues surrounding the joint and allowing the stretch to be more efficient.

Floating in supine is a buoyancy support position for shoulder abduction used early in an exercise program designed for improving ROM. This position is especially useful when a buoyancy assist position is too difficult for the client to control. In addition, supine positions provide an effective means to perform joint mobilizations for both the glenohumeral and scapulothoracic joints. After the client has developed the motor control needed for working within safe parameters, buoyancy assist positions for increasing ROM can be added to the program. Buoyancy devices used to improve ROM are demonstrated in Figures 17-10 and 17-11.

A buoyancy assist position with or without a buoyancy device can also be used to increase the extensibility of muscles, such as the hamstrings, or for adherent nerve root stretch (Fig. 17-12).[30-33] Optimum muscle stretch on land for improving extensibility is generally thought to be 30 seconds of low-load stretching without pain for uninjured

FIGURE 17-10 ● STANDING SHOULDER ABDUCTION WITH BUOYANCY CUFF.

Purpose: To enhance effect of buoyancy for improving range of motion at shoulder joint.
Position: Client standing in shoulder-deep water with both feet planted firmly on bottom of pool. Client wearing buoyancy cuff on forearm just above wrist with upper extremity in fully adducted, elbow extended, forearm supinated position.

Procedure: Client initiates shoulder abduction while maintaining arm position and allowing buoyancy to perform or assist movement of upper extremity to 90-degree abducted position.

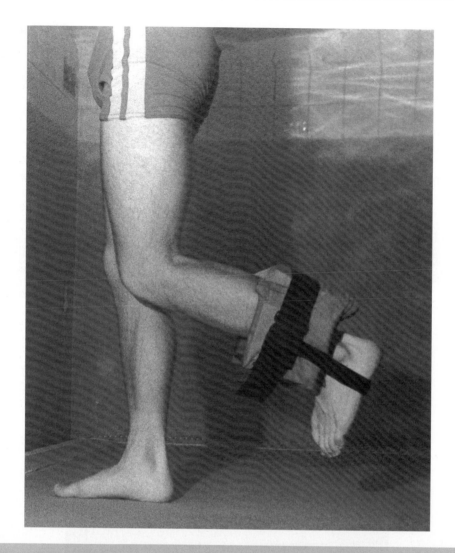

FIGURE 17-11 ● **STANDING KNEE FLEXION WITH BUOYANCY CUFF.**

Purpose: To enhance effect of buoyancy for improving range of motion at knee joint.
Position: Client standing in waist-deep water with one foot planted firmly on bottom of pool. Client wearing buoyancy cuff just above ankle on one lower extremity, which is in knee extended position.

Procedure: Client initiates knee flexion, allowing buoyancy to perform or assist movement of lower extremity to allowable end point of flexion.

musculotendinous tissue.[34] Stretches of shorter duration repeated several times may be more tolerable during the tissue-healing phase of rehabilitation.

Gait Training

An aquatic environment is ideal for reintroducing a gait pattern to patients whose gait has been compromised by pain or other restrictions or has been minimized by injury or surgery. Early weight bearing can be initiated in the supine position in the water by use of closed-kinetic–chain

weight-bearing activity (Fig. 17-13). The PTA offers unilateral weight bearing on the plantar surface of one foot. At the same time, resistance is offered to dorsiflexion of the ankle and flexion of the hip and knee on the contralateral extremity at the dorsum of the foot, mimicking the beginning of the swing phase against gravity on land.

The client can be progressed to vertical gait activities initiated with deep-water walking (a reduced weight-bearing state). If appropriate, the client can be advanced to walking in shoulder-deep water and then to shallower water to increase the weight bearing.

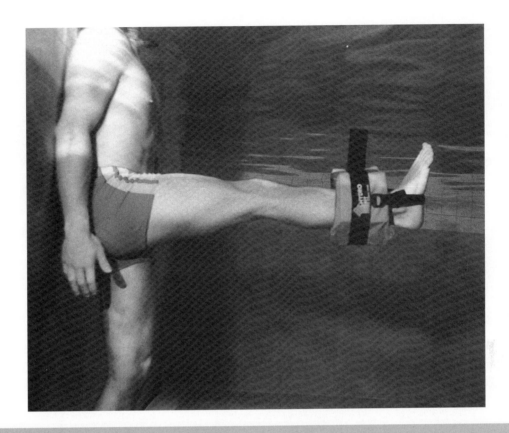

FIGURE 17-12 ● **ADHERENT NERVE ROOT OR HAMSTRING STRETCH WITH BUOYANCY CUFF.**

Purpose: To passively mobilize and stretch adherent nerve root or stretch hamstring muscle.
Position: Client standing in waist- to chest-deep water with back against side of pool and one foot planted firmly on bottom of pool. Client wearing buoyancy cuff just

above ankle on one lower extremity, which is in 90-degree hip flexed position.
Procedure: Client allows buoyancy cuff to extend knee to limits of toleration (without causing significant discomfort).

Water viscosity and cohesion offer several benefits to gait training. They add resistance to, and thus help strengthen, the muscles used during gait activities. Viscosity and cohesion also have a tendency to slow cadence, which allows the clinician to carefully examine the client's gait, assess for deviations, and offer corrections via manual or verbal cuing. Furthermore, along with hydrostatic pressure, viscosity and cohesion make water much more forgiving than land for clients who have difficulty with balance. Recovery from a fall is much easier in water than on land for both the client and the clinician.

Gait training can be performed on stairs in a water environment by using an aquatic step bench (Fig. 17-14) or the pool's steps. The step bench can be placed in different depths of water, depending on the weight bearing desired by the clinician. Aquatic step benches and removable (portable) stairs are available in a variety of heights. The patient may use a kickboard or water noodle for

balance and support during early gait training; as the patient gains control, the flotation device can be removed (Fig. 17-15).

The therapist must recognize that, although a client can derive significant benefits from water walking, the actual neuromuscular sequencing is drastically different when compared with land ambulation. For example, during land ambulation, the hamstrings contract eccentrically during the swing phase to decelerate the advancement of the lower extremity; in water, concentric activation of the hip flexors occurs to advance the lower extremity forward. The implication of these discrepancies is often used by third-party payers to deny payment for gait training in the water.

Strengthening

Chapters 6 to 9 discuss enhancing muscle strength. Strengthening can also be part of an aquatic program.

FIGURE 17-13 ● PRE-GAIT ACTIVITY IN SUPINE WITH TACTILE INPUT.

Purpose: To introduce early weight bearing and sequencing of gait pattern.
Position: Client floating in supine supported with flotation devices about the cervical spine and pelvis. Wrists may be supported with flotation devices, if necessary. Clinician facing client's feet.

Procedure: Clinician places hands on dorsum of client's feet while client flexes slightly at one knee and hip and simultaneously dorsiflexes foot of same extremity. Clinician allows client to actively flex hip and knee to about 20 degrees and dorsiflex ankle as far as tolerated. Client isometrically holds position for 5 to 10 seconds and repeats as tolerated.

FIGURE 17-14 ● STEP BENCH WITH FORWARD STEP-UP.

Purpose: To initiate gait training for stair climbing.
Position: Client standing in waist-high or deeper water in front of step bench.
Procedure: Client initiates step-up motion, leading with limb requested by clinician. Once both lower extremities are on bench, client steps off bench.
Note: Clinician determines the leading limb and whether client steps backward or forward.

FIGURE 17-15 ● FORWARD AMBULATION WITH WATER NOODLE.

Purpose: To initiate gait training with some assistance for balance.

Position: Client standing in slightly above waist- to chest-deep water, holding on to water noodle with both hands. Noodle is placed in front of client **(A)** or is wrapped under client's arms **(B)**.

Procedure: Client walks forward while holding on to water noodle.

Note: As balance improves, client can hold on to noodle more loosely.

Progression of strength exercises can be done safely by exploring the physical and hydrodynamic properties of water. These properties, in conjunction with the physiologic properties of muscle fibers, allow the clinician to address muscle strengthening as well as local muscle endurance. Methods for increasing the intensity of aquatic exercises are presented in Table 17-6.

Emphasis on muscle strength or endurance can be achieved by manipulating the number of repetitions of an exercise, the work:rest ratio in a given cycle, and the total duration of a particular exercise. Both closed- and open-chain exercises for the extremities can be performed in an aquatic environment. Some examples of extremity-strengthening exercises are given in Figures 17-16 to 17-18. Trunk and multiple joint strengthening techniques are discussed in the next section. One of the primary advantages to strength acquisition in the water is the ease of triplanar motion training. Since most functional activities are multidirectional, as are sports-specific movements, the water provides a means to strengthen in function-actuated positions.

TABLE 17-6 Methods for Increasing the Difficulty of Aquatic Strengthening Activities

Move from buoyancy assist to buoyancy support to buoyancy resist.

Increase speed of movement.

Decrease length of lever arm for active movements with buoyancy assist.

Increase length of lever arm with buoyancy resist.

Add a buoyancy device to the end of the extremity for buoyancy resist activities.

Increase size and irregularity of buoyancy device used for resistive activities.

Increase size and irregularity of resistive device.

Add turbulence to the direction of movement.

Increase the number of repetitions of an exercise.

Increase in overall time for performance of an exercise.

Decrease rest time between exercises.

FIGURE 17-16 ● KNEE FLEXION AND EXTENSION STRENGTHENING WITH BUOYANCY DEVICE.

Purpose: To increase strength in quadriceps and hamstring muscle groups.

Position: Client standing in waist-deep water with one foot planted firmly on bottom of pool. Client wearing buoyancy device near ankle on one lower extremity with hip in neutral position and knee fully extended. Client holding on to side of the pool for balance and support, as needed.

Procedure: Client actively flexes and extends at the knee joint while maintaining hip and spine in neutral and upright position.

Note: There should be no flexion or extension at hip or trunk.

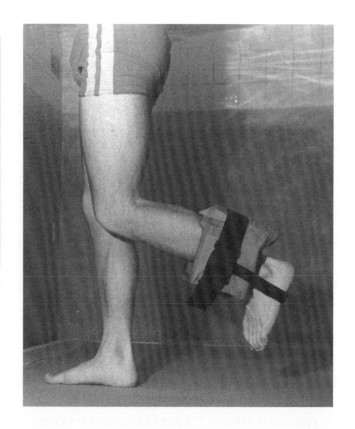

FIGURE 17-17 ● SHOULDER FLEXION AND EXTENSION STRENGTHENING WITH AQUA GLOVE.

Purpose: To increase strength in shoulder flexors and extensors.

Position: Client standing in shoulder-deep water with arms at sides, elbows extended, forearms in full pronation, and fingers abducted. Client wearing aqua gloves.

Procedure: Client simultaneously, or alternately, moves upper extremities to 90-degree shoulder flexion, back through neutral, to full shoulder extension while maintaining arm position.

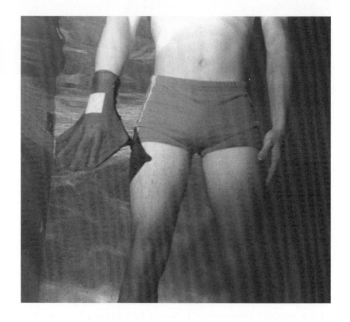

FIGURE 17-18 ● CLOSED-CHAINED UPPER-EXTREMITY PUSH-PULL.

Purpose: To strengthen muscle groups in closed-chain format.
Position: Client floating supine with shoulders fully flexed overhead and elbows maintained in almost full extension.
Procedure: With hands pressed flat on side of pool or grasping railing or handles, client pushes upper extremities into pool side or railings.

Note: If handles or railings are available, client may alternate between pushing body away from and pulling it back into side of pool.

Core and Trunk Strengthening

Chapter 15 provides background on spinal stabilization. Several clinicians have modified those concepts for use in an aquatic environment.[28,32,35-37] A spinal stabilization rehabilitation program incorporates the client's pain-free position of the neutral spine.[38] Neutral spine is defined as being approximately at the mid-range between the extremes of lumbopelvic spinal flexion and extension and is the position in which the patient is most comfortable.[36]

Patients with spinal dysfunction commonly use movement patterns that take the spine out of the neutral position, especially when the extremities and spine are moved simultaneously. Patients seem to use these inappropriate patterns to compensate for pain that occurs during functional movement on land.[36] Unfortunately, these poor compensatory patterns can become habitual, perpetuating the pain and spinal dysfunction. Thus, the primary goals of spinal stabilization exercises are to facilitate and teach efficient and effective movement patterns from a sound neutral spine.[38]

The aquatic environment is an ideal medium for spinal stabilization exercises. Training the client to achieve total spinal alignment, proper posture, and neutral positioning should be the initial goal of an aquatic spinal stabilization program.[35] Once spinal alignment and proper postural awareness are obtained, the clinician uses the aquatic environment to help the client gain dynamic control over spinal movement. This control allows the client to develop better synergistic functional movement patterns and increase ROM, flexibility, and strength.

The aquatic environment eliminates the potentially harmful and painful compressive and shear forces that gravity places on spinal structures such as the discs and facet joints.[28,35,36] Any movement of the body in the water forces the client to stabilize at the spine and trunk to overcome the forces of the water. An aquatic-based spinal stabilization program can benefit patients with discogenic pain, nerve root impingement or irritation, postural syndrome, facet joint syndrome, chronic pain, and sacroiliac or iliosacral dysfunction. A water-based program is also recommended for patients recovering from surgical procedures such as laminectomy, discectomy, and spinal fusion.

Although the aquatic environment can assist with postural awareness and training, due to viscosity several adaptations can occur that must be noted. First, less activation of the trunk musculature occurs in standing as the thickness of the water effectively splints the upright body, thereby, decreasing the activation of the trunk to maintain the position. Secondly, because the water does effectively support the body, when the water is chest-deep, it is easy to flex forward—"hang"—without pain or awareness of aberrant posture. Lastly, water walking is oftentimes used as a treatment exercise, but again, depending on the speed of this exercise, the client may be forced to walk with the trunk flexed to be able to overcome inertia. Thus, trunk stabilization requires diligence on the part of the therapist in both cueing posture and planning effective treatment progressions. When a client is unable to maintain an upright position in the water, one can effectively tape into trunk neutral, thus restricting deviations.

Stabilization exercises can be performed in deep or shallow water for the cervical, thoracic, and lumbar levels of the spine. The advantage of doing these exercises in deep water, particularly for patients with lumbar spine dysfunction, is to decrease the compressive forces on bony and soft-tissue structures by suspending the client in the water with a flotation device about the trunk. The disadvantage of using deep water in the initial stages of a spinal stabilization program is the lack of position sense provided by weight bearing through the lower extremities or contact of the spine and posterior trunk against a surface, such as the pool wall. For most clients, deep-water spinal stabilization techniques are more difficult because the client must rely almost completely on coordinated contractions of the muscles of the pelvis and trunk to allow pain-free movement.[36] Suffice it to say that if a client has difficulty finding and maintaining neutral spine positions on land, they will most probably NOT be able to find and maintain neutral spine positions in deep water without significant trunk strengthening and neuromuscular reprogramming.

In contrast, for clients who are weight-bearing sensitive on land, deep water may be more comfortable and is a good choice for initial spinal stabilization activities. Strengthening the scapular stabilizers is the primary emphasis of a stabilization program for cervical and thoracic pathologies and for shoulder dysfunctions such as rotator cuff tendonitis. All exercises are performed within the client's pain-free ROM in a slowed and controlled manner.[36]

Progression is achieved in a spinal stabilization program by moving the client from small-excursion movement at one joint to large-excursion dynamic movements at multiple joints while maintaining a safe, balanced, and neutral spine position. Dynamic control of these movements is achieved through stabilization of the pelvis and lumbar spine through the cocontraction of agonist and antagonist trunk muscles (e.g., abdominals, gluteus maximus, diaphram, pelvic floor, and latissimus dorsi) in a synergistic pattern that enhances maintenance of the neutral spine position. Examples of spinal stabilization exercises for patients with lumbopelvic dysfunction are given in Figures 17-19 to 17-21. Examples of deep-water spinal stabilization exercises and their normal progression are given in Table 17-7. An example of a scapular and spinal stabilization exercise for cervical, thoracic, and shoulder dysfunctions is given in Figure 17-22.

Balance, Proprioception, and Coordination

Balance, proprioception, and coordination activities can be initiated in the water for the trunk and extremities. For the purposes of this chapter, balance is defined as the ability to maintain the center of gravity over the base of support, as in standing balance.[39] Proprioception is defined as the awareness of posture, movement, and changes in equilibrium and the knowledge of position, weight, and resistance of objects in relation to the body.[39] Coordination can be defined as the ability of different components of the neuromusculoskeletal system to work together to produce smooth, controlled, and accurate movements.[39] Coordination deficits occur when muscles fail to fire in sequence or when the central nervous system is unable to direct movement activities accurately. These three components are part of the entire motor control concept.

Several of the exercises used to improve balance and proprioception challenge these systems and serve as dynamic stabilization activities. Proximal stability is required of the trunk and proximal joints of the extremities to successfully and safely perform these activities, thus challenging the entire neuromusculoskeletal system.

A desired intensity of a balance, proprioceptive, and coordination activity can be achieved in several ways. One way is for the client to simply perform the skill at a faster

FIGURE 17-19 ● MINI-SQUATS WITH BACK TO SIDE OF POOL.

Purpose: To experience and practice neutral spine position while superimposing functional squatting.
Position: Client standing in chest-deep water with back against side of pool and feet about shoulder width apart; hips and knees flexed to 20 to 30 degrees and hands on hips.
Procedure: Client finds and holds neutral spine position. Client then performs isometric cocontraction of abdominal and gluteal muscles while maintaining neutral position and performing mini-squats to 50 to 70 degrees of hip and knee flexion, as tolerated.

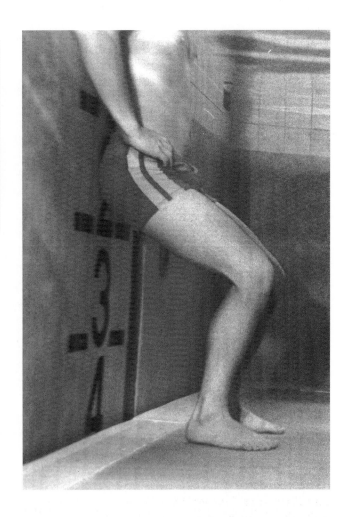

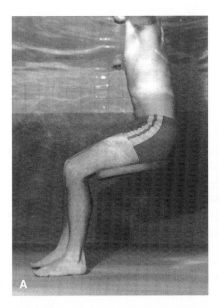

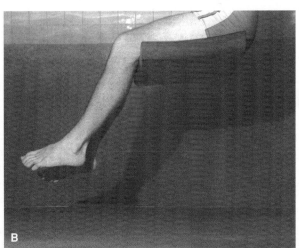

FIGURE 17-20 ● BREASTSTROKE WITH WONDER BOARD.

Purpose: To practice maintenance of neutral spine position in sitting position while moving upper extremities.
Position: Client sitting on wonder board in approximately 4 feet of water with spine in neutral position and upper extremities floating in front **(A)**.

Procedure: Client maintains neutral position while performing isometric cocontractions of abdominal and gluteal muscles. Then client superimposes breaststroke movements of upper extremity **(B)**.

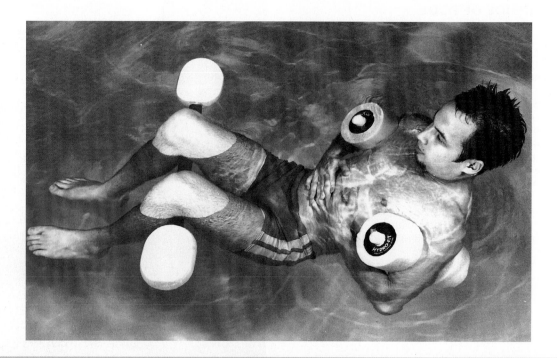

FIGURE 17-21 ● **ABDOMINAL STRENGTHENING IN NEUTRAL LUMBAR SPINE POSITION.**

Purpose: To increase abdominal strength while protecting spine in neutral position.
Position: Client floating supine in 3 to 4 feet of water supported by flotation devices under knees and on upper extremities. Cervical spine may be supported with flotation device, if necessary. Client floating with knees flexed over barbell and hips in neutral or slightly flexed position.
Position: Client tucks chin and flexes slightly at hip, performing abdominal crunch while maintaining neutral spine position.

TABLE 17-7   Deep-water Spinal Stabilization Exercises[a]

Single knee to chest

Bilateral knee to chest

Side sit-ups

Hip abduction–adduction

Lower-extremity bicycling propulsion

Lower-extremity walking or reciprocal arm swing while sitting on barbell or kickboard

Squats while standing on barbell

Squats with quarter and half turns

Upper-extremity breaststroke forward and backward while standing on barbell

Forward steppage gait with lower-extremity crossing midline

[a]All activities are performed while maintaining a neutral spine via cocontraction of abdominals and gluteal muscles.

yet safe speed. Decreasing the level of support provided by the PTA, piece of equipment, or side of pool also progresses the intensity of the exercise. Increased difficulty can also be achieved by adding turbulence, which is accomplished by increasing the speed of the water movement, if possible.

Some exercises used in the water for balance, proprioception, and coordination are listed in Table 16-8 and shown in Figures 17-23 and 17-24. Furthermore, several more advanced plyometric activities (discussed next) can be used as well.

Plyometrics

The concept of plyometrics has its roots in Europe, where it was first known as "jump training."[40] The term was coined in 1975 by Fred Wilt, an American track and field coach; following its Latin derivation, it can be interpreted to mean "measurable increases." Plyometrics are most commonly used by athletes to incorporate sports-specific jumping,

FIGURE 17-22 ● **SIMULTANEOUS ALTERNATING PUSH-DOWNS WITH BUOYANT DUMBBELLS.**

Purpose: To provide strengthening for scapular and posterior shoulder muscles for proximal stabilization in cervical and thoracic areas.
Position: Client standing in shoulder-deep water with shoulders and forearms in neutral position and elbows slightly flexed while holding buoyant dumbbell in each hand. Client holding spine in neutral position with cocontraction of abdominal and gluteal muscles.
Procedure: Client pushes one dumbbell down toward pool floor and allows contralateral dumbbell to float toward water surface by extending shoulder and flexing elbow in controlled manner.
Note: Dumbbell remains submerged below water surface when client achieves full shoulder extension and elbow flexion.

TABLE 17-8 **Balance, Proprioceptive, and Coordination Activities in an Aquatic Environment**

BALANCE

Stork-standing on injured and uninjured limbs while arms create turbulence (e.g., by breast-stroking).

Stork-standing while performing a variety of levels of squats with arms held in a variety of positions (e.g., mini-squats with both arms over head).

Sitting on kickboard while clinician creates turbulence.

Single- or double-leg squatting while standing on buoyant dumbbell.

PROPRIOCEPTION

Stork-standing on injured and uninjured limbs while moving contralateral lower extremity into different positions of hip flexion, abduction, extension, and external rotation, with and without the knee flexed.

Deep-water running for three to five strides followed by a pirouette; repeat.

COORDINATION

Braiding gait sideways in different depths of water with and without arm movement.

Backward and forward heel–toe walking holding on to side of pool and progressing to middle of pool.

Sidestepping while crossing arms in front and back of trunk.

Stork-standing while performing squats and asymmetric arm movement patterns.

Sitting on buoyant barbell while performing the vertical breaststroke.

Rocking horse while crossing arms in front and back of trunk.

FIGURE 17-23 ● BRAIDING SIDEWAYS WALKING.

Purpose: To improve dynamic balance, coordination, and proprioception.
Position: Client standing in waist- to neck-deep water.
Procedure: Client steps out sideways with leading leg and then steps with trailing leg, placing it alternately in front and behind leading leg with each step.

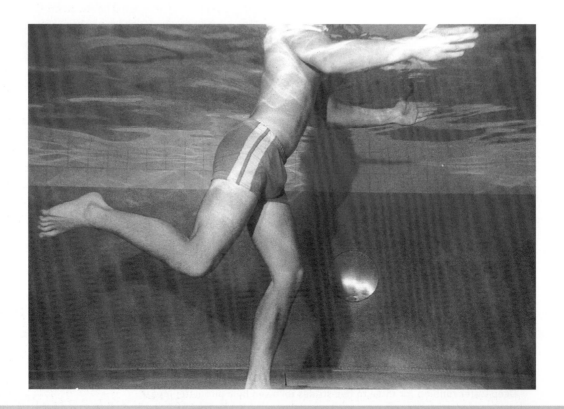

FIGURE 17-24 ● ROCKING HORSE.

Purpose: To challenge and enhance balance, coordination, and proprioception.
Position: Client standing in waist- to shoulder-deep water with arms resting at side and forearms in neutral position.
Procedure: Client leaps forward, shifting all weight to leading leg with hip and knee flexed while crossing one arm over the other in horizontal adduction across front midline; then client kicks trailing leg behind, with hip extended, knee flexed, and ankle plantarflexed. Next client steps back onto trailing leg (keeping hip extended, knee flexed, and ankle plantarflexed) and takes weight fully off leading leg (keeping hip and knee flexed) while crossing one arm over the other beyond the back midline. Client repeats movement.
Note: Trailing and leading legs and arm crossed on top can be switched or alternated.

hopping, bounding, and leaping skills in the rehabilitation process. Plyometric exercises enable a muscle to reach maximum strength in as short a time as possible.[40]

Plyometric exercise requires activities in which eccentric muscle contractions are rapidly followed by a movement completed by concentric contractions. It is postulated that eccentric–concentric muscle contraction not only stimulates the proprioceptors sensitive to rapid stretch but also loads the serial elastic components with a tension force from which the individual can rebound.[40]

Plyometric activities can be progressed from low to high intensity within six categories: jumping in place, standing jumps, multiples hops and jumps, bounding, box drills, and depth jumps.[40] The aquatic environment is an ideal medium for beginning plyometric training before progressing the client to training on land. Furthermore, aquatic plyometrics can be done with specificity to the requirements of sport, work, or leisure activity. Plyometric training in the water can be performed with equipment, such as aquatic step benches, elevated platforms, and balls of different sizes and weights (Figs. 17-25 and 17-26).

Multiple studies substantiate the benefits of plyometric training in water compared with land-based training. Substantial difference exists between the two training techniques with respect to residual pain and risk of injury. Using water plyometrics, minimal residual pain occurs during post training session, and the potential for injury is significantly reduced.[41–43]

Cardiovascular and Endurance Training

Intervention for musculoskeletal disorders usually emphasizes regaining strength, ROM, and functional capabilities. Unfortunately, cardiovascular rehabilitation to improve the client's endurance level is seldom mentioned. Yet most clients whose physical activity level has been significantly reduced during the time of injury recovery have suffered a decline in overall cardiovascular performance. Studies have confirmed that a significant decline in cardiovascular function occurs during a period of decreased physical activity.[44,45] Thus, it is important to include some form of cardiovascular endurance training to ensure full recovery of the client with a musculoskeletal dysfunction.

Chapter 13 presents a detailed description of land-based cardiovascular programs. Cardiovascular training can also be performed in an aquatic environment. Deep- or shallow-water running, walking, and cross-country skiing are excellent choices.

Before including a cardiovascular endurance component in a treatment program, the clinician must be familiar with the client's cardiovascular and cardiopulmonary history and current medications. Some prescribed medications alter the heart rate response to a given intensity level of exercise. PTAs must also understand the cardiovascular response to immersion and exercise in the aquatic environment, as discussed earlier.

Deep-water running gained popularity as a form of cardiovascular training in the 1980s when gold medal marathoner Joan Benoit Samuelson began running in a pool during recovery from a sport-related injury. Several studies investigated the effect of cardiovascular vertical training in deep- and shallow-water running and underwater cycling. These studies showed improvement in cardiovascular function comparable to a land-based regimen of similar intensity. The studies noted that aquatic training prevented the decline in cardiovascular fitness level normally seen during an episode of decreased physical capabilities.[14,46-49] Research has also shown the importance of instruction in, and maintenance of, proper deep-water

FIGURE 17-25 ● **DIRECTIONAL PLYOMETRIC JUMPING.**

Purpose: To improve power jumping skills.
Position: Client standing in waist- to shoulder-deep water with hips and knees slightly flexed.
Procedure: Client jumps forward, backward, right, and left (north, south, east, and west).
Note: Clinician can determine direction pattern beforehand or randomly select and cue direction as client jumps.

FIGURE 17-26 ● LATERAL BOX JUMPS.

Purpose: To improve lateral power jumping skills.
Position: Client standing in mid–trunk- to shoulder-deep water, with hips and knees slightly flexed, beside aquatic step bench.
Procedure: Client jumps up and to side, placing both feet simultaneously onto step bench, and then jumps off to side, placing both feet simultaneously on pool floor.
Note: Client performs exercise from both sides of bench.

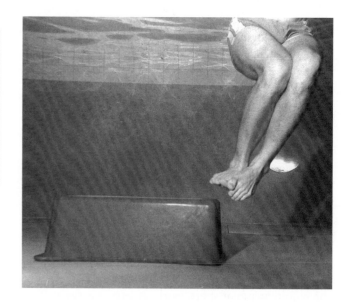

running form for optimal outcome in cardiovascular fitness training.[11,50,51]

Deep-water running is described as simulated running in the deep end of a swimming pool, avoiding contact with the bottom of the pool. Buoyancy in the water eliminates the impact with the ground experienced when running on land.[52,53] Proper form and body position are important and are described in Table 17-9. Patients may run in place by using a tether strap or may chose to run over a given distance in the pool. It is recommended the patient wear a commercially available flotation device or vest to assist in maintaining proper form (Fig. 17-27). The motions of cross-country skiing can also be used for cardiovascular training (Table 17-10). The intensity of the cardiovascular endurance program can be increased by adding equipment (e.g., aqua gloves or fins) to increase the resistance to movement in the water by increasing the surface area of the body part.

Monitoring the intensity of an aerobic endurance exercise in the water is performed in one of three ways: target heart rate, RPE, and cadence. Target heart rate should fall in the range of 60% to 90% of maximal heart rate using the following formula:

$$\text{Maximal heart rate} = 220 - \text{age (years)} - 15 \text{ bpm}$$

For the deconditioned client, it may be best to use a target heart rate in the 40% to 60% range. For more detailed information on monitoring aerobic activities, see Chapter 11.

The Brennan scale is useful when using RPE to determine intensity of exercise in the water (Table 17-11).[52,53] The Brennan scale, an adaptation of the Borg RPE scale, is a five-point scale with increments of 0.5 that uses verbal descriptors ranging from very light to very hard.

TABLE 17-9 Deep-water Running Form
Water line at shoulder level
Head looking straight forward
Trunk slightly forward of vertical
Spine in neutral position
Upper-extremity motion identical to that used on land
Primary arm motions from shoulder
Shoulder flexion brings hands to just below water line 8 to 12 inches from chest
Extension brings hands just below hips
Hands slightly clinched with thumbs on top
Elbows primarily flexed but undergo a slight degree of extension and flexion
Lower-extremity motion requires attention to detail
Maximum hip flexion of 60 to 80 degrees
As hip flexes, knee extends
When maximum hip flexion is reached, leg should be perpendicular to the horizontal
Hip and knee extend together
Knee reaches full extension when hip is in neutral
As hip extends beyond neutral, knee begins to flex
Ankle in dorsiflexion when hip is in neutral
Ankle in plantarflexion when hip is extended beyond neutral
Dorsiflexion reassumed when hip is flexed and leg extends
Inversion and eversion accompany dorsiflexion and plantarflexion, as seen on land

FIGURE 17-27 ● DEEP-WATER RUNNING WITH FLOTATION DEVICE.

Purpose: To improve or maintain cardiovascular endurance.
Position: Client standing suspended in deep water by flotation device.
Procedure: Client runs in place for designated period of time at designated pace.
Note: Client may wear flotation device around waist or may wear wet vest. Client must be taught proper water-running technique.

Descriptors of on-land running activities for each point on the scale are included, which makes it easy for athletes and coaches to correlate aquatic activity to an established land-based training session.[52,53]

Cadence is the third means of establishing exercise intensity for cardiovascular training in the water. Cadence is defined as the number of times the right leg moves through a complete gait cycle each minute.[52,54] Wilder et al.[54] found a significant correlation (0.98) between cadence and heart rate during graded exercise testing in the pool. Cadence, early on considered a guide for exercise intensity testing, has found a niche with the elite running community as a means to improve running efficiency. Table 17-11 provides cadence rates appropriate for clinicians or coaches setting up interval-type training sessions for distance runners and sprinters.[53] Deep-water running interval training can closely mimic a land-based interval training session. This form of interval training has become popular not only with athletes who are recovering from injury but also with athletes who are including water running as a regular component of a cross-training program.

Cross-training and Maintenance Programs

Many clinicians who develop rehabilitation programs for their clients incorporate a cross-training regimen when integrating water-based with land-based exercise. Some

TABLE 17-10   Cross-country Skiing Form

Use flotation belt or vest

Maintain vertical position

Reciprocal flexion and extension of upper and lower extremities

Very light flexion is maintained in bilateral elbows and knees

Movement occurs primarily at hips and shoulders through a tolerated range of motion

May add aqua gloves or paddles to upper extremities to increase resistance

May add fins to lower extremities to increase resistance

TABLE 17-11 Brennan RPE Scale Correlated to Cadences and Land Equivalents for Distance Runners and Sprinters

BRENNAN SCORE	DISTANCE RUNNERS		SPRINTERS	
	CADENCE	LAND EQUIVALENT	CADENCE	LAND EQUIVALENT
1.0 very light	<60	Brisk walk	<74	>800 m
1.5	60–64		75–59	
2.0 light	60–64	Easy jog	80–84	600–800 m
2.5	65–69		85–90	
3.0 somewhat hard	70–74	Brisk run	90–94	400–600 m
3.5	75–80		95–99	
4.0 hard	80–84	5-K or 10-K race	130–134	200–400 m
4.5	85–90		135–139	
5.0 very hard	>90	Short track intervals	>113	50–200 m

RPE, rating of perceived exertion.

facilities are beginning to incorporate both land- and water-based exercises into work conditioning and functional restoration programs designed for injured workers. This combination maximizes the benefits of both environments, adds fun, and prevents boredom.[55]

Once a client returns to maximum improvement and is ready for discharge from services, there is no reason why the clinician cannot recommend continued individual participation in aquatic exercise in conjunction with land exercise. The clinician should recommend continuation of water exercise if the physical properties of water can be used to the benefit of the client. For clients who cannot tolerate land-based exercise (e.g., those with rheumatoid arthritis and osteoarthritis), water exercise may be the sole means of a maintenance program. For other clients, water can serve as a viable medium for cross-training. A training program of aerobic exercise such as running, walking, or cross-country skiing can be performed on both land and in water on alternating days. Even for the highly trained athlete, little to no loss in performance has been observed when water running is substituted for or performed in conjunction with land running.[11,46–48] Land and water aerobic programs can be alternated quite easily for most clients.

Strength training can be alternated between a land program (using free weights, elastic bands, circuit training, or exercise machines) and a comparable water program (using assistive and resistive buoyancy and unstreamlined equipment). Trunk stabilization exercises can continue in the water environment. Facilities around the country are beginning to offer nontherapeutic aquatic exercise classes for prevention of spine pain and for continued progress of clients who have been discharged from therapeutic services.

For many clients, aquatic exercise serves as a welcome change of pace, improving overall well-being and creating a positive attitude to exercise. Anecdotal reports indicate improved long-term adherence to exercise when a cross-training regimen that includes both land and water is incorporated. The aquatic environment may also help prevent or alleviate the exacerbation of symptoms, allowing the former patient to stay pain free and functional for leisure and work activities on a long-term basis.

Functional Training

Incorporation of functional training into an aquatic rehabilitation program is vital to transition a client to the land environment in which function will be performed on a regular basis. Functional activities performed in the water serve as initial training for carryover to safe performance on land. The type of functional training incorporated depends on the tasks and skills required by and goals of the client. Some activities used in an aquatic program are as simple as transfer skills from vertical (standing) to sitting and vice versa. Bed mobility training can be achieved by teaching transitions from supine, through side-lying to prone and back to supine on the long-body axis in a horizontal position on the surface of the water.

More complex, multitask, sport-specific, or functional work activities can also be initiated in the water. An example of functional skill training is lifting plastic crates with different numbers of holes in them to alter resistance (Fig. 17-28). Sport-specific skills include mimicking a tennis swing while holding a water paddle (Fig. 17-29).

FIGURE 17-28 ● LIFTING PLASTIC CRATES.

Purpose: To practice functional lifting technique.
Position: Client standing in waist-deep water in diagonal squat-lifting position (one foot slightly in front, wide base of support, and neutral spine) while holding plastic crate close to body between thighs, with elbows flexed at 20 to 30 degrees.
Procedure: While maintaining neutral spine by cocontracting abdominal and gluteal muscles, client squat-lifts to 50 to 70 degrees of hip and knee flexion, keeping elbows slightly flexed.

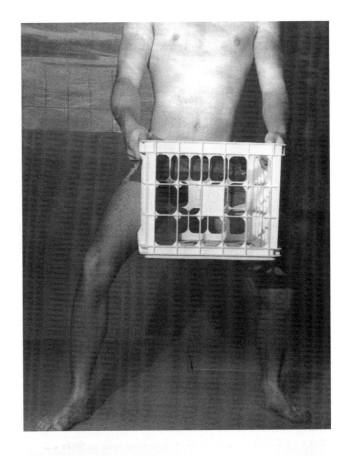

FIGURE 17-29 ● TENNIS SWING WITH PADDLE.

Purpose: To practice a sport-specific technique.
Position: Client standing in mid–trunk-deep water in forehand tennis stroke position while holding on to a water paddle **(A)** or table tennis paddle **(B)**.

Procedure: Client repetitively swings paddle through water, mimicking forehand tennis stroke with appropriate technique.

Case Study 1

PATIENT INFORMATION

A 19-year-old defensive back football player presented to the clinic with a long-term history of low back pain (LBP) of insidious onset and aggravated by any sports participation. The current bout of LBP began 2 months earlier, when the patient was dead lifting as part of his weight-training program. At the time of the lifting incident, the athlete stated his trunk was stuck in a forward-flexed position. A magnetic resonance imaging study, ordered by an orthopedic surgeon within days of the onset of pain, revealed a two-level disk herniation at the L4-L5 and L5-S1 interspaces. Radiographs revealed moderately degenerative joint disease for the patient's age throughout the lumbar spine. The physician recommended "red shirting" the athlete for his freshman year and referred him to the clinic to prepare him for college football training and conditioning for the following spring's off-season training.

The patient's chief complaint was pain (7 out of 10) in the low back from the level of L1 to S1 centrally and bilaterally into the erector spinae musculature with radiation of pain into the right buttock and posterior thigh. The patient also reported pain in the lumbar spine and right buttock after sitting for a prolonged period of time during classes and while traveling in a car; he was unable to perform household chores such as vacuuming and sweeping and felt pain with lower-extremity weight training, jogging on land, and recreational sports activities such as basketball.

The initial examination by the PT revealed an altered standing posture with a forward head position and decreased lumbar lordosis on the sagittal view. Active ROM of the lumbar spine revealed decreased lumbar flexion secondary to pain in the spine and right buttock. Repeated lumbar flexion active ROM increased lumbar pain and peripheralized the radiation of pain into the right posterior thigh and calf. Myotome assessment revealed bilateral weakness and pain in the lumbar spine with resistive hip flexion, knee extension, and ankle dorsiflexion (right side more than left). Passive posterior–anterior segmental mobility testing of the lumbar spine revealed hypomobility but no pain from levels T12 through L3 with hypermobility and pain noted at levels L4 and L5. Manual muscle testing revealed weakness in the rectus abdominis and bilateral tightness in the hip flexors and hamstring musculature (right greater than left). All other examination procedures were within normal limits.

On the basis of the mechanism of injury, the examination findings, and the results of the diagnostic testing, the patient was diagnosed with lumbar disc disease at the L4-L5 and L5-S1 levels with associated radiculopathy into the right lower extremity.

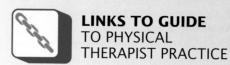

LINKS TO GUIDE
TO PHYSICAL
THERAPIST PRACTICE

Musculoskeletal pattern 4F of the *Guide*[47] relates to the diagnosis of this patient. This pattern is described as "impaired joint mobility, motor function, muscle performance, range of motion, or reflex integrity secondary to spinal disorders." Included in the diagnostic group of this pattern is intervertebral disc disorder and the anticipated goal is "ability to perform physical tasks related to self-care, home management, community and work (job/school/play) integration or reintegration, and leisure activities using aquatic exercises."

INTERVENTION

The goals of intervention were as follows:

- Decrease pain by at least three levels on a visual analog scale at rest and with light activities of daily living (e.g., sweeping and vacuuming).
- Maintain a neutral spine position via better core strength of abdominal and gluteals during sitting and housecleaning activities.
- Adhere to recommended energy conservation techniques and posture and body mechanics during functional activities.
- Increase strength in the trunk and lower extremities.
- Eliminate pain during lower-extremity resistive testing.
- Obtain full pain-free repeated trunk flexion ROM.
- Return to safe and pain-free participation in off-season football training, including weight training, cardiovascular conditioning, and agility drills of running and cutting.

Football contact practice was delayed until the following fall training session. Treatment was initiated by the PTA after the PT completed the plan of care. The PT performed central posterior to anterior glides from T12 to L3, progressing from grades I to IV as tolerated to increase segmental mobility. The PT requested that the PTA assist with therapeutic exercises including spinal stabilization and education. Treatment performed by the PTA consisted of the following:

1. Prone on elbow positioning and prone press-ups, emphasizing extension at the upper lumbar levels by stabilizing the lower lumbar levels with a mobilization belt (Fig. 3-31).
2. Instruction in proper posture, body mechanics, and energy conservation techniques for prolonged sitting, light housecleaning, and proper lifting.
3. No lifting during activities of daily living.
4. Use of a lumbar support cushion for sitting in class and driving, and instruction on the need for frequent, short standing breaks with active trunk extension.
5. Early spinal stabilization techniques, emphasizing abdominal and gluteal sets in supine and sitting and maintenance of the neutral spine position during activities of daily living.
6. Bridging activities superimposed on a neutral spine (Fig. 15-9).
7. Gym ball activities to address spinal stabilization and core strengthening (Figs. 15-29 to 15-31).
8. Use of ice after exercise and for pain control, as needed.

PROGRESSION

Four Weeks After Initial Examination

Toward the end of the first month, the patient's pain and weakness symptoms began to subside. The PTA documented that the athlete was unable to tolerate progression to more aggressive standing, strengthening, and weight-bearing activities (e.g., jogging) because of increased symptoms. The PTA recommended to the PT that a 2-week program of aquatic therapy be initiated. The PT agreed, and the following aquatic activities were developed collaboratively by the PT and the PTA:

1. Deep-water suspended vertical hanging with a flotation device under each axilla and 2.5-pound weights on each ankle.
2. Deep-water vertical suspended exercises with a flotation device under each axilla with the spine held in neutral with cocontraction of abdominals and gluteals, unilateral and bilateral knee to chest hip ROM exercises and hip abduction and adduction with knees extended.
3. Deep-water walking forward and backward.
4. Deep-water jogging or running forward and backward (Fig. 17-27).
5. Side-lying running forward and backward.
6. Shallow-water (shoulder to chest deep) exercises with the spine held in neutral position by cocontraction of abdominals and gluteals: walking forward and

backward, side-stepping while wearing aqua gloves, and hamstring stretching with back against the wall (Fig. 17-12).

All of these exercises were performed under PTA supervision two times per week in the minimal pain range for the spine and lower extremities. The PTA reported to the PT after a week no increase in peripheral symptoms occurred. The PTA instructed the patient in an independent home exercise program to be performed one to two times per week.

Six Weeks After Initial Examination

After 2 weeks of aquatic intervention the PTA reported that the patient had an increase in length of time spent in sitting without pain, an increased ability to perform abdominal and gluteal cocontraction, no pain when standing in active forward flexion, and no complaints of pain into the right buttock.

Aquatic intervention was thus continued per communication with the PT for 4 weeks more. The program progressed the duration, repetitions, and speed of movement in the water, placing greater emphasis on abdominal and gluteal control in the neutral spine position and increasing the excursion of movement of the trunk and lower extremities. The patient was decreased to being seen once a week by the PTA per the plan of care, and the independent exercise program was continued an additional one or two times per week. The following exercises were added to the aquatic program:

1. Deep-water suspended vertical exercises: side sit-ups, squats (Fig. 17-19), upper-extremity breaststroke forward and backward while standing on a barbell, and upper-extremity breaststroke or reciprocal arm swing (as during walking) forward and backward while sitting on a barbell or kickboard (Fig. 17-20).
2. Shallow-water exercises: forward and backward jogging interval training, running progression, plyometric directional drills with and without a step bench and superimposing a variety of arm positions and movements (Fig. 17-25, 17-26), and replication of running patterns and catching a football.

OUTCOMES

During the final 2 weeks of the aquatic intervention, the PT prescribed a gradual return to lower-extremity and trunk weight training and a progression of jogging and running drills on land. The PTA documented at the end of the aquatic intervention that the patient had met all long-term goals and recommended discharge of the patient to the PT. The PT provided guidelines to the patient for continued progression of exercises in the water to be used for cross-training with the prescribed land exercises. The PT also gave parameters for safe progression of land weight training and running drills.

SUMMARY: AN EFFECTIVE PT–PTA TEAM

This case demonstrated ongoing written and verbal communication by the PTA. The PTA recommended several interventions and changes to the PT, which demonstrated that the PTA felt confident in his or her skills. The PT in this case study took responsibility for certain aspects of the treatment such as mobilization and discharge instructions. The PTA could have completed the discharge instructions, but the PT has the responsibility for deciding what aspect of treatment is delegated. Spinal mobilization is an intervention that should be considered carefully before delegating to anyone other than the PT.

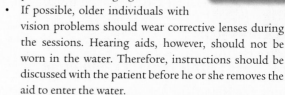

Geriatric Perspectives

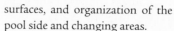

- Exercising in water results in reduction of stresses on weight-bearing joints and is an ideal medium for rehabilitation of older adults with precautions and contraindications.[1–3] Before initiating a water program for older individuals, the clinician should recommend a medical checkup for blood pressure and other medical problems. In addition, a listing of current prescribed and over-the-counter medications (including vitamin and herbal supplements) should be obtained using the "brown bag" technique (the patient is told to place all frequently taken medications in a bag and to bring them in). Medications of particular concern are the antihypertensives and cardiac drugs that may limit the body's cardiovascular responses.

- With aging, the body's thermoregulating capacity is reduced and may limit the older individual's ability to adapt to central heat gain or loss. Furthermore, the patient's comfort, safety, and skill in the water should be evaluated. The clinician should determine the need for a life jacket or lift.[4]

- Most accidents in older adults involved in aquatic therapy and exercise occur when the individuals are entering and exiting the pool; the accidents are usually caused by poor balance, slow recovery time after loss of balance, dizziness, and tripping over objects left at the side of the pool. Special consideration should be given to the entry ramp in regard to hand railings, nonslip surfaces, and organization of the pool side and changing areas.

- If possible, older individuals with vision problems should wear corrective lenses during the sessions. Hearing aids, however, should not be worn in the water. Therefore, instructions should be discussed with the patient before he or she removes the aid to enter the water.

- Older adults benefit from the socialization of group aquatic rehabilitative sessions; however, individualized therapy with qualified staff is more appropriate for frail older adults. Owing to the age-related increase in central processing time and response time, exercise instruction should be slow paced and clearly demonstrated.

- An emergency procedure should be carefully devised, discussed, and practiced with all staff involved in the pool area. In addition, the plan should be clearly outlined and posted near the designated telephone.

1. Heyneman CA, Premo DE. A "water-walkers" exercise program for the elderly. *Public Health Rep.* 1992;107:213–216.
2. Stevenson J, Tacia S, Thompson J, et al. A comparison of land and water exercise programs for older individuals. *Med Sci Sports Exerc.* 1988;22(Suppl 20):537–540.
3. Selby-Silverstein L, Pricket N, Dougherty M, et al. Effect of aquatic therapy on temporal spatial parameters of gait in the frail elderly. *Phys Ther.* 1999;79:S47–S51.
4. Kimble D. A case study in adaptive aquatics for the geriatric population. *Clin Manage.* 1986;6:8–11.

Pediatric Perspectives

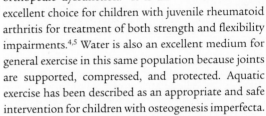

- Water can be an excellent and fun exercise medium for children of all ages. To increase success with children, the clinician should focus on play with therapeutic purposes.
- The principles of specific gravity and buoyancy are excellent reasons to use aquatic therapy for support during exercise interventions with children. Water can be used for assistance or resistance, depending on the exercise prescription. Specific benefits include weight relief, ease of movement, and success with activities. These benefits allow the child to explore movement more freely, strengthen muscles, and practice functional activities. Working in water may allow children to learn to perform movements and activities too difficult to accomplish on land.[1,2]
- Aquatic therapy offers children opportunities for social interaction and may help promote development of independence and a positive body image.[3] Some children (sinkers and nonswimmers) may need flotation assistance for safety and stability during aquatic exercise, depending on their height and the depth of the water. Be careful when using water wings because the buoyancy is lost if the child's shoulder musculature fatigues.[2]
- If the pool is too deep for a child to touch the bottom, a submerged table or step can be used to adjust water depth for appropriate levels for exercise. Alternatively, the child could stand on the thighs of the clinician, who stands in a partially squatted position.[2]
- Aquatic therapy can be used for both rehabilitation and general exercise for pediatric patients who have a variety of diagnoses, including cerebral palsy, spina bifida, traumatic brain injury, Waardenburg's syndrome,[1] and orthopedic dysfunction.[3] It is an excellent choice for children with juvenile rheumatoid arthritis for treatment of both strength and flexibility impairments.[4,5] Water is also an excellent medium for general exercise in this same population because joints are supported, compressed, and protected. Aquatic exercise has been described as an appropriate and safe intervention for children with osteogenesis imperfecta.
- Be sure to monitor water temperature when children are participating in aquatic exercise. Extremes of temperature may be difficult for children to manage due to their less efficient thermoregulatory systems.
- All children participating in aquatic exercise must be carefully supervised by a qualified individual. Most aquatic therapy for children is one on one rather than in groups. Poolside charts and pictures help children remember the motions of the exercises.[2] Aquatic exercise may begin as early as 6 months of age to facilitate weight bearing and supported and assisted active exercise.[4]

1. Duval R, Roberts P. Aquatic exercise therapy: the effects on an adolescent with Waardenburg's syndrome. *Phys Ther Case Rep.* 1999;2:77–82.
2. Styer-Acevedo JL. Aquatic rehabilitation of the pediatric client. In: Ruoti R, Morris P, Cole A, eds. *Aquatic rehabilitation.* Philadelphia, PA: JB Lippincott Co; 1997:151–172.
3. Campion M. *Hydrotherapy in pediatrics.* 2nd ed. Oxford: Butterworth Heinemann; 1991.
4. Campbell SK. *Pediatric physical therapy.* 3rd ed. Philadelphia, PA: WB Saunders; 2006.
5. Wright FV, Smith E. Physical therapy management of the child and adolescent with juvenile rheumatoid arthritis. In: Walker JM, Helewa A, eds. *Physical therapy in arthritis.* 2nd ed. Philadelphia, PA: WB Saunders; 2004:211–244.

SUMMARY

- This chapter provided an overview of the use of aquatic therapy intervention for a client with musculoskeletal dysfunction of the spine and extremities. Several aspects of the water environment and the client must be taken into consideration before implementing aquatic techniques in a plan of care. The clinician must consider the physical properties of water each time a clinical decision is made to use an aquatic intervention for a particular patient.
- Justification for the use of the aquatic medium in a plan of care either by itself, or in conjunction with land intervention, depends on the individual needs of the client. Proper use of the physical properties of water enhances the plan of care and may speed recovery. There are many treatment options and parameters for aquatic intervention, and a careful review of the client's impairments, functional limitations, and precautions or contraindications must be undertaken before introducing specific aquatic techniques in a plan of care.
- Several types of aquatic equipment are available. Addition of any piece of aquatic equipment should have a purpose that fills a treatment need. The clinician must carefully evaluate the client's ability to safely use and tolerate a piece of equipment before adding it to the aquatic intervention program.

References

1. Irion JM. Historical overview of aquatic rehabilitation. In: Ruoti R, Morris P, Cole A, eds. *Aquatic rehabilitation*. Philadelphia, PA: JB Lippincott Co; 1997:3–14.

2. Wilson JD, Buffa AJ, eds. *College physics*. 5th ed. Upper Saddle River, NJ: Pearson Education; 2006.

3. Haralson K. Therapeutic pool programs. *Clin Manage*. 1986;5:10–17.

4. Becker BE. Aquatic physics. In: Ruoti R, Morris P, Cole A, eds. *Aquatic rehabilitation*. Philadelphia, PA: JB Lippincott Co; 1997:15–23.

5. Bloomfield J, Fricker P, Fitch K. *Textbook of science and medicine in sport*. Champaign, IL: Human Kinetics; 1991.

6. Skinner AR, Thomson AM. *Duffield's exercise in water*. 3rd ed. Philadelphia, PA: Bailliere Tindall; 1993:4–46.

7. Harrison R, Bulstrode S. Percentage weight bearing during partial immersion in the hydrotherapy pool. *Physiother Pract*. 1987;3:60–63.

8. Harrison RA, Hillman M, Bulstrode S. Loading of the lower limb when walking partially immersed: implications for clinical practice. *Physiotherapy*. 1992;78:164–166.

9. Becker BE. Biophysiologic aspects of hydrotherapy. In: Becker BE, Cole AJ, eds. *Comprehensive aquatic therapy*. Boston, MA: Butterworth-Heinemann; 2003:17–48.

10. Genuario SE, Vegso J. The use of a swimming pool in the rehabilitation and reconditioning of athletic injuries. *Contemp Orthop*. 1990;20:81–397.

11. Butts NK, Tucker M, Smith R. Maximal responses to treadmill and deep water running in high school female cross country runners. *Res Q Exerc Sport*. 1990;62:236–239.

12. Christie JL, Sheldahl LM, Tristani FE, et al. Cardiovascular regulation during head-out water immersion exercise. *J Appl Physiol*. 1990;69:657–664.

13. Frangolias DD, Rhodes EC. Metabolic responses and mechanisms during water immersion running and exercise. *Sports Med*. 1996;1:38–53.

14. Ritchie SE, Hopkins WG. The intensity of exercise in deep water running. *Int J Sports Med*. 1991;12:27–29.

15. Wilder RP, Brennan DK. Physiological responses to deep water running in athletes. *Sports Med*. 1993;16:374–380.

16. Becker BE, Hildenbrand K, Whitcomb RK, et al. Biophysiological effects of warm water immersion. *Int J Aquatic Res Educ*. 2009;3:24–29.

17. Cole AJ, Becker BE. *Comprehensive Aquatic Therapy*. 2nd ed. Philadelphia, PA: Butterworth-Heinemann; 2004:19–56.

18. Wang TJ, Belza B, Thompson EF, et al. Effects of aquatic exercise on flexibility, strength and aerobic fitness in adults with osteoarthritis of the hip or knee. *J Adv Nurs*. 2007;57:141–152.

19. Hinman RS, Heywood SE, Day AR. Aquatic physical therapy for hip and knee osteoarthritis: results of a single-blind randomized controlled study. *Phys Ther*. 2007;87:32–43.

20. Martel GF, Logan JM, Parker CB. Aquatic plyometric training icnreases vertical jump in female volleyball players. *Med Sci Sport*. 2005;37:1814–1819.

21. Cole AJ, Moschetti M, Eagleston TA, et al. Spine pain: aquatic rehabilitation strategies. In: Becker BE, Cole AJ, eds. *Comprehensive aquatic therapy*. 2nd ed. Boston, MA: Butterworth-Heinemann; 2003:73–101.

22. Cirullo JA. Considerations for pool programming and implementation. In: Cirullo JA, ed. *Orthopaedic physical therapy clinics of North America*. Philadelphia, PA: WB Saunders; 1994:95–110.

23. Cureton KJ. Physiologic responses to water exercise. In: Ruoti R, Morris P, Cole A, eds. *Aquatic rehabilitation*. Philadelphia, PA: JB Lippincott Co; 1997:39–56.

24. Choukroun ML, Varene P. Adjustments in oxygen transport during head-out immersion in water at different temperatures. *J Appl Physiol*. 1990;68:1475–1480.

25. Rutledge E, Silvers WM, Browder K, et al. Metabolic-cost comparison of the submaximal land and aquatic treadmill exercise. *Int J Aquatic Res Educ*. 2007;1:118–133.

26. Thein JM, Brody LT. Aquatic-based rehabilitation and training for the elite athlete. *J Orthop Sports Phys Ther*. 1998;27:32–41.

27. Sheldahl EM, Buskirk ER, Loomis JL, et al. Effects of exercise in cool water on body weight loss. *Int J Obes*. 1982;6:29–42.

28. Cole AJ, Eagleston RE, Moschetti M, et al. Spine pain: aquatic rehabilitation strategies. *J Back Musculoskel Rehabil*. 1994;4:273–286.

29. Thein L, McNamara C. Aquatic rehabilitation of patients with musculoskeletal conditions of the extremities. In: Ruoti R, Morris P, Cole A, eds. *Aquatic rehabilitation*. Philadelphia, PA: JB Lippincott Co; 1997:59–83.

30. Babb R, Simelson-Warr A. Manual techniques of the lower extremities in aquatic physical therapy. *J Aquatic Phys Ther*. 1996;4:9–15.

31. Schrepfer RW, Babb RW. Manual techniques of the shoulder in aquatic physical therapy. *J Aquatic Phys Ther*. 1998;6:11–15.

32. Cirullo JA. Aquatic physical therapy approaches for the spine. In: Cirullo JA, ed. *Orthopaedic physical therapy clinics of North America*. Philadelphia, PA: WB Saunders, 1994:179–208.

33. Mickel C, Shepherd J. Towards the localization of the lumbar postero-antero mobilization technique in water in the treatment of low back pain: a clinical note. *Man Ther*. 1998;162–163.

34. Bandy WD, Irion JM. The effect of time on static stretch on the flexibility of the hamstring muscles. *Phys Ther*. 1994;74:845–849.

35. McNamara CA. Aquatic spinal stabilization exercises. *J Aquatic Phys Ther*. 1997;5:11–17.

36. Cercone K. Dynamic aquatic therapy for the low back. *Aquatic Phys Ther Rep*. 1995;4:6–10.

37. Konlian C. Aquatic therapy: making a wave in the treatment of low back injuries. *Orthop Nurs*. 1999;18:11–20.

38. Saal J. Nonoperative treatment of herniated lumbar intervertebral disc with radiculopathy. *Spine*. 1989;14:431–437.

39. Venes D, ed. *Taber's cyclopedic medical dictionary*. 20th ed. Philadelphia, PA: FA Davis Co; 2005.

40. Chu D. *Jumping into plyometrics*. Champaign, IL: Human Kinetics; 1992.

41. Kamalakkanna K, Balaji M, Vijayaragunathan N, et al. Effect of aquatic training with and without weight on selected physiological variables among volleyball players. *Indian J Sci Technol*. 2010;3.

42. Colado JC, Garcia-Masso X, Gonzales LM, et al. Two-legged squat jumps in water: an effective alternative to dry land jumps. *Int J Sports Med*. 2010; 31:118–122.

43. Triplett NT, Colado JC, Madera AJ, et al. Concentric and impact forces of single-leg jumps in an aquatic environment vs. on land. *Med Sci Sports Exerc*. 2009;41:1790–1796.

44. Coyle EF, Hemmert MK, Coggan AR. Effects of detraining on cardiovascular responses to exercise: role of blood volume. *J Appl Physiol*. 1986;60:95–99.

45. Coyle EF, Martin WH, Simacore DR, et al. Time course of loss of adaptations after stopping prolonged intense endurance training. *J Appl Physiol*. 1984;57:1857–1864.

46. Eyestone ED, Fellingham G, George J, et al. Effect of water running and cycling on maximum oxygen consumption and 2 mile run performance. *Am J Sports Med*. 1993;21:41–44.

47. Bushman BA, Flynn MG, Andres FF, et al. Effect of four week deep water run training on running performance. *Med Sci Sports Exerc*. 1997;29:694–699.

48. Wilber RL, Moffatt RJ, Scott BE, et al. Influence of water run training on the maintenance of aerobic performance. *Med Sci Sports Exerc*. 1996;28:1056–1062.

49. Quinn TJ, Sedory DR, Fisher BS. Physiological effects of deep water running following a land based training program. *Res Q Exerc Sports*. 1994;65:386–389.

50. Frangolias DD, Rhodes EC. Maximum and ventilatory threshold responses to treadmill and water immersion running. *Med Sci Sports Exerc.* 1995;27:1007–1013.

51. Michaud TJ, Brennan DK, Wilder RP. Aquarunning and gains in cardiorespiratory fitness. *Strength Cond Res.* 1995;9:78–84.

52. Bushman B. Athletes propel deep water running to prominence. *Biomechanics.* 1999;32:43–49.

53. Wilder RP, Brennan DK. Techniques of water running. In: Becker BE, Cole AJ, eds. *Comprehensive aquatic therapy.* 2nd ed. Boston, MA: Butterworth-Heinemann; 2003:123–134.

54. Wilder RP, Brennan DK, Schotte DE. A standard measure for exercise prescription for aqua running. *Am J Sports Med.* 1993;21:45–48.

55. Stephens-Bogard K. A dip in the pool. *Adv Directors Rehabil.* 1999; 8:37–40.

56. American Physical Therapy Association. *Guide to physical therapist practice.* 2nd ed. Alexandria, VA:2003.

PRACTICE TEST QUESTIONS

1. What is the role of aquatic exercise when the patient's long-term goal is to return to functional activity?

   A) The aquatic environment is safe and effective for all therapeutic exercises
   B) Aquatic exercise is not the only activity used to achieve this long-term goal
   C) Aquatic exercise can achieve all goals needed to return the patient to functional activity
   D) All of the above are true

2. Which of the following statements accurately describes the principle of specific gravity as it applies to exercise in the aquatic environment?

   A) Fat body mass is more dense than lean body mass so fatter persons will sink
   B) Women tend to sink more readily than men
   C) Filling your lungs with air will not change your ability to sink or float
   D) If you put a flotation device on a person with a high fat body mass they may have trouble staying vertical

3. When in an aquatic environment, the further the distance from the P, the greater the CB value. This means that

   A) buoyancy force resists movement from the vertical to the horizontal.
   B) buoyancy force assists movement from the vertical to the horizontal.
   C) the buoyant force is strongest at the bottom of the pool.
   D) the buoyant force is dependent on the speed of the movement.

4. The patient has limited flexion at the hip due to tight hamstrings and has a plan of care which includes aquatic exercise. The PTA decides to use an aquatic exercise to increase the hip ROM. The PTA will

   A) confirm the use of aquatic exercise with the supervising PT
   B) place the patient in prone on the water surface and add a weight to the ankle
   C) place the patient in supine on the water surface and add a flotation device to the knee
   D) place the patient in standing with a flotation device on the knee or ankle

5. The patient is PWB, allowing no more than 25% weight bearing on the affected leg. To what depth can this patient be immersed in order to do aquatic exercise involving balance and running activities?

   A) Aquatics is contraindicated for patients with weight bearing restrictions
   B) To C7 level
   C) To xiphoid level
   D) To ASIS level

6. When considering whether a patient should exercise in the aquatic environment, the effect of hydrostatic pressure is

   A) not important to consider.
   B) only important for patients with weight-bearing limitations.
   C) helpful for patients with lower-extremity edema and proprioception problems.
   D) harmful to patients with muscle spasm from injuries such as muscle strains or ligament sprains.

7. The patient is working on balance, posture, and gait training in the aquatic environment. Which of the following conditions will NOT make it more difficult for the patient?

   A) The patient is walking in the therapist's wake.
   B) The patient is walking faster.
   C) The patient is changing direction.
   D) The patient is walking into deeper water.

8. The patient has limited lower-extremity strength and limited endurance. The plan of care includes aquatic exercise for the long-term goals of increased strength and endurance. The patient does not have any weight-bearing restrictions. The first session in the pool is today. In order to begin exercising in the aquatic environment, the PTA will begin with

   A) strengthening followed by endurance training
   B) warm-up followed by endurance training
   C) warm-up followed by strength training
   D) endurance training followed by strengthening

9. There are contraindications and precautions to aquatic exercise interventions. Which of the following is NOT either a contraindication or precaution?

   A) Seizures
   B) Immediate post op total knee replacement
   C) Significant balance disorder on dry land
   D) Osteoarthritis or osteoporosis

10. The patient has been working on improving aerobic conditioning with land-based exercise. In order to keep patient interest and motivation high for exercise, the PTA decides to work with the patient in an aquatic environment. The PTA will NOT do which of the following:

    A) keep the target heart rate the same as on land
    B) keep the water temperature warmer than air temperature
    C) keep the water depth at ASIS depth or shallower
    D) keep the exercise intensity lower than on land

11. Which of the following individuals is NOT appropriate for aquatic interventions?

    A) The patient has fibromyalgia, with pain on weight bearing
    B) The patient has balance dysfunction, with gait deviations
    C) The patient has an amputation, with recent dehiscence
    D) The patient is elderly, and 6 months ago had a total knee replacement

12. When the patient is exercising in both water and dry land, it is essential for the PTA to

    A) start on dry land and progress to water
    B) start in water and progress to dry land
    C) alternate water and dry land each session
    D) document functional improvements on dry land

ANSWER KEY

1.	B	4.	D	7.	A	10.	A
2.	D	5.	B	8.	C	11.	C
3.	B	6.	C	9.	D	12.	D

18

Therapeutic Exercise for the Preparation of Gait Activities

Denise Gobert, PT, PhD, NCS ●

Objectives

Upon completion of this chapter, the reader will be able to:

- Identify specific functional phases of the gait cycle and the primary muscles used during each phase.
- Understand the primary categories for gait dysfunction relating to deficits in strength, motor control, and endurance.
- Identify key exercise principles used for gait dysfunction within a standardized frame of reference.
- Identify current evidence-based exercise strategies to address gait dysfunction.

Gait refers to the manner in which one walks and is characterized by rhythm, cadence, step, stride, and speed. Gait is a component of locomotion which includes the use the lower extremities to navigate through the environment. A safe gait pattern is necessary for independent living for activities of daily living and the prevention of falls and injuries. In rehabilitation settings, patients often state that walking is their most important goal to achieve quality of life during recovery.[1,2] In physical therapy, "gait training" refers to therapies used to help retrain ambulation for recovery after surgical intervention, injury, or a disease process.

The human locomotive system has been well studied since the early 1940s and involves several easily identifiable, repetitive movement patterns which help rehabilitation specialists retrain gait skills. Pathologic gait may reflect compensations for underlying pathologies, or be responsible for causation of any observed symptom in itself.[3] The "gait cycle" includes two primary phases: stance and swing phase, which are reoccurring patterns necessary to propel the body through space and for successful navigation through the environment.

The stance phase includes two primary tasks of weight acceptance and single limb support. These two functional phases require stability, shock absorption, and support of forward progression. In addition, the swing phase requires necessary components of limb clearance and support of limb advancement. Specialized exercise strategies designed to address each functional phase can be used to retrain the gait cycle for successful locomotion. This chapter will provide an overview about the key components necessary for gait and common exercise strategies used to optimize functional locomotion.

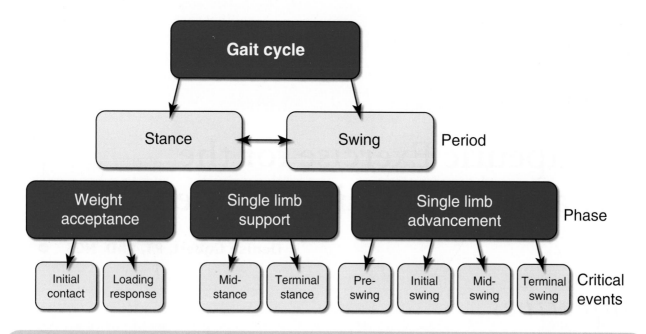

FIGURE 18-1 ● **THE GAIT CYCLE INCLUDES THREE FUNCTIONAL PHASES WITH EIGHT CRITICAL EVENTS.**

● SCIENTIFIC BASIS

Biomechanical Components of Gait

The stance phase of the gait cycle includes three primary functional phases which transition and repeat during locomotion. These phases are weight acceptance, single limb support, and single limb advancement (Fig. 18-1).

Each phase includes specific critical events which are required for successful transition to the next functional phase. In addition, common temporal parameters used to describe gait patterns include spatial measurements of step and stride length to help calculate walking velocity (distance/time) and cadence (steps/time). These measurements can be very useful to document patient response and progression during exercise training (Table 18-1).

Weight Acceptance

The weight acceptance phase represents the first 10% of the stance phase of the gait cycle. (Fig. 18-2). This first important phase includes a rapid heel contact with the ground known as "initial contact." This initial contact is the first "double support" period within the cycle where both feet are briefly in contact with the ground at same time (around 0.11 seconds).[4]

At this point, ground forces are exerted through the lower extremity up through the body at a rate up to–three to six times body weight. This force demand on the body requires that the lower extremity absorb the shock of forces to accept body weight onto the foot. Therefore, dorsiflexor muscles eccentrically contract to ease the forefoot onto the ground and allow the spread of forces along the foot toward the toe. The progression of the body forward uses the heel to roll forward with an action to

TABLE 18-1	Temporal and Spatial Characteristics of Normal Gait
Step Length (cm)—distance of initial contact of one limb to initial contact of the contralateral limb	Mean = 80 cm M = 82 cm/F = 66 cm
Stride Length (cm)—distance of initial contact of one limb to initial contact of same limb again 2 × step length	Mean = 141 cm M = 146 cm/F = 132 cm
Cadence (Step Rate)—steps per minute	Steps/time (steps per minute) M = 111 steps/min/F = 121 steps/min
Velocity—distance/time (m/sec) stride length × 0.5 cadence	(Mean = 80 m/sec) M = 82 m/sec/F = 79 m/sec

M, Male; F, Female

Gait for Adults Ages 20–69 years of age (Modified from Perry 2010).

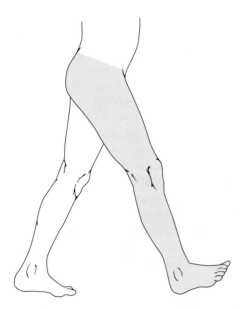

FIGURE 18-2 ● WEIGHT ACCEPTANCE.

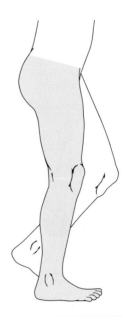

FIGURE 18-3 ● SINGLE LIMB SUPPORT.

simulate a "heel rocker." The momentum generated by the fall of body weight onto the stance limb is preserved by the heel rocker for smooth forward progression. At the same time, the knee slightly flexes with eccentric contraction of the quadriceps muscles to absorb forces through the knee to decrease forces experienced at the hip joint.[4]

Single Limb Support

The single limb support phase represents the middle 40% of the stance phase of the gait cycle. With the foot firmly placed on the ground, the lower extremity is now challenged to maintain control of stability of the single limb stance position against gravity. The ankle joint now assumes control over a smooth transition of body weight forces from the heel toward the toe using eccentric control of the plantar flexor muscles. This action is called the "ankle rocker" as the body weight is now supported primarily onto the forefoot. The pivotal arc of the ankle rocker advances the tibia over the stationary foot (Fig. 18-3).

This phase primarily calls for ankle stability, support of forward progression, and balance of the body through space. The stance phase ends with the body weight balanced onto the forefoot in a "forefoot rocker" position as the limb prepares to propel the body forward onto the forefoot in terminal stance.

During terminal stance, the body weight vector approaches the metatarsalphalangeal joint, the heel rises, and the phalanges extend. The metatarsal heads now serve as the third pivotal point or axis of rotation for body weight advancement. This terminal stance period includes

plantar flexor muscle concentric contraction to propel the body forward and transition into the swing phase.[5]

Single Limb Advancement

The third functional phase involves single limb advancement which includes the last 10% of the stance phase or the pre-swing phase which transitions into the swing phase of the gait cycle. This phase occurs at about 50% to 60% of the gait cycle and is important to support the forward progression of the body and at the same time prepare for the next gait cycle (Fig. 18-4).

As the foot is brought forward with momentum to extend toward the next step, the body weight is shifted onto the contralateral limb to unload and allow for toe clearance over the ground surface with concentric contraction of ankle dorsiflexor muscles, hamstring muscles at the knee, and hip flexor muscles. The flexed lower extremity is then propelled forward to prepare for the next step by actively reaching the lower extremity forward using knee extensor muscles. Last of all, ankle dorsiflexor muscles maintain the foot in a neutral position to allow contact with the ground in a "heel first" position so that the gait cycle might begin again.

The swing phase then includes four intervals: Pre-swing, Initial swing, Mid-swing, and Terminal swing. All components of the swing phase are important; therefore, the gait cycle has to allow sufficient time for all of these components to occur successfully with the period of single limb support of one limb equal to the period of swing for the other.

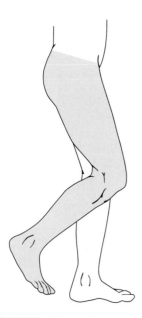

FIGURE 18-4 ● **SINGLE LIMB ADVANCEMENT.**

Functional Phase Specific Motor Control

As previously presented, three repeatable functional phases of the stance phase of gait exist, which include controlled weight acceptance, single limb support, and single limb advancement. These functional demands require muscle strength and timing for proper execution of the gait cycle.

The body uses several complex muscle synergies for gait; however, eight primary muscle groups can be identified in support the gait cycle including: ankle dorsiflexors, ankle plantar flexors, knee extensors, knee flexors, hip extensors, hip flexors, hip abductors, and trunk extensors.[6] Therefore, comprehensive gait training exercise programs should incorporate phase-specific training activity for each of these specific muscle groups (Table 18-2).

The literature suggests that lower-extremity strength should be a muscle grade of 3+/5 to meet gait demands.[7] In addition, ankle dorsiflexor and knee extensor strength have been found to be indicators of high risk for falls.[8] However, encouraging evidence suggests that both muscle groups are very responsive to strengthening protocols.[8] In fact, resistance training specific to the gait cycle has also demonstrated significant patient improvements with functional gait.[9]

Another, important strength-related component is power. Power is defined as force divided by time or the production of force over a specific time period. The gait cycle uses aspects of power because force production has to occur within very short time periods (swing within 0.11 seconds). Therefore, muscle training and strengthening in support of gait should best be planned in conjunction with power produced within specific functional phases of gait.

Sensory Control of Gait

Navigation through the environment requires feedback about the body in space and its relationship to internal

---

TABLE 18-2   **Lower Limb Events During Functional Gait Phases**

LOWER LIMB EVENT	FUNCTIONAL GAIT PHASE	LOWER LIMB POSITION (ROM)	LOWER LIMB MUSCLE ACTIVATION
Ipsilateral heel strike (Initial contact)	Weight acceptance	Hip flexion 150° (30°) Knee extension 180° (0°) Ankle neutral 90° (0°)	
Foot flat	Loading response	Hip flexion 150° (0°) Knee flexion 165° (15°) Ankle plantar flexion 105° (15°)	Hip extensors Quadriceps and pretibials
Heel raise	Midstance	Hip extension 180° (30°)	Momentum Quadriceps early Gastrocnemius and soleus
Contralateral heel strike Body past the MTP heads	Terminal stance	Hip extension 190° (10°) Knee extension 180° (0°) Ankle dorsiflexion 80° (0°) Toe hyperextension 30°	Momentum None Gastrocnemius and soleus
Vertical tibia	Mid-swing	Hip flexion 150° (30°)	Hip flexors Momentum and pretibials
Ipsilateral heel strike	Terminal swing	Hip flexion 150° (30°)	Hamstrings Quadriceps Pretibials

(interlimb coordination) and external structures (obstacle avoidance). Therefore, sensory systems including vision, vestibular, auditory, and proprioception are all important for feed forward and feedback control of gait. Feed forward sensory information is needed to prepare the body and limb position in space to support and optimize an upcoming movement. Feedback control provides sensory information during or after a movement has occurred to compare actual movement with intended movement. Gait training exercise strategies, therefore, should include use of sensory environment manipulation to help retrain locomotion during each of the functional gait phases.

TABLE 18-3	Key Muscle Group Activity During Three Functional Phases of Gait	
TRAINING FOR WEIGHT ACCEPTANCE	Dorsiflexors—Concentric Knee Extensors—Eccentric Hip Extensors—Concentric	
TRAINING FOR SINGLE LIMB SUPPORT	Plantar Flexor—Eccentric Knee Extensors—Concentric Hip Extensors—Concentric	
TRAINING FOR SINGLE LIMB ADVANCEMENT	Dorsiflexors—Concentric Knee Flexors—Concentric Hip Flexors—Concentric	

Energy Demands During Gait

Successful navigation through the environment requires repeated muscle contractions for prolonged periods of time which place an energy demand on the body. Therefore, gait training exercise must include consideration of the cardiopulmonary system. In quiet stance the rate of oxygen consumption equals one metabolic equivalent (MET) or 3.5 mL/kg/min for males and 3.3 mL/kg/min for females. This oxygen consumption is due to the minimal muscle activity required for normal standing due to the balance of gravitational forces.[10] Typical gait in healthy individuals requires only about 2.0 to 2.5 METs or a low-energy demand on the body.[11] However, impaired gait can dramatically increase the energy demands on the body. Studies indicate that impaired gait resulting from a stroke or amputation can demand up to 6 to 8 METs during functional walking over level surfaces during activities of daily living.[3] About 85% of the energy demand is with the plantar flexor muscles while the hip flexor muscle activity takes the remaining 15% of energy demand during typical gait patterns. However, variations in pelvic rotation, pelvic tilt, knee flexion at midstance, foot and ankle motion, knee motion, and lateral pelvic displacement all can affect energy expenditure and the mechanical efficiency of walking.[3,12] Therefore, structured exercise training involving gait should consider that deconditioned persons who are not accustomed to daily ambulation require customized pacing of ambulation activities according to a dosage of time spent and distance walked.

● CLINICAL GUIDELINES

Biomechanical Deficits

Free joint mobility and appropriate muscle force result in efficient gait patterns. Typical gait deviations relate to a failure to properly manage one key functional phase of gait including weight acceptance, single limb support, and single limb advancement.

Motor Control Deficits

Gait deviations can occur due to difficulty with proper control of muscle activity during one or all of the specific functional phases of the gait cycle. Muscle strength deficits can interfere with proper active range of motion during the gait cycle. In addition, changes in muscle tone may interfere with excess or insufficient joint motion during specific phase of the gait cycle (Table 18-3). Persons with gait deviations may be able to produce a specific joint range of motion during rest. However, they might produce insufficient muscle amplitude or timing of joint motion in support of one of the three functional phases during the gait cycle.

Sensory Deficits

The dynamic aspect of locomotion challenges the sensory systems for proper feedforward and feedback about the body in space within the external environment. Patients may have difficulty with control of head motions during gait due to problems with gaze stability while moving through the environment. Patient perception of body verticality may also be skewed due to inappropriate visual or proprioceptive feedback during ambulation.

Cardiopulmonary Deficits

Human locomotion involves the systematic transfer of body weight over ground and translates into an important need for balance between work load and expended energy. Patients who have existing cardiovascular disease including chronic heart disease or coronary arterial disease may not be able to generate the proper circulation of nutrients to working tissues to support prolonged gait. In addition, common disorders that compromise lung function such as chronic obstructive pulmonary disease (COPD) can decrease available oxygen for the aerobic demands of gait.

Therefore, any treatment protocol involving gait training in a clinical setting should include systematic monitoring of vital signs including at least activity heart rate and oxygen saturation rate.[13,14]

● GAIT TRAINING TECHNIQUES

Gait training exercise should focus on primary aspects of dynamic balance, muscle strength, active range of motion, and timing of limb movements during each functional phase of the gait cycle. First of all, strength is important to support and stabilize the body weight during dynamic movements. Secondly, important limb active range of motion allows for limb clearance and forward progression of the body during each stride. Last of all, dynamic balance and timing of motor activity are necessary for coordination of postural control and muscle synergies to produce smooth transitions from one functional phase to the next phase within the gait cycle. Using concepts common to exercise training, successful gait training incorporates aspects of the following: Intensity, duration, frequency, and mode.

Intensity includes challenges to push the patient to personalized limits of gait and locomotion. Challenges might include alterations in training to increase the intensity such as changes in speed demands (normal, slow, or fast speeds), changes in surfaces (tiled floor to carpets with varying thickness), changes in environment (indoor vs. outdoors, level terrain vs. inclines, or high/low distractions). Intensity can be increased by changing stride length (take longer steps), heel or toe walking, braiding, tandem walking, or resisted walking with elastic bands or weighted vests.

Training for Weight Acceptance

The Weight Acceptance phase of gait includes two critical events, namely, initial contact, and the loading response (Fig. 18-2). Therefore, exercise goals include strategies to increase isometric control of the forefoot to position the foot in a "heel first" posture to begin the gait cycle. Figures 18-5 to 18-8 provide some suggested activities in support of the first functional phase of gait.

Seated Resisted Knee–Ankle Extensions (Fig. 18-5)

Patient in a sitting position. The lower extremity is resisted with Theraband at the ankle while the limb moves into a knee extended position. The angle of pull can promote either a strict sagittal plane movement at the ankle or a

---

FIGURE 18-5 ● SEATED RESISTED KNEE-ANKLE EXTENSION.

Purpose: Strengthen ankle dorsiflexors, knee extensors
Position: Patient in a sitting position.
Procedure: The lower extremity is resisted with Theraband at the ankle while the limb moves into a knee extended position. The angle of pull can promote either a strict sagittal plane movement at the ankle or a more diagonal, medial to lateral movement to increase activation of foot everters during the movement.

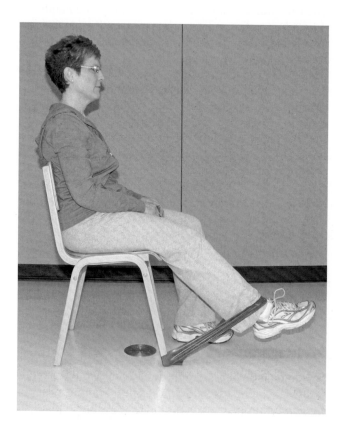

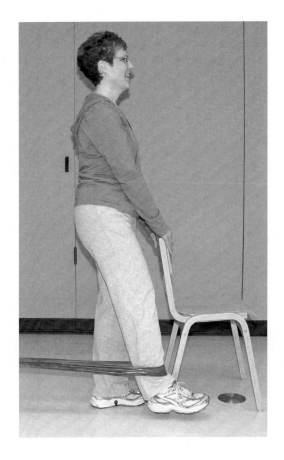

FIGURE 18-6 ● **STANDING RESISTED KNEE-ANKLE EXTENSION.**

Purpose: Strengthen hip flexors, knee extensors, ankle dorsiflexors
Position: Patient in a standing position.
Procedure: The lower limb begins in a posterior limb position with extension at the hip and knee. The patient is instructed to bring the limb forward while the ankle is resisted through the movement.

more diagonal, medial to lateral movement to increase activation of foot everters during the movement.

    Targeted muscle group: ankle dorsiflexors, knee extensors

    Exercise progression: Increase in Theraband resistance, variation of angle of resistance

Standing Resisted Knee–Ankle Extensions (Fig. 18-6)

Patient in a standing position. The lower limb begins in a posterior limb position with extension at the hip and knee. The patient is instructed to bring the limb forward while the ankle is resisted through the movement.

    Targeted muscle group: hip flexors, knee extensors, ankle dorsiflexors

    Exercise progression: Increase in Theraband resistance, decrease in patient assistance for balance

Standing Wall–Ball Kicks (Fig. 18-7)

Patient in a standing position. Allow patient to kick a beach ball against a wall and count the maximum consecutive number of times the task can be performed

without a mistake. This activity facilitates control of muscle timing of hip flexors, knee extensors, and ankle dorsiflexors. The patient is instructed to maintain balance on the stance foot and also control kicking the ball so that the ball returns back at a manageable pace.

    Targeted muscle group: hip flexors, knee extensors, and ankle dorsiflexors

    Exercise progression: Level of assistance to maintain balance, prescribed number of times ball is kicked, size of ball, and distance from the wall.

Resisted Forward Stepping Task (Fig. 18-8)

Patient in a standing position. The patient is instructed to step forward with the limb of interest in a foot flat position at a distance of least 12 to 18 inches and then control the shift of body weight forward onto the limb.

    Targeted muscle group: ankle dorsiflexors, hip flexors, knee extensors, and hip abductors

    Exercise progression: Level of assistance to maintain balance, number of repetitions, added tasks performed (catching or throwing a ball), level of resistance to the movement (bungee cords attached to waist level), and distance of the step.

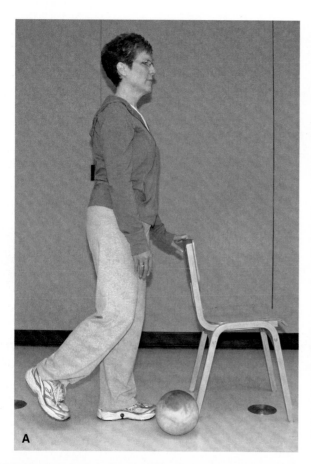
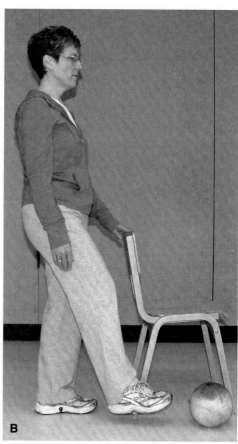

FIGURE 18-7 ● STANDING BALL KICK.

Purpose: Strengthen hip flexors, knee extensors and ankle dorsiflexors
Position: Patient in a standing position.
Procedure: Allow patient to kick a beach ball. This activity facilitates control of muscle timing of hip flexors, knee extensors, and ankle dorsiflexors. The patient is instructed to maintain balance on the stance foot (Fig. 18-7A) and also control kicking the ball (Fig. 18-7B).

Training for Single Limb Support

The second functional phase involving single limb support allows the body to translate forward over ground from an anterior limb position to a posterior position over the planted foot. This gait segment includes the following critical events, namely, Midstance and Terminal stance (Fig. 18-3). Figures 18-9 and 18-10 help to promote control of the body during single limb stance.

Multi-directional Tap Task (Fig. 18-9)

Patient in a standing position. With a limb firmly planted on an even surface, identify target distances from the planted foot in the sagittal plane on the floor (tape or floor sections such as tile). Instruct the patient to step forward and then backward to each mark without moving the planted foot or holding onto a stationary object for balance assistance.

Targeted muscle group: ankle plantar flexors, ankle dorsiflexors, knee extensors, knee flexors, hip flexors, hip extensors, and hip abductors

Exercise Progression: Level of assistance to maintain balance, number of repetitions, distance of targets (6, 12, 18, 24 inches), direction of target in sagittal or transverse planes, resistance during the task (bungee cord attached at waist), and speed of task.

Toe Walking (Fig. 18-10)

Patient in a standing position. Instruct patient to walk on the balls of the feet, heels off the floor, for 30 seconds. Repeat three more times.

Targeted Muscle Group: Ankle plantar flexors

Exercise Progression: Increase in exercise time, increase in body weight using added ankle or hand weights

FIGURE 18-8 ● RESISTED FORWARD STEPPING TASK.

Purpose: Strengthen ankle dorsiflexors, hip flexors, knee extensors, hip abductors
Position: Patient in a standing position.
Procedure: The patient is instructed to step forward with the limb of interest in a foot flat position at a distance of least 12–18 inches and then control the shift of body weight forward onto the limb.

FIGURE 18-9 ● MULTI-DIRECTIONAL TAP TASK.

Purpose: Strengthen ankle plantar flexors, ankle dorsiflexors, knee extensors, knee flexors, hip flexors, hip extensors, hip abductors
Position: Patient in a standing position.
Procedure: With a limb firmly planted on an even surface, identify target distances from the planted foot in the sagittal plane on the floor (tape or floor sections such as tile). Instruct the patient to step backward (Fig. 18.9A) and then forwards (Fig. 18.9B) backwards to each mark without moving the planted foot or holding onto a stationary object for balance assistance.

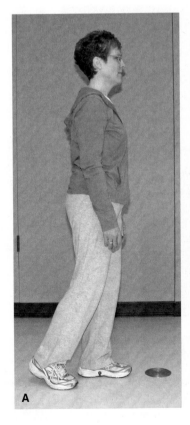

A

B

FIGURE 18-10 ● TOE WALKING.

Purpose: Strengthen ankle plantar flexors
Position: Patient in a standing position.
Procedure: Instruct patient to walk on the balls of the feet, heels off the floor, for 30 seconds. Repeat three more times.

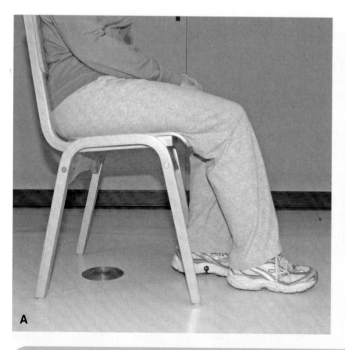

A

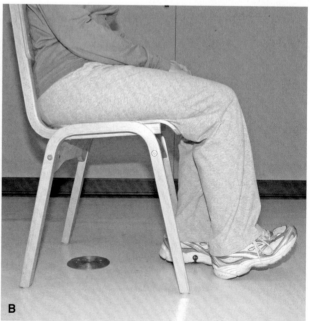

B

FIGURE 18-11 ● TOE RAISES.

Purpose: Strengthen ankle dorsiflexors and toe extensors
Position: Patient in a sitting position with the feet flat on the floor.

Procedure: Instruct patient to lift just the toes (Fig. 18-11A), and then lift the rest of the foot with the heels still on the floor. Then the patient lowers the foot and then the toes (Fig. 18-11B). This sequence is repeated.

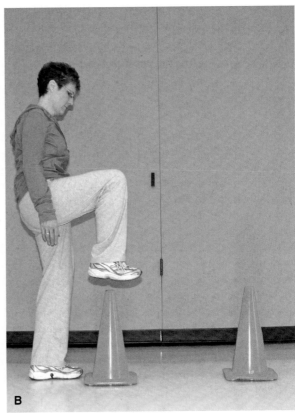

FIGURE 18-12 ● **STEP OVER WALKING.**

Purpose: Strengthen hip flexors, ankle dorsiflexors
Position: Patient in a standing position.
Procedure: Patient is instructed to step over measured obstacles in the walking path (either in the parallel bars or

over ground). Can be performed walking side-ways (Fig. 18-12A) or forward (Fig. 18-12B).

Training for Single Limb Advancement

The last functional phase includes single limb advancement (Fig. 18-4) which includes four important critical events: pre-swing, initial swing, mid-swing and terminal swing. As the lower extremity moves forward into a "limb reach" position, the ankle maintains an isometric dorsiflexion posture coupled with knee and hip synergy of extension–flexion–extension. Figures 18-11 and 18-12 illustrate this concept.

Double Toe Raises (Fig. 18-11)

Patient in a sitting position with the feet flat on the floor. Instruct the patient to lift just the toes, and then lift the rest of the foot with the heels still on the floor. Then the

patient lowers the foot and then the toes. This sequence is repeated.

Targeted muscle group: Ankle dorsiflexors and toe extensors

Exercise progression: Increase number, added resistance (manually or with Theraband or ankle weight).

Step Over Walking (Fig. 18-12)

Patient in a standing position. Patient is instructed to step over measured obstacles in the walking path (either in the parallel bars or over ground).

Targeted muscle group: Hip flexors, ankle dorsiflexors

Exercise progression: Level of assistance, changes in stepping direction (sagittal plane or frontal plane), changes in height of obstacles (2, 4, 6, 8 inches).

Evidence-based Strategies for Gait Training

Gait Training with Assistive Devices

Assistive devices are used to unload impaired limbs and to assist with dynamic balance during activities of daily living. Commonly used devices can include single point canes, 4-wheel walkers, hemi-walkers, and quad canes. Gait training activities can include the assistive device as part of the training activities to assist balance and safety.[15] Increased mobility with an assistive device promotes walking which can improve overall physiologic functions including bowel and bladder function, prevent contractures and obesity, and increased bone density.

Although used in the promotion of safety, current discussions have questioned the reliance on assistive devices as a gait aid. Some recent studies have demonstrated that the use of assistive devices is not conducive to retraining of normal gait movements. Assistive walking aids tend to bias the body into laterally biased or flexed trunk posturing which entrain an offset of the body center of mass during training. Therefore, the motor system is said to learn "disuse" of proper postural reflexes to support balance walking patterns.

Functional Electrical Stimulation

Common use of functional electrical stimulation (FES) has been to stimulate hip flexors, knee extensors, and ankle dorsiflexors during the stance or swing phases to facilitate or improve functional gait. Evidence supports the use of FES combined with gait retraining to improve gait skill.[16] The use of FES on dorsiflexors and plantarflexors has impacted ankle and knee function during both the swing and stance.[17] In addition, evidence has demonstrated improvement in gait performance when combined with biofeedback.[18,19]

Body Weight Supported Locomotor Training

The use of body weight supported (BWS) locomotor training has become a popular clinical tool to augment gait training activities. Current evidence suggests several key benefits and some drawbacks.[20-22] An apparent benefit is that BWS training allows patients who are otherwise nonambulatory to practice stepping patterns. Therefore, a BWS treatment session is able to incorporate an increased number of steps per session compared to the typical 50 steps to over 1000 steps on average.[23]

In addition, treatments can include speed-based treatment parameters or the addition of neuromuscular electrical stimulation to impaired muscles to safely increase lower-extremity turnover in a given session.[24,25] In addition, the patient is able to attempt specialty walking patterns to improve intersegmental and interlimb coordination such as running, skipping, carioca, or braiding without the fear of falling. Moore et al.[26] was able to demonstrate gait improvements in patients with chronic disability even though patients had been assessed as being in a state of motor skill acquisition "plateau".

Overground Gait Training

Overground gait training techniques are a standard part of patient care in physical therapy. Therapist are able to provide guidance and shaping of motor skills with the use of cuing of specific functional gait patterns using manual, verbal, positional, or even rhythmic cuing. Typically, the therapist is interested in helping the patient to establish trunk and limb control to support walking activities; therefore, depending on patient motor and postural control, pre-gait activities might include specific strengthening and balance activities to support standing dynamic postures. Once the patient demonstrates sufficient standing ability with or without assistance, the therapist then provides gait instruction and patient practice of basic stepping patterns which incorporate the stance and swing phases of gait. Training also progresses to different walking surfaces such as tiled, carpet, grass, or gravel surfaces and possibly stair climbing.

Although gait training has been an integral part of physical therapy, limited evidence exists to support standard physical therapy techniques to significantly improve functional walking skills. For example, recent evidence has demonstrated improvements in walking speed, timed up-and-go, and the 6-minute walk times after patients received standard gait training as part of a circuit training protocol.[21,27]

Rhythmic Auditory Stimulation

Rhythm is an essential element of movement during the gait cycle.[28] Several clinical trials have documented successful patient gait training strategies using rhythmic auditory stimulation (RAS) to enhance motor coordination during the gait. Training included alterations of rhythmic stimuli to alter timing of motor performance. Theoretically, the rhythmic beat stimulates subcortical regions of the central nervous system to facilitate entrainment of movements. Rhythmic auditory stimulation protocols have demonstrated improvements in patient cadence, velocity, single limb stance, and stride length in adult and pediatric patients.[29,30]

Strength Training

Resistance training has received recent attention as beneficial to gait training. Programs can provide exercises for both the upper and lower extremities to provide total body coordination and motor control. Researchers have conducted studies which demonstrate strength training in support of gait training. These protocols include activities such as loaded sit to stands, treadmill training with ankle weights, and specific hip and knee extensor strengthening protocols which have resulted in significant improvement in gait speed and dynamic balance.[9,31,32]

As previously described, gait involves cyclic patterns of locomotion which require intense practice in order optimize skills. Animal studies indicate that high repetition of skill practice is necessary for successful skill acquisition. In fact, De Leon et al.[33] used a spinalized cat model to demonstrate that 800 to 1800 steps were necessary to improve gait skills. Unfortunately, typical treatment sessions in therapy do not meet these high numbers and on average, provide only 17% to 37% of those totals. Recent work by Sullivan et al.[34,35] indicated that training has to include specificity, complexity, and intensity to improve gait skills.

High Intensity Interval Training

Evidence suggests that the intensity level of training can have a major effect on patient outcomes in important functional gait skills such as speed, symmetry, and cardiovascular fitness. Intensity of gait training is determined by duration of each treatments session, number of days per week, speed of treadmill during the session, and the amount of assistance in terms of unloading or ability to hold onto a horizontal bar. Chen and Patten[36] provided a wonderful review of current evidence and recommended 35% to 50% unloading to allow normal hip and knee kinematics during gait. Speeds ranged from 0.22 m/s to 0.89 m/s with greater benefits provided at the higher speeds.[35]

Wevers et al.[37] conducted a metaanalysis of the current evidence which indicated that high intensity body weight support treadmill training with progressive resistance training provided improvements in gait skills and cardiovascular fitness. Programs which featured task-oriented circuit activity stations during patient training included activities such as sit to stand, stair climbing, four way stepping tasks, and step ups to blocks of various heights.[7,37] Sessions were usually conducted from –three to five times per week and 60 to 90 minutes/session for 4 to 12 weeks.[36,37]

Case Study 1

PATIENT CASE

The follow patient scenario will illustrate how the physical therapist and physical therapist assistant might apply gait training exercise strategies to address specific gait impairments.

PATIENT HISTORY AND ASSESSMENT

Mr. JS is a 68-year-old married male with a diagnosis of early symptoms relating to Parkinson's syndrome. He presents to the outpatient clinic with a doctor's prescription "Eval & Treat" with a complaint of "feeling uneasy on his feet." His wife reports he has stopped doing things around the house like working in the yard or even taking out the garbage. Mr. JS also reports a history of two falls at home (once in bathroom and once in the backyard) within the past 6 months. During his initial evaluation the evaluating physical therapist finds the following:

- Resting vitals
  - BP: 110/70 mm Hg
  - HR: 64 bpm

- Endurance: c/o increased fatigue during ADL's
- Pain: c/o low back pain in L3-4, currently 2/10
- Manual muscle tests: Bilateral UE 4/5, Right LE = 3+/5, except hip flexors and plantar flexors = 3/5, Left LE = 4/5
- AROM: Bilateral knee flexed posturing during stance at 5 degrees on Left and 7 degrees on Right.
- Static balance testing
  - Romberg with mild sway; Tandem Right/Left = 25/30 seconds, Left/Right = 20/30 seconds; Single leg stance (SLS) Right = 13/30 seconds, Left = 30/30 seconds (all conducted with standby assist for safety)
- Dynamic balance testing
  - Timed up and go: 18.12 seconds
  - Four square stepping test: 25 seconds
- Observational gait analysis:
  - Patient ambulates with decreased toe clearance bilaterally, Right > Left
  - Uses a single point cane with decreased left limb progression
  - Decreased stance time on left

TABLE 18-4	Gait Training Progression of Intensity	
TYPES OF STEPPING PATTERNS	**CHANGES IN SPEED AND COMPLEXITY**	
Change stride length	Walking	
Change stepping speed	Marching	
Heel walking	Jogging	
Toe walking	Skipping	
Braiding	Jumping/hopping	
Carioca	Bounding	
Tandem walking	Movement Planes (Sagittal, Frontal, Transverse)	
Stepping up/down		
Elastic band resistance with partner	With obstacles (predictable vs. unpredictable)	
Add a weighted vest	Changes in surface (i.e., tile, carpet, grass, gravel)	
	Moving the head	

Multiple ways to progress gait training intensity for either a single treatment session or circuit training activity stations.

Summary of Problems List

Mr. JS exhibits several impairments which could affect the three functional phases of gait (Table 18-4).

- **Phase I: Weight acceptance**
  - Decreased hip and knee strength to control limp forward positioning for foot placement
  - Lack of knee extension to control loading response
- **Phase II: Single limb support**
  - Decreased quadriceps and plantar flexor strength to control ankle rocker
  - Lack of knee extension to control single limp support and balance
- **Phase III: Single limb advancement**
  - Decreased plantar flexor strength for push off during terminal stance
  - Decreased hip flexor and dorsiflexor strength to control limb advancement and toe clearance
- **Other associated problems**
  - Decreased endurance interfering with participation in ADL's
  - Decreased trunk stability with low back pain
  - Impaired lateral balance and coordination

TABLE 18-5	Special Considerations for Gait Training with Geriatric Patients

CHANGES IN GAIT PATTERNS

Although it greatly varies, gait patterns generally decline and become more impaired with aging. Walking patterns include increased variability, decreased gait velocity, shortened step length, increased time in double support, wider step width or base of support, forward flexed posture and decreased arm swing.[4]

CHANGES IN MUSCLE POWER

Although muscle strength and power both decline with aging, power has been shown to decline at a greater rate with more significant effects on functional abilities. Muscle power relates to the time or rate at which maximum force is generated. For example, power is necessary to generate forces quickly to prevent a fall. Recent evidence suggests that dynamic balance activities such as gait should incorporate power training with older adults.[38]

CHANGES IN GAIT SPEED

Gait speed has been shown as significantly related to fall risk. In elders it has also been significantly related to overall decline in functional status.[39]

New evidence suggests that elders are able to respond to speed intense training with significant improvements in balance and general functional abilities .[40]

CHANGES IN ATTENTION DEMANDING TASKS DURING GAIT

Significant changes in sensory systems influence gait whereby it becomes more of a cognitive demand to maintain balance. Researcher have recently demonstrated that dual-task walking may cause a decline in gait speed by up to 20% compared to the 8% change in younger walkers. Attention demanding tasks appear to have more of a destabilizing effect on elderly gait patterns therefore this should be addressed in gait training protocols with older adults .[41]

THERAPIST PRESCRIBED EXERCISE PLAN OF CARE

The PT initial assessment revealed exercise plan of care including treatment three times per week for 4 weeks or 12 visits including instruction in a home exercise program (HEP). The PTA worked with the patient to perform the following specific exercises:

- **Therapeutic exercise** for increased strength and flexibility including stationary cycling and the seated resisted knee–ankle extension exercises (Figure 18-5) which were progressed to resisted forward stepping (Figure 18-6).
- Neuromuscular Reeducation for balance training included wall–ball kicking (Figures 18-7 and 18-8) and multidirectional tapping task (Figure 18-9).
- Gait training included step over walking (Figure 18-12) progressed from 2" step over with parallel bar assist to 6" cones stepping forward and side stepping with walking pole assist to no pole with SBA.
- **HEP: Theraband resisted exercises** including standing alternating shoulder flexion/extensions, back rows/

chest press and trunk flexibility exercises. In addition, Mr. JS was encouraged to start a progressive walking program with his wife in the neighborhood.

Special Note

The PTA noticed that the patient was able to stand more erect during gym activities with the walking poles. Therefore, the PTA consulted with the PT to suggest a walking stick to be included in the patient's walking program instead of the single point cane. The PT agreed with the PTA about the improved patient gait patterns, therefore, the HEP was modified by the PT to include a walking stick as part of the program.

SUMMARY

This chapter provided a description of gait training strategies in terms of three identifiable functional phases in the gait cycle: Weight acceptance, Single limb support, and Single limb advancement. The gait cycle involves specific motor demands on eight specific muscle groups: ankle dorsiflexors and plantar flexors; knee flexors and extensors; hip flexors, extensors, and abductors; and, finally, trunk extensors. These muscles all are required to synchronize timing and force production for both dynamic balance and postural control during gait. Repeated cycles of motor activity typically do not require a high-energy demand; however, pathologic gait patterns require dramatic energy demands which require pacing of patient activity during gait exercise training. Gait-specific exercise training should focus on support of each of the three functional phases however; evidence suggests that intense practice of skills is necessary for optimal skill acquisition. Therefore, strategies involving repeated cycles of locomotion using manually or instrumented assistance for mass practice motor control strategies should be included.

References

1. Harris JE, Eng JJ. Goal priorities identified by individuals with chronic stroke: Implications for rehabilitation professionals. *Physiother Can.* 2004;56:171–176.
2. Williams V, Bruton A, Ellis-Hill C, et al. What really matters to patients living with chronic obstructive pulmonary disease? An exploratory study. *Chron Respir Dis.* 2007;4:77–85.
3. Saunders JB, Inman VT, Eberhart HD. The major determinants in normal and pathological gait. *J Bone Joint Surg Am.* 1953;35-A:543–558.
4. Perry J. *Gait Analysis: Normal and Pathological Function.* Thorofare, NJ: Slack; 2010.
5. Fukanaga T, Kupo K, Kawakami Y, et al. In Vivo behaviour of human muscle tendon during walking. *Proc R Soc Lond B.* 2001;268:229–233.
6. Shiavi R, Bugle H, Limbird T. Electromyographic gait assessment, Part I: Preliminary assessment of hemiparetic synergy patterns. *J Rehabil Res Dev.* 1987;24:24–30.
7. Weiss W. Observational Gait Analysis for Targeted Intervention of Individuals with Hemiparesis from CVA: An Evidence-Based Approach Combined Sections Meeting–Nashville–February 9, 2008.
8. Kerrigan D, Gronley J, Perry J. Stiff-legged gait in spastic paresis. A study of quadriceps and hamstrings muscle activity. *Am J Phys Med Rehabil.* 1991;70:294–300.
9. Damiano D. Loaded sit-to-stand resistance exercise improves motor function in children with cerebral palsy. *Aust J Physiother.* 2007;53:201.
10. Joseph J. *Man's Posture: Electromyographic Studies.* Springfield, IL: Charles C. Thomas; 1960.
11. Waters R, Mulroy S. The energy expenditure of normal and pathological gait. *Gait Posture.* 1999;9:207–231.
12. Kuo AD, Donelan JM. Dynamic principles of gait and their clinical implications. *Phys Ther.* 2010;90:157–174.
13. Jorgensen JR, Bech-Pedersen DT, Zeeman P, et al. Effect of intensive outpatient physical training on gait performance and cardiovascular health in people with hemiparesis after stroke. *Phys Ther.* 2010;90:527–537.
14. Michael KM, Allen JK, Macko RF. Reduced ambulatory activity after stroke: The role of balance, gait, and cardiovascular Fitness. *Arch Phys Med Rehabil.* 2005;86:1552–1556.
15. Pierson FM, Fairchild SL. *Principles & Techniques of Patient Care.* 4th ed. Philadelphia, PA: WB Saunders; 2008.
16. Pak S, Patten C. Strengthening to promote functional recovery poststroke: An evidence-based review. *Top Stroke Rehabil.* 2008;15:177–199.
17. Kesar TM, Perumal R, Reisman DS, et al. Functional electrical stimulation of ankle plantarflexor and dorsiflexor muscles. Effects on poststroke gait. *Stroke.* 2009;40:3821–3827.
18. Cozean CD, Pease WS, Hubbell SL. Biofeedback and functional electric stimulation in stroke rehabilitation. *Arch Phys Med Rehabil.* 1988;69:401–405.
19. Wulf G, McConnel N, Rartner M, et al. Feedback and attentional focus: enhancing the learning of sport skills through external focus feedback. *J Mot Behav.* 2002;34:171–182.
20. Hesse S, Bertelt C, Schaffrin A, et al. Restoration of gait in nonambulatory hemiparetic patients by treadmill training with a partial body weight support. *Arch Phys Med Rehabil.* 1994;75:1087–1093.

21. Hesse S, Sonntag D, Bardeleben A, et al. Patients with total hip arthroplasty capable of full weight bearing walking on a treadmill with partial body weight support, with crutches and without aids. *Z Orthop Ihre Grenzgeb.* 1999;137:265–272.

22. Hesse S. Recovery of gait and other motor functions after stroke: Novel physical and pharmacological treatment strategies. *Restor Neurol Neurosci.* 2004;22:359–369.

23. Mulroy S, Gronley J, Weiss W, et al. Use of cluster analysis for gait pattern classification of patients in the early and late recovery phases following stroke. *Gait Posture.* 2003;114–125.

24. Schmid A, Duncan PW, Studenski S, et al. Improvements in speed-based gait classifications are meaningful. *Stroke.* 2007;38:2096–2100.

25. Lindquist ARR, Prado CL, Barros RML, et al. Gait training combining partial body-weight support, a treadmill, and functional electrical stimulation: Effects on poststroke gait. *Phys Ther.* 2007;87:1144–1154.

26. Moore JL, Roth EJ, Killian C, et al. Locomotor training improves daily stepping activity and gait efficiency in individuals poststroke who have reached a "plateau" in recovery. *Stroke.* 2010;41:129–135.

27. English C, Hillier SL. Circuit class therapy for improving mobility after stroke. *Cochrane Database Syst Rev.* 2010;7:CD007513.

28. Hayden R, Clair AA, Johnson G, et al. The effect of rhythmic auditory stimulation (RAS) on physical therapy outcomes for patients in gait training following stroke: A feasibility study. *Int J Neurosci.* 2009;119:2183–2196.

29. Kwak EE. Effect of rhythmic auditory stimulation on gait performance in children with spastic cerebral palsy. *J Music Ther.* 2007;XLIV:198–216.

30. Hausdorff JM, Lowenthal J, Herman T, et al. Rhythmic auditory stimulation modulates gait variability in Parkinson's disease. *Eur J Neurosci.* 2007;26:2369–2375.

31. Dodd KJ, Taylor NF, Graham HK. A randomized clinical trial of strength training in young people with cerebral palsy. *Dev Med Child Neurol.* 2003;45:652–657.

32. Damiano DL, Arnold AS, Steele KM, et al. Can Strength training predictably improve gait kinematics? A pilot study on the effects of hip and knee extensor strengthening on lower extremity alignment in cerebral palsy. *Phys Ther.* 2010;90:269–279.

33. de Leon RD, Hodgson JA, Roy RR, et al. Locomotor capacity attributable to step training versus spontaneous recovery after spinalization in adult cats. *J Neurophysiol.* 1998;79:1329–1340.

34. Sullivan K, Brown D, Klassen T, et al. Effects of task-specific locomotor and strength training in adults who were ambulatory after stroke: Results of the STEPS randomized clinical trial. *Phys Ther.* 2007;87:1580–1602.

35. Sullivan K, Knowlton B, Dobkin B. Step training with body weight support: Effect of treadmill speed and practice paradigms on poststroke locomotor recovery. *Arch Phys Med Rehabil.* 2002;83:638–691.

36. Chen G, Patten C. Treadmill training with harness support: Selection of parameters for individuals with poststroke hemiparesis. *J Rehabil Res Dev.* 2006;43:485–498.

37. Wevers L, van de Port I, Vermue M, et al. Effects of task oriented circuit class training on walking competency after stroke. *Stroke.* 2009;40:2450–2459.

38. Puthoff ML, Nielsen DH. Relationships among impairments in lower-extremity strength and power, functional limitations, and disability in older adults. *Phys Ther.* 2007;87;1334–1347.

39. Cesari M, Kritchevsky SB, Penninx BWHJ, et al. Prognostic value of usual gait speed in well-functioning older people-results from the health, ageing and body composition study. *JAGS.* 2005;53:1675–1680.

40. Lamontagne A, Fung J. Faster is better, implication for speed-intensive gait training after stroke. *Stroke* 2004;35:2543–2548.

41. Hollman JH, Kovash FM, Kubik JJ, Linbo RA. Age-related differences in spatiotemporal markers of gait stability during dual task walking. *Gait & Poster.* 2007;26:113–119.

PRACTICE TEST QUESTIONS

1. Gait patterns do not mature in children until age

A) 5
B) 7
C) 9
D) 11

2. In a child, the typical immature gait pattern will NOT include

A) a wide base of support
B) decreased cadence
C) decreased velocity and step length
D) shortened time in single limb loading

3. In older adults, gait speed becomes a safety issue. Which of the following statements does NOT accurately describe the role of gait speed in older adults?

A) Gait speed is directly related to falls risk.
B) Distractions will increase gait speed.
C) An increase in the time spent in double support reduces gait speed.
D) Reductions in muscle power influence gait speed.

4. Both strength and muscle power decrease in older adults. The implication for PT interventions is

A) first work on strength activities
B) focus on functional strength and dynamic gait activities
C) focus on body weight support activities
D) all of the above

5. Research evidence supports improvements linked to gait training activities. Which of the following statements accurately reports research findings?

A) The use of biofeedback will improve gait
B) Body weight support reduces steps per session and fear of falling
C) Gait training activities on different surfaces and grades improves overall gait
D) High-intensity interval training should only be performed with young, minimally impaired persons

6. Which of the following statement(s) is/are accurate in describing gait training with ambulation assistance devices?

    A) Use of assistance devices can be unilateral or bilateral
    B) Use of assistance devices will increase the number steps taken in a session
    C) Use of assistance devices will increase deviations such as lateral or flexed trunk
    D) All of the above •

7. The patient is working in the parallel bars for safety. She is stepping over low obstacles, such as cones and tennis balls. This activity will work on

    A) weight acceptance
    B) single limb support
    C) single limb advancement
    D) increasing intensity

8. An activity that will work on the goal of improved weight acceptance during stance phase of gait is

    A) bilateral toe walking
    B) stepping over low obstacles
    C) resisted forward stepping
    D) none of the above

9. In single limb support, the body must translate forward over the stationary foot. In order to do this, the patient will need strength and motor control in

    A) concentric dorsiflexors, knee flexors, and hip flexors
    B) eccentric dorsiflexors, knee flexors, and hip flexors
    C) concentric plantar flexors, knee extensors, and hip extensors
    D) eccentric plantar flexors and concentric hip and knee extensors

10. The patient has bilateral lower-extremity spasticity and partial insensitivity from a spinal cord injury. Which of the following statements will most accurately describe the problems that he will demonstrate during gait?

    A) The patient will have difficulty with gaze stability and perception of verticality
    B) The patient will have increased muscle tone and proprioception problems
    C) The patient will not have sufficient cardiorespiratory endurance
    D) The patient will not be able to demonstrate single limb support

11. In order to develop a comprehensive gait training program, the PTA will include which of the following elements?

    A) Muscle strengthening and stretching activities
    B) Muscle strengthening and dynamic balance activities
    C) Muscle strengthening, power, and dynamic balance activities
    D) Muscle strengthening, power, dynamic balance, and aerobic exercise activities

12. The energy cost of any activity can be measured in METS. Which of the following MET levels are associated with non-challenging walking on level surfaces?

    A) 0.5–1.0 METS
    B) 2.0–2.5 METS
    C) 4.0–4.5 METS
    D) 6.0–8.0 METS

ANSWER KEY

1.	B	4.	B	7.	C	10.	B
2.	B	5.	C	8.	C	11.	D
3.	B	6.	D	9.	D	12.	B

Principles of Contextual Fitness and Function for Older Adults

Reta J. Zabel, PT, PhD, GCS ●

Objectives

Upon successful completion of this chapter, the reader will be able to:

- Define the terms contextual fitness and contextual function.
- Describe the importance of training in a "real" environment such as the home, community, and work place.
- Relate the elements of fitness to the requirements of function in a given environment.
- Describe how contextual fitness impacts performance capacity.
- Apply an established plan of care to improve contextual fitness and function.

● SCIENTIFIC BASIS

Physical Consideration of Function

Data from the MacArthur Study of Successful Aging provided researchers with a means for defining important factors impacting functional changes with age.[1] The study involved community-dwelling older individuals that were assessed on physical and cognitive capabilities, overall health status, and social, lifestyle, and psychological characteristics from 1988/89 to 1995/96. Seeman and Chen[2] examined data from the MacArthur Study to determine risk and protective factors associated with physical functioning in individuals with reported chronic diseases (hypertension, diabetes, cardiovascular disease, cancer, or fractures) and in individuals reporting no chronic disease. The researchers concluded that levels of functioning among older adults with chronic disease is dependent not only on disease-related health status but are influ-

enced by potentially modifiable factors such as physical exercise. Further, the researchers supported the concept that regular physical activity in adults is an appropriate means of promoting higher levels of physical functioning. Rockwood et al.[3] reported data from the Canadian Study of Health and Aging defining fitness and frailty in terms of self-reported exercise and functional level. The data suggested that fitness and frailty are on opposite ends of a continuum and are predictive of survival. Through extrapolation of the results, the investigators conceptualized that if fitness was the opposite of frailty and was predictive of survival then improving fitness through exercise influences survival (Fig. 19-1).

The relationship between functional fitness and risk factors associated with coronary heart disease in older Japanese women was examined using multiple variables.[4] Functional fitness was determined using a test battery including arm curls, walking around obstacles, side-to-side stepping, 1-leg balance with eyes closed, and functional

FIGURE 19-1 ● CONCEPTUAL DIAGRAM OF INVERSE RELATIONSHIP BETWEEN FRAILTY AND FITNESS.

Diagram demonstrates that as increases in fitness results in a decrease in frailty and, therefore, improvement in survival.

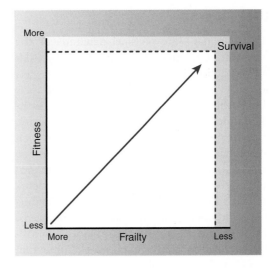

reach. Risk factors for coronary disease consisted of systolic blood pressure, total and low-density lipoprotein cholesterol, abdominal girth, oxygen uptake, heart rate, forced expiratory volume, and hematocrit. The results of the study appeared to indicate that both functional fitness and coronary function are predictive and should be clinically valued as important to the evaluation of health and functional status in the sample of older adults.

Environmental Consideration of Function

Skills involved with daily function may be divided into basic living skills (activities of daily living or ADL) and higher level living skills (instrumental activities of daily living or IADL).[5,6] Performance of the majority of these skills requires that the individual demonstrate some level of mobility. Clinically, intervention strategies are developed to promote independent performance of ADL and/or IADL and the outcome goals usually assess the level of mobility disability. However, intervention programs are likely to be short term and generally take place in a therapist-controlled setting. In order to function in a "real" world, the individual must be able to adapt to the changes and demands of a continually altering environment. Several researchers have reported that the community environment is multidimensional requiring the individual to manage a variety of special circumstances in order to remain safe and functional.[7-11]

In a study involving older adults with and without impaired mobility, Shumway-Cook et al.[11] identified eight environmental factors that are likely to present obstacles for individuals in the community. The environmental factors were temporal (time to cross the street in the time allotted by a traffic light), physical load (carried items), terrain (stairs, curbs, slopes, and uneven surfaces), postural transition (starting/stopping, changing direction, and reaching), distance, collision avoidance (anticipate and/or compensate for disturbances and clutter in mobility path), light level (bright/dim, natural/artificial), and weather conditions (rain, ice, or snow) and attentional demands (walking and performing other cognitive or physical tasks). The researchers proposed that these factors represent the external demands that have to be met in order for the individual to be independent and functionally mobile in a specific environment. Further, they concluded that intervention programs should train individuals to more effectively manage the environmental challenges inherent in the community (Table 19-1).

TABLE 19-1	Types of Environmental Factors[11] and Examples of Functional Tasks that are Impacted by the Factors
TYPE OF ENVIRONMENTAL FACTOR	**EXAMPLE**
Temporal	Crossing a busy street
Terrain	Ascending and descending stairs or slopes
Loads	Carrying a bag of groceries or a child
Transitions	Starting/stopping during shopping
Distance	Walking from parking lot to door
Avoidance	Stepping around a wet floor sign in floor
Lighting	Getting up at night to use bathroom
Weather	Walking on snow-covered sidewalk
Attentional	Filling in blanks of a familiar song (i.e., *Twinkle, Twinkle Star*)

Contextual Fitness

The capacity to manage the physical demands of the environment without fatigue has been defined by Rikli and Jones[12] as "functional fitness." Functional fitness has components of physical endurance, strength, balance, and flexibility sufficient to complete the activities necessary to remain independent in the community. However, the patient/client population is heterogenic in that each will have individual functional fitness needs and unique environmental demands. Consequently, intervention programs should address not only the physical components of functional fitness but also the environmental demands within the specific context of the patient/client needs. Functional fitness in terms of the performance environment may be described as "contextual fitness." Contextual fitness supports performance of meaningful tasks in an environment of importance. The meaningful tasks are typically identified by the individual or the individual's caregivers or family members as an area of training need. The context of the task is determined by elements in the performance environment. Elements in the performance environment should include community, home, and work factors. Consideration should be given to the type of home (apartment, single floor vs. multilevel structure), the setting of the home (urban vs. rural), layout of the home and frequented community buildings (width of the doors, height of the countertops), and clutter (animals, toys) in planning contextual fitness training.

In summary, contextual tasks are activities that are considered meaningful and important to the patient/client and their family or caregivers and that take place in or close to the contextual environment. The ability to perform functional tasks like walking, preparing, and consuming food, communicating with family and friends, and being productive in the home and workplace is vital to independent survival. Task-related functional movement has been suggested to be the result by the interaction of three variables: the individual, the task, and the environment.[7] Therefore, successful completion of a specific task in the contextual environment is simultaneously dependent on the components of the task and factors in the contextual environment (Fig. 19-2). Intervention then should address the functional capacity, or the contextual fitness, of the patient/client to meet the demands of the interacting specific task and the environment in which the task occurs.

Contextual Function

The term function has been used widely by rehabilitation professionals since Lawton[13] included the term to define assessment. He proposed that functional assessment is "any systematic attempt to measure objectively the level at which the person is functioning . . .".[13] In more current work, Harris et al.[14] discussed function from the perspective of specific tasks of ADL that were contextually, that is environmentally, required for the individual to be independent. The authors divided ADLs into five components: walking in the home, bed-to-chair transfers, getting on and off the toilet, putting on and taking off shoes, and putting on and taking off socks.

Dittmar and Gresham[15] conceptualized function as a person's ability to perform ADLs and IADLs within his or her home, institution, or community environment. Nagi[16] first proposed that disability, or an inability to perform actions, tasks, or activities, should be defined in the context of sociocultural and physical environment. Nagi's model of "disablement" provided a classification schema with which physical therapists (PT) could organize the problems and deficits noted in patients. The Nagi model demonstrated graphically that a relationship existed between loss of physiologic function (impairments), activity deficits (functional limitations), and restrictions in function (disabilities). In 1980, the World Health Organization (WHO) developed an alternative

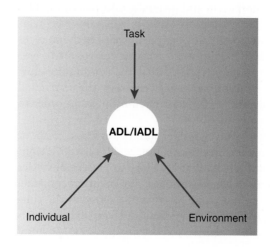

FIGURE 19-2 • **VARIABLES IMPACTING PERFORMANCE OF ADLS AND IADLS.**

Intrinsic variables associated with the individual interacting with extrinsic variables of the task and the contextual environment will impact the ability of the individual to be functionally independent.

model of disablement which used terms of impairment, disability, and handicap.[17] However, neither model fully described the interaction of the environment on the individual's inability to function. In 2001, the WHO revised the earlier model of disablement releasing the new version as the International Classification of Functioning, Disability, and Health (ICF) model.[18] The ICF model places more focus on the interaction of the individual, the task, and the environment related to specificity of function. In this model, impairments (decreased strength, range of motion, and endurance) are referred to as body structure and function; functional limitations (taking an object off the shelf or getting out of bed) are activity limitations; and disability (inability to perform usual roles) is described as a participation restriction. Use of such terms as activity and participation implies function within a specific context. "Contextual function" then is defined as function performed within a meaningful context or environment.

Importance of Contextual Fitness to Contextual Function

The concept of function may be defined as a person's ability to physically perform activities needed in the home, community, or institution; to understand and plan basic and higher level tasks within the context of the specific environment; and to participate in society.[15] Fitness, as described previously, is the capacity to physically perform and participate with the least restriction.[12] A general review of the literature supports that fitness and levels of function are significantly related in that higher fitness levels have a protective effect against functional limitations in middle-aged to older men and women.[19-25] As discussed in Chapter 13, higher levels of fitness are also related to improved psychological function and quality of life. The physiologic capacity for older adults to manage the environmental demands also will play a role in functional limitations and disability and therefore, their ability to remain independent. Lifestyle-based activities such as walking the dog, doing housework, or taking up an active hobby have been proposed as a appropriate means to potentially improve contextual fitness and consequently, contextual function.[15]

● CLINICAL GUIDELINES

Assessment of Contextual Fitness

Contextual, or functional, fitness has been examined using a variety of impairment-based tools; however, two tools have been given the most focus in the literature.[26-30] The first tool is the Senior Fitness Test (SFT) proposed by Rikli and Jones.[12] This test consists six different components of

fitness which the developers identified as relevant to function: *chair stand* to assess lower-body strength, *arm curls* to assess upper-body strength, *2-minute step test* to assess aerobic endurance, *chair sit-and-reach* to assess lower-body flexibility, *back scratch* to assess upper-body flexibility, and the *8-foot up and go* to assess agility and balance during movement. Normative values for each of the components have been published for males and females ages 60 to 94 years.[31] Though more research is required to confirm the connection, the SFT has been found to be predictive of disease and independence in community-dwelling adults.[32]

A second useful fitness test, the Groningen Fitness Test for the Elderly (GFE), is comprised of eight components for examination of fitness: *block transfer* to assess manual dexterity, *button push on cue* to assess reaction time, *balance board* to assess equilibrium, *grip strength* to assess maximum isometric strength of hands and arms, *right leg extension strength* to assess maximum isometric strength of the leg, *sit-and-reach test* to assess hamstrings and lower back flexibility, *circumduction test* as an indicator of shoulder flexibility, and a *staged walking test* to assess aerobic endurance (an important indicator of cardiovascular fitness). The GFE has been found to have satisfactory reliability; however, the grip strength and the block transfer tests were found to change over repeated testing.[30]

In comparing the two tests for clinical usefulness and relationship to function, the SFT appears to be more closely associated with fitness required for function in the environment whereas the GFE selectively tests the basic motor abilities—strength, endurance, and coordination—with less consideration of context or environment. Therefore, the SFT appears more suitable than the GFE for field testing of contextual fitness. In addition, the SFT requires a minimum of specialized equipment using common, easily and inexpensively obtained, testing tools. The PT and the physical therapist assistant (PTA) should find the SFT normative values published by Rikli and Jones[31] useful in determination of level of contextual fitness and need for intervention within a specific environment. The test items on both the SFT and the GFE present a framework for development of a treatment plan focused on contextual fitness and functional improvement.

Training Contextual Fitness

The concept of contextual fitness necessitates that a certain level of consideration be given to requirements of functional movement and to the theoretical elements of fitness. The requirements of functional movement are stability, mobility, and adaptation.[7] The elements of fitness related to function are more physiologically based—core strength endurance, power, agility, balance, flexibility, cardiovascular endurance, and coordination.

Requirements of Functional Movement

Stability is based on provision of support and a diminished potential for movement. For example, the stance limb during single limb standing is considered to have more stability than the swing limb, as a diminished potential for movement exists.[7,33] In contrast, mobility is based on motion and potential for motion.[7,33] The swing limb during gait is considered to have more mobility than the stance limb as the limb is in motion and has more potential for movement. Conceptually, adaptation is the ability to "grade" or alter the state of stability or mobility in response to changes in the task or environmental demands. Biomechanically, mobility requires a foundation of stability such that when one part of the body has more mobility in order to meet the demands, an adjacent part of the body will demonstrate more stability. Essentially, a foundation of stability with superimposed mobility in response to demands of a task within a given context is adaptation.

Elements of Fitness Related to Function

Contextual fitness requires that certain elements or components of function be present. These elements are core strength endurance, power, agility, balance, flexibility, cardiovascular endurance, and coordination.[34,35] Core strength endurance is evidenced by the ability of the postural muscles (abdominals and back extensors) to perform and maintain a tonic or holding contraction sufficient to keep the trunk upright against a force that is externally applied (e.g., gravity). Power is demonstrated in the ability to perform rapid, strong or phasic muscle contractions (i.e., to change the rate of work) in order to adapt to anticipated or unanticipated changes in the environment. The idea of agility, which may be thought of as the ability to perform side-to-side or turning type movements in a timely manner to avoid a collision or to side-step an obstacle in the movement path,[34] is not often considered in training of older adults for fitness but is functionally important for safety in the contextual environment. Agility may also require the ability to combine speed and coordination for movement.[12] Balance has been defined as the ability to maintain the center of gravity over the base of support involving efficient coordination among multiple sensory, biomechanical, and motor systems.[7] Flexibility is the ability to move joints through a range of motion sufficient to accomplish the intended task without being impeded by soft-tissue extensibility and is, therefore, relative to the demands of the task.[36] As previously indicated, cardiovascular endurance is the ability to effectively extract and utilize oxygen as well as efficiently remove waste products. Finally, although not of less importance, coordination is the ability to integrate the multiple components that are involved in consistent performance of functional tasks.[37]

Before prescribing an exercise program to improve contextual fitness, the PT should perform a standard physical therapy examination for determination of the patient/client's overall health status, presence of pain, available range of motion, and any deficits associated with the neuromuscular, musculoskeletal, cardiopulmonary, or integumentary systems as well as examination of the elements of fitness. Once the PT develops the plan of care, the PT and the PTA can work as a clinical team to implement the plan.

● TECHNIQUES

Core Strength Endurance

The core muscles of focus in this chapter for improving strength and endurance are the abdominals and the back extensors. The activities occurring around the core (trunk) are back extension and flexion, side bending, rotation, and counter-rotation. In development of a treatment program to promote core strength endurance, the PT must consider the patient's needs or the amount of stress applied to the core muscles in performance of ADLs.[34] By understanding the daily strength and endurance requirements of the trunk, the PT can begin the program at a level appropriate to adequately stress and, therefore, change the strength of the core muscles.[34] Likewise, the PTA should understand the ADL needs of the patient and the initial starting level in order to more effectively recognize the need for progression.

Contextual Training for Core Strength Endurance

To train the core most effectively, the SAID principles presented in Chapter 5 for specificity should be followed for a given functional activity. Given the myriad of functional activities required for independence, the PT and the PTA should be familiar with the concept of task and subtask analysis in order to recognize the stability and mobility demands for a specific task.[7] In addition, before training within the context of function, the patient/client should perform more traditional trunk strengthening (i.e., more general strengthening preceding more specific training). Strengthening has been found to be significantly related to performance of contextual activities especially if the activities involve sufficient repetitions and loads beyond gravity.[38,39]

For ease of identifying appropriate activities to improve core strength endurance, trunk movements are divided into upper-trunk initiated movements and lower-trunk initiated movements.[40] Upper-trunk initiated movements are reaching forward and upward to comb one's hair, reaching down to retrieve an object from the floor, and reaching behind to put the arm in a sleeve. Lower-body initiated movements involve pelvic tilting forward which results in trunk extension and pelvic tilting backward which results in trunk flexion. Functionally, the upper-body and the lower-body interact and are biomechanically complementary which is to say that even though the upper-body initiates upward reach, the lower-body follows through to extend the trunk and effectively increase the overall reach distance.[40] Examples of training core

strength endurance in unsupported sitting and standing are shown in Figures 19-3 and 19-4.

Power

From a functional point of view, power is the relationship of the functional activity and time or rate of the functional performance. For example, when crossing a busy street and the cautionary signal begins to flash, the functional activity is walking and rate of the functional performance

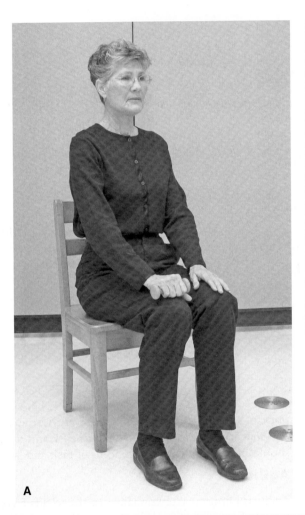

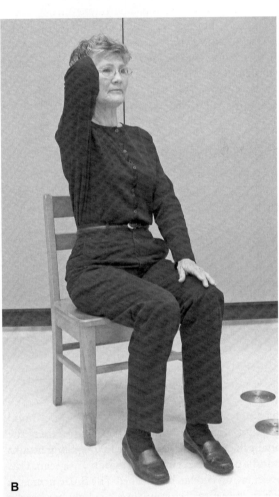

A   B

FIGURE 19-3 ● UPPER-TRUNK INITIATED EXERCISE.

Purpose: Train abdominal muscles and back extensors to improve strength and endurance for reaching up to comb hair or down to manage clothing.
Position: Sting forward on a sturdy chair with back unsupported and trunk in upright posture. The knees and hips are flexed to 90 degree and feet flat on the floor. The patient is given a 1 lb dumbbell (for women) or a 2 lb dumbbell (for men) to hold in the right hand. The hands are placed in a pronated position resting on the thighs (*panel A*).

Procedure: Using the right arm, the patient lifts the weight up and behind the head, anteriorly tilting the pelvis and moving the lower trunk toward extension. The weight is moved down and behind the back, moving the pelvis anteriorly and extending the lower trunk (*panel B*). The patient switches the weight to the left hand and repeats exercise.
Note: Progressively increase to 5 lb dumbbell for women and 8 lb for men.

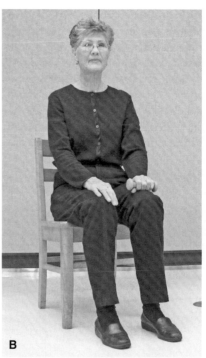

A   B

FIGURE 19-4 ● LOWER-TRUNK INITIATED EXERCISE.

Purpose: Train abdominals and back extensor muscles to improve strength and endurance for performance of functional tasks against gravity.
Position: Sitting forward on a sturdy chair with back un-supported and trunk in upright posture. The knees and hips are flexed to 90 degrees and feet flat on the floor. The hands are placed in a pronated position resting on the thighs.
Procedure: A 1 lb dumbbell (for women) or a 2 lb dumb-bell (for men) is placed on floor to the front and side of

patient's right foot. The patient leans forward by bending at the hips to reach with the left hand toward the floor to retrieve the barbell (*panel A*) and place in the lap (*panel B*). The patient picks up the dumbbell with the right hand and places on the floor to the front and side of the left foot.
Note: Progressively increase 5 lb dumbbell for women and 8 lb for men.

is the walking speed; however, in this example, a rapid increase in walking speed (a rapid change in the rate of the functional performance) is required to avoid being caught in the middle of the street when the light turns green. This rapid acceleration is related to power. The SAID principle and the requirements of movement also apply here in the determination of patient-specific contextual task needs.

Contextual Training for Power

In general, activities that require rapid changes in speed as in stop/start tasks with varied task and environmental demands will influence power. The activities should begin at a self-selected rate and then proceed to introduction of rapid alterations in speed. Examples of training power are walking at different speeds over grass, over bark, over sand, and may be progressed by adding a load (a shoulder

purse or a bag of groceries). Figure 19-5 provides an example of an activity to improve contextual power.

Agility

Agility is important functionally in order to side-step and turning for collision avoidance or to manage an obstacle in the path. According to Shumway-Cook et al.[11] changing direction and anticipating or compensating for disturbances and clutter in the environment present significant obstacles for individuals in the community. Much research has been performed on the role of obstacle management in predicting individuals at a greater risk of falling in the home or community.[11,41] In addition, agility is important in performance of activities such as getting off a bus in a controlled and timely manner, going to the bathroom, or getting up to answer the telephone.[12]

FIGURE 19-5 ● CONTEXTUAL POWER EXERCISES WITH COMPONENTS OF FUNCTION AND TIME.

Purpose: Train rapid acceleration and deceleration activities in challenging environments.
Position: Standing at one end of a tiled, well-lighted hallway at least 25 feet in length. PTA standing behind and to the side.
Procedure: Patient is told to "walk forward at a rapid pace and to stop or start when instructed to do so." The patient progresses forward and the PTA randomly instructs to stop or start during the 25-foot walk. The patient repeats walk in same way but with a simulated bag of groceries.

Contextual Training for Agility

For a patient with a goal of independence and community participation, activities should include elements of side-to-side stepping and turning.[11] One of the tests included in the SFT is an *8-foot walk* in which the patient/client is timed as he/she rises from a chair, walks 8 feet, turns, and returns to sit in the chair.[12] If combined with obstacles or clutter in the walking path, the *8-foot walk* becomes an appropriate contextual training intervention. The path may also be varied depending on the individual needs, for example, the walk may be trained on a tiled floor and then on a carpeted floor. Community-based contextual training of agility may take place in a local supermarket at a busy time of day incorporating management of the grocery cart with the walking requiring the patient/client to side-step to retrieve items from high and low shelves (Fig. 19-6).

Balance

Effective balance is reflected in the ability to maintain the body's center of gravity over the base of support and within the limits of stability.[7,34] Generally during functional activities, the base of support is continually changing from larger to smaller as the body transitions or moves from a sitting position to standing and from standing to walking or stepping. As described in Chapters 10 and 11, balance is divided into static (or holding) and dynamic (or moving) balance. Static balance is demonstrated in the ability of the patient/client to maintain an upright position with respect to the base of support. Dynamic balance is demonstrated in the ability of the patient/client to maintain upright when the base of support is changing or a displacement of center of gravity occurs. Balance is multifactorial[41] and the PT should identify as many of the factors as possible in development of an effective program. The PTA should be aware of the many factors impacting balance and the level of falls risk before intervening for contextual balance.

Contextual Training for Balance

Balance activities should incorporate both static and dynamic balance demands on varied surfaces as well as activities in different levels of lighting. Balance activities may be progressed by including an attentional demand, for example, walking and talking.[7,11,42] Safety should always be a concern in training contextual balance as the activities are directed toward challenging the patient/client by increasing the performance demands; therefore, the PT and the PTA should be prepared to prevent a fall or injury. Examples of contextual training for balance are the maintenance of upright posture while standing on block of foam or soft mat,[40] maintenance of upright posture while standing on foam and rotating to look over the shoulder; walking on soft surface in a dimly lit hallway, management of obstacles in a simulated "real" environment,[43] and walking and performing a simple cognitive task (a math calculation or completing a sentence).[44] Examples of activities that incorporate static and dynamic balance in contextual training are depicted in Figures 19-7 and 19-8.

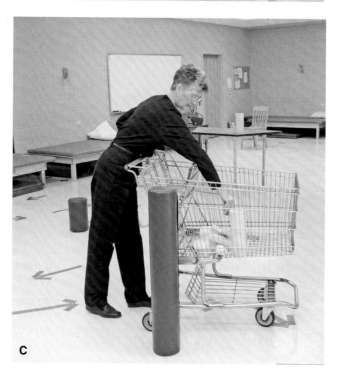

FIGURE 19-6 ● AGILITY WITH 8-FOOT WALK AND OBSTACLES IN PATH.

Purpose: Train agility for sidestepping and turning for avoidance of obstacles.
Position: Standing holding to grocery cart.
Procedure: Patient propels the cart through and around obstacles marker cones to retrieve different size and weight objects from table, cabinet, and floor (*panels A–C*).

Flexibility

Many intrinsic and extrinsic factors affect the amount of flexibility available for performance of ADLs. As presented in Chapter 3, the intrinsic factors are related to the anatomic structure of the joint and the soft-tissue surrounding the joint. Extrinsic factors are more related to potential constraints or limitations placed on the joint by factors external to the joint. For example, shortening and stiffening of the muscles acting on the joint can affect the amount of range or flexibility (intrinsic factors). Likewise, factors in the environment may affect the amount of

range at a joint (extrinsic factors). An example would be long periods of sitting in a soft chair (a recliner) with hips flexed and the knees extended. The softness of the chair results in internal rotation at the hip as the individual sinks into the surface, shortening of the quadriceps as the knees are extended, and the ankle and foot moves toward supination. The eventual outcome is a combination of intrinsic and extrinsic factors limiting range and flexibility of the hip, knee, and ankle. The muscles around the hip joint may develop adaptive shortening or stretch weakness related to the prolonged positioning.[45] Therefore, to

FIGURE 19-7 ● **CHALLENGING BALANCE.**

Purpose: Train balance reactions by challenging stability.
Position: Standing on 24 inch by 24 inch block of dense foam with the shoes off. PTA is standing, without touching the patient, behind and to the side of the patient.
Procedure: Patient is instructed to step up onto the square of foam with the PTA providing support until patient appears stable. The patient is instructed to hold the stable position for 2 minutes.

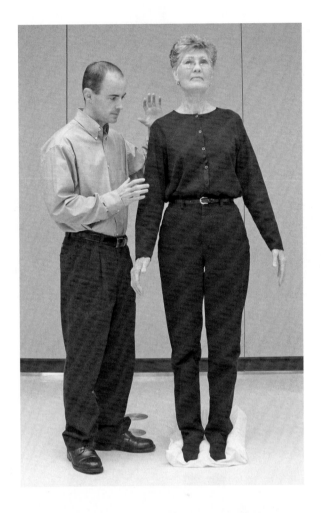

functionally improve flexibility, the flexibility of the joint (joint range) must be addressed as well as the flexibility of the surrounding contractile tissues (muscle range).[34,46] In addition, the flexibility requirements of the task and the environment or context should be fully analyzed before initiating a training program.

Contextual Training for Flexibility

To be most effective, the activities should address both joint and muscle range as well as consider the extrinsic factors associated with the environmental context. Placing one foot on 6″ step and shifting the weight forward over the limb to lengthen hip flexors and ankle plantarflexors and gain range in hip extension and ankle dorsiflexion of the forward limb is one activity to enhance flexibility (Fig. 19-9). A progression of this activity would be an increase in the height of the step.

A second activity is based on the SFT chair sit-to-reach test.[12] The patient/client sits on a firm surface chair with one knee positioned at approximately 45 degrees of flexion and both hands placed over the forward knee keeping the trunk aligned and pelvis at neutral (Fig. 19-10).

The patient/client pushes slowly down on the knee as the foot slides further out. This activity is useful in increasing range at the joints and muscles involved in elbow, wrist, and finger extension and at the joints and muscles surrounding the hip and knee for extension.

A third activity intended to address hip adductor tightness and the hip external rotation range utilizes the patient/client home environment. The patient/client stands facing a counter or table that allows the hands to be in a resting position on the surface with the trunk upright and aligned over the feet. The toes should be pointing forward or slightly angled outward (based on the comfort of the patient). The patient/client keeps one foot planted and moves the other in a backward circumduction pattern as if rotating the body to place an object behind and to the side (Fig. 19-11).

Each of these activities can be progressed by changing the contextual demands—altering the sitting or standing surface from firm (tile) to soft (carpet) to unstable (foam); increasing the stretch over multiple joints (sit-to-reach to touch toes of outstretched limb); stepping in a circle using altering circumduction movements first in one direction and then in the other direction.

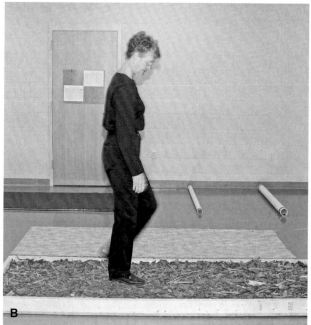

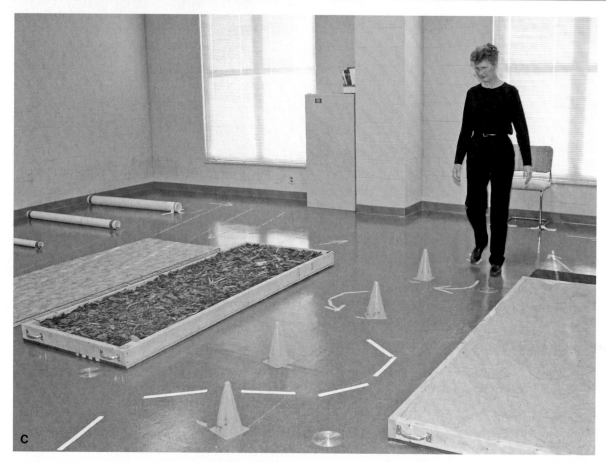

FIGURE 19-8 ● MODIFIED OBSTACLE COURSE.[43]

Purpose: Train management of environmental obstacles using a "simulated" obstacle course.
Position: Walking at a self-selected pace through course beginning on a low carpet surface. PTA is standing, without touching the patient, behind and to the side of the patient.
Procedure: The clinician times the patient walking through the course using a standard stopwatch (baseline

and interval measures may be documented for comparison). The patient begins at the low carpet and proceeds over different size obstacles (*panel A*), high carpet, through pine bark (*panel B*), sit and rise from standard chair, around cones (*panel C*), through sand (*panel D*), ascend and descend steps (*panel E*), and up and down an incline (*panel F*).

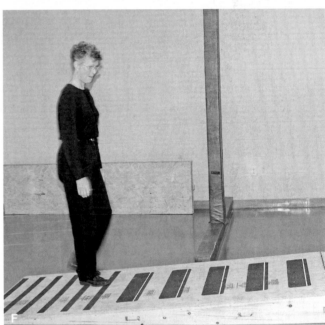

FIGURE 19-8 ● **MODIFIED OBSTACLE COURSE.**[43] *(Continued)*

Cardiovascular Endurance

Cardiovascular endurance involves the ability of the system to perform work for a functionally sufficient amount of time. Different tasks will have a different level of cardiovascular demand and that demand is heavily influenced by the context in which the task is performed. For example, walking across a four-lane street requires more cardiovascular endurance than walking across a two-lane street. In this example, the task is similar but the context places more demands on the cardiovascular system. If an additional contextual component like heavy traffic and a short time to cross the four-lane street is added, an even greater demand exists in the task. The most common functional activity requiring sufficient cardiovascular endurance is walking in the home and community.

Contextual Training for Cardiovascular Endurance

According to the SAID principle (Chapters 5 and 6) of training, cardiovascular endurance in walking should include the task of walking. Therefore, a progressive walking program should be designed by the PT and implemented by the PTA.

FIGURE 19-9 ● SITTING HAMSTRING STRETCH.

Purpose: Increase flexibility in hamstring muscles to support ease of movement in bathing and dressing.

Position: Sitting in a sturdy chair. Patient's hips and knees of the extremity not being stretched are flexed to 90 degrees and foot flat on the floor. The heel of the foot of the extremity being stretched is placed on a stool. The hands are placed in a pronated position resting on the thighs.

Procedure: The patient should maintain an upright posture during the entire movement. Both of the hands are placed on the extended knee and the knee is held in the position while the toes are pointed toward the ceiling. Patient repeats the stretch on the opposite leg.

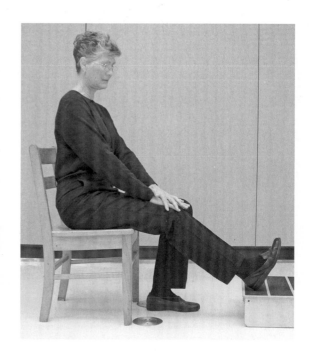

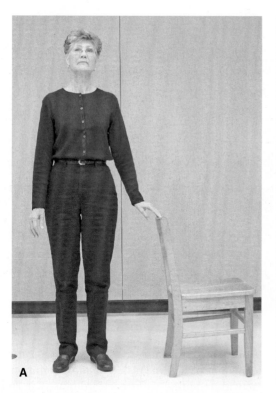

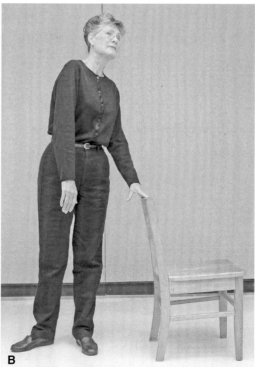

A

B

FIGURE 19-10 ● STANDING ADDUCTOR FLEXIBILITY EXERCISE.

Purpose: Stretch adductor muscles to improve rotational trunk and extremity flexibility for getting in and out of car or tub.

Position: Standing with one hand holding to a sturdy chair, table, or counter and the body at right angle to the surface (*panel A*).

Procedure: Patient's foot closest to the support surface (chair) will remain stable while the other foot rotates out as far as patient can comfortably move. Patient's trunk will rotate toward the support surface (*panel B*).

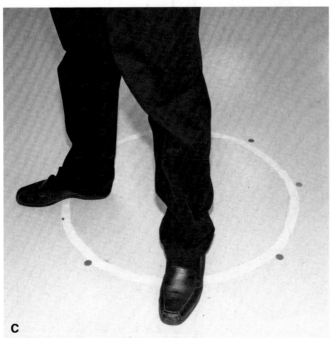
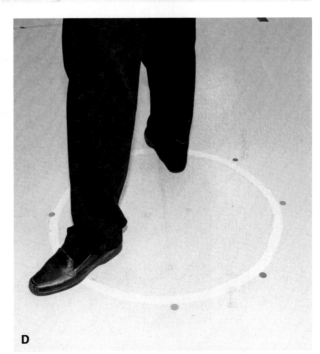

FIGURE 19-11 ● ADDUCTOR FLEXIBILITY EXERCISE WITH FLOOR MARKERS.

Purpose: Increase flexibility in adductor muscles to improve turning in small, constrained environments.
Position: Standing with upright standing posture and both feet directed forward in a comfortable position (*panel A*).

Procedure: Markers (may be duct tape, masking tape, or sticky dots) to indicate a circular pattern of foot placement. Patient moves right or left foot to place the foot on the nearest marker to the right or left depending on the starting foot. The movement continues around the circle until start position is attained (*panel B–D*).

The program designed by the PT for the PTA should include alterations of the speed demands, the surface demands, the distance demands, with loads, and with management of obstacles in the environment. To improve compliance, the walking program may be incorporated into the patient/client's lifestyle. For example, pushing and pulling a vacuum cleaner to complete housekeeping chores, taking stairs instead of the elevator, or joining a mall walking group.[12]

Coordination

Traditionally in therapeutic exercise, coordination has been defined as the ability to perform smooth, accurate, and controlled movements, having components of proper sequencing, timing, proximal stability, and balance.[37,46] However from a broader perspective, coordination may also be thought of as the ability to bring all of the elements of function together; that is to integrate, manage, and synchronize strength, power, agility, balance, flexibility, and cardiovascular endurance to meet the contextual demands of a task. Activities of daily living and instrumental activities of daily living require varied levels of elemental coordination depending on the complexity of the task and the context. In general, fine motor tasks like sewing or writing requires more smooth, accurate, and controlled movements (the more traditional concept of coordination), whereas, gross motor tasks like walking or running require more integration and organization of the varied elements of contextual fitness and function.

Contextual Training of Coordination

A program to train coordination should attempt to include as many of the elements of contextual fitness as possible in repeated and random succession in varied environments. The examples (Figs. 19-12 and 19-13) are simulated "real" housekeeping chores set up such that the patient/client is required to lift objects of varied weights

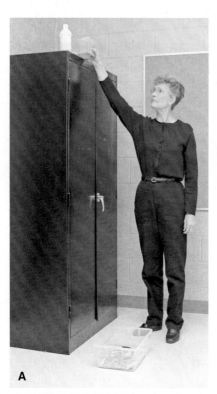

A   **B**

FIGURE 19-12 ● RETRIEVAL AND PLACEMENT OF VARIED OBJECTS.

Purpose: Improve coordination of extremity and trunk to remove objects from high or low shelves.
Position: Standing facing a cabinet with varied objects on a shelf at a level that requires the patient to reach up above shoulder level. A container is placed on the floor to the right or left of the patient.

Procedure: Patient reaches up and removes objects one at a time from shelf above shoulder level and places them in the container on the floor. Patient extends trunk to reach and flexes trunk to place objects in container (*panels A and B*).

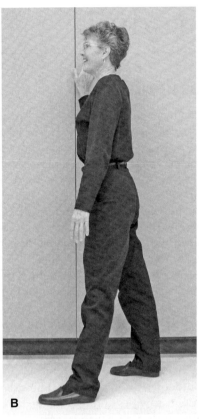

FIGURE 19-13 ● **PHYSICAL THERAPY THREE-STEP EXERCISE.**

Purpose: Improve coordination of lower extremities for walking and stepping over and around obstacles.
Position: Standing and holding a sturdy chair or with hand on the wall. The stepping foot is on the outside and is free to move.

Procedure: Patient shifts weight to limb next to the support surface and steps diagonal, backward, and to the side to touch tape markers on floor (*panels A and B*). The trunk stays upright and the patient is instructed to increase speed as can be tolerated.

from overhead and place in container on the floor, work faster and slower, perform side, diagonal, and backward steps, and turn in circle incrementally and back with trunk rotation and lower-extremity circumduction steps (90 degrees from initial position; 180 degrees from initial position; 360 degrees from initial position; and finally full circle from initial position).

Precautions and Contraindications

Importance should be placed on the identification of the overall state of neuromuscular, musculoskeletal, cardiopulmonary, and integumentary health prior to initiation of activities directed toward improvement of contextual fitness. The examples presented in this chapter make the assumption that individual impairments impacting the movements and the functional performance—overall strength and range of motion, joint stability, cognition,

coordination, etc.—have been or are concurrently being addressed. The PTA should monitor the patient/client's body mechanics for appropriate alignment and to limit less efficient and potentially unsafe movements.

At no time should the activities cause pain or undue fatigue. If pain occurs, the PTA should contact the PT who will then reevaluate and make adjustments in the task or environmental demands to support pain-free performance and then progress should occur as the patient tolerates more activity. Most of contextual activities described in this chapter require control of movement of the center of mass (position of the body's weight in relation to gravity) within and around a changing base of support and, therefore, a higher level of falls risk. The PTA must be aware of the increased risk and position themselves to prevent a fall. However, the patient/client should to be free to move and experience some challenge to the system in order to progress to better performance.[8]

Case Study 1

PATIENT INFORMATION

A 61-year-old woman presented with neuromuscular and musculoskeletal deficits associated with a hemorrhagic stroke 18 years ago. The initial interview with the patient revealed that she was involved in a motor vehicle accident (MVA) and that the stroke occurred while in the emergency room following the accident. The patient reported numerous musculoskeletal injuries associated with the MVA—fractures of both arms, severe whiplash, right patellar fracture, and multiple contusions and abrasions. All healed with minimal residual limitations. However, the subsequent stroke left her with right upper and lower-extremity hemiplegia, balance, and coordination deficits. For the past year, the patient had been taking part in an exercise group at her local church and had lost approximately 15 pounds. The patient indicated that she was getting married in 1 month and would like to feel more stable in walking over rough ground (her wedding is to be outdoors), develop more cardiovascular endurance to sustain activities during the long day of the wedding, increase core strength, and improve power in order to more readily adapt to possible changes in the task demands. The patient indicated that she had become accustomed to certain patterns of movement. The patient was not currently on any prescribed medication and did not routinely take any over the counter medications or supplements; she was a nonsmoker and did not consume alcohol.

The physical examination performed by the PT revealed the patient to be 5 feet, 2 inches tall and weighed 115 pounds. Blood pressure was 130/80 and resting heart rate 66 bpm. No signs of shortness of breath were exhibited. The patient's active range of motion on the left upper extremity was considered functionally normal but showed a loss of approximately 5 to 10 degrees overall; passively, range of motion was considered normal. The left lower extremity showed normal ranges actively and passively in both sitting and supine ranges. The patient's right upper extremity active and passive range of motion was limited by dominance of flexor tone at the elbow, wrist, and fingers. The right lower extremity showed limitations of active range at the hip, knee, and foot secondary to hypotonia; passively, knee extension was limited by 10 degrees. Manual muscle test[45] on left revealed a 4/5 grossly for the upper extremity and 5/5 quadriceps with 4/5 hamstrings, the ankle was 5/5. Secondary to the tone changes, the Medical Research Council (MRC) scale of muscle[47] was used to rate the strength on the right with shoulder flexion and abduction and elbow, wrist, and finger extension were all graded at 3/5. Similarly, the right lower extremity was tested using the Medical Research Council (MRC) scale of muscle[2] with all movements against gravity affected (grade 2 to 3). Functionally, the patient was independent and wore an orthotic on the right foot to prevent foot drop and assist with fatigue; however, when in crowded or cluttered environments, she frequently was assisted by someone supporting her on the left side after 30 minutes of walking. Walking speed was slowed and with limited ability to alter her speed reactively. The patient tended to hyperextend the knee and move the right side of her pelvis back (retract) with stance on the right. The right arm was held in slight elbow flexion, internal rotation, and adduction during all activities.

This patient appeared to lack the fitness and functional ability to perform activities in different contexts and under different task demands. The upcoming wedding required that she be able to adapt her walking and management of the impairments related to the stroke. For example, the patient wanted to carry her bouquet in her left hand and walk with her son (who was much taller than she) on her right. In addition, since the wedding ceremony and reception was to be outside and on grass, more ability was required to function in the different context presented by these environmental constraints.

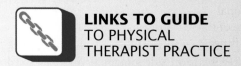

LINKS TO GUIDE
TO PHYSICAL
THERAPIST PRACTICE

Neuromuscular pattern 5D of the *Guide to Physical Therapist Practice*[48] relates to the diagnosis of this patient. This pattern is called "Impaired motor function and sensory integrity associated with nonprogressive disorders of the central nervous system—aquired in adolescent and adulthood." Included in this diagnostic group of this pattern is cerebral vascular accident (CVA) and anticipated goals include "physical capacity is increased, physical function is improved, and ability to perform movement tasks is improved."

INTERVENTION

Given the short time frame from her presentation at the clinic and the actual wedding event, a program was developed to work on the specific task of walking in varied environments, including the elements of agility, coordination, and cardiovascular endurance. The patient was seen by the PTA twice weekly for 1 hour each visit for 1 month. As per the plan of care developed by the PT, the PTA started the patient inside by asking her to walk over low to high carpet, through bark, and up and down four steps, sidestepping in both directions with and without obstacles, and walking at varied speeds (Fig. 19-8). The PTA demonstrated alignment of posture for each activity and she was asked to attempt to maintain as close to this alignment as possible during the training.

Consistent with the plan of care, the PTA also had the patient walk outside, first uphill then downhill on a cement sidewalk. The patient was then asked to walk on grass uphill and then downhill. This task was practiced initially for 5 minutes, increasing 5 minutes per session, thereby, progressing to 20 minutes after three additional visits. Finally, at the fourth visit the patient began to walk on more level grass in the shoes she intended to wear for her wedding. In this way, the task was contextually trained increasing the patient's contextual function and fitness levels.

OUTCOME

The patient was able to walk over the grass on her wedding day holding her bouquet and her son's arm without loss of balance and in a timely, coordinated manner. She reported some carryover in the ability to maintain walking for longer periods in the community without her usual fatigue (from initial report of 30 minutes to 1 hour at discharge); however, her previous walking pattern remained unaltered as did her agility.

SUMMARY: AN EFFECTIVE PT–PTA TEAM

This case study demonstrates an effective collaborative effort between the PT and the PTA. The PTA was able to follow the instructions of the PT after the PT set the plan of care. The PT expects that the PTA fully understands the interventions and the importance of putting the treatment into the context of the goals the patient is trying to achieve. The PT also expects that the PTA can instruct the patient independently and to report any adverse effects of the session.

SUMMARY

- Environmental factors like temporal demands, physical loads, terrain, postural transitions, distance demands, collision avoidance, light levels, weather conditions, and attentional demands have been found to impact performance of functional tasks.

- Contextual fitness is the capacity to manage the physical demands of a task in the specific performance environment in which the task is performed. The physical demands of a task include core strength endurance, power, agility, balance, flexibility, cardiovascular endurance, and coordination. Additional task requirements are stability, mobility, and adaptation.

- Contextual function is a task performed within a meaningful context. Conceptually, a functional patient/client is one who is able to physically perform activities needed in the home, community, or institution; to plan tasks within the specific context; and to participate in society. In other words, the patient/client can perform the functions (tasks) required to be in the home, community, or institution in a participatory manner.

- The elements of fitness related to function should be trained using as many of the aspects of the contextual environment as safely possible. For example, asking the patient/client to walk, turn, walk on varied surfaces found in the environment—tile, carpet, grass—is an appropriate intervention to train agility. If safety is a concern, the training may be initiated in a controlled, "simulated" therapy setting but should progress to include the contextual environment before discharge.

- The PT and the PTA should recognize both the challenge and the necessity of contextual fitness with regard to function. The unfit patient/client is at greater risk of functional decline and possibly catastrophic event like hip fracture. The intervention program should train not only the elements of fitness for older adults, but also should train these elements within the context of performance when feasible.

References

1. Seeman TE, Charpentier PA, Berkman LF, et al. Predicting changes in physical performance in a high-functioning elderly cohort: MacArthur studies of successful aging. *J Gerontol Med Sci.* 1994;49:M97-M108.

2. Seeman TE, Chen X. Risk and protective factors for physical functioning in older adults with and without chronic conditions: MacArthur studies of successful aging. *J Gerontol B Psychol Sci Soc Sci.* 2002;57:S135-S145.

3. Rockwood K, Howlett SE, MacKnight C, et al. Prevalence, attributes, and outcomes of fitness and frailty in community-dwelling older adults: Report from the Canadian study of health and aging. *J Gerontol Med Sci.* 2004;59A:1310-1317.

4. Tanaka K, Shigematsu R, Nakagaichi M, et al. The relationship between functional fitness and coronary heart disease risk factors in older Japanese adults. *J Aging Phys Act.* 2000;8:162-174.

5. Mahoney FI, Barthel DW. Functional evaluation: The Barthel Index. *Md State Med J.* 1965;14:61-65.

6. Kane RL, Ouslander JG, Abrass IB. The geriatric patient: demography and epidemiology. In: Kane RL, ed. *Essentials of clinical geriatrics.* 5th ed. New York, NY: McGraw-Hill Health Professions Division; 2003.

7. Shumway-Cook A, Woollacott MH. Normal postural control. In: Shumway-Cook A, ed. *Motor Control Theory and Practical Applications.* 2nd ed. Philadelphia, PA: Lippincott Williams & Wilkins; 2001.

8. Carr JH, Shephard RB. *Stroke Rehabilitation: Guidelines for Exercise and Training to Optimize Motor Skill.* Oxford, England:Butterworth-Heinemann; 2003.

9. Gill TM, Williams CS, Tinetti ME. Assessing risk for the onset of functional dependence among older adults: The role of physical performance. *J Am Geriatr Soc.* 1995;43:603-609.

10. Patla AE, Shumway-Cook A. Dimensions of mobility: Defining the complexity and difficulty associated with community mobility. *J Aging Phys Act.* 1998;7:7-19.

11. Shumway-Cook A, Patla AE, Stewart A, et al. Environmental demands associated with community mobility in older adults with and without mobility disabilities. *Phys Ther.* 2002;82:670-681.

12. Rikli RE, Jones CJ. Fitness testing in Later Years. In: *Senior Fitness Test Manual.* Champaign, IL: Human Kinetics; 2001.

13. Lawton MP. The functional assessment of elderly people. *J Am Geriatr Soc.* 1971;19:465-481.

14. Harris BA, Jette AM, Campion EW, et al. Validity of self-report measures of functional disability. *Top Geriatr Rehabil.* 1986;1:31-41.

15. Dittmar SS, Gresham GE. *Functional Assessment and Outcome Measures for the Rehabilitation Health Professional.* Gathersburg, MD: Aspen Publication; 1997.

16. Nagi SZ. Some conceptual issues in disability and rehabilitation. In: Sussman MB, ed. *Sociology and Rehabilitation.* Washington, DC: American Sociological Society; 1965.

17. World Health Organization. *International classification of impairment, disabilities, and handicaps.* Geneva, Switzerland; 1980.

18. International Classification of Functioning, Disability, and Health (ICF). In: North American Collaborating Center Conferences on ICF Newsletter 2002. Available at http://www.cdc.gov/nchs/about/otheract/icd9/icfhome.htm. Assessed October 5, 2005.

19. Gill TM, Baker DL, Gottschalk M, et al. A prehabilitation program for the prevention of functional decline: Effect on higher-level physical function. *Arch Phys Med Rehabil.* 2004;85:1043-1049.

20. Topp R, Boardley D, Morgan AL, et al. Exercise and functional tasks among adults who are functionally limited. *Western J Nurs Res.* 2005;27:252-270.

21. Foldvari M, Clark M, Laviolette LC, et al. Association of muscle power with functional status in community-dwelling elderly women. *J Gerontol Med Sci.* 2000;55A:M192-M1999.

22. Schnelle JF, MacRae PG, Ouslander JG, et al. Functional incidental training, mobility performance, and incontinence care with nursing home residents. *J Am Geriatr Soc.* 1995;43:1356-1362.

23. deVreede PL, Samson MM, van Meeteren NLU, et al. Functional-task exercise versus resistance strength exercise to improve daily function in older women: A randomized, controlled trial. *J Am Geriatr Soc.* 2005;53:2-10.

24. Binder EF, Schechtman KB, Ehsani AA, et al. Effects of exercise training on frailty in community-dwelling older adults: results of a randomized, controlled trial. *J Am Geriatr Soc.* 2002;50:1921-1928.

25. Brach JS, Simonsick EM, Kritchevsky S, et al. The association between physical function and lifestyle activity and exercise in the health, aging, and body composition study. *J Am Geriatr Soc.* 2004; 52:502-509.

26. Simonsick EM, Montgomery PS, Newman AB, et al. Measuring fitness in healthy older adults: The health ABC long distance corridor walk. *J Am Geriatr Soc.* 2001;49:1554-1548.

27. Netz Y, Argov E. Assessment of functional fitness among independent older adults; a preliminary report. *Percept Motor Skills.* 1997; 84:1059-1074.

28. Miotto JM, Chodzko-Zajko WJ, Reich JL, et al. Reliability and validity of the Fullerton Functional Fitness Test: An independent replication study. *J Aging Phys Act.* 1999;7:339-353.

29. Mobily KE, Mobily PR. Reliability of the 60+ Functional Fitness Test Battery for older adults. *J Aging Phys Act.* 1997;5:150-162.

30. Lemmink KAPM, Han K, de Greef MHG, et al. Reliability of the Groningen Fitness Test for the elderly. *J Aging Phys Act.* 2001;9:194-212.

31. Rikli RE, Jones JC. Functional fitness normative scores for community-residing older adults, ages 60-94. *J Aging Phys Act.* 1999;7:162-181.

32. Collins K, Rooney BL, Smalley KJ, et al. Functional fitness, disease, and independence in community-dwelling older adults in western Wisconsin. *Wisconsin Med J.* 2004;103:42-48.

33. Stockmeyer SA. An interpretation of the approach of Rood to the treatment of neuromuscular dysfunction. *Am J Phys Med.* 1967; 46:900-961.

34. Bandy WD, Sanders B. *Therapeutic Exercise Techniques for Intervention.* Baltimore, MD: Lippincott Williams & Wilkins; 2001.

35. Malina RM, Bouchard C. *Growth, Maturation, and Physical Activity.* 2nd ed. Champaign, IL: Human Kinetics; 2004.

36. Spirduso WW, Francis KL, MacRae PG. *Physical Dimensions of Aging.* 2nd ed. Champaign, IL: Human Kinetics; 2005.

37. Schmitz TJ. Coordination assessment. In: O'Sullivan SB, Schmitz TJ. *Physical Rehabilitation: Assessment and Treatment.* 5th ed. Philadelphia, PA: FA Davis; 2006:157-176.

38. Sharpe PA, Jackson KL, White C, et al. Effects of a one-year physical activity intervention for older adults at congregate nutrition sites. *Gerontologist.* 1997;37:208-215.

39. King AC, Pruitt LA, Phillips W, et al. Comparative effects of two physical activity programs on measured and perceived physical functioning and other health-related quality of life outcomes in older adults. *J Gerontol Med Sci.* 2000;55A:M74-M83.

40. Umphred DA. *Neurological Rehabilitation.* 5th ed. St. Louis, MO: Mosby; 2007.

41. Tinetti ME. Performance oriented assessment of mobility problems in elderly patients. *J Am Geriatr Soc.* 1986;34:119-126.

42. Brauer SG, Woollacott M, Shumway-Cook A. The interacting effects of cognitive demand and recovery of postural stability in balance-impaired elderly persons. *J Gerontol Med Sci.* 2001;56A:M-89-M496.

43. Means KM, O'Sullivan PS. Modifying a functional obstacle course to test balance and mobility in the community. *J Rehabil Res Dev.* 2000;37:621-632.

44. Shumway-Cook A, Woollacott M, Kerns KA, et al. The effects of two types of cognitive tasks on postural stability in older adults with and without a history of falls. *J Gerontol Med Sci.* 1997;52A:M232–M240.
45. Kendall FP, McCreary EK, Provence PG. *Muscle Testing and Function.* 5th ed. Baltimore, MD: Lippincott Williams & Wilkins; 2005.
46. Brody LT, Hall CM. *Therapeutic Exercise Moving Toward Function.* 3rd ed. Philadelphia, PA: Lippincott Williams & Wilkins; 2011.
47. Wade DT. Motor and Sensory Impairments. In: Wade DT, ed. *Measurement in Neurological Rehabilitation.* Oxford: Oxford University Press; 1992.
48. American Physical Therapy Association. *Guide to Physical Therapist Practice.* 2nd ed. Alexandria, VA: American Physical Therapy Association; 2003.

PRACTICE TEST QUESTIONS

1. When an individual ages, she will experience limitations in physiologic functioning. These limitations may not affect her ability to live independently. If this is true, which of the following statements accurately describe her condition?

   A) Limited contextual function
   B) Limited functional fitness
   C) Activity limitations
   D) Participation restrictions

2. The patient was living independently in his own home. Following his heart attack, he has to limit the number of times he climbs and descends stairs and cannot yet manage more than a 4-hour day at work. Which of the following statements accurately describes his condition?

   A) Limited contextual function
   B) Limited functional fitness
   C) Participation restrictions
   D) All of the above

3. In order to be independent in her own home, the patient must be able to walk two blocks to the grocery store two times each week, carry her own groceries back home, and cross the busy street at two intersections. The sidewalks are not well kept and abut a busy playground and dog park. According to Shumway-Cook classifications of obstacles, what environmental factors will this patient need to practice?

   A) Temporal and physical load
   B) Terrain and distance
   C) Collision avoidance and attentional demands
   D) All of the above

4. Which of the following statements is accurate?

   A) Functional fitness is the same as contextual fitness
   B) Endurance, strength, balance, and flexibility influence contextual fitness
   C) Contextual fitness and functional fitness values are the same for everyone
   D) All of the above

5. The Senior Fitness Test (SFT) is often applied to a senior population. Which of the following statements best describes its value?

   A) The SFT will predict functional fitness
   B) The SFT will predict contextual fitness
   C) The SFT will predict severity of disease
   D) The SFT will predict independence level in the community

6. Both the Senior Fitness Test (SFT) and the Groningen Fitness Test for the Elderly (GFTE) provide useful information. Which of the following statements best describe how the PTA will use information from these tests?

   A) The PTA will not need to use this information
   B) The PTA will compare the patient data to the normative data in order to determine a fitness level
   C) The PTA will not exceed the activity levels reported in either test when developing a daily intervention plan
   D) The PTA will use the elements of either test to create daily intervention plans and note improvements in her documentation

7. The PT evaluates the patient and determines that the plan of care needs to focus on improvement in functional movements. Which of the following represent the components of interventions which will improve functional movement?

   A) Agility and balance
   B) Mobility and adaptation
   C) Core strength endurance and power
   D) All of the above

8. The PTA is working with the older patient on agility, as determined in the plan of care. Which of the following activities will most likely improve the patient's agility?

   A) Timed up and go activities
   B) Timed up and go while avoiding obstacles in the path
   C) Kicking a ball in different directions
   D) Alternating acceleration and deceleration during walking activities

9. The patient is working on lifting a 2 pound (1 kg) weight off of the floor and carrying a bag of groceries in one hand while being asked to accelerate or decelerate her walking speed at varied intervals. The activities the patient is participating in are focused on which of the following contextual elements?

   A) Agility and balance
   B) Mobility and adaptation
   C) Core strength endurance and power
   D) Flexibility and cardiovascular endurance

10. The elderly patient is living alone in her single story home. He must do meal preparation and laundry chores. While a friend assist him with grocery shopping and transportation, he is still responsible for putting away the groceries. The plan of care includes contextual training for coordination. The PTA will include treatment activities that

    A) simulate meal preparation, laundry, and putting items on high and low shelves.
    B) require varying speeds and directions from a fixed point.
    C) require all elements of balance and flexibility.
    D) all of the above.

11. The PTA is discussing the patient's progress with the supervising PT. The PTA describes that the patient is experiencing DOMS lasting about 6 to 8 hours following a treatment session and soreness of "4" out of 10 in the hamstrings following stretching session. The plan of care has focused on both fitness and functional movements. Each of the past week's treatment sessions have been 5 to 10 minutes longer than the prior week's sessions. Assuming that the patient is medically stable, how might the PT assess the patient's progress?

    A) The patient's progress is hampered by pain.
    B) The patient's progress is within normal limits.
    C) The patient's progress is slower than anticipated.
    D) The patient's progress is faster than anticipated.

12. The patient is working on coordination and balance activities in which the patient's base of support is continuously shifting and she must avoid moving obstacles. How will the PTA assure patient safety during these activities?

    A) The PTA will place a gait belt on the patient and provide contact guard on the involved side.
    B) The PTA will place a gait belt on the patient and provide contact guard on the uninvolved side.
    C) The PTA will place a gait belt on the patient and provide close supervision.
    D) The PTA will place a gait belt on the patient and provide close supervision and contact guard only if needed.

ANSWER KEY

1.	B	4.	B	7.	B	10.	D
2.	D	5.	D	8.	B	11.	B
3.	D	6.	D	9.	C	12.	D

Application of Therapeutic Exercise using Sample Protocols

Mark DeCarlo, PT, DPT, MHA, SCS, ATC
Gail C. Freidoff, PT, MAT, SCS, ATC
Timothy F. Tyler, PT, MS, ATC
William D. Bandy, PT, PhD, SCS, ATC
Barbara Sanders, PT, PhD, SCS, FAPTA

Objectives

Upon completion of this chapter, the reader will be able to:

- Describe the use of protocols in the rehabilitation of patients postsurgically.
- Describe the use of therapeutic exercise using protocols for rotator cuff surgery.
- Describe the use of therapeutic exercise using protocol for anterior cruciate ligament surgery.
- Describe the use of therapeutic exercise sing protocols for total joint replacement.

The purpose of this chapter is to attempt to combine therapeutic exercise techniques from previous chapters to four postsurgical conditions. This purpose will attempt to be met with the use of treatment protocols provided by three physical therapists—experts in their field. Before presenting the protocols, some information on the appropriate use of a protocol by the physical therapist assistant (PTA) is necessary.

Even though a protocol is used, the progression through the protocol should be under the direction of the physical therapist (PT). Movement by the patient from one stage to the next stage should not be made by the PTA, but rather by the PT. The PTA's role is to inform the PT that, in the opinion of the PTA, the patient has met a milestone in the exercise progression that requires the PT

to reexamine the patient and make the decision to proceed to a higher level of exercise.

A protocol is a guide, and not a recipe. An appropriate protocol should have a rationale for each stage; flexibility for variability in each patient and condition; and allow the PT, PTA, and patient to work through the healing phases and ultimately return to function. For example, a 21-year-old athlete will not progress through a postsurgical protocol at the same rate as a 55-year-old accountant with little exercise background. Healing times are variable in someone who smokes or has diabetes, for example, than a conditioned athlete. It is important that each patient work their way through the protocol, passing each milestone and moving from stage to stage at a pace that is appropriate and individualized for that patient. A patient should not simply be placed in a certain stage of a protocol because the patient meets some time frame established in the protocol. An evaluation by a PT is required to determine where in the protocol that patient should enter, and how to proceed. If the patient is entered into a protocol at some point other than the beginning, the PT should ensure that the patient has passed the required milestones up to the point that the patient has entered the protocol.

As much as possible, the protocol should be based on evidence. Each piece of the protocol needs to be able to be defended logically. If the pieces can be defended, the protocol as a whole should be able to be defended. As each protocol is presented, reference will be made to figures that were presented in previous chapters and were defended as much as possible by the research. In this way, through the use of protocols, the PTA has can be exposed to the process of how therapeutic exercise is pulled together from the initial day postsurgically—to the eventual return to function.

ROTATOR CUFF REPAIR—SMALL VERSUS MEDIUM/LARGE

Timothy F. Tyler PT, MS, ATC

If one were to review the literature as to the definition of the types of repairs to muscles of the rotator cuff, the reader would not only be overwhelmed with information concerning "small versus large" and "partial thickness versus full thickness" repairs, but will also be made aware that a lack of consensus exists. While not the purpose of this text to differentiate among the different categories of rotator cuff repair, a simplistic categorization of the rotator cuff injury is needed in order for the reader to understand the two rotator cuff protocols that are presented in this chapter. This information as to category may be obtained through an MRI, or more frequently, obtained from the physician in surgery—who may relay the information to the physical therapist following surgery.

For the purposes of this chapter, injury to the rotator cuff requiring a "small" repair is needed when the injury to the muscles are not complex, probably involving one muscle of the rotator cuff. In this case, the rehabilitation protocol will be more aggressive when compared to a "medium/large" repair. A "medium/large" repair is needed when the injury to the cuff is more complex, usually involving more than one muscle of the rotator cuff. In the case of a larger repair, the protocol will need to be more conservative requiring more protection at the beginning of the rehabilitation program, with longer time needed to complete the program.

Rotator Cuff Repair—Small Rehabilitation Guidelines

● PHASE I—PROTECTIVE PHASE (0 TO 6 WEEKS)

Goals

- Gradual return to full range of motion (ROM)
- Increase shoulder strength
- Decrease pain

Exercises—0 to 3 Weeks

- Fit sling for comfort (1 to 2) weeks
- Perform pendulum exercises
- Initiate active-assisted ROM exercises (Figs. 3-10 to 3-12)
- Employ ROM exercises in a non-painful range, with gentle and gradual increase of motion to tolerance (Figs. 3-13, 3-15 to 3-17, 3-22, 3-23)
- Use rope and pulley for flexion (only)
- Begin isometrics (submaximal, subpainful isometrics) for the following muscle groups: shoulder flexors, abductors (Fig. 7-7), external rotators (ER), internal rotators (IR); and elbow flexors (Fig. 7-6)
- Use pain-control modalities (ice, high-voltage galvanic stimulations [HVGS])

Exercises—3 to 6 Weeks

- Progress all exercises (continue all previous exercises)
- Perform active-assisted ROM ER/IR (shoulder at 45 degrees abduction) (Fig. 3-14)
- Begin surgical tubing ER/IR (arm at side) (Fig. 7-15A)
- Initiate humeral head stabilization exercises (Fig. 8-23)

● PHASE II—INTERMEDIATE PHASE (7 TO 12 WEEKS)

Goals

- Full, non-painful ROM
- Improve strength and power
- Increase functional activities; decrease residual pain

Exercises—7 to 10 Weeks

- Perform active-assisted ROM exercises:
  - Flexion to 170 to 180 degrees
  - Perform ER/IR at 90 degrees abduction of shoulder:
    - ER to 75 to 95 degrees (Fig. 3-14)
    - IR to 75 to 85 degrees (Fig. 3-14)

- Perform ER exercises with 0 degrees abduction:
  - ER to 30 to 40 degrees
- Perform strengthening exercises for shoulder
  - Perform exercise tubing ER/IR with arm at side (Fig. 7-15A)
  - Use isotonics dumbbell exercise for the following muscles: deltoid (Figs. 7-13, 7-21), supraspinatus (Fig. 7-11), elbow flexors, scapular muscles (Figs. 7-16 to 7-18)
  - Use upper body ergometer (Fig. 13-10)

Exercises—10 to 12 Weeks

- Continue all previous exercises.
- Initiate isokinetic strengthening (scapular plane).
- Initiate side-lying ER/IR exercises (dumbbell).
- Initiate neuromuscular scapula control exercises.

● PHASE III—ADVANCED STRENGTHENING PHASE (13 TO 21 WEEKS)

Goals

- Maintain full, non-painful ROM.
- Improve shoulder complex strength.
- Improve neuromuscular control.
- Gradual return to functional activities.

Exercises—13 to 18 Weeks

- Begin active stretching program for the shoulder
  - Use active-assisted ROM flexion, ER/IR. (Fig. 7-15B)
- Perform capsular stretches (Figs. 5-20 to 5-22)
- Initiate aggressive strengthening program (isotonic program) for following muscles: shoulder flexion, abduction, supraspinatus, ER/IR, elbow flexors/extensors, scapular muscles
- Perform an isokinetic test (modified neutral position) at week 14: ER/IR at 180 and 300 degrees per second
- Begin general conditioning program (Chapter 13)

Exercises—18 to 21 Weeks

- Continue all exercises listed previously.
- Initiate interval sport program (Table 16-9)

● PHASE IV—RETURN TO ACTIVITY PHASE (22 TO 26 WEEKS)

Goals

- Gradual return to recreational sport activities (Table 16-10).
- Perform isokinetic test (modified neutral position).

Rotator Cuff Repair— Medium/Large Rehabilitation Guidelines

● PHASE I—PROTECTIVE PHASE (0 TO 6 WEEKS)

Goals

- Gradual increase in range of motion (ROM)
- Increase shoulder strength
- Decrease pain and inflammation

Exercises—0 to 3 Weeks

- Fit brace or sling (physician determines amount of time)
- Begin pendulum exercises
- Perform active-assisted ROM exercises:
  - Flexion to 125 degrees (Fig. 3-12)
  - ER/IR (shoulder at 40 degrees abduction) to 30 degrees (Fig. 3-14)
- Perform passive ROM to tolerance (Figs. 3-10 to 3-12)
- Use rope and pulley for flexion only
- Perform elbow ROM (Fig. 3-18) and hand-gripping exercises
- Begin submaximal isometrics for the following muscle groups: shoulder flexors, abductors (Fig. 7-7), ER/IR; and elbow flexors (Fig. 7-6)
- Use ice and pain modalities.

Exercises—3 to 6 Weeks

- Discontinue brace or sling
- Continue all exercises listed previously
- Perform active-assisted ROM exercises:
  - Flexion to 145 degrees (Fig. 3-12)
  - ER/IR (performed at 65 degrees abduction) range to tolerance (Fig. 3-14)

● PHASE II—INTERMEDIATE PHASE (7 TO 14 WEEKS)

Goals

- Full, non-painful ROM (10 Weeks)
- Gradual increase in strength
- Decrease pain

Exercises—7 to 10 Weeks

- Perform active-assisted ROM:
  - Flexion to 160 degrees (Fig. 3-12)

• ER/IR (performed at 90 degrees shoulder abduction) to tolerance (greater than 45 degrees) (Fig. 3-14)
• Perform strengthening exercise:
  • Use exercise tubing ER/IR, arm at side (Fig. 7-15A)
  • Initiate humeral head stabilizing exercises (Fig. 8-23)
  • Initiate dumbbell-strengthening exercises for the following muscles: deltoid (Figs. 7-13, 7-21), supraspinatus (Fig. 7-11), elbow flexion/extension, scapular muscles (Figs. 7-16 to 7-18)

Exercises—10 to 14 Weeks

• Continue all exercises listed previously (full ROM by 10 to 12 Weeks)
• Begin isokinetic strengthening (scapular plane)
• Begin side-lying ER/IR exercises (dumbbell)
• Begin neuromuscular control exercises for scapular (Figs. 8-1 to 8-4)

NOTE: Patient must be able to elevate arm without shoulder and scapular hiking before initiating isotonic exercises; if unable, maintain humeral head stabilizing exercises.

● PHASE III—ADVANCED STRENGTHENING PHASE (15 TO 26 WEEKS)

Goals

• Maintain full, non-painful ROM
• Improve strength of shoulder
• Improve neuromuscular control
• Gradual return to functional activities

Exercises—15 to 20 Weeks

• Continue active-assisted ROM exercise for flexion, ER, IR
• Perform self-capsular stretches (Figs. 5-20 to 5-22)
• Begin aggressive strengthening program:
  • Shoulder flexion (Figs. 8-5, 8-7, 7-19, 7-20)
  • Shoulder abduction (to 90 degrees) for following muscles: supraspinatus, ER/IR, elbow flexors/extensors, scapular muscles (Figs. 7-16 to 7-25)
• Use upper body ergometer (Fig. 13-10)

Exercises—21 to 26 Weeks

• Continue all exercises listed previously
• Use isokinetic test (modified neutral position) for ER/IR at 180 and 300 degrees per second
• Begin interval sport program (Table 16-9)

● PHASE IV—RETURN TO ACTIVITY PHASE (22 TO 26 WEEKS)

Goals

• Gradual return to recreational sport activities (Table 16-9)

Exercises—24 to 28 Weeks

• Continue all strengthening exercises
• Continue all flexibility exercises
• Continue progression on interval programs (Table 16-10)

ANTERIOR CRUCIATE LIGAMENT RECONSTRUCTION REHABILITATION PROGRAM

Mark DeCarlo, PT, DPT, MHA, SCS, ATC

Rehabilitation following anterior cruciate ligament (ACL) reconstruction was changed dramatically in 1980s and 1990s. Original ACL protocol emphasized limited knee extension, restricted weight bearing, and a timetable of 9 to 12 months before returning to athletic activity. The present protocol emphasizes early knee extension, unrestricted weight bearing, and a more expedient return to athletic activity. With the traditional protocol patients were immobilized in flexion and not permitted to bear weight on the involved extremity for 6 to 8 weeks. This protocol was soon discarded in favor of immediate continuous passive motion. Clinical research conducted at this facility, which compared surgical results to patient rehabilitation compliance, revealed that those patients who were noncompliant with the prescribed program actually did better than those who followed the protocol as instructed. Patients that started early weight bearing and gained terminal knee extension earlier than instructed were able to get back to normal sooner than those who were more compliant with the protocol. To ensure that no adverse effects resulted from early weight bearing and early knee extension, the noncompliant patients were encouraged to return for routine clinical follow-up. It was determined that ligamentous stability was not compromised as a result of their eagerness. The rehabilitation program was gradually accelerated based on these findings. Patients undergoing ACL reconstruction were closely monitored through ongoing clinical research investigation during 1980s and 1990s with enduring clinical outcome studies continuing today.

The current rehabilitation program is based on the following three factors: (1) early terminal knee extension equal to the contralateral side; (2) early weight bearing; and (3) comprehensive strengthening exercises including extremity and core strengthening as well as balance and proprioceptive activities. Early knee extension establishes the foundation for the entire rehabilitation program. The incidence of flexion contracture, with associated quadriceps weakness and extensor mechanism dysfunction following ACL reconstruction, has significantly decreased when achieving knee extension immediately after surgery. Quadriceps strength is enhanced with early extension and early weight bearing. Well-designed lower extremity strengthening facilitates improved patellar tracking and has been determined to be a functional mode of exercise. The combination of early knee extension, early weight bearing, and closed kinetic quadriceps strengthening allows the patient to progress through the postoperative rehabilitation period at a predictable pace without compromising ligamentous stability.

Our ACL rehabilitation program is based on purposeful clinic visits. It is our philosophy to make the patient responsible for their rehabilitation through a structured program of patient education and clinical treatment. Clinical goals and expectations are established before surgery so that the patient is aware of what needs to be accomplished during each phase of the rehabilitation program. Patients are educated on how to perform each exercise effectively and how to progress each exercise independently based on clinical expectations. Goals are established for the patient at each visit with a detailed timetable as to when these goals should be attained. If the patient experiences difficulty in achieving the goals set forth, they will understand that more routine physical therapy visits will be required. Through appropriate pre- and postoperative visits, we are able to avoid complications rather than treat them once they occur.

Rehabilitation following ACL reconstruction consists of four distinct phases. Possible overlap may exist among phases depending on the individual progress of the patient.

● PHASE I—PREOPERATIVE

With this protocol, patients presenting with an ACL deficient knee must be seen in physical therapy prior to ACL reconstruction. The objectives with the preoperative visits include preparing the knee for surgery and mental preparation of the patient to deal with surgery and the postoperative rehabilitation course. Patients with acute ACL tears will be placed on appropriate rehabilitation to decrease swelling and restore range of motion and strength to near normal levels. Appropriate patient education of the surgical technique and postoperative rehabilitation will assist in mental preparation of the patient. Patients with both acute and chronic ACL will undergo preoperative KT 1000, isokinetic strength evaluation, and single leg hop testing on the contralateral limb.

Goals

- Restore full ROM and appropriate strength prior to ACL reconstruction with emphasis on full motion before beginning strengthening
- Control swelling prior to ACL reconstruction
- Ensure complete understanding of the basic principles of accelerated rehabilitation including
  - Full hyperextension and full flexion
  - Early weight bearing
  - Closed and open chain strengthening

Testing

- Bilateral ROM including full terminal knee extension
- KT-1000
- Isokinetic evaluation at 180 and 60 degrees per second
- Single leg hop on noninvolved leg

Exercises

   I. ROM exercises for both extension and flexion
     A. Extension Exercises
       – Heel props, towel stretches, prone hangs
       – Extension board or other extension device as indicated
     B. Flexion Exercise
       – Heel slides (Fig. 3-6), wall slides
       – Supine flexion hangs
       – Quadriceps control exercises (Extension "Habits")
  II. Active heel lifts
 III. Standing knee lock-outs
 IV. Lower-extremity strengthening (only *after* obtaining full ROM with minimal swelling
  V. Leg press
 VI. ¼ squats (Figs. 6-34, 9-8)
VII. Step downs (Fig. 9-9)
VIII. Knee extensions
 IX. Bike (Figs. 13-5, 13-6)
  X. StairMaster (Fig. 13-7)
 XI. Elliptical (Fig. 13-8)

● PHASE IIA—1 TO 6 DAYS AFTER SURGERY

Goals

- Full passive knee extension and 90-degree flexion
- Independent straight leg raise
- Weight bearing as tolerated

Exercises

- The patient begins using CPM (Fig. 3-33) the day of surgery, set from 0- to 30-degree flexion. The CPM machine is to remain on with the patient's leg in it at all times except when doing motion exercises.

- A Cryo/Cuff is placed on the patient's knee immediately after surgery. This provides compression and cold to minimize pain and swelling. The Cryo/Cuff also remains on the knee at all times, except when performing motion exercises.
- Extension range of motion exercises six times a day:
  - The knee is allowed to fully extend to terminal extension for ten minutes during each exercise bout.
  - Elevate the heel on the Cryo/Cuff canister. A 2.5-pound ankle weight is placed across the proximal tibia to facilitate terminal extension. Full extension allows the newly reconstructed ligament to fit perfectly into the intercondylar notch. Restricting full extension will allow the notch to fill with scar tissue and become a block to extension.
  - Towel stretches
- Knee flexion Exercises
  - Rest knee in CPM machine (Fig. 3-33), set at 90 degree, 6 times per day.
  - Continue to increase flexion by performing heel slides.
- Leg control
  - Active quadriceps contraction with quad sets
  - Straight leg raises (Figs. 7-26 to 7-28)
  - Active heel height
- During the first week the patient is to remain lying down with the knee elevated in the CPM/using the cryo-cuff when not exercising. However, when getting up to go to the bathroom, the patient is encouraged to be full weight bearing as tolerated with the crutches.

Clinical Follow-up

- Patient will report to physical therapy 1 week after surgery and should have:
  - Full terminal extension and flexion to 90 to 100 degrees
  - Minimal swelling and soft-tissue healing
  - Near normal gait

● PHASE IIB—7 TO 14 DAYS AFTER SURGERY

Goals

- Full terminal extension and flexion to 110 degrees
- Minimal swelling and soft-tissue healing
- Normal gait (including progress with ascending and descending stairs)
- Demonstrate ability to lock knee with weight shifted to ACL leg

Testing

- Bilateral ROM

Exercises

- Regaining full extension range of motion is the most critical factor in this phase. Early terminal extension has been demonstrated through many clinical research studies to be the key to a successful result. The patient is encouraged to push extension by performing the following exercises:
  - Towel stretch
  - Heel props
  - Prone hangs
- Patient is encouraged to lock out knee by standing with weight shifted to ACL leg so that extension is full and knee is fully locked (standing knee lock-out)
- It is very important to emphasize leg control early in the rehabilitation program. Through early extension and normal gait the patient is able to regain good quadriceps tone and leg control. This combination of clinical variables will set the pace for the entire rehabilitation program and a successful outcome.
- Once the patient has regained full knee extension and is ambulating normally, it will be possible to implement further leg control exercises:
  - Quarter squats (Fig. 9-8)
  - Knee extensions off side of table/bed
  - It is felt that this type of exercise facilitates return of lower-extremity strength with minimal stress to the joint.
- Patient continues to increase flexion
  - Heel slides (Fig. 3-6)
  - Wall slides

Clinical Follow-up

- The patient will return 2 weeks following surgery
- The patient should have full terminal extension, flexion to 110 degrees,
- and good quadriceps control.

● PHASE III—2 TO 6 WEEKS AFTER SURGERY

Goals

- Full terminal extension and full flexion (work toward sitting on heels) by 5 to 6 weeks
- Continue leg control increases while full ROM is obtained

Testing

- Bilateral ROM

Exercises

- If the patient does not have full passive terminal extension:
  - An extension board or other extension device will be given to the patient for home use in addition to routine clinic visits to restore full extension.
  - Supine flexion hangs are the most common means of regaining terminal flexion, however kneeling down and sitting back on one's heels should be practiced as it is the goal for full, functional flexion. It is also used as the guideline for the patient, so the patients knows if he/she is overdoing it—losing the ability to sit on ones heels is an indicator that rest is needed until full, easy flexion returns.
- Step downs may be added to leg control exercises with emphasis on stimulating the patellar tendon graft harvest site through high frequency and high repetitions as tolerated (to be determined by ROM and swelling).
  - Unilateral step downs (Fig. 9-9)
  - Quarter squats (Fig. 9-8)
  - Knee extensions (Fig. 7-30)
  - Proximal core and hip strengthening
  - Calf Raises

Clinical Follow-up

- During routine follow-up visits the patient will work on:
  - Maintaining full terminal extension and achieving full flexion
  - Increasing lower extremity and core strength

● PHASE IV—7 TO 12 WEEKS AFTER SURGERY

Goals

- Full ROM including terminal extension
- Quadriceps tone continues to improve with noticeable quadriceps definition returning by this time
- Demonstrate 70% quadriceps strength
- Proprioceptive/agility specific program as appropriate

Testing

- Subjective questionnaire
- Bilateral ROM
- KT 1000 ligamentous stability testing
- The first isokinetic evaluation is performed 8 to 12 weeks following surgery (180 and 60 degrees per second)

Exercises

- Unilateral leg press
- Unilateral knee extensions (Fig. 7-30)

- Unilateral step-downs (Fig. 9-9)
- Lunges (Fig. 9-10)
- StairMaster, bicycle, or elliptical (Figs. 13-5 to 13-8)

Clinical Follow-up

- Patient will return to physical therapy weekly for strengthening progression.

● PHASE V—12 WEEKS AND ON AFTER SURGERY

Goals

- Maintain full ROM
- Continue progressive lower extremity and core strengthening
- Introduce agility and sport-specific drills as appropriate

Testing

- Subjective questionnaire
- Bilateral ROM
- KT 1000 ligamentous stability testing
- Isokinetic testing at 180 degrees per sec and 60 degrees per second
- Beginning with the 2-month follow-up visit: Single leg hop-patient is instructed to perform a single leg hop for distance with take-off and landing the same leg. A side-to-side percentage is calculated for comparison.

Exercises

- Maintain full ROM
- Continue strength and conditioning program and adjust per needs of sport

Agility

- Factors influencing the patient's return to controlled agility training and sport-specific activity include patient subjective rating, as well as isokinetic test scores
- Agility training and limited sports participation not only help the patient to regain fast speed strength but also help to restore confidence in getting back to aggressive athletic activities as tolerated in the program
  - Form running (short distance) (Fig. 12-8)
  - Backward running
  - Lateral slides and crossovers (Figs. 9-11, 10-14)
  - Practicing single leg hopping
  - Shooting baskets, dribbling soccer ball or other sport specific drills (Figs. 10-15 to 10-18, 16-1, 16-2) (Tables 15-3 to 15-8)

Return to Sport

• Return to full, nonrestricted practice and competitive activities as the patient progresses through this phase of the rehabilitation program. Return to practice routinely occurs around 4 months following ACL reconstruction.
• Patient, parents, and coaches must be educated to know when **and** how to modify situation according to subjective and objective findings of the knee.

Clinical Follow-up

• Patient returns for strength testing at 2 months, 4 months, 6 months postoperative with progression of sport activities based on strength testing results and physician examination.
• Patient may be asked to return at 9 months and 1 year postoperatively for reassessment, strength testing and KT 1000, and questionnaire completion if desired by his/her surgeon for research purposes.

TOTAL JOINT REPLACEMENTS

Gail C. Freidoff, PT, MAT, SCS, ATC

Total hip and knee surgeries can be quite successful. However, unless properly and fully rehabilitated, patients remain considerably weaker in the involved leg as compared to the uninvolved leg. Residual weakness can negatively impact the individual's entire spectrum of function from normal activities of daily living to athletic-like activities.

In order to ensure that the individual returns to a full active lifestyle a comprehensive rehabilitation program should include components of mobility, strength, proprioception, balance, endurance, and functional activities. This rehabilitation program is essential to reduce the risk of falling or developing other problems due to weakness or loss of balance and coordination. To prevent fractures that can occur from falling, recommendations include regular exercise for older adults. These exercise programs should focus on leg strength and improving balance.

Hospital stays for patients undergoing joint replacements are anywhere from 1 to 5 days with patients typically receiving physical therapy two times a day. Because of the short hospital stay, the primary focus of rehabilitation is geared toward helping the individual gain independence in low level functional activities; only a small amount of time for specific strengthening activities remains. Following the hospital stay, many patients are sent to a sub-acute or rehabilitation facility for more intense therapy. These individuals are admitted for 7 to 14 days during which the primary focus is improving strength and improving ease in functional activities. Other patients go home and

may have either home health or are referred to an outpatient clinic for further rehabilitation. If individuals fail to comply with their exercise program following their hospital discharge, residual weakness may persist. As a consequence, functional strength needed to perform activities at a more intense level may not develop. In order for a full recovery and return safely to the previous active lifestyle, the rehabilitation program must extend beyond the acute and sub-acute phases and the individual must realize that the exercise program should become part of an active lifestyle.

In the past, joint replacements were performed on older, less mobile individuals to alleviate pain related to activities of daily living such as household chores, stairs, and walking on uneven terrain. Most recently, a shift has occurred and joint replacements are now being performed on younger adults who want to resume active lifestyles which include sporting activities such as tennis, golf, skiing, biking, swimming, and hiking. Because of this trend, traditional rehabilitation programs are inadequate for these individuals. Rehabilitation must now be tailored to include an exercise program with activities that will help an individual achieve their functional goals and may include running, pivoting, cutting, and other athletic activities.

Rehabilitation programs for knee and hip joint replacements differ in several aspects depending on the actual procedure, the type of implant used, and the physician preference. Aspects of the programs that will vary include: what postoperative day the patient can begin rehabilitation following surgery, what functional activities are considered a focus, which movement patterns are contraindicated, and the frequency of supervised therapy. The activities included in the rehabilitation programs range from simply walking, driving, and performing personal care activities to functionally based exercise programs focuses on active lifestyle movements.

Generally speaking, rehabilitation programs need to address all aspects of the rehabilitation process—elimination of pain and edema, regaining range of motion (ROM) and muscle length, and developing adequate strength to perform functional activities safely. The program should follow a progression from basics to functional activities. Programs should start with passive ROM/active assisted ROM and stretching moving to active ROM and finally to closed kinetic chain and functional strengthening exercises. The strengthening program, starts at a low level using the weight of the limb, progresses to weights and resistance bands and ends with isotonic machines along with body weight. Exercises begin with straight-plane activities and end with multidirectional activities resembling functional activities.

When developing a rehabilitation program for any pathology, an exercise cookbook with all ingredients listed in the order they are to be added is not appropriate. Each patient brings his/her own unique medical conditions, personal situations, and personalities affecting the rehabilitation process and outcomes. Every surgeon has his/her own preference related to the procedures. The most important factor to consider is the physiology of healing. Therefore, these protocols are not designed to be used as a cookbook for exercise, rather, a smorgasbord of exercise from which the physical therapist selects the exercises at the appropriate time for each specific patient. These protocols are a guide for program development, not an all inclusive program.

Total Knee Replacement

Rehabilitation programs for patients with total knee replacements (TKR) and uni-compartmental knee replacements should first be directed toward management of pain and swelling. Although activities in the rehabilitation programs for both surgeries are similar, the major difference is the time frame of the healing response and therefore the rate of exercise progression. The following is a compilation of various exercise programs. The exercises listed are not all inclusive and may vary depending on the preference of the surgeon.

TKR and Uni-compartment Knee Replacements

● PHASE I—ACUTE CARE

Patients are generally hospitalized 23 hours to 5 days, generally 3 days or less for uni-compartmental knee replacements.

Precautions/restrictions—ROM within limits of pain, no driving, and no swimming until incision healed.

Goals

- 90-degree flexion and full active knee extension
- Less than 8 cm circumferential difference in edema
- Patellar mobility
- Straight leg raise (SLR) with no lag
- 3+/5 strength in lower extremity muscle groups
- Ambulation with assistive device, weight bearing as tolerated
- Independent in sit to stand activities

Testing

- Range of motion
- Circumferential measures
- Manual muscle testing
- Sit to stand

Exercises

- Joint mobilization for patellar mobility
- Self-patellar glides in all directions
- Scar mobilization
- Exercises
  1. Heel slides (Fig. 3-6)
  2. Seated hamstring stretches, IT band, quadriceps, iliopsoas (Figs. 5-7 to 5-10, 5-13 to 5-16)
  3. Quad sets, supine SLRs (Fig. 7-26)
  4. Seated hip flexion
  5. Standing terminal knee extension (TKE)/prone curls/TKE (Fig. 7-29)
  6. Bridges/prone SLR (Fig. 7-28)
  7. Side SLR (Fig. 7-27)
  8. Heel raises
- Functional activities
  1. Sit to stand
  2. Heel to toe walking
  3. Side stepping

● PHASE II—SUB-ACUTE

Home health, rehabilitation hospital, outpatient clinic—2 to 6 weeks

Precautions/restrictions—no pivoting, running, jumping

Goals

- Range of motion 0 to 115 flexion
- Minimal pain (4/10) with activity, no pain at rest
- Less than 4 cm circumferential difference secondary to swelling
- Within 4 cm of girth as compared with nonoperative extremity
- Full patellar mobility
- Strength 5/5 in all lower-extremity muscle groups
- Functional ambulation with no assistive devices on level surface
- Independent in transfers and stairs

Testing

- Range of motion
- Circumferential measures
- Manual muscle testing
- Sit to stand
- Ambulation assessment

Exercises

- Self-patellar glides in all directions (Fig. 4-27)
- Scar mobilization

- Exercises
  1. Heel slides (Fig. 3-6)
  2. Seated hamstring stretches, IT band, quadriceps, iliopsoas (Figs. 5-7 to 5-10, 5-13 to 5-16)
  3. Seated hip flexion
  4. Standing or supine SLR (Fig. 7-26)
  5. Prone curls
  6. Single leg bridges
  7. Theraband 4-way SLR both legs
  8. Single heel raises
  9. Pool activities is incision healed (Chapter 17)
  10. Stationary bike 15–30 minutes (Figs. 13-4, 13-5)
- Functional activities
  1. Treadmill/elliptical/stepper 15 minutes (Figs. 13-7, 13-8)
  2. Sit to stand
  3. Step up/down lateral and forward and back (Fig. 10-9)
  4. Balance activities (Figs. 11-11, 11-12)

● PHASE III—FUNCTIONAL STRENGTHENING PHASE

Outpatient clinic and/or gym for 6 to 12 weeks
    Precautions/Restrictions—no running or jumping

Goals

- Range of motion 0 to 120 or more, extension to flexion
- Minimal pain (2/10) with activity, no pain at rest
- No edema
- Within 2 cm of girth as compared with nonoperative extremity
- Strength 5/5 in all lower extremity muscle groups
- Functional ambulation with no deviations or assistive devices on all surfaces
- Independent in all activities—sit to stand, stairs, balance

Testing

- Range of motion
- Circumferential measures
- Manual muscle testing
- Functional assessment

Exercises

- Pool activities (Chapter 17)
- Stationary bike 30 minutes (Figs. 13-4, 13-5)
- Exercises
  1. Resisted 4-way (10#) SLR both legs (Figs. 7-26 to 7-29)
  2. Bridges single leg
  3. Theraband resisted hip flexion (Fig. 8-19)

  4. Heel raises, single leg
  5. Modified Pilates mat program
  6. Mini-lunges forward, back, side to side (Fig. 9-10)
- Functional activities
  1. Resisted walking—straight and diagonal
  2. Treadmill/elliptical/stepper (Figs. 13-7, 13-8)
  3. Step up/down/lateral with 4- to 8-inch step (Fig. 10-9)
  4. Modified balance disc activities (Figs. 11-17, 11-18)
  5. Foam balance activities incorporating plyometrics

● PHASE IV—RETURN TO FULL ACTIVE LIFESTYLE

Outpatient clinic 12 to 20 weeks if patient is planning to return to a sport.
    Precautions/Restrictions—no running or jumping, activities within limits of pain

Goals

- Minimal pain (2/10) with activity, no pain at rest
- Equal girth
- Resumption of complete active lifestyle including walking, swimming, biking, tennis, skiing, golf

Testing

- Circumferential measures
- Functional assessment

Exercises

- Pool activities (Chapter 17)
- Stationary bike 30 minutes (Figs. 13-4, 13-5)
- Exercises
  1. Functional lunges forward, back, side to side (Fig. 9-10)
  2. Balance activities—plyometrics (Figs. 11-14 to 11-16)
  3. Sit to stand with weights
  4. Ladder drills in all directions

TOTAL HIP REPLACEMENT AND HIP RESURFACING (BIRMINGHAM HIP)

Gail C. Freidoff, PT, MAT, SCS, ATC

Total hip procedures (THR) are more restrictive than for patients with TKRs. Stability of the hip joint is provided by the musculature, ligaments, and capsule. The surgical procedure necessitates the dissection of supporting soft tissues which increased the risk of postoperative dislocation. While variations exist in the rehabilitation program based on the surgical approach (anterior vs. posterior), technique (full THR or Birmingham hip resurfacing), fixation method (cement or non-cemented), general consistencies following the initial phases of rehabilitation exist.

The anterior approach has become popular more recently due to the decreased tissue disruption and the decreased risk of dislocation. However, the patient cannot lie prone for at least 6 weeks. With the posterior approach, the hip rotator muscles are recessed and the gluteus medius is moved so arthritic bone can be removed and the prosthesis inserted. Due to this, caution must be exercised with flexion, adduction, and internal rotation to prevent a posterior dislocation. The most prevalent anecdotal reports with resurfacing are the development of hip flexor tendinitis.

● PHASE I—ACUTE

Patients are generally hospitalized from surgery to 5 days, generally 3 days or less for hip resurfacing. Precautions/restrictions—highly variable dependent on MD preference, surgical approach, patient compliance, and hip strength prior to surgery.

Common: no swimming until incision healed, no driving for 6 weeks, knee immobilizer until quadriceps strong enough to support, no sleeping on operative side, no adduction or internal rotation.

Specific: anterior lateral incision—avoid extension and external rotation; no sleeping on stomach for 6+weeks. Posterior lateral incision—avoid internal rotation, adduction and flexion over 70 degrees.

Weight bearing: cemented/Birmingham—weight bearing as tolerated; un-cemented—toe touch weight bearing for 6 to 12 weeks depending on MD.

Goals

- THR—70-degree flexion; Birmingham resurfacing—90-degree + flexion
- 6/10 pain following exercise, 3/10 at rest
- Good quad set, full patellar movement
- 3+/5 strength in lower extremity muscle groups
- Ambulation with good control with assistive device and minimal deviations
- Independent in sit to stand activities—bed, chair, toilet; stairs 1 foot at a time

Testing

- Range of motion
- Manual muscle testing
- Sit to stand and other functional assessments

Exercises

- Exercises
  1. Heel slides (Fig. 3-6)

2. Seated hamstring stretches, IT band, quadriceps, iliopsoas (Figs. 5-7 to 5-10, 5-13 to 5-16)
  3. Quad sets, supine SLRs if OK'd by MD (Fig. 7-26)
  4. Hamstring sets
  5. Bridges
  6. Side SLR (Fig. 7-27)
  7. Heel raises if weight bearing
- Functional activities
  1. Sit to stand
  2. Heel to toe walking
  3. Side stepping
  4. Single leg squats nonoperative leg

● PHASE II—SUB-ACUTE

Home health, rehab hospital, and/or out-patient clinic—day 5 to 6 weeks.

Precautions/restrictions—highly variable dependent on MD preference, surgical approach, patient compliance, and hip strength prior to surgery.

Common: no swimming until incision healed, no driving for 6 weeks, knee immobilizer until quadriceps strong enough to support, no sleeping on operative side.

Specific: anterior approach—no sleeping on stomach

Weight bearing: cemented/Birmingham—weight bearing as tolerated; un-cemented—toe touch weight bearing

Goals

- THR—80-degree flexion; Birmingham resurfacing—105-degree + flexion
- 4/10 pain following exercise, 0/10 at rest
- Good quad set, no lag with SLR
- 4/5 strength in lower-extremity muscle groups
- Ambulation with good control—THR cemented/Birmingham, no assistive device and minimal deviations; THR non-non cemented, No deviations with assistive device
- Functional independence

Testing

- Range of motion
- Manual muscle testing
- Sit to stand and other functional assessments

Exercises

- Exercises
  1. Heel slides (Fig. 3-6)
  2. Seated hamstring stretches, IT band, quadriceps, iliopsoas (Figs. 5-7 to 5-10, 5-13 to 5-16)
  3. Quad sets/LAQ/SAQ, SLR if okay by MD (Fig. 7-9, 7-26)

4. Hamstrings set
5. Bridges
6. Side SLR (Fig. 7-27)
7. Heel raises if weight bearing
- Functional activities
  1. Sit to stand
  2. 8 inch forward step up and down (Figs. 9-9, 12-1)

● PHASE III—FUNCTIONAL STRENGTHENING

Outpatient clinic/home/gym—6 to 12 weeks

Precautions/restrictions—highly variable dependent on MD preference, surgical approach, patient compliance, OK to drive at 6 weeks if left leg, 10 weeks if right leg, OK to sleep on stomach or operative side at 6 weeks.

Weight bearing: cemented/Birmingham—full weight bearing; un-cemented—toe touch weight bearing to partial weight bearing at 6 weeks progressing to full weight bearing as tolerated.

Goals

- 110-degree + flexion
- 2/10 pain following exercise, 0/10 at rest
- 5/5 strength in lower extremity muscle groups
- Ambulation with good control weight bearing as tolerated
- Functional independence

Testing

- Range of motion
- Manual muscle testing
- Sit to stand and other functional assessments

Exercises

- Exercises
  - SLR with weights (Figs. 7-26 to 7-29)
  - Mini lunges forward, backward, side (Fig. 9-10)
  - Mini squats, resisted sit to stand (Figs. 9-8, Fig. 12-9)
  - Theraband 4-way kicks (Fig. 8-19)
  - Heel raises

- Functional activities
  - Resisted walking forward, backward, side
  - Heel to toe walking
  - Side stepping
  - Treadmill/elliptical
  - Harvard step (4 to 8 inches) (Fig. 11-22)
  - Lateral step up/down
  - Single leg balance (Figs. 11-11 to 11-13)

● PHASE IV—RETURN TO FULL ACTIVE LIFESTYLE

Outpatient clinic/home/gym—13 weeks on—Use only if returning to a sport

Precautions/restrictions—No running or jumping

Goals

- 110-degree + flexion
- 2/10 pain following exercise, 0/10 at rest
- Functional independence

Testing

- Range of motion
- Manual muscle testing
- Sit to stand and other functional assessments

Exercises

- Exercises
- Stationary bike (Figs. 13-4, 13-8)
- Functional activities
  1. Dynamic warm-up
  2. Resisted walking forward, back, side, weave
  3. Sit to stand with weights and balance work (Figs. 12-9 to 12-12)
  4. Ladder drills
  5. Lateral step overs
  6. Lateral step up/down (Fig. 11-22)
  7. Single leg balance (Figs. 11-14 to 11-18)
  8. Treadmill/elliptical

A

Active-assistive range of motion (AAROM): An exercise in which an external force assists specific muscles and joints to move through their available excursion. AAROM exercises are used when the patient has difficulty moving or when tissue forces need to be reduced.

Active range of motion (AROM): Amount of joint motion produced by voluntary muscle contraction.

Adenosine triphosphate (ATP): Present in all cells, it is formed when energy is released from food molecules during cell respiration.

Aerobic capacity: Ability to perform work or participate in activities over time using the body's oxygen uptake, delivery, and energy release mechanisms.

Aerobic conditioning: Performance of therapeutic exercise and activities to increase endurance.

Agility: Ease of movement; quickness.

Agonist: Muscle directly engaged in contraction as distinguished from muscles that have to relax at the same time; thus, in bending the elbow, the biceps brachii is the agonist and the triceps is the antagonist.

Airway clearance technique: Group of therapeutic activities intended to manage or prevent the consequences of impaired mucociliary transport or the inability to protect the airway (e.g., impaired cough).

Angina pectoris: Oppressive pain or pressure in the chest caused by inadequate blood flow and oxygenation to heart muscle; the single most important cause of disease and death in Western societies.

Antagonist: Muscle that opposes the action of the prime mover and produces a smooth movement by balancing the opposite forces.

Aquatic therapy: Exercises performed in water or underwater for conditioning or rehabilitation (e.g., injured athletes or patients with joint diseases).

Arteriosclerosis: Disease of the arterial vessels marked by thickening, hardening, and loss of elasticity in the arterial walls.

Arthrokinematic: Accessory or joint play movements of a joint that cannot be performed voluntarily and that are defined by the structure and shape of the joint surfaces, without regard to the forces producing motion or resulting from motion.

Asthma: Disease caused by increased responsiveness of the tracheobronchial tree to various stimuli, which results in episodic narrowing and inflammation of the airways.

Atelectasis: A collapsed or airless condition of the lung.

Atherosclerosis: Most common form of arteriosclerosis, marked by cholesterol-lipid-calcium deposits in the walls of arteries.

ATP-PC system: This system uses a molecule called phosphocreatine to produce energy very quickly and without the use of oxygen; very small stores of this substance exist in the body so this system can be used only for short-duration (about 15 seconds), high-intensity events such as sprinting.

Atrophy: Wasting; decrease in the size of an organ or tissue.

Auscultation: Act of listening to internal body sounds (e.g., heart, lungs).

Autogenic inhibition: Inhibitory signals (from Golgi tendon organs) override excitatory impulses (from muscles spindles), causing gradual relaxation.

Automatic postural reactions (APR): Highly stereotyped patterns of electromyographic activity in various muscles triggered in response to sudden disturbances of balance. It is thought that somatosensory, vestibular, and visual inputs are integrated for assessing postural equilibrium.

B

Balance: Ability to maintain the body in equilibrium with gravity both statically (i.e., while stationary) and dynamically (i.e., while moving).

Ballistic stretching: Using the momentum of a moving body or a limb in an attempt to force it beyond its normal range of motion.

Base of support: Area in which a human body can maintain its upright balance without falling/losing balance.

Body mechanics: Interrelationships of the muscles and joints as they maintain or adjust posture in response to forces placed on or generated by the body.

Buoyancy: Upward force generated by the volume of water displaced by a body fully or partially immersed in a fluid.

C

Cardiac output: Amount of blood discharged from the left or right ventricle per minute.

Cardiac rehabilitation: Customized program of exercise and education aimed at improving fitness and quality of life by attempting to regain strength, prevent conditions from worsening, and reducing the risk of future heart problems.

Center of gravity (COG): Point around which every particle of a body's mass is equally distributed. COG is located at the sacral promontory, anterior to S2 (posterior superior iliac spine), at 55% of body height in a human body.

Chronic bronchitis: Inflammation of the mucous membranes of the bronchial airways, marked by increased mucous secretion by the tracheobronchial tree and the presence of a productive cough for at least 3 months in 2 consecutive years.

Chronic obstructive pulmonary disease (COPD): Common disorder characterized by progressive expiratory flow obstruction, dyspnea on exertion, and some degree of reversible airway hyper-reactivity.

Clients: Individuals who engage the services of a physical therapist and who can benefit from the physical therapist's and physical therapist assistant's consultation, interventions, professional advice, health promotion, fitness, wellness, or prevention services.

Closed-kinetic–chain (CKC) exercises: Exercises performed when the distal end is fixed and cannot move. The distal end remains in constant contact with the surface, usually the ground or base of a machine. These exercises are typically weight-bearing exercises during which athletes or patients use their own body weight and/or external weight.

Closed-pack position: Position in which two joint surfaces fit together precisely; they are fully congruent.

The joint surfaces are tightly compressed; the ligaments and capsule of the joint are maximally tight; and the joint surfaces cannot be separated by distractive forces.

Community-dwelling: Living in a personal residence; alone or with others; functioning independently or with occasional assistance.

Conditioning: Improvement of physical and mental capacity with a program of exercises or course of training.

Contextual fitness: Capacity to manage the physical demands of a task in the specific performance environment in which the task is performed.

Contextual function: Person's ability to physically perform activities in the home, community, or work; to plan basic and higher-level tasks within the context of the specific environment.

Continuous passive motion (CPM): Use of a device that allows a joint (e.g., the knee) to be exercised without the involvement of the patient/client, often in the early postoperative period.

Coordination: Working together of various muscles to produce certain movements. Coordinated movement requires sequencing of muscle activity and stability of proximal musculature.

Core strength endurance: Capacity to meet the daily strength demands of the trunk.

Criterion-based intervention: Intervention procedures performed based upon set criteria established from proven practices.

Cross-training: Use of one or more sports to train for another. For example, training in both cycling and running strengthens all of the leg muscle groups and makes them less vulnerable to injury.

Cultural competence: Set of skills necessary to understand and respond effectively to the cultural needs of each patient/client to eliminate disparities in the health status of people of diverse cultural backgrounds.

Culture: Shared attitudes, beliefs, customs, entertainment, ideas, language, laws, learning, and moral conduct.

Cystic fibrosis: Potentially fatal autosomal-recessive disease that manifests itself in multiple body systems including the lungs, pancreas, urogenital system, skeleton, and skin. It causes chronic obstructive pulmonary disease and frequent lung infections.

D

Delayed-onset muscle soreness (DOMS): Muscle tenderness, decreased strength, and decreased range of motion that develops 12 to 24 hours following strenuous exercise and peaks in intensity between 24 and 48 hours, although symptoms may persist for 72 hours or more.

Diagnosis: Process that includes the physical therapist integrating and evaluating the data that are obtained during an examination to describe the patient/client condition in terms that will guide the prognosis, plan of care, and intervention strategy.

Disability: Inability to perform or limitation in the performance of actions, tasks, and activities usually expected in specific social roles that are customary for the individual or expected for the person's status or role in a specific sociocultural context and physical environment.

E

Ejection fraction: Percentage of the blood emptied from the ventricle during systole.

Emphysema: Chronic pulmonary disease marked by an abnormal increase in the size of air spaces distal to the terminal bronchiole, with destruction of the alveolar walls.

Ergometer: Apparatus for measuring the amount of work done by a human or animal subject.

Evaluation: Dynamic process in which the physical therapist makes clinical judgments on the basis of the data gathered during an examination.

Examination: Comprehensive screening and specific testing process leading to diagnostic classification or, as appropriate, to a referral to another practitioner. The examination has three components: patient/client history, systems review, and tests and measures.

Exercise prescription: Exercise schedule usually intended to increase the physical fitness of a previously sedentary individual who has recently had a serious illness such as myocardial infarction or who is physically fit and wants to know the amount, frequency, and kind of exercise necessary to maintain fitness.

Expiratory reserve volume: Maximum volume of gas that can be expired after a normal tidal expiration.

F

Fitness: Dynamic physical state—comprising cardiovascular/pulmonary endurance; muscle strength, power, endurance, and flexibility; relaxation and body composition—that allows optimal and efficient performance of daily and leisure activities.

Flexibility: Pliability of a portion of the body that is determined by joint integrity, soft-tissue extensibility, and muscle length.

Functional fitness: Capacity to manage physical demands of the environment without fatigue.

Functional limitation: Restriction of the ability to perform at the level of the whole person, physical action, task, or activity in an efficient, typically expected, or competent manner.

Functional progression: Planned sequence of activities designed to progressively stress the injured patient in a controlled environment to return him or her to as high a level of activity as possible.

Functional residual capacity: Volume of gas in the lungs at the end of normal expiration.

G

Glycolytic system: Metabolic breakdown of glucose and other sugars that releases energy in the form of ATP. This system eventually produces a substance called pyruvic acid and contributes a small amount of energy. The entire process can take place without the presence of oxygen.

Goals: Intended results of patient/client management. Goals indicate changes in impairment, functional limitations, and disabilities, and changes in health, wellness, and fitness needs that are expected as a result of implementing the plan of care.

Golgi tendon organ (GTO): Spindle-shaped structure at the junction of a muscle and a tendon. This structure is thought to function as a feedback system that senses muscle tension through tendon stretch and inhibits muscle contraction of the antagonist muscle. The purpose of this mechanism, known as autogenic inhibition, is to prevent overuse and damage to the muscle and corresponding joint.

Graded exercise test (GXT): Test that evaluates an electrocardiogram under conditions that exceed resting requirements in defined, progressive increments designed to increase myocardial workload. The GXT also objectifies the functional capacity of patients with known disease and evaluates progress after surgery or other therapeutic interventions.

H

Hydrostatic pressure: Pressure exerted by a fluid in all directions and equally on all surface areas of an immersed body at rest at a given depth.

Hypertrophy: Increase in the size of an organ or structure, or of the body, due to growth rather than tumor formation.

I

Impairment: Loss or abnormality of anatomic, physiologic, mental, or psychological structure or function.

Inspiratory capacity: Maximum volume of gas that can be inspired after a normal expiration.

Inspiratory reserve volume: Maximum volume of gas that can be inspired from the peak of a tidal volume.

Intervention: Purposeful interaction of the physical therapist with the patient/client and, when appropriate, the physical therapist assistant using various physical therapy procedures and techniques to produce changes in the condition.

Isokinetic exercise: Exercise, usually using a specially designed machine, which controls the velocity of muscle shortening or lengthening so that the force generated by the muscle is maximal through the full range of motion.

Isometric contraction: Muscular contraction in which the muscle increases tension but does not change its length; also called a static muscle contraction.

Isotonic contraction: Muscular contraction in which the muscle maintains constant tension by changing its length during the action.

K

Kinesthesia: Awareness of movement.

M

Manual therapy: Skilled hand movements intended to improve tissue extensibility; increase range of motion; induce relaxation; mobilize or manipulate soft tissue and joints; modulate pain; and reduce soft-tissue swelling, inflammation, or restriction.

Motor control: Ability of the central nervous system to control or direct the neuromotor system in purposeful movement and postural adjustment by selective allocation of muscle tension across appropriate joint segments.

Motor unit: Motor neuron and all the muscle cells it innervates.

Muscle endurance: Ability to sustain forces repeatedly or to generate forces over a period of time.

Muscle length: Maximum extensibility of a muscle-tendon unit.

Muscle spindle: Specialized sensory fiber within the muscle that is sensitive to changes in the length of the muscle.

Myocardial infarction: Loss of living heart muscle as a result of coronary artery occlusion.

O

Open-kinetic–chain exercises: Exercises typically performed when the distal end is free to move. These exercises are typically nonweight bearing, with the movement occurring at a joint. If there is any weight applied, it is applied to the distal portion of the limb.

Osteokinematics: Gross angular motions of the shafts of bones in sagittal, frontal, and transverse planes.

Overload: Planned, systematic, and progressive increase in training with the goal of improving performance.

Oxidative system: System that picks up when the glycolytic system leaves off. When the body can supply a sufficient amount of oxygen to its working muscles, most of the pyruvic acid produced during glycolysis enters a series of reactions called the Krebs cycle. This cycle produces 90% of the energy needed to sustain medium- to long-term exercise.

P

$Paco_2$: Partial pressure of carbon dioxide in arterial blood.

Pain: Disturbed sensation that causes suffering or distress.

Palpation: Examination using the hands (e.g., palpation of muscle spasm, palpation of the thoracic cage).

Pao₂: Partial pressure of oxygen in arterial blood.

Pascal's law: Pressure in a liquid increases with depth and is directly related to the density of the fluid.

Passive range of motion: Exercise in which an external force moves a joint through its excursion without any effort by the patient. It is used when the patient is unable to move or when active motion is prohibited.

Patient/client-related instruction: Process of informing, educating, or training patients/clients, families, significant others, and caregivers with the intent to promote and optimize physical therapy services.

Patients: Individuals who are the recipients of physical therapy examination, evaluation, diagnosis, prognosis, and intervention and who have a disease, disorder, condition, impairment, functional limitation, or disability.

Percussion (treatment): Procedure used with pulmonary postural drainage to loosen secretions from the bronchial walls. The therapist uses slightly cupped hands to percuss the chest wall.

Performance environment: Community, home, work, and recreational areas in which the patient/client interacts on a regular basis.

Periodization: Process of varying a training program at regular time intervals to bring about optimal gains in physical performance.

Phosphocreatine: Compound found in muscle that is important as an energy source, yielding phosphate and creatine and releasing energy that is used to synthesize ATP.

Physical activity readiness questionnaire (PARQ): Series of questions that is designed to assist individuals aged 15 to 69 in determining whether they should see their doctor before increasing physical activity or exercise.

Physical agents: Broad group of procedures using various forms of energy that are applied to tissues in a systematic manner intended to increase connective tissue extensibility; increase the healing rate of open wounds and soft tissue; modulate pain; reduce or eliminate soft-tissue swelling, inflammation, or restriction associated with musculoskeletal injury or circulatory dysfunction; remodel scar tissue; or treat skin conditions. These agents may include thermal, cryotherapy, hydrotherapy, light, sound, and thermotherapy agents.

Physical therapist (PT): Person who is a graduate of an accredited physical therapist education program and is licensed to practice physical therapy. Synonymous with physiotherapist.

Physical therapist assistant (PTA): Technically educated healthcare provider who assists the physical therapist in the provision of selected physical therapy interventions. The physical therapist assistant is the only individual who provides selected physical therapy interventions under the direction and supervision of a physical therapist.

Plan of care: Statements that specify the anticipated goals and expected outcomes, predicted level of optimal improvement, specific interventions to be used, and proposed duration and frequency of the interventions that are required to reach the goals and outcomes.

Plyometrics: Stretching and shortening exercise technique that combines strength with speed to achieve maximum power in functional movements. This regimen combines eccentric training of muscles with concentric contraction.

Posture: Alignment and positioning of the body in relation to gravity, center of mass, and base of support.

Power: Work produced per unit of time or the product of strength and speed.

Prognosis: Determination of the predicted optimal level of improvement in function and the amount of time needed to reach that level.

Progressive resistance exercise (PRE): Consists of increasing the number of repetitions at a constant load until exceeding an established repetition range.

Proprioception: Reception of stimuli from within the body (e.g., from muscles and tendons); includes position sense (awareness of joint position) and kinesthesia (awareness of movement).

Proprioceptive neuromuscular facilitation (PNF): Approach to therapeutic exercise directed at increasing joint range of motion and regaining function by using spiraling diagonal patterns of movement.

Pulmonary postural drainage: Placing the body in a position that uses gravity to drain fluid from segments of the lungs.

Pulse oximeter: Electronic device that selectively measures oxygen saturation of "pulsed" (arterial) blood.

R

Range of motion (ROM): Arc through which movement occurs at a joint or a series of joints.

Rate of perceived exertion (RPE): Category ratio scale, in which a patient reports his or her level of effort during exercise. The corresponding written descriptions range from "very light" to "very, very hard."

Reactive neuromuscular training (RNT): Specialized training program designed to reestablish neuromuscular control after injury. This training program manipulates the environment to facilitate an appropriate response in the patient, making use of balance and proprioception.

Reciprocal inhibition: When an agonist muscle contracts, the antagonists are inhibited from contracting to cause the desired motion.

Refraction: Bending of a light ray as it passes from one medium to another medium of different density.

Relative density/specific gravity: Ratio of the mass of a given volume of a substance to the mass of the same volume of water.

Residual volume: Volume of gas remaining in the lungs after forced expiration.

Rhythmic initiation: Proprioceptive neuromuscular facilitation technique using a progression of initial passive, active-assistive, and active range of motion through the agonist pattern.

Rhythmic stabilization: Proprioceptive neuromuscular facilitation technique using an integrated function of neuromuscular systems requiring muscles to contract and fixate the body against fluctuating outside forces, providing postural support with fine adjustments in muscle tension.

S

SAID principle (specific adaptations to imposed demand): Principle which explains that a certain exercise or type of training produces adaptations specific to the activity performed and only in the muscles (and energy systems) that are stressed by the activity.

Slow reversal: Proprioceptive neuromuscular facilitation technique using an isotonic contraction of the agonist followed immediately by an isotonic contraction of the antagonist.

Specific gravity: Weight of a substance compared with the weight of an equal volume of water. For solid and liquid materials, water is used as a standard and is considered to have a specific gravity of 1.000.

Specificity of training: Adaptations in metabolic and physiologic functions that depend upon the type of overload imposed. Specific exercise elicits specific adaptations creating specific training effects.

Static stretching: Sustained, low-intensity lengthening of soft tissue (e.g., muscle, tendon, or joint capsule) performed to increase range of motion. The stretch force may be applied continuously for as short as 15 to 30 seconds or as long as several hours.

Strength: Muscle force exerted by a muscle or a group of muscles to overcome a resistance under a specific set of circumstances.

Strengthening: Process of making stronger; any form of active exercise in which a dynamic or static muscular contraction is resisted by an outside force. The external force may be applied manually or mechanically.

Stroke volume: Amount of blood ejected by the left ventricle at each heartbeat.

T

Therapeutic exercise: Systemic performance or execution of planned physical movements, postures, or activities intended to enable the patient/client to remediate or prevent impairments, enhance function, reduce risk, optimize overall health, and enhance fitness and well-being.

Tidal volume: Volume of gas inspired or expired during each respiratory cycle.

Treatment: Sum of all interventions provided by the physical therapist and physical therapist assistant to a patient/client during an episode of care.

Total lung capacity: Amount of gas in the respiratory system after maximal inspiration.

V

Vibration: Therapeutic shaking of the body used with pulmonary postural drainage to loosen secretions from the bronchial walls.

Vital capacity: Maximum volume of gas that can be expelled from the lungs after a maximal inspiration.

$\dot{V}O_{2max}$: Maximum ventilatory oxygen extraction; a measure of the exercise capacity of a patient.

CCS0812